續資治通鑑

中华传世藏书

［清］毕　沅◎著

线装书局

续资治通鉴卷第二十三

【原文】

宋纪二十三　起玄黓摄提格【壬寅】正月，尽昭阳单阏【癸卯】六月，凡一年有奇。

真宗膺符稽古神功让德　文明武定章圣元孝皇帝

咸平五年　辽统和二十年【壬寅，1002】　春，正月，庚子，辽主如延芳淀。

壬寅，帝谒启圣院太宗神御殿。初，太祖、太宗每岁上元幸佛寺，然后御楼观灯。帝自毕谅阴，以启圣院太宗降诞之地，圣容在焉，前期往拜，至望夕乃幸它寺，遂为制。

甲辰，以右仆射张齐贤为邠、宁、环、庆、泾、原、仪、渭、镇戎军经略使，判邠州，令环庆、泾原两路及永兴军驻泊兵并受齐贤节度。专为经略使自此始。

初，庆州发兵护刍粮诣灵州，殿中丞郑文宝，素知西边山川险易，上言必为继迁所败。已而转运使陈纬果没于贼，贼进陷清远军。文宝时居母丧，即命相府召文宝，询其策略；文宝因献《河西陇右图》，且言灵州可弃。于是遣王超西讨。丁未，诏起复文宝为工部员外郎，同句当陕西随军转运使事。

戊申，以吏部郎中田锡权句当通进、银台司兼门下封驳事。锡再掌银台，每览天下章疏，有言民饥盗起及诏敕不便者，悉条奏其事，帝对宰臣称锡为得争臣之体。

辛酉，女真宰相伊勒希达入贡于辽。

壬戌，环庆部署张凝袭诸蕃，焚族帐二百馀，斩首五千级，降九百馀人。

癸亥，改命张齐贤判永兴军府兼马步军部署，罢经略使之职。

帝谓宰相吕蒙正等曰："朕每遇将臣，未尝不与细论利害，然未有能出奇策者。今已复春时，汲汲经营，将来犹虑不及。中书、枢密院可各述所见，具今岁防边宜如何制置，条列以闻。"

丙寅，田锡言："霸州、乾宁军死伤人户，又，莫州奏饿杀一十六口，沧州奏全家饿死一十七口。陛下为民父母，使百姓饿死，乃是陛下孤负百姓。宰相调燮阴阳，启导圣德，而惠泽不下流，乃是宰相孤负陛下。昔伊尹作相，耻一夫不获。今饿死人如此，所谓'焉用彼相'。若不别进用贤臣，臣恐危乱之萌，不独在边防而在内地也。"

以丁谓为夔州路转运副使。

初，王均叛，朝廷调施、黔、高、溪州蛮子弟以捍贼，既而熟山川道路，反入为寇，攻州县，掠民男女入溪洞，久不能定。诏以谓为转运使，委之经制。至则命罢兵，自入溪洞，每渡水，辄减从吏卒，比至巢，自从者不过三二人。蛮人服其恩信，皆大喜，其首领田彦伊以下遂出迎谒，以牛酒劳谓。谓留，与之饮食，欢甚，喻以祸福，且言赦不杀，彦伊等感泣，愿世奉贡。谓要与俱至夔州，每渡水，亦使之减所从蛮人，如谓入时。及馆，谓与之锦袍、银帛有差，盛具燕之，蛮酋皆大悦。比数日，请归，不许，而遇之益厚。问使人谓之曰："公欲得所掠汉民男女，若等诚能自请归之，公必喜，遣若去矣。"蛮酋乃请归所掠汉民男女，谓与之约，每归一人，与绢一匹，于是凡得万馀人。及归，又自临送之，蛮酋皆感泣辞诀，乃作誓刻石柱，立境上。

谓度峡内至荆南，宜备蛮险厄之地，悉置寨，籍居人使自守，有事则皆会御贼，无事则散归田里，留守望者数人而已。又以忠、万等州兵食不能自给，乃置忠、万等州营于夔州，使其军就食，有事则归于其州。峡之诸州，施尤近蛮，食尝不足而道狭难馈，有盐井之利而亦难致，故售者少。谓乃度巫山县，每三十里置铺，铺置卒三十人，使往者负粟以次达施州，迓者负盐以次达巫山。凡商人之得盐巫山者，比得之它州减劳费半，乃令欲巫山盐者，皆入粟于施州，于是施州得粟与它州等。诏特迁谓户部员外郎。

时溪蛮别种有入寇者，谓遣彦伊等帅其徒讨击，且出兵援之，凡擒生蛮八百六十，得所掠汉口四百馀。复上言："黔南蛮族多善马，请置馆犒给缗帛，岁收市之。"凡谓所经画，其后皆不能变。

二月，（广）京城衢巷狭隘，诏右侍禁、阁门祗候谢德权督〔广〕之。德权既受诏，先撤贵要邸舍，群议纷然。有诏止之，德权面请曰："今沮事者皆权豪辈，吝僦屋资耳，非有它也。臣死不敢奉诏。"帝不得已从之。德权因条上衢巷广袤及禁鼓昏晓，皆复长安旧制。乃诏开封府街司约远近置籍立表，令民自今无复侵占。

癸酉，诏曰："比司筦廪者多收羡馀以为课绩，盖出纳之际，有所重轻，此可责而不可奖也。宜令有司严加戒励，无使复然。"三司言衣库副使焦守节监香药榷易院，岁增入十馀万，当迁阁门副使。帝谓辅臣曰："守节缘财利羡馀而迁横行，何以劝边陲效命者！"止以为宫苑副使。

孙全照至绥州，言筑城非便，朝论亦多异同。丁丑，诏知天雄军钱若水与并代钤辖陈兴乘传详度之。

女真遣其子朝于辽。

乙酉，诏："边士疾病战没者，冬春衣听给其家。"

己丑，以王汉忠为邠宁、环庆路都部署，李允正为钤辖。

三月，李继迁大集蕃部攻陷灵州，知州、内客省使、顺州团练使裴济死之。济在灵州凡二年，谋缉八镇，兴屯田之利，民甚赖焉。及被围，饷道断绝，济刺指血染奏求救，大军讫不至，城遂陷。继迁以州为西平府，寻居之。戊申，事闻，宰相等上表待罪，诏慰谕之。

己酉，以王超为永兴军驻泊都部署，石普副之；徙康继英为庆州驻泊钤辖，与西南沿边迭为应援；秦翰为环庆、泾原两路钤辖，与王汉忠、李允正同其事，备继迁之侵轶也。

甲寅，辽遣北府宰相萧继远等率师南下。

己未，亲试礼部举人，得进士益都王曾以下三十八人，《九经》诸科百八十一人，并赐及第。

先是命吏部侍郎陈恕知贡举，恕所取士甚少，以王曾为首。及是糊名考校，曾复得甲科。恕叹曰："曾，名世才也，吾得曾，不愧知人矣。"或谓曾曰："状元一生吃著不尽。"曾正色答曰："平生之志，不在温饱！"

壬戌，辽主如鸳鸯泺。

夏，四月，丙寅朔，辽文班太保达哩斯与南军战于梁门，旋遣南京统军使萧达兰攻(秦)〔泰〕州，先后告捷，未几，引还。

钱若水上言："绥州自赐赵保忠以来，户口凋残，今欲复城之，用工计百馀万，又须广屯戍兵，倍于曩日。刍粮之给，全仰河东，其地隔越黄河及大、小铁碣二山，又城下有无定河，缓急用师，输送艰阻。且其地无险，若修葺未备，蕃寇奔冲，则难于固守。况此州城邑焚毁，无尺椽片瓦，所过山林，材木匮乏，乞罢其役。"若水复诣阙面陈其事，帝甚嘉纳。初，若水率众过河，分布军伍，咸有节制，深为戍将所伏。帝知之，谓左右曰："若水儒臣中知兵者也。"

壬申，诏："陕西民挽送缘边刍粮者，赐租之半。"

癸酉，命田锡以本官兼侍御史知杂事，仍遣中使谕旨曰："知杂之任，朝廷甚难其人，故以命卿。仍不妨徐徐撰述，或有所见，即具奏闻。"

命北边经度方田以限敌骑。

田锡请命"审官院检前后中书札子，应三院御史二十一人，中曾有贪猥过犯者，不得令在宪秩，可改授它官；其有清严勤干者，不得令在外官，诏归本职"。

五月，庚子，减河北冗官。

癸卯，置宪州。

代州进士李光辅，善击剑，诣阙，帝曰："若奖用之，民悉好剑矣。"遣还。

乙巳，判三司催欠司杨覃上蠲放天下逋欠计八百万，请付史馆；从之。

丙午，以王显为河阳三城节度使。

庚戌，指挥使马翰请缉捕在京群贼。帝谓辅臣曰："朕尹京日，闻翰以缉贼为名，乃有三害：都市豪民惧其纠察，常厚赂之，一也；每获贼赃，量以当死之数送官，馀悉入己，二也；常蓄无赖十馀辈，侦察扰人，三也。顾其事未彰败，不欲去之。自今捕贼止委开封府，勿使翰复预其事。"

是月，选河南民丁为兵。西北边屡请益兵，辅臣请以河北强壮充选，帝曰："初置强壮，尝谕以永不充军。"吕蒙正曰："阙兵非取于民，不可得也。"乃于河南籍丁壮为之。侍御史知杂田锡上言："点集乡兵，人情不安，实伤和气。"

六月，以陈若拙为工部郎中，知处州。若拙自京东转运使被召，时三司使缺，若拙自谓得之，及至，授刑部郎中，知潭州。若拙大失望，因对，固辞，且言尝任三司判官及转运使，今守湖外，反类责降；又言父母年老，不愿远适。帝曰："潭州大藩，朕为方面择人，所委不在转运使下。辅相旧臣，固亦有出典大藩者。"若拙恳请不已，乃追新受告敕而有此命。

帝谓宰臣曰："士大夫操修，必须名实相副。颇闻若拙有能干，特迁秩委以大藩，而贪进择禄如此，固当谴降。朕之用人，岂以亲疏为间，苟能尽瘁奉公，有所植立，何患名位之不至也！"

癸酉，李继迁复以二万骑进围麟州；诏发并、代、石、隰州兵援之。

(己)〔乙〕亥，以王超为定州路驻泊行营都部署，王继忠副之，入内都知韩守英为钤辖。

己卯，以知枢密院事周莹为永清军节度使，充高阳关都部署。

(己)〔乙〕酉，诏益兵八千分屯环庆、泾原。

李继迁率众二万攻麟州，四面负板薄城者五日。知州、阁门祇候卫居实，屡出奇兵突战，

及募勇士缒城潜往击贼，贼皆披靡，自相蹂践，杀伤万馀人。丁丑，继迁拔寨遁去。

帝对辅臣于便殿，出《河北东路地图》，指山川要害曰："契丹入钞，滨、棣之民颇失农业。今冬若再来，朕必过邢、洺之北，驱逐出境，以安生聚。"吕蒙正等咸请精选将帅，责其成效，车驾毋劳自行。帝曰："若此，卿等宜各画必然之策以闻。"

壬辰，帝始闻麟州之捷，以卫居实为供备库使，通判以下并进秩。

秋，七月，甲午朔，日有食之。

丙申，以邓州观察使钱若水为并代经略使，判并州。帝新用儒将，未欲使兼都部署之名，而其任实同也。

丁酉，辽以邢抱朴为南院枢密使。

己亥，保静节度使王汉忠，坐西讨违诏无功，责左屯卫上将军。逾月，出知襄州，未上，遽暴疾卒。帝甚悼惜之，诏赠太尉，命中使护丧事。

汉忠深沉有识略，轻财好施，宾礼儒士，居常读书，手不释卷，以是自矜尚，故群帅不悦之。殿直安守忠、郑怀德，皆乘驿诣边受事，汉忠待之不厚，遂相与掎摭汉忠密事以闻。汉忠黜死，二人之力居多。怀德、守忠，皆襄邸攀附者也。

乙卯，募河北丁壮。

丙辰，遣使赍诏就终南山召种放赴阙，仍赐绢百匹，钱十万，以张齐贤复条上放操行，请加旌赏故也。

壬戌，辽大林砦使王昭敏等来降。

八月，群臣三表上尊号，不允。

丙子，沙州将曹宗寿杀其节度使曹延禄而代之，遣使入贡。以宗寿为归义军节度使。

九月，癸巳朔，辽主谒显陵。

先是麟、府屯重兵，皆河东输饷，虽地里甚迩，而限以长河，土人利于河东民罕，至则刍粟增价。帝尝访使边者，言河广才数十步；乙未，诏转运使郑文宝于定羌军、府州河上经度造桥梁，人以为便。

戊申，种放以幅巾入见于崇政殿，命坐，询以政事。放曰："明王之治，爱民而已，惟徐而化之。"即日，授左司谏、直昭文馆，赐冠带、袍笏，馆于都亭驿，太官供膳。己酉，放表辞恩命，帝令宰臣召问之；又知放与陈尧叟游旧，令谕旨。放言："主上虚怀待士如此，放固不敢以羁束为念。"宰臣以闻，诏遂不许其让，居数日，复召见，赐绯衣、象笏、犀带、银鱼及御制五言诗，又赐昭庆坊第一区。

冬，十月，癸亥朔，辽主至自显陵。

丁亥，向敏中罢为户部侍郎，张齐贤责授太常卿、分司西京。

先是左领军卫将军薛惟吉妻柴氏，无子，早寡，欲改适齐贤。惟吉子安上诉其事，下御史台，鞫得齐贤定娶柴氏状。柴因上书讼敏中违诏贱买惟吉故第，又尝求娶已不许。帝问敏中，敏中言实买安上居第，近丧妻，不复议姻，未尝求婚于柴也。盐铁使王嗣宗素忌敏中，因入对，言："敏中议娶王承衍女弟已定。"帝恶其不直，遂罢相。翰林学士宋白尝就敏中假金，不与，及草制，力诋之，有云："对朕食言，为臣自昧。"敏中读之泣下。

田锡言："访闻密院、中书，政出吏胥之手。吏胥行遣，只检旧例，无旧例则不行；枢相商议，别无远谋，无远谋则多失。失于边计者，去年失清远军，今年失灵州。失于邦计者，不知府库有无，不知仓廪虚实。戎夷深入，则请大驾亲征；将帅无功，则取圣慈裁断。所以仓廪虚盈，过不在密院；边防动静，事不属中书。因此相承，浸已成例。圣恩若且任用，则不失享富贵；圣旨若令罢免，则不过归班行。昔汉之三公，罢免则放之归农，诛戮则赐其自尽。其任用既重，则黜责非轻，操国柄者所以不敢不用心，持兵权者所以不敢不尽节。今则不然，臣下得优逸而君上但焦劳，故阴阳不顺，水旱不调，法令滋章，盗贼多起。尚率京城父老，上章请加尊号，赖圣君英睿，力断来表。由是见宰相以甘言佞上求圣知，以国计军机非己任，盖自来任重责轻之所致也。今帑藏无馀财，仓廪无积粟，但忽备边之用，不思经国之谋，地愈荒而黎民愈贫，事弥繁而资货弥少。官吏救过不暇，若加以水旱之灾，乘以戎夷之患，不知在庙堂者用何智略，总军兵者作何筹谋！望陛下听臣所奏，赏罚二柄，不必一一问中书，通变万机，不必一一由密院；然后辨认谗谤，察访忠良，速究危乱之萌，则天下幸甚！”

十一月，壬辰朔，诏麟州给复一年。

癸巳，命度支员外郎李士衡、阁门祇候李溥诣陕西诸州增酒榷课。自是岁益钱二十五万。

辛丑，享太庙。壬寅，合祭天地于圜丘，大赦，除天下逋负钱粮。

丁未，白州民黄受百馀岁，赐粟帛。未几，复赐京城百岁老人祝道喦爵一级。

己酉，封皇子元祐为信国公。

癸丑，以职方员外郎乐史直史馆。史年七十馀，帝嘉其筋力不衰，且笃学著书，故授以旧职。史与其子黄目俱直史馆，时人荣之。

庚申，河阳节度判官清池张知白上疏曰：“臣闻《周礼》秋官主刑。《月令》孟秋中气之后，则命有司缮囹圄，具桎梏，断薄刑，决小罪。秋分则申严百刑，斩杀必当，无留有罪。此并顺上天行肃杀之令也。今命使决狱，多不拘于此时，或在三春，或在九夏，虽勤恤庶狱，虑有滞留，其如未顺四时之令何！欲望自今除盛夏仍旧降诏恤刑外，每岁自孟秋中气后、秋分前，遴选周行，分道决狱。如此，则顺天行刑，万务必乂。

“臣又闻先王垂训，重德教而轻刑罚。今法令之文，为时所尚，自中及外，由刑法而进者甚众，虽有循良之吏，亦改节而务刑名。臣愚以为刑法者为治之具，不可以独任，必参之以德教，然后可以言善治。

“臣又闻圣人之居守文之运者，将欲清化源，在乎正儒术。古之学者，简而有限，其道粹而有益；今之学者，其书无涯，其道非一，是故学弥多，性弥乱。今为进士之学者，经、史、子、集也。有司之所取者，诗、赋、策、论也。五常六艺之意，不遑探讨，其所习泛滥而无著，非徒不得专一，又使害生其中。若明行制令，大立程式，每至命题考试，主典籍而参以正史，至于诸子之书，必须辅于经、合于道者取之，过此并斥而不用，然后先策论，后诗赋，责治道之大体，舍声病之小疵。如是，则进士所习之书简，所学之文正，而成化之治兴矣。”帝览而嘉之，召知白赴阙，试舍人院，除左正言。

十二月，癸未，迁麟州内属人于楼烦。

田锡言：“陛下篡位五年，储闱未建，恐开窥觎之端，宜思重谨之义。”

辽奚王府五帐六节度献七金山、土河川地，辽主赐以金币。

是岁，辽放进士刑祥等六人。

六年　辽统和二十一年【癸卯，1003】　春，正月，辽主如鸳鸯泺。

二月，己卯，遣使赈京东、西、淮南水灾。

六谷酋长巴勒结遣蕃官来贡，表言："感朝廷恩信，愤继迁倔强，已集骑兵六万，乞会王师，收复灵州。"帝曰："继迁每来寇边，军出则遁。使六谷部族近寨捍御，与官军合，亦国家之利也。"诏许之。庚辰，以巴勒结为朔方军节度、灵州西面都巡检使。

三月，辛卯朔，田锡曰："去秋以来，霖雨作沴，近畿诸处水潦为灾，虽为检覆灾伤，乃是虚名，即行赈贷，且非实事。又，国家为阙兵备边，遂于曹、单、宋、亳、陈、蔡、汝、颍之间拣选强壮，得五七万人。始降指挥，只令在本城防守，及至奏闻都数，即并押赴京师。失信如此，下民宁无怨望！古者民为邦本，食为民天，今国家取壮丁为兵，已失邦本，以灾伤去食，宁有民天！五七万人并离农亩，灾沴之馀，寇盗若起，适足为外敌之利耳。"

壬辰，辽主诏修日历官无书细事。

左司谏、直昭文馆种放再表乞暂还山，许之。丙午，特授起居舍人。将行，宴饯于龙图阁，又诏三馆、秘阁官宴饯于琼林苑，帝赐七言诗三章，在坐皆赋。

夏，四月，置河东神锐、神虎军共万三千馀人，立指挥，常加训习。

乙丑，女真遣使贡于辽。

庚午，徙知益州马知节知延州，兼鄜延驻泊部署。知节在成都，有讼龙骑卒谋变者，株引千数，知节密捕其党，案实，止诛为魁者七人。自乾德平蜀，每岁上供纨绮万计，籍里民部舟递运，沉覆殆半，多破产以偿。知节请择廷臣省吏二十人，凡舟二十艘为一纲，以二人主之，三岁一代而较其课，自是鲜有败者。承寇乱之后，戢兵抚俗，甚著威惠。然嫉恶太过，兵民有犯，多徙配它境，人颇怨惧。朝议务安远俗，恐知节不协蜀人之情，以其素有武干，故移守西边，仍手诏谕以委属之意。

旧制，士庶家僮仆有犯，或私黥其面。帝以今之僮使本佣雇良民，癸酉，诏："有盗主财五贯以上，杖脊、黥面、配牢城；十贯以上奏裁，勿得私黥涅之。"

乙亥，参知政事王钦若上言："桂州通判、太常博士王佑之，近丁母忧才逾月，连进五状，皆匪机宜；殊忘哀戚之容，苟怀进动之意。望加黜责，以勖有位。"诏削佑之三任，配隶郴州，仍令御史台榜朝堂告谕。

李继迁寇洪德砦，蕃官庆香等击走之。以庆香等领刺史。

丙子，辽遣南府宰相耶律诺衮、南京统军使萧达兰进攻定州，行营都部署王超先发步兵千五百人逆战于望都县，杀戮甚众。副部署、云州观察使开封王继忠与诺衮等战康邮，自日昳至乙夜，敌势小却。迟明，复战，辽人悉众攻东偏，出阵后焚绝粮道。继忠率麾下跃马驰赴，素衔仪服，辽人识之，围数十重，士皆重创，殊死战，且战且行，旁西山而北，至白城，力不能支，遂就擒。超等即引兵还定州，遣使上闻。

左卫上将军信国公元祐，孝恪敏悟，帝所钟爱。及被病，司天言月犯前星庶子星；帝忧之，屡设斋醮祈禳。是日卒，才九岁，追封周王，谥悼献。后十五日，皇子生两月者亦不育，帝乃取宗室子，养之宫中。

成都阙守，朝议难其人。帝以知永兴军府张咏前在蜀，为政明肃，勤于安集，远民便之，甲申，加咏刑部侍郎，充枢密直学士，知益州。民闻咏再至，皆鼓舞相庆。

五月，辛卯，定州部署王超言辽师出境。

甲午，太白昼见。

乙未，以田锡为左谏议大夫，仍遣中使谕锡曰："第安心著述，必无差出。欲升殿者听先奏。"

帝闻王继忠战死，丁酉，赠大同军节度使兼侍中，官其三子，皆加等。继忠既擒，见辽主于炭山，太后知其才，授户部使，兼赐妻室；继忠亦自激昂，为辽尽力。

辛亥，录望都战殁将士子孙。

望都失利，帝语近臣曰："用兵固有胜败，然此战颇闻有临阵公然不护主帅，引众先遁者。若不推穷，何以惩后！"乃命宫苑使刘承珪、供备库副使李允则驰驿案问。癸丑，镇州副部署李福，坐削籍流封州；拱圣都指挥使王升，决杖配隶琼州。因降诏戒励诸路将帅。

李继迁攻西蕃，取西凉府。都首领巴勒结伪降，继迁受之不疑。巴勒结遽集六谷蕃部及结隆族合击之，继迁大败，中流矢，奔还灵州。丁巳，继迁死，其子德明遣使告于辽。

六月，己未朔，御便殿，出阵图示辅臣，并授诸将方略："令镇、定、高阳三路兵悉会定州，夹唐河为大阵，量寇远近，出军树栅，寇来，坚守勿逐，俟信宿寇疲，则鸣鼓挑战，勿离队伍，贵持重，而敌骑无以驰突也。又分兵出三路，以六千骑屯威虏军，魏能、白守素、张锐领之；五千骑屯保州，杨延朗、张延禧、李怀岊领之；五千骑屯北平寨，田敏、张凝、石延福领之，以当贼锋。始至，勿与斗，待其气衰，背城挑战，使其奔命不暇。若契丹南越保州与大军遇，则令威虏之师与延朗会，使其腹背受敌，乘便掩杀。若契丹不攻定州，纵轶南侵，则复会北平田敏合势入北界，邀其辎重，令雄、霸、破虏已来互为应援。又命孙全照、王德钧、裴自荣领兵八千屯宁边军，李重贵、赵守伦、张继旻领兵五千屯邢州，扼东西路，敌将遁，则令定州大军与三路骑兵会击之。"其它选用，悉皆类此。初，冯拯建议，谓备边之要，当扼险以制敌之冲，若于保州、威虏间依徐、鲍河为阵，其形势可以取胜。至是帝多采用其议云。

丁卯，诏："命官流窜岭南者，给缗钱归葬。"

丰州瓦窑没剂、加罗、昧克等族以兵济河击李德明，败之。

丁丑，陇山西首领秃逋等贡马，愿附大兵击贼。

己卯，辽赠李继迁尚书令，遣西上閤门使丁振吊慰。

辛巳，党项入贡于辽。乙酉，准布诸部附辽。

以定州蒲阴县当高阳关会兵路，诏葺其城。供奉官、閤门祗候谢德权，兼掌其事，一日，乘传诣阙求对，言："沿边民庶多挈族入城居止。前岁契丹入境，傅潜闭垒自固，康保裔被擒，王师未有胜捷。臣以为今岁必复入寇，兵聚一处，尤非利便。愿速分戍镇、定、高阳三路，天雄城壁阔远，请急诏甃之，仍葺澶州北城，浚德清军隍堑，以为豫备。"帝变色曰："此大事，非尔所当言。"德权曰："臣蒙恩驱策，冒万死求见，愿陛下留意。臣实虑蒲阴工作未讫，敌必暴至。"帝慰遣之。既而辽人果围蒲阴。

先是三司各置使局，不相总统，彼此自求充济，以促办为务。至于出纳移用，均会有无，则专吝封执，动相违戾，或交摭利病以邀功希进。哗言日闻于上，帝颇烦亲决，文符互出，莫知适从。丁亥，始并盐铁、度支、户部为一使，命权知开封府寇准为兵部侍郎，充三司使。复置盐铁、度支、户部副使，以下衮领盐铁，查道领度支，林特领户部。判使非奏事及有所更张，则止署按检，馀皆本部副使判官主之。三司副使自是始预内朝。

以吏部侍郎陈恕为尚书左丞，知开封府。恕在三司，前后逾十数年，利病条例，多所改创。其徙官也，尝荐寇准可用。及准为三司，即检其前后所改创事类为方册，其晓谕榜帖，悉

以新版别书,赍诣恕第请署,恕一一为署之,不复辞,准拜谢去。故三司多循恕旧贯自准始。

【译文】

宋纪二十三　起壬寅年(公元1002年)正月,止癸卯年(公元1003年)六月,共一年有余。

咸平五年　辽统和二十年(公元1002年)

春季,正月,庚子(初四),辽圣宗耶律隆绪前往延芳淀。

壬寅(初六),宋真宗拜谒启圣院的太宗神御殿。当初,太祖、太宗每年上元节都要驾临佛寺,然后登楼观灯。宋真宗自从守丧期满,因为启圣院是太宗的诞生之地,太宗的遗像也在那里,所以先去那里拜谒,到正月十五晚上才驾临别的寺院,于是成为定制。

甲辰(初八),宋真宗任命右仆射张齐贤为邠、宁、环、庆、泾、原、仪、渭、镇戎军经略使,主管邠州,命令环庆、泾原两路及永兴军驻扎的军队都归张齐贤指挥。专设经略使从此开始。

当初,庆州派兵护送粮草到灵州,殿中丞郑文宝,一向知道西部边界山川的险要地势,上书说必将为李继迁所打败。不久转运使陈纬果然被贼寇歼灭,贼寇进而攻陷清远军。当时郑文宝正在家为母亲守丧,宋真宗便命相府召来郑文宝,询问他有什么策略;郑文宝乘此机会献上《河西陇右图》,并说灵州可以放弃。在这种情形下,宋真宗派遣王超西去征讨。丁未(十一日),宋真宗诏令起复郑文宝为工部员外郎,并参与负责陕西随军转运使事宜。

戊申(十二日),宋真宗任命吏部郎中田锡暂时负责通进、银台司并兼任门下封驳事。田锡再次掌管银台司,每当看到全国各地来的章疏中有说到百姓饥荒、盗贼蜂起以及诏令不合适的,都一一上奏。宋真宗对宰臣们称赞田锡有诤谏之臣的体性。

辛酉(二十五日),女真国宰相伊勒希达到辽国进贡。

壬戌(二十六日),环庆部署张凝袭击各蕃部,烧毁部族帐篷二百多个,杀死五千多人,收降九百多人。

癸亥(二十七日),宋真宗改命张齐贤主管永兴军府并兼任马步军部署,免去经略使的职务。

宋真宗对宰相吕蒙正等人说:"朕每次遇到将领大臣,没有不与他们详细讨论军事及边防利害的,但是却没有能献出奇计妙策的人。现在又到了春天,即使苦心经营,还是担心将来有所不周。中书省、枢密院可以各抒己见,具陈今年边防应如何布置的方案,逐条列出呈报。"

丙寅(三十日),田锡说:"霸州、乾宁军有人户死伤,另外,莫州报告饿死了一十六人,沧州报告一家饿死了一十七人。陛下为百姓父母,却让百姓饿死,这是陛下有负于百姓。宰相本当调和阴阳,启导陛下的圣德,但恩泽却未下达于百姓,这是宰相有负于陛下。以前伊尹为相,以一人不得生计而为耻。现在饿死这么多人,正是古人说的'焉用彼相'。如果不另外进用贤臣,为臣担心危乱的萌发,不仅仅在边防而也会在内地啊。"

宋真宗任命丁谓为夔州路转运副使。

当初,王均叛乱,朝廷调遣施、黔、高、溪各州蛮族子弟来防御贼寇,不久这些人熟悉了山川道路,反而转为贼寇,攻打州县,抢掠男女百姓,赶入溪洞,久久不能平定。宋真宗任命丁谓为转运使,听凭他去处置。丁谓一到任便命罢兵停战,亲自进入溪洞,每过一条河,就减去一些随从吏卒,等到达蛮人巢穴时,他自身的随从已只不过二三人。蛮人感服他的恩信,都很高兴,蛮人首领田彦伊以下都出来迎接拜见,并杀牛摆酒慰劳丁谓。丁谓留下来,和他们一起饮酒吃饭,十分欢洽,丁谓向他们晓谕祸福利害,并说可以赦罪不杀,田彦伊等感动得流下泪来,表示愿意世代奉贡大宋朝廷。丁谓邀请他们一起到夔州,每渡过一条河,也让他们减少随从的蛮人,就像丁谓来的时候一样。到了馆舍,丁谓按等级赠给他们锦袍、银帛,盛宴款待,蛮人首领都很高兴。过了几天,他们请求回去,丁谓不允许,而对他们也更优厚。丁谓暗中派人对他们说:"丁大人想要得到被抢去的男女汉民,你们如能自动请求放还他们,丁大人必定高兴,就会放你们回去了。"蛮人首领于是请求归还掠去的男女汉民,丁谓与他们约定,每归还一人,给绢一匹,这样一共回来了一万多人。到蛮人首领回去时,丁谓又亲自送行,蛮人首领都很感动,洒泪告别,于是立下誓言,刻在石柱上,树立在边境上。

石雕武士　北宋

丁谓考虑从峡内到荆南,在应该防备蛮人的险要之处,都设置了营寨,把当地居民组织起来让他们自己防守,有事就聚合抵御贼寇,无事就分散回家种地,留下守望的只有几个人。又因为忠、万等州的军粮不能自给,于是夔州设置忠、万等州的军营,使这些军队就在这里生活,一有情况就返回本州。峡内各州,施州最接近蛮人,粮食不足而道路狭窄难以供应,有井盐出产也难以外运,所以卖出很少。丁谓就筹划在巫山县每三十里设一铺站,每一铺站设驿卒三十人,让前往的人背上粮食一铺站接一铺站地转运到施州,返回的人又背上盐依次转运到巫山。凡是从巫山进盐的商人,比从别的州进盐节省一半的劳力费用,于是下令想买巫山盐的商人,都须向施州纳粮,这样施州得到的粮食便与其他各州相等了。宋真宗诏令特别提升丁谓为户部员外郎。

当时溪蛮有一个支系部落入侵,丁谓派遣田彦伊等率其部属征讨出击,共生擒了八百六十名蛮人,救回被掠去的汉人四百多个。丁谓又上书说:"黔南蛮族多产好马,请允许设置馆舍,用钱帛作为犒赏,每年收购好马。"凡是丁谓所策划经办的事,后来都不能变更。

二月,因京城街道狭窄,宋真宗诏令右侍禁阁门祗候谢德权负责拓宽。谢德权受命后,先拆除权贵要人的宅第,议论纷纷。宋真宗诏令停止,谢德权当面奏请说:"现在阻挠此事的都是权贵富豪,他们只是舍不得租赁房屋的费用而已,并没有其他原因。为臣死也不敢接受停止拆迁的诏令。"宋真宗不得已听从了他。谢德权便分条奏上街巷的宽度和早晚禁漏衙鼓的时间,都恢复唐代长安的旧制。接着宋真宗便诏令开封府管理街道的官吏按远近分别造册立表,令百姓从今以后不再侵占街道。

癸酉(初七),宋真宗降诏说:"近来掌管钱粮的官员,把多收杂税作为考核的政绩,他们发放和收纳钱粮之时,轻重不匀。这应该批评而不应该奖励。责令有关部门严加警告,不再

发生这样的事情。”三司奏说衣库副使焦守节监管香药榷易院,每年增加收入十多万,应当升迁为阁门副使。宋真宗对辅臣们说:“焦守节因多收钱财而大加升迁,那还凭什么去勉励人去效命边陲呢!”宋真宗只任命焦守节为宫苑副使。

孙全照到达绥州,奏说筑城不容易,朝廷里也有许多异同之论。丁丑(十一日),宋真宗诏令知天雄军的钱若水和并代钤辖的陈兴乘驿车前往详细考察。

女真首领派遣他的儿子到辽国朝拜。

乙酉(十九日),宋真宗诏令:“守边士卒生病战死的,他们的冬春服装可以发给家里。”

己丑(二十三日),宋真宗任命王汉忠为邠宁、环庆路都部署,李允正为钤辖。

三月,李继迁大集蕃部攻陷了灵州,知州、内客省使、顺州团练使裴济死于这次战事。裴济在灵州共二年,谋划安抚八镇,大兴屯田之利,百姓都很信赖他。当灵州被围,粮道断绝,裴济刺破手指用血染红奏章求救,大军始终不到,城池于是陷落。李继迁改灵州为西平府,不久移居于此。戊申(十二日),此事奏报,宰相等上表请罪,宋真宗下诏安慰他们。

己酉(十三日),宋真宗任命王超为永兴军驻泊都部署,石普为副都部署;改任康继英为庆州驻泊钤辖,与西南边沿互为应援;秦翰为环庆、泾原两路钤辖,与王汉忠、李允正同主战事,防备李继迁的进一步入侵。

甲寅(十八日),辽国派遣北府宰相萧继远等率师南下。

己未(二十三日),宋真宗亲自考试礼部举人,录取了益都人王曾以下三十八名进士,《九经》诸科一百八十一人,都赐予及第。

在此之前宋真宗任命吏部侍郎陈恕负责贡举事宜,陈恕所录取的士人很少,王曾是第一名。等到糊名考试,王曾又进入甲科。陈恕感叹说:“王曾是名冠一世之才啊,我能得到王曾,在知人方面是无愧了。”有人对王曾说:“状元一生吃穿不尽。”王曾严肃地回答说:“平生之志,不在温饱之间!”

壬戌(二十六日),辽圣宗前往鸳鸯泊。

夏季,四月,丙寅朔(初一),辽国文班太保达哩斯与宋朝南军在梁门交战,旋即又派南京统军使萧达兰攻打泰州,先后取得胜利,不久,又引军撤回。

钱若水上书说:“绥州自从赐给赵保忠以来,人口户籍锐减,现在要复修城池,用工预计要一百多万,还必须比以前加倍大量屯驻守兵。粮草的供给,全靠河东,那里隔着黄河和大、小铁碣二山,城下又有无定河,急迫用兵之时,运输十分困难。况且那里没有险要之地,如果防御工事的修筑不完备,蕃寇前来攻击,就难以固守。更何况绥州城市已被烧毁,已无尺椽片瓦,沿途经过的山林,木材匮乏,请求停止这一工役。”钱若水又到朝中当面陈说此事,宋真宗十分赞许并采纳。当初,钱若水率领部众渡过黄河,部署军队,都很有章法,深为守边将领所信服。宋真宗知道后,对左右大臣说:“钱若水是儒臣中懂得兵法的人啊!”

壬申(初七),宋真宗诏令:“陕西运送边防粮草的百姓,赐免一半租税。”

癸酉(初八),宋真宗命田锡以原官阶兼任侍御史知杂事,还派宫中使臣向他传旨说:“知杂事这个职务,朝廷很难找到合适的人,所以才任命你。还是不妨慢慢撰述,如有什么看法便奏报上来。”

宋真宗命令北部边境地区修筑方田来阻遏敌骑。

田锡请求命令:“审官院翻检中书门下前后的书札,应三院御史二十一人,其中曾有贪污过失的，不得让他们继续留在监察部门，可以改授别的官职；其中有清廉严正、勤勉干练的，不能让他们担任外官，应诏归本职。”

五月，庚子（初五），宋真宗诏令裁减河北冗杂官吏。

癸卯（初八），宋朝设置宪州。

代州进士李光辅，善于击剑，前往朝廷求用，宋真宗说：“如果嘉奖任用他，百姓就都喜欢击剑了。”于是打发他回去了。

乙巳（初十），判三司催欠司杨覃上报免除全国八百万的拖欠款项，请交付史馆记录下来，宋真宗准从了。

丙午（十一日），宋真宗任命王显为河阳三城节度使。

庚戌（十五日），指挥使马翰请求缉捕在京城的群贼。宋真宗对辅臣说：“朕当开封府尹的时候，听说马翰以抓捕盗贼闻名，实际上却有三害：京城中的豪富之民害怕他的督察，常常重礼贿赂他，这是其一；每当缴获贼赃，他就估计拿出达到判处死罪的数额交送官府，其余的全部攫为己有，这是其二；他一直豢养十几个无赖之徒，侦察骚扰别人，这是其三。只是他的事还未败露，朕才不想除掉他。从今以后捕贼之事只交给开封府，不要让马翰再插手这件事。”

这一月，挑选河南的民丁当兵。西北边境屡次请求增兵，辅臣们请求用河北强壮民丁充任。宋真宗说：“初置强壮民丁时，曾明言永不充军。”吕蒙正说：“兵员缺少，如果不取之于民，是不可能的。”于是就在河南挑选强壮丁民充任。侍御史知杂田锡上书说：“只在一个地方招集乡兵，造成人心不安，实在有损祥和之气。”

六月，宋真宗任命陈若拙为工部郎中，任处州知州。陈若拙从东京转运使被召回朝，当时三司使有职位空缺，陈若拙自以为能得此职，可是回朝后，却授他为刑部郎中、潭州知州，陈若拙大失所望，乘着真宗召对，坚决推辞，并说自己曾任过三司判官及转运使，现在到京外湖南去任职，反而如同受贬降职了；又说自己父母年事已高，不愿远行。宋真宗说：“潭州是个大藩镇，朕为这一方的军政要务选择人才，其职位不在转运使之下。辅相旧臣中，原本也有出主大镇的。”陈若拙不住恳求，宋真宗才收回原名改命此职。

宋真宗对宰臣们说：“士大夫的操行修养，必须名实相副。常听说陈若拙有才干，所以特地提升品级把一个大藩交给他，可他却贪图进用、挑肥拣瘦到如此地步，本来应当予以谴责降用。朕任用人才，怎能以亲疏远近而有差别，如能尽心为公，有所建树，还愁没有名位吗！”

癸酉（初九），李继迁又用二万骑兵进军包围了麟州，宋真宗诏令征发并、代、石、隰各州军队救援麟州。

乙亥（十一日），宋真宗任命王超为定州路驻泊行营都部署，王继忠为副都部署，入内都知韩守英为钤辖。

己卯（十五日），宋真宗任命知枢密院事周莹为永清军节度使，并担任高阳关都部署。

乙酉（二十一日），宋真宗诏令增兵八千分驻环庆、泾原。

李继迁率部众二万进攻麟州，让士卒身背木板为掩护，一连五天从四面迫近城池。知州、阁门祗候卫居实，多次派奇兵突击出战，并募集勇士缒出城外偷袭贼寇，贼寇一败涂地，自相践踏，杀伤一万多人。丁丑（十三日），李继迁拔寨逃走。（此条应移至乙亥、己卯之间。）

宋真宗在便殿召对辅臣，拿出《河北东路地图》，指着山川要害之处说："契丹入境骚扰，滨、棣两州的百姓的农业很受损失。今年冬天如果再来，朕一定越过邢、洺之北，将他们驱逐出境，以安定百姓。"吕蒙正等人都请求宋真宗精选将帅，责成他们做出成效，不必圣上御驾亲征。宋真宗说："如果这样，你们应该各自筹划出必胜之策来呈报。"

壬辰(二十八日)，宋真宗才闻知麟州大捷，提升卫居实为供备库使，通判以下的官员都予以升迁。

秋季，七月，甲午朔(初一日)，出现日食。

丙申(初三)，宋真宗任命邓州观察使钱若水为并代经略使，主管并州。宋真宗新近任用儒将，不想让他兼都部署的官名，但其职任实际相同。

丁酉(初四)，辽圣宗任命邢抱朴为南院枢密使。

己亥(初六)，保静节度使王汉忠，因在西讨中违背诏令没有功绩，被责降为左屯卫上将军。一个月后，出任襄州知州，还未到任，得暴病而死。宋真宗非常哀痛惋惜，诏令追赠为太尉，命令宫中使者护理丧事。

王汉忠性格深沉有胆有识，轻财好施，对儒士以礼相待，平时经常读书，手不释卷，因此就孤芳自赏，所以将帅们都不喜欢他。殿直安守忠、郑怀德，都乘驿骑前往边境宣授政事，王汉忠接待他们不够优厚，他们便一起搜集王汉忠的密事上报。王汉忠被黜身死，与这二人有很大关系。郑怀德、安守忠，都是宋真宗在襄王府邸时的攀附者。

乙卯(二十二日)，朝廷招募河北的壮丁。

丙辰(二十三日)，宋真宗派遣使者持诏书到终南山宣召隐士种放来朝，还赐予他一百匹绢，十万钱，这是因为张齐贤又条陈奏报种放的节操品行，请求加以表彰奖赏的缘故。

壬戌(二十九日)，辽国大林寨使王昭敏等人前来投降。

八月，朝廷群臣三次上表为皇上加添尊号，宋真宗没有允许。

丙子(十三日)，沙州将领曹宗寿杀死当地节度使曹延禄取而代之，派使者入朝进贡。宋真宗封曹宗寿为归义节度使。

九月，癸巳朔(初一)，辽圣宗拜谒显陵。

在此之前麟州、府州屯驻的重兵，都由河东供应粮饷，虽然距离很近，可是隔着黄河。当地人利用河东百姓很少到河西来，就抬高粮草的价格。宋真宗曾询问过出使边境的人，说黄河河宽才几十步；乙未(初三)，宋真宗诏令转运使郑文宝在定羌军、府州的河段上，筹划建造桥梁，人们认为这样做方便了百姓。

戊申(十六日)，种放用幅巾束发到崇政殿拜见皇上，宋真宗命他坐下，询问政事。种放说："贤明的君王治理天下，就是爱民而已，只是需要对他们逐步进行教化。"当天，就授予种放左司谏、直昭文馆，赐予冠带、袍笏，让他住在都驿亭，由太官供应膳食。己酉(十七日)，种放上表辞谢皇恩诏命，宋真宗又让宰臣召见慰劳种放；又了解到种放与陈尧叟是老朋友，命陈尧叟向他宣谕旨意。种放说："皇上这样虚怀待士，种放我本当不敢以受束缚为顾虑了。"宰臣把这话呈报真宗，真宗就下诏不准种放的辞让，过了几天，真宗再次召见他，赐给他绯衣、象笏、犀带、银鱼和御制五言诗，又赐给他昭庆坊第一区的住宅。

冬季，十月，癸亥朔(初一)，辽圣宗从显陵回到京城。

丁亥(二十五日)，向敏中被罢为户部侍郎，张齐贤遭到指责被贬为太常卿，分管西京。

在此之前左领军卫将军薛惟吉的妻子柴氏，没有子女，早年守寡，想改嫁张齐贤。薛惟吉的儿子薛安上告发此事，朝廷交付御史台审理，审问出张齐贤定娶柴氏为妻的实情。柴氏就上书告发向敏中违反诏令贱买薛惟吉的故宅，又曾要求娶自己为妻而自己没有答应的事实，宋真宗问向敏中，向敏中说确实买了薛安上的住宅，新近丧妻，还没想再婚，未尝向柴氏求过婚。盐铁使王嗣宗一向忌恨向敏中，趁入朝应对之机，说："向敏中要娶王承衍妹妹的事已经决定。"宋真宗厌恶向敏中不诚实，就罢免了他的相位。翰林学士宋白曾向向敏中借钱而不得，到宋白草拟诏书，极力诋毁向敏中，其中有一句说："对朕食言，为臣自昧。"向敏中读后流下了眼泪。

田锡说："访知枢密院、中书省，政令都出自胥吏之手，胥吏行文办事，只知照搬旧例，没旧例就不办；枢密使宰相议事没有远谋，没有远谋就颇多失误。在边防计谋上的过失就有：去年失去了清远军，今年失去了灵州；在国家大政上的过失有：不知国库钱财的有无，不知仓廪粮食的虚盈。戎夷入侵内地，就请圣驾亲征，将帅作战无功，就取决于圣上裁断。所以仓廪的虚盈，过失不在枢密院，边防的动静，有事不关中书省。由此沿袭相承，逐渐成为常例。皇上若将继续任用，他就不会失去所享的富贵；圣上若是罢免其职，他就不过仍回原来的职位。从前汉代的三公，被罢免就得回家务农，要诛杀就让他们自尽。那时任用既重，那么处罚也就不轻，这就是操持国政大权的人不敢不用心、掌握兵权的人不敢不尽节的原因。如今却不是这样，在下的臣子能够悠闲安逸而只有皇上一人焦虑操劳，所以才阴阳不顺，水旱不调，法令越来越多，而盗贼却也越来越多。曾有人上奏章请求给陛下加尊号，幸亏皇上英明睿智，断然拒绝。由此可见宰相用甜言蜜语奉承皇上以邀宠，将国计军务不当作自己的责任，这是向来其职愈高而责罚愈轻所造成的啊。如今国库没有余财，仓库没有存粮，只以边防军备的需用为急，不考虑治国的深谋远计，土地愈荒芜而百姓愈贫穷，政事越繁琐而财货就越少。官吏们为补救过失而唯恐不及，如果遇上水旱灾情，再加上戎夷的祸患，不知道朝中大臣会用什么智谋策略，军中统帅会有什么运筹擘画！希望陛下听臣所奏，赏功罚过，不必一一问于中书省，万事通变，不必一一经由枢密院；这样才能辨明谗言诽谤，察访忠良之才，迅速弄清危乱的起因，这样就天下大幸了。"

十一月，壬辰朔（初一），宋真宗诏令麟州免征赋役一年。

癸巳（初二），宋真宗命令度支员外郎李士衡、阁门祗候李溥到陕西各州增收酒税，此后每年增收二十五万钱。

辛丑（初十），宋真宗祭太庙。壬寅（十一日），在圜丘合祭天地，大赦天下，免除天下所欠的钱粮。

丁未（十六日），白州人黄受一百多岁，宋真宗赐予粮食绢帛。不久，又赐给开封老人祝道嵒一级爵位。

己酉（十八日），宋真宗封皇子赵元祐为信国公。

癸丑（二十二日），宋真宗任命职方员外郎乐史为直史馆。乐史七十多岁了，宋真宗嘉奖他精力不衰，并且勤学著书，所以授予他原职。乐史和他的儿子乐黄目同为直史馆，当时人都认为很荣耀。

庚申（二十九日），河阳节度判官清池人张知白上疏说："为臣听说《周礼》上讲秋官是主刑的。《月令》上讲七月立秋之后，就命令司刑的官员修缮监狱，准备刑具，审断小案，判决小

罪。到秋分就申明各项严刑峻法，斩杀该处死刑之人，不留下未经判刑的罪犯。这是顺应上天行施的肃杀之令啊！如今命令官吏断案，大都不受这个时令的局限，有的在春季，有的在夏季，虽然是勤于体恤众多案事，担心有所滞留，可是不顺应四时节令，那又怎么样呢？希望从今以后除了在盛夏时节仍旧降诏减刑外，每年在七月立秋后，秋分前，选择廷臣巡视，分路判决狱案，这样，就可顺应天时而施行刑法，万事必大吉大利。

"为臣又听说先王垂示遗训，重视德教而轻用刑罚。如今的法令条文，却为世人所尊崇，从朝内到朝外，由刑法而进用的人很多，即使是奉公守法的官吏，也改变其节操而致力于刑名之学，我认为刑法只是治国的一种工具，不能单独使用，必须与德教相配合，这样才可以说是善于治理。

"为臣又听说圣人处于文治守成之世的，欲将澄清教化之源，则在于使儒术纯正。古时治学的人，所学简单而有限，但其中的道理精粹而有益；现在治学的人，所读的书没有止境，其中的道理也不一致，因此学得越多，心性就越迷乱。当今要为进士所学的有经、史、子、集。有司有所取用的是诗、赋、策、论。仁、义、礼、智、信这五常和《诗》《书》《礼》《乐》《易》《春秋》这六艺的意旨，无暇去探讨，所有的东西漫无边际而没有针对性，不仅不能专一，而且从中产生弊害。如果明确颁行法令制度，全面订立程式规格，每当命题考试，以经典为主，再参考正史，至于诸子百家之书，必须是辅助经书，合于儒道的才可取用，此外一律弃而不用，然后先策论，后诗赋进行考试，求得治国之道的根本，舍弃声律音韵上的小毛病。这样，进士所学的书就十分简单，所学的文章又纯正，从而完成教化达到治业的兴旺。"宋真宗看后表示嘉许，宣召张知白来朝，经过舍人院的考试，授予左正言。

十二月，癸未（二十二日），宋朝把麟州归属中原的人迁往楼烦。

田锡上言说："陛下登位已有五年，未立太子，恐怕会开伺机夺权的先河，应该考虑重大而久远的大事。"

辽国奚王府五帐六节度向朝廷奉献七金山、土河川的土地，辽圣宗赏赐金币。

这一年，辽国放榜录取进士邢祥等六人。

咸平六年 辽统和二十一年（公元1003年）

春季，正月，辽圣宗前往鸳鸯泊。

二月，己卯（十九日），宋真宗派使臣赈济京东、京西、淮南遭受水灾的百姓。

六谷酋长巴勒结派遣蕃官来朝进贡，上表说："我们感激朝廷的恩信，愤恨李继迁的强暴，已集结骑兵六万，请求会同王师，收复灵州。"宋真宗说："李继迁每次来侵犯边境，官军才出兵就逃走了。如让六谷的部族就近扎寨守卫防御，再与官军配合作战，这对国家也是很有利的。"宋真宗下诏准许。庚辰（二十日），宋真宗任命巴勒结为朔方军节度、灵州西面都巡检使。

三月，辛卯朔（初一），田锡说："去年秋季以来，久雨为涝，京城附近各地大水成灾，虽然巡察了一番灾害损失情况，那不过是虚名，就算再加以赈济，也难于落实。另外，国家因为缺少兵员守边，就在曹、单、宋、亳、陈、蔡、汝、颍之间挑选强壮之民，已有五、七万人。当初宣布命令，只让在本地防守，等到奏报总数，就都抽调到京师。这样不讲信用，下面的百姓怎会没有怨恨！古时候以百姓为国家之本，民以食为天，如今国家征取壮丁为兵，已失国家之本，又因灾害夺去了粮食，哪里还有什么百姓之天！五、七万人都离开农田，涝灾之余，寇盗如果再

起，这正好为外敌所利用啊。”

壬辰（初二），辽圣宗诏令编修日历的官员不要记载细小的事情。

左司谏、直昭文馆种放再次上表请求暂时回山，宋真宗答应了。丙午（十六日），特授种放为起居舍人。将要启程，宋真宗在龙图阁设宴为他饯行，宋真宗赐给他三首七言诗，在座的官员也都赋了诗。

夏季，四月，朝廷设置河东神锐、神虎军共一万三千多人，设立指挥，经常进行训练演习。

乙丑（初六），女真国派使臣向辽国进贡。

庚午（十一日），宋真宗调益州马知节为延州知州，兼任麟延驻泊部署。马知节在成都时，有人告发龙骑卒阴谋兵变，株连了一千人左右，马知节秘密搜捕叛党同伙，调查落实，只杀了为首的七个人。自从宋太宗乾德年间平定蜀地以后，每年上供纨绮织品数以万计，征发当地百姓部署船只逐步运送，沉船翻船将近一半，很多人只得破产赔偿。马知节请求选择朝廷大臣和省部官员二十人，每二十艘船编为一纲，派两人主管，三年一轮换，并比较考核他们的成绩，从此就很少有沉没翻船的事发生。马知节在寇乱之后，罢兵安抚百姓，恩威并著。但他嫉恶太严，兵民如有犯法的，大多发配到外地，人们很是怨恨害怕。朝廷认为务必使边远的百姓得到安宁，但又担心马知节与蜀人的感情不融洽，因为他一向有军事才干，所以调他去守卫西部边防，宋真宗还亲写诏书说明委任的意旨。

按照旧制，士人庶民家的僮仆犯了罪，有的就可以私自对他们施以黥刑。宋真宗认为现在的僮仆本是从良民家中雇佣来的，癸酉（十四日），诏令：“盗窃主人钱财五贯以上的，杖脊、黥面、发配牢城；十贯以上的奏报官府裁决，不得私自黥面。”

乙亥（十六日），参知政事王钦若上书说：“桂州通判、太常博士王佑之，最近为母守丧才一月有余，就连续五次上言，都不是什么紧要之事，一副全然忘却哀痛悲戚的样子，只是怀着加官进用的欲望，希望予以贬黜，以劝勉在位的官员。”宋真宗下诏削去王佑之三任的官资，发配郴州充役，还令御史台在朝堂上张榜告谕百官。

李继迁进犯洪德寨，蕃官庆香等人击退来敌，宋真宗命庆香等人领刺史之职。

丙子（十七日），辽国派遣南府宰相耶律诺衮、南京统军使萧达兰进攻定州，行营都部署王超先派步兵一千五百人在望都县迎战，杀死很多敌人。副部署、云州观察使开封人王继忠与耶律诺衮等在康村交战，从午后一直战到夜里二更，敌人攻势稍减。黎明，又战，辽军全力攻打东侧，并绕到宋军阵后烧毁断绝粮道。王继忠率领部下飞马赶去，因他的服饰明亮被辽人认了出来，把他包围了几十层，兵士们都身负重伤，王继忠拼死奋战，且战且走，沿西山往北，到达白城，体力不支，于是被俘。王超等便带兵回到定州，派遣信使上报朝廷。

左卫上将军信国公赵元祐，孝敬而聪颖，为宋真宗所钟爱。等到他生了病，司天监官员说是月亮冲犯了前面的庶子星；宋真宗为此很担忧，屡次设斋祭神，祈祷消除灾殃。这天死去，才九岁，追封为周王，谥号悼献。十五天后，出生两个月的皇子也没养活，宋真宗便将宗室之子收养在宫中。

成都州太守缺员，朝廷议论为这一人选犯难。宋真宗因为知永兴军府张咏先前在蜀地时，为政清明整肃，勤于安抚，远方之民深得便利，甲申（二十五日），张咏加官为刑部侍郎，充枢密直学士，任益州知州。百姓听说张咏又回来了，都欢欣鼓舞地庆贺。

五月，辛卯（初二），定州部署王超报告辽军出境。

甲午(初五),太白星在白天出现。

乙未(初六),宋真宗任命田锡为左谏议大夫,还派宫中使臣告诉田锡说:“只管安心著述,一定不会有差遣外出。想要上朝,准许事先奏报。”

宋真宗听说王继忠战死,丁酉(初八),赠授他为大同军节度使兼侍中,录用他三个儿子为官,都加了等级。但事实是王继忠被俘后,在炭山面见辽圣宗,辽太后知道他的才干,授予他户部使之职,并赐给他妻室;王继忠也激昂感奋,愿为辽国尽力。

辛亥(二十二日),宋朝录用望都之战阵亡将士的子孙。

望都战役失利后,宋真宗对近臣说:“用兵打仗固然有胜有败,但这一仗多次听人说有人临阵时公然不保护主帅,领兵先逃,如果不追究到底,怎能惩戒后人呢!”于是命令宫苑使刘承珪、供备库副使李允则乘驿站车马迅速前往查问。癸丑(二十四日),镇州副部署李福,因罪削除官籍流放到封州;拱圣都指挥使王升,被判杖刑发配到琼州。趁此机会宋真宗降诏告诫并激励各路将帅。

李继迁进攻西蕃,占领了西凉府。都首领巴勒结诈降,李继迁毫不怀疑地接受了。巴勒结迅速集合六谷蕃部和结隆族联合进攻,李继迁大败,身中流矢,逃回灵州。丁巳(二十八日),李继迁死去,他儿子李德明派使者向辽国报告。

六月,己未朔(初一),宋真宗驾临便殿,拿出阵图给辅臣看,并给众将领讲授方略说:“命令镇、定、高阳三路兵马都会合定州,在唐河两岸布设大阵,根据敌寇的远近,派兵安营下栅,敌寇来时,坚守营寨不出去追逐,等一两天后敌寇疲惫时,就鸣鼓挑战,但不要离开队伍,以慎重为上,使敌骑无法奔驰冲突。再分兵三路出发,用六千骑兵屯驻威虏军,由魏能、白守素、张锐率领;用五千骑兵屯驻保州,由杨延朗、张延禧、李怀岊率领;用五千骑兵屯驻北平寨,由田敏、张凝、石延福率领,来阻挡敌军的前锋。敌军刚到时,不要与他们就打,等他们士气衰落,再背城挑战,让他们疲于奔命。如果契丹往南越过保州与我军相遇,就命令威虏军的部队与杨延朗会合,使敌军腹背受敌,再寻找机会出击掩杀。如果契丹不攻定州,直接大举南侵,就再与北平田敏会合,进入北边敌境拦截夺取他们的军备辎重,命令雄州、霸州、破虏军都来互为接应支援。再命令孙全照、王德钧、裴自荣率八千兵马屯驻宁边军,李重贵,赵守伦、张继旻率五千兵马屯驻邢州,扼守东西两路,敌军要逃跑时,就命令定州大军与三路骑兵合击他们。”其他选将用兵之策,全都与此相似。当初,冯拯建议,说是边防守备的关键,应当扼守险要来遏制敌军的冲击,如果在保州,威虏军之间沿徐、鲍河列阵,那样的形势就可以取胜。如今宋真宗采用的很多都是他的建议。

丁卯(初九),宋真宗诏令:“被流放到岭南的朝廷命官,死后给钱归葬故里。”

丰州瓦窑的没剂、加罗、昧克等族派兵渡过黄河攻打李德明,取得胜利。

丁丑(十九日),陇山西部首领秃逋等人进贡马匹,希望跟随官军攻打贼寇。

己卯(二十一日),辽国追赠李继迁为尚书令,派遣西上阁门使丁振吊唁慰问。

辛巳(二十三日),党项部向辽国进贡。乙酉(二十七日),准布各部归附辽国。

因为定州蒲阴县正当高阳关会兵的要路,宋真宗诏令修葺城防。供奉官、阁门祗候谢德权,兼管此事,一天,他乘坐驿站车马到朝中请求入对,他说:“沿边百姓很多带领全族人入城居住。前年契丹入侵境内,傅潜闭城自守,康保裔被俘,宋军未能取胜。为臣认为今年敌寇必将再来,我军集聚一处,很不便利。希望迅速分兵守卫镇、定、高阳关三路,天雄城墙又阔又长，请赶快诏令收缩，同时修葺澶州北城，疏通德清军的城壕，以防备敌军。”宋真宗神色不悦地说：“这种大事不是你所应当说的。”谢德权说：“为臣承蒙圣上之恩驱策边防，带着万死不辞之心以求一见，希望陛下留心。为臣实在担心蒲阴的工程未完，而敌军又一定会突然到来。”宋真宗宽慰了他一番，打发他走了。不久，辽军果然包围了蒲阴。

在此之前，三司各自设置使局，相互不协调统一，彼此都只求本局的充裕，来求得办事的迅捷。至于出纳挪移，统筹调配有无，就一味吝啬封存不出，动辄相互掣肘，有时相互抉发疵病来邀功求进。争吵攻讦的言语天天传到皇上的耳边，宋真宗常常为要自己亲自解决而感到厌烦，致使所发公文互抵而出，不知所从。丁亥（二十九日），才将盐铁、度支、户部合并为一使，任命暂代开封府知府寇准为兵部侍郎，充任三司使。又设置盐铁、度支、户部副使一，任命卞衮总管盐铁，查道总管度支，林特总管户部。三司使除了向皇上奏事和重大变革外，就只在署内查问督察，其余都由本部的副使判官负责。三司副使从此开始参与内朝政事。

宋真宗任命吏部侍郎陈恕为尚书左丞，并任开封府知府。陈恕在三司，前后超过十几年，在兴利除弊的具体措施上，有许多改革和创举。他离任时，曾推荐寇准可以任用。到寇准任三司使后，就整理了陈恕前后改革创举的事例分类汇编成册，那些晓谕公文，全用新版重新书写，并带上它到陈恕府上请他署名，陈恕一一予以签署，没有推辞，寇准拜谢而去。所以三司从寇准开始就多按陈恕的旧章办理公事。

续资治通鉴卷第二十四

【原文】

宋纪二十四　起昭阳单阏【癸卯】七月，尽阏逢执徐【甲辰】十月，凡一年有奇。

真宗膺符稽古神功让德　文明武定章圣元孝皇帝

咸平六年　辽统和二十一年【癸卯，1003】　秋，七月，甲辰，复并三司盐铁、度支、户部句院为一，命著作郎、直史馆陈尧咨兼判之。

己酉，辽供奉官李信来归。信言："其国中所管幽州汉兵，谓之神武、控鹤、羽林、骁武等，约万八千馀骑，其所署将帅，契丹、九女奚、南北皮室当直舍利及八部落舍利，山后四镇诸军约十万八千馀骑，内五千六百常卫契丹主，馀九万三千九百五十，即时南侵之兵也。其国境自幽州东行五百五十里至平州，又五百五十里至辽阳城，即所号东京者也。又东北六百里至乌惹国，又东南接高丽，又北至女真，东逾鸭江，即新罗也。"以信为供奉官，赐器币、冠带。

癸丑，太保兼中书令兖王元杰薨，追封安王，谥文惠。

甲寅，辽以奚府监军耶律实噜为南院大王。实噜魁岸，美容仪，与辽主同年生，辽主爱之。甫冠，补祗候郎君，未几，为宿直官。后为队帅，从耶律诺衮、萧达兰略地燕、赵有功，故有是擢。

八月，庚午，太白昼见。

辛未，原、渭等州言西蕃八部、二十五族纳质来归。

丙子，诏："环庆秋田经寇践伤者，每顷赐粟十五斛；民被掠者，每口赐米一(升)〔斛〕。"蠲免棣州民租十之三。

甲寅，徙莫州路部署石普屯顺安之西，与威虏军魏能、保州杨延朗、北平田敏犄角，以为防遏。

乙酉，准布部长朝于辽。

丙戌，高丽国王诵遣其户部侍郎李宣古来贡，且言："晋割幽蓟以属契丹，遂(有路)直趋玄菟，屡来攻伐，求取无厌，乞王师屯境上为之牵制。"诏书优答。

九月，丙申，出内府缯帛市谷实边。

司空、平章事吕蒙正，凡七上表求退，甲辰，罢为太子太师，封莱国公。

癸丑，辽主如女河汤泉，改其名曰松林。

是秋，募近京强壮补禁卫，诏殿前都指挥使高琼阅习阵势，召近臣观之，行伍整肃。帝甚喜，谓琼曰："昨日村民，皆为精锐矣。"

冬，十月，丁巳朔，辽主驻七渡河。

甲子，静戎军王能奏："于军城东新河之北开田，广袤相去皆五尺许，深七尺，状若连锁，东西至顺安、威虏军界，必能限隔戎马；纵或来侵，亦易于防捍。"仍以地图来上。帝召宰相李沆等示之，沆等曰："沿边所开方田，臣寮累曾上言，朝廷继亦商榷，皆以难于设防，恐有奔突，寻即罢议。今专委边臣，渐为之制，斯可矣。乞并威虏、顺安军皆依此施行。且虑兴功之际，敌或侵轶，可选兵五万人分据险要，渐次经度之。"是日，诏静戎、顺安、威虏界并置方田，凿河以遏敌骑。

戊辰，辽以皇弟楚王隆祐为西南面招讨使。

戊寅，给军中传信牌。先是石普言："北面抗敌，行阵间有所号令，遣人驰告，多失详审，复虑奸诈。请令将帅破钱而持之，遇传令则合而为信。"帝以为古者兵符既已久废，因命漆木为牌，长六寸，阔三寸，腹背刻字而中分之，置凿柄，令可合，又穿二窍，容笔墨，其上施纸札，每临阵则分而持之，或传令则署其言而系军吏之颈，至彼合契，乃署而复命焉。

邓州观察使钱若水卒。若水能断大事，事继母以孝闻。及卒，帝甚悼惜之，赠户部尚书，谥宣靖。特遣中使存问其母，赐白金五百两。

十一月，壬辰，辽故裕悦耶律休格之子道士努、高九等谋叛，伏诛。

丙申，辽通括南院部民。

王继忠既见任于辽，从容进说曰："窃观大朝与南朝为仇敌，每岁赋车籍马，国内骚然，未见其利。孰若驰一介，寻旧盟，结好息民，休兵解甲！为彼此之计，无出此者。"时太后春秋已高，颇然之。

己亥，阅捧日军士教三阵于崇政殿。

甲寅，有星孛于井、鬼，大如杯，色青白，光芒四尺馀，凡三十馀日没。帝谓宰相曰："垂象如此，朕诞辰宜罢称觞之会，以答天谴。"李沆曰："陛下克谨天戒，甚盛德也。其咎属臣等。至于华夷上寿，礼不可废。且边塞未宁，大兵在境，所虑物情罔测。"固请不已，乃许之。

十二月，甲子，诏求直言。

庚午，以李继隆为山南东道节度使。

辛未，右谏议大夫、史馆修撰田锡卒。

锡耿介寡合，慕魏征、李绛之为人，及居谏署，连上八疏，皆直言时政得失。将卒，命悉取平时封疏五十二奏焚之，曰："直谏，臣职也；言苟获从，吾幸大矣，岂可留之以卖直邪？"自作遗表，劝帝以居安思危。帝览之恻然，谓宰相李沆曰："田锡，直臣也，天何夺之速乎！自居位以来，尽心匪懈，始终如一，若此谏官，诚不易得。朝廷小有阙失，方在思虑，锡之奏章已至矣。不顾其身，惟国家是忧，孰肯如此！"壬申，优诏赠工部侍郎，以其子庆远、庆馀并为大理评事，给俸终丧。命有司录其事布告天下。

甲戌，万安太后不豫，诏求良医。

戊寅，赦天下，死罪降一等，流以下并释之，除五年逋租；万安太后不豫故也。

癸未，帝亲阅逋负名籍，释系囚四千一百六人，蠲赋八万三千。于是将肆赦改元，或谓蠲放数多，三司必以亏损国计为言，帝曰："非理害民之事，朝廷决不可行。吝于出纳，固有司职也，要当使斯人实受上赐。"

辽罢三京诸道贡。

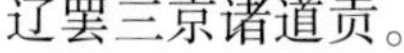

甲申，日加午，雷暴震。司天言占主国家发号布德未及黎庶，帝谓辅臣曰："岂所议赦书小惠未遍，上天以雷警朕邪？今河北、关西，戍兵未息，民甚劳苦，而三司、转运使赋敛益繁。卿等宜悉取民弊，著为条目，大者随事减省，小者即为蠲免。又，诸道罪人情重者，顷令并家属赴阙，委弃资产，流离道路，深可怜悯，自今止送正身。臣寮负私过情轻、终身为累者，委刑部特与洗涤。其它卿等皆尽心谋求之。"

是岁，集贤学士、判院事陈恕卒。恕事母孝，母亡，哀慕过甚，不食荤茹，遂至羸瘠。起复视事，迁尚书左丞，权知开封府。恕已病，犹勉强亲职，数月增剧，表求馆殿之职，帝从之，诏太医诊疗。满百日，有司请停俸，不许，未几卒。恕精于吏治，深刻少恩，人不敢干以私。前后掌利柄十馀年，强力干事，胥吏畏服，有称职之誉。

景德元年 辽统和二十二年【甲辰，1004】 春，正月，丙戌朔，大赦，改元。

丁亥，辽主如鸳鸯泺。

乙未，以后宫刘氏为美人，杨氏为才人。刘氏，华阳人。帝初为襄王，谓左右曰："蜀妇人多才慧，吾欲求之。"刘氏始嫁蜀人龚美，美携以入京，既而家贫，欲更嫁之。张旻时给事王宫，言于王，得召入，遂有宠。王乳母秦国夫人，性严整，不悦，固令王斥去，王不得已出置旻家，别筑馆居之。其后请于秦国夫人，得复召入，于是与杨氏俱封。美因改姓刘，为美人兄云。

丙申夜，京师地震。癸卯、丁未夜，京师地再震。帝谓宰相李沆曰："坤道贵安静，京师震动若此，皆朕听览不明所致。"沆顿首引咎。

二月，乙卯朔，女真贡于辽。

丁巳，环庆、鄜延部署始知李继迁死，相继以闻，且言其子德明尚幼。辅臣等请降诏招谕德明及其部下，能相率归顺者，厚加爵赏。鄜延钤辖张崇贵先遗德明书，得其报，称未葬难发表章，乞就便具奏。崇贵以闻，帝乃赐德明诏谕意，且告以信人未至，故未遣使吊问也。

丙寅，辽南院枢密使邢抱朴卒。抱朴以儒术显，奉命甄别守令，大惬人望；两决滞狱，民无冤滥。诏辍朝三日。

辛酉，以河阳三城节度王显知天雄军府兼驻泊都部署。

戊寅，以太常卿张齐贤为兵部尚书。

冀、益、黎、雅州地震。

度支副使查道，儒雅迂缓，治剧非所长。与盐铁副使卞衮同候对，将升殿，衮遽出奏牍遗道同署，及帝询问，则事本度支，道素未省视，错愕不能对。己卯，罢职，道卒不自辨，亦无愠色。

夔州路转运使丁谓招抚溪洞夷人，颇著威惠，部民借留，凡五年不得代，乃诏谓举自代者，谓以国子博士薛颜为请。癸未，擢颜虞部员外郎、夔州路转运使，召谓入朝。

三月，丁酉，直秘阁黄夷简等上校勘新写御书，凡二万四千一百六十二卷。

万安皇太后疾未愈，帝亲调药饵，每对近臣，忧形于色，或稍加言，必流涕。以重赏购民间善医者，诏屡下。己亥，后崩于万安宫。辛丑，群臣请听政，三表，不允。乙巳，李沆等两诣宫门恳请，睹帝毁瘠过甚，继上五表，复诣宫门求见，言西北用兵，机务不可暂旷，帝不得已从之。

夏，四月，甲寅朔，上大行皇太后谥曰明德。

丙辰，邢州地震不止。

张崇贵屡请遣大臣至边议赵德明事。五月，甲申朔，以知永兴军府向敏中为鄜延路缘边安抚使。崇贵筑台于保安北十里许，召戎人所亲信者，与定盟约，经置大小，皆出崇贵，敏中实总其议焉。

丁卯，瀛州地震。

六月，丙辰，诏："诸州民诣阙举留官吏，多涉徇私。自今官吏实有善政，候转运使举陈；如敢违越，其为首者论如律。"

帝密采群臣之有闻望者，得刑部郎中边肃，殿中丞鞠仲谋，司勋员外郎朱协，比部员外郎〔陈英〕、郝太冲、李玄，太常博士马景、何亮、周绛、谢涛、卫太素，国子博士陈昭度，太常丞崔端、高谨徽，秘书丞赵湘、张若谷、姜屿，殿中丞皇甫选、滕涉、陆元圭、李奉天，太子中允崔遵度，中舍曹度，将作监丞陈越，凡二十四人，内出其姓名，令阁门祗候，崇政殿再坐引对，外任者乘驿赴阙。每对，必往复紬绎其词气，或试文艺；多帖三馆职，或命为省府判官，或升其差使焉。

甲子，诏："罢川、峡、闽、广州军承天节入贡。自今三千里外者悉罢之。"

先是帝召翰林学士梁颢夜对，询及当世台阁人物，颢曰："晁迥笃于词学，盛元敏于吏事。"帝不答，徐问曰："文行兼著如赵安仁者有几？"颢曰："安仁材识兼茂，体裁凝远，求之具美，未见其比也。"既而颢卒，秋，七月，乙酉，以知制诰馀杭赵安仁为翰林学士。

丙戌，右仆射、平章事李沆寝疾，帝临问，赐其家白金五千两。车驾方还宫而沆卒，趣驾再幸其第，哭之恸，谓左右曰："沆忠良纯厚，始终如一，岂意不享遐龄！"言毕泣下。赠太尉、中书令，谥文靖；录其三弟、一子，甥及妻之兄子，皆赐同进士出身。

帝之初即位也，沆日取四方水旱盗贼奏知，参知政事王旦以为细事不足烦上听，沆曰："人主少年，当使知民间疾苦。不然，血气方刚，不留意声色、犬马，则土木、甲兵、祷祠之事作矣。吾老不及见，此参政他日之忧也。"时西北用兵，边奏日耸，便殿延访，或至旰昃，旦慨然谓沆曰："我辈安得坐致太平，优游燕息乎！"沆曰："国家强敌外患，适足为警惧。异日天下宴然，人臣率职，未必高拱无事，君奚念哉！"帝雅敬沆，尝问治道所宜先，沆曰："不用浮薄新进喜事之人，此最为先。"帝问其人，曰："如梅询、曾致尧、李夷庚等是矣。"帝深然之。故终帝之世，数人者卒不进用。沆重厚淳质，退公，辄终日危坐。治第封丘门内，厅事前仅容旋马。或言其太隘，沆曰："此为宰相厅事诚隘，为太祝、奉礼厅事已宽矣。"常喜读《论语》，或问之，沆曰："我为宰相，如《论语》中'节用而爱人，使民以时'两句，尚未能行。圣人之言，终身诵之可也！"

帝欲相三司使寇准，乃先置宿德以镇之。庚寅，以兵部侍郎毕士安为吏部侍郎、参知政事。士安入谢，帝曰："未也。行且相卿，谁可与卿同进者？"士安因言："准兼资忠义，能断大事，臣所不如。"帝曰："闻准好刚使气，奈何？"士安曰："准忘身徇国，秉道疾邪，故不为流俗所喜。今北方未服，若准者正宜用也。"

壬辰，盐铁副使、刑部员外郎卞衮卒。诏录其子弟。衮明敏有吏干，累掌财赋，以称职闻。然性惨毒，掊克严峻，专行棰楚，至有"大虫"之号。

光禄少卿宋雄，习河渠利害，因命领护汴口，均节水势，以济江、淮漕运。居十数年，三迁将作监，不易其任，职务修举，朝廷赖焉。

是月，辽遣使封李德明为西平王。

八月，己未，以参知政事、吏部侍郎毕士安，三司使、兵部侍郎寇准，并依前官，平章事。是时契丹多纵游骑略深、祁间，小不利即引去，徜徉无斗意。准曰："是狃我也，愿朝廷练帅领，简骁锐，分据要害地以备之。"

以知枢密院事王继英为枢密使，同知枢密院事冯拯、陈尧叟并佥署枢密院事。

以工部郎中刘师道权三司使公事。自后三司除使，多用此制。

庚申，知寿州陈尧佐，自出米为糜以食饿者，而吏民皆争出米，共活数万人。尧佐曰："吾非行私惠，盖以令率人，不若身先而使其从之之乐也。"

准布部长朝于辽，请婚，不许。

甲戌，边臣言契丹谋大入，诏镇州所屯河东广锐兵及近南州军，先分屯兵并赴定州。

九月，诏："诸转运使、副，辨察所部官吏能否为三等：公勤廉干、惠及民者为上，干事而无廉誉、清白而无治声者为次，畏懦贪猥者为下，并列状以闻。"从右司谏高伸请也。

丙午，辽主如南京。

丁酉，帝谓辅臣曰："累得边奏，契丹已谋南侵。国家重兵，多在河北，敌不可狃，朕当亲征决胜。卿等议何时进发？"毕士安等曰："陛下已命将出师，委任责成可也。必若戎辂亲行，宜且驻跸澶渊。但郛郭非广，久聚大众，深恐不易；况冬候犹远，顺动之事，更望徐图。"寇准曰："大兵在外，须劳圣驾暂幸澶渊，进发期不可援。"王继英等曰："禁卫重兵，多在河北，宜顺动以壮兵威，仍督诸道进军，临事得以裁制。然不可更越澶州，庶合机宜，不亏慎重。"诏士安等各述所见，具状以闻。

帝每得边奏，必先送中书，谓毕士安、寇准曰："军旅之事，虽属枢密，然中书总文武大政，号令所从出。向者李沆或有所见，往往别具机宜。卿等当详阅边奏，共参利害，勿以事干枢密而有所隐也。"

屯田郎中杨覃、工部员外郎朱台符并为陕西转运使。台符俊爽好谋，多所更张，覃止欲因仍旧贯，遂有隙，交相论奏。帝亲遣御史视其状，覃、台符并坐议事违戾，罢使。辛丑，责覃知随州，台符知郢州。

庚戌，辽命皇弟楚王隆祐留守京师。

辛亥，以永清节度使周莹代王显为天雄军都部署，知军府事，命显归本镇。

先是李允则知沧州，巡视州境，浚浮阳湖，葺营垒官舍，间掘井城中，人厌其烦。是月，召归，辽师来攻，老幼皆入保而水不乏，又取冰代炮石以拒敌，敌遂解去。帝乃谓允则曰："顷有言卿浚井葺屋为扰民者，今始知善守备也。"转西上閤门副使、镇、定、高阳三路行营兵马都监，押大阵东面；凡下诸路宣制，必属允则省而后行。

闰月，(癸丑)〔丁巳〕，内出银三十万两付河北转运使，贸易军粮。

(己)〔辛〕未，北面都部署王超等引大军屯唐河，树营栅以备寇。

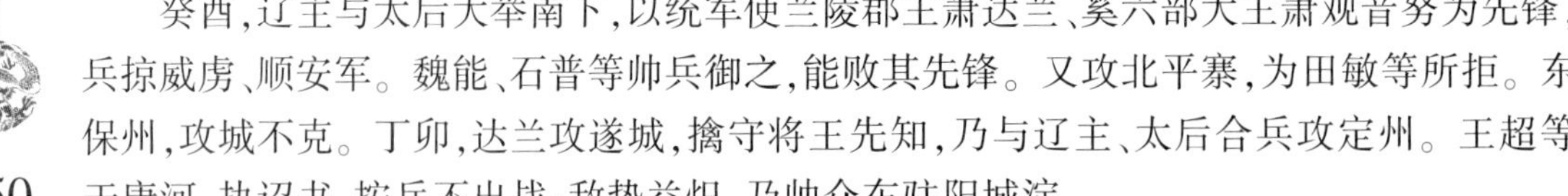

癸酉，辽主与太后大举南下，以统军使兰陵郡王萧达兰、奚六部大王萧观音努为先锋，分兵掠威虏、顺安军。魏能、石普等帅兵御之，能败其先锋。又攻北平寨，为田敏等所拒。东趋保州，攻城不克。丁卯，达兰攻遂城，擒守将王先知，乃与辽主、太后合兵攻定州。王超等阵于唐河，执诏书，按兵不出战；敌势益炽，乃帅众东驻阳城淀。

时辽师深入，急书一夕五至，寇准不发，饮笑自如。明日，同列入闻，帝大骇，以问准。准曰："陛下欲了此，不过五日尔。"因请幸澶州。同列惧，欲退；准止之，令候驾起。帝有难色，欲还内，准曰："陛下一入，则臣等不得见，大事去矣！请毋还而行。"帝乃议亲征。

参知政事王钦若，江南人，密请帝幸金陵；佥署枢密院事陈尧叟，蜀人，又请幸成都。帝以问准，时钦若、尧叟在傍，准心知之，乃阳曰："谁为陛下画此策者，罪可斩也！今天子神武，将帅和协，若车驾亲征，敌自当遁去。不然，则出奇以挠其谋，坚守以老其众，劳逸之势，我得胜算矣。奈何欲委弃宗社，远之楚、蜀邪？"帝乃止。二人由是怨准。钦若多智，准惧其妄有关说，疑阻大事，图所以去之，会帝欲择大臣使镇大名，准因言钦若可任，钦若亦自请行。乙亥，以钦若判天雄军府兼都部署、提举河北转运使，与周莹同议守御。

初，王继忠在契丹，乘间为辽人言和好之利，太后有厌兵意，虽大举深入，然亦纳继忠说。于是遣小校四人持信箭，以继忠书诣莫州部署石普，且致密奏一封，愿速达阙下。是日，普遣使赍其奏至，帝发视之，即继忠状，具言："臣尝念昔岁面辞，亲奉德音，唯以息民止戈为事。况北朝钦闻圣德，愿修旧好，必冀睿慈，俯从愚瞽！"帝谓辅臣曰："朕念往昔全盛之世，亦以和戎为利。朕初即位，吕端等建议，欲因太宗上仙，命使告讣；次则何承矩请因转战之后，达意边臣。朕以为诚未交通，不可强致。又念自古獯鬻为中原强敌，非怀之以至德，威之以大兵，则犷悍之性，岂能柔服！此奏虽至，要未可信。"毕士安等曰："契丹兵锋屡挫，耻于自退，故因继忠以请，谅亦非妄。"帝曰："卿等但知其一，未知其二。彼以无成请盟，然得请之后，必有邀求。若屈己安民，特遣使命，遗之货财，斯可也。所虑者，关南之地曾属彼方，以是为辞，则必须绝议，朕当治兵誓众，躬行讨击耳。"遂以手诏令石普付小校赐继忠曰："朕丕承大宝，抚育群民，常思息战以安人，岂欲穷兵而黩武！今览封疏，深嘉悬诚，诏到日，卿可密达兹意。果有审实之言，即附边臣闻奏。"继忠欲朝廷先遣使命，帝未许也。

丙子，以天雄军都部署周莹为驾前东面贝、冀路都部署，颍州防御使杜彦钧副之，供备库使綦政敏为钤辖；马军都指挥使葛霸为驾前西面邢、洺路都部署，步军都虞候王隐副之，西上阁门使孙全照为钤辖。帝召全照与语，命兼天雄军及贝、冀等州钤辖，仍令察视北面机事。全照言："若契丹南逼魏城，但得骑兵千百，必能设奇取胜。"帝赏其忠果，乃诏莹："若全照欲击敌，即分兵给之。"

是日，令河北近南州县民人入处城寨，以敌兵侵轶故也。

丁丑，令："府州自今勿擅发兵入唐龙镇管内剽掠，如蕃、汉人亡命在彼须追究者，当诏遣还。"

己卯，岢岚军使开封贾宗奏敌骑数万人寇草城川，率兵击败之。翼日复至，又败之，遂北出境。有诏嘉奖。

并、代钤辖高继勋，先率兵来援，登高望草城川，谓宗曰："敌众而阵不整，将不才也。我兵虽少，可以奇取胜。先设伏山下，战合，必南去，尔起乘（胜）之，当大溃。"与战，至寒光岭，伏发，敌兵果败，自相蹂躏者万馀人，获马牛橐驼甚众。既而宗自供奉官、阁门祗候迁仪鸾副使，继勋自洛苑使迁弓箭库使。

冬，十月，壬午，以磁州刺史、邠州驻泊部署许均兼永兴驻泊部署，仍与知府向敏中及凤翔梁鼎同提总陕西诸州巡检捕盗事。帝既定议北征，念关、陇重兵多在边郡，自陕以西直抵两川，亦宜防备，故有是命。

诏修葺历代圣贤陵墓。

癸未，以引进使、潘州刺史何承矩领英州团练使。初议进秩，帝谓宰相曰："承矩知书，爱声名，以才能自许，宜择州之美名者授之。"

甲申，麟府路钤辖韩守英、张志，言大破辽兵于朔州界，杀戮甚众。时辽师方围岢岚军，闻败，即遁去。

先是诏雷有终等取土门路与大兵会，至是以戎寇东行逼武强县，复诏有终等率兵赴镇州。

王超言辽师引众沿葫芦河而东，诏诸将整兵为备，仍令岢岚、威虏军、保州、北平寨部署等深入敌境，腹背纵击，以分其势。

丙戌，辽师抵瀛州城下，昼夜攻城，击鼓伐木之声，闻于四面，大设攻具，使奚人负版乘墉而上。知州李延渥率州兵、强壮，又集贝、冀巡检史普所部拒守，发垒石巨木击之，皆累累而坠；逾十数日，多所杀伤。辽太后亲鼓众急击，矢集城上如猬，死者三万馀人，伤者倍之，竟弗能克，乃退。

戊子，祔明德皇后神主于太庙。先是诏有司详定升祔之礼，上议曰："唐睿宗昭成、肃明二后，先天之始，唯以昭成配享，开元之末，又以肃明迁祔。晋骠骑将军温峤有三夫人，峤薨，诏问学官陈舒，谓秦、汉之后，废一娶九女之制，妻卒更娶，无复继室，生既加礼，亡不应贬。朝旨以李氏卒于峤之微时，不沾赠典。王、何二氏并追加章绶。唐太子少傅郑馀庆将立家庙，祖有二夫人，礼官韦公肃议与舒同。"又云："晋南昌府君有荀氏、薛氏，景帝庙有夏侯氏、羊氏，鲁公颜真卿庙有夫人商氏、继夫人柳氏。略稽礼文，参诸故事，二夫人并祔，于理为宜。恭惟懿德皇后久从升祔，不可中移，明德皇后继受崇名，亦当配享。虽先后有殊，在尊亲一贯。请同祔太宗室，以先後次之。"诏尚书省集官详议，咸如礼官之请。二后并配自是始。

庚寅，命知青州张齐贤兼青、淄、潍安抚使，知郓州丁谓兼郓、齐、濮安抚使，并提举转运及兵马。又令齐贤、谓具管内诸州山河道路广狭形势，画图以闻。既而辽师稍南，民大惊，趋杨(流)〔刘〕渡，舟人邀利，不时济。谓取死罪囚绐为舟人，斩河上，舟人惧，民悉得济。乃立部分，使并河执旗帜，击刁斗，呼声闻百馀里。辽师遂引去。

甲午，辽萧达兰、萧观音努率师下祁州，士卒多降。辽主手诏奖谕，复厚赏观音努，赉其降卒。

乙未，诏王超等率兵赴行在，命知永兴军府向敏中兼管凤州驻泊兵马，以便宜从事。帝将北征，深念西鄙，故有是诏。

敏中得诏，藏之不下，视事如它日。会大傩，有告禁卒欲倚傩为乱者，敏中密使麾兵被甲伏庑下幕中，明日，诏宾僚、兵官置酒纵阅，命傩入至阶，敏中振袂一挥，伏兵出，尽擒之，果各怀短刃，即席斩焉。既屏其尸，以灰沙扫庭，张乐宴饮，边藩以安，帝由是有再用之意。

丙申，诏："随驾军士先赴澶州，天雄军及缘河驻泊者并就赐装钱。"

癸卯，以厮铎督为朔方军节度、灵州西面巡检、西凉府六谷大首领。

乙巳，(保)〔莫〕州、岢岚、威虏军、北平寨并言击败契丹，群臣称贺。是役也，张凝、田敏皆以偏师抵易州南，虏获人畜铠仗凡数万计，独魏能逗挠无功。

先是王继忠得帝手诏，即具奏附石普以闻，言："辽已领兵攻围瀛州，盖关南乃其旧疆，恐难固守，乞早遣使议和好。"丙午，帝览其奏，谓辅臣曰："瀛州素有备，非所忧也。欲先遣使，固亦无损。"乃复赐继忠手诏许焉。募神勇军士李斌持信箭赴辽寨，因令枢密院择可使辽者。

王继英言殿直曹利用自陈愿往，乃授利用阁门祗候，假崇仪副使，奉辽主书以往，又赐继忠手诏。

〔丁未〕，以雍王元份为东京留守。

己酉，初置龙图阁待制，以都官郎中杜镐、右正言戚纶为之。

以卫州防御使李重贵为大内都部署。

【译文】

宋纪二十四　起癸卯年（公元1003年）七月，止甲辰年（公元1004年）七月，共一年有余。

咸平六年　辽统和二十一年（公元1003年）

秋季，七月，甲辰（十六日），宋朝又将盐铁、度支、户部句院三司合并为一，命著作郎、直史馆陈尧咨兼管。

己酉（二十一日），辽国供奉官李信来宋归降。李信说："辽国所控制的幽州汉兵，称名为神武、控鹤、羽林、骁武等，约有一万八千多骑兵，所设置的将帅，有契丹、九女奚、南北皮室的当直舍利和八部落舍利，山后四镇各军约有十万八千多骑兵，其中五千六百骑兵日常保卫辽主，其余的九万三千九百五十骑兵就是时常南侵的兵力。辽国的边境从幽州往东行五百五十里到平州，再行五百五十里到辽阳城，就是所号称的东京。再往东北六百里到乌惹国，再往东南与高丽接壤，再往北到女真，东越鸭江，就是新罗了。"宋真宗任命李信为供奉官，赐给他器币、冠带。

癸丑（二十五日），太保兼中书令衮王赵元杰逝世，追封为安王，谥号文惠。

甲寅（二十六日），辽国任命奚府监军耶律实噜为南院大王。耶律实噜身材魁伟，仪表英俊，与辽圣宗同年出生，辽圣宗很喜欢他。他刚到弱冠之年，就补官为祗候郎君，不久，迁为宿直官，后来担任队帅，跟随耶律诺衮、萧达兰略取燕、赵之地有功，所以有此升迁。

八月，庚午（十三日），太白星在白天出现。

辛未（十四日），原、渭等州报告西蕃八部、二十五族送来人质表示归顺。

丙子（十九日），宋真宗诏令："环庆地区秋田作物被贼寇践踏的，每顷地赐粟十五斛；百姓有被掠走的，每人赐米一斛。"还减免了棣州百姓十分之三的租税。

甲寅（疑作"戊寅"，二十一日），宋真宗调莫州路部署石普屯驻顺安军的西边，与威虏军魏能、保州杨延朗、北平田敏形成犄角之势，来防御遏制敌寇。

乙酉（二十八日），准布部落首领到辽国朝拜。

丙戌（二十九日），高丽国王王诵派遣他的户部侍郎李宣古来宋进贡，并且说："自从后晋将幽蓟之地割给了契丹，于是契丹就直通玄菟，屡次前来攻伐，贪得无厌，请求王师屯驻边境之上为他们牵制契丹的军队。"宋真宗下诏给以安抚。

九月，丙申（初九），朝廷拿出内库的缯帛换购成谷物充实边防军需。

司空、平章事吕蒙正，七次上表请求退休，甲辰（十七日），免去宰相而为太子太师，并封为莱国公。

癸丑（二十六日），辽圣宗前往女河汤泉，将那里改名为松林。

这年秋天，朝廷招募京城附近的壮丁补充禁卫军。宋真宗诏令殿前都指挥使高琼检阅

演司阵势,并召集近臣观看,队列整齐严肃。宋真宗很高兴,对高琼说:“昨天的村民,如今都成为精锐的战士了。”

冬季,十月,丁巳朔(初一),辽圣宗进驻七渡河。

甲子(初八),静戎军的王能上奏说:“在军城东新河的北边开挖方田,长宽相距都为五尺左右,深为七尺,形状好像连锁,东西分别到顺安、威虏两军的地界,这样一定能阻挡敌人的兵马,即使敌军前来侵犯,也容易防御捍卫。”他还呈上了地图。宋真宗召集宰相李沆等人给他们看,李沆等人说:“沿边所开挖的方田,臣寮们曾多次上书,朝廷随即也商讨过,都认为很难设防,恐怕有敌骑奔驰冲突,不久便停止此议。如今当专门委派边臣,逐渐进行这项工作,这是可以的。请求连同威虏、顺安两军全都按照此法进行开挖。再考虑到开工的时候,敌寇可能入侵骚扰,可精选士兵五万人分守险要之地,逐渐规划实施。”当天,宋真宗诏令静戎、顺安、威虏各军在边界上一起开挖方田,凿河引水来阻挡敌人骑兵。

戊辰(十二日),辽圣宗任命皇弟楚王耶律隆祐为西南面招讨使。

戊寅(二十二日),颁发军中传信牌。在此之前,石普上言说:“北面抵抗敌军时,行军布阵之际有所号令,派人骑马传递号令,往往有失详尽准确,又担心被奸诈之人利用。请让将帅们把钱币破为两半而各持一半,每当传令时就合上铜钱作为信物。”宋真宗认为古代的兵符既然废弃已久,便命人制作油漆的木牌,长六寸,宽三寸,正反两面刻字后从中间分成两半,分别有凿孔和手柄,使两半可以相合,再在牌上挖两个孔,能放笔墨,上面布放纸札,每当临阵作战时就分开各持一半,如有传令就写在上面并系在军吏的脖颈上,到另一方时对合相符,就签好字让来人回去复命。

邓州观察使钱若水去世。钱若水能决断大事,在家侍奉继母以孝敬闻名。去世后,宋真宗十分悼念痛惜,追赠他为户部尚书,谥号宣靖。特派宫中使者慰问他的母亲,赐银五百两。

十一月,壬辰(初六),辽国已故裕悦耶律休格的儿子耶律道士努、高九等人谋反,伏罪被杀。

丙申(初十),辽国统一登记南院所辖百姓。

王继忠被辽国任用后,从容进言说:“为臣私下观察本朝与南朝为仇敌,每年征发车马,国内一片骚乱,没有什么好处。不如派遣一名使者,与南朝恢复旧盟,结为友好让百姓休养生息,罢兵停战!从双方的利益考虑,没有比这更好的了。”当时萧太后年事已高,认为他的意见很对。

己亥(十三日),宋真宗在崇政殿检阅捧日军将士教演三阵。

甲寅(二十八日),在井、鬼星宿区域出现一颗大彗星,大如茶杯,青白色,光芒四尺多长,历时三十多天才消失。宋真宗对宰相说:“上天垂示这样的天象,我的诞辰应该取消祝寿宴会,来回报上天的责罚。”李沆说:“陛下能够谨守上天的惩戒,真是德行广大。过错在于我们臣下。到于圣诞之日中外臣民来祝寿,这个礼仪不可废除。况且边境上不安宁,大兵压境,所担心的各种情况难以预测。”李沆坚持请求不已,宋真宗才答应了。

十二月,甲子(初九),宋真宗下诏征求直言。

庚午(十五日),宋真宗任命李继隆为山南东道节度使。

辛未(十六日),右谏议大夫、史馆修撰田锡去世。

田锡为人耿直,与一般的人合不来,他仰慕魏征、李绛的为人,及至官居谏署后,连上了八个奏疏，都直言当时朝政的利弊得失，临终时，命人将平时五十二个密封奏疏都取出烧毁，他说："直言相谏，是为臣的职责；所言如能被采纳，我就感到非常荣幸了，怎么可以留下它们沽名钓誉呢？"他亲自写下遗表，劝诫宋真宗要居安思危。宋真宗看后很是悲伤。对宰相李沆说："田锡是个耿直的臣子，老天为什么这么快夺走他啊！他从做谏官以来，尽心尽力，毫不懈怠，始终如一，这样的谏官，实在难得。朝廷稍有失误，正在考虑之时，田锡的奏章就已经到了。他不顾个人的得失，一心只为国家担忧，谁肯像他这样！"壬申（十七日），宋真宗降下优抚诏书，追赠田锡为工部侍郎，任命他的儿子田庆远、田庆余同为大理评事，俸禄发到丧事办完。命令有司记录田锡的事迹布告全国。

甲戌（十九日），万安太后身体欠安，宋真宗下诏征求良医。

戊寅（二十三日），宋真宗大赦天下，死罪减刑一等，流放以下的一律释放，免除五年的欠租；这是因为万安太后身体欠安的缘故。

癸未（二十八日），宋真宗亲自查看拖欠租税的簿册，释放关押的囚犯四千一百零六人，免除租赋八万三千两银子。宋真宗还想在此基础上进一步大赦并改称年号，有人说免除的税额数目过多，三司一定会拿国家亏损而上言，宋真宗说："无理害民之事，朝廷决不可做，吝于收支出纳，固然是主管官吏的职责，但重要的是让百姓们真正得到朝廷的恩赐。"

辽国免除三京各道的进贡。

甲申（二十九日），日当中午，雷声突然大震。司天监上言说经占卜是国家发布的德令没有遍及黎民百姓，宋真宗对辅臣们说："难道所拟议的赦书上恩惠太小而未遍及百姓，上天用雷来警告朕吗？现在河北、关西，兵戈未停，百姓非常劳苦，而三司、转运使赋敛税收更加繁多。你们应该全面收取了解民间的疾苦，列成条目，大的酌情减省，小的马上免除。还有，各道的重罪犯人，以前命令连同家属一齐送京，丢下了他们的家产，在路上颠沛流离，极为可怜，从今而后只押送罪犯本人。臣僚中有过失情节较轻、终身受到牵累的，委托刑部特予洗刷勾销。其他未及之处你们都尽心设法去谋求解决。"

这一年，集贤学士、判院事陈恕去世。陈恕侍奉母亲很孝顺，母亲去世后，他悲哀思慕过度，又不吃荤食，以致身体瘦弱。丧毕复官理事，升迁为尚书左丞，暂住开封知府。陈恕患病后，仍旧勉强亲理政事，几个月后病情剧增，他上表请求担任馆殿之职，宋真宗同意了，诏令太医为他治疗。病休一百天后，有司请示停发他的俸禄，宋真宗没有准许，不久陈恕就去世了。陈恕精通吏治政务，深沉严刻，很少恩许，他人不敢以私事相求。他前后执掌大权十多年，努力干事，胥吏对他都敬畏佩服，有为官称职的美誉。

景德元年　辽统和二十二年（公元 1004 年）

春季，正月，丙戌朔（初一），宋真宗大赦天下，更改年号。

丁亥（初二），辽圣宗前往鸳鸯泊。

乙未（初十），宋真宗册封后宫刘氏为美人，杨氏为才人。刘氏是华阳人。宋真宗当初为襄王时，对左右侍从说："蜀地女子智慧多才，我想找一个。"刘氏起初嫁给蜀人龚美，龚美把她带入京城，不久家境贫困，便想将她改嫁别人。张旻当时在王宫任职，把此事讲给襄王听，刘氏才被召入府，于是得到宠幸。襄王的乳母秦国夫人，生性严肃不苟，很不高兴，执意要襄王把刘氏赶出去，襄王迫不得已将她安置到张旻家中，另外修建馆舍让她居住。后来襄王又向秦国夫人请求，刘氏才得以再次被召入府。于是和杨氏一起得到册封。龚美因此事便改

姓刘,称说是刘美人的哥哥。

丙申(十一日)夜,京城发生地震。癸卯(十八日)、丁未(二十二日)夜间,京城又发生地震。宋真宗对宰相李沆说:“大地坤道以安静为贵,京城这样震动不止,都是朕临朝理事不明所致。”李沆叩首引咎自责。

二月,乙卯朔(初一),女真国向辽国进贡。

丁巳(初三),环庆、鄜延部署才得知李继迁已死,便相继报告朝廷,并说其子李德明年纪尚小。辅臣们请求宋真宗降诏招抚劝谕李德明和他的部下,能率众归顺的,就给以高官厚禄。鄜延钤辖张崇贵先送了一封信给李德明,得到回复,说是父亲没有安葬不便上奏表章,请求在方便时奏报。张崇贵报告朝廷,宋真宗给李德明赐以诏书讲明安抚之意,并告诉他因为信使未到,所以没有派专使前往吊唁慰问。

丙寅(十二日),辽国南院枢密使邢抱朴去世。邢抱朴以精通儒术而显名,他奉命甄别地方官员的优劣,所作所为令人非常满意;他两次审理裁决积压案件,百姓没有受到冤枉株连的。辽圣宗诏令为追悼他而停止上朝三天。

辛酉(初七),宋真宗任命河阳三城节度王显知天雄军府兼任驻泊都部署。

戊寅(二十四日),宋真宗任命太常卿张齐贤为兵部尚书。

冀州、益州、黎州、雅州发生地震。

度支副使查道,性情儒雅而处事迂缓,不善于处理繁琐政事。一天他与盐铁副使卞衮一起等候召对,将要升殿,卞衮突然拿出上奏的文牍交他一同署名,等到宋真宗询问时,才知道事情本由度支提出,查道向来没有过问省察,便张口结舌答不上来。己卯(二十五日),查道被免去职务,但他既不申辩,也没有愠怒之色。

夔州路转运使丁谓招抚溪洞的夷人,恩威并施,当地百姓要求留任,五年时间找不到合适的替代人。宋真宗就诏令丁谓自己荐举替代者,丁谓请求让国子博士薛颜来替代。癸未(二十九日),宋真宗提升薛颜为虞部员外郎、夔州路转运使,召丁谓入朝。

三月,丁酉(十三日),直秘阁黄夷简等呈上校勘好的新写御书,共二万四千一百六十二卷。

万安皇太后患病不愈,宋真宗亲自调制药物,常常在面对近臣时,就露出忧愁的神色,如有人稍微提起太后,他就必定流下眼泪。他悬下重赏征求民间良医,多次发出诏书。己亥(十五日),皇太后在万安宫驾崩。辛丑(十七日),群臣三次上表请求宋真宗临朝听政,宋真宗没有答应。乙巳(二十一日),李沆等人两次到宫门恳求,看到宋真宗因哀伤而十分消瘦,又连上五表,再次到宫门求见,说西北边境发生战事,军机要务不可稍有耽搁,宋真宗不得已才答应了。

夏季,四月,甲寅朔(初一),宋真宗为驾崩的皇太后敬上谥号为明德。

丙辰(初三),邢州地震不止。

张崇贵多次请求朝廷派遣大臣到边境上商议赵德明之事。五月,甲申朔(初一),宋真宗任命永兴军知府向敏中为鄜延路缘边安抚使。张崇贵在保安北边十里左右的地方筑了一个台,召来戎人的亲信,与他们订立盟约,大小事务都由张崇贵经办,向敏中实际上是总管其事。

丁卯疑为“丁巳”(初四),瀛洲发生地震。

六月,丙辰(初三),宋真宗诏令:“各州百姓进京举荐或要求留任官吏,大多涉于私情。今后官吏确有善政的,要让转运使来举荐陈报;如果谁敢违令越级行事,就依法惩办为首之人。”

宋真宗暗中察记群医中有声望的人,得知刑部郎中边肃,殿中丞鞠仲谋,司马员外郎朱协,比部员外郎陈英、郝太冲、李玄,太常博士马景、何亮、周绛、谢涛、卫太素,国子博士陈昭度,太常丞崔端、高谨徽,秘书丞赵湘、张若谷、姜屿,殿中丞皇甫选、滕涉、陆元圭、李奉天,太子中允崔遵度,中舍曹度,将作监丞陈越,共二十四人,内廷列出这些人的姓名,令阁门祗候,在崇政殿再引入召对,在京外做官的乘坐驿骑入朝。每当应对之时,宋真宗总要反复体味推究他们的谈吐,有的还要策试文章,大多任为三馆之职,有的任命为省府判官,有的给予升迁。

甲子(十一日),宋真宗诏令:“免除川、陕、闽、广州军在承天节进贡。从今以后凡是三千里以外的一律免除入贡。”

先前宋真宗在夜间召翰林学士梁颢入对,问到当今台阁人物的情况,梁颢说:“晁迥潜心于词章之学,盛元擅长于吏治之事。”宋真宗没有作答,慢声问道:“像赵安仁那样的文章德行全都著名有哪些人?”梁颢说:“赵安仁才识兼优,文章凝重深远,如要求各方面都完美的,那还没有见到有谁可和他相比。”不久梁颢去世。秋季,七月,乙酉(初三),宋真宗任命知制诰余杭人赵安仁为翰林学士。

丙戌(初四),右仆射、平章事李沆卧病在床,宋真宗亲临探问,赏赐给他家五千两白银。宋真宗才回到宫中李沆就去世,立刻起驾又到李沆府上,哭得十分伤心,他对左右侍从说:“李沆为人忠良纯厚,始终如一,哪里想到他不能享受高寿!”说完流下了眼泪。宋真宗追赠李沆为太尉、中书令,谥号文清;录用了他的三个弟弟、一个儿子,外甥以及内侄,都赐予同进士出身。

宋真宗即位之初,李沆每天都拿四方水旱灾害、盗贼作乱的奏章上报,参知政事王旦认为这些小事没必要去烦扰皇上,李沆说:“皇上年岁尚轻,应当让他知晓民间疾苦。不这样做的话,血气方刚的皇上不是贪恋声色犬马,就是大兴土木、甲兵、祷词之事。我年岁已老是看不见的了,这是参政您日后的忧虑啊。”当时西北正有战事,边境上的奏报一天比一天紧张,宋真宗在便殿延人咨询,有时直到天晚,王旦感慨地对李沆说:“我们这些人什么时候能等来天下太平,优游自在地休息呢!”李沆说:“国家面临强敌外患,正当引起警惕。将来尽管天下太平,百官各司其职,也未必就拱手无事,你怎么有这个想法呢!”

宋真宗素来极为敬重李沆,曾问他治国之道中最先应该注意的事情,李沆说:“不用那些轻浮浅薄、新入仕途而好事喜功的人,这应该最先注意。”宋真宗问这是指哪些人,李沆说:“像梅询、曾致尧、李夷庚等就是这样的人。”宋真宗认为说得很对。所以宋真宗在朝之日,这几个人始终没有得到提拔重用。

李沆为人持重忠厚,淳朴质直,办完公事退朝,就整天正襟危坐,他的宅第建在封丘门内,厅堂前面仅能容马调头。有人说这太狭窄了,李沆说:“这里作为宰相决事的厅堂确实狭窄了一点,但作为太祝、奉礼的厅堂就算很宽了。”李沆平素喜欢读《论语》,有人问他,李沆说:“我身为宰相,像《论语》中的‘节省开支而爱惜民力,使用百姓要节制有时’这两句话,还没有做到。圣人的语言,应该终身诵读啊!”

宋真宗想任用三司使寇准为相，就先安置了一位德高望重的老臣来坐镇。庚寅（初八），任命兵部侍郎毕士安为吏部侍郎、参知政事。毕士安入宫谢恩，宋真宗说："事还没完。还将任用爱卿为相，有谁可与你同进相位呢？"毕士安就说："寇准兼有忠义，能决断大事，这是我所比不上的。"宋真宗说："听说寇准为人好胜刚烈，意气用事，这怎么办？"毕士安说："寇准不顾自身的利益，全力为国，奉行正道，痛恨邪恶，所以不为流俗时议所喜欢。当今北方尚未臣服，像寇准这样的人正该重用啊。"

壬辰（初十），盐铁副使、刑部员外郎卞衮去世。宋真宗诏令录用他的子弟为官。卞衮聪明敏捷有处理政事的才干，长期掌管财政赋税，以称职闻名。但他性情狠毒，盘剥严酷，专用刑具拷打，以致有"大老虎"的绰号。

光禄少卿宋雄，熟习治理河道，于是命令他主管汴口，调节水势，来解决长江、淮河的漕运问题。在十多年的时间里，三次升迁到将作监，不改换他的职责，他也完成得很好，朝廷很信赖他。

这个月，辽国派遣使者封李德明为西平王。

八月，己未（初七），宋真宗任命参知政事、吏部侍郎毕士安，三司使、兵部侍郎寇准都依原官任平章事。这时契丹经常放纵游动骑兵侵入深州、祁州一带，稍有不利就逃走，徜徉往来并没有决斗的意思。寇准说："这是戏弄我们啊，希望朝廷选择干练的将帅，选拔骁勇的精锐部队，分守要害之地来防备北方的敌人。"

宋真宗任命知枢密院事王继英为枢密使，同知枢密院事冯拯、陈尧叟都为佥署枢密院事。

宋真宗任命工部郎中刘师道暂任三司使公事。此后任命三司使，多采用此制。

庚申（初八），寿州知州陈尧佐，拿出自家的米熬成粥给饥饿的人吃，于是官吏百姓都争相拿出米来，共救活了几万人。陈尧佐说："我不是在施行个人的恩惠，而是因为用号令统率他人，不如自身先做表率而使他人效从更高兴啊。"

准布部酋长到辽国朝拜，请求通婚，没被允许。

甲戌（二十二日），守边大臣说契丹图谋大举入侵，宋真宗诏令在镇州所屯驻的河东广锐兵以及近南州军，先分出部分驻屯的兵一起开赴定州。

九月，宋真宗诏令："各转运使、副使、考察属下官吏才能的优劣分为三等：公正勤勉、廉洁能干、恩惠普及百姓的为上等，能做事情但没有廉洁声誉、虽然清白却没有政绩名望的为次一等，遇事畏缩懦怯、贪婪猥琐的为下等，都要列明情况上报。"这是听从了右司谏高伸的建议。

丙午（二十五日），辽圣宗到辽南京析津府。

丁酉（十六日），宋真宗对辅臣们说："最近多次得到边官奏报，契丹已谋划南侵。国家重兵，大都在黄河以北，敌寇不可轻视，朕当亲征决战取胜。爱卿们商议何时进发？"毕士安等人说："陛下已任命将帅出师，委以重任责其成功就可以了。如果一定要圣驾亲自出征，也最好暂驻澶渊。但那里的城郭不大，长期聚集大队人马，极担心不易办到。何况离冬季尚远，顺势亲征之事，还望慢慢筹划。"寇准说："大军在外，必定要劳烦圣驾暂先到澶渊，进发的日期不可延缓。"王继英等人说："宫禁防卫的重兵，大多已在黄河以北，应该顺势亲征来壮军威，同时督促各道进军，遇到事情能够及时裁决。但是不可再越过澶州，这样才差不多合乎

机宜,又不失为慎重。”宋真宗诏令毕士安等人各抒己见,列状奏上。

宋真宗每次得到边境上的奏报,必定先送中书省,对毕士安、寇准说:“军旅之事,虽属枢密院负责,但是中书省总管文武大政,是号令发出之地。过去李沆也许有些看法,往往另外准备应变之策。爱卿们应当详细阅览边关奏章,一起分析利害,不要因为事关枢密院而有所隐瞒。”

屯田郎中杨覃、工部员外郎朱台符同为陕西转运使。朱台符才高性爽,擅长谋划,多有更张改革,杨覃只想因循旧章,于是产生了矛盾,相互论难奏告。宋真宗亲自派御史去调查实况,杨覃、朱台符都因议事违制乖戾,被免去转运使之职。辛丑(二十日),贬降杨覃为随州知州,朱台符为郢州知州。

庚戌(二十九日),辽圣宗命令皇弟费王耶律隆祐留守京师。

辛亥(三十日),宋真宗任命永清节度使周莹代替王显为天雄军都部署,主管军府之事,命令王显回归本镇。

在此之前李允则任沧州知州,他巡视州境,疏浚浮阳湖,修缮营垒官舍,有时还在城中挖井,人们讨厌这样的劳烦。这个月,李允则被召回朝,辽军来攻,百姓老幼都进入城堡而不缺水,又取冰块代替炮石来抵抗敌军,敌军于是解围而去。宋真宗于是对李允则说:“前不久有人说你浚湖挖井、修整房屋是扰民,如今才知道是善于守备啊。”调任李允则为西上阁门副使,镇、定、高阳三路行营兵马都监,在东面统领大阵;凡向下属各路宣布制令,必先交李允则省察而后施行。

闰九月,丁巳(初六),内库拿出三十万两银子交给河北转运使,购买军粮。

辛未(二十日),北面都部署王超等人率大军屯驻唐河,在营房周围设立栅栏防备敌寇。

癸酉(二十二日),辽圣宗与萧太后带兵大举南下,以统军使兰陵郡王萧达兰、奚六部大王萧观音努为先锋,分兵骚扰威虏、顺安两军。魏能、石普等人率兵抵御,魏能将辽军先锋击败。辽军又攻打北平寨,被田敏等部所抵挡。辽军东下保州,攻城不克。丁卯(十六日),萧达兰攻打遂城,擒获守将王先知,再与辽圣宗、萧太后合兵攻打定州。王超等人在唐河设阵,执行宋真宗的诏令,按兵不出战,敌寇的气势益发嚣张,就率领大军往东驻扎在阳城淀。

当时辽军已深入宋地,告急的书奏一夜要送来五封,寇准不打开书奏,宴饮谈笑从容自如。第二天,同僚入朝奏报,宋真宗大惊,拿此事责问寇准。寇准说:“陛下要了结这次战争,不过五天罢了。”于是请宋宗真亲自到澶州。同列大臣害怕,想要告退,寇准阻住他们,命令他们侍候起驾。宋真宗面有难色,打算返回宫内,寇准说:“陛下一入宫内,那么我等就不能面见陛下,大事也就完了。请不回宫内而上路。”宋真宗才计议亲自出征。

参知政事王钦若是江南人,悄悄建议宋真宗到金陵去;而蜀人佥署枢密院事陈尧叟又建议宋真宗到成都去。宋真宗拿此事问寇准,当时王钦若、陈尧叟在旁边,寇准心里知道是他俩的主意,就假装不知地说:“谁为陛下出此主意,罪该斩首啊!当今天子神武,将帅和协,如果大驾亲征,敌寇自会逃去。如不这样做,那就要用奇计来破坏他们的谋划,以坚守来拖垮他们的部众,形成敌劳我逸的态势,我们就稳操胜券了。怎么能想丢弃宗庙社稷,远走楚、蜀呢?”宋真宗这才放弃了原来的打算。王钦若、陈尧叟因此事都怨恨寇准。王钦若心多智巧,寇准怕他妄陈胡说,又怀疑他阻挠国家大事,打算找机会摒斥他,适逢宋真宗要选择大臣去镇守大名府,寇准乘机说王钦若可担任,王钦若自己也请求前往。乙亥(二十四日),宋真宗

任命王钦若为判天雄军府兼都部署、提举河北转运使，与周莹一起商议防守御敌之策。

当初，王继忠在契丹，曾乘机向辽人讲辽宋和好的益处，此时萧太后有厌战的意念，尽管已大举深入宋地，但还是接纳了王继忠的建议。于是派了四名小孩手持作为凭信的令箭，带着王继忠的书信前往莫州部署石普处，并且送上一封密奏，希望尽快送达京城。当天，石普派使者将那封密奏送到朝廷，宋真宗打开一看，正是王继忠的奏状，奏状陈言说："臣下时常思念当年面辞之际，亲临教诲，说一切应该以安息百姓停止战争为主。何况北朝敬闻陛下圣德，愿意修复旧好，恳切希望圣上明睿宽慈，俯从我的愚见！"宋真宗对辅臣说："朕念及过去的全盛之世，也以与夷戎和好为利。朕刚即位时，吕端等人建议，打算就太宗驾崩之事，派遣使者去通报丧讯；接着何承矩请求乘辗转交战之后，让边臣转达此意。朕认为实在还没有互相沟通，不能强求。又念及自古以来獯鬻是中原的强敌，如不能用大德安抚他们，不能用大兵威慑他们，那么他们的犷悍强暴的本性，怎能使他们柔顺屈服！这封密奏虽然送来了，其实并不可信。"毕士安等人说："契丹军队的锋芒屡次受挫，耻于自动退后，所以借助于王继忠来求和，估计并不是虚妄之言。"宋真宗说："你等只知其一，不知其二。他们因为不胜而请求订立盟约，但是他们得到允许后，必定会提出要求。如果委屈我们自己而能使百姓得到安宁，那么特地派出专使，给他们馈赠钱财，这也是可以的。所担心的是，关南之地曾属于他方，如他们对此提出要求，那就必须拒绝和议，朕自当领兵誓师，亲自前往讨伐打击。"于是命令石普把亲笔诏书交付小校赐给王继忠，诏书说："朕敬承大宋江山，抚育百姓，常想停息战事使人民得到安宁，哪里有穷兵黩武的念头呢？现在看了你的密奏，非常嘉许你的一片诚心，接到诏书后，你可秘密转达此意。如果有确实可靠的消息，就交付边臣奏报。"王继忠想让朝廷先派使者，宋真宗没有答应。

丙子（二十五日），宋真宗任命天雄军都部署周莹为驾前东面贝、冀路都部署，颍州防御使杜彦钧为副都部署，供备库使綦政敏为钤辖；任命马军都指挥使葛霸为驾前刑、洺路都部署，步军都虞候王隐为副都部使，西上阁门使孙全照为钤辖。宋真宗召见孙全照和他交谈，命他兼任天雄军及贝、冀等州钤辖，还命令他视察北面军机事务。孙全照说："如果契丹南逼魏城，只要得到千百骑兵，就一定能出奇制胜。"宋真宗赞赏他的忠心果断，于是诏令周莹说："如果孙全照要打击敌寇，就分兵给他。"

这一天，宋真宗下令河北靠近南州县的百姓搬入城寨居住，这是因为敌兵入侵的缘故。

丁丑（二十六日），宋真宗命令："府州今后不得擅自发兵进入唐龙镇管辖范围内剽掠，如有蕃人、汉人逃亡隐藏在那里必须追的，应当由朝廷诏令遣还。"

己卯（二十八日），岢岚军使开封人贾宗奏报：敌寇骑兵数万人进犯草城川，率兵打败了他们。第二天又来，又打败了他们，于是向北逃出宋境。宋真宗颁诏嘉奖。

并州、代州钤辖高继勋，先率兵来支援，登上高处瞭望草城川，对贾宗说："敌兵虽多而军阵不整，说明将领无才。我兵虽少，却可以出奇制胜。先在山下设好埋伏，双方交战后，敌军必往南去，你等起兵乘机攻击，敌军必当大败。"战斗打响后，敌军到达寒光岭，伏兵突发，敌兵果然大败，自相践踏死伤一万多人，缴获大量牛马骆驼。不久贾宗由供奉官、阁门祇候升任仪鸾副使，高继勋由洛苑使升任弓箭库使。

冬季，十月，壬午（初二），宋真宗任命磁州刺史、邠州驻泊部署许均兼永兴驻泊部署，同时和知府向敏中及凤翔梁鼎为同提总陕西各州巡检捕盗之事。宋真宗既已决定北征，考虑

到关、陇重兵多在边州郡县，从陕地向西直到两川，也应有所防备，所以有此任命。

宋真宗诏令修葺历代圣贤的陵墓。

癸未（初三），宋真宗任命引进使、潘州刺史何承矩领任英州团练使。初步决定给他晋升爵位，宋真宗对宰相说："何承矩知书达礼，爱惜名声，以才能自负，应该选择名字美好的州授予他。

甲申（初四），麟府路钤辖韩守英、张志，报告说在朔州地界大破辽军，杀死很多。当时辽军正围攻岢岚军，听到失败消息，马上逃走了。

先前宋真宗诏令雷有终等人取道土门路与大军会合，到这时因为敌寇东进逼近武强县，又诏令雷有终等率兵赶赴镇州。

王超报告说辽军率领部众沿葫芦河东下，宋真宗诏令众将领整治兵马做好准备，同时命令岢岚军、威虏军、保州、北平寨部署等深入敌境，分别从敌人的腹背出击，来分散其兵力。

丙戌（初六），辽军抵达瀛洲城下，昼夜攻城，击鼓伐木的声音，传向四面八方，大造攻城器具，让奚人身背木板攀登城墙而上。知州李延渥率领州兵强壮，又集合贝、冀巡检史普的部众抵抗坚守，投下堆积的石头和巨大的树木打击敌人，攻城敌人纷纷坠地；在十多天里，杀伤了很多。辽太后亲自击鼓指挥部众急攻，箭矢射集在城墙上像刺猬一样，辽军死了三万多人，受伤的数目还要加倍。辽军最终都没能攻克，于是只好撤退。

戊子（初八），把明德皇后的神主牌位送到太庙祔祭。此前宋真宗诏令主管官员详细商定升祔之礼，上奏说："唐睿宗时有昭成、肃明两位皇后，唐玄宗先天初年，只以昭成皇后配享，到开元末年，又将肃明皇后迁入配享。晋朝骠骑将军温峤有三位夫人，温峤去世，当时的皇帝降诏询问学官陈舒，陈舒说秦汉之后，废除了一男娶九女的制度。妻子去世另娶，不再有继室，生前加礼封赐后，死后不应贬除。朝廷旨意认为李氏死于温峤卑微之时，不曾沾受赠典，王、何二人都追加章绶。唐朝太子少傅郑馀庆要立家庙，祖父有两位夫人，礼官韦公肃的建议与陈舒相同。"又说："晋朝南昌府君有荀氏、薛氏，景帝庙有夏侯氏、羊氏，鲁公颜真卿庙有夫人商氏、继夫人柳氏。稍微查考一下礼制条文，参酌前朝旧例，二位夫人一起祔祭，合乎情理。敬想懿德皇后早就从太宗升庙祔祭，不可中途移动，明德皇后继懿德皇后享受到皇后的称号，也应当配享先帝。虽然前后有别，但在尊亲方面应视同一律。敬请将二位太后一起祔祭于太宗庙室，按先后次序排列。"宋真宗诏令尚书省会集官员详议，都和礼官的建议相同。二位太后一同配享从此开始。

庚寅（初十），宋真宗任命青州知州张齐贤兼任青、淄、潍安抚使，郓州知州丁谓兼任郓、齐、濮安抚使，一起总管转运和兵马之事。又命令张齐贤、丁谓将所辖范围内各州的山河道路的广狭地势，绘成图画上奏。不久辽军稍向南移，百姓大惊，逃奔到杨刘渡，船夫追求财利而不及时渡河。丁谓取出判死罪的囚犯扮成船夫，在河上斩首示众，船夫害怕，百姓全都得以渡过河去。于是分立部众，让他们沿河举着旗帜，敲起刁斗，呐喊之声传到百里之外，辽军这才退去。

甲午（十四日），辽将萧达兰、萧观音努率军攻下祁州，守城士卒大多投降。辽圣宗亲写诏书进行嘉奖，并重赏萧观音努，对投降的士卒也给以赏赐。

乙未（十五日），宋真宗诏令王超等人赶赴皇上的行在之所，命令知永兴军府向敏中兼管凤州驻泊兵马，可以相机行事。宋真宗将要北征，很挂念西部边境，所以有此诏令。

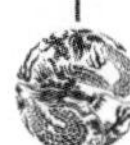

向敏中得到诏书,秘而不宣,和平日一样处理事务。适逢举行驱鬼逐疫的大傩仪式,有人告发禁卒想借这个仪式乘机作乱,向敏中暗中派部下士卒穿上衣甲带上兵器埋伏在廊庑的帐幕中,第二天,召集宾客幕僚、士卒官吏饮酒观赏,下令跳傩舞的人入府到阶下,向敏中振袖一挥,伏兵齐出,全部活捉了跳傩舞的人,果真各自身藏匕首,当即就在席前斩首。把尸体弄走后,用灰沙打扫庭院,奏乐宴饮,边镇因此而得安宁。宋真宗因此对向敏中有再用之意。

丙申(十六日),宋真宗诏令:"跟随圣驾的军士先赶赴澶州,天雄军及沿河驻泊的人都赐予衣装钱物。"

癸卯(二十三日),宋真宗任命厮铎督为北方军节度、灵州西面巡检、西凉府六谷大首领。

乙巳(二十五日),莫州、岢岚、威虏三军、北平寨都报告说击败了契丹,群臣得知后都向皇上道贺。在这一战役中,张凝、田敏都用编师抵抗易州南的敌军,俘虏缴获人畜铠仗数以万计,只有魏能虽费了一些周折却无功而返。

此前王继忠得到宋真宗的亲笔诏书,当即写了一封奏章附上石普的意见上奏朝廷,奏章说:"辽军已领兵围攻瀛洲,关南地区是他们的旧疆域,恐怕很难固守,恳望趁早派遣使者商议和好之事。"丙午(二十六日),宋真宗读了他的奏章,对辅臣们说:"瀛洲素有防备,不用担忧。要先派遣使者,当然也没有什么损害。"于是又赐给王继忠亲笔诏书答应了这事。招募了神勇军士李斌拿着作为凭信的令箭前往辽军营寨,就此命令枢密院挑选可出使辽国的人。王继英说殿直曹利用自陈愿意前往,于是授予曹利用阁门祗候、假崇仪副使,带着给辽圣宗的书信前往,又赐给王继忠亲笔诏书。

丁未(二十七日),宋真宗任命雍王赵元份为东京留守。

己酉(二十九日),开始设置龙图阁待制之职,宋真宗任命都官郎中杜镐、右正言戚纶担任此职。任命卫州防御使李重贵为大内都部署。

续资治通鉴卷第二十五

【原文】

宋纪二十五　起阏逢执徐【甲辰】十一月，尽旃蒙大荒落【乙巳】十二月，凡一年有奇。

真宗膺符稽古神功让德　文明武定章圣元孝皇帝

景德元年　辽统和二十二年【甲辰，1004】　十一月，乙卯，遣使安抚河北。

以知瀛州李延渥为本州团练使，奖其守城之功也。

北面部署奏："契丹自瀛州退去，其众犹二十万。侦得其谋欲乘虚抵贝、冀、天雄军。"诏督诸路兵及澶州戍卒会天雄军。

自辽师南下，河朔皆城守。右赞善大夫王屿知冀州，常有破敌之志，日阅戍兵，又集强壮练习之，开门樵采如平日。尝上言："寇若至，必(至)〔可〕邀击，愿勿以一郡为忧。"于是辽游骑逼城，屿击走之，诏嘉奖。

癸亥，辽马军都指挥使耶律珂礼遇南师于洺州，胜之。甲子，东京留守萧巴雅尔获魏府官吏田逢吉，献于行帐。

戊辰，以山南东道节度使李继隆为驾前东面排阵使，马军都指挥使葛霸副之，西上阁门使孙全照为都钤辖，南作坊使张旻为钤辖；武宁节度使石保吉为驾前西面排阵使，步军都虞候王隐副之，入内副都知秦翰为钤辖。

初，旻在定州，言天道方利客，先起者胜，宜大举伐辽，并上兴师出境之日。帝以问辅臣，皆言不可，乃止。于是驾将亲征，旻方戍并伐，复奏边事十馀，召还，入对，帝曰："契丹入塞，与卿所请北伐之日同，悔不用卿策。今须守澶州而未得人，如何？"旻请行，帝喜，故命为西面钤辖，先令至澶州候敌远近，旻即驰骑往。

秦翰既受命，亟督众环城浚沟洫，以拒边骑。功毕，辽师果暴至，翰不解甲胄七十馀日云。

庚午，车驾北巡。司天言："日抱珥，黄气充塞，宜不战而却，有和解之象。"

曹利用至天雄，孙全照疑契丹不诚，劝王钦若留之。辽师数攻城不克，复令王继忠具奏议和，帝因赐继忠手诏，云已遣利用，且使告辽人遣使抵天雄受之。继忠闻利用至天雄不行，复具奏，乞自澶州别遣使者至北朝，免致缓误。辛未，车驾次长垣县，得其奏，遂以前意答焉。

壬申，次韦城县。诏知滑州张秉、齐州马应昌、濮州张晟往来河上，部丁夫凿冰，以防敌骑之渡。

天雄军闻辽师将至，阖城惶遽，王钦若与诸将议探符分守诸门，孙全照曰："全照将家子，请不探符，诸将自择便利处所，不肯当者，全照请当之。”既而莫肯守北门者，乃以命全照。钦若亦自分守南门，全照曰：“不可。参政主帅，号令所出，谋画所决，南北相距二十里。请覆待报，必失机会，不如居中央府署，保固腹心，处分四面。”钦若从之。

全照素教畜弩手，射人马洞彻重甲，随所指麾，应用无常。于是大开北门，下吊桥以待之。辽师攻东门良久，舍东门，趋故城，夜，复自故城潜师过城南，设伏于狄相庙，遂南攻德清军。钦若闻之，遣将率精兵追击；伏兵起，断其后，天雄兵不能进退。全照请于钦若曰：“若亡此兵，是亡天雄也。北门不足守，全照请救之。”乃引麾下出南门力战，杀伤辽伏兵甚众，天雄兵乃复得还，存者什三四。

庚午，辽萧巴雅尔、萧观音努率渤海兵攻德清军，城破，知军、尚食使张旦及其子三班借职利涉、虎翼都虞候胡福等十四人并死之。

先是诏王超等率兵赴行在，逾月不至。辽师益南侵，帝驻跸韦城，群臣复有以金陵之谋告帝宜且避其锋者，帝意稍惑，乃召寇准问之。将入，闻内人谓帝曰：“群臣辈欲将官家何之？何不速还京师！”准入对，帝曰：“南巡何如？”准曰：“群臣怯懦无知，不异于乡老妇人之言。今敌骑迫近，四方危心，陛下惟可进尺，不可退寸。河北诸军日夜望銮舆至，士气当百倍。若回辇数步，则万众瓦解，敌乘其后，金陵亦不可得而至矣！”帝意未决。准出，遇殿前都指挥使高琼，谓曰：“太尉受国恩，何以报？”对曰：“琼武人，愿效死。”准复入对，琼随立庭下，准曰：“陛下不以臣言为然，试问琼。”遂申前议，词气慷慨。琼仰奏曰：“寇准言是。”且曰：“随驾军士父母妻子尽在京师，必不肯弃而南行，中道即亡去耳。愿陛下亟幸澶州，臣等效死，契丹不难破。”准又言：“机不可失，宜趣驾！”时王应昌带御器械侍侧，帝顾之，应昌曰：“陛下奉将天讨，所向必克，若逗遛不进，恐敌势益张。”帝意遂决。

甲戌，晨发，左右以寒甚，进貂裘絮帽。帝却之，曰：“臣下暴露寒苦，朕独安用此邪！”夕，次卫南县，遣翰林侍读学士潘慎修先赴澶州。诏澶州北寨将帅及知州不能擅离屯所迎驾。

帝前赐王继忠诏许遣使，继忠复具奏附石普以达。普自贝州遣指挥使张皓赴行阙，道出辽寨，为所得，辽主及太后引皓至车帐前，问劳久之，因令抵天雄，以诏促曹利用。王钦若等疑不敢遣，皓独还辽营。辽太后赐皓袍带，馆设加等，使继忠具奏，且请自澶州别遣使，速议和好事。于是皓以其奏入，帝复赐钦若诏，又令参知政事王旦与钦若手书，俾皓持赴天雄，督利用同北去，并以诏谕继忠。因谓辅臣曰：“国家以安民息战为念，固许之矣。然彼尚率众深入，又河冰且合，戎马可度，亦宜过为之防。朕已决成算，若盟约之际，别有邀求，当决一战。可再督诸将帅整饬戎容，以便宜从事。”

辽师既陷德清，壬申，遂进抵澶州，围合三面。李继隆等分伏劲弩，控扼要害。辽统军使萧达兰恃其勇，以轻骑按视地形。时威虎军头寿光张瑰掌床子弩，弩潜发，达兰中额仆，辽众竞前舆曳至寨，是夕，死。太后临其辖车，哭之恸，辍朝五日。以萧巴雅尔代掌南面事，旋下通利军。达兰通天文，屡著战功，首倡南侵之谋，至是死，军中夺气，滋欲议和矣。

丙子，车驾发卫南。李继隆等使人告捷，又言：“澶州北城，门巷湫隘，且于南城驻跸。”是日，驻南城，以驿舍为行宫，将止焉。寇准固请幸北城，曰：“陛下不过河，则人心益危，敌气未慑，非所以取威决胜也。且王超领劲兵屯中山以扼其吭，李继隆、石保吉分大阵以扼其左右肘，四方征镇赴援者日至，又何疑而不往？”高琼亦固请，佥署枢密院事冯拯在傍呵之，琼怒曰：“君以文章致位两府，今敌骑充斥如此，犹责琼无礼，君何不赋一诗退敌邪？”即麾卫士进

辇扣陛。帝遂幸北城。至浮桥，犹驻车未进，琼乃执村筑辇夫背曰："何不亟行！今已至此，尚何疑焉！"帝乃命进辇。既至，登北城门楼，张黄龙旗，诸军皆呼万岁，声闻数十里，气势百倍。帝览观营壁，召见李继隆已下诸将，抚慰者久之，赐诸军酒食缗钱。

戊寅，移御北城之行营。

曹利用自天雄赴辽军中，见其太后与宰相韩德昌同处一车，群臣与其主重行别坐，礼容甚简。以版横车轭，上设食器，坐利用车下，馈之食。共议和好，事未决，辽主乃遣左飞龙使韩杞持国书与利用俱还。诏知澶州何承矩郊劳，翰林学士赵安仁接伴之，凡觐见仪式，皆安仁所裁定云。

十二月，庚辰朔，韩杞入对于行宫之前殿，跪授书函于阁门使，使捧以升殿，内侍省副都知阎承翰受而启封，宰相读讫，命杞升殿起居。其书复以关南故地为请，帝谓辅臣曰："吾固虑此，今果然，将奈何？"辅臣请答书，言："关南久属朝廷，不可拟议，或岁给金帛，助其军资，以固欢盟。惟陛下裁度。"帝曰："朕守祖宗基业，不敢失坠。所言归地，事极无名，必若邀求，朕当决战耳！实念河北居人重有劳扰，倘岁以金帛济其不足，朝廷之体，固亦无伤。答书不必具言，但令曹利用与韩杞口述兹事可也。"赵安仁独能记太祖时国书体式，因命为答书。赐杞袭衣、金带、鞍马、器币。杞即日入辞，遂与利用共往。杞既受袭衣之赐，及辞，复左衽，且以赐衣稍长为解，赵安仁曰："君将升殿受还书，天颜咫尺，如不衣所赐之衣，可乎？"杞即改服而入。帝又面戒利用以地必不可得，若邀求货财，则宜许之。

是日，日有食之。帝惧甚，司天言主两国和解，帝意稍释。

癸未，幸北寨，又幸李继隆营，命将校从官饮，犒赐诸军有差。

曹利用与韩杞至辽军帐，辽复以关南故地为言，利用辄沮之，且谓曰："北朝既兴师寻盟，若岁希南朝金帛之资以助军旅，则犹可议也。"其接伴政事舍人高正遽曰："今兹引众而来，本谋关南地，若不遂所图，则本国负愧多矣。"利用答以："禀命专对，有死而已。若北朝不恤后悔，恣其邀求，地固不可得，兵亦未易息也！"辽主及萧太后闻之，意稍怠，但欲岁取金币；利用许遗绢二十万匹、银十万两，议始定。

辽主复遣王继忠见利用，具言："南北通和，实为美事，主上年少，愿兄事南朝。又虑南朝或于缘边开移河道，广浚壕堑，别有举动之意。"因附利用密奏，请立誓，并乞遣近上使臣持誓书至彼。

甲申，利用即与其右监门卫大将军姚柬之持国书俱还，并献御衣、食物，其郊劳馆谷，并如韩杞之礼，命赵安仁接伴。

乙酉，柬之入对于行宫中，使受其书，书辞犹言："曹利用所称，未合王继忠前议；然利用固有成约，悉具继忠密奏中矣。"是日，帝御行宫之南楼，观大河，宴从臣，召柬之与焉。

丙戌，柬之入辞，命西京左藏库使李继昌假左卫大将军，持誓书与柬之俱往报聘，称辽太后为叔母，金帛之数如利用所许，其他亦依继忠所奏云。柬之又言："收众北归，恐为缘边邀击。"乃诏诸路部署及诸州军，勿辄出兵马以袭辽归师。

〔丁亥〕，以曹利用为东上阁门使、忠州刺史，赐第京师。利用之再使也，面请岁赂金帛之数，帝曰："必不得已，虽百万亦可。"寇准召至幄次，语之曰："虽有旨许百万，若过三十万，将斩汝！"利用果以三十万成约而还。入见行宫，帝方进食，未即见，使内侍问所赂。利用曰："此机事，当面奏。"复使问曰："姑言其略。"利用终不肯言，而以三指加颊。内侍入曰："三指

加颊,岂非三百万乎?"帝失声曰:"太多!"既而曰:"姑了事,亦可耳。"帷宫浅迫,利用具闻其语。及对,帝亟问之,利用再三称罪,曰:"臣许之银绢过多。"帝曰:"几何?"曰:"三十万。"帝不觉喜甚,故利用被赏特厚。

戊子,帝作《回銮诗》,命近臣和。幸北寨劳军,遣雷有终领所部兵还并州屯所。时王超等逗挠无功,唯有终赴援,威声甚振,河北列城赖以张其军。

己丑,辽诏诸军解严。

壬辰,赦河北诸州死罪以下。民经辽师蹂践者,给复二年。死者官吏,追录子孙。

癸巳,大宴于行宫。

宰臣毕士安先以疾留京师,遗书寇准,言:"大计已定,惟君勉之!"是日,来朝。议者多言岁赂三十万为过厚,士安曰:"不如此,则敌所顾不重,和事恐不能久也。"

雍王元份暴得疾,诏参知政事王旦权东京留守事,即日乘传先还。旦驰至京,直入禁中,下令甚严,人无知者。及驾还,旦家子弟皆迎于郊,忽闻后有驺呵声,回视,乃旦也,皆大惊。时两河之民颇有陷敌者,旦上言,愿出金帛数十万赎其人;或有沮议者,遂止。

甲午,车驾发澶州。大寒,赐道傍贫民袴。

李继昌至辽帐,馆设之礼益厚,即遣其西上阁门使丁振奉誓书来上。

戊戌,车驾至自澶州。

帝初以懿德皇太后忌,欲撤卤簿鼓吹,不举乐。时龙图阁待制杜镐先还,备仪仗。遣骑驰问之,镐曰:"武王载木主伐纣,前歌后舞。《春秋》不以家事辞王事,凯旋用乐,于礼无嫌。"帝复诏辅臣共议,皆固以请,乃从之。

寇准在澶州,每夕与知制诰杨亿痛饮,讴歌谐谑,喧哗达旦,帝使人觇知之,喜曰:"准如此,吾复何忧!"时人比之谢安。

既而曹利用与韩杞至行在议和,准画策以进,且〔曰〕:"如此,则可保百年无事。不然,数十年后,敌且生心矣。"帝曰:"数十岁后,当有捍御之者。吾不忍生灵重困,姑听其和可也。"准尚未许,有谮其幸兵以自取重者,准不得已许之。

初,准处分军事,或违帝旨,及是,谢曰:"使臣尽用诏令,兹事岂得速成!"帝笑而劳焉。

辛丑,录契丹誓书颁河北、河东诸州军。

甲辰,改威虏军曰广信,静戎曰安肃,破虏曰信安,平戎曰保定,宁边曰永宁,定远曰永静,定羌曰保德,平虏城曰肃宁。

邠州部署言李继迁子德明孔目官何宪来归,诏令乘传赴阙。

乙巳,以天雄军钤辖孙全照知军府事,召王钦若归阙。

戊申,帝览河北奏报,诸州多被蹂践,通利军伤残尤甚,惨然形于颜色,乃下诏罪己。王旦、寇准等皆上疏待罪,慰劳之。

是月,辽班师,太后赐大丞相韩德昌姓耶律,徙王晋。

是岁,辽放进士张可封等三人。

二年 辽统和二十三年【乙巳,1005】 春,正月,庚戌朔,以辽人讲和,大赦天下。

壬子,放河北诸州强壮归农,令有司市耕牛给之。

癸丑,罢诸路行营,合镇、定两路都部署为一。

甲寅,王钦若自天雄军来朝。

帝以河北守臣宜得有武干善镇静者，乙卯，以马知节知定州，孙全照知镇州，赵昌言知大名府，冯起知澶州，上官正知贝州，杨延朗知保州，张禹珪知石州，张利涉知沧州，赵继升知邢州，李允则知雄州，赵彬知霸州。帝亲录其姓名付中书，且曰："朕裁处当否，卿等共详之。"毕士安曰："陛下所择，皆才适于用，望付外施行。"从之。

知节先在镇州，方辽师入塞，民相携入城，知节与之约，有盗一钱者斩。俄有窃童儿钱二百者，即戮之，自是无敢犯者。每中使赍诏谕边郡，知节虑为敌所掠，因留之，募捷足者间道达诏旨。会发澶、魏、邢、洺等六州军储赴定州，水陆并进，时兵交境上，知节曰："是资敌也。"因告谕郡县，凡公家输辇之物，所在纳之；敌欲剽劫，皆无所得。车驾幸澶州，大将王超拥兵数十万屯定州，逗遛不进，知节屡讽之，超不为动。复移书诮让，超始出兵，犹辞以中渡无桥，徒涉为患；知节先已命工度材，一夕而具。上闻，手诏褒美。

罢北面部署、钤辖、都监、使臣二百九十馀员。

召辅臣观瀛州所获辽人攻城战具，皆制度精好，锋锷铦利，梯冲、竿牌，悉被以铁。城上悬版才数寸，集矢二百馀，其后李继宣浚高阳壕，得遗矢凡四十万，辽人攻城不遗馀力如此。

戊午，辽主还，次南京。庚申，以萧巴雅尔为北府宰相，萧观音努同知南院事。大享士卒，爵赏有差。

癸亥，命翰林学士赵安仁等五人权同知贡举。

王超上章待罪，帝悯其劳旧，弗责。戊辰，以超为崇信节度使，罢军职。

省河东部署、钤辖司使臣百馀人，又省河北诸州戍兵十之五，缘边三之一。

己巳，参知政事王钦若加阶邑、实封，又赐袭衣、锦带、鞍马。故事，辅臣加恩无所赐；帝以钦若守藩有劳，特宠异之，自是遂为故事。

以辽人通和，置国信司，领以宦者。

二月，癸未，山南东道节度使、同平章事李继隆卒，赠中书令，谥忠武。继隆出于贵胄，感慨自立，在太宗朝，特被亲信，每征行，必总戎政。帝以元舅之故，不欲烦之军旅，优游近藩，恩礼甚笃，继隆亦多智，用能谦谨保身。明德寝疾，欲面见之，帝促其往，继隆但诣万安宫门拜笺，终不入宫。又尝命诸王诣第候谒，继隆不设汤茗，第假王府从行茶炉烹饮焉。

咸平末，河北转运使刘综上言："西汉晁错言使民入粟授以爵，塞下之粟必多，文帝从之。今河北诸州聚兵，粮馈劳费，望行汉制以济军储。"既而水部郎中许元豹复言："缘河州县和市边谷数少，望许进献粮粟，授以官秩。"事下三司议奏，于是定入粟实边授官等级以闻。帝虑爵赏之滥，重惜其事，宰相言："故事具存，行之无损，请陕西诸州亦如此制。"从之。

丙戌，辽复置榷场于振武军。时辽俸羊多阙，门下平章事耶律实噜请以羸老之羊及皮毛易南中绢，彼此利之。

癸丑，命开封府推官孙仅为辽太后生辰使，閤门祗候康宗元副之。仅等入辽境，其刺史皆迎谒，又令幕职、县令、父老捧卮献酒于马前，民以斗焚香前迎，接伴者察使人中途所须，即供应之。辽主每岁避暑于含凉淀，闻使至，即来幽州，屡召仅等宴会，礼遇甚优。仅等辞还，赆以器服及马五百馀匹。自郊劳至于饯饮，极其恭恪。然礼或过当，仅必抑而罢之。自后奉使者率循其制，时称得体。

太子太师吕蒙正请归西京养疾，诏许之。丁未，召见，听肩舆至殿门外，命二子光禄寺丞从简、校书郎知简掖以升殿，劳问累刻。因言："北戎请和，从古以为上策。今先启诚意，继好

息民，天下无事，惟愿以百姓为念！"帝嘉赏之，其二子皆迁官。蒙正至雒，有园亭花木，日与亲旧宴会，子孙环列，迭奉寿觞，怡然自得。

诏："缘边诸州军如擒获北界奸人，可诘其事状，部送阙下。"帝以辽虽通好，而彼中动静亦不可不知，间谍侦候，宜循旧制。又虑为彼所获，归曲于我，自今获彼间谍，当赦勿诛，但羁留内地，待有词，则以此报之，故有是诏。

三月，甲寅，帝御崇政殿，亲试礼部奏名举人，得进士濮人李迪以下二百四十六人，又得特奏名五举以上一百一十人。翼日，试诸科，得《九经》以下五百七十人，又得特奏名诸科《三礼》以下七十五人。帝谓宰相曰："糊名校覆，务于精当；而考官不谕朕意，过抑等第，欲自明绝私，甚无谓也。迪所试最优；李谘亦有可观，闻其幼年母为父所弃，归旧族，谘日夕号泣，求还其母，乃至绝荤茹以祷祈，又能刻苦为学，自取名级，亦可嘉也。"以迪为将作监丞，谘及夏侯麟为大理评事，通判诸州。谘，新喻人也。

先是迪与贾边皆有声场屋，及礼部奏名，两人皆不与。考官取其文观之，迪赋落韵，边论"当仁不让于师"，以师为众，与注疏异，特奏，令就御试。参知政事王旦议："落韵者，失于不详审耳。舍注疏而立异论，辄不可许，恐士子从今放荡，无所准的。"遂取迪而黜边。

初，安阳陈贯，喜言兵，咸平中，大将杨琼、王荣丧师，贯上书言："前日不斩傅潜、张昭远，使琼辈畏死不畏法令。不严其制，后当益弛。请立法，凡合战而奔者，主校皆斩。大将战死，裨校无伤而还，与奔军同。军衄城围，别部力足救而不至者，以逗遛论。如此，则诛罚明而士卒厉矣。"帝嘉纳之。将召试学士院，执政谓琼等已即罪，议遂格。

又尝上《形势》《选将》《练兵》论三篇，大略言："地有要害。今北边既失古北之险，然自威虏城东距海三百里，其地沮泽垸堉，所谓天隙天陷，非敌所能轻入。由威虏西极狼山不百里，地广平，利驰突，此必争之地，先居则佚，后趋则劳，宜有以待之。昔李汉超守瀛洲，敌不敢视关南尺寸地。今将帅大概用恩泽进，虽谨重可信，然卒与敌遇，不知所以为方略，故敌势益张，兵折于外者二十年，此选将得失之效也。国家收天下材勇以备禁旅，赖赐予廪给而已，恬于休息，久不识战，当以卫京师，不当以戍边。戍边莫若募土人隶本军，又籍丁民为府兵，使北面捍辽，西面捍戎；不独审练敌情，熟习地形，且皆乐战斗，无骄心。"

辽人既和，复上言："敌数入塞，驱掠良民数十万，今乘其初通，宜出内府金帛以赎之，敌嗜利，必归吾民，自河之北，戴德泽无穷矣。"于是贯举进士，试殿庭，得同出身，帝识其姓名，曰："是数言边事者。"擢置第二等，赐及第。

乙丑，辽赈党项部饥。

丙寅，以知雄州机宜司赵延祚为雄州北关城巡检，赐白金三百两。延祚，州之大姓，自太宗朝，尝出家财交结敌中豪杰，得其动静，即具白州将，因授官任。至是年七十馀，召赴阙，询以边事，具言："今之修和，辽人先启诚意，国家动守恩信，理必长久。"又言："国母之妹曰齐妃，与其姊不协，国家所遗金帛，皆归于国主及母，其下悉无所及，望自今榷场贸易，稍优假之，则其下获利，必倍欣慰。"又历陈辽风俗、山川曲折、地理远近，及晋、汉时事，历历有据。帝诘其所欲，云有家属寓居青州，愿便道得往省之；帝许焉。且以与辽通好，不可复置机宜司，故命为巡检。

帝虑河北诸州，缘兵罢遂弛武备，诏敌楼战棚有堕坏者即葺之。

以将作监丞王曾为著作郎、直史馆，赐绯。旧制，试文当属学士、舍人院，宰相寇准雅知曾，特召试政事堂。

丁丑，辽改易州飞狐路招安使为安抚使，以与南朝和好也。

夏，四月，丙戌，女真、回鹘俱遣使贡于辽。

丁酉，枢密直学士刘师道责授忠武行军司马，知制诰陈尧咨单州团练副使。

先是师道弟幾道举进士，礼部奏名，将廷试，近制悉糊名校等，尧咨为考官，教幾道于卷中密为识号。幾道既擢第，或告其事，诏落籍，永不得预举。帝初欲含容，不复穷究其事，而师道固求辨理。诏东上閤门使曹利用、兵部郎中边肃、内侍副都知阎承翰诣御史府杂治之；坐论奏诬妄，与尧咨并责。

戊戌，幸龙图阁，阅太宗御书，观诸阁图画，近臣毕从。

己亥，党项侵辽。

诏河北诸州葺城池。

工部侍郎、参知政事王钦若，素与寇准不协，还自天雄，再表求罢。癸卯，置资政殿学士，以钦若为之，仍迁刑部侍郎，班在翰林学士之下，侍读学士之上。

以佥署枢密院事冯拯参知政事。

五月，戊申朔，幸国子监阅书库，问祭酒邢昺："书版几何？"昺曰："国初不及四千，今十馀万，经史正义皆具。臣少时业儒，每见学徒不能具经疏，盖传写不给。今版本大备，士庶家皆有之，斯乃儒者逢时之幸也。"

先是印书裁截馀纸，皆鬻之以供监中杂用，昺请归此钱于三司，裨国计。自是学者公费不给，讲官亦厌其寥落云。

宣徽北院使雷有终卒。有终倜傥自任，能抚士卒，多倾私帑给公家宴犒。在蜀时，尝借用库钱数百万，奏纳第以偿，优诏蠲免；身后宿负犹不啻百万，官为偿之。

高阳关副都部署张凝卒。凝忠勇，好功名，善训士卒，赏赐多以犒师，家无馀资。帝尝谓近臣曰："选用武臣实难，倘未尝更历，则不能周知其才。太宗所擢甚众，而优待者唯凝与王斌、王宪等数人，乃知先帝知人之明也。"至是卒，帝甚惜之。

知镇戎军曹玮言："军境川原夷旷，便于骑战，非中国之利。请自陇山以东，循古长城，堑以为限。"从之。又言："边民应募为弓箭手者，皆习障塞蹊隧，解羌、胡语，耐寒苦，有警可参正兵为前锋；而官未尝与器械资粮，难责其死力。请给以境内闲田，永蠲其租，春秋耕敛，州为出兵而护作之。"诏："人给田二顷，出甲士一人，及三顷者出战马一匹。设堡戍，列部伍，补指挥使以下校长，有功劳者亦补军都指挥使，置巡检以统之。"其后鄜延、环庆、泾原并河东州军，亦各募置。

以起复右谏议大夫、知制诰晁迥，起居舍人、知制诰李宗谔并为翰林学士。

宗谔在舍人院，尝牒御史台，不平空，中丞吕文仲移文诘之，宗谔答以两省与台司非统摄。文仲不平，闻于帝，有诏辨析。宗谔引八事证其不相统摄，且言："御史台每牒本省并不平空，所以本省移报亦如其议。而文仲止凭吏人之言，遽有闻奏，无典章之可据。况台宪之职，所宜纠参奸邪，辨明冤枉，廷臣有不法之事，得以奏弹，下民有无告之人，得以申理。而于文牒之内，争平空与不平空，其事琐细，乌足助其风裁哉！"卒如宗谔所言。守职者韪之。

以起居舍人、直昭文馆种放为右谏议大夫。放谢病，乞游嵩山；诏许之，仍命河南守臣常加存抚。召对，赐宴，赋诗饯行，恩礼甚厚。

乙卯,辽以金帛赐阵亡将士家。时高丽、准布以辽和议成,先后遣使贺辽。

先是诏礼部贡院别试河北贡举人,以用兵不及试期故也。庚申,帝御崇政殿亲试,赐进士诸科及第、出身有差。

抚州进士晏殊,年十四,大名府进士姜(益)〔盖〕,年十二,皆以俊秀闻,特召试,殊试诗赋各一首,(益)〔盖〕试诗六篇。殊属词敏赡,帝深叹赏。宰相寇准以殊江左人,欲抑之而进(益)〔盖〕,帝曰:"朝廷取士,唯才是求,四海一家,岂限遐迩!如前代张九龄辈,何尝以僻陋而弃置邪!"乃赐殊进士出身,(益)〔盖〕同学究出身。后二日,复召殊试诗、赋、论,殊具言赋题尝所私习,帝益爱其淳直。改试它题,既成,数称善,擢秘书省正字,秘阁读书,仍命直史馆陈彭年视其所学及检察其所与游者。

己巳,诏:"自今官吏雪活人命者,并理为劳绩。"

癸酉,诏:"天下榷利者,弗许增羡为额。"

乙亥,知雄州何承矩,言将来辽使入界,欲令暂驻新城,俟接伴使至,迎于界首;从之。承矩又言使命始通,待遇之礼,宜得折中,庶可久行,乃悉条上。手诏嘉纳,仍听事有未尽者,便宜裁处。

六月,己丑,曹州民赵谏与其弟谔,以奸慝不法,并斩西市。帝初欲穷治其狱,内出与谏交游者姓名七十馀人付鞫。中丞吕文仲请对,言逮捕者众,或在外郡,苟悉索之,虑动人听。帝曰:"卿执宪,当嫉恶如仇,岂公行党庇邪!"文仲顿首曰:"中丞之职,非徒绳愆纠违,亦当顾国家大体。今纵七十馀人悉得奸状,以陛下之慈仁,必不尽戮,不过废弃而已。但籍其名,遇事治之,未为晚也。"帝从其言。

帝谓辅臣曰:"殿前、侍卫司禁兵老疾者众,宜精加选择。"枢密使王继英曰:"禁旅比昔时数,今逾倍,若乘此息兵,简退疲冗,实甚便。"帝曰:"然。第以北敌请盟,西戎纳款,若即行此,则军旅之情,必谓国家便谋去兵惜费。不若先从下军选择勇力者,次补上军,亦可镇压浮言,使众不惑也。其老疾者,俟秋冬遴简将臣,令悉蒐去之。"

己亥,达旦国九部遣使聘辽。

秋,七月,戊午,党项贡于辽。

甲子,诏:"复置贤良方正能直言极谏、博通坟典达于教化、才识兼茂明于体用、武足安边洞明韬略、运筹决胜军谋弘远、才任边寄堪为将帅等科,令尚书吏部传告诸路,许文武群臣、草泽隐逸之士来应。委中书门下先加考试,如器业可观,具名闻奏。"

丁卯,女真遣使贡辽。回鹘使人请先留使者,皆遣之。

丙戌,西川转运使黄观,言益州将吏民庶举留知州张咏,诏褒之。寻因遣使巡抚西川,令谕旨曰:"得卿在彼,朕无西顾忧也。"

八月,戊寅,雍王元份薨。

癸巳,有星孛于紫微。

九月,癸丑,赵德明始遣其都知兵马使白文寿来贡。

癸亥,群臣三表上尊号,不允。

丁卯,令资政殿学士王钦若、知制诰杨亿修历代君臣事迹。钦若请以直秘阁钱惟演等十人同编修,从之。

冬,十月,庚辰,丁谓等上《景德农田敕》五卷,令雕印颁行,民间咸以为便。

乙酉，吏部侍郎、平章事毕士安早朝，至崇政殿庐，疾暴作。帝闻之，亟遣使抚问，还奏疾甚，帝即步出临视，已不能言，诏内侍窦神宝以肩舆送归第而卒。车驾临哭，谓寇准等曰："士安，善人也，事朕于南府、东宫，以至辅相，饬躬畏谨，有古人之风。遽此沦没，深可悼惜！"诏赠太傅、中书令，谥文简；录其子孙，中使护丧事，给卤簿葬。士安端方沉雅，有清识，所至以严正称；年耆目眊，读书缮写不辍，尤精意词翰。虽贵，奉养无异平素，未尝植产为子孙计，故天下称其清。

丙戌，遣度支判官周渐为辽主生辰使，职方郎中韩国华为辽太后正旦使，盐铁判官张若谷为辽主正旦使。

癸卯，岁币赍至辽界。自是岁以为常。

十一月，丙辰，享太庙。丁巳，合祭天地于圜丘，大赦。

辽命大丞相耶律德昌出宫籍，属于横帐。

癸酉，辽主及太后遣使左金吾卫上将军耶律留宁、左武卫上将军耶律委演等来贺承天节，对于崇德殿。留宁等将见，馆伴使李宗谔，引令式不许佩刀，至上閤门，留宁等欣然解之。帝闻之，曰："戎人佩刀，是其常礼，不须禁以令式。"即传诏听自便。留宁等感悦，谓宗谔曰："圣上推心置人腹中，足以示信遐迩也。"

十二月，己卯，召辅臣于龙图阁观契丹礼物及祖宗朝所献者。自后使至，必以绮帛分赐中书、枢密院，果实、脯腊赐近臣、三馆。

辛巳，以王钦若为兵部侍郎、资政殿大学士，班在文明殿学士之下，翰林学士承旨之上。帝初见钦若班在翰林学士李宗谔下，怪之，以问左右，左右以故事对。钦若因诉于帝曰："臣前自翰林学士为参知政事，无罪而罢，其班乃下故官一等，是贬也。"帝悟，即日改焉。资政殿置大学士自此始。钦若善迎人主意，帝望见辄喜，每拜一官，中谢日，辄问曰："除此官，且可意否？"其宠遇如此。

甲午，右谏议大夫种放自嵩山来朝，对于龙图阁。

初诏致仕官给半俸。唐制，致仕者非特敕则不给俸，国初循之，至是有此诏。

【译文】

宋纪二十五　起甲辰年（公元1004年）十一月，止乙巳年（公元1005年）十二月，共一年有余。

景德元年　辽统和二十二年（公元1004年）

十一月，乙卯（初五），真宗派遣使者到河北安抚慰劳。

任命瀛洲知州李延渥为本州团练使，以奖励他守城之功。

北面主帅上奏真宗说："契丹人从瀛洲退走时，还有二十万军队。现在侦察到他们想乘我方空虚时攻击贝州、冀州与天雄军。"真宗诏令北面主帅统领诸路军队及澶州戍卒会师天雄军。

自从辽国军队南下窥宋以来，黄河以北地区皆加强了城防守备。右赞善大夫王屿知冀州，平时有破敌之志，每天检阅戍守城防的士兵，并且专门召集身强力壮的军士操练，打开城门出去樵采一如平日。他曾经向真宗上书说："敌人如果来攻，我们一定迎头痛击之，请皇上不要担心。"后来，辽国巡哨游骑逼近城门时，王屿带兵把他们打跑，皇帝下诏嘉奖。

癸亥（十三日），辽马军都指挥使耶律珂礼与宋军在洺州遭遇，宋军败绩。甲子（十四日），东京留守萧巴雅尔俘虏了魏府官吏田逢吉，献俘于辽行军帐幕。

戊辰（十八日），任命山南东道节度使李继隆为驾前东面排阵使，马军都指挥使葛霸为副将，西上阁门使孙全照为都钤辖，南作坊使张旻为钤辖；任命武宁节度使石保吉为驾前西面排阵使，步军都虞候王隐为副将，入内副都知秦翰为钤辖。

当初，张旻在定州，占验天象认为此时正有利于远来之兵，先发兵者得胜，应大举进攻辽国，并上书谈了兴师出境的日期。真宗询问辅臣此计是否可行，都说不可，乃止。此后，真宗车驾准备亲征，张旻正屯兵并州代州，又向真宗上奏边防事宜十余条，真宗召他入朝回答问题，真宗说："契丹侵入我边塞之日，兴师奏请北伐之日相同，后悔不用你的计策。现在需要人守住澶州而没有合适的人选，你看叫谁去呢？"张旻请求让他去，真宗很高兴，因此任命他为西面钤辖，叫他首先到澶州侦察敌人驻军的远近，以便相机行事，张旻立即策马急驰而去。

秦翰受命守边以来，积极督率兵士绕城池疏浚沟渠，以抵御边境来的敌骑。工事刚刚完成，辽军果然大举来攻，秦翰身不解甲，头不卸盔，如是者七十余日。

宋代港口遗址

庚午（二十日），真宗亲往北方边境巡守。司天上奏说："日晕抱珥，充满了黄色的气团，应为不战而退兵的象征，意味着和解。"

真宗派曹利用至天雄，准备与辽军议和，孙全照怀疑契丹的诚意，劝王钦若留住曹利用。辽师几次攻打天雄而不克，又命令宋降官王继忠具奏议和，真宗赐继忠手诏，说明已经派曹利用前去议和，并且叫继忠告诉辽国派使到天雄议和。王继忠听说曹利用至天雄就不走了，又上奏真宗，请从澶州另遣使者至北朝，免得耽误议和时机。辛未（二十一日），真宗车驾留驻长垣县；收到继忠奏书，仍以前面的旨意答复他。

壬申（二十二日），真宗留驻韦城县。诏命知渭州张秉、齐州马应昌、濮州张晟在黄河岸上往来巡察，部署兵丁役夫凿开河水，以防敌骑渡河。

听说辽师将至天雄军，全城军民惊慌失措，王钦若同诸将商议拈阄以决定诸门的守将，孙全照说："全照率领家丁子弟应战，我请求不要拈阄，各位将领各人选择方便的地方应战，险要之处别人不肯担当，我孙全照请求去担当。"后来，没有人愿意守北门，王钦若便命令孙全照守北门，王钦若自己分守南门，孙全照说："不能这样。参政是主帅，号令由你发出，谋略

筹划由你决定，南北相距二十里，很不方便。往返二十里，请示答复需要时间，必然坐失良机，主帅不如居中央府署，保卫巩固腹心之地，处理来自四面八方的问题。”王钦若采纳了他的建议。

孙全照平日教育训练了一批弓弩手，射人马能射穿厚重的铠甲，哪里需要就指挥他们到哪里，使用这支力量没有常规。于是，大开城门，下吊桥等待敌人。辽师攻东门很久攻不下，便舍弃东门向旧城进发，到了夜里，又从旧城偷偷地绕过城南，在狄相庙设下埋伏，于是向南攻德清军。王钦若闻报敌军南攻，遣将率精兵追击，敌军伏兵突起攻击，切断了宋军后路，天雄军部队腹背受敌，进退两难。孙全照请求王钦若说：“如果这部分队伍被歼灭，整个天雄军就完了，看起来北门是守得住的，全照请率军去救被困的军队。”于是，孙全照率领部下出南门奋力作战，杀伤辽国伏兵甚众，天雄军部队才得以复还，生还者仅剩有十分之三、四。

庚午（二十日），辽国萧巴雅尔、萧观音努率领渤海兵攻打德清军，城被攻破，知军、尚食使张旦和他的儿子三班借职张利涉、虎翼都虞候胡福等十四人都死于此役。

起初，真宗诏令王超等率兵赴皇帝暂居的地方，一个多月还没有来。这时，辽师越发向南侵犯，皇帝巡行中居留于韦城，群臣中又有人向皇帝提出前往金陵，以避免与辽师交锋，皇帝举棋不定，于是召寇准问计。寇准刚要进来听见宫人对真宗说：“群臣想要让皇上到哪里去？为啥还不赶紧回京城！”寇准进来商议时，皇帝问道：“南巡金陵怎么样？”寇准说：“群臣怯懦无知，简直和乡巴佬女人的见识没有不同，现在敌骑日益迫近，四方百姓提心吊胆，皇上只能前进一尺，不能后退一寸。河北各路军马日夜盼望皇上车驾銮舆的到来，士气要成百倍地高涨起来。如果回辇数步，就会万众瓦解，敌人乘我之后攻来，金陵也不可能到得更不可能南巡了！”皇帝仍然犹豫不决。

寇准出来的时候遇见了殿前都指挥使高琼，对他说：“太尉你身受国恩，何以报效国家？”高琼说：“我高琼是个武夫，当效死疆场。”寇准又进内廷入对，高琼随他进来，立于廊下，寇准说：“陛下不以臣言为然，请问问高琼。”于是，又重申前面建议，说话的口气慷慨激昂。高琼仰头上奏说：“寇准说得很对。”接着又说：“追随陛下的军士，他们的父母妻子都在京城，一定不愿抛弃他们而南行，即是随行，走到中途就会跑光的。请陛下现在就亲临澶州，臣等效死保护皇上，契丹是不难打败的。”寇准又说：“机不可失，应该马上动身！”这时，王应昌带着御用器械，侍立在旁，皇帝看看他，王应昌说：“陛下奉天伐罪，所向必克，如果逗留不进，恐怕敌人的气势更加嚣张。”皇帝这才下了决心。

甲戌（二十四日），早晨车驾出发，左右侍臣因天气太寒冷，给真宗送上貂皮衣和棉帽，真宗不穿戴，说：“臣子们都暴露在外受寒受苦，朕怎能独自心安理得地穿戴这些呢！”当天晚上，宿于卫南县，真宗派遣翰林侍读学士潘慎修先到澶州，诏令澶州北寨将帅和知州不得擅离屯所来迎接御驾。

皇帝以前曾赐给王继忠诏书，允许辽国遣使议和，王继忠复具奏托付石普转达。石普自贝州遣指挥使张皓赴真宗行在，路过辽寨时被辽挥所获，辽国主及太后让人把张皓引到军帐前面来，询问慰劳很长时间，命令他前往天雄，向曹利用传达真宗的诏令敦促他前去辽军议和。王钦若等怀疑辽国议和诚意，仍不敢遣曹利用前去，张皓独自返回辽营。辽太后赐张皓袍带，馆驿的招待提高等级。辽国又让王继忠具奏，请真宗自澶州另派一使者，赶快商议和好的事。于是张皓带着奏书入见真宗，真宗又赐诏王钦若，并且命参知政事王旦写一封信给

王钦若，让张皓拿着赴天雄王钦若军中，督促曹利用与张皓一同北去辽营，并以诏书晓谕王继忠，真宗就此事对左右辅臣说："国家念念不忘的是息战安民，所以我同意讲和。但是，辽国现在还在率军深入，而且眼看黄河就要结冰，敌兵马匹可以渡河，宁可过于谨慎，也要做好应敌的准备。我已胸有成竹，如果在我们和他们议和的时候，他们另有谋求，就和他们决一死战。要再次督促将帅整饬兵戎，以便宜从事。"

辽师攻陷德清军之后，壬申（二十二日），便进击澶州，三面包围澶州。李继隆等人分别埋伏强弓劲弩，控制扼守要害之地。这时，辽统军使萧达兰自恃饶勇，率轻骑侦察地形。当时虎威军头寿光人张瑰掌管床子弩，用暗弩射中达兰前额，达兰摔下马来，辽兵争先将达兰抬回营寨，达兰当晚身亡。辽太后亲临丧车，放声大哭，停止坐朝五日。辽国以萧巴雅尔代为掌管南面军事，不久即攻下通利军。达兰通晓天文，屡著战功，首先提出南侵的方案之谋，到现在死了，军中士气骤然下降，辽国就产生议和的要求。

丙子（二十六日），真宗一行自卫南出发。李继隆等派人向真宗告捷，并且说："澶州北城一带，门巷都很低湿狭小，请皇上暂时在南城驻跸。"当天，真宗驻跸南城，以驿舍为皇帝的行宫，准备住下来。寇准坚持真宗住北城，说："皇上不过黄河，人心就越发不稳定，敌人的气焰就压不下去，这不是扬威取胜的办法。而且现在王超正率领着一支劲旅屯兵中山，卡着敌人的脖子，李继隆、石保吉正分别摆开大阵，牵制着敌人的左右手，前往四方征召各镇赴援的军队不日就要到来，还有什么可犹豫而不北进呢！"高琼也固请北上，佥署枢密院事冯拯在一旁呵斥高琼，高琼对着冯拯发怒说："你因为会写文章做到中书省和枢密院两府的大官，现在敌骑到处横行蹂躏，还责备我无礼，为什么不写一首诗来退敌兵呢！"高琼指挥卫士把真宗的车辇弄到门口台阶上，真宗于是驾临北城。在走过一座浮桥时，皇帝的车子停下不走了，高琼拿起马鞭捅了一下驾车人的脊背，说："为啥不快走，已经走到这里了还犹豫什么！"于是真宗命令驱车。到了北城以后，真宗登上北城门楼，门楼上高悬黄龙旗，众军士皆呼万岁，声闻数十里，气势百倍高涨。真宗亲自检阅营垒，召见李继隆以下诸将，长时间安抚慰劳众将士，并赏赐众将士酒食与缗钱。

戊寅（二十八日），真宗移居北城的行营。

曹利用自天雄来到辽军中，见到辽国太后与宰相韩德昌同乘一辆车，群臣与国主混杂在一起行走与坐地，礼俗很是简朴。他们将木板横在车辕前的杠子上，木板上面放着吃饭的盛具，让利用坐在车子下面，把食物送给他吃。利用与他们商议和好之事，决定不下来，于是辽主派遣左飞龙使韩杞带上国书与利用一起返回。真宗下诏令澶州知州何承矩在城郊犒劳辽使，翰林学士赵安仁接待伴随使者，凡觐见皇帝的仪式都是由赵安仁制定的。

十二月，庚辰朔（初一），韩杞入对于行宫前殿，跪着把国书授给阁门使，阁门使手捧国书上殿，内侍省副都知阎承翰接受国书并把它打开，由宰相读完，之后才命韩杞升殿向真宗致敬。书中的内容是又要求把瓦桥、益津、淤口这三关以南俗称"关南"的地区，割让给辽国，真宗对左右辅臣说道："我原就怕他们要这块土地，现在果然如此，你们看怎么办？"辅臣请在答书上回答他们，说："关南地区自古以来就是属于朝廷的，没有商量的余地，或者每岁给予金帛若干，以资助他们的军饷，巩固双方的欢盟，就请皇上决定了。"真宗说："我守着祖宗的基业，不敢稍有失误。他们所谓归还土地，事出无名，很不应该，如果他们一定要，我只好与之决一死战了！我所真正顾念的是居住河北的老百姓，这些年他们深受战争的侵害与困扰，如

果每年接济一些金帛，减轻他们的负担，这对朝廷的体面，并无伤害，答书不必把这些具体写上，只叫曹利用与韩杞口述这件事就可以了。”只有赵安仁熟悉宋太祖赵匡胤时代的国书体例与格式，于是真宗让他写答书。真宗赐予韩杞重衣套服、金带、鞍马与金银若币若干，韩杞当天就进行宫向真宗辞行，与曹利用一同去辽营，韩杞接受了真宗袭衣的赏赐，等到向真宗辞别时又把左开襟的辽服穿上，而且借口说真宗赐的衣服太长了，赵安仁说：“你就要登殿接受答书，离皇上近在咫尺，你不穿他赐给你的衣服，行吗？”韩杞立即改穿赐服而入。真宗又当面告诫曹利用，土地绝不能给他们，他们要求财货，可以允许。

当天，有日蚀，真宗甚为恐惧，司天监说，日蚀象征两国和解，不要怕，皇帝的恐意才稍稍减轻。

癸未（初四），真宗亲临北寨，又到李继隆的营帐，命将校及侍从官吏会饮，并分别犒赏诸军。

曹利用与韩杞到辽军营帐，辽国又提出要求关南故地，曹利用都加以拒绝，并且说：“北朝既然兴师动众来和我们修好，如果希望南朝每年给你们金帛之资以助军旅，还可以商议。”辽国接待陪伴宾客的政事舍人高正忽然说：“如今我们率领军队来到这里，本意就是要谋取关南之地，如果达不到目的，那就愧对本国人民了。”曹利用回答说：“我奉命来此，就是为了专门解决这个问题的，这个问题解决不了，我只有一死了之。如果北朝不怕将来遭殃而恣意妄求，那么，不但关南之地得不到，而且要兵连祸结，未有息止了！”辽主及萧太后闻听此言，意思稍稍松动，只要每年获取金币就可以了；曹利用答应赠绢二十万匹、银十万两，于是达成协议。

辽主又派王继忠来见曹利用，王继忠说：“南北议和，实在是一件美事。辽主年轻，愿以兄长之礼事奉南朝。又怕南朝也许要在辽国的边缘掘开黄河河道，到处疏浚壕沟、挖掘陷坑，另外有所图谋。”因此，王继忠要曹利用附上密奏，请求真宗立誓并派遣亲近使臣带着誓书到辽国。

甲申（初五），曹利用立即同辽国的右监门卫大将军姚柬之携带国书一同赴真宗行宫，并献上御衣与食物，对姚柬之的郊外迎接慰劳以及食宿等事，皆如宋朝接待韩杞的礼节，并命赵安仁接引并陪伴宾客。

乙酉（初六），姚柬之进谒答对于行宫，使者接受他呈上的国书，书中还有这样的话：“曹利用所陈说的，与以前王继忠所议定的不相符合；然而曹利用早先已经有商定的意见；都写在王继忠的密奏中了。”当天，真宗亲临行宫南楼，俯瞰大河，设宴款待从臣，并召姚柬之入席。

丙戌（初七），姚柬之入行宫向真宗辞行，真宗命西京左藏库使李继昌代左卫大将军，携带誓书与姚柬之一同往辽国以回报辽国的来聘。称辽太后为叔母，授予金帛数如曹利用所许诺，其他诸事也依照王继忠密奏办理。姚柬之又说：“在我们集合众军北归的时候，恐怕会遭到沿边宋兵拦截攻击。”于是真宗下诏命令诸路部署及各州军，不得出动兵马袭击辽国归师。

丁亥（初八），真宗任命曹利用为东上阁门使、忠州刺史，并赐他宅第于京师。曹利用第二次出使辽国，当面请示真宗岁赂金帛之数，真宗说：“迫不得已，就是一百万也可以。”寇准把曹利用召到账蓬里，对他说：“虽然有旨答应百万，如果超过三十万，我就杀了你！”后来曹

利用果然以三十万达成协议而归。曹利用入行宫谒见真宗，真宗正吃饭，没有马上见他，派内侍询问岁赂多少。曹利用说："这是机密事，要向皇上当面奏闻。"真宗又叫这个内侍来问："姑且说个大概数目吧。"利用还是不肯说，只是拿三个指头贴在面颊上。内侍入内对真宗说："他把三个指头加在面颊上，岂不是三百万吗？"真宗失声说："太多！"过一会儿又说："总算了却一桩事儿，也就罢了。"用帷帐搭盖的行宫帷账比较浅窄，曹利用全都听到了他们说的话。待到与真宗对面时，真宗迫不及待地问他，曹利用再三称罪，说："为臣答应他们的银子与绢帛太多了。"真宗说："是多少？"答："三十万。"真宗一听非常高兴，故此对曹利用的封赏特别优厚。

戊子(初九)，真宗作"回銮诗"，命亲近的臣子和诗。真宗亲临北寨劳军，派雷有终率领所部返回并州屯所。当时，王超等畏葸不前，曲行避敌没有功劳。只有雷有终赶去增援，使宋军声威大振，河北诸城赖以重整军威。

己丑(初十)，辽主诏令诸军解除设防。

壬辰(十三)，赦免河北诸州死罪以下囚犯。遭受辽师蹂躏的，免除赋役二年。作战牺牲的官吏，其子孙可以录用。

癸巳(十四日)，在行宫大摆宴席。

宰相毕士安起初因染疾留守京师，曾致书寇准说："大政方针已经确定下来，全靠你勉力从事了！"这一天，毕士安来朝。有些人在他面前议论，说岁赠银三十万太多了，毕士安说："如果不这样，敌人就没有太多的顾惜了，和平之事恐怕就长久不了。"

原东京留守雍王赵元份突然得病，真宗诏令参知政事王旦暂代东京留守职务，即刻乘驿站马车先朝回京。王旦飞骑到京，径直进入宫中，严令不许外传，因此无人知道王旦已回京，待真宗回到京城，王旦的子弟都到郊外迎接，忽然听见后面有吆喝马车的声音，回头一看，却是王旦，大家吃了一惊。这时，河北、河东的老百姓中有许多人陷于敌人之手，王旦向皇上提出，愿出金帛数十万赎出那些人，也有人对此持反对意见的，遂作罢论。

甲午(十五日)，真宗车驾向澶州进发。天气非常寒冷，真宗命令将上衣与裤子赐给道旁贫民。

李继昌到辽军帐幕，辽方对他的食宿接待礼节甚厚，李继昌派人叫西上阁门使丁振带着誓书来辽营献上。

戊戌(十六日)，真宗车驾自澶州回京。

起初，真宗因懿德皇太后的忌日，想撤销仪仗队和鼓吹，不奏乐。当时龙图阁待制杜镐先期回京，备办仪仗队事宜。真宗派人快马回京询问此事，杜镐说："武王伐纣时载着先王的神主牌位，前有歌，后有舞。《春秋》之义，不以家事而废弃王事，凯旋归来用乐，于礼节上并无妨。"真宗又诏命辅臣就此共议，大家都坚决请求，真宗才同意用乐。

寇准在澶州时，每天晚上和知制诰杨亿痛饮，讴歌谐谑，喧哗达旦，真宗派人窥视得知其事，高兴地说："寇准这样高兴，我还有什么可忧虑的呢！"当时人将寇准比作东晋的贤相谢安。

不久，曹利用与韩杞到真宗的行宫商议和约之事，寇准为和议出谋划策上呈真宗，并且说："这样一来就可以保证一百年太平无事，不然的话，几十年后，敌人又要生事了。"真宗说："数十年后，自然会有捍卫国家的人。我不忍心看着生灵涂炭，姑且同意讲和。"这时，寇准还不同意马上讲和，有人便进谗言说寇准所以要劳师征战，是为了提高自己的身价，寇准不得不同意按现在的条件议和。

起初，寇准处理军务，有时违反真宗的旨意，等到真宗同意之后，寇准表示感谢地说："假使我都按照皇上的诏令行事，这件事岂能很快办成！"真宗笑着安慰了他。

辛丑（十九日），将契丹讲和的誓书抄录多份，向河北、河东诸军颁发。

甲辰（二十二日），改威虏军为广信，静戎为安肃，破虏为信安，平戎为保定，宁边为永宁，定远为永静，定羌为保德，平虏城为肃宁。

邠州主帅上奏说夏国主李继迁的长子李德明（按，一作赵德明，下同此）孔目官何宪来归宋朝，真宗诏令他乘驿站马车进京朝见。

乙巳（二十三日），任命天雄军钤辖孙全照掌管军府事，召王钦若回朝。

戊申（二十六日），真宗阅读河北奏报，诸州多被敌骑蹂躏践踏，通利军伤残者特别多，真宗为之惨然变色，于是，下诏责备自己。王旦、寇准都因此向真宗上疏待罪，真宗安慰了他们。

这个月辽国班师回京，辽太后赐大丞相韩德昌姓耶律，迁封晋王，位在亲王之上。

这一年，辽国录取进士张可封等三人。

景德二年　　辽统和二十三年（公元1005年）

春，正月，庚戌朔（初一），因与辽人讲和，大赦天下。

壬子（初三），放河北诸州强壮士兵归农，令有司购买耕牛供给他们。

癸丑（初四），撤销诸路行营，将镇州定州两路都部署合而为一。

甲寅（初五），王钦若自天雄军来朝。

真宗认为镇守河北地区的官员必须武艺好，办事能力强而又沉着镇静者，乙卯（初六），任命马知节知定州，孙全照知镇州，赵昌言知大名府，冯起知澶州，上官正知贝州，杨延朗知保州，张禹珪知石州，张利涉知沧州，赵继升知邢州，李允则知雄州，赵彬知霸州。真宗亲自抄录他们的姓名交给中书省，并且说："朕裁择处理是否妥当，卿等共同详细讨论。"毕士安说："陛下所选择的，都是才能适于使用的，希望交付外廷施行。"真宗采纳了这个建议。

马知节以前在镇州，那时辽国军队大举入塞，老百姓扶老携幼进入城内，马知节与他们相约，有偷盗一文钱者斩首。不久有个人偷了一个儿童的二百文钱，马上处死，从此再也没有人敢偷盗。每当朝中使者带着诏书晓谕边郡，马知节怕被敌人截获，就把使者留在衙署，然后招募腿脚快的人抄偏僻小路把诏书送达各地。有诏令调发澶、魏、邢、洺等六州储备的军粮往定州，水陆车船并进，当时宋辽正在镇州境内交战，马知节说："这是把粮食送去资助敌人。"因此，他下令所辖各郡县，凡是公家运送的货物，运送到哪里就在哪里接收下来，敌人想抢劫，都没有得到。真宗的车驾亲临澶州，大将王超拥兵数十万屯定州，逗留不进，为此，马知节屡次讽刺他，王超都无动于衷。马知节又写信责备他，王超才出兵，可是又借口渡河无桥，徒步涉水不能过，马知节早已命令工匠备好材料，一夜之间就搭好了河桥。真宗听说了此事，亲手写诏褒奖马知节。

免去北面部署、钤辖、都监、使臣二百九十余人的职务。

真宗召集辅臣参观瀛洲所缴获的辽军攻城战具，这些战具都设计制作精巧，刀箭锋锐十分锐利，攻城的梯冲、竿牌等全都包上铁。城上的悬板才数寸，簇集着二百多支箭，后来李继

宣在疏浚高阳壕沟时，找到辽军丢弃的箭四十万支，辽人攻城就是这样地不遗余力。

戊午（初九），辽主回国，驻于南京。

庚申（十一日），任命萧巴雅尔为北府宰相，萧观音努为同知南院事。并大宴士卒，赏赐他们以不同等次的爵禄。

癸亥（十四日），真宗任命赵安仁等五人为代理同知贡举。

王超上奏章待罪，请求处分，真宗怜悯他是旧臣有劳绩，不予责罚。戊辰（十九日），任命王超为崇信节度使，免去他的军职。

精简河东武官、钤辖司使臣冗员百余人，又精简河北诸州戍兵十分之五，缘边兵员三分之一。

己巳（二十日），参知政事王钦若提升官爵和增加封地，皆为实封，还赐他袭衣、锦带、鞍马。按照旧例，辅臣加恩者不再另外赏赐，真宗因王钦若防守边疆劳绩显著，所以特别恩宠他。从此以后这种做法成为惯例。

由于与辽国讲和，就专设国信司，以宦官充任职务。

二月，癸未（初五），山南东道节度使、同平章事李继隆去世，追赠中书令，谥号“忠武”。

李继隆出身贵族，激于时事而奋发自立，在太宗朝，特被亲信，每有征战，必令他总理军戎政务。真宗因为他是大舅父的缘故，不愿以军旅之事烦忧他，让他在京城附近优游岁月，对他恩礼甚厚，李继隆也机敏多智慧，因而谨慎从事乐得明哲保身，明德皇太后卧病，想和他见见面，真宗敦促他前往，继隆只到万安宫递上拜候的书札就走了。并不进宫，真宗曾让诸王子到李继隆府上问候，继隆没有专供烧茶的地方，只是借用王府从行的茶炉烹茶待客而已。

咸平末年，河北转运使刘综上奏说：“西汉晁错说过，让百姓输粮食给官府，可以授以官爵，边塞以内的粮食就多起来了，汉文帝采纳他的意见，现在河北诸州屯驻很多军队，吃粮消费很大，请求实行汉制以补充军需。”不久水部郎中许元豹又上奏说：“黄河沿边州县和集市边缘谷米缺少，请求允许百姓献出粮食，授以官阶。”于是盐铁、度支、户部三司讨论以后上奏，决定了入粟充实边塞授官等级的政策，向真宗奏报。真宗担心因此引起滥授爵赏的弊病，对此事把握不大，宰相说：“此事古有先例，实行起来没有损害，请陕西诸州也照此办理。”真宗采纳了这个意见。

丙戌（初八），辽国又在振武军设置榷场，开展对宋的官方贸易。当时辽国作为俸禄的羊很缺，门下平章事耶律安噜请求辽主以老衰的羊及皮毛交换南朝的绢，对彼此都有利。

癸丑（疑误），真宗任命开封府推官孙仅为辽太后生辰使，任命阁门祇候康宗元为副使。孙仅等入辽境，辽国刺史都来迎接谒见，又令幕僚、县令以及父老百姓捧着酒壶在他们的马前献酒，普通老百姓以斗盆焚香迎接使者，接待陪伴宾客的人了解到使者们在途中需要些什么，马上就供应，辽主每年都在含凉淀避暑，听说南朝使者到来，马上亲临幽州，多次召见孙仅等人参加宴会，礼遇甚厚。孙仅等向辽主辞行时，又赠给他们器物衣服及马五百余匹。从郊迎慰劳以至筵宴饯行饮宴，辽国接待南使极其恭敬优厚；但有时礼节过当，孙仅就加以推辞。自此以后，凡奉使往辽者都遵循此例，时人称为得体。

太子太师吕蒙正请求回西京养病，真宗准许。丁未（二十九日），真宗召见吕蒙正，允许他坐的轿子一直抬到殿门外，又命二子光禄寺丞吕从简、校书郎吕知简搀扶他上殿，真宗慰

问他好长时间，吕蒙正进言道：“北方少数民族求和，自古以来就是上策。今天首先开创和平的诚意，承先世之好使百姓休养生息，天下没有战事，惟愿陛下念念不忘百姓！”真宗予以嘉奖，并提升其二子的官职。吕蒙正回洛阳，家有亭园叠翠、花木扶疏，日与亲朋宴会，膝下有儿孙环列，寿觞迭奉，怡然而自得。

真宗下诏说：“沿边诸州军队如果俘获北界奸细，可以追问其具体情况，并一律解送朝廷。”

真宗认为虽与辽国通好，但该国动静也不可不知，间谍侦察工作应该按原来的制度执行。又考虑到派遣的间谍如果被辽方捕获，他们就会把破坏和平的责任加在我方身上，从今以后抓获辽方的间谍，应当赦免，不要处死，但是要把他扣留在内地，等到对方有话责问，就用这些人作为回答。这就是真宗下此诏的用意。

三月，甲寅（初六），真宗驾临崇政殿，亲自考试礼部奏名举人，录取进士濮州人李迪以下共二百四十六人，又录取特奏名五举以上一百十一人。第二天，御试诸科，录取诗书易礼等《九经》以下五百七十人，又录取特奏名诸科《三礼》以下七十五人。真宗对宰相说：“弥封卷子的审核，务要精确妥当；但是考官不懂得朕的意思，过分压低等级，想以此证明他们自己无私，实在是无谓之举！李迪的试卷成绩最好。李谘也不错，听说李谘幼年时，他母亲被父亲所遗弃，回到娘家。李谘日夜啼哭，恳求归还他的母亲，以至于荤素都不吃，一心祈祷。此人又能刻苦为学，自立上进，以取功名，也是值得表彰的。”于是，真宗诏令李迪为将作监丞，李谘及夏侯麟为大理评事，通判诸州，即为诸州副长官。李谘是新喻人。

起初，李迪与贾边两人在考场都很有名声，待到礼部奏报名额时，两人都未录取，主考官把他们的试卷拿来检查，李迪写的赋失了韵，贾边论“当仁不让于师”，把“师”字解释成“众”，与注疏的解释不合，因此特向真宗奏报，真宗令他们参加御试。参知政事王旦建议：“李迪落韵，他的失误是写完以后没有再审查一下。贾边抛开注疏而标新立异，那是不能允许的，恐怕今后读书人放荡不羁，没有准则。”于是录取了李迪，黜退贾边。

当初，安阳人陈贯，喜欢谈论兵事，咸平年间，大将杨琼、王荣打了败仗，陈贯上书真宗说：“前些日子不斩傅潜、张昭远，致使杨琼、王荣之辈怕死不怕国法军令。如果不严格执行法令，今后纪律就越来越废弛。请皇上制定法令，凡必需出战而临阵脱逃者，主帅与将校均斩。主将战死，偏裨校官无伤而还者，与临阵脱逃同罪。某部军败城被围困，别部有力量援救而不去救援者，以观望逗留论处。这样，就诛罚严明使士兵得到激励。”真宗嘉奖采纳了他的建议。真宗准备将他召到学士院面试，执政说杨琼等已按律治罪，此议也就作罢了。

陈贯又曾向真宗奏上《形势》《选将》与《练兵论》三篇论文，大意是说：“作战要考察控制要害地形，现在北面已失古北口之险，但是自威虏城以东距海三百里的地方，那里既有水草丛生的沼泽，又有硗确瘠薄、乱石参差的山地，正是天然的陷阱，敌人是轻易到不了的。由威虏往西至狼山不过百里，这一带地势广平，利于骑兵驰骋，乃兵家必争之地，谁先占领谁就可以以逸待劳，谁后至谁就将疲于奔命，这个地方要好好防守。从前李汉超据守瀛洲，敌人不敢窥视关南尺寸之地。现今的将帅大部分是因皇上的恩泽提拔上来的，虽然谨慎持重，可以信赖，但是一旦和敌人遭遇，就不知道怎样应付才好，所以敌人的气焰更加嚣张，在对敌斗争中损兵折将者达二十年之久，这就是选将当与不当的结果。国家招募有才干有勇气的人充实禁军，他们靠着国家的粮食供给，心安理得地过着安逸的生活，长久以来不知道打仗是怎

么回事,这样的军队可以用来保卫京师,不应当用来戍守边疆。戍边不如招募当地土人隶属本地军队,还可以征集年二十以上的丁男为府兵,令他们北面抵御辽兵,西面抵御戎兵,他们不但通晓敌情,熟悉地形,而且都乐于为保卫家乡战斗,无骄惰之心。"

辽人议和以后,陈贯又上奏说:"敌人数度侵入我边塞,驱逐抢掠我良民数十万,现在可以乘初次讲和的机会,拿出内库金帛把他们赎回来,敌人是贪财物的,一定会归还我们的老百姓,这样,黄河以北的老百姓会无限感戴皇上的恩泽。"

于是陈贯举进士,参加殿试,被录取为同进士出身,皇帝记得他的姓名,说:"这是几次上书谈论边事的那个人。"把他从同出身提升为五甲的第二等,赐进士及第。

乙丑(十七日),辽国赈济党项部饥荒。

丙寅(十八日),任命知雄州机宜司赵延祚为雄州北关城巡检,赐白金三百两。

赵延祚是雄州的大家族,自太宗朝以来,曾经出家财交结敌方豪杰,侦得其动静就报告州将,因此,朝廷给他官职。这时,延祚已是七十多岁的人了,皇帝召他进京,询问他有关边境的事务,他说:"今天的修和通好,辽方先有诚意,国家对待他们也用恩守信,按理和平一定能持久下去。"又说:"辽国国母的妹妹叫齐妃,与其姐不和谐,我国所赠的金帛,都归于辽国国主与国母,下面的人都没有份。希望今后与辽国进行官方贸易的时候,稍稍优惠一些,他们下面的人得到好处,必然更加高兴。"又向真宗详细陈述了辽国的风俗人情、山川地理、形势远近,又讲述晋汉时的旧事,历历有据,令人信服。真宗问他需要些什么,他说有家属寓居青州,希望顺便到那里探望,真宗答应了他的要求,因为已经与辽人通好,不能再设专司谍报工作的机宜司,所以真宗命他出任巡检之职。

真宗顾虑河北诸州,不能因为撤军而放松了备战措施,因此下诏修葺损坏了敌楼战栅之类。

任命将作监丞王曾为著作郎、直史馆,赐绯服。旧制,文官考试应归学士院、舍人院掌管,宰相寇准非常了解王曾,特召试于政事堂。

丁丑(二十九日),辽国改易州飞狐路招安使为安抚使,因为已与南朝和好之故。

夏季,四月,丙戌(初九),女真、回鹘都遣使向辽国纳贡。

丁酉(二十日),枢密直学士刘师道被降职为忠武行军司马,知制诰陈尧咨降为单州团练副使。

起初,刘师道之弟刘几道被举为进士,礼部奏名让他参加殿试,本朝的规定是使用弥封考卷,陈尧咨是考官,教唆几道在考卷上做暗号。刘几道已考取进士,有人告发此事,真宗下诏除掉了几道的名籍,永远不得参与贡举。真宗起初想把大事化小,包容过去算了,不再穷究其事,但是刘师道却坚持要求把理辨清楚,真宗下诏叫东上阁门使曹利用、兵部郎中边肃、内侍副都知阎承翰到御史衙门共同审理,判刘师道论奏诬妄不实,与陈尧咨一起贬职。

戊戌(二十一日),皇帝亲临龙图阁,阅读太宗御书,浏览藏书阁的图画,侍从近臣都随侍在侧。

己亥(二十二日),党项族人侵犯辽国。

皇帝下诏河北诸州修葺城池。

工部侍郎、参知政事王钦若,素来与寇准不合,从天雄回京以后,两次上表请求罢相。癸卯,朝廷设置资政殿学士,以王钦若充任,仍然迁任刑部侍郎,班次在翰林学士之下,侍读学士之上。

任命佥署枢密院事冯拯为参知政事。

五月，戊申朔（初一），皇帝临幸国子监阅书库，询问祭酒邢昺说："有多少书版？"邢昺回答说："开国之初不到四千本书，现在已经有十几万册书，经史及其注疏都完备无缺。臣年轻时读孔孟的书，往往看见一些读书人连一本经书注疏都没有，因为那时手抄本供不应求。现在书都制成版本，非常完备，读书人和庶民之家都有藏书，这真是知识分子遭逢盛世的幸运啊。"

起初，印书时裁截下来的余纸，都卖掉，其收入供国子监的各项杂用，邢昺上书请求把这笔钱缴归三司，以增加国家的财政收入。从此以后国子监的学生就没有公费供给了，国子监的讲官也感到冷落了。

宣徽北院使雷有终逝世。

雷有终为人慷慨自任，洒脱不拘，能抚慰部下士卒，往往倾其家财宴飨和犒劳士卒。在蜀为官时，曾经借用库钱数百万，奏请用他的宅第来偿还这笔钱，真宗优诏豁免了。生前所欠的旧债仍不止百万钱，公家替他还清了。

高阳关副都部署张凝逝世。

张凝为人忠诚勇敢，爱惜功名，善于训练士卒，所得朝廷赏赐往往拿来犒劳三军，死后家无余资。真宗曾经对近臣说："选拔使用武将实在是件难事，假使没有经过历练考察，就不能完全了解他的才能。太宗提拔的将领很多，而特别看重的只有张凝与王斌、王宪几个人，由此可见先帝知人之明。"到现在张凝去世，令真宗十分痛惜。

知镇戎军曹玮向真宗上书说："军防境内都是平川原野，便于辽人骑战，而不利中国。请自陇山以东，沿着古代的长城挖掘壕堑，以为阻隔。"真宗同意。曹玮又说："边民应募为弓箭手者，都熟悉崎岖的山路和障碍、要塞之地，都能听懂羌胡的语言，都能耐寒吃苦，一旦有敌情，可以让他们参加正规军队，为前锋；而官家没有给他们配备军器和发给口粮，难以责成他们为国家效死力。请求皇上把境内闲置的田地发授他们，永远免除他们的田租，春耕秋收，州里出兵帮助他们耕作。"真宗诏令："每人给田二顷者，出带甲的兵士一名，给田三顷者，除甲士一名以外再出战马一匹。设置碉堡戍守，整编队伍，补授指挥使以下的校官，有战功者也可以提升为军部指挥使，置巡检以统帅他们。"这以后，鄜延、环庆、泾原以及河东各州之军，也都募兵建置。

任命再次起用的右谏议大夫、知制诰晁迥以及起居舍人、知制诰李宗谔并为翰林学士。

宗谔在舍人院为官时，曾致牒文御史台，行文没有按规矩换行、抬写衔沥，中丞吕文仲致函宗谔责问此事，宗谔回答说门下、中书两省与台谏衙门不是统属的关系。文仲仍不以为然，把此事奏闻，真宗诏令要弄清楚此事。宗谔引述了八余件事来证明这两个机关是不相统属的，并且说道："御史台每次向本省递送公函并没有凭空，所以本省移文回复时也照样不平空。文仲所言不过是凭借一些刀笔吏的传闻，就遽尔上奏，并无既定的典章制度可循。况且御史台谏的本职应当把精力放在查究参劾那些奸邪的人事上，与辨明诬枉冤屈的案件上，朝廷的臣下有不法之事，他们可以奏闻而加以弹劾，老百姓有冤屈却告诉无门，他们可以代百姓申冤析理。他们放下这些大事不管，反倒在公文函牒之内去争什么凭空不平空，把精力放在这些琐碎的事情上，他们怎么能帮助朝廷匡正风气、裁制奸邪呢！"事情正如宗谔所言。负

责管事的官员都同意他们的看法。

任命起居舍人、直昭文馆种放为右谏议大夫。种放因病辞官，请求批准游寓河南嵩山，真宗下诏同意，命河南守臣要经常看望照顾他。临行前真宗召见他，并赐宴赋诗以饯行，恩礼有加。

乙卯（初八），辽国以金帛赏赐阵亡将士家属。当时，高丽、准布两国，因为辽国与南朝和议成功，均先后派遣使者向辽国祝贺。

起初，真宗诏令礼部贡院另外考试河北诸州的贡举人，原因是前些时在河北打仗，耽误了考试日期。庚申（十三日），真宗亲临崇政殿主持考试，录取并赐进士诸科及第、同出身不等。

抚州进士晏殊，十四岁，大名府进士姜盖，十二岁，都以才华俊雅优秀而闻名，真宗特别予以召试，晏殊写诗赋各一首，姜盖写诗六篇。晏殊写起来思维敏捷、词汇富丽，皇帝深为叹赏。宰相寇准因殊是江东人，想压住他而推荐姜盖，真宗说："朝廷取士，惟才是求，四海都是一家，还分什么远近呢；譬如前代的张九龄，他是韶州人，何尝因其地方僻陋而不取用呢！"于是，真宗赐晏殊进士出身，赐姜盖同学究出身。

两天以后，真宗又召见晏殊，对他的诗、赋、论各种体裁的文字进行面试，晏殊说赋题他自己学习过，可以不用考，真宗越发喜欢他的淳厚坦直，改试别的题目。考完以后，皇帝几次说他写得好，提拔晏殊为秘书省正字，在秘阁读书，又命直史馆陈彭年视察他的学习情况，并且检查他所交游的人。

己巳（二十二日），真宗诏令："今后官吏中有昭雪冤屈挽救人命者，整理其事迹上报，以表彰其劳绩。"

癸酉（二十六日），真宗诏令："普天下所有管理专卖的人，都不许以捐献为名私自增加摊派税额。"

乙亥（二十八日），知雄州何承矩上书说，将来辽国使者进入我界，想叫他暂住新城，等到我方接伴使来到，再把他迎入毗连的界首，真宗允许照办。承矩又说，与辽国交流使者刚刚开始，接待礼节应取其折中，才能行之久远，并详细列举其事奏上。真宗予以嘉奖，采纳了他的建议。如果条奏之事有未涉及不完善之处，还允许他根据情况裁处。

六月，己丑（十三日），曹州民赵谏与其弟赵谔行为奸邪，触犯刑律，两人一起被斩于西市。真宗想彻底查处这件案子，内庭提出与赵谏交游的人，有名有姓的七十余人，都交付刑狱审讯。中丞吕文仲请求面见真宗，说道，这次逮捕的人很多，有的人在外省，如果把他们逮捕起来，恐怕要惊动老百姓的视听。真宗说道："你是执法人员，应当疾恶如仇才是，难道你要公开袒护他们吗？"文仲赶紧跪下叩头，说道："中丞的责任，不仅是惩罚罪犯、查究违法，而且要顾全国家的大局。纵然这七十多人都犯了王法，以陛下之宽厚慈仁。也不必至于把他们全都斩杀了，不过是废弃他们罢了。因此，何必逮捕起来呢？只要把他们的姓名登记入册，若再犯事，那时再惩治他们也不晚。"真宗同意他的意见。

真宗对辅臣们说道："殿前和侍卫司所属的禁军，年老患病的人很多，应精练地予以选择。"枢密使王继英上奏说："和过去相比，现在禁军人数增加了一倍还多，如果乘此机会息兵罢战，把疲弱多余的兵员精简下去，实在是一件大好事。"真宗说："你说得是。不过，因为现在北面的敌人辽国请求结盟，西面的西戎也在纳贡，如果马上精简，恐怕军队的情绪不稳，他们也一定要说：现在国家不用我们了，为了省钱就把我们裁掉了。因此，不如先从下禁兵中选择那些身强力壮、勇敢善战的士兵补充到上四军中去，这样就可以镇压住军队中的浮言滥语了，使大家不为谣言所感。至于那些老弱疾患者，等到秋冬之际遴选将官时，再令那些新任的将官把他们挑出来裁掉就是了。”

己亥（二十三日），达旦国九部派遣使者访问辽国。

秋季，七月，戊午（十二日），党项向辽国纳贡。

甲子（十八日），真宗诏令：“重新设置贤良方正能直言极谏、博通坟典达于教化，才识兼茂明于体用，武足安边洞明韬略，运筹决胜军谋弘远，才任边寄堪为将帅等科目，命尚书省吏部将此迅驰传告谕诸路，允许文武群臣、山林隐逸之士前来京城应考。委托中书门下两省先行考试，如果才识学业优秀者，把他们的姓名奏上来。”

丁卯（二十一日），女真派遣使臣到辽国纳贡。回鹘使人请求放回先前滞留使者，于是两国都遣派了使者。

丙戌（疑误），西川转运使黄观上奏说，益州的将吏民众一致荐举知州张咏留任，真宗下诏褒奖了他。不久，真宗遣使巡抚西川，令使臣下谕旨说：“有你在西川，我就没有西川的顾虑了。”

八月，戊寅（初二），雍王赵元份逝世。

癸巳（十七日），有一颗彗星在紫微星座光芒四射。

九月，癸丑（初八），赵德明第一次派遣其都知兵马使白文寿来宋廷纳贡。

癸亥（十八日），群臣三次上表真宗，请上尊号，真宗不批准。

丁卯（二十日），真宋诏令资政殿学士王钦若、知制浩杨亿编修历代君臣事迹，王钦若请求让直秘阁钱惟演等十八一起编修，真宗同意

冬季，十月，庚辰（初五），丁谓等向真宗呈上《景德农田敕》一书五卷，真宗令雕版印发，民间一致称便。

乙酉（初十），吏部侍郎、平章事毕士安上早朝，走进崇政殿的值班室内时发病，真宗听说后马上派使者问候病情，使者回来称病得厉害，真宗便亲自走出去看视，这时士安已不能说话了，真宗命内侍窦神宝用轿子抬送回他家中就死了。真宗车驾亲临哭丧，并对寇准等人说：“士安是个好人，朕在南府开封和在东宫时，他都跟随服侍我，直到担任宰相，黾勉从事，谦虚谨慎，有古人之风。现在突然离朕而去，怎不令人痛惜！”皇帝诏令追赠为太傅、中书令，谥号文简，录用其子孙，并派皇帝派遣宫中使臣护理丧事，他的葬礼可以使用仪仗队。

毕士安为人行端品正，沈雄雅健，识见清朗，所到之处有清廉严正的名声；年老眼睛昏花时，仍然读书缮写不辍，对于辞章翰墨，尤其精益求精。尽管贵为宰相，却自奉甚俭，无异于从前，从来没有为子孙计而置家产，因此天下人都称赞他是个清官。

丙戌（十一日），真宗派遣度支判官周渐为辽主生辰使，职方郎中韩国华为辽太后正旦使，盐铁判官张若谷为辽主正旦使。

癸卯（二十八日），宋廷把每年应交的货币持送到辽国边界。从此以后每年形成惯例。

十一月，丙辰（十二日），真宗在太庙献祭。丁巳（十三日），真宗在祭天的圜丘合祭天地，并大赦天下。

辽主命大丞相耶律德昌解除宫籍，使他隶属于太祖后人组成的横帐。

癸酉（二十九日），辽主与太后派遣左金吾卫上将军耶律留宁、左武卫上将军耶律委演等为使者，来宋廷祝贺承天节，真宗于崇德殿接见他们。留宁等将要被召见时，馆伴使李宗谔援引晋谒皇帝的规定，不许他们带刀，留宁等走到上门时，欣然将佩刀解下交出。真宗听说这件事就说："戎人佩刀，是他们的常礼，不必拘泥历来的规定。"于是，传诏听其自便。留宁等人听说了非常感动高兴，对宗谔说："皇上推心置腹地对待我们，足以让远近的人们信服。"

十二月，己卯（初五），真宗召集辅臣在龙图阁参观契丹所献礼物，以及列祖列宗各朝所进献的礼物。从此以后，凡有外国使者到来，一定把华丽的丝织品分赐给中书、枢密院，把果实，干肉分赐给近臣宦官以及中馆、昭文馆、集贤馆等三馆。

辛巳（初七），任命王钦若为兵部侍郎、资政殿大学士，地位在文明殿学士之下，在翰林学士承旨之上。

起初，真宗见到王钦若的等次在翰林学士李宗谔之下时，觉得很奇怪，就向左右侍臣是怎么回事，左右回答说按照历来的惯例就是这样的。王钦若因此向真宗申诉，说道："臣下以前是以翰林学士的身份充任参知政事，后无罪而罢官，比原来的官阶低了一等，这是一种贬斥。"真宗恍然大悟，于是予以纠正，资政殿设置大学士之职便由此开始。王钦若其人善于迎合真宗的意图，真宗看见他就高兴，每授予他一个官职，他到宫中拜谢时，真宗总是问他："给你这个官职，满意吗？"王钦若就是这样得宠。

甲午（二十日），右谏议大夫种放自河南嵩山来朝，真宗在龙图阁接见了他。

初次诏令退休官吏，国家给予半薪。按照唐朝的制度，退休官员如果没有皇帝的特别敕令，则不予薪俸，到了宋代的初年仍然遵循这种规定，现在才有这样的诏令。

续资治通鉴卷第二十六

【原文】

宋纪二十六　起柔兆敦牂【丙午】正月，尽强圉协洽【丁未】八月，凡一年有奇。

真宗膺符稽古神功让德　文明武定章圣元孝皇帝

景德三年　辽统和二十四年【丙午，1006】　春，正月，辛未，始置常平仓。

先是言事者请“于京东、西、河北、河东、陕西、江、淮、两浙每州计户口多少，量留上供钱自千贯至二万贯，令转运使择清干官主之，专委司农寺总领，三司无得移用，每岁夏秋准市估加钱收籴，贵则减价出粜，俟十年有增羡，则以本钱还三司”。诏三司集议，请如所奏。大率万户岁籴万石，止于五万石；或三年以上不粜，则回充粮廪，别以新粟补之。

二月，丙子，权三司使丁谓等言：“唐宇文融置劝农判官，检户口田土伪滥等事，今欲别置，虑益烦扰。而诸州长吏，职当劝农，乃请少卿监、刺史、阁门使以上知州者并兼管内劝农使，馀及通判并兼劝农事，转运使、副并兼本路劝农使。”诏可。劝农使入衔自此始。

甲申，升宋州为应天府，以太祖旧藩也。

丙戌，以唐张九龄九世孙元吉为韶州文学。元吉诣阙献明皇墨迹及九龄真图、告身，故录之。

复置都大发运使，以度支员外郎冯亮为之。

丁亥，枢密使王继英卒。

辽人既和，朝廷无事，寇准颇矜其功。帝待准极厚，王钦若深嫉之。一日，会朝，准先退，帝目送准，钦若因进曰：“陛下敬畏寇准，为其有社稷功邪？”帝曰：“然。”钦若曰：“澶渊之役，陛下不以为耻，而谓准有社稷功，何也？”帝愕然曰：“何故？”钦若曰：“城下之盟，《春秋》耻之。今以万乘之贵而为澶渊之举，是盟于城下也，何耻如之！”帝愀然不悦。钦若曰：“陛下闻博乎？博者输钱欲尽，乃罄所有出之，谓之孤注。陛下，寇准之孤注也，斯亦危矣！”由是帝顾准稍衰。

准在中书，喜用寒俊，每御史缺，辄取敢言之士，它举措多自任。同列屡目吏持例簿以进，准曰：“宰相所以进贤退不肖，若用例，吏职耳。”因却而不视。

戊戌，准罢为刑部尚书、知陕州。以参知政事王旦为工部尚书、平章事。旦入谢，便坐，帝谓曰：“寇准以国家爵赏过求虚誉，无大臣体，罢其重柄，庶保终吉也。”

初，张咏在成都，闻准入相，谓僚属曰：“寇公奇才，惜学术不足耳。”及准知陕，咏适自成

都还，准送之郊，问曰："何以教准？"咏徐曰："《霍光传》不可不读。"准莫喻其意，归，取其传读至"不学无术"，笑曰："此张公谓我也！"

己亥，以参知政事冯拯为兵部侍郎，王钦若为尚书左丞，陈尧叟为兵部侍郎，并知枢密院事；以赵安仁为谏议大夫，参知政事；枢密都承旨韩崇训、东上阁门使马知节并佥署枢密院事。崇训，重赟子也。

三月，乙巳，客星出东南。太常丞任随上言曰："谏议大夫、司谏、正言虽有数员，但充位尸禄而已。愿陛下择贤士，黜具臣，悬赏罚之文，立劝惩之道。其两省谏官，并准有唐故事，定其员数，优其俸给，限以迁官之年月，责以供职之否臧。其或献替推诚，弥缝励节，言事有裨于时政，抗章不避于天诛，则请行甄擢以劝众焉。其或尸利无惭，弼违有阙，务引腹非之咎，多致面从之谀，则请行降黜以励众焉。夫如是，则贤者劝，惰者激，庸者退，懦者立，朝廷之士咸愿效忠而报国矣。"帝览而嘉之，己未，诏："谏臣悉心献替，赏罚之典，断在必行。"

是月，始命朝臣提点开封府界诸县镇公事。其后又增置一员，以阁门祗候充。

夏，四月，丙子，幸崇文院观四库图籍。

壬辰，命使六人巡抚益、利、梓、夔、福建等路，犒设将吏，存问父老，疏决系囚，仍案察官吏能否、民间利害以闻。时屯田员外郎谢涛使益、利路，及还，举所部官三十馀人，宰相以为多，涛乃历陈其治状，且愿连坐。奉使举吏连坐自涛始。

乙未，种放赐告归终南山。

复诏群臣转对。

五月，壬寅朔，司天言日当食，帝避正殿不视事，百官各守其司。既而阴翳不见，帝语宰相曰："此非朕德所致，但喜分野之民不被其灾耳。"

司天奏周伯星见，群臣上表称贺。知杂御史王济乘间言于帝曰："瑞星实符圣德；然唐太宗以家给人足丰年为上瑞，臣愿陛下日谨一日，居安虑危，则为瑞大矣。"帝嘉纳之。

甲辰，赵德明遣其兵马使贺守文来贡。先是向敏中及张崇贵与德明议立誓约，久未决。德明虽数遣使修贡，然于七事讫莫承顺，累表但云乞先赐恩命，徐议之。时已有诏许德明毋纳灵州，既又赐敏中等诏，谕德明止遣子弟入宿卫，及毋得攻劫西路进奉，蕃部纵有争竞，并取朝廷和断，它约悉除之，然亦不听回图往来及放行青盐之禁。乙巳，敏中等言："二事苟不如约，恐乖前议。请皆与之。"帝以德明变诈难信，傥务姑息，必贻后患，复赐敏中等诏，令熟计复奏。

丙午，命王钦若、陈尧叟同修《时政记》，每次月十五日送中书。

度支副使李士衡言："关右自不禁解盐已来，计司以卖盐年额钱分配永兴、同、华、耀四州军，而永兴最多，于民不便，请减十分之四。"诏悉除之。

先是内帑岁出缗钱三十万助陕西军资，及士衡为转运使，言岁计可自办，遂罢给。帝将幸洛，士衡献粟五十万斛，又以三十万斛馈京西，朝廷以为材，故召令佐三司。

莱芜监判官欧阳冕，求应贤良方正，而大言自荐，以姬旦、皋、夔为比，且云："使臣日试万言，一字不改，日览千字，一句不遗。"由是促召赴阙，令中书试五论、三颂、诸诗四十首，共限万言。题既出，冕惶骇，自陈"止应贤良，不应万言，幸假贷！"乃以所上表示之，冕不敢复言。至晡，但成五论、一颂，共三千字。既奏御，帝令问表中所陈条目，冕伏躁妄之罪，责授下州司户参军。

左谏议大夫陈省华卒。省华有吏干，妻冯氏，性严，训诸子尤力，不许事华侈。尧叟既贵，孝谨益不衰，掌枢密时，弟尧佐直史馆，尧咨知制诰，与省华同在北省，诸孙任官者十数人，宗亲登科者又数人，荣盛无比。客至，尧叟等皆侍立其侧，客不自安，多引去。旧制，登枢近者母妻即封郡夫人，尧叟初拜，以父在朝，止封其妻，而母但从夫邑封；尧叟表让，朝廷以彝制，不听。省华卒既逾年，帝乃封其母郡太夫人，后进封滕国，年八十馀，尚无恙。

泾、原、仪、渭都钤辖秦翰、知镇戎军曹玮等各请出兵讨贼，帝以德明累遣使修贡，虑失诚信，不许。德明初请命于朝，玮言："继迁擅河西地二十年，兵不解甲，使中国有西顾之忧。今国危子弱，不即禽灭，后更强盛难制。愿假臣精兵，出其不意，擒德明送阙下，复以河西为郡县，时不可失。"朝廷方欲以恩致德明，寝其书不报。

丁巳，幸北宅视德恭疾。己未，德恭卒。

是月，辽幽皇太妃和罕于怀州，囚夫人伊勒兰于南京，馀党皆生瘞之。

六月，丙子，群臣固请听乐，从之。

南平王黎桓卒，诸子争立，攻战连月，有司请发兵平之。帝以桓素修职贡，岂宜伐丧，不许，而以邵晔为缘海安抚使，令譬晓之。

丁丑，京东转运使张知白上疏曰："司天奏周伯星见，此圣德动天而辰象昭瑞也。臣闻惧乱者治必兴，思危者安必久。陛下诚能戒谨抑畏，日新其德，则瑞星不出，臣亦称贺。苟异于是，则瑞星虽出，臣亦不敢同众人之贺也。况今西北二隅虽罢征战之役，然以比诸古者屈膝称臣，款塞内附，则亦事异而礼殊矣。"帝览疏，谓辅臣曰："知白以谏官在外而乃心朝廷，可谓知所职矣。"

庚寅，以殿中丞王旭同判吏部南曹。旭，旦之弟也。自旦为政，旭避嫌不复厘事。至是虞部员外郎王矩，言旭前宰缑氏，廉白有政绩。帝谓旦曰："旭之干敏，朕亦素知，且屡有言其才堪任京府僚佐者。"旦以避嫌恳辞，帝曰："朝廷用才，不可以卿故使之沦滞。"帝欲授三司判官，旦又固让，故有是命。后数日，旭引对选人，帝面赐绯鱼，谓旦曰："朕向不知卿弟犹衣绿也。"

秋，七月，知益州张咏岁满，宰相王旦拟以任中正代之。议者多云不可，帝以诘旦，旦曰："非中正不能守咏规矩，它人往，妄有变更矣。"壬寅，擢中正工部郎中，知益州。在郡凡五岁，遵咏条教，人甚便之，众乃服旦知人。

乙巳，太白昼见。

壬子，邵烨上邕州至交趾水陆路及控制宜州山川等图，帝曰："祖宗辟土广大，惟当慎守，不必贪无用地，苦劳兵力。"

甲子，大宴含光殿，始用乐。

忠武节度使高琼卧疾，帝欲临幸其第，王钦若恨琼附寇准，且沮准澶渊之功，因言："琼虽久掌禁兵，备宿卫，然未尝有破敌功。凡车驾临问，所以宠待勋臣；施之于琼，恐无以示甄别。"乃止。及卒，有司言当辍一日朝，帝以琼未尝有过，特废朝二日。

八月，种放既归终南，教授山中，表求太宗御书及经史音疏，诏悉与之。因谓辅臣曰："近中使还，言放居草屋，食野菜、荞面而已。如此淡薄，亦人所难也。"

癸未，诏以来年春朝谒诸陵。王旦言："行宫损坏，要须修葺。"帝曰："如此，亦劳民矣。"乃诏："所至州县，但增饰馆驿，不得更建行宫；侍从臣寮并百司供拟及供御之物，并令减省。"

丙戌，辽改南京宫宣教门为元和，外三门为南端，左掖门为万春，右掖门为千秋。

是月，沙州燉煌王曹寿遣人进大食国马及美玉于辽，辽主以对衣、银器等赐之。

九月，庚戌，诏以稼穑屡登，机务多暇，自今群臣不妨职事，并听游宴，御史勿得纠察。上巳、二社、端午、重阳并旬时休务一日，初寒、盛暑、大雨雪议放朝。著于令。

丙辰，御崇政殿，亲试贤良方正直言极谏，光禄寺丞钱易、广德军判官石待问并入第四等，以易为秘书丞，待问为殿中丞。

雄州团练使何承矩，以老疾，累表求解边任，帝令自择其代，承矩荐安抚副使李允则。丙寅，即命允则知雄州兼安抚使，改授承矩齐州团练使，便道之任。承矩至齐州才七日，卒，缘边(泊)〔洎〕涿、易州民闻之，皆挥涕，有相率诣雄州发哀饭僧者。承矩习熟戎事，有方略，能绥抚异俗，其后契丹使至者，言国中皆畏服承矩之名。尝于雄州北筑爱景台，植蓼花，日至其处，吟诗数十首，刻于石，人谓何六宅爱蓼花，不知其经始塘泊也。尤好儒学，宾礼贤士大夫。初知潭州日，李沆、王旦实为佐属，承矩器以公辅，待之绝厚。

丁卯，麟延钤辖张崇贵入奏："赵德明遣牙校刘仁勖来进誓表，请藏盟府。"且言："所乞回图及放青盐之禁，虽宣命未许，然誓立功效，冀为异日赏典也。"帝赐诏嘉奖焉。

是月，辽主如南京。

冬，十月，庚午朔，辽主率群臣上太后尊号曰睿德神略应运启化承天皇太后；群臣上辽主尊号曰至德广孝昭圣天辅皇帝。

以赵德明为定难军节度使兼侍中，封西平王，给俸如内地。又录德明誓表，令渭州遣人赍至西凉府晓谕诸蕃，转告甘、沙首领。因责德明子弟入质，德明谓非先世故事，不遣，惟献驼马谢恩而已。

丁丑，以张崇贵为赵德明旌节官告使，太常博士赵湘副之，赐德明袭衣、金带、金鞍勒马，银万两，绢万匹，钱二万贯，茶二万斤。

丁酉，葬明德皇后于永熙陵。

十一月，壬寅，周伯星再见。

庚戌，徙知永兴军府周莹为邠、宁、环、庆都部署，以孙全照代之。

〔十二月〕，(乙)〔辛〕卯，以宰臣王旦为朝拜诸陵大礼使。

先是江、淮岁运米输京师，未有定制。是岁，始定六百万石为岁额，从发运副使李溥之请也。

是年，辽放进士杨佶等三十三人。

四年　辽统和二十五年【丁未，1007】　春，正月，遣工部尚书王化基乘驿诣河中祭后土庙，用大祀礼，告将朝陵也。

甲辰，以知枢密院事陈尧叟为东京留守。

乙巳，以权三司使丁谓为随驾三司使，盐铁副使林特副之。谓机敏有智谋，善附会而有心计，在三司，案牍填委，吏久难解者，谓一言判之，众皆释然。

己未，车驾发京师。庚申，次中牟县，除逋负，释囚系，赐父老衣币，所过如之。甲子，次巩县，罢鸣鞭及太常奏严、金吾传呼。或献洛鲤，帝曰："吾不忍食也！"命放之。丙寅，斋于永安镇行宫，太官进蔬膳。

丁卯，夜漏未尽三鼓，帝乘马，却舆辇伞扇，至安陵外次，易素服，步入司马门，行奠献之礼。次诣永昌、永熙陵，又各诣下宫。凡上宫用牲牢祝册，有司奉事；下宫备膳羞，内臣、执事百官皆陪位。又诣元德皇太后陵奠献，又于陵南设幄奠祭，如下宫礼。帝每至陵寝，望门而哭。初，有司具仪，止常服，帝特制素服。礼毕，遍诣孝明、孝惠、孝章、懿德、淑德、明德皇后陵，又至庄怀皇后陵。遂单骑巡视陵阙，以内臣从，及亲奠夔王、魏王、岐王、恭孝太子、郓王、周王、安王诸坟。辰后，暂至幄次更衣，复诣陵奉辞。有司以朝拜无辞礼；帝感慕哀切，未忍去，故复往焉。及午而还，左右进伞，帝却之，渡昭应水，乃许进，至行宫，始御常膳。又遣官祭一品坟、皇诸亲墓。德音降西京及诸路，赦流罪以下囚；释逋欠，赐畿县民租税有差。建永安镇为县。

是月，辽建中京，即七金山土河地也。先是辽主过七金山土河，南望云气，有郛郭楼阙之状，因建都，至是始城之。

二月，戊辰朔，车驾遂如西京，夕次偃师县，始复奏严；帝犹服靴袍，不举乐。己巳，至西京，始奏乐。道经汉将军纪信冢、司徒鲁恭庙，诏赠信为太尉，恭为太师。

辛未，命吏部尚书张齐贤祭周六庙。诏从官先茔在洛者赐告祭拜。

壬申，谓辅臣曰："前代内臣，恃恩恣横，蠹政害物，朕常深以为戒，至于班秩赐与，不使过分，有罪未尝矜贷，此辈常亦畏惧。"王旦等曰："前代事迹昭然，足为龟鉴。陛下言及此，社稷之福也。"内侍史崇贵尝使嘉州还，上言："知县某贪浊；有佐官某廉干，乞擢为知县。"帝曰："内臣将命，能采善恶，固亦可奖；然便尔赏罚，外人必未厌伏。当须转运使深察之。"

甲戌，幸上清宫，诏赐酺三日。

乙亥，诏罢西京榷酤，官卖麴如东京之制。

丙子，加号列子为冲虚至德真人。

帝之次巩县也，太子太师吕蒙正舆疾来见，不能拜，命中使掖之以进，赐坐劳问。壬午，幸其第，赐赉甚厚。

甲申，御五凤楼观酺，召父老五百人，赐饮楼下。

丁亥，幸元偓宫。

戊子，葺周六庙。增封唐孝子潘良瑗及其子季通墓。

庚寅，诏河南府置五代汉高祖庙。

辛卯，车驾发西京，谓辅臣曰："归途陵阙在望，虽已遣官祭告，朕岂安然而过乎！"壬辰，帝乘马至孝义，镇吏訾村复设次，与亲王望陵祭奠，近臣于幄殿东望拜。每进饮食，帝执爵举匕箸，涕泗哀感。

甲午，次郑州，遣使祀中岳及周嵩、懿二陵。

丁酉，赐隐士杨璞缯帛。

辽主如鸳鸯泺。

三月，己亥，帝至自西京。

乙丑，以曹玮为西上閤门使，赏其捍边功也。玮在镇戎，尝出战少捷，侦虏去已远，乃驱

所掠牛羊辎重而还，颇失部伍。其下忧之，言于玮曰："牛羊无用，不若弃之，整众而归。"玮不答。西蕃兵去数十里，闻玮利牛羊而师不整，遽还袭之。玮行愈缓，得地利处，乃止以待之。西蕃军将至，逆使人谓之曰："蕃军远来，必甚疲，我不欲乘人之怠，请憩士马，少选决战。"蕃人方苦疲，皆欣然，严军而歇。良久，玮又使人谕之曰："歇定可相驰矣。"于是各鼓军而进，一战，大破蕃师，遂弃牛羊而还，徐谓其下曰："吾知蕃已疲，故为贪利以诱之。比其复来，几行百里矣。若乘锐便战，犹有胜负；远行之人，若少憩，则足痹不能立，人气亦阑，吾以此取之。"

夏，四月，辛巳，皇后郭氏崩。周悼献王，后所生也，王薨，后悲感生疾，遂不起。后性谦约，宽仁惠下。尤恶奢靡，族属入谒禁中，或服饰华侈，必加戒勖。有以家事求言于帝者，后终不许。兄子出嫁，以贫，欲祈恩赉，但出装具给之。帝尝使观宜圣殿诸库，后辞曰："国之宝库，非妇人所当入。陛下欲惠赐六宫，愿量颁之，妾不敢奉诏。"帝尤加礼重焉。

宰相王旦言："诸路各置转运使，复遣官检举酒税，竞以增益课利为功，烦扰特甚。"帝曰："官吏务贪劳绩，不恤民困，朕甚悯之。"乃诏三司："取一年中等之数，立为定额，自今中外勿得更议增课。"

五月，丙申朔，日有食之。

帝与辅臣言及朝士有交相奏荐者，王旦曰："人之情伪，固亦难知，或言其短而意在荐扬，或称其能而情实排抑。唐刘仁轨尝忿李敬玄异己，将以计去之，乃称其有将帅材，而敬玄卒败军事，此皆不以国家为虑者也。"帝曰："若然，则险伪之辈，世所不能绝也。"

戊申，诏以鼓司为登闻鼓院，登闻院为登闻检院。命右正言邹平周起、太常丞祁阳路振同判鼓院，吏部侍郎张咏判检院，检院亦置鼓。先有内臣句当鼓司，自此悉罢。诸人诉事，先诣鼓院；如不受，诣检院；又不受，即判状付之，许邀车驾；如不给判状，听诣御史台自陈。

先是帝谓王旦曰："开广言路，治国所先，而近日尤多烦紊。车驾每出，词状纷纭，洎至披详，无可行者。"故有此更置焉。

汀州黥卒王捷，自言于南康遇道人，姓赵氏，授以小镮神剑，盖司命真君也。宦者刘承珪以其事闻，帝赐捷名中正。是月，戊申，真君降中正家之新堂，是为圣祖，而祥瑞之事起矣。

戊午，增孔子守茔二十户。

初置杂卖场。

闰月，戊辰，减剑、陇等三十九州军岁贡物，夔、贺等二十七州军悉罢之。

壬申，御崇政殿，试贤良方正著作佐郎陈绛、溧水县令史良、丹阳县主簿夏竦。先是帝谓宰臣曰："比设此科，欲求才识，若但考文义，则济时之用，安得而知！今策问宜用经义，参之时务。"因命两制各上策问，择而用焉。绛、竦所对入第四次等，擢绛为右正言，竦为光禄寺丞。

是月，立中书、枢密院互报法，事关军机、民政者，必互相关报。时中书命杨士元通判凤翔府，枢密院又令监香药库，两府不相知，故有是命。

六月，壬子，司天言："五星当聚鹑火，而近太阳，同时皆伏。案占云：'五星不敢与日争光者，犹臣避君之明也。'历千百载所未曾有，望付史官以彰殊事。"从之。

乙卯，葬庄穆皇后于永熙陵之西北。初定谥，命宗正卿告庙，王钦若疑其事，因对，具言。王旦曰："国朝故事，昭宪之谥，太尉率百官告庙；孝明之谥，止宗正卿告庙。今当以孝明为比。”帝顾钦若曰：“皆有故事，不足疑也。”

庚申，知枢密院王钦若以五星聚东井，庆云见，奉表称贺，诏付史馆。

吏部侍郎张咏，以病疡乞郡；辛酉，诏咏知升州。

徙向敏中知河南府兼西京留守司事。先是旧相出镇者，多不以吏事为意，寇准虽有重名，所至终日宴游。张齐贤倜傥任情，获劫盗，或时纵遣之，所至尤不治。帝闻之，皆不喜。惟敏中勤于政事，所至著称。帝曰：“大臣出临方面，不当如向敏中邪！”

辽赐皇太妃死于幽所。

秋，七月，丁卯，祔庄穆皇后神主于别庙，殿室在庄怀皇后之上。

高班内品裴愈，出隶唐州。

愈前监广州纲，遇交州使，因言：“龙花蕊难得之物，宜以充贡。”至是，州采之为献，且言愈尝道诏旨。帝曰：“朕怀抚远俗，何尝有所宣索！”即下愈御史台劾问，故有是责，仍以龙花蕊还交州。

帝谓辅臣曰：“近见词人献文，多故违经旨以立说，此所谓非圣人者无法也。有太甚者，当黜以为戒。”

辽以西平王李德明母薨，遣使吊祭，旋命起复。

知宜州刘永规，驭下严酷，六月，乙卯，军校陈进因众怨鼓噪，杀永规，拥判官卢成均为帅，僭号南平王，据城反。甲戌，奏至，诏忠州刺史曹利用等领兵进讨，仍谕贼党有来归者，并释罪。

权三司使丁谓言：“景德三年新收户，比咸平六年计增五十五万有奇，赋入增三百四十六万有奇，望特降诏旨，自今以咸平六年户口赋入为额，岁较其数，具上史馆。”从之。

黎龙廷自称权安南静海军留后，遣其弟明昶等来贡，帝赐以《九经》及佛氏书。辛巳，授龙廷静海节度使、交趾郡王，赐名至忠，给以旌节。

戊子，帝谓辅臣曰：“近日以来，殊无献言者。卿等宜勤接士大夫，察问四方事以闻。”

诏翰林遣画工分诣诸路，图上山川形势、地理远近，付枢密院，每发兵屯戍，移徙租赋，以备检阅。

癸巳，复置诸路提点刑狱官。先是帝出笔记六事，指其一谓王旦曰：“勤恤民隐，遴柬庶官，朕无日不念也。所虑四方刑狱，官吏未尽得人，一夫受冤，即召灾沴。先帝尝选朝臣为诸路提点刑狱，今可复置，仍以使臣副之，所至专察视囚禁，审详案牍，其官吏贪浊弛慢者，具名以闻。”

八月，乙巳，置群牧制置使，命知枢密院事陈尧叟兼之。寻又增置判官一员。

丁未，中书门下言：“庄穆皇后祥除已久，秋宴请举乐。”不允。

以右监门卫上将军钱惟治为右武卫上将军，月给俸钱百万，仍许在家养疾。时惟治弟太仆少卿惟演上《圣德论》，帝览之，谓宰臣曰：“惟演文学可称，且公王贵族，而能留意翰墨，有足嘉者，可记其名，并以论付史馆。”因曰：“钱氏继世忠顺，子孙可念，比闻惟治颇贫乏。”遂有是命。

己酉，益州地震。

出府库钱五十万贯付三司市菽麦。时宰相言今岁丰稔，菽麦甚贱，为富民所蓄，请官为

敛籴以惠农民。

辛亥,赐孔子四十六世孙圣佑同学究出身。圣佑,延世子,宜孙也。

翰林侍讲学士兼国子祭酒邢昺,以羸老,自陈曹州故乡,愿给假归视田里;帝命坐,慰劳之。壬子,拜工部尚书,知曹州。是日,特开龙图阁,召近臣宴崇和殿,帝作诗赐之。昺视壁间《礼记图》,因陈《中庸》九经大义,帝嘉纳焉。及行,又命近臣祖送。侍讲学士外使自昺始。

癸(巳)〔丑〕,帝谓王旦等曰:"前诏群臣言事,除机密外,不得用无名札子,非合面奏公事,不得上殿,盖防人之多言,浸成萋斐也。且必有显状,封章弹奏,有何不可！近日戚纶面陈诏旨不便。"因出纶奏示旦等曰:"纶意以疏远之人,难得面奏,然自下诏以来,升殿奏事者未尝有阻。"旦曰:"飞语谮言,圣虑固不为惑。但近日论利害者差少,亦宜留意省察。"王钦若曰:"臣下升殿一二次,即希恩泽。比来中外章疏,若以前诏条约,皆当付所司鞫问。"帝曰:"纶性纯谨有学问,此奏乃未谕诏旨耳。"

丁巳,诏修太祖、太宗正史,命王旦监修,王钦若、陈尧叟、赵安仁、晁迥、杨亿同修。

置龙图阁直学士,以杜镐为右谏议大夫,充其职,班在枢密直学士之下。

权三司使丁谓上《景德会计录》六卷,诏奖之。

是月,诸路皆言大稔。

【译文】

宋纪二十六　起丙午年(公元1006年)正月,止丁未年(公元1007年)八月,共一年有余。

景德三年　辽统和二十四年(公元1006年)

春季,正月,辛未(二十八日),开始设置准粮价的常平仓。

起初,谏官上书真宗说:"请求皇上在京东、京西、河北、河东、陕西以及江、淮、两浙等地区,按照每个州的户口多少,酌情留上供钱千贯至二万贯不等,命令转运使选择那些清廉干练的官员负责此事,并专门派司农寺总管,盐铁、度支、户部三司不得挪用,每年夏秋谷贱时按照市价加钱买进粮食,贵时减价出粜,等到十年有盈余时,将本钱归还三司。"皇帝下诏让三司集中议定,他们请求按所奏的意见办理。大体上有一万户的可以买进万石粮食,最多的达到五万石;如果有三年以上公家不需要出粜的,那就把旧粮食存入粮仓,另外以新粮食补充常平仓。

二月,丙子(初三),代理三司使丁谓等上书真宗说:"唐朝的宰相宇文融设立了劝农判官的职位,其任务是检查户口,清理田土,防止逃亡,加强控制,现在想要独立地设立这种机构,恐怕只能更加骚扰百姓而已。而诸州长官,他们的本职就是劝农勤耕的,因此,请不要另外设置劝农机构,请少卿监、刺史、阁门使以上的官员任知州的人,兼管内劝农使,其余的通判可以兼管劝农事务,转运使,转运副使兼管本路劝农使。"真宗下诏认可。劝农使成为官衔称呼自此始。

甲申(十一日),升宋州为应天府,因为这个地方原来是宋太祖赵匡胤所领节度州,为其旧藩之故。

丙戌（十三日），任命唐朝宰相张九龄之九世孙张元吉为韶州文学，元吉上朝向真宗敬献唐明皇墨迹以及张九龄真图、授官符等古物，所以录用他。

重新设置都大发运使职事，命度支员外郎冯亮为都大发运使。

丁亥（十四日），枢密使王继英逝世。

辽人已与宋讲和，宋朝廷无事，寇准颇有夸耀自己的功绩之意。真宗很看重寇准，王钦若对寇准为嫉恨。有一天，群臣朝见真宗，寇准提前退朝，真宗以目相送，王钦若乘机进言道："皇上这样敬畏寇准，是因为他对国家有功劳的缘故吗？"真宗说："是的。"王钦若说："澶渊之役，皇上不以为是国家的耻辱，反而说他寇准对国家有功，是什么缘故呢？"真宗陡然一惊，说："为什么？"王钦若说："与敌人订城下之盟，此事春秋一书引为耻辱。现在皇上您贵为天子而在澶渊与辽国订城下之盟，还有比此事更为羞耻的吗！"真宗脸色一沉，很不高兴。王钦若又说："皇上听说过赌博的事吗？赌徒钱快输光的时候，就把剩下的钱通统拿出来下注，叫作孤注一掷，皇上成了寇准的孤注了，那是多么危险的事啊！"从此以后，真宗对寇准的信赖就减少了。

寇准在中书省任同中书门下平章事时，喜欢任用出身贫寒的才智之士，每当御史一职空缺时，他就提拔敢言举谏之士充任，他办事往往自作主张。当时中书省的同僚经常看见书吏拿看例簿请他审核，寇准就说："宰相的责任就是选贤与能，黜退那些不贤之辈，如果只是按照例簿所记而行的话，那只是一种胥吏的职务。"寇准推却不看。

戊戌（二十五日），寇准罢相，贬为刑部尚书、知陕州。真宗任命参加政事王旦为工部尚书、平章事。王旦入朝谢恩，在别室里坐下以后，真宗说："寇准由于国家给他爵禄赏赐，他过分追求虚名，没有大臣的气派与体统，把他从重要的职位上换下来，是为了保住他的晚节。"

起初，张咏在成都时，听说寇准当了宰相，就对他的下属官员们说："寇公是个奇才，可惜他的学问不行。"当寇准到陕州上任时，张咏刚好从成都回来，寇准一直把张咏送到郊外，问他："你有什么对我的临别赠言呢？"张咏慢慢地说："《霍光传》不可不读。"寇准弄不清他是什么意思，回家以后拿起《霍光传》读起来，看到"不学无术"字样时，他笑了，说："张公说我的是这个了。"

己亥（二十六日），任命参知政事冯拯为兵部侍郎，王钦若为尚书左丞，陈尧叟为兵部侍郎兼知枢密院事；任命赵安仁为谏议大夫、参知政事；任命枢密都承旨韩崇训、东上阁门使马知节两人佥署枢密院事。韩崇训是韩重赟的儿子。

三月，乙巳（初三），一种光度极强的新星在东南方向出现。太常丞任随向真宗上书说道："谏议大夫、司谏、正言虽有数员，但都是滥竽充数、尸位素餐的人而已。臣下希望皇上能够选择贤能之士，黜退那些徒具虚名的人，明确规定赏罚的条文，建立劝善惩恶的制度。关于中书门下两省的谏官，请他们按照唐朝的旧制，以确定名额，并给予优厚的待遇，规定官职升迁的年限，考察其供职的优劣得失。有的人不论是献可还是替否都出以诚心，他们弥缝阙失、砥励廉洁，提出建议有裨于时政，向皇帝上奏章而不怕诛罚，这样的人请皇上鉴别提拔他们，用以奖劝众人，使有所遵循。如果有的人尸位素餐而不感到惭愧，朝廷有过失也不提出纠正，只在那里责备腹诽，而一味地看上边的脸色行事，阿谀奉承，这样的人请皇帝予以贬斥降职，用以激励众人，使有警戒。只有如此，才能使贤才的人更加奋勉，使懒惰的人也激发起

来，使昏庸无能的人退位，使懦弱的人挺直腰板，这样，朝廷的官吏都愿意效忠皇上而报效国家了。”真宗看后予以嘉奖。己未，真宗下诏：“谏臣要全心全意献可替否，赏罚有典则可循，一经决断，必须执行。”

就在那个月，真宗第一次任命朝臣监察开封府界诸县镇的事。后来真宗又增设一员，以阁门祗候充任其职。

夏，四月，丙子（初五），真宗临幸崇文院阅览经、史、子、集四库图籍。

壬辰（二十一日），真宗命六名官员在益、利、梓、夔、福建等路巡抚，他们所到之处犒劳置立官吏，抚慰存问父老百姓，清理决断在押的囚犯，其职责是检查官吏的政绩优劣，考察民间的利害疾苦，把情况向皇帝汇报。当时屯田员外郎谢涛巡使益、利两路，任务完成后还朝时，推举所部官员三十余人，宰相认为多了一些，谢涛于是历数这三十余人的政绩，极力推举，并且保证如果他们失职获罪，他愿意连坐。奉使举吏连坐的做法，自谢涛开始。

乙未（二十四日），真宗赐种放告老归隐终南山。

真宗又下诏群臣转对，即每五日流轮上殿，指陈时政阙失，明举朝廷急务以及刑狱冤滥，百姓疾苦等。

五月，壬寅朔（初一），掌管天象的司天监说，当日有日蚀，真宗避开正殿，不理政事，百官各守其职，不久日蚀已过，真宗对宰相说：“这倒不是因为我有什么德化，只要日蚀所经之地的百姓没有蒙受灾害，我就很高兴了。”

司天监奏称，周伯星出现了；群臣上表称贺。知杂御史王济乘此机会对真宗说：“周伯星是一种瑞星，它应验了皇上的圣德；但是唐太宗认为家给人足、人寿年丰才是上瑞，因此，臣愿皇上从此以后一天天更加谨慎起来，居安思危，这才是天下最大的祥瑞呢？”真宗嘉奖并赞许他的看法。

甲辰（初三），西夏赵德明遣其兵马使贺守文至宋廷来贡。起初，向敏中及张崇贵与赵德明商谈两国订立盟约的问题，拖了很久决定不下来。赵德明尽管多次派使者来朝修好进贡，然而有七件事情一直没有顺从，他屡次上表时只是说请皇上宽容，然后慢慢商议解决这些问题。当时皇帝已经有诏令，叫德明不要进入灵州，过后，皇帝又赐予敏中诏令，提出让德明不要再派遣子弟参加宫禁的值班宿卫，并不许他们劫掠西路进奉朝廷的物品，指出，即使各蕃部少数民族之间发生了纠纷，也应由朝廷评断和解，不许他们干预，其他的约束给予取消，只是禁止回易场进行贸易与禁止放行青盐二事，不能取消。

乙巳（初四），向敏中等向皇帝上书说道：“建立回易场进行交易与放行青盐二事，如果不遵守协约，恐怕违背了以前达成的协议，请皇上考虑允其所请。”真宗认为赵德明诡诈多端，难以相信，如果一味姑息宽容，后患无穷，于是，真宗又给向敏中等下诏，让他们详细斟酌以后再提出他们的意见，以使定夺。

丙午（初五），真宗命王钦若与陈尧叟共同修订《时政记》，每次将定稿于次月的十五日送交中书省。

度支副使李士衡向真宗上书说道：“关右自从不禁解盐以来，计司把每年卖盐额钱分配给永兴、同、华、耀四州军，而分配给永兴的最多，这样不利于老百姓，请将配额酌减十分之四。”真宗下诏令将此项配额统统取消。

起初，每年从内库拿出缗钱三十万资助陕西军饷。到李士衡任转运使时，他说军队每年的给养可以自己筹办，取消了这项费用。皇帝准备去洛阳时，李士衡献粟五十万斛，此外又以三十万斛赠给京西，真宗认为李士衡有才干，所以召令入朝辅佐三司，掌管财政。

莱芜监判官欧阳冕，请求参加贤良方正科的考试，他大言自荐，自比周公，皋陶与夔，并且说道："如果让臣下日试万言，可以一字不改；如果让臣下日览千字，可以一句不忘。"于是真宗敦促人把他召进宫来，令中书考试五论、三颂及诸诗四十首，共限万言。题目出来以后，欧阳冕恐慌惊骇不已，说道："我只考贤良科，不考万言，希望宽限一下！"于是考官把他自己上表的文字给他看，冕不敢再说什么了。从早晨到黄昏只写成论文五篇，颂文一篇，共三千字。上奏真宗以后，真宗命考官问他所上表中列出的那些条目，冕表示伏罪，认为自己狂妄自大，轻举妄动，于是，真宗贬谪他的官职，让他任下州司户参军。

左谏议大夫陈省华去世。

省华有吏才，他的妻子冯氏，性格严谨，教训儿子有方，不许儿子奢侈浮华。大儿子尧叟做了大官以后，孝顺父母更不稍懈，他掌管枢密院时，其弟尧佐为直史馆，尧咨知制诰，他们与其父省华同在门下省，孙辈任官的有十几个人，其本家宗亲登科又有数人，可谓一门显贵，荣耀无比。他们家每当客人来了，尧叟等儿子们都站立在父亲的一边侍候着，客人往往感到不自在，大多离去，按照原来的制度，凡官至枢密近臣者其母与其妻都封为郡夫人，尧叟刚刚拜相时，因为父亲省华仍在朝为官，只封他的妻子，而他的母亲冯氏则随其夫省华封邑，尧叟上表请皇上不要封其妻，朝廷认为这是固定的制度，不同意他的请求，省华死后一年，皇帝才封尧叟之母为郡太夫人，后来又进封滕国，其母年八十多岁，还没有什么疾病。

泾、原、仪、渭都钤辖秦翰，知镇戎军曹玮等各请出兵讨攻伐赵德明，真宗认为德明屡次遣使修好纳贡，恐怕失掉朝廷的诚信，不许他们攻西夏。赵德明起初向朝廷请命的时候，曹玮上书真宗说："德明之父继迁占据河西之地二十年，兵不解甲，秣马厉兵，使中国有西顾之虑。现在继迁已死，他们西夏已衰微不振，其子德明懦弱无能，如果这时不乘机消灭他们，以后就更难制服他们了。请给予臣下精兵若干，出其不意，攻其不备，把德明活捉过来，押送朝廷，重新恢复河西之地，立为郡县，机不可失，时不再来。"这时，朝廷正计划用怀柔政策收复赵德明，他的上书被搁置在一边，没有上报皇帝。

丁巳（十六日），真宗临幸北宅，探视赵德恭病情。己未，德恭逝世。

这个月，辽主将皇太妃和罕幽禁在怀州，将夫人伊勒兰幽禁在南京，她们的余党被活埋。

六月，丙子（初六），群臣坚持要求真宗听乐，真宗依从。

南平王黎桓逝世，诸子争夺王位，互相攻战一个多月，负责官员提请真宗发兵镇压。真宗认为黎桓平日尽职纳贡，现在他死，怎么能在他的丧期内讨伐呢？因此不允许发兵，而任命邵晔为缘海安抚使，令他前往晓以利害，妥善处理。

丁丑（初七），京东转运使张知白上疏真宗说："司天监奏称周伯星出现了，这是皇上的圣德感动了上天，上天显示祥瑞之兆。臣下听说，害怕乱子的乱中求治，治必然兴起，居安思危的安中防危，安必然能长久。皇上如果能戒慎恐惧，抑欲畏天，圣德日新，那么，即使瑞星不出来，臣下也要为皇上称贺的，如果不是这样，尽管瑞星出现，臣下也不敢像众人那样去称贺皇上。何况当今西方与北方尽管已经与我吧战言和，但是和古代的异族那样向朝廷屈膝

称臣，叩塞门而内附于中国的情况相比，则事有所异，而礼也有所不同了。”真宗看了他的奏疏以后，对辅臣说道：“知白是个谏官，外放州郡为官，而他的心里仍然系念朝廷，这可以称得上是尽责尽职的了。”

庚寅（二十日），任命殿中丞王旭为同判吏部南曹。王旭是王旦之弟，自从王旦当了宰相以后，王旭为了避嫌，不再管事。这时，虞部员外郎王矩说，王旭以前在缑氏当长官时，廉洁清白，著有政绩，因此真宗对王旦说：“你弟弟王旭的干练敏捷，朕平日里就知道的，并且常常有人说他的才干足以担当朝廷官佐的大任。”王旦为了避嫌向真宗急切地辞谢，真宗说：“朝廷要使用人才，不能因为你的缘故就埋没了。”真宗想授王旭管最高财政的三司判官，王旦又坚持要辞让，所以最后才授此职，又过了几天，真宗召见王旭，询问选举人才问题，并当面赐给他绯鱼袋，以示尊崇，真宗对王旦说：“朕一向还不知道你的兄弟到现在还穿着绿色的衣服呢。”

秋季，七月，知益州张咏任职期满，宰相王旦准备让任中正代替他。参与议事的人大多数不同意，真宗就问王旦怎么办，王旦说：“除了任中正，别人都不能遵守张咏立下的规矩，换了别人只能是妄加变更，坏了事情。”壬寅（初二），提拔任中正为工部郎中，知益州。在益州工作五年，遵循张咏的条例教规，人人称好，这样一来，大家才佩服王旦有知人之明。

乙巳（初五），太白星于白天里出现。

壬子（十二日），邵烨向真宗呈交邕州至交趾水陆路以及控制宜州山川等地图，真宗说：“祖宗开辟的土地已经很广了，我们只有谨慎地守卫的责任，不必再贪图无用之地，那只有劳苦兵力而已。”

甲子（二十四日），真宗大宴群臣于含光殿，第一次使用乐器。

忠武节度使高琼卧病在床，真宗想动身亲到其宅第看视，王钦若恼恨高琼依附寇准，同时为了贬低澶渊之盟的功绩，因而乘机进言道：“高琼虽然长期掌管禁军，担任保卫宫禁之责，但是他并没有立下战胜敌人的功劳。皇上亲临问候，这是对有功勋的大臣的荣宠与优待，如果对高琼也亲临慰问，恐怕难以区别大臣的功过了。”真宗就不去了。高琼去世后，主管官员说应停止朝班一日，真宗认为高琼工作没有犯过过失，下令废朝二日，以表哀悼。

八月，种放归隐终南山中教授学徒，上表真宗请求给予他太宗御书及经史音韵注疏等图书，真宗命把所要的都给他。真宗因对辅臣说：“近来中使从终南回来对朕言说，种放住的是茅草房子，吃的是野菜荞面而已。生活如此清淡俭朴，也是一般人难得做到的。”

癸未（十三日），真宗下诏令明年春晋谒诸陵。王旦说：“各地行宫损坏，也要修缮了。”真宗说：“这样一来又劳民伤财了。”于是下诏：“谒陵时所到州县，只能对原有馆驿予以增饰，不许重建行宫；凡供给侍从臣僚以及各类办事人员的需用品以及供御之物，一律减省从事。”

丙戌（十六日），辽将南京宫殿宣教门改为元和门，将外三门改为南端门，将左掖门改为万春门，将右掖门改为千秋门。

这个月，沙州敦煌王曹寿派遣使者向辽国进贡大食国马及美玉，辽主回赠对衣、银器等物。

九月，庚戌（十一日），真宗下诏说，现在庄稼屡获丰收，公务之后多有余暇，自今日起群臣在不妨碍公务的情况下，可以听其游览筵宴，御史不得因此而纠弹查察。并命在上巳节、春秋二社日、端午节、重阳节以及每十日休假一日。初寒、盛暑及大雨雪时可以考虑不上朝，将此事形成命令，颁布执行。

丙辰（初七），皇帝亲临崇政殿，亲自主持考试贤良方正直言极谏科目。考试结果、光禄寺丞钱易、广德军判官石待问二人并入第四等，于是授钱易为秘书拯，授石待问为殿中丞。

雄州团练使何承矩，因为年老多病，屡次上书请求解除其边关的职务，真宗命他自己择人代替，承矩推荐安抚副使李允则代替他。丙寅（十七日），真宗命允则知雄州兼安抚使，改授承矩为齐州团练使，叫他取便道至任所。承矩到达齐州才七天就死了，缘边地方与涿州、易州百姓听说以后都哭了，有的成群结队到雄州祭奠和向僧人施饭。

承矩熟悉军事，善于出谋定计，能够安定抚恤少数民族，后来契丹使者来到中国时，就说过，他们国家的人都敬畏承矩的名声。他曾经在雄州的北边筑起一座爱景台，遍植蓼花，每天到那里观赏，吟诗数十首，均付之石刻，人们说他何六宅爱蓼花，却不知他是在营修塘泊以防敌寇。他尤好儒学，对贤士大夫礼宾有加。当初知潭州的时候，李沆、王旦等人不过是副职佐吏，而承矩对他们非常器重，以三公辅相之材待之。

丁卯（十八日），鄜延钤辖张崇贵入朝奏称："赵德明派遣牙校刘仁勖来朝进奉誓表，请将此誓藏于盟府。"又说："他们乞请开展贸易往来及开放青盐之禁，虽然未获皇帝的恩准，但是他们发誓立功报效，希望将来有一天能受到奖赏。"真宗颁诏嘉奖。

本月，辽主往南京。

冬季，十月，庚年朔（初一），辽主率领群臣上太后尊号为：睿德神略应运启化承天皇太后；群臣上辽主尊号为：至德广孝昭圣天辅皇帝。

任命赵德明为定难军节度使兼侍中，封他为西平王，俸禄和内地同级官员一样。又命抄录德明誓表副本一份，叫渭州派人将誓表带至西凉府通告西夏诸蕃，并转告甘州人与沙州的首领。又责令德明送子弟至京作为人质，德明说前代没有这种先例，故不遣送子弟，只是向朝廷贡献驼马之类而已。

丁丑（初八），真宗任命张崇贵为赵德明的旌节官告使，任命太常博士赵湘为副使，并赐袭衣、金带、金鞍勒马、银万两、绢万匹、钱二万贯、茶二万斤给赵德明。

丁酉（二十八日），朝廷葬明德皇后于永熙陵。

十一月，壬寅（初三），周伯星再一次出现。

庚戌（十一日），贬知永兴军府周莹为邠、宁、环、庆都部署，以孙全照替代周莹之职。

十二月，辛卯（二十三日），任命宰相王旦为朝拜诸陵大礼使。

起初，江、淮一带每年输送京师的粮米没有规定的数额。这一年才开始规定每年运京的数额为六百万石，这是按照发运副使李溥的意见定下来的。

这一年，辽国录取进士杨佶等三十三人。

景德四年　辽统和二十五年（公元1007年）

春，正月，真宗派遣工部尚书王化基乘驿站马车到河中府祭后土庙，采用大祀之礼，告诉天地祖宗将要举行朝陵的典礼。

甲辰（初六），任命知枢密院事陈尧叟为东京留守。

乙巳(初七),任命权三司使丁谓为随驾三司使,盐铁副使林特为随驾三司副使,丁谓为人机敏而有计谋,善于随机应变而有心计,在三司任职时,案牍公文填塞委积,办事官吏许久难以解决的问题,丁谓一言而决,大家感到如释重负。

己未(二十一日),真宗的车驾从京师出发。庚甲(二十二日),真宗驻在中牟县,解脱拖欠债务的人,释放在押囚犯,赏赐父老百姓的衣服与钱币,所过之处照此办理。甲子(二十六日),真宗驻留巩县,撤销仪仗中鸣鞭以示肃静的做法,撤销太常楹鼓奏严和金吾传呼以禁夜行的礼法。有人向真宗进献黄河鲤鱼,真宗说:"朕不忍心吃它!"下令放生。丙寅(二十八日),真宗在永安镇行宫斋戒,掌膳食的太官进蔬食。

丁卯(二十九日),夜里三更还不到时,真宗就乘马出来了,不要銮舆也不要扇盖,到了安陵外面歇脚的地方,换上白衣素服,下马步行到司马门,向祖宗行奠献之礼。然后到永昌、永熙陵,并且到每个陵的下宫。在上宫,凡祭祀用的牺牲以及祝册之类,都有专职人员供给;预备着膳食珍馐,由内臣宦官及执事百官陪着皇帝坐在下位。然后,真宗又到元德皇太后陵寝作奠献,又在陵寝之南设篷帐祭奠,按照下官之礼进行。真宗每到一座陵寝,都要望门而哭。起初,专司其事的官员在准备仪式的时候,真宗不让穿平常的衣服,专门给真宗制备了白衣素服。谒陵的大礼做完以后,真宗又遍谒了孝明、孝惠、懿德、淑德、明德皇后陵寝,后又到庄怀皇后陵寝。真宗车骑巡视陵前宫阙,由宦官内臣跟随着,并亲自奠祭夔王、魏王、岐王、恭孝太子、郓王、周王、安王等的坟墓。辰时以后,真宗暂至篷帐换衣服,然后又到陵寝辞别。专职官员说朝拜陵园时没有规定辞行的礼节,真宗因为悼念死者过于哀切感动,不忍心不辞而别,所以出来以后又回去辞行。直到午时以后才往回走,左右给他打伞,他拒绝了,渡过昭应水以后,才许打伞;到了行宫以后,才停止素食,御常膳。真宗又派遣官员去祭奠一品官阶与皇亲国戚的坟墓。真宗的德音传播到西京及诸路,命释放判流刑以下的囚犯,解除债务拖欠,分别不同等级的减免京都周围县民租税,建永安镇为县。

这个月,辽在七金山土河地区建中京。起初,辽主路过七金山土河时,向南瞭望云气笼罩,呈现一种城郭楼台的形状,因此就在此建都城。

二月,戊辰朔(初一),真宗车驾到西京,晚上宿于偃师县,这时才恢复了太常楹鼓奏严之礼;真宗仍旧著靴穿袍,不奏乐。己巳,到西京时才开始奏乐。真宗到西京时经过汉将军纪信墓和司徒鲁恭之庙时,诏命赠纪信为太尉,鲁恭为太师。

辛未(初四),真宗命吏部尚书张齐贤祭祀周六庙,并命随从人员有祖坟在洛阳的,可让他们去祭拜祖坟。

壬申(初五),真宗对辅臣说道:"前代宦官,多恃宠骄横,腐蚀政治,坑害人民,朕经常以此为戒,因此,对他们的爵赏馈赠都尽量地不过分,他们获罪也决不宽待,所以这些人常存畏惧之心,不敢恣意妄为。"宰相王旦等说道:"前代事迹,昭然若揭,是以作为后人的借鉴。陛下说到了这一层,这真是国家之福啊。"内侍宦官史崇贵有一次出使嘉州回来以后,对真宗说:"嘉州知县某人贪污腐化,该县有个副职颇为能干,又且清廉,请皇上提拔副职为知县。"真宗说道:"内臣受命出使地方,能够辨明善恶,固然是一件可嘉之事,但如果只听一面之词就马上进行赏罚,局外人未必服气,此事还需由转运使深入调查一下再说。"

甲戌(初七),真宗临幸上清宫,下诏令赐聚饮三日。

乙亥(初八),真宗下诏撤销西京酒类专卖,至于官卖酒曲,则按照东京之制执行。

丙子(初九),给列子加尊号为冲虚至德真人。

当初真宗驻跸巩县之时,太子太师吕蒙正带病乘车来见真宗,不能不拜,真宗命中使挽扶他进见,赐座并殷切劳问。壬午,真宗亲临吕蒙正宅第,赏赐很多。

甲申(十七日),真宗亲临五凤楼,观看宴饮。召集父老五百人,让他们在楼下宴饮。

丁亥(二十日),真宗亲临宁王赵元偓宫。

戊子(二十一日),修葺周六庙。给唐朝孝子潘良瑗及其子季通的坟墓增土。

庚寅(二十三日),真宗诏令河南府建立五代汉高祖庙。

辛卯(二十四日),真宗车驾从西京出发时,对辅臣说:"在回京师的路上就看得见陵墓的宫阙了,虽然已经派官前往祭告祖宗,但朕哪里能够安然路过呢!"壬辰(二十五日),皇帝乘马至孝义,当地的镇吏在那里安置了住宿的地方,真宗与亲王望着陵墓祭奠,真宗的近官内侍则于暂设的篷帐车边望陵跪拜。真宗在每次进饮食之前,都要举起酒杯,拿把筷子、匙子,涕泪双流,极为哀感。

甲午(二十七日),真宗驻郑州,派遣使者祭祀中岳与周嵩、懿二陵。

丁酉(三十日),赐进士杨璞缯帛。

辽主至鸳鸯泊。

三月,己亥(初二),真宗自西京回到东京。

乙丑(二十八日),任命曹玮为西上阁门吏,将赏他捍卫边疆的功劳。

曹玮在镇戎的时候,经常出战而很少取胜,有一次侦察到敌兵已经走远了,才驱赶所掠夺到的牛羊辎重返回,自己的队伍颇有失散的。他的部下对此表示忧虑,对玮说道:"牛羊有什么用,不如抛弃,把队伍整齐带回来。"曹玮没有回答,西蕃兵离去已经数十里了,听说曹玮只去夺牛羊而没有整饬队伍,于是又回师击曹。这时曹玮走得更慢了,找到有利的地势就停住,以待敌兵到来,西蕃军将要到来的时间,曹玮派使者对敌方说:"你们军队老远来此,一定非常疲乏了,我军不想乘人之危,请你们的士兵和马匹都歇息一下,过一会儿我们决一死战。"这时蕃人确实疲惫不堪,一听这话大家都很高兴,于是把队伍整理一下坐下来歇息。过了好久,曹玮又派人来告诉他们:"你们歇够了可以把队伍开过来打了。"双方都擂鼓进军,只一战就大破蕃师,弃牛羊而回,随后曹玮才慢慢地对他的部下说:"我知道蕃兵已经疲惫了,所以我故意做出贪利的样子引诱敌人上当。等到他们第二次再回来时又走了百里路了,如果乘他们新来又有锐气的时候与之交战,胜负未可知。为什么让他们休息呢?因为走远路的人如果稍一休息下来,腿脚都麻木立不起来了,体力用尽锐气也消失了,这时再与之战,就可以取胜。"

夏季,四月,辛巳(初五),皇后郭氏崩。周悼献王赵祐是皇后生的,周悼献王死以后,皇后悲痛欲绝,从此一病不起。

皇后性情谦虚俭约,宽厚仁慈,惠爱下人。她尤其厌恶奢靡,娘家的亲戚从外边来到禁中时,谁要是服饰华丽奢侈,她一定要教训他们一番。有的亲戚因家事请他在皇帝面前说情,她从来不允许。皇后的兄长女儿出嫁时,因为家里贫穷,想请皇上赏赐银钱,皇后不许,只赐给化装用具而已。真宗有一次请她参观宣圣殿诸库,皇后推辞不去,说道:"国家的宝

库，不是女人所当进入的地方。陛下如果想施恩惠而赏赐六宫的话，可以酌量情形颁发给他们，至于妾则不敢要这些东西。”真宗更加敬重她了。

宰相王旦上书言道：“现在诸路都设置转运使，另外朝廷又派官吏到地方上检举酒税，于是，各地竞相以增税得利为能事，百姓不胜其烦扰。”真宗说：“下面官吏只顾贪功邀赏，不体贴老百姓的困苦，朕非常怜念。”于是下诏三司财政部门，让他们“取一年中等之数，立为定额，从今以后中央与外地一律按定额收税，不得再议增税之事。”

五月，丙申朔（初一），有日蚀。

真宗与辅臣谈到，在朝为官的人有互相向皇帝推举的，王旦说：“人情的虚伪，简直是难测，有的人表面上是在说某个人短处，而实际意图是在推举颂扬他，有的人表面上称赞某人能干，而实际上是要排斥压抑他。唐朝刘仁轨因李敬玄与自己不和而怀恨在心，便想用计把他除掉，在皇帝面前称赞他有将帅之才，后来李敬玄到底因为军事上打了败仗而垮台，这些人根本不考虑国家的利益。”真宗说：“这样看起来，世界上险恶虚伪的人，总是断绝不了的。”

戊申（十三日），真宗诏令将鼓司改为登闻鼓院，将登闻院改为登闻检院。任命右正言邹平周起、太常丞祁阳路振二人同时兼掌鼓院、吏部侍郎张咏兼掌检院，检院也置鼓。过去是内臣主管鼓司，从此以后取消内官管此事。官民申诉冤屈或上书言事者，先到鼓院，如果鼓院不接受，则到检院投诉；检院再不受理，那就写判状给投诉人，可以允许他拦车驾上告；如果不写判状给他时，可以任凭他到御史台自己陈诉案情。

起初，皇帝对宰相王旦说道：“广开言路，这是治国的根本，但是最近以来这方面问题很多，纷纭杂乱，不胜其烦。朕的车驾每次出巡，诉状纷至沓来，等到披览详查之后，又无人负责执行。”于是才有上述官署的变更。

汀州有个脸上刺字的黥卒名叫王捷的，他自称在南康遇见一个道人，姓赵，把一柄小环神剑传授了他，这个道人就是司命真君。宦官刘承珪把这件事告诉真宗，真宗就赐给王捷一个名字，叫中正。这个月，戊申（十三日），那个真君降临王中正家的新堂，成为圣祖，这样就开始出现祥瑞的事情了。

戊午（二十三日），增加二十户看守孔子坟地。

首次设置杂卖场。

闰月，戊辰（初三），减去剑、陇等三十九州军的岁贡物，夔、贺等二十七州军的贡物统统取消。

壬申（初七），真宗亲临崇政殿，主持考试贤良方正著作佐郎陈绛、溧水县令史良、丹阳县主簿夏竦。起初，真宗对宰臣们说：“之所以设置贤良方正科目，目的在于选拔有才有识之士，如果只考文义，那么，怎么能够了解他们是否有匡时济世之用呢！现在的策问考试，应当结合经义而参之以时务才好。”于是命令掌起草诏令制诰的两制各上策问若干，由真宗选择采用，绛、竦等的答卷入第四次等，提拔绛为右正言，竦为光禄寺丞。

这个月，建立中书、枢密院互报法，凡有关军国机密与民政事宜，两府必须互相通报。当时中书省任命杨士元通判风翔府，而枢密院又命他监香药库，两府互不通气，互不相知，因此才建立互报法。

六月，壬子（十八日），司天监上书说：“五星要相聚于鹑火星宿了，接近太阳时，这五星要同时藏伏起来。按照卦书的说法:'这是五星不敢与太阳争光,所以藏伏起来,就像臣子躲避君王的光明那样。'这是历千百年所未有过的现象,希望皇上交付史官记载下来,以显扬异事。"真宗同意。

乙卯(二十一日),葬庄穆皇后于永熙陵的西北方向。起初为皇后定谥号时,命宗正卿向祖庙祭告此事,王钦若对此有所怀疑,认为与礼不合,向真宗上言他的看法。后来王旦说道:"这是合礼法的,因为按照国朝历来的做法,凡是谥号昭宪的,由太尉率领百官告庙;凡是谥号孝明的,只是由宗正卿告庙就可以了。庄穆皇后的葬礼可与孝明相比。"真宗看看王钦若说:"这都是有先例的,你不要怀疑了。"

庚申(二十六日),知枢密院王钦若因为他看见五星聚于东井,五色云彩出现,于是奉表称贺,真宗下诏命令交付史馆记载此事。

吏部侍郎张咏,因生疮请求回地方。辛酉(二十七日),命咏知升州。

迁调向敏中知河南府兼西京留守司事,以前,朝廷宰相出守地方的人,往往不把吏事看在眼里,寇准虽然名望很重,到了地方以后终日游宴,不以公事为意。张齐贤倜傥任性,捕获了劫财的强盗时,有时就释放了,他所到之处,尤其得不到治理。真宗听说这些事情,很不高兴。唯有向敏中勤于政事,听到之处,颇有政声,真宗说:"大臣出去掌管一个方面的政事,难道不应当像向敏中那样吗!"

辽主赐命令皇太妃在她囚禁之所自杀。

秋季,七月,丁卯(初三),将庄穆皇后的神主迁移于别庙,殿室在庄怀皇后之上。

高班内品裴愈被贬为唐州贱官。

裴愈以前监管广州运输贡物的组织,遇见了交州使者,说道:"龙花蕊是难得的好东西,可以拿去当贡品。"这之后,交州就采摘作为献品,并且说这是裴愈说的,是真宗让采的,真宗说:"朕一向爱惜边远地区的民情风俗,何尝对他们有所索求呢!"真宗责成御史台查问追究,所以裴愈被贬,龙花蕊仍然交还交州。

真宗对辅臣说道:"近来看见一些写文章的人所献呈上来的文章,大多数故意违反经书的本意而自立其说,这真是既违反了圣人之言,又没有法度可循了。其中做得太过分的,要罢他们的官,引以为戒。"

辽主遣使吊祭西平王李德明之母丧,并在李德明守制未满时召其赴任。

知宜州刘永规,对待下面的人非常严酷。六月,乙卯(二十一日),军校陈进乘大家怨恨永规,群情鼓噪之机,杀死永规,拥立判官卢成均为主帅,窃取国号为南平王,占据城池造反。甲戌(初十),有人上奏真宗,真宗诏令忠州刺史曹利用等领兵进行讨伐,并通告反叛者有归降的,免其罪。

代理三司丁谓上书说:"景德三年新收到的户口,与咸平六年的户口相比,增加了五十五万口有余,每年税收增加了三百四十六万有余,请皇帝特降诏旨,从今以后,以咸平六年户口的赋税收入为标准定额,每年比较其增减总额,付之史馆。"真宗同意。

黎龙廷自称代理安南静海军留守,派遣其弟明昶等来贡,真宗赏赐他们《九经》及佛书。辛巳(十七日),授龙廷静海节度使、交趾郡王,赐名至忠,并授他以旌节仪仗。

戊子(十八日),真宗对辅臣说道:"近日以来,没有看到有人提建议了。你们要多多接

触士大夫，访察天下四方的民情，向朕汇报。”

真宗诏令翰林院，派遣画工分别到各路州县，图画山川形势，地理远近，交付枢密院，每次发兵屯戍，或移徙户口，收取租赋，都可以拿它做参考。

癸巳（二十三日），重新设置诸路提点刑狱官。起初，真宗出示亲笔所记，列举了六件事情，指着其中一件事对王旦说道：“勤恤抚问民间隐情疾苦，遴选提拔为民办事的官吏，这是朕无日不思念的问题。朕所顾虑的事情就是怕四方的刑狱，官吏不称职，一个人受了冤枉，就会引起灾害。先帝曾经挑选朝臣去做诸路提点刑狱官，现在可以重新设置，以使者为副职，所到之处专门视察囚禁监狱，详细审查案卷，发现官吏贪赃枉法或不负责任的，都要写名单报上来。”

八月，乙巳（十二日），设立群牧制置使，命知枢密院事陈尧叟兼任其职，不久又增设判官一名。

丁未（十四日），中书门下上书说道：“庄穆皇后的祭祀已经过去很久了，秋宴时请举奏音乐。”真宗不同意。

任命右监门卫上将军钱惟治为右武卫上将军，每月给俸钱百万，并许其在家养病。

当时惟治之弟太仆少卿钱惟演呈上《圣德论》，真宗看后对宰臣们说道：“钱惟演的文才值得称赞，尤其是公王贵族中能够留意翰墨，善写文章而值得称道的，都可以把他们的名字记载下来，交付史馆，以资表彰。”因又说：“钱氏几代人对朝廷很忠顺，其子孙要继承下来，现在听说惟治家颇贫乏。”于是，就有上面的诏命。

己酉（十六日），益州地震。

拿出府库钱五十万贯交府三司，命其购进豆麦。当时宰相说，今年丰收，大豆小麦很便宜，往往为富民所蓄，请官府大量买进，使农民得利。

辛亥（十八日），赐孔子四十六世孙圣佑同学究出身。圣佑是延世的儿子，是孔宜的孙子。

翰林侍讲学士兼国子祭酒邢昺，因为衰老体弱，自陈曹州是他的故乡，愿请假归视田里，真宗命他坐下，慰劳问候他。壬子（十九日），拜邢昺为工部尚书，知曹州。在赐官的那一天，特开龙图阁，召近臣筵宴于崇和殿，真宗作诗赐邢昺。昺观看墙壁上的《礼记图》，于是讲述了《中庸》九经大义，皇帝称赞了他。等到邢昺出发时，真宗又命近臣为他送行。侍讲学士而出使地方，就是从邢昺开始的。

癸丑（二十日），真宗对王旦等说道：“先前朕下诏，群臣言事的，除机密外不得用无名札子，非得面奏不可的，一般不要上殿面奏，其目的是为了防止众人多言，人多嘴杂容易变成谗言。而且，如果事情凸出，封章弹奏，又有何不可的呢！近来戚纶当面对朕说，朕下的那道诏旨不便于执行。”于是皇帝出示戚纶的奏书让王旦等看，又说：“戚纶的意思是说和朕疏远的人难得面奏。但是自从下诏以来，升殿面奏的人并没有阻挡他们。”王旦说：“不负责任的飞语和谗言，皇上自有考虑，固然不会被其所煽惑的；但是近日来真正谈到天下国家的利害得失的确实也不多，也请皇上留意省察为是。”王钦若说：“臣下升殿奏事一两次，就是希望得到皇上的恩泽和嘉奖。近来朝内外章疏，如果用前诏的意思来衡量的话，都应当交付有司鞫讯才是。”真宗说：“戚纶的性格纯厚谨慎，又有学问，他的奏书不过是没有理解朕的诏意

罢了。”

丁巳(二十四日),诏修大祖、太宗正史,命王旦监修,命王钦若、陈尧叟、赵安仁、晁迥、杨亿同修。

设置龙图阁直学士,任命杜镐为右谏议大夫,任职直学士,班秩在枢密直学士下。

代理三司使丁谓呈上《景德会计录》六卷,真宗诏令嘉奖。

这个月,诸路皆报庄稼丰收。

续资治通鉴卷第二十七

【原文】

宋纪二十七　起强圉协洽【丁未】九月，尽著雍涒滩【戊申】十二月，凡一年有奇。

真宗膺符稽古神功让德　文明武定章圣元孝皇帝

景德四年　辽统和二十五年【丁未，1007】　九月，甲子朔，知华州张舒与官属率民钱修孔子庙，为民所讼，并坐赎金。因诏："诸州县文宣王庙，自今并官给钱完葺，无得辄赋民财。"

庚午，三司请令左藏库出次色金为带，以备赐与。帝曰："朝廷褒宠近臣，惜费岂在于此！"即诏："已成者悉镕之，别用上色金改造。"

帝以庶僚勤事，壬申，遂诏："自今文武官月俸，应折支者并给实钱，愿给它物者亦听。"

己卯，诏："群臣家有藏太祖旧《实录》者，悉上史馆，无得隐匿。"

时知杭州薛映，岁满当代，帝与宰相议择其人。王旦曰："天下重地，为朝廷屏翰者不过一二十州。若皆得人，则镇抚有方，威惠兼著，小寇不能为患。"帝深然之，因曰："近如宜州止因刘承规虐用其下，聚为寇剽，延及它境。若长吏得人，岂致是邪！"因阅班簿，指孙仅、王济谓旦曰："二人孰优？"旦曰："济有吏干，可副是选。"遂改济工部郎中，出知杭州。

宜贼围象州，久不克，曹利用等以大军击破之，卢成均挈其族来降，陈进伏诛，利用等入象州，安抚军民，分兵捕馀寇。

辽西北路招讨使萧托云讨准布，破之。托云，北府宰相哈哩之子也。

自乾德、开宝以来，用兵及水旱赈给、庆赐赏赉，有司计度支所阙者，必稽其数以贷于内藏，俟课赋有馀即偿之。淳化后二十年间，岁贷百万，有至三百万者，累岁不能偿，则除其籍。冬，十月，帝命陈彭年撰《内藏库记》述其事，出以示王旦等曰："此库乃为计司备经费耳。计司有阙，必取于民；苟非节用，何以获救！"

丙申，辽主如中京。

翰林学士晁迥等上《考试进士新格》，诏颁行之。

初，陈彭年举进士，轻俊，喜谤主司；宋白知贡举，恶其为人，黜落之，彭年憾焉。于是更定条制，多因白旧事而设关防，所取士不复拣择文行，止较一日之艺。虽杜绝请托，然置甲等者或非人望，自彭年始也。

诏翰林学士晁迥等各举常参官堪知大藩者二人。

乙卯，诏曰："拷掠之法，素著科条，非理擅行，兹谓惨酷。诸道官司有非法讯囚之具，一切毁弃。”

种放复自终南山来朝，召之也。放言：“自被聘召及迁谏署，无所补报，其幸已甚。今主上圣明，朝无阙政，若更处之显位，则重增其过矣。”帝乃遣内侍赍诏赐放，欲以枢务处之；放上表固让，乃止。

十一月，丁丑，刑部尚书宋白为兵部尚书，致仕。白年逾六十，图进不休，御史中丞王嗣宗屡使人讽之，知枢密院事陈尧叟，其子婿也，亦数恳劝，白不得已始上表。帝犹以旧臣未许，再表，乃许焉。

庚辰，殿中侍御史赵湘，上言请封禅，中书以闻，帝拱揖不答。王旦等曰：“封禅之礼，旷废已久，若非圣朝承平，岂能振举！”帝曰：“朕之不德，安敢轻议！”

初，王钦若既以城下之盟毁寇准，帝自是常怏怏。它日，问钦若曰：“今将奈何？”钦若度帝厌兵，即缪曰：“陛下以兵取幽蓟，乃可刷此耻也。”帝曰：“河朔生灵，始得休息，吾不忍复驱之死地。卿盍思其次？”钦若曰：“陛下苟不用兵，则当为大功业，庶可以镇服四海，夸示戎狄也。”帝曰：“何谓大功业？”钦若曰：“封禅是矣。然封禅当得天瑞乃可。”既而又曰：“天瑞安可必得，前代盖有以人力为之者，陛下谓《河图》、《洛书》果有此乎？圣人以神道设教耳。”帝久之乃可，然心惮王旦，曰：“王旦得无不可乎？”钦若曰：“臣请以圣意谕旦，宜无不可。”乘间为旦言之，旦僶俛而从。然帝意犹未决，它日，晚，幸秘阁，惟杜镐方直宿，帝骤问之曰：“卿博达坟典，所谓河出图、洛出书，果何事邪？”镐老儒，不测帝旨，漫应曰：“此圣人以神道设教耳。”其言偶与钦若同。帝由此意决，遂召王旦饮于内中，欢甚，赐以尊酒曰：“此酒极佳，归与妻孥共之。”既归，发视，乃珠也。旦自是不复持异，天书、封禅等事始作。

辛巳，雨雪，帝谓王旦等曰：“瑞雪盈尺，来岁麦苗应有望也。”遂赐近臣饮于中书，又宴馆阁官于崇文院。帝作《瑞雪诗》，令三馆即席和进，两制次日来上。

辛卯，辽遣使左领军卫上将军耶律元等来贺承天节。元馆于京师，尝询左右曰：“馆中日闻鼓声，岂习战阵邪？”或对以俳优戏场，闾里设宴。帝闻之，谓宰相曰：“不若以实谕之，诸军比无征战，阅习武艺，亦国家常事耳，且可以示无间于彼也。”

十二月，乙未，手札赐王钦若曰：“编修君臣事迹者，各置历，仍书逐人名下，随卷奏知。异时比较功程，庶分勤惰。”钦若为人倾巧，所修书或当帝意，褒赏所及，钦若即自名表首以谢；或谬误有所谴问，则戒书吏称杨亿以下所为；同僚皆疾之。

先是帝尝问辅臣以天下贡举人数，王旦曰：“万三千有馀，约常例，奏名十一而已。”帝曰：“若此，则当黜者不啻万人矣。典领之臣，必须审择。晁迥兢畏，当以委之。周起、王曾、陈彭年皆可参预。”冯拯曰：“封印卷首，尤宜用素有守操之人。”旦曰：“滕元晏于士大夫间少交游。”帝曰：“今当以朱巽代周起知举，令起与元晏同掌封印事。”于是命翰林晁迥、知制诰朱巽、王曾、龙图阁待制陈彭年同知贡举。始命礼部封印卷首。

己酉，辽赈饶州饥民。

庚戌，同判太常礼院孙奭言：“伏睹来年正月一日享先农，九日上辛祈谷，祀昊天上帝。案《春秋传》，启蛰而郊，郊而后耕。《月令》云：‘天子以元日祈谷于上帝，乃择元辰，亲载耒耜，躬耕帝籍。’先儒皆云，元日即上辛，郊天地，元辰谓郊后吉亥，享先农而耕籍也。《六典》《礼阁新仪》，并先云上辛祀昊天，次云吉亥享先农。伏望改用上辛祀昊天，后亥日享先农。

仍即著令。”诏太常寺与崇文院检讨官详定。既而判寺李宗谔言：“《宋书》《后魏书》所载，并以上辛后日享先农。请如奭奏。”从之。

诏：“诸路所上军储之数，自今先下枢密院籍记送中书。”盖凡遣戍兵，必预度所在资廪丰约故也。

大中祥符元年 辽统和二十六年【戊申，1008】 春，正月，乙丑，帝召宰臣王旦、知枢密院事王钦若等对于崇政殿之西序。帝曰：“朕寝殿中，帟幕皆青绝为之，旦暮间非张烛莫能辨色。去年十一月二十七日，夜将半，朕方就寝，忽一室明朗，惊视之，俄见神人星冠绛袍，告朕曰：‘来月三日，宜于正殿建黄箓道场一月，当降天书《大中祥符》三篇，勿泄天机！’朕悚然起对，忽已不见，命笔志之。十二月，朔，即蔬食斋戒，于朝元殿建道场，结采坛九级，又雕木为舆，饰以金宝，恭伫神贶，虽越月，未敢罢去。适睹皇城司奏，左承天门屋之南角，有黄帛曳于鸱吻之上，朕潜令中使往视，回奏云：‘其帛长二丈许，缄一物如书卷，缠以青缕三周，封处隐隐有字。’朕细思之，盖神人所谓天降之书也。”旦等曰：“陛下以至诚事天地，仁孝奉祖宗，恭己爱人，夙夜求治，以至殊邻修睦，犷俗请吏，干戈偃戢，年谷屡丰，皆陛下兢兢业业、日谨一日所致也。臣等尝谓天道不远，必有昭报；今者神告先期，灵文果降，实彰上穹佑德之应。”皆再拜称万岁。又言：“启封之际，宜屏左右。”帝曰：“天若谪示阙政，固宜与卿等祗畏改悔；若诫告朕躬，朕亦当侧身自修，岂宜隐之而使众不知也？”

帝即步至承天门，焚香望拜，命内侍周怀政、皇甫继明升屋对捧以降。王旦跪奉进，帝再拜受书，置舆上，复与旦等步导，却伞盖，撤警跸，至道场，授知枢密院陈尧叟启封，上有文曰：“赵受命，兴于宋，付于昚。居其器，守于正。世七百，九九定。”既去帛启缄，命尧叟读之。其书黄字三幅，词类《尚书·洪范》《老子道德经》，始言帝能以至孝至道绍世，次谕以清净简俭，终述世祚延永之意。读讫，藏以金匮。旦等称贺于殿之北庑。是夕，命旦宿斋中书，晚诣道场，旦趋往而帝已先至。

丙寅，群臣入贺于崇政殿，赐宴，帝与辅臣皆蔬食。遣吏部尚书张齐贤等奏告天地、宗庙、社稷及京城祠庙。

丁卯，设黄麾仗于殿前，陈宫悬、登歌，文武官、辽使陪列，酌献三清天书。礼毕，帝步导入内，行避黄道。司天监奏：“三日五日有紫云护宫殿，乞付史馆。”从之。

戊辰，大赦，改元，文武官并加恩，改左承天门为左承天祥符门。诏东京赐酺五日，以二月一日为始。

壬申，边臣言：“赵德明邀留回鹘贡物，又令张浦率骑数千侵扰回鹘。今岁夏州饥馑，此衰败之势也。”帝曰：“朕知其旱歉，已令榷场勿禁西蕃市粒食者。盖抚御夷狄，当务含容；不然，须至杀伐，害及生灵矣。”

赵德明尝以民饥，上表乞粮数百万。帝出其奏示辅臣，众皆怒曰：“德明方纳款而敢渝誓约，妄有乞请，乞降诏责之。”王旦请敕三司，在京积粟百万，令德明自来取之；帝从其言。既而德明受诏，望阙再拜，曰：“朝廷有人！”乃止。

太仆少卿钱惟演献《祥符颂》，甲申，擢司封郎中，知制诰。

天书降之翼日，翰林学士李宗谔上皇帝奉迎酌献乐章，优诏答之。时学士晁迥知贡举，杨亿被病，参知政事赵安仁实草诏云。

辽主如长泺。

二月，壬辰朔，帝御乾元门观酺。

丁酉，分遣中使六人锡边臣宴。

戊戌，帝语辅臣曰："京师士庶渐事奢侈，衣服器玩多镕金为饰，工人炼金为箔，其徒日繁，计所费岁不下十万两，浸以成风，良可戒也。"丙午，诏："三司使丁谓申明旧制，募告者赏之。自今乘舆服御涂金、绣金之类亦不须用。"

三月，甲戌，兖州父老吕良等千二百八十七人诣阙请封禅，对于崇道殿。帝令引进使曹利用宣劳而谕之曰："封禅历代罕行，难徇所请。"良等进而言曰："国家受命五十年，已致太平，今天降祥符，宜告成岱岳，以报天地。"帝复曰："此大事，不可轻议。"良等又曰："岁时丰稔，华夏安泰，愿上答灵贶，早行盛礼。"诏赐缗帛遣之。知州邵华又率官属抗表以请，亦不允。

己卯，兖州并诸路进士〔孔谓〕等八百四十人诣阙请封禅。

壬午，宰相王旦等率文武百官、诸军将校、州县官吏、蕃夷、僧道、耆寿二万四千三百七十人诣东上阁门，凡五上表，请封禅。

夏，四月，辛卯朔，天书又降于大内之功德阁。

甲午，诏以今年十月有事于泰山，遂遣官告天地、宗庙、岳渎诸祠。乙未，以知枢密院事王钦若、参知政事赵安仁并为封禅经度制置使。初，议封禅未决，帝以经费问权三司使丁谓，谓曰："大计固有馀矣。"议乃决。即诏谓计度泰山路粮草，引进使曹利用、宣政使李神福相度行营道路，翰林学士晁迥、李宗谔、杨亿、龙图〔阁〕直学士杜镐、待制陈彭年与太常礼院详定仪注。王旦请依郊禋故事面命五使，帝曰："升中大礼五使之职，当于中书、枢密院以班次领之。"丙申，命王旦为大礼使，王钦若为礼仪使，冯拯为仪仗使，陈尧叟为卤簿使，赵安仁为桥道顿递使，其礼仪、桥道顿递使事，令拯、尧叟分掌之。钦若、安仁并判兖州，仍更迭往乾封县，禁于泰山樵采者，山下工役无得调发丁夫，止用兖、郓州兵。行宫除前后殿外，馀悉张幄幕。金帛、刍粮委三司规度，收市或转输供用它所须物，悉自京辇致，无得辄有科率。发陕西上供木，由黄河浮筏郓州，给置顿之费。

诏东封缘路禁采捕。修建行宫，无得侵占民田，扈驾步骑辄蹂践苗稼者，御史纠之。

壬寅，帝御崇政殿，亲试进士，仍录题解，摹印以示之。初于殿廊设幔，列坐席，标其姓名，又揭榜表其次序，令视讫就坐。命翰林学士李宗谔等八人为考官。帝遍至幄次，谕宗谔等务极精详，勿遗贤俊。翼日，宗谔等上所定进士文卷，诏宰相覆考讫，乃临轩赐进士郑人姚晔等及第、出身有差。先是谢恩始令释褐，是日特赐绿袍、靴、笏，即命以职。

丙午，诏作昭应宫以奉天书。

时上封事者言："两汉举贤良，多因兵荒灾变，所以询访阙政。今国家受瑞建封，不当复设此例。"于是悉罢吏部科目。

丙辰，诏："太祖、太宗朝诸路所献祥禽、异兽皆在苑囿，可上其数，俟封禅礼毕纵之。"

遣使驰诣岳州采三脊茅三十束，备藉神缩酒之用。有老人董皓识之，授皓州助教，赐束帛。

戊午，诏东巡，取郓州临鄆路赴泰山；礼毕，幸兖州，取中都路还京。

先是监察御史阴城张士逊为贡院监门官，时贡举初用糊名之法，士逊白主司，有亲戚在进士中，明日当引试，愿出以避嫌，主司不听，乃自言引去。帝是之，记名于御屏，遂诏："自今举人与试官有亲嫌者，皆移试别头。"是月，江南转运使阙，中书进拟人，数见却，帝乃自除士逊为之。士逊谒宰相王旦于政事堂，自言"骤领使职，愿闻善教"。旦从容曰："朝廷榷利至矣。"士逊起谢。士逊后徙广西、河北，每思旦言，不敢妄有兴建云。

五月，庚申朔，辽主还上京。

壬戌，王钦若言泰山下醴泉出，锡山苍龙见。

河北转运使李士衡奏罢内帑所助钱八万缗，于是又请辇本路金帛刍粟四十九万赴京东以助祀事。帝曰："士衡临事有心力。"遂赐褒诏，因留士衡于澶州，管句东封事。

有司详定仪注，请于泰山上置圜坛，径五丈，高九尺。圜坛东南置燎坛，高一丈二尺，方一丈。山下封祀坛如圜丘制，社首坛如方丘制。又为瘗坎于壬地，及天地玉牒、玉册、石磩、金玉匮、受命宝之制甚备。诏悉从之。

丙寅，命王旦、冯拯、赵安仁等分撰玉牒、玉册文。

初，有司请依唐故事，皇帝告庙出京，至泰山、社首山，并用法驾。帝以前诏惟祀事丰洁，馀从简约，于是改用小驾仪仗；寻改小驾名曰鸾驾。

辛未，赵安仁奏："得太仆寺状，金玉辂合先赴泰山，辂高二丈三尺，阔一丈三尺，所经州县城门桥道有狭隘，请令修拆。"帝曰："若此，则劳人矣。可于城外过，于坟墓处避之。"

三司假内藏库银十万两，从之。

辽主驻怀州。

甲申，放后宫一百二十人，厚资遣之。

六月，壬辰，详定所上封禅仪注，帝览之，曰："此仪久废，非典礼具备，岂为尽美？"即手札疑互凡十九事，令五使参议厘正而行之。

命都官员外郎孙奭至辽境上，告以将有事于泰山。

先是五月丙子，帝复言梦见向者神人，言来月上旬复当赐天书于泰山，密告王钦若。于是钦若奏："是月甲午，木工董祚于醴泉亭北见黄素书曳林木之上，有字不能识，言于皇城使王居正，居正见其上有御名，驰告钦若，钦若等就取得之。遂建道场，明日，跪授中使捧诣阙。"奏至，帝亟召王旦等谕其事，欲自出奉迎，即命旦为导卫使，具仪仗，奉迎天书，安于含芳园之正殿。帝再拜受，授陈尧叟启封，其文曰："汝崇孝奉，育民广福。锡尔嘉瑞，黎庶咸知。秘守斯言，善解吾意。国祚延永，寿历遐岁。"读讫，召百官示之。左右奏苑中有云五色，读天书次，黄云如凤驻殿上。

赐文武百官泰山醴泉。

庚戌，曲赦兖州系囚流罪以下。

辛亥，群臣上尊号曰崇文广武仪天尊道宝应章感圣明仁孝皇帝。

秋，七月，辽加太祖谥曰大圣大明神烈天皇帝，太宗谥曰孝武皇帝，让国皇帝更谥曰文献皇帝，世宗加谥曰孝和庄宪皇帝，仍谥皇太弟鲁呼曰钦顺皇帝。

八月，己丑朔，上太祖尊谥曰启运立极英武圣文神德元功大孝皇帝，太宗曰至仁应道神功圣德文武大明广孝皇帝。

命详定仪注官晁迥以下习泰山圜台封祀仪于都亭驿。

乙巳，令天下禁屠宰一月，自十月始。

己酉，王钦若来朝，献芝草八千本。

九月，戊午朔，令有司勿奏大辟案。

己未，诏告太庙，以芝草、嘉禾、瑞木列于天书辇前，及陈于六室。

庚申，命兵部侍郎向敏中权东京留守。

皇城使刘承珪诣崇政殿上新制天书法物，言有鹤十四来翔，天书扶持使丁谓奏双鹤度天书辇，飞舞良久。翼日，帝顾谓曰："昨所睹鹤，但于辇上飞度，若云飞舞良久，恐不为实，卿当易此奏也。"谓再拜曰："陛下以至诚奉天，以不欺临物，正此数字，所系尤深。望付中书载于《时政记》。"帝俯首许之。

癸亥，奉天书于朝元殿。甲子，扶持使等奉天书升玉辂，赴太庙南城门内幄殿。有顷，车驾至，诣幄殿酌献讫，奠告六室，至太祖、太宗室，告以严配之意，帝涕泗交下。群臣言：祀次，白云如龙凤仙人，正在庙室上，有鹤十四来翔。

庚辰，赵安仁献五色金玉丹，紫芝八千七百馀本。

乙酉，帝亲习封禅仪于崇德殿。初，礼官言帝王无亲习之文，帝曰："朕以达寅恭之意，岂惮劳乎！"

是月，京东、西、河北、河东、江、淮、两浙、荆湖、福建、广南路皆大稔，米斗钱七文。

冬，十月，戊子朔，辽主如中京。

庚寅，诏："所经州县，采访民间不便事并市物之价，车服、权衡、度量不如法者，举仪制禁之。有奇才异行隐沦不仕者，与所属长吏论荐。鳏寡茕独不能自存者，量加赈恤。官吏政迹尤异，民受其惠，及不守廉隅，昧于政理者，孝子顺孙、义夫节妇为乡里所称者，并条析以闻。官吏知民间利病者，亦为录奏。"

司天言五星顺行同色。

辛卯，驾发京师，奉侍使奉天书先导。辛丑，次郓州；壬辰，驻跸。知制诰朱巽言奉玉册、玉牒至翔銮驿，有神光起昊天玉册上；亟遣翰林学士李宗谔驻往致谢。

丙午，次翔銮驿。丁未，法驾入乾封县奉高宫，帝即诣昊天玉册前，焚香再拜，以谢神光之贶。

占城、大食诸蕃国使以方物迎献道左。大食蕃客李麻勿献玉圭，长尺二寸，自言五代祖得自西天屈长者，云："谨守此，俟中国圣君行封禅礼，即驰贡之。"

戊申，帝斋于穆清殿。王钦若等献紫芝草三万八千馀本。

己酉，群臣奏五色云起岳顶。帝与近臣登后亭望之，名亭曰瑞云。知制诰朱巽奉玉册牒，及圜台行事官并先升山上，以回马岭至天门，路险绝，人给横板各二，两首施采帛，巽亲从卒推引而上。

庚戌，昼漏未上五刻，帝服通天冠、绛纱袍，乘金辂，备法驾，至山门，改服靴袍，乘步辇以登，卤簿仗卫列于山下，黄麾仗卫士、亲从卒自山址盘道至太平顶，凡两步一人，采绣相间，供奉马止于中路御帐。亚献宁王元偓，终献舒王元偁。卤簿使陈尧叟从登，言有黄云覆辇上，道经险峻，必降辇步进，有司议益扶卫，皆却之。导从者或至疲顿，而帝辞气益壮。至御幄，

召近臣观玉女泉及唐高宗、明皇二碑。前一夕，山上大风，裂帟幕，迟明未已。及帝至，天气温和，奉祀官点检习仪于圜台。是夕，山下罢警场。

辛亥，享昊天上帝于圜台，以太祖，太宗配；命群官享五方帝诸神于封祀坛。仪卫使奉天书于上帝之左，帝衮冕奠献，侍从导卫悉减去茀翟，止于壝门，笼烛前导亦撤之。摄中书侍郎周起读玉册、玉牒文。帝饮福，摄中书令王旦跪称曰："天赐皇帝太一神册，周而复始，永绥兆人。"三献毕，封金玉匮。摄太尉王旦奉玉匮置于石䃭，摄太尉冯拯奉金匮以降，将作监领徒封䃭。帝登台阅视讫，还御幄。司天监奏庆云绕坛，月有黄烨氛。宰臣率从官称贺，山下传呼万岁，振动山谷。帝即日还奉高宫，百官奉迎于谷口。

壬子，禅祭皇地祇于社首山，如封祀之仪。前夕阴而风，及行事，风顿止。悉纵四方所献珍禽奇兽于山下。法驾还奉高宫，左右言日重轮，五色云见。诏以奉高宫为会真宫。

癸亥，有司设仗卫、宫县于朝觐坛下，坛在奉高宫之南。帝服衮冕，御坛上之寿昌殿，受朝贺，大赦天下，常赦所不原者咸除之。文武官并进秩加恩。赐天下酺三日。改乾封县为奉符县。泰山下七里内禁樵采。大宴穆清殿，又宴近臣及泰山父老于殿门，赐父老时服、茶帛。

甲寅，车驾发奉符县，次太平驿。是日，始复常膳。帝劳王旦等以久食蔬，旦等皆再拜。马知节独言："蔬食唯陛下一人，臣等在道，未尝不私食肉。"帝顾旦等曰："知节言是否?"旦再拜曰："诚如知节言。"

丙辰，次兖州，以州为大都督府。

十一月，戊午朔，帝服靴袍诣文宣王庙，酌献，孔氏家属陪列。有司定议止肃揖，帝特再拜。又幸叔梁纥堂。命刑部尚书温仲舒等分奠七十二子、先儒暨叔梁纥、颜氏，帝制赞刻石庙中。复幸孔陵，以树木拥道，降舆乘马，至文宣王墓，再拜，诏加谥曰玄圣文宣王，仍修葺祠宇，给近便十户奉茔庙。翌日，又遣吏部尚书张齐贤等以太牢致祭，赐其家钱三十万，帛三百匹。以四十六世孙同学究出身圣佑为奉礼郎，近属授官及赐出身者六人。又追封叔梁纥为鲁国公，颜氏为鲁国太夫人，伯鱼母并官氏为郓国太夫人。又追封齐太公曰昭烈武成王，令青州立庙；周文公曰文宪王，曲阜县立庙。

己未，帝御回銮，覃庆楼观酺，凡三日。

壬戌，发兖州。丁卯，次范县。赐曲阜县玄圣文宣王庙《九经》《三史》，令兖州选儒生讲说。又赐太宗御制、御书，又以经史赐兖州。

丙子，发陈桥，次含芳园。时近辅、淮甸、京东、河朔之民自泰山迎候车驾者道路不绝。丁丑，车驾至自泰山。扶持使丁谓奉天书归大内。赐百官休假三日，中书枢密院一日。

诏以正月三日天书降日为天庆节。丁谓请以祥瑞编次撰赞，绘画于昭应宫，从之。

甲申，命王旦摄太尉，奉上太祖、太宗谥册。礼毕，亲享六室。

乙酉，大宴含光殿，劳旋也。

十二月，辛卯，御朝元殿，受册尊号。

命丁谓、李宗谔等编修《封禅记》，从陈彭年之请也。

丁酉，内出泰山封祀上尊酒及玉女白龙王母池水新醴泉赐辅臣。诏东京留守司及在京掌事内臣不该赐物者，特给之。

诏："江淮发运司部内，各留三年之储以备水旱。"先是江、淮米运送京师，至是司天监言扬、楚之分当为水旱沴,防患故也。

庚戌,置京新城外八厢。帝以都门之外,民居颇多,旧例惟赤县尉主其事,至是特置厢吏,命京府统之。

辛亥,命户部尚书寇准知天雄军兼驻泊都部署。辽使尝过大名,谓准曰:"相公望重,何故不在中书?"准曰:"主上以朝廷无事,北门锁钥,非准不可耳。"

甲寅,以南衙为锡庆院。

先是酺宴则集于尚书省或都亭驿,诞节斋会则就相国寺。帝以佛舍中烹饪优笑,有亏恭洁,乃令内臣度馆于显敞者易之。南衙即太宗尹京时府邸,秦王、许王继居焉,厥后虚其位,故以为院。

诏:"进奏院不得非时供报朝廷事,宜令进奏官五人为保,犯者科违制之罪。"

辽招讨使萧托云奏讨甘州回鹘,降其王伊啰勒,抚慰而还。

是岁,辽放进士史克忠等十三人。

【译文】

宋纪二十七　起丁未年(公元1007年)九月,止戊申年(公元1008年)十二月,共一年有余。

景德四年　辽统和二十五年(公元1007年)

九月,甲子朔(初一),华州知州张舒与部属用民钱修孔子庙,被百姓告发,遭责罚赎金。朝廷因此下诏:"各州县文宣王庙,以后均由公家出钱整修,不得任意敛取民财。"

庚午(初七),三司建议从左藏库拿出次色金作袍带,以备皇帝赏赐之用。宋真宗说:"朝廷奖赏近臣,要珍惜开支也不在于这一点!"当即降诏:"已用次色金做成的袍带全部熔毁,另用上色金重造。"

宋真宗因众官勤恳工作,壬申(初九),颁发诏令:"今后文武官员的月俸,应折变支付的均给现金,愿意要其他实物的亦听便。"

己卯(十六日),宋真宗下诏:"群臣家凡藏有《太祖旧实录》的,全部上交史馆,不得隐藏。"

当时杭州知州薛映,任满需人替代,宋真宗与宰相商议接替人选。王旦说:"天下重地,作为朝廷屏障的不过一二十州。若都能有合适的人才,就能镇抚有方,恩威兼施,小小盗寇就难为祸患。"宋真宗深以为是,于是说:"近来像宜州只因刘承规虐待下属,致使聚集为盗进行剽掠,并祸及到他境。如果治理者选择得当,怎会出现如此境况!"于是查阅朝臣名簿,指着孙仅、王济的名字问王旦:"这两人谁好?"王旦回答:"王济有治事的才干,可当此任。"于是改任王济为工部郎中,出任杭州知州。

宜州贼寇围攻象州,久攻不下,曹利用等率大军打败贼寇,卢成均率其家族前来投降,陈进服罪被诛。曹利用等进入象州,安抚军民,并分兵追捕余寇。

辽国西北路招讨使萧托云讨伐准布,击败准布。萧托云是北府宰相萧哈哩的儿子。

从宋太祖乾德、开宝以来,凡用兵作战及水旱灾救济、庆典赏赐等开销,有司计算支出所缺部分,须核定其数向内库借贷,等到课赋有余时就归还。淳化后二十年间,每年向内库借

贷百万，有时多达三百万，连年不能偿还，于是一笔勾销。冬季，十月，宋真宗命陈彭年撰写《内藏库记》记述此事，并拿给王旦等人看说："这内库是为财政部门准备经费的。财政部门缺钱，必定从民间索取；如不节省开支，用什么办法得以补偿！"

丙申（初三），辽国国主前往中京。

翰林学士晁迥等人向朝廷呈上《考试进士新格》，宋真宗下令颁布执行。

当初，陈彭年参加进士考试，年轻有才智，爱诽谤主考官；宋白主持贡举，厌恶他的为人，贬他落榜，陈彭年为此怨恨。这时更定条例，多因宋白之事而加以防范，所选进士不再挑选文章德行，只是比较一时的才艺。虽然杜绝了请托之风，然而考中甲等的有时并非合乎人望，这是从陈彭年之事开始的。

宋真宗诏令翰林学士晁迥等人各自推举常参官中能胜任大藩重镇之职的二人。

乙卯（二十二日），宋真宗诏令说："拷打犯人的刑法，向来有明确的条文记载，无理擅自滥用，就叫残酷。各道官府有非法审讯囚犯的刑具，一律毁弃。"

种放因宋真宗召见又从终南山来京朝见。种放说："自从被朝廷聘召并任命为谏官以来，尚没有什么报答，而得到的宠幸已是很重了。当今皇上圣明，朝政无失，若让我再居显要之位，那就是增重我的过失了。"宋真宗于是派遣内侍携诏书奖赏种放，并打算安排他到枢密院任职；种放上书坚决推辞，才罢。

十一月，丁丑（十四日），刑部尚书宋白被任命为兵部尚书，退休。宋白年过六十，还想图谋进升，御史中丞王嗣宗多次派人讽劝他，知枢密院事陈尧叟是他的女婿，也多次恳劝，宋白不得已才上表求退。宋真宗仍因他是老臣而未答应，经再次上表请求，才同意。

庚辰（十七日），殿中侍御史赵湘，上书建议封禅，中书省奏与皇帝，宋真宗拱手作揖而不回答。王旦等说："封禅之礼，旷废已久，如非本朝太平，岂能随便举行！"宋真宗说："我没有什么德行，怎敢轻谈封禅！"

当初，王钦若以所谓城下之盟诋毁寇准后，宋真宗从此经常快快不快。一天，宋真宗问王钦若："现在该怎么办？"王钦若猜度宋真宗有厌战之意，就故意反着说："陛下用兵夺取幽蓟，就可以洗刷这一耻辱了。"宋真宗说："河朔的百姓刚得到休息，我不忍心再让他们去牺牲。卿何不想个其他办法！"王钦若说："陛下如果不用兵征战，就应当做一番大功业，也许可以镇服四海，向外族显示朝廷的威力了。"宋真宗说："何谓大功业？"王钦若说："封禅就是大功业。不过封禅须得有天瑞才行。"接着又说："天瑞怎能必然可得，前代也有靠人力制造的，陛下认为《河图》《洛书》真有其事吗？那不过是圣人用神道设置教化罢了。"宋真宗过了很久，才认可，但心中顾忌王旦，说："王旦或许反对呢？"王钦若说："臣请求允许我将圣上的意思告喻他，应该没有问题。"于是找机会对王旦说，王旦勉强依从。然而宋真宗主意还没有拿定，一天晚上，来到秘阁，只有杜镐在值夜，宋真宗突然问他道："卿博通典籍，所谓河出图、洛出书，究竟是怎么回事呀？"杜镐是位老儒生，不知皇帝的用意，便信口答道："这只是圣人借用神道教化百姓罢了。"他的话恰与王钦若相同。宋真宗因此主意已定，于是召王旦到宫中饮酒，非常愉快，并赐给王旦一尊酒说道："此酒极佳，拿回家与妻儿共享吧。"王旦回家打开一看，原来是珍珠，王旦从此不再有异议。天书、封禅之事开始兴起。

辛巳（十八日），天降雨雪，宋真宗对王旦等人说："瑞雪一尺多厚，来年麦苗应该丰收有

望。”于是在中书省宴请近臣，又在崇文院为馆阁官员设宴，宋真宗作《瑞雪诗》，令三馆官员即席和进，内外知制诰次日将大臣们的作品送呈朝廷。

辛卯（二十八日），辽国派遣使臣左领军上将军耶律元等人前来祝贺承天节。耶律元宿在京师馆中，曾经询问左右人员说：“馆中每天听见鼓声，难道是练习战阵吗？”有人回答说这是伶人在演戏，街巷居民摆宴。宋真宗听说此事后对宰相说：“不如将实情告诉他们。各路军马近来没有征战，操演武艺，也是一个国家的常事，这样可以表示对他们未加防范啊。”

十二月，乙未（初三），宋真宗亲写书札赐交王钦若说：“编修君臣事迹的人，都应设置日记，将编修情况记录在各人名下，随每卷上奏。以便到时比较功绩，分别勤懒。”王钦若为人狡诈，所修书有的符合宋真宗的心，得到奖赏，王钦若就将自己的名字写在表章前面谢恩；有错误受到责罚时，他就告诫书吏说这是杨亿以下史官所为；因此，同僚史官都痛恨他的作为。

先前宋真宗曾向宰辅大臣贡举进士的人数。王旦说：“一万三千有余，按照常例，选中奏名的仅十分之一。”宋真宗说：“如此看来，落选者就不只万人了。主管的官员必须慎重选择。晁迥为人谨慎，可当此任。周起、王曾、陈彭年，都可参与。”冯拯说：“封印卷首，特别要选用平时有德之人。”王旦说：“滕元晏在士大夫中少有往来。”宋真宗说：“如今应用朱巽代替周起主持科举，让周起与滕元晏一同掌管封印卷首之事。”于是任命翰林学士晁迥，知制诰朱巽、王曾、龙图阁待制陈彭年一同管理贡举事务。首次命礼部封印卷首。

己酉（十七日），辽国救济饶州饥民。

庚戌（十八日），同判太常礼院孙奭说：“臣见来年正月一日祭先农，九日即上旬之辛日祈祷丰收，祭礼昊天上帝。按《春秋传》，惊蛰祭天而后耕作。《月令》说：‘天子在元旦向上帝祈求丰收，然后择良辰，亲持耒耜，自耕上帝籍田。’先儒们都说，元旦就是上旬辛日，祭天地，吉辰是说祭天后的亥日，祭先农而后耕籍田。《六典》《礼阁新仪》，都先说上辛日祭祀昊天，其次说亥日祭祀先农。臣希望改用上辛日祭昊天，后亥日祭先农。同时将它定为法令。”宋真宗诏来太常寺与崇文院检讨官详定。不久判寺李宗谔上言：“《宋书》《后魏书》所载，都是在上辛后一日祭祀先农，请求采纳孙奭的建议。”宋真宗准从。

宋真宗下诏：“各路所上报的军储数目，从现在开始，先交枢密院入册登记后送中书省。”这是凡派遣戍守军士，须预先考虑所在地物资粮草多少的缘故。

大中祥符元年 辽统和二十六年（公元1008年）

春季，正月，乙丑（初三），宋真宗召集宰相王旦、知枢密院事王钦若等在崇政殿西厢房议事。宋真宗说：“朕的寝殿中，帐幕都是用青绸做的，早晚间不点灯烛辨不清颜色。去年十一月二十七日，将近半夜时，朕刚就寝，忽见一室明亮，惊视之，突见一神人星冠绛袍，告诉朕说：‘下月初三，应在正殿设黄箓道场一个月，到时候要降下天书《大中祥符》三篇，不得泄露天机！’朕惶恐起来应对，忽然不见人影，于是用笔记下此事。十二月，初一，朕便素食斋戒，在朝元殿建起道场，搭好九级采坛，又雕木为车，并以金银珠宝装饰，恭候神人降临，虽然过了一个月，仍不敢撤去。适睹皇城司奏报，说左承天门屋的南角，有黄帛挂在鸱吻之上，朕暗中让太监前去察看，回奏说：‘那条黄帛两丈多长，包着一个似书卷的东西，用青丝缠绕三周，封口的地方隐约有字迹可见。’朕仔细想来，这大概就是神人所说的天降之书吧。”王旦等人说：“陛下以至诚事天地，以仁孝敬祖宗，恭谦爱人，朝夕求治，以致异域邻邦修好和睦，犷悍

野民也请求派官员治理，兵事止息，天下太平，连年五谷丰收，这都是陛下兢兢业业一天比一天勤谨所得来的啊。臣等曾说天道不远，必有明报；如今神灵先期预告，灵文天书果然降临，实在是彰明了上天保佑仁德的应验。”群臣再次叩拜欢呼万岁。又说：“启封之时，应屏退旁人。”宋真宗说：“上天若是谴责朝政有失，本该与臣等一起敬畏改悔；若是告诫朕本人，朕也应当侧立反躬自省，怎能隐瞒而使众人不知呢！”

宋真宗即刻步行至承天门，焚香朝天叩拜，命内侍周怀政、皇甫继明登上屋顶对捧黄帛而下。王旦跪着接过后呈上，宋真宗再次跪拜受之，放到车上，又与王旦等步行引道，除下伞盖，撤去警卫，到达道场，交授知枢密院陈尧叟启封，上有文字说：“赵氏受命，兴于宋地，付于谨慎。居其大位，守于正道。传世七百，大运已定。”然后去帛启封，命陈尧叟宣读。其书有黄字三幅，词句类似《尚书·洪范》《老子道德经》，开始讲宋真宗能以至孝至道继承基业，接着告诫要清静无为简朴节俭，最后讲述皇位国统延永之意。读完，藏入金柜。王旦等在正殿的北厢房向宋真宗道贺。当晚，宋真宗命王旦在中书省住宿斋戒，晚间去道场，王旦赶往道场时宋真宗已先期到达。

丙寅（初四），群臣进宫在崇政殿向宋真宗祝贺，宋真宗赐宴，并与辅臣同吃素食。派吏部尚书张齐贤等人奏告天地、宗庙、社稷及京城祠庙。

丁卯（初五），在殿前设黄麾仪仗，四面摆列乐架，乐师登堂奏乐，文武官员、辽国使臣陪列，宋真宗斟酒敬献三清之神降下的天书。礼毕，宋真宗步行引导进入殿中，行时避开黄道。司天监上奏说：“三日五日有紫云守护宫殿，请交与史馆记录。”宋真宗恩准。

戊辰（初六），大赦，更改年号，文武官员均有赏赐，改左承天门名为左承天祥符门。诏令东京赏赐臣民聚饮五天，从二月一日开始。

壬申（初十），边境守臣上书说：“赵德明截留回鹘进贡的物品，又让张浦率几千骑兵侵扰回鹘。今年夏州闹饥荒，这是衰败的势头啊！”宋真宗说：“朕知道夏州天旱歉收，已命交易市场不要禁止西蕃来买粮食。总之抚御夷狄，应注意有所宽容；否则必然导致杀伐，这样会危害到百姓。”

赵德明曾以百姓饥饿为由，上表朝廷乞求粮食几百万。宋真宗将奏章给宰辅大臣们看，众臣都气愤地说：“赵德明刚刚纳款就敢违反誓约，妄言乞求，请降诏书谴责他。”王旦建议就说已敕令三司，在京备粮百万，让赵德明自己来取，宋真宗依其计。不久赵德明接到诏书，遥望皇帝居住之地再拜，说：“朝中有能人。”这才停止要粮。

太仆少卿钱惟演献《祥符颂》，甲申（二十二日），宋真宗提升他为司封郎中、知制诰。

天书降临的第二天，翰林学士李宗谔向皇帝献上奉迎酌酒献纳礼仪的乐章，宋真宗以优抚诏书答之。当时翰林学士晁迥为知贡举，杨亿患病，是参知政事赵安仁起草的诏书。

辽国君主前往长泊。

二月，壬辰朔（初一），宋真宗登乾元门观看百姓聚饮。

丁酉（初六），宋真宗分派宫中使臣六人赐守边大臣酒宴。

戊戌（初七），宋真宗对辅佐大臣说：“京城士民追求奢侈的愈来愈多，衣服器具多熔金为饰，工匠打金成箔，这种人日益繁多，估计所费黄金每年不下十万两，渐已成风，应该禁一禁了。”丙午（十五日），下诏：“三司使丁谓申明旧日制度，招募告发者给予奖赏。从现在起皇帝所用车马服装,均不再用涂金和绣金。”

三月,甲戌(十三日),兖州父老吕良等一千二百八十七人来京城请求封禅,在崇道殿答对。宋真宗命引进使曹利用宣诏慰劳并告谕他们说:“封禅大典历代很少举行,难以接受大家的请求。”吕良等进而言道:“国家受天命五十年,已天下太平,现在天降祥符,应到泰山奏功,以报答天地之恩。”宋真宗复说:“这是大事,不可随便议论。”吕良等又说:“常年丰收,华夏安泰,请皇上答谢神灵之赐,早日举行大礼。”宋真宗诏令赏缗钱绢帛遣返他们。知州邵华又率领部属直言上书请求封禅,也未同意。

己卯(十八日),兖州及各路进士孔谓等八百四十人来朝请求举行封禅。

壬午(二十一日),宰相王旦等大臣率领文武百官、诸军将校、州县官吏、蕃夷、僧道、元老共二万四千三百七十人到东上阁门,总共五次上表,请求封禅。

夏季,四月,辛卯朔(初一),天书又降到皇宫的功德阁。

甲午(初四),宋真宗诏令于今年十月在泰山举行封禅,并派官员告祭于天地、宗庙、山河各神祠。乙未(初五),任命知枢密院事王钦若、参知政事赵安仁同为封禅经度制置使。原先,议论封禅之事未定,宋真宗曾就经费问题询问权三司使丁谓,丁谓说:“大略计算已充足有余了。”这才决定封禅。随即命丁谓筹划到泰山一路所需粮草,引进使曹利用、宣政史李神福察看行营道路,翰林学士晁迥、李宗谔、杨亿、龙图阁直学士杜镐、待制陈彭年与太常礼院详细制定礼仪。王旦建议按照祭天旧例当面任命五使,宋真宗说:“升中大礼五使之职,应由中书省、枢密院按班次高低领任。”丙申(初六),任命王旦为大礼使,王钦若为礼仪使,冯拯为仪仗使,陈尧叟为卤簿使,赵安仁为桥道顿递使,其礼仪、桥道顿递使事,令冯拯、陈尧叟分管。王钦若、赵安仁同判兖州,同时轮流去乾封县,禁止在泰山采集打柴,山下工役不得调用民夫,只用兖州、郓州的士兵。行宫除前后殿外,其余都搭设帐篷。金帛、粮草委派三司规划调度,收购或转运供应其他所需物品,匀由京城用车运送,不得随意向百姓科派。发运陕西上供朝廷的木材,从黄河上浮木筏到郓州,给以沿途食宿的费用。

宋真宗下诏东行封禅的沿途禁止采伐捕猎。修建行宫,不得侵占民田,护驾的步兵骑兵如有随意践踏庄稼的,由御史查办。

壬寅(十二日),宋真宗在崇政殿升座,亲自考试进士,同时抄录题解,刻印给应试者看。开始在殿廊设账幕,排列座席,标明考生姓名,再张榜公布他们的次序,让他看清后入座。任命翰林学士李宗谔等八人为考官。宋真宗走遍各账幕巡礼,告谕李宗谔等人务必周详精细,不要遗漏贤才俊杰。第二天,李宗谔等呈上所定进士的文卷,宋真宗命宰相复查完毕,于是临轩亲赐进士郑州人姚晔等人进士及第或同进士出身不等。以前是谢恩时才令脱去布衣赐予锦袍正式授官,这天破例特赐绿袍、靴、笏,并立即任命官职。

丙午(十六日),宋真宗下令修造昭应宫以供奉天书。

当时有人呈上密封奏章说:“两汉时代选拔贤良,多因兵荒灾变,以此询访朝政的缺失。如今国家得祥瑞而封禅,不应再设这种惯例。”于是全部取消了吏部选举科目。

丙辰(二十六日),宋真宗下诏:“太祖、太宗时各地所献珍禽异兽都在苑囿之内,可将数目报上,等封禅完后全部放归山林。”

宋真宗遣使前往岳州采集三脊茅三十束,以备祭神渗酒之用。有位名叫董皓的老人认

识这种茅草，于是授予他州学助教，并赐他绢帛。

戊午（二十八日），宋真宗下令东巡，取道郓州临鄘路前往泰山；封禅完后，巡视兖州，然后取道中都路回京。

先前监察御史阳城人张士逊担任贡院监门官，当时贡举开始采用考卷糊名的办法，张士逊告诉主管官员说，他有亲戚在应试的进士中，第二天将参加应试，希望离开贡院以避嫌疑，主管官没有同意，于是他自己报告离去。宋真宗认为做得对，将他的名字记在屏风上。并颁布诏令："今后应试的举人与考官有亲属之嫌的，都要换到别地考试。"当月，江南转运使空缺，中书省提出拟选名单，几次都被退回，宋真宗亲自点名让张士逊担任此职。张士逊到政事堂拜见宰相王旦，自称"突然担任这一职务，希望听取宰相教诲。"王旦从容说："朝廷的税利已经很多了。"张士逊起身告退。张士逊后来调到广西、河北任职，每想到王旦的告诫，就不敢妄加征敛。

五月，庚申朔（初一），辽国君主回到上京。

壬戌（初三），王钦若报告泰山下有甘泉流出，锡山出现苍龙。

河北转运使李士衡上奏请求免去内库所资助的八万缗钱，同时还请求用车运本路金帛粮草四十九万到京东以资助封禅。宋真宗说："李士衡办事很有心计。"于是给他诏令奖赏，并就此将李士衡留在澶州，管理东巡封禅之事。

有关官员详细制定封禅仪式程序，建议在泰山上建一直径五丈、高九尺的圜坛。坛东南方设置燎坛，高一丈二尺，一丈见方。山下的封祀坛按圜丘形制，社首坛按方丘形制。并在北面挖一埋葬祭品的坑穴，同时还准备好天地玉牒、玉册、石匣、金玉柜、受命宝之类物品。宋真宗下诏全部依准。

丙寅（初七），宋真宗命王旦、冯拯、赵安仁等分别撰写玉牒、玉册的文字。

起初，有关官员建议依照唐代封禅旧例，皇帝告祭祖庙出京，到泰山、社首山，并用法驾仪仗。宋真宗因以前诏令说唯有祭天大礼要丰盛整洁，其余礼仪全都从简，于是改用小驾仪仗，不久改小驾名为鸾驾。

辛未（十二日），赵安仁上奏："接到太仆寺报告，金玉车子应先到泰山，车高二丈三尺，宽一丈三尺，所要经过的州县城门桥道狭窄，请求修拆。"宋真宗说："如果这样，则百姓要受累了，可从城外过，遇坟墓之地可避开。"

三司借内藏库银十万两，宋真宗同意。

辽国君主驻怀州。

甲申（二十五日），放宫女一百二十人，给予丰厚钱财遣返。

六月，壬辰（初三），详细审定报上的封禅礼仪，宋真宗阅后说："此礼仪久废，如典礼不完备，怎能算尽善尽美呢！"立刻亲笔写下十九件有疑问之事，命大礼五使商议订正后执行。

宋真宗命都官员外郎孙奭到辽国边境，通告辽国将于泰山举行封禅大典。

先前五月丙子（十七日），宋真宗又说梦见以前所看到的神人，说下月上旬又当赐天书于泰山，宋真宗将此梦密告王钦若。于是王钦若上奏说："本月甲午（初五），木工董祚在醴泉亭北边发现黄绸书卷在树上，上面有字无人能识，将此事告诉皇城使王居正，王居正见书上有皇上的名字，快马报知臣下，臣等前去取得。于是建道场，第二天，跪交于宫中使臣捧书入宫。"王钦若的奏书一到,宋真宗即刻召见王旦等告之此事,要亲自出宫迎接天书,随即任命王旦为导卫使,准备仪仗,奉迎天书,安放于含芳园的正殿。宋真宗再拜接受,交与陈尧叟启封,书上说:"你崇尚孝道,培养百姓广赐福祐。赐给你祥瑞,让百姓都知晓。密守此言,善解我意。国运久安,享寿高年。"读完,召来百官让他们看,侍从奏告苑中有五色祥云,读天书时,黄云像凤凰停在殿上。

宋真宗奖赏文武百官泰山出的甘泉。

庚戌(二十一日),宋真宗特赦兖州犯流放罪以下的囚犯。

辛亥(二十二日),群臣表奏宋真宗尊号为崇文广武仪天尊道宝应章感圣明仁孝皇帝。

秋季,七月,辽国加辽太祖谥号为大圣大明神烈天皇帝,加封辽太宗谥号为孝武皇帝,让国皇帝改谥号为文献皇帝,辽世宗加谥号为孝和庄宪皇帝,同时谥皇太弟鲁呼为钦顺皇帝。

八月,己丑朔(初一),敬上宋太祖谥号为启运立极英武圣文神德元功大孝皇帝,宋太宗为至仁应道神功圣德文武大明广孝皇帝。

宋真宗命详定仪注官晁迥以下人员在都亭驿演习泰山圜台封禅祭祀仪式。

乙巳(十七日),下令从十月开始全国禁止屠宰牲畜一个月。

己酉(二十一日),王钦若来朝,献灵芝草八千株。

九月,戊午朔(初一),朝廷命令有司不得奏报死刑案件。

己未(初二),宋真宗诏令祭祀太庙,将芝草、嘉禾、瑞木陈列在天书车前,并陈列于太庙六室。

庚申(初三),宋真宗命兵部侍郎向敏中代理东京留守。

皇城使刘承珪到崇政殿献上新制天书法物,说有十四只鹤飞来,天书扶持使丁谓上奏说有双鹤飞过天书车,飞舞良久。次日,宋真宗对丁谓说:"昨日所见之鹤,只在车上飞过,如果说飞了很久,恐怕不是事实,你应该更改这一报告。"丁谓再拜道:"陛下以最大的诚意对待上天,不以欺瞒对待事物,改正这几个字,关系极重。希望交与中书省记录在《时政记》上。"宋真宗低头应允。

癸亥(初六),奉天书至朝元殿。甲子(初七),扶持使等人奉天书升于玉车,前往太庙南城门内幄殿。不久,宋真宗车驾来到,进入幄殿酌酒祭献完毕,奠告六室,来到太祖、太宗庙室,告以严配之意,宋真宗涕泪交下。众臣言:祭祀时,白云如同龙凤仙人,正在庙室之上,有十四只仙鹤飞来。

庚辰(二十三日),赵安仁献上五色金玉丹,紫芝草八千七百余株。

乙酉(二十八日),宋真宗在崇德殿亲自演习封禅仪式。起初,礼官说没有帝王亲自演习的先例,宋真宗说:"朕为了表示恭敬的心意,怎能怕劳累呢!"

当月,京东、京西、河北、河东、江、淮、西浙、荆湖、福建、广南各路都大丰收,米价每斗七文钱。

冬季,十月,戊子朔(初一),辽国君主前往中京。

庚寅(初三),宋真宗诏令:"一路经过州县时,要采访民间不便事宜和市场物价,车服、权衡、度量不合法定标准的,按仪礼制度禁止。有才能出众德行超群隐居埋没没有做官的,由所属地长官推荐。鳏寡孤独不能自立生存的,酌情救济抚恤。官吏政绩特别优异,百姓受

到恩惠的，以及为官不廉，不明为政之道的，还有孝子顺孙、义夫节妇为乡里称道的，都要条陈列举上报。官吏懂得民间疾苦的，也要记录上奏。”

司天监奏告金、木、水、火、土五星顺向而行，光色一致。

辛卯（初四），宋真宗驱驾从京师出发，侍奉使护持天书先行。辛丑（十四日），到达郓州；壬辰（疑误），途中停留暂住。知制诰朱巽说护送玉册、玉牒到翔銮驿时，有神光从昊天玉册上升起，宋真宗即刻派翰林学士李宗谔飞驰前往向神灵致谢。

丙午（十九日），到达翔銮驿。丁未（二十日），车驾仪仗进入乾封县奉高宫，宋真宗立即到昊天玉册前焚香再拜，以谢神光恩赐。

占城、大食等蕃国使臣带着各自的特产在道路左侧迎驾献纳。大食蕃客李麻勿献玉圭，长一尺二寸，自称此乃其五代高祖得自西天的屈长者，屈长者曾说：“谨慎保护此圭，等到中国圣德君主举行封禅大礼时，就立即赶赴奉献。”

戊申（二十一日），宋真宗在穆清殿斋戒。王钦若等人进献紫芝草三万八千多株。

己酉（二十二日），群臣奏报五色云从山顶升起。宋真宗与近臣登上山后亭观看，将此亭命名为瑞云亭。知制诰朱巽护持玉册玉牒，和圜台行事官一同先登山，因回马岭至天门沿途险阻，每人给两横板，两头系上彩帛，朱巽亲自同士卒推拉而上。

庚戌（二十三日），昼漏还未到五刻，宋真宗穿戴好通天冠、红纱袍，乘坐金车，备好仪仗，行至山门，改穿靴袍，乘轿登山，仪仗警卫列于山下，黄麾仗卫士、身边随从士卒从山脚盘道到太平顶，每两步一人，彩绢绣帛相间，供奉马停留在中路御帐。亚献为宁王赵元偓，终献为舒王赵元偁，卤簿使陈尧叟陪从登山，说有黄云覆盖在轿上，途径险峻，必需下轿步行。有关官员建议增加侍从卫士，被宋真宗回绝。向导随从有的非常疲劳，而宋真宗却精神有加。到达御用幄幕处，宋真宗叫身边大臣观看玉女泉和唐高宗、唐明皇二碑。前一天晚上，山上起大风，吹裂帐幕，到清晨时风没停止。待宋真宗到达，天气已变温和，奉祀官和点检官在圜台演习礼仪。当夜，山下撤去警戒。

辛亥（二十四日），在圜台祭享昊天上帝，以宋太祖、宋太宗配祭；命众官在封祀坛祭享五方帝众神。仪卫使手捧天书站在上帝神位的左边。宋真宗身着衮冕祭奠供献，侍从导卫皆除去车饰伞盖，留在围墙门口，灯笼前导也撤除。摄中书侍郎周起宣读玉册、玉牒书文。宋真宗祭毕饮下供神福酒，摄中书令王旦跪称说：“天赐皇帝太一神册，周而复始，永安天下百姓。”三次献祭完毕，封好金玉柜。摄太尉王旦奉持的玉柜放置石匣中，摄太尉冯拯护奉金柜降下，将作监率领役工封好石匣。宋真宗登台检阅完后，回到御幄。司天监报告有祥云环绕祭坛，月亮有黄色云气。宰相率领随从官员称贺，山下传呼万岁，声振山谷。宋真宗当日返回奉高宫，百官在谷口奉迎。

壬子（二十五日），按祭祀泰山的仪式在社首山禅祭皇地祇。前晚天阴有风，至行礼时，风马上停止。将各地所献珍禽异兽在山下都予放生。御车回奉高宫，左右侍从报告说太阳有两个光环，出现五色彩云。宋真宗下令将奉高宫改为会真宫。

癸丑（二十六日），有关官员在朝觐坛下设置仪仗、宫悬，朝觐坛设在奉高宫南边。宋真宗身着衮服，头戴冕冠，在坛上的寿昌殿升座，接受朝贺，宣布大赦，连平时不予赦免的也不例外。文武百官均加封晋级。赐国民宴饮三日。改乾封县为奉符县。泰山下七里之内禁止采伐。在穆清殿举行大宴，并在殿门宴请近臣和泰山父老，赐泰山父老时令衣服和茶叶布帛。

甲寅（二十七日），宋真宗车驾从奉符县出发，到达太平驿。这一天，开始恢复常日膳食。因长久吃素，宋真宗特对王旦等进行慰劳，王旦等再次拜谢。唯有马知节说："吃素的只有陛下一人，臣等在路上，未尝不私下食肉。"宋真宗望着王旦等人说："马知节所言对否？"王旦再拜说："确如马知节所言。"

丙辰（二十九日），宋真宗在兖州停留，以州为大都督府。

十一月，戊午朔（初一），宋真宗穿着靴袍到文宣王庙，酌酒献祭，孔氏家属陪同。有关官员议定只是肃立行拱手礼，宋真宗特意再拜。又到孔子父亲叔梁纥的庙堂。命刑部尚书温仲舒等分别祭奠七十二弟子、先儒和叔梁纥、孔子母亲颜氏，宋真宗亲写赞文刻碑存于庙中。再到孔陵，因树木阻道，下车乘马，到文宣王墓，再拜，下诏加谥孔子为玄圣文宣王，并修整祠堂房舍，供给附近十户人家侍奉陵庙。第二天，又派吏部尚书张齐贤等人用牛羊猪三牲全备的太牢大礼祭祀孔子，赐孔家钱三十万、布匹三百。授以孔子第四十六代孙同学究出身孔圣佑为奉礼郎，近系亲属授官及赐同进士出身的六人。并追封叔梁纥为鲁国公，颜氏为鲁国太夫人，伯鱼之母并官氏为郓国太夫人。又追封齐太公为昭烈武成王，下令在青州建庙；追封周文公为文宪王，于曲阜县立庙。

己未（初二），宋真宗御驾返回，在覃庆楼观看百姓聚饮，共三日。

壬戌（初五），从兖州出发。丁卯（初十），停宿范县。赐予曲阜县玄圣文宣王庙《九经》《三史》，命兖州选儒生讲说。又赐太宗御制、御书，并将经史书籍赐予兖州。

丙子（十九日），从陈桥出发，停于含芳园。当时京城附近地区、淮甸、京东、河朔的百姓自泰山一路迎候皇帝车驾的络绎不绝。

丁丑（二十日），宋真宗从泰山回京。扶持使丁谓捧天书送归皇宫。宋真宗赐百官休假三日，中书省、枢密院休息一日。

宋真宗下诏将正月三日天书降临的日子定为天庆节。丁谓建议以祥瑞征兆先后排列撰写赞文，并在昭应宫绘成图画，宋真宗准从。

甲申（二十七日），宋真宗任命王旦为摄太尉，奉献太祖、太宗的谥册。礼毕，宋真宗亲祭祖宗六室。

乙酉（二十八日），宋真宗在含光殿大宴群臣，慰劳封禅归来。

十二月，辛卯（初五），宋真宗登朝元殿，接受册文尊号。

宋真宗命丁谓、李宗谔等人编修《封禅记》，这是听了陈彭年的建议。

丁酉（十一日），宋真宗拿出泰山封祀用的上等酒和玉女、白龙、王母池中的新鲜甘泉赐予辅佐大臣。诏令对原不该接受赐物的东京留守司以及在京掌事内臣，也予特别赏赐。

宋真宗下诏："江淮发运司辖内，各留三年的储备以防水旱灾害。"先前江、淮之米均运送京城，至此时司天监报告扬、楚地区将会发生水旱灾害，为预防灾患，才有以上诏令。

庚戌（二十四日），设置京师新城外八厢。宋真宗因为京都大门外，民户很多，按旧例只有赤县尉主管其事，所以特设厢吏，命开封府统一管理。

辛亥（二十五日），宋真宗任命户部尚书寇准为知天雄军兼驻泊都部署。辽使曾路过大

名府,对寇准说:“相公声望这样高,为什么不在中书省?”寇准说:“皇上认为朝廷无事,而北门职重,非寇准不可。”

甲寅(二十八日),宋真宗将南衙改为锡庆院。

以前聚宴集中在尚书省或都亭驿,皇上寿辰斋会则在相国寺举行。宋真宗认为在佛舍中吃喝谈笑,有损于恭敬洁清,于是命内臣找显敞的地方替代。南衙就是太宗做开封府尹时的府邸,秦王、许王相继居住过,后来这一位置空缺,所以将它作为锡庆院。

宋真宗下诏:“进奏院不得在不是规定的时间内向朝廷奏报,应让进奏官五人立保,违者以违制之罪论处。”

辽国招讨使萧托云奏报讨伐甘州回鹘,臣服其王伊啰勒,抚慰之后返回。

当年,辽国录取进士史克忠等十三人。

续资治通鉴卷第二十八

【原文】

宋纪二十八　起屠维作噩【己酉】正月，尽上章阉茂【庚戌】四月，凡一年有奇。

真宗膺符稽古神功让德　文明武定章圣元孝皇帝

大中祥符二年　辽统和二十七年【己酉，1009】　春，正月，丁巳朔，召辅臣至内殿朝拜天书。自是岁以为常。

御史中丞王嗣宗言："翰林学士杨亿、知制诰钱惟演、秘阁校理刘筠唱和《宣曲》诗，述前代掖庭事，词涉浮靡。"帝曰："词臣学者宗师，安可不戒其流宕！"乃下诏风厉学者："自今有属词浮靡、不遵典式者，当加严谴。其雕印文集，令转运司择部内官看详，以可者录奏。"

帝自东封还，群臣献贺功德，举国若狂。惟进士孙籍献书言："封禅，帝王盛事，然愿陛下谨于盈成，不可遂自满假。"帝善其言，即召试中书；庚午，赐同进士出身。时知制诰周起亦上言："天下之势，常患恬于逸安而忽于兢畏，愿毋以盈成为恃。"帝深纳之。

去冬，诏京师赐酺五日，以二月五日为始。于是久旱，右仆射张齐贤言："宴乐，阳事也。甫经上元，又将酺饮，恐非所以答天意。请俟雨足，乃如诏旨。"从之。

以殿中丞孔勖知曲阜县兼检校先圣庙，赐绯鱼。勖请就先圣庙创立学舍及于斋厅讲说，皆许之。

(己)〔乙〕酉，命户部尚书温仲舒、右丞向敏中与吏部流内铨注拟选人。先是帝谓辅臣曰："吏部铨引对群吏，或经旬不入，何也？"陈尧叟曰："选人甚多，极闻稽滞。"因言旧有锁铨之制。帝曰："今员多阙少，四时计选犹虑壅塞，况锁铨乎！"尧叟又请取旧省员，复置如六曹官，凡百州，乃得六百员。王旦曰："今选集待阙者二千馀人，纵增二三百员，亦无益也。"乃诏仲舒等同领选事以督之。

是月，以美人刘氏为修仪，才人杨氏为婕妤。

辽主猎于瑞鹿原。

二月，令陕西发廪振粜，旱故也。

辛丑，分遣使臣出常平仓粟麦，于京城四面开八场，减价粜之，以平物价。

己酉，雨。诏赐酺，以三月十六日为始。

庚戌，布衣林虎伐登闻鼓上言："国家遣官祈雨，车驾遍诣宫寺，虽再雨而未足。愿去邪佞尸素之臣，明赏罚黜陟之令，则天自雨。"帝曰："所言邪佞尸素，当斥其名；赏罚黜陟，悉陈非当，朕岂吝于采拔！然姓林名虎，尚怪者也。"命中书召问，虎无以对，罢之。

以卢多逊子复州司士参军察付吏部铨注簿、尉。察，景德二年举进士，礼部奏名在高等。或言多逊子不当与科第，故特命为州掾，及是乃授亲民官。明年，察奉多逊丧归葬襄阳，又诏本州赐察钱三十万。

应天府民曹诚，以资募工就戚同文所居造舍百五十间，聚书千馀卷，博延生徒，讲习甚盛。府奏其事，诏赐额曰应天府书院，命奉礼郎戚舜宾主之，仍令本府幕职官提举，又署诚府助教。舜宾，同文孙，纶子也。

癸丑，太常博士知温州李邈言："准诏，禁金银箔线装饰服用之物。伏见两浙僧求丐金银珠玉，错末和泥以塑塔像，有高袤丈者。毁碎珍宝，浸以成俗。望严行禁绝，违者重罪。"从之。

封太常博士陈从易祖母詹氏为河间县太君。从易以东封恩，例当封母妻，请回妻封以及祖母故也。

三月，丙辰朔，日有食之。

辛未，帝御乾元楼观酺，自是凡五日。

夏，四月，丙戌朔，辽主如中京营建宫室，择良工于燕蓟，董役二载，郛郭、宫掖、楼阁、府库、市肆、廛庑，悉拟京师之制。既成，设祖庙、景宗及太后御容殿。宫中有武功殿，辽主居之；文化殿，后居之。池城湫湿，多穿井以泄之，居民称便。又设大同驿以待宋使，朝天馆以待新罗使，来宾馆以待夏使。

戊子，升州大火。遣御史访民疾苦，蠲被火屋税。

武胜节度使、驸马都尉吴元扆，纯谨谦逊，在藩镇，有忧民之心，待宾佐以礼，处事畏敬，所至能检下，未尝逾矩，奉身简素，鲜声色狗马之好，所得禄赐皆分给亲族之孤贫者。于是受诏知徐州，请对，言："臣族属至多，其堪任禄仕者皆已奏荐，不任者悉均奉赡之。公主有乳媪，得入参宫禁，虑臣去后，托以干祈，望陛下不纳。"帝深叹其贤。

分定天书及大驾仪仗，别饰玉辂以奉天书，题榜曰"天书玉辂"。

壬辰，江淮发运使李溥言："粮纲卒随行有少货物，经历州县，悉收税算，望与蠲免。"从之。

给事中、判集贤院种放，得告归终南山，是日，召见，宴饯于龙图阁，帝作诗赐放，命群臣皆赋，且制序。杜镐辞以素不属文，诏令引名臣归山故事，镐诵《北山移文》，其意盖讥放也。

丙申，入内供奉官郑志诚自茅山使还，言："至升州，见黄雀群飞敝日，往往从空坠，而又闻空中若水声。"帝曰："是皆异常，而州不以言，何也？"因出占书示王旦等曰："此皆民劳之兆，若守臣知人疾苦，能防于未然，则可免祸。今张咏在彼，吾无虑矣。"先是城中多火，咏廉得不逞之民潜肆燔燕者，折其足而斩之，由是遂绝。

己亥，以三司使丁谓为修昭应宫使。初议作宫，命谓经度，谓欲殚国财用，规模宏大，近臣多言其不可；殿前都虞候张旻，亦言土木之侈，不足以承天意。帝召问谓，谓曰："陛下富有天下，建一宫崇奉上帝，何所不可？且今未有皇嗣，建宫于宫城之乾地，正可以祈福。群臣不知陛下此意，或妄有沮止，愿以此谕之。"既而王旦又密疏谏帝，帝谕之如谓所对，旦遂不敢复言。于是特建使名，令谓专总其事。

诏："自今诸路转运使、副、提点刑狱所举官，如进改后，五年无过有劳干者，并举主特加酬奖。"先是帝谓宰臣曰："举官犯赃则连坐，而得人者赏弗之及，非所以劝也。"故有是诏。

庚戌，辽废霸州处置使。

甲寅，诏："禁中外群臣，非休暇无得群饮废职。"

五月，乙卯朔，诏追封孔子弟子兖公颜回为国公，费侯闵损等九人为郡公，成伯曾参等六十二人为列侯，宰相群官分撰赞。

韶州献频婆果，后以道远罢之。

壬戌，诏兖州长吏，以天书降泰山日诣天贶殿建道场设醮，以其日为天贶节，令诸州皆设醮，从知并州刘综请也。

丙寅，召宰相至龙图阁观道像，又观崇和殿瑞物凡四百馀种，王旦等称贺。是日，以昭应宫兴工，宴丁谓以下，仍赐役卒缗钱。

祠部员外郎、直集贤院钱塘杨侃，请令诸州属县无遣胥吏下乡追事，从之。

代州地震。

六月，丁酉，诏："修昭应宫役夫，三伏日执土作者，悉罢之。"时丁谓欲速成，请三伏不赐休暇，王旦言当顺时令，乃降是诏。

先是瑞应沓至，知制诰王曾奏曰："此诚国家承平所致，然愿推而弗居，异日或有灾沴，则免舆议。"及帝既受符命，大建玉清昭应宫，复上疏曰："国家受殊祥，膺秘箓，就严城之北隅，启列真之秘宇。经始以来，庀徒斯广，功极弥年，费将巨万。国家尊奉灵文之意，不为不厚矣。然臣以为今之兴作，有不便之事五焉：创立之宫，规制宏大，凡用材木，莫非楩楠，搬运赴宫，尤伤人力，虽云只役军匠，宁免烦扰平民！况复军人亦是黎庶，此未便之事一也。方毕封崇，复兹兴造，内帑倾积代之蓄藏，百物尽生民之膏血，散之孔易，敛之惟艰，此未便之事二也。祸起隐微，危生安逸，今双阙之下，万众毕臻，所役诸杂兵士，多是不逞小民，其或鼠窜郊廛，狗偷都市，有一于此，足贻圣忧，此未便之事三也。王者举动，必遵于时令，臣谨按孟夏无发大众，无起土工，无伐大树。今肇基卜筑，冲冒郁蒸，俶扰坤厚，乖违前训，矧复旱暵卒痒，比屋罹灾，得非失承天地之明效欤！此未便之事四也。臣窃聆符命，亦言清净育民。乃过兴刓劂之功，广务雕锼之巧，屡殚物力，未协天心，（彼）〔此〕未便之事五也。伏望思祖宗之大猷，察圣贤之深戒，止敦朴素，无取瑰奇，俾海内知陛下重爱民力之意，岂不美欤！方今疆埸甫定，民俗苟完，关辅之地，流亡素多，近甸之氓，农桑失望，虽令有司安慰，亦恐未复田庐，秋冬之间，饥歉是惧。愿陛下留神垂听，无忽臣言，则天下幸甚！"

帝自景德四年以来，不复出猎，壬寅，诏："五方鹰鹘量留十数，以备诸王从时展礼，馀悉纵之。"

庚戌，帝御崇政殿亲试进士、诸科，赐进士梁固等及第、出身有差。固，颢之子也，初以颢遗荫赐进士出身。服除，诣登闻，让前命，愿赴乡举，许之。

昭应宫初相地，止尽内殿直班院。丁谓等复请增衍之，多黑土疏恶；乃于东京城北取良土易之，自三尺至一丈有六等，日役工数万。上以道里稍远，悯其负担之劳，壬戌，诏三司以空船给昭应宫运土，仍浚治渠道。

秋，七月，甲寅朔，辽境霖雨，潢河诸水皆溢，漂没民舍。

丁巳，置纠察在京刑狱司，以知制诰周起、侍御史赵湘领之。

三司请出内藏绫万匹以助经费，从之。

复以万安宫为滋福殿。

先是有诏减鄜延路驻泊兵九指挥归营。乙丑，钤辖李继昌等言边防备豫，望许如旧，帝以西边安静，冀省转输之劳，不许。

辛未，以昭应宫为玉清昭应宫。

戊寅，诏封玄圣文宣王庙配享先儒鲁史左丘明等十九人爵为伯，赠兰亭侯王肃司空，当阳侯杜预司徒，命近臣各撰赞。

庚辰，侍御史赵湘、判三司都催欠司彭惟节等，条上封禅赦前天下逋负总千二百六十万七千，悉除之。

八月，帝欲择官知审刑院，谓宰臣曰："当须详悉法令之人。"王旦曰："今司法有人，知院者但能晓达事理，详究物情，不必熟法令者。"帝然之。

秘书丞董温其上言："汉以霍山为南岳。望令寿州长吏春秋致祭。"诏礼官与崇文院检讨详定。上奏言："奉祀已久，难以改制。其霍山如有祈请及别敕致祭，即委州县奉行。"从之。

后宫杜氏，昭宪皇后侄女也。帝禁销金甚严，还自东封，杜氏乃服以迎车驾，帝见之，怒，遂令出家洞真宫为道士。由是天下无敢犯禁者。

知杂御史赵湘言："臣闻朝廷之仪，进止有度。伏见常参文武官每日趋朝，并早赴待漏院，候开内门齐入。今以辰漏上始放朝，故多后时乃入。望许令知班驱使官二人常在正衙门视之，有入晚者，具名申奏。又，风雨寒暑稍甚，即多称疾请假。望委御史台酌度闻奏，遣官诊视，如显有诳妄，即具弹劾。"从之。

九月，壬子朔，入内供奉官王承勋言："准诏，于洺州塞漳河水口，本州差权推官祖百世监督兵夫，颇见勤勉，望即授正任。"帝曰："州县官除幕职，皆自特恩，内臣岂当论请！"即令吏部铨拟官代之。

先是命供备库使谢德权决金水河为渠，自天波门并皇城至乾元门，历天街，东转缭太庙，皆甃以礲甓，树之芳木，车马所度，又累石为梁。间作方井，宫寺民舍皆得汲用。复东引，由城下水窦入于濠。京师便之。丁卯，德权奏功毕，诏宗正告庙室，赐役卒缗钱。

司天言："太阴当食之既，翼日，皇帝本命，请祷祀之。"帝曰："经躔已定，何可祈也！"不许。既而候之不亏，宰臣表贺。

壬申，邵州防御使广平公德彝，言女适殿直郭中和，家族颇众，欲别置一第。帝曰："中和有父母，从其请，则妇事舅姑之礼阙矣。"不许。

乙亥，无为军言大风拔木，坏城门营垒民舍，厌溺千馀人。诏内臣恤视，蠲来年租，收瘗死者，家赐米一斛。

先是帝谓王旦等曰："朕在东京讲《尚书》凡七遍，《论语》《孝经》亦皆数四。今宗室诸王所习，惟在经籍，昨奏讲《尚书》第五卷，此甚可喜。"于是召宁王元偓等赴龙图阁观书目，帝谕之曰："宫中尝听书习射，最胜它事。"元偓曰："臣请侍讲张颖说《尚书》，闲日不废弓矢，因陈典谟之义。"帝喜，乃诏每讲日赐食，命入内副都知张继能主其事。尚虑元偓等轻待专经之士，又加训督焉。

是秋，京西、河东、陕西、江淮、荆湖路、镇、定、益、梓、邛、密等州言丰稔，京师粟斗钱三十。

冬，十月，癸未，雄州奏辽改筑新城。帝谓辅臣曰："景德誓书有无创修城池之约，今此何也？"陈尧叟曰："彼先违誓修城，亦此之利也。"帝曰："岂若遗利而敦信乎？宜令边臣诘其违约，止之。”

濠州民齐睿，坐恶逆逃亡，会东封首露，州用赦原之。知定远县王仲微言：“通判、度支员外郎赵况，受睿钱三百千，不以上闻，请重置其罪。”诏特斩睿，论况枉法，除名为民。

御史中丞王嗣宗，言许州积水害民田，盖惠民河不谨堤防，每岁决坏，即诏阁门祗候钱昭厚经度之。昭厚请开小颍河分导水势，帝曰：“泄其上源，无乃移患于下流乎？”昭厚不能对。判陈州石保吉，复言此河浸广，则郡当水冲，为害甚大。乃命白陂发运判官史莹视之。莹请修顿固双斗门于减水河口，为束水鹿港以均节壅溢，奏可。因诏三班选干局习事者巡护堤岸，殿最如黄、汴法。自是吏谨其职，水灾稍息。

甲午，诏天下并建天庆观。时罕习道教，惟江西、剑南人素崇重，及是天下始遍有道像矣。殿中侍御史张士逊上言：“今营造竞起，远近不胜其扰，愿因诸旧观为之。”诏从其请。

御史中丞、权判吏部铨王嗣宗轻险好进，深诋冯拯之短，而结王旦弟旭，使达意于旦以为助。旦疾其丑行，因力庇拯，嗣宗大恚。会久不雨，嗣宗请对，因摭拾知制诰王曾从妹夫孔冕被曾诬构，及侯德昭援赦叙绯，李永锡坐赃除名，复引充旧职等事，欲以倾旦。帝曰：“止此乃致旱邪？”嗣宗理屈，复以它辞侵旦；旦不之抗，乃已。是月，嗣宗请对，言：“刑政有失，致成灾沴。”因复言：“孔冕冤枉，播在人口，而王曾尚居近班，愿示退黜，臣请露章以闻。”帝谓王旦等曰：“曾实无罪；若嗣宗上章，亦须裁处。”旦曰：“冕不善之迹甚众，但以宣圣后不欲穷究，谓其冤枉伤和气，恐未近理。”翼日，嗣宗复对，且谢前言之失，帝优容之。

十一月，壬子朔，知邓州张知白言：“陕西流民相续入境，有欲还本贯而无路粮者。臣诱劝豪民出粟数千斛，计口给之，以半月为准，凡就路总二千三百家，万二百馀口，其支贷有馀者，悉给贫老。”诏奖之。

卫尉卿、权判刑部慎从吉言：“准淳化三年敕，诸州所奏狱空，须是司理院、州司、倚郭县俱无系囚；又准后敕，诸路自今狱空更不降诏奖谕。臣伏见提点刑狱司所奏狱空，多不应旧敕，外州妄觊奖饰，沽市虚名。近邠、沧二州勘鞫大辟囚，于诖误数人，裁一夕即斩决。前代京师决狱尚五覆奏，盖欲谨重大辟，岂宜一日之内便决死刑！恐有冤滥，但务狱空。欲望依准前诏，不行奖谕。”从之。

丙辰，帝作文武七条戒官吏，谓宰相曰：“汉制，刺史以六条问事，诸葛亮有武臣七戒，朕今参求要道以儆励群臣。又思先朝以《儒行篇》赐近臣，今可并赐一轴。”

甲子，诏：“诸路官吏有蠹政害民，辨鞫得实，本路转运使、提点刑狱司不能举察者，论其罪。”先是知秦州齐化基、知鄜州何士宗皆坐赃抵法，监司初不以闻，故申敕之。

帝谓宰相曰：“闻陇州推官陈渐，不能谨洁，转运使以尧叟诸侄，不能案举，昨因违越被劾，尧叟特为请令罢任。自今倘如此，必正其罪。”

十二月，乙酉，辽太后不豫。戊子，肆赦。辛卯，辽太后殂，年五十七。

太后明习政事，能用善谋。素娴军旅，澶渊之役，亲御戎车，指麾三军，赏罚信明，将士用命。教辽主以严，辽主初即位，或府库中需一物，必诘其所用，赐及文武臣僚者与之，不然不与。辽主既不预朝政，纵心弋猎，左右有与辽主谐谑者，太后知之，必杖责其人，辽主亦不免诟问。御服御马，皆太后检校焉。归政未几而殂，辽主哀毁骨立，哭必欧血。

辛丑，三司使丁谓等上《泰山封禅朝觐祥瑞图》百五十，昭宣使刘承珪上《天书仪仗图》，召近臣观于滋福殿，俄又示百官于朝堂。

辽天平节度使耶律信宁,以太后之丧,驰骑来告,涿州先牒雄州,雄州以闻。甲辰,诏废朝七日,令礼官详定服制,复命太常博士王随为祭奠使,太常博士王曙等为吊慰使,赙以衣五袭、绫罗布帛万匹。乙巳,辽贺正使耶律特噜古入见,既还馆,令客省使曹利用以涿州牒示之。戊申,告哀使耶律信宁至,阁门使受书进内,诏特噜古等就开宝寺设位奠哭,百官至都亭驿吊之。己酉,帝于内东门制服发哀,群臣进名奉慰。

赵德明帅所部出侵回鹘,长星昼见,德明惧而还。

是岁,辽始御前引试进士,放刘三宜等三人。

三年　辽统和二十八年【庚戌,1010】　春,正月,种放归终南山。帝谓宰相言:“放隐居力学,尝言古今殊时,不当背时效古,此最近于理。”乃诏放赴阙。放表乞赐告,帝许之,又作歌以赐,并赍衣服、器币,令京兆府每季遣幕职就山存问。放为弟汶求官,即授秘书省正字。

知天雄军寇准言:“振武勇士接送辽使过境,臣已各给装钱。”帝谓辅臣曰:“寇准好收人情以求虚誉,卿等今见之矣。”乃诏谕准,不当擅有给赐,命备钱偿官。

二月,辽主如长泺。

乙酉,丁谓请承天节禁屠宰刑罚,从之。

癸巳,升州民以知州张咏秩满,愿借留;即授工部尚书,令再任,仍赐诏奖焉。

交州黎至忠苛虐,国人不附,大校李公蕴为至忠亲任,乃逐至忠出城而杀之。其二弟明提、明昶争立,公蕴又杀之,自称留后,遣使奉贡。帝曰:“黎桓不义而得之,公蕴又效尤焉,甚可恶也。然蛮俗何足责哉!其用桓故事,授以官爵。”

右仆射、判都省张齐贤,言玉清昭应宫缋画符瑞,有损谦德及违奉天之意,又屡请罢土木之役,不听。辛丑,齐贤出判孟州。

闰月,甲寅,冬官正韩显符造铜候仪成,并上所著经十卷,其制则本唐李淳风及一行之遗法云。

己未,河北转运使李士衡言:“本路诸军岁给帛七十万。当春时民多匮乏,常假贷于豪右,方纳租税,又偿逋欠,以故工机之利愈薄。请官预给帛钱,俾及期输送;民既获利,官亦足用。”诏从之,仍令优与其直。后遂推其法于天下。

甲戌,增葺射堂为继照堂,设帘张乐,许士民游观三日。

三月,壬辰,以权静海军留后李公蕴为静海军节度,封交趾郡王,赐衣带、器币。

丁酉,帝谓王旦等曰:“自北鄙修好,疆埸不耸,朕居安虑危,罔敢暇逸,尝著文自警,置之座右。”乃出《贵廪》《食珍》《田夫吟》《念农歌》《自戒箴》以示旦等。

癸卯,辽上太后谥为圣神宣宪皇后。

帝作《念边诗》,赐近臣和。

帝谓辅臣曰:“将帅才难。今虽天下无事,然兵不可去,战不可忘,古之道也。”马知节曰:“将帅之才,非可坐而知之,顾临事机变如何耳。咸平中,将帅才略无闻,措置未便,不能御寇,盖以未得其人故也。”帝曰:“知节久任边防,何策为善?”知节曰:“边防之地,横亘虽长,然据要以扼其来路,惟顺安军至西山不过二百里。若列阵于此,多设应兵,使其久莫能进,众将疲弊,时以奇兵轻骑逼而扰之,如敢来犯,即命将深入力战,彼必颠覆不暇。今诸将喜用骑兵,以多为胜;且骑兵之多者布满川谷,而用之有限,苟墙进而前,小有不利,则莫之能止,非所谓节制之师也。臣尝谓善用骑兵者不以多为贵,但能设伏,观寇兵之多少,度地形之险易,

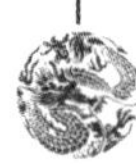

寇少而逼而击之，众则聚而攻之，常依城邑以为旋师之所，无不捷矣。”

时辽人已盟，大臣方言符瑞，知节每不然之，尝言天下虽安，不可忘战，因自陈：“年齿未暮，五七年间尚可驱策，如边方有警，愿预其行，但得副部署名目及良马数匹、轻甲一联足矣。”帝以为然，乃命制钢铁锁子甲赐之。

夏，四月，镇安节度使、同平章事、驸马都尉石保吉卒于京师。帝废朝三日，赠中书令，谥庄武。属孟夏享太庙，未即临丧，遣使谕其家，礼毕，乃临哭之。

保吉累世将相，家富于财，性骄倨，历藩镇，待属吏不以礼。帅大名时，叶齐、查道皆知名士，悉命械颈以督粮运。帝尝赐密诏戒之。

先是曹玮及张崇贵上泾原、环庆两路州军山川城寨图。己未，帝出以示王钦若等曰：“处置咸得其宜，至于储备亦极详悉，宜令别画二图，用枢密印，一付本路，一留枢密院，案图以计事。”

辛酉，赐泰山隐居秦辨号贞素先生，放还山。辨自言百三十岁，帝召至京，与语，多言五代事，亦无它奇，但能服食至长年耳。

癸亥，诏：“幕职、州县官，除广南、福建路令预借俸钱外，江浙、荆湖远地，麟、府等州，河北、河东缘边州军，自今并许预借两月俸，馀近地一月。”

是日，后宫李氏生子，知开封府周起方奏事，帝谓起曰：“知朕有喜乎？”起曰：“臣不知也。”帝曰：“朕始生子。”即入禁中，怀金钱出，探以赐起。李氏，杭州人，初入宫，侍刘修仪，庄重寡言，帝命为司寝。既有娠，从帝临砌台，玉钗坠，心恶之。帝私卜，钗完当生男子；左右取钗以进，殊不毁，帝喜甚。已而果生子，是为仁宗。后封李氏为崇阳县君。

甲子，辽葬太后于乾陵，赐大丞相耶律德昌名曰隆运。庚午，赐宅及陪葬地。

辽群臣上言：“山陵已毕，宜改元。”辽主曰：“改元，吉礼也。居丧行吉礼，不孝也。”群臣曰：“前代帝王以日易月，宜法旧制。”辽主曰：“宁违旧制，不为不孝之人。”

太常博士石待问上时务策十数条，大率言：“北鄙凶变，非与中国渝盟，即遭其弟篡夺。乞选将练兵，为之预备。”又言：“先朝多任中人陵轹将帅，故罕成功。”帝曰：“人臣指陈时政，有关朕躬过失，虽不近理，亦当优容之。待问乃以祖宗制度所无之事，恣为矫诬，是不可恕也！”即令翰林学士李宗谔诘之，待问辞穷，已而责授滁州团练副使，不得佥署州事。

乙亥，出内库钱五百万赎故宰相吕端居第，赐其子蕃。先是帝谓王旦等曰：“端诸子皆幼，长子蕃病足，家事不理，旧第已质于人，兄弟不同处。昨令中使视之，蕃扶杖附奏，求赐差遣。朕思之，不若出内库钱赎还旧第，令其聚居。又，僦舍日得千钱，可以赡养。然蕃颇懦，当谕旨，凡有支用，置簿，岁上内侍省。”后六年，蕃为弟蔚娶妻，又表献居第，求加赐予，且言负人息钱甚多。旦曰：“陛下恤孤念往以劝人臣，而蕃重烦圣念，不可听。”帝曰：“宜别出内库金帛赐之，俾偿宿负。蕃弟荀，仍与西京差遣，令蕃同往，自今无得借使它财，命有司为掌僦课给其家，复诏枢密院察其妄费。”旦曰：“陛下推恩终始极矣，唐元和中，还魏征旧第，止降一诏，何尝委曲如是邪？”

是月，知雄州兼河北安抚使李允则，言久戍边，乞给假暂乘传赴阙，诏许之。

【译文】

宋纪二十八　起己酉年（公元1009年）正月，止庚戌年（1010年）四月，共一年有余。

大中祥符二年 辽统和二十七年(公元1009年)

春季,正月,丁巳朔(初一),宋真宗召集辅臣到内殿朝拜天书。此后每年成为惯例。

御史中丞王嗣宗说:"翰林学士杨亿、知制诰钱惟演、秘阁校理刘筠作《宣曲诗》对答,叙述前代嫔妃之事,用辞虚华不实。"宋真宗说:"词臣是学者的宗师,怎能放任放荡不羁呢!"于是下诏告诫学者:"今后若有人作词轻浮靡丽、不遵循规范的,应严加责罚。学者刻印文集,要求转运司选派部内官员仔细审查,将认可的记录上报。"

宋真宗自从东巡封禅归来,群臣献贺功德,举国上下欣喜若狂。只有进士孙籍上书说:"封禅虽是帝王的盛事,但希望皇上对成功保持谨慎,不可就此满足自负。"宋真宗认为他说得对,随即召他于中书省应试;庚午(十四日),赐他同进士出身。当时知制诰周起也进言:"天下之势,常使人忧虑的是满足于安逸而忽视了进取,希望皇上不要以功成圆满自恃。"宋真宗完全接受他的意见。

宋陵石像群

去年冬天,宋真宗诏令京师赐五日聚饮,从二月五日开始。因当时久旱不雨,右仆射张齐贤说:"饭宴取乐,是人间常事。才过上元节,又准备聚饮,恐怕这样做难对天意。请求等雨水充足时,再执行这一诏旨。"宋真宗准从。

宋真宗任命殿中丞孔勖为曲阜知县兼检校先圣庙,并赐他红袍鱼袋。孔勖请求在先圣庙建立学舍并在斋厅讲学,都被准许。

乙酉(二十九日),宋真宗命户部尚书温仲舒、右丞向敏中与吏部流内铨准备选拔人才。此前宋真宗曾问辅臣说:"吏部铨选群吏进宫应试,有时数十天不来,为什么会这样?"陈尧叟说:"要铨选的人太多,常听说积滞的情况。"并谈及过去有锁铨之制。宋真宗说:"如今待选的人多而空缺少,一年四季铨选还担心拥挤,何况用锁铨呢?"陈尧叟又建议保留过去裁省官员,再设置如同六曹的官员,共一百个州,可得六百员额。王旦说:"现在等待铨选的补缺人数共有两千多,即便增加二三百员额,也没有用。"于是宋真宗让温仲舒等共同负责此事督促。

当月,宋真宗封美人刘氏为修仪,才人杨氏为婕妤。

辽国君主在瑞鹿原打猎。

二月,宋真宗命陕西开仓售粮赈济,因为天旱缘故。

辛丑(十五日),宋真宗分派使臣运出常平仓的粟麦,在京城四面开设八个场地,减价出售以平抑物价。

己酉(二十三日),降雨。宋真宗颁令赐臣民聚饮,从三月十六日开始。

庚戌(二十四日),平民林虎击登闻鼓上言说:"朝廷派官求雨,皇上车驾遍及各道宫佛寺,即使再降雨也不够。希望免掉那些邪恶奸佞、尸位素餐的官员,严明赏罚升降的法令,则上天自会降雨。"宋真宗说:"所言邪恶奸佞、尸位素餐之人,应当点名道姓;所言赏罚升降,应具体陈述不当之处,朕怎会吝啬选拔录用人才。但林虎其人,实在是很奇怪。"命中书省将林虎召来询问,林虎无以对答,于是作罢。

宋真宗将卢多逊之子复州司士参军卢察交由吏部铨注授主簿、县尉之职。卢察在景德二年举为进士，礼部将他排在高等。当时有人说卢多逊的儿子不应参加科举，因此特委为州郡属吏，到这时才授予亲民官。第二年，卢察送父灵柩归葬襄阳，皇上又令该州赐给卢察钱三十万。

应天府平民曹诚，出钱请人在戚同文的住地建造一百五十间房屋，收集书籍千余卷，广招学生，教学甚为兴盛。应天府报告此事，宋真宗下令赐其牌匾为应天府书院，命奉礼郎戚舜宾掌理书院，同时命令该府幕职官管理，并委任曹诚为府学助教。戚舜宾为戚同文的孙子，戚纶的儿子。

癸丑（二十七日），太常博士、温州知州李邈说："按照皇上的诏令，禁止将金银箔线用来装饰衣物，但我却见两浙和尚化缘乞求金银珠玉，碾碎后和入泥中塑造塔像，有的高宽达一丈。毁碎珍宝，渐成风气。希望严令禁止，违者重罚。"宋真宗依准。

宋真宗封太常博士陈从易的祖母詹氏为河间县太君。陈从易因皇上东巡封禅归来加恩，按例应加封其母其妻，陈从易请求免封其妻而封祖母，故有此举。

三月，丙辰朔（初一），发生日食。

辛未（十六日），宋真宗登乾元楼观看臣民聚饮，总共五天。

夏季，四月，丙戌朔（初一），辽国君主前往中京营建宫室，在燕蓟挑选能工巧匠，督管工役两年，城墙、宫廷、楼阁、府库、市肆、街道，均按京城开封的样式。建成后，设有祖庙、辽景宗和萧太后的像殿。宫中有武功殿，辽国君主所住。有文化殿由辽皇后所住。城内积水潮湿，多挖井渠以排泄，居民感到非常方便。还设大同驿来接待大宋使臣，设朝天馆接待新罗使臣，设来宾馆接待西夏使臣。

戊子（初三），升州起大火。宋真宗派御史探访民众疾苦，免掉被烧居宅的税。

武胜节度使、驸马都尉吴元扆，为人纯朴恭谨谦逊，在藩镇期内，心忧百姓，待宾客有礼节，处事谨慎而恭敬，所到之处能约束部下，从未有违法犯纪之事，自身清简朴素，很少有声色狗马的爱好，所得的俸禄和赏赐都用来接济亲族中的孤寡贫者。当受命担任徐州知州时，他请求皇帝召见，说："臣家族成员很多，能任官者均已奏报举荐过，不能做官的都已安排好赡养。公主有个乳娘，得允能入宫中参见，臣恐离开后，会有人托她提出什么要求，希望皇上不要答应。"宋真宗对他的贤良深表赞叹。

分别确定天书和天子的仪仗规定，另外以装饰宝玉的大车来奉载天书，题名为"天书玉辂。"

壬辰（初七），江淮发运使李溥进言："运粮的士兵随行捎带少量货物，路经各州县，都要征税，希望皇上下令免除。"宋真宗准从。

给事中、判集贤院种放，依准退休回终南山，当天，宋真宗召见，在龙图阁为他设宴饯行，宋真宗作诗赐予种放，命群臣都要赋诗，并作序。杜镐以从不写诗文理由推脱，宋真宗令他引述名臣归山的故事，杜镐于是读诵《北山移文》，其意在于以此讥讽种放。

丙申（十一日），入内供奉官郑志诚从茅山出使归来，说到升州时，看见黄雀成群飞翔，遮天蔽日，不断有黄雀从空中落下，而且还听到空似有流水的声音，宋真宗说："这些都是异常现象，而州官却未报告，为什么？"于是出示占卜书给王旦等说："这些都是民众受苦的征兆。如果地方官体察人民的疾苦，能防患于未然，那么灾祸就能避免。如今张咏在那里，我就不

担忧了!”此前升州城内火灾频繁,张咏查获暗中放火的不良之徒,打断他们的腿并处以死刑,从此火灾绝迹。

己亥(十四日),宋真宗任命三司使丁谓为修昭应宫使。当初商议建造昭应宫,命丁谓负责经营规划。丁谓准备倾其国家所有财力,设计的规模十分宏大,近臣多数认为不可行。殿前都虞候张旻也说大兴土木不符天意。宋真宗召来丁谓询问,丁谓说:“皇上富有天下,建一座宫殿以崇奉上帝,有何不可!何况皇上至今未有子嗣,因此在皇宫的乾地修建宫殿,正可以祈求上天赐福。群臣不明皇上心愿,有人妄加劝阻,希望皇上将此意思告之他们。”不久王旦又密奏劝谏,宋真宗按丁谓的话答复他,王旦于是不敢再提此事。至此,特立修昭应宫使,任命丁谓总管此事。

宋真宗下诏:“从今后各路转运使、副使和提点刑狱所举荐的官员,如果在升调职务之后五年内没有过失而有功劳的,要对他和举荐他的人一同加以奖赏。”此前宋真宗曾对宰臣说:“被举荐的官员贪赃犯法,举荐者便得连坐,而举荐有用之人却得不到奖赏,这不是劝勉之道。”因此有此诏令。

庚戌(二十五日),辽国废霸州处置使一职。

甲寅(二十九日),宋真宗降旨:“禁止朝廷内外群臣在非休假期间不得聚众饮酒而废弃公务。”

五月,乙卯朔(初一),下令追封孔子弟子衮公颜回为国公,费侯闵损等九人为郡公,成伯曾参等六十二人为列侯,由宰相和群官分别撰写赞文。

韶州进献频婆果,后因路途遥远而取消。

壬戌(初八),宋真宗诏令兖州长官,根据天书降于泰山的日子前往天贶殿建道场设坛祭祀,并以这天为天贶节,命令各州都要设坛祭祀,这是采纳了并州知州刘综的建议。

丙寅(十二日),宋真宗召宰相到龙图阁观道像,并观看崇和殿四百多种祥瑞物品,王旦等道贺。这天,因为昭应宫开工,宋真宗宴请丁谓及其下属,同时赏缗钱予役卒。

祠部员外郎、直集贤院钱塘人杨侃,建议下令禁止各州属县派胥吏下乡加征赋税,宋真宗批允。

代州发生地震。

六月,丁酉(十四日),宋真宗下诏:“修昭应宫的役夫,三伏天有泥土活的,一律停工休息。”当时丁谓要赶工程,曾建议三伏天不得休假,王旦说应该顺应时令,因此宋真宗才下此诏令。

此前有各种吉祥征兆,知制诰王曾上奏说:“这是国家承享太平所致,但我希望推却不受,将来如果发生灾难,就可免受舆论的非议。”等到宋真宗接受符命,要大建玉清昭应宫时,他又上疏说:“国家得到特殊的祥瑞,膺承秘箓,在京城的北侧,兴建各位真神庙宇。开工以来,召集了如此之多的役徒,工程如此之大而耗时多年,费用将达数万,国家尊奉灵文的诚意,不能说不虔诚了。然而臣认为现在的大兴土木,有五方面的弊端:所建宫殿,规模宏大,凡用材木,均是楩楠佳木,搬运到京城,尤其耗费人力,虽说只役使军匠,难免会烦扰百姓!况且军人也是百姓,此为弊端之一。刚封禅完毕,又再兴造土木,内库钱财是历代的积蓄,各种物资都是百姓的血汗,耗费容易,积聚却难,此为弊端之二。祸起隐微,危生安逸,如今朝门之下,万众聚集,所役使的各类兵士,多为不良小民,如有人像老鼠那样流窜到乡郊民域,

或像狗那样在都市偷盗,有一样发生,足以给皇上带来忧虑,此为弊端之三。帝王的行动,必须遵循时令,臣慎劝初夏不要征发民众,不要兴土动工,不要砍伐大树。现在奠基兴土,冲犯盛暑,扰乱地气,违背前训,何况又久旱干燥终病,到处发生灾害,这难道不是有失天地之道的应验吗!此为弊端之四。臣聆听符命,也说应该清静无为休养生息。现在却过分大兴土木,苛求雕镂的精美奇巧,不断穷尽物力,实在不符天意,此为弊端之五。希望皇上想想祖宗的宏图大业,明察圣贤的谆谆告诫,提倡简朴,不求奇丽华美,使天下臣民都知道您珍惜民力的情意,难道不好吗!如今疆域刚刚安定,民生勉强完聚,关辅之地,流民向来就很多,近郊农民,农耕养蚕无望,即使责令官吏安抚慰劳,恐怕也未必能恢复耕地农舍,秋冬时节,最怕发生饥荒。希望陛下留神垂听,不要忽视臣所说的话,那将是国家之大幸!"

宋真宗从景德四年以后,不再外出打猎,壬寅(十九日),下诏:"各地的鹰鹘酌量留下十几只,以备众亲王随从外出时展示之用,其余均予放飞。

庚戌(二十七日),宋真宗亲临崇政殿面试进士、诸科,赐进士梁固等人以及第、出身各有不同。梁固是梁颢的儿子,当初因其父的遗荫被赐进士出身。其父完丧后,到登闻院,辞去进士出身的恩赐,要求参加乡举考试,得到恩准。

当初挑选昭应宫的用地,只限于内殿直班院范围,丁谓等人又建议将范围扩大,但扩展之地多为劣质黑土,于是从东京城北运来好土替代,新填土从三尺到一丈六尺厚不等,每天需劳力几万人。宋真宗认为运土距离较远,怜悯民工挑土劳累,壬子(二十九日),命令三司向昭应宫提供船只运土,同时将河道疏通。

秋季,七月,甲寅朔(初一),辽国境内连降大雨,潢河各河水泛滥,淹没房舍。

丁巳(初四),在京刑狱司设置纠察,由知制诰周起、侍御使赵湘统领。

三司请求从内库拿出绫锦一万匹以补助开支之用,宋真宗准从。

宋真宗重将万安宫改为滋福殿。

此前宋真宗曾下令裁减鄜延路驻泊兵九指挥回营。乙丑(十二日),钤辖李继昌等上奏说边防守备不能松懈,希望因袭旧制,宋真宗认为西域安宁,为图减少运输的劳费,没有答允。

辛未(十八日),将昭应宫改为玉清昭应宫。

戊寅(二十五日),宋真宗诏封在玄圣文宣王庙中作祔祭的先儒鲁国史官左丘明等十九人为伯爵,追赠兰亭侯王肃为司空,当阳侯杜预为司徒,命近臣分别作赞文。

庚辰(二十七日),侍御史赵湘、判三司都催欠司彭惟节等人,逐项奏上在封禅大赦前全国所拖欠的租税一千二百六十万七千,宋真宗均予免除。

八月,宋真宗欲选官员出任知审刑院,对宰相说:"应当挑选熟悉法令的人。"王旦说:"现在执法者已有,知院只要能够通达事理、体察民情,不一定是熟悉法令的人。"宋真宗表示赞同。

秘书丞董温其上书说:"汉代将霍山作为南岳,希望皇上命令寿州地方长官在春秋两季前往祭祀。"宋真宗令礼官与崇文院审定。回奏说:"对南岳衡山的奉祀由来已久,此制难以改变。如果霍山祈请或皇上另有敕令行祭,可以委派州县执行。"宋真宗依准。

后宫杜氏是昭宪皇后的侄女。宋真宗严禁销金,但从东行封禅回京时,杜氏仍佩戴金饰前来迎驾,宋真宗见此大怒,于是责令她到洞真宫出家当道士。从此天下无人再敢违犯

禁令。

知杂御史赵湘说:“臣听说朝廷的礼仪,对官员的行动都有一定的规定。臣见常参文武官每天上朝,都是早早赶到待漏院,等候内宫门开后一齐进入。如今因为皇上辰时才让入朝,因此很多人很晚才进入。请准许让知班驱使官二人经常在正衙门前监视,如有晚入朝者,将名字记下上报。还有,只要天气刮风下雨或稍冷稍热,便有许多人称病请假。希望委派御史台酌情上报,并派官员前去探视,如确有说谎者,立即予以弹劾。”宋真宗依准。

九月,壬子朔(初一),入内供奉官王承勋说:“依照皇上命令,在洺州堵漳济河决口,该州派代理推官祖百世监督兵夫,很是勤奋负责,希望早日给他授予正职。”宋真宗说:“州县官出任幕职,都是特别的恩赐,太监内臣岂能谈论请求!”立即命令吏部挑选官员取代他。

此前宋真宗命令供备库使谢德权决开金水河修水渠,从天波门沿皇城至乾元门,经过天街,由东绕过太庙,其渠道都用磨砖砌成,两旁种上树木,车马过渡之外,架起石桥。每隔一处便挖置方井,宫寺民舍都能得到水用。再往东,渠水从城下水道流入城濠。京城受益很大。丁卯(十六日),谢德权奏报工程完工,宋真宗令宗正到宗庙祷告,并赏缗钱予役卒。

司天监向朝廷报告说:“月食过后,第二天为皇上本命生辰,建议祭祀祈祷。”宋真宗说:“星辰日月的位置是固定了的,有什么可祈祷的呢!”未准。后来日食并未出现,宰臣上表祝贺。

壬申(二十一日),邵州防御使广平公赵德彝,谈到女儿嫁给殿直郭中和,郭家族人众多,打算别置一所宅第,宋真宗说:“郭中和上有双亲,如果同意这一请求,那么媳妇事奉公婆之礼就缺了。”未准。

乙亥(二十四日),无为军报告大风拔掉树木,毁坏城门营垒民舍,压死淹死一千余人。宋真宗命宦官前往探望抚恤,免除来年租赋,收埋死者,每户各赐一斛米。

此前宋真宗对王旦等人说:“朕曾在东京讲读《尚书》共七遍,《论语》《孝经》也都是四遍。现在各宗室亲王所学的,仅限于经籍,昨天奏告在讲《尚书》第五卷,这很可喜。”接着召宁王赵元偓等人到龙图阁看书目,宋真宗告诉他们说:“在宫中经常听书习射,胜过做其他的事。”赵元偓说:“我请侍讲张颖讲说《尚书》,闲时也没有放弃习武,并因此重温经典的义理。”宋真宗很高兴,于是下令每逢讲经之日都赏赐膳食,命入内副都知张继能主管此事。宋真宗还担心赵元偓等人轻待讲经儒士,又加以训导督促。

这年秋天,京西、河东、陕西、江淮、荆湖各路,镇、定、益、梓、邛、密等州均奏报丰收。京城每斗谷三十钱。

冬季,十月,癸未(初二),雄州奏报辽国改建新城。宋真宗对宰辅大臣说:“景德年订立的誓约规定不再修建城池,为什么会出现这样的事呢?”陈尧叟说:“他们先违约修城,对他们也没有多大利益。”宋真宗说:“怎能如此遗弃小利而崇尚信义呢?应该让守边大臣谴责他们违约,阻止修城。”

濠州百姓齐睿,犯下恶罪而逃亡,适逢御驾东巡封禅开始,州官依大赦令赦免他。定远知县王仲微说:“州通判、度支外员郎赵况,收受齐睿钱三百千,不上报此事,请求对他以重罪论处。”宋真宗下令将齐睿斩首,赵况以枉法定罪,削职为民。

御史中丞王嗣宗,上言许州积水危害民田,盖因惠民河护堤不慎,连年决口所致,宋真宗立刻命令阁门祗候钱昭厚处理此事。钱昭厚建议开挖小颍河以分导水势,宋真宗说:“在上

游排水，不是将水患移到下游了吗？”钱昭厚不能回答。判陈州石保吉，又说这条河淹没面积日益扩大，那该郡必定首当其冲，其害甚大，于是宋真宗命令白波发运判官史莹前去巡视。史莹建议在减水河口修固双闸门，作为束水鹿港来调控水流壅塞漫溢，此建议被批准。宋真宗接着诏令三班挑选有才干而又熟悉治水的官员巡护堤岸，考核其政绩的办法如同治理黄河、汴河一样。从此官吏谨守职责，水灾减少。

甲午（十三日），宋真宗下令全国各地都修建天庆观。当时信奉道教的人较少，只有江西、剑南人一向崇奉道教，诏令后全国才普遍有了老子的神像。殿中侍御史张士逊进言：“现在到处都大兴营造，各地都不堪忍受烦扰，希望就在旧观基础上建造天庆观。”宋真宗降诏各地执行。

御史中丞、权判吏部铨王嗣宗，为人轻浮阴险，热衷升官，极力诋毁冯拯的短处，而巴结王旦弟王旭，想通过他来求得王旦的支持。王旦憎恨他的丑恶行为，于是极力庇护冯拯，王嗣宗十分怨恨。时值久旱不雨，王嗣宗请求召见，乘机提起知制诰王曾的堂妹夫孔冕被王曾诬陷，以及侯德昭援引赦令而得授新职，李永锡因贪赃革职又被引荐重任原职等事，想以此扳倒王旦。宋真宗说：“仅仅因为这些就能导致旱灾吗？”王嗣宗理屈，又用别的事攻击王旦，王旦没加反驳，他才罢休。这个月，王嗣宗又请求召见，说：“刑律法令有失误，所以造成灾害。”又说：“孙冕的冤情，人们都在议论，而王曾还身居近班要职，希望贬黜他，臣请求呈上奏章以表陈述。”宋真宗对王旦等说：“王曾确实无罪；但若王嗣宗呈上奏章，也必须予以裁处。”王旦说：“孔冕确有很多恶迹，但因他是宣圣孔子的后裔而未认真追究，说他受冤枉而有伤和气，恐怕不近情理。”次日，王嗣宗又求召见，而且请求宽恕目前言语的过失，宋真宗原谅了他。

十一月，壬子朔（初一），邓州知州张知白说：“陕西流民相继入境，有人想回原籍而无上路的干粮。臣劝说豪富拿出几千斛粮谷，按人头发放，按半月的口粮为准，上路返乡的共有二千三百家，一万零二百多口，借贷余下的粮食，全都给了贫困老人。”宋真宗诏令对他奖励。

卫尉卿、权判刑部慎从吉说：“按照淳化三年的敕令，各州所奏报的狱空，必须是司理院、州司、州城附近县都没有关押的囚犯；又依后来的敕令，各路从今以后即使狱空，也不再降诏嘉奖。臣见提点刑狱司所报告的狱空，大多不符合以前的敕令，外面的州官企图得到奖赏，追求虚名。近来邠、沧二州审判犯死罪的囚犯，对受连累的几个人，仅过一夜便于处决。前代京师判决尚要反复五次审核奏报，是为了表示对死罪的慎重，岂能一日之内便能判决死刑，恐怕是为追求狱空而不顾冤案滥杀。希望依照以前的诏令，不再奖励狱空。”宋真宗依准。

丙辰（初五），宋真宗制定文武七条训诫官吏，对宰相说：“汉制，刺史按六条戒令管理政事，诸葛亮有五臣七戒，我现在加以参考以求治政要道来警诫勉励群臣。又想起先朝将《儒行篇》赐给近臣，现在可以同时赐给一轴。”

甲子（十三日），宋真宗下诏：“各路官吏有败坏政事危害百姓之事，经调查属实，而该路转运使、提点刑狱司未能举察者，要治其罪。”此前秦州知州齐化基、鄜州知州何士宗都贪赃犯法，监司起初不奏报，所以重申敕令。

宋真宗对宰相说：“听说陇州推官陈渐，没有做到谦谨廉洁，转运使因为他是陈尧叟的侄子，不敢举报，不久前因为违法越规而被人弹劾，陈尧叟特地请求罢免他。今后如果还有这

种情况，必须依法治罪。”

十二月，乙酉（初五），辽太后得病。戊子（初八），实行大赦。辛卯（十一日），辽太后去世，终年五十七岁。

辽太后明了政事，能用善谋。平素精通军事，澶渊之战，亲自登上战车，指挥三军，赏罚严明，将士都非常服从命令。她教育辽国君主很严格，辽主刚登位时，有时想从府库提取一件东西，她都要问明用途，如是作为赐给文武臣僚的就给，否则不给。辽主既然不能干预朝政，于是纵情游猎，他的手下随从如果与他开玩笑，太后知道后，必定杖责此人，辽主也免不了要受责问；辽主的御服御马，都要由太后亲自检查。太后将朝政移交不久便终世，辽主因悲痛而骨瘦如柴，一哭就吐血。

辛丑（二十一日），三司使丁谓等人呈上《泰山封禅朝觐祥瑞图》一百五十幅，昭宣使刘承珪呈上《天书仪仗图》，宋真宗召来近臣在滋福殿观赏，不久又在朝堂向百官展示。

辽国天平节度使耶律信宁，因太后的丧事，飞骑来报，涿州先传报给雄州，雄州又传报给朝廷。甲辰（二十四日），宋真宗下令停朝七天，命礼官详细议定服丧的规格，又命太常博士王随为祭奠使，太常博士王曙等为吊慰使，赠衣五套，绫罗布帛一万匹赴辽国吊丧。乙巳（二十五日），辽国贺正使耶律特噜古来朝拜见，回驿馆后，宋真宗命客省使曹利用将涿州送来的牒文给他看。戊申（二十八日），辽国告哀使耶律信宁到京，阁门使接受书信送入宫内，宋真宗诏令特噜古等人在开宝寺设灵位奠祭，宋朝文武百官到都亭驿吊唁。己酉（二十九日），宋真宗在皇宫东门穿丧服致哀，群臣具名奉慰。

赵德明率所部出兵侵犯回鹘。彗星在白天出现，赵德明惧而收兵。

这年，辽国君主开始在殿前引试进士，录取刘三宜等三人。

大中祥符三年 辽统和二十八年（公元 1010 年）

春季，正月，种放回到终南山。宋真宗对宰相说：“种放隐居致力于治学，曾说古今时代不同，不应当脱离现时而效法古代，这句话非常有道理。”于是诏令种放赴京。种放上表请求告隐，宋真宗同意，又作歌赐他，并赏给衣服、器物钱币，命京兆府每个季度派人到山中慰问。种放的弟弟种汶求封官职，宋真宗马上授予秘书省正字之职。

天雄军知军寇准说：“振武勇士接送辽使过境，臣已给每人发了钱物。”宋真宗对辅臣说：“寇准喜欢收买人情以求虚名，你们今天都见到了吧！”于是诏谕寇准，不应当擅自赏赐钱物，令他准备钱偿还官府。

二月，辽国君主前往长泊。

乙酉（初五），丁谓建议在承天节禁止屠宰和刑罚，依准。

癸巳（十三日），升州百姓因为知州张咏任期已满，请求朝廷让他留任；于是授张咏为工部尚书，命他连任，同时赐诏嘉奖他。

交州黎至忠为政苛刻暴虐，民众不愿归附，大校李公蕴是黎至忠的亲信，却将黎至忠赶出城外后杀死。黎至忠的两个弟弟黎明提、黎明昶争夺继位，李公蕴又将他俩杀死，然后自称留后，派使者向朝廷进贡。宋真宗说：“黎恒用不义手段得到权位，李公蕴现在又效法他，实在可恶。但蛮夷习俗如此又何必去责备呢！用曾经对待黎桓的办法，授予他官爵。”

右仆射、判尚书省张齐贤，陈说玉清昭应宫绘画符信，有损谦德和违背敬天之意，他还多次请求停止大兴土木，其议未予采纳。辛丑（二十一日），张齐贤调离出京任孟州州判。

闰二月，甲寅（初四），冬官正韩显符制成铜候仪，并呈上所著经书十卷，铜候仪的制作方法是唐代李淳风和僧一行所遗留下来的。

己未（初九），河北转运使李士衡进言："本路各军每年供给布帛七十万。到春季时百姓大多缺乏，经常向富商借贷，刚纳租税，又要偿还欠债，因此纺织之利越来越少。建议官府预先支付帛钱，让机户按期交付，这样百姓既能获利，官府也能满足需要。"宋真宗诏令执行，同时下令从优付给价钱。后来这一办法被推广到全国。

甲戌（二十四日），将射堂整修为继照堂，设置帷帐，演奏音乐，准许士民游览观赏三天。

三月，壬辰（十三日），宋真宗任命权静海军留后李公蕴为静海军节度，并封为交趾郡王，赐给衣带、器物和钱币。

丁酉（十八日），宋真宗对王旦等说："自与北疆修好，边境无事，朕居安思危，不敢休闲，曾写文章自我警戒，放在座右。"于是拿出《贵廪》《食珍》《田夫吟》《念农歌》《自戒箴》给王旦等人看。

癸卯（二十四日），辽国敬上辽太后谥号为圣神宣宪皇后。

宋真宗作《念边诗》，赐予近臣和之。

宋真宗对辅臣说；"将帅人才难得，眼下国家无事，但军队不能解散，不能忘了备战，这是古来的规律。"马知节说："将帅之才，不是坐而论道就能分辨的，而是要看面临战事时如何随机应变。咸平年间，将帅才略无闻，措施不当，不能抵御敌寇，就是未得其人的缘故。"宋真宗说："你在边防任职已久，认为采取什么策略为好？"马知节说："边防之地，纵横虽长，但关键在于占据要地以扼制敌人的来路。而从顺安军到西山不过二百里，如果在这里列阵防御，多设策应兵力，使来敌久不能进，将士必然疲惫，我方不时地用奇兵轻骑逼近而骚扰他们，如他们敢于来犯，就命令将领率兵深入敌境全力作战，敌军必将覆灭自顾不暇。现在诸将喜用骑兵，以为越多越好；而骑兵就算多得布满山川河谷，但用得上的有限，如果像城墙那样推而前进，稍有不利，则没有办法停止，这就不是什么精锐之师了。我曾说过善用骑兵的不以多为贵，只要能够设好埋伏，观察敌人兵力的多少，预测好地形的险易，敌人少就逼而击之，敌人多则聚而攻之，经常以城邑作为军队回旋之地，这样没有不胜的。"

当时辽国已经结盟修好，大臣们正谈论祥瑞之事，马知节对此常不以为然，曾说天下虽安，但不可忘战，因此自我举荐说："我年纪未老，五七年内还可驱策疆场，如果边境有情况，愿意随军参战，只要有副部署的官衔和良马数匹、轻甲一副就足够了。"皇上认为很对，于是命人特制钢铁锁子甲赐给他。

夏季，四月，镇安节度使、同平章事、驸马都尉石保吉在京城去世，宋真宗停朝三天一，追封他为中书令，谥号庄武。适逢初夏祭祀太庙，宋真宗未能亲临吊丧，派使者告谕他的家属，祭礼完后，马上亲临哭祭。

石保吉世代将相，家庭富有，性情高傲，历任节度使，对待下属不以礼相待，在大名府任职时，象叶齐、查道这样的名士，他却让其颈上套着枷锁去督管粮运。宋真宗曾赐密诏对他劝诫。

此前曹玮和张崇贵呈上泾原、环庆两路州军山川城寨图。己未（初十），皇上将图拿给王钦若等看说："处置得很得当，至于储备也很周详，应让他们另外再画两张图，盖上枢密院大印，一张交付本路，一张留在枢密院，以便根据图来策划事情。"

辛酉(十二日),赐隐居泰山的秦辨以贞素先生的称号,送他回泰山。秦辨自称有一百三十岁,宋真宗将他召到京城,与他交谈,他所谈多是五代之事,也没有其他可奇之处,只是饮食很好以至长寿罢了。

癸亥(十四日),宋真宗诏令:"幕职、州县官,除广南、福建路预支官俸外,江浙、荆湖边远地,麟、府等州,河北、河东沿边州军,从现在起都准许预支两个月的俸钱,其余近的地方一个月。"

这一天,后宫李氏生下一子,开封知府周起正要向皇上奏事,宋真宗对周起说:"知道朕有喜事吗?"周起回答:"我不知道啊。"宋真宗说:"朕刚刚生了个儿子。"随即走入宫中,怀揣金钱出来,将它赐给周起。李氏,杭州人,刚入宫时,侍奉刘修仪,为人庄重少言,宋真宗命她为司寝。怀孕后,跟随真宗来到砌台,玉钗坠落地上,心里很不愉快。宋真宗暗地占卜,如果玉钗无损当生男,左右侍从取钗呈上,竟丝毫无损,宋真宗大喜。后来果然生下儿子,是为宋仁宗。后来封李氏为崇阳县君。

甲子(十五日),辽国将辽太后葬于乾陵,赐大丞相耶律昌名为隆运。庚午(二十一日),赐给他宅第和陪葬地。

辽国群臣上表说:"丧礼已经完毕,应该更改年号。"辽国君主说:"改年号是吉庆之礼,在居丧期间举行吉庆之礼,是不孝啊。"群臣说:"前代帝王用日来代替月,应该效法旧制。"辽主说:"宁可违背旧制,也不做不孝之人。"

奏乐图壁画　辽

太常博士石待问呈上十多条关于时务的策论,大意是说:"北疆凶变,辽国君主不是与中国改变盟约,就是被其弟篡权夺位。请求朝廷选将练兵,对此早做准备。"又说:"先朝多任用官欺宦压将帅,所以极少成功。"宋真宗说:"下臣指责评论时政,涉及朕本身的过失,虽然不近情理,也应当宽容。石待问却以祖宗制度所没有的事情,恣意诬蔑,这是不能饶恕的。"随即命翰林学士李宗谔对其质问,石待问答不上来,不久贬他为滁州团练副使,不得处理州中事务。

乙亥(二十六日),宋真宗从内库拿出五百万钱赎回已故宰相吕端的府第,赐给他的儿子吕蕃。此前宋真宗对王旦等人说:"吕端的几个儿子都年幼,长子吕蕃脚有毛病,不能照管家事,原有住宅已当给他人,兄弟不能同住一处。昨天派宫中使者去探望,吕蕃扶着拐杖请求转达他的上奏书,求赐差遣。我想,不如拿出内库的钱赎回其旧宅,让他们兄弟住到一起。

再说，租出房屋每天可得一千钱，可以赡养其家。但吕蕃很懦弱，应当谕旨明示，凡有支用，都要记账，每年上报内侍省。”六年后，吕蕃为弟弟吕蔚娶妻，又上表要献出居宅，请求增加赏赐，并说欠了别人很多利息。王旦说：“皇上抚恤遗孤追念旧情以鼓励臣子，但吕蕃一再烦扰圣心，不能答应。”宋真宗说：“可以另外从内库支出金帛赐予他，使他偿还旧债。吕蕃的弟弟吕荀，同时派予西京差遣，命吕蕃同往。今后不得借使别人财物，命有关官员替他掌管房租以供养家，又诏令枢密院检查他不正当的开支。”王旦说：“陛下推恩实在是有始有终到了极点，唐代元和年间，归还魏征旧宅，仅仅是下了一道诏令，哪曾像这样反复数次呢！”

当月，雄州知州兼河北安抚使李允则，说他久戍边关，请求给假暂时乘驿站车马回朝，宋真宗降诏同意。

续资治通鉴卷第二十九

【原文】

宋纪二十九　起上章阉茂【庚戌】五月，尽重光大渊献【辛亥】十二月，凡一年有奇。

真宗膺符稽古神功让德　文明武定章圣元孝皇帝

大中祥符三年　辽统和二十八年【庚戌，1010】　五月，己卯朔，辽主如中京。

丙戌，安定郡王惟吉薨。魏王德昭之子，好学善属文，娴草、隶、飞白。性至孝，初，太祖命孝章皇后抚养之，及后薨，哀过所生，每诵《诗》至"生我劬劳"句，涕泗交下，宗室中称其贤。谥康孝。

甲午，诏奖知益州任中正，转运使言吏民列状愿留之也。中正及并州刘综皆以善政闻，帝谓辅臣曰："藩方重地，切在得人。自今须历方面，始可擢为大官，卿等悉之。"

辛丑，京师大雨，平地数尺，坏庐舍，民有压死者，赐布帛。

先是，高丽国王王治之妃皇甫氏，有外族金致阳，出入宫掖，人言其有私，王治杖致阳，配远地。王治薨，子诵嗣位，年十八矣。皇甫妃摄政，召致阳，授阁门通事舍人，不数年，贵宠无比。皇甫妃生子，即私于致阳所生也，谋立为王後。王诵有从弟询，号大良院君，皇甫妃忌之，强令为僧，复遣人潜害，赖寺僧匿之获免。

王诵有疾，密召给事中蔡忠顺，谕以辅立询，勿令国属异姓。忠顺议遣人迎询，而召西北面巡检使康肇入卫。肇闻召，行至洞州，其幕下主书魏从、掌书记崔昌素怨王诵，谋为乱，绐肇曰："王疾笃，命在顷刻，宜徐行观变。"肇犹豫不行。皇甫妃闻肇且至，恶之，遣内侍守岊领以遏之。肇父在王京，知衅隙已开，乃为书纳竹杖中，令奴除发为僧，报肇曰："王已逝，群凶用事，可亟举兵来！"奴昼夜急走至肇所，气竭而毙。肇探仗得书，信为然，即率甲骑五千，声言入靖国难，至平州，始知王诵未薨，丧气垂头良久。其党曰："业已来，不可止也。"肇意遂决，废王诵为让国公，杀致阳，迁皇甫妃于黄州，流其亲党于海岛；遣兵迎询，立为王。询以肇为西京留守。肇旋弑王诵于积城县。

辽主谓群臣曰："康肇弑其君诵而立询，因而相之，大逆也，宜发兵问其罪。"群臣皆曰："可。"国舅详衮萧迪里谏曰："国家连年征讨，士卒抏敝。况陛下在谅阴，年谷不登，创痍未复。高丽小国，城垒完固，胜不为武，万一失利，恐贻后悔。不如遣一介之使，告问其故，彼若伏罪则已，不然，兴师未晚。"辽主狃于南伐之胜，不听，丙午，诏诸道缮甲兵以备东征。

六月，庚戌，辽遣使告籴，诏雄州籴粟二万石，贱价赈之。

知河中府杨举正言本府父老僧道千二百九十人状请车驾亲祀后土，诏不许。

丙辰，颁诸州《释奠玄圣文宣王庙》并《祭器图》。

诏："前岁陕西饥民有鬻子者，官为赎还其家。"

翰林侍读学士、礼部尚书郭贽卒。帝以旧学故，亲往哭之，辍朝三日，赠左仆射，谥文懿。贽喜延誉后进，宋白、赵昌言，皆其所荐也。

翰林侍读学士、礼部尚书邢昺，被病请告。壬戌，帝亲临问，赐药一奁。故事，非宗戚将相，无省疾临丧之礼，惟郭贽与昺以恩旧特用之。及卒，辍朝二日，赠左仆射。洪湛之得罪也，昺力居多，王钦若德之，昺被宠幸，亦钦若左右之。

秋，七月，丙申，户部尚书温仲舒卒，赠左仆射，谥恭肃。仲舒少与吕蒙正契厚，又同登第。仲舒黜废累年，蒙正居中书，极力援引；及被任用，反攻蒙正，士论薄之。

己亥，诏："南宫、北宅大将军已下各赴书院讲经史。诸子十岁以上并须入学，每日授经书，至午后乃罢；仍委侍教教授、伴读官诱劝，无令废惰。"

辛丑，文武官、将校、耆艾、道释三万馀人诣阙清祀汾阴后土，不允。表三上，八月，丁未朔，诏以来年春有事于汾阴。

戊申，以知枢密院事陈尧叟为祀汾阴经度制置使，翰林学士李宗谔副之。

河北转运使李士衡献钱帛三十万以佐用度，诏褒之。

己酉，发陕西、河东兵五千人赴汾阴给役，置急脚递铺，出厩马，增驿传递铺卒至八千馀人。

庚戌，命翰林学士晁迥、杨亿等与太常礼院详定祀汾阴仪注。

诏："汾阴路禁弋猎，不得侵占民田，如东封之制。"

壬子，升、洪、润州屡火，遣使存抚，祀境内山川。

甲寅，召近臣观书龙图阁，帝阅《元和国计簿》，三司使丁谓进曰："唐江淮岁运米四十万至长安，今乃五百馀万，府库充仞，仓廪盈衍。"帝曰："民俗康阜，诚赖天地宗庙降祥，而国储有备，亦自计臣宣力也。"谓再拜谢。

丁巳，诏："宝鼎县不得笞棰人，有罪并送府驱遣。"

庚申，解州言池盐不种自生，其味特嘉；取其精明尤异者上进。诏遣使祭池庙。

赐大理评事苏耆进士及第。耆，易简子，宰相王旦女婿也。耆先举进士，及唱第，格在诸科，知枢密院陈尧叟为帝具言之，帝顾问旦，旦却立不对。耆曰："愿且修学。"既出，尧叟谓旦曰："公一言，则耆及第矣。"旦笑曰："上亲临轩试天下士，示至公也。旦为宰相，自荐亲属于冕旒之前，士子盈庭，得无失礼？"尧叟愧谢曰："乃知宰相真自有体。"至是耆献所为文，召试学士院，而有是命。旦长女婿殿中丞雍丘韩亿，亦尝献所为文，帝亟欲召试，旦力辞之。亿例当守远郡，帝特召见，改太常博士，知洋州。旦私语其女曰："韩郎入川，汝第归吾家，勿忧也。吾若有求于上，它日使人指韩郎缘妇翁奏免远适，则其为损不细矣。"亿闻之，喜曰："公待我厚也。"

丙寅，辽主谒显陵、乾陵。

丁卯，群臣五表请上尊号；不许。

辽主自将伐高丽，以皇弟楚王隆祐留守京师，北府宰相、驸马都尉萧巴雅尔为都统，北面林牙萧僧努为都监。

辛未，命曹利用祭汾河。

有司定祀后土仪，度庙庭，择地为坎，其玉册、玉匮、石匮、石碱、印宝，悉如社首之制；从之。

乙亥，河中府父老千七百人诣阙迎驾，帝劳问之，赐以缗帛。

九月，戊寅，诏："西路行营，宜令仪鸾司止用油幕为屋，以备宿卫，不须覆以芦竹。"

辛巳，河东转运使、兵部郎中陈若拙请以所部缗钱刍粟十万转输河中以助经费，许之。

癸未，陈尧叟言："筑坛于脽上，如方丘之制。庙北古双柏旁起堆阜，即就用其地焉。"

乙酉，辽使册西平王李德明为夏国王。旋遣枢密直学士高正、引进使韩杞宣问高丽王询。

丁亥，帝作《宗室座右铭》并注，赐宁王元偓而下，从判宗正等赵湘请也。

知华州崔端言父老二千馀人欲诣阙请幸西岳，诏答之。

癸巳，杖杀入内高品江守恩于郑，坐擅取民田麦穗及私役军士故也。论者谓朝廷行罚不私，中外莫不悚庆。

初，有司议："祀宇之旁难行觐礼，欲俟还至河中，朝会，肆赦。"于是陈尧叟等言："宝鼎行宫之前，可以设坛壝，如东封之制。"诏如尧叟等奏。

甲辰，内出绥抚十六条，颁江、淮南安抚使。

冬，十月，庚戌，陈尧叟言解州父老欲诣阙奉迎车驾，诏尧叟谕止之。

戊午，命三司使丁谓赴汾阴路计度粮草。

庚申，丁谓等上《大中祥符封禅记》五十卷，帝制序，藏秘阁。

是月，女真进良马万匹于辽，乞从征高丽，辽主许之。高丽王王询遣使奉表于辽，乞罢师，不许。

十一月，(戊)〔庚〕辰，司天台韩显符所造铜浑仪，徙置于龙图阁，召辅臣同观。诏显符择监官或子孙可教者授其法。

李允则以辽人举兵伐高丽事上闻，帝谓王旦等曰："契丹伐高丽，万一高丽穷蹙，或归于我，或来乞师，何以处之？"旦曰："当顾其大者。契丹方固盟好，高丽贡奉累岁不一至。"帝曰："然。可谕登州侍其旭，如高丽有使来乞师，即语以累年贡奉不入，不敢达于朝廷；如有归投者，第存恤之，不须以闻。"

辽主自将步骑四十万，号义军，乙酉，渡鸭绿江。康肇率师御之，战败，退保铜州。辽主封书于箭，谕高丽曰："朕以前王诵服事朝廷久矣，今逆臣康肇，弑君立幼，故亲率精兵，已临国境。汝等能缚送康肇，即可班师。"丙戌，肇分兵为三，隔水而阵，一营于州西，据三水之会，肇居其中，一营于近州之山，一附城而营。肇以剑车排阵，辽师进攻之，屡却。肇遂有轻敌之心，与人弹棋。丙戌，辽先锋耶律敏诺率详衮耶律达鲁击破三水砦，擒斩肇及副将李立，追亡数十里，获所弃粮饷、铠仗不可胜计。会辽主军至，斩首三万馀级。戊子，铜、霍、贵、宁等州皆降。都统萧巴雅尔复大破高丽于努古达岭。

辛卯，王询遣使上表请朝，辽主命群臣议，皆谓宜纳。积庆宫使耶律瑶珠独曰："询始一战而败，遽求纳款，此诈耳，纳之恐堕其计。待其势穷力屈，纳之未晚。"辽主亟于成功，许其朝，遂禁军士俘掠，以政事舍人马保佑为开京留守，安州团练使昂克巴为副留守，遣太子太师伊兰将骑兵一千送保佑等赴京，又遣右仆射高正率兵往迓王询。

先是询遣中郎将智蔡文援西京，而辽令卢颛、刘经入西京谕降。其守将已缮降表矣，蔡

文至，焚其表，杀颙、经。城中疑贰，蔡文出屯城南。会东北界都巡检使卓思正率兵至，与蔡文合兵入城守。辽又使韩杞等往谕，思正出骁骑突杀杞等。思正以蔡文为先锋出拒，保佑、伊兰等败走。又围高正使馆，正与麾下壮士突围出，馀卒多死。辽主怒，复遣伊兰击之，蔡文累战皆败。越五日，辽主进驻城西，城中恟惧，思政佯言出战，夜开门遁，蔡文奔还。

高丽诸臣欲降，姜邯宝曰："当避其锋，徐图兴复耳。"王询乃夜携后宫及吏部侍郎蔡忠顺等遁去。巴雅尔、敏诺等破开京，焚宫庙民居皆尽，追至清江而还。

（甲寅）〔庚子〕，陕州言宝鼎县黄河清。十二月，丙午，宝鼎县黄河再清。集贤校理晏殊献《河清颂》。

壬子，大宴含光殿。军校营在新城外者，并令终宴，至夕，遣内侍持钥往诸门，俟尽出，阖扉入钥。遂为定制。

乙卯，告太庙，奉天书，如东封之制。

丙辰，以资政殿大学士向敏中权东京留守；三司使丁谓为行在三司使，盐铁副使林特副之。

丁巳，翰林学士李宗谔等上《新修诸道图经》千五百六十六卷，诏奖之。

禁扈从诸色人燔爇道路草木。

知杂御史赵湘，请依《周礼》置土训、诵训，纂录所经山川古迹风俗，以资宸览；诏钱易、陈越、刘筠、宋绶掌其事，每顿进一卷。

龙图阁待制孙奭，由经术进，守道自处，即有所言，未尝阿附取悦。帝尝问以天书，奭对曰："臣愚所闻：'天何言哉！'岂有书也！"帝知奭朴忠，每优容之。是岁，特命向敏中谕奭，令陈朝廷得失。奭上纳谏、恕直、轻徭、薄赋四事，颇施用其言。及将有汾阴之役，会岁旱，京师近郡谷价翔贵，奭遂奏疏曰："先王卜征五年，岁习其祥，祥习则行，不习则增修德而改卜。陛下始毕东封，更议西幸，则非先王卜征五年慎重之意，其不可一也。夫汾阴后土，事不经见。昔汉武帝将行封禅大礼，欲优游其事，故先封中岳，祀汾阴，始巡幸郡县，浸寻于泰山。今陛下既已登封，复欲行此，其不可二也。《周礼》，圜丘、方泽，所以郊祀天地，今南北郊是也。汉初承秦，唯立五畤以祀天，而后土无祀，故武帝立祠于汾阴。自元、成以来，从公卿之议，徙汾阴后土于北郊，后之王者多不祀汾阴。今陛下乃欲舍北郊而祀汾阴，其不可三也。西汉都雍，去汾阴至近。今陛下经重关，越险阻，轻弃京师根本，其不可四也。河东者，唐王业所起之地，唐又都雍，故明皇间幸河东，因祀后土，与圣朝事异。今陛下无故欲祠汾阴，其不可五也。夫遇灾而惧，周宣所以中兴。比年以来，水旱相继，陛下宜侧身修德以答天谴，岂宜下徇奸回，远劳民庶，忘社稷之大计，慕箫鼓之盘游！其不可六也。夫雷以二月出，八月入，失时则为异；今震雷在冬，为异尤甚。天戒丁宁，陛下未悟，其不可七也。先王先成民而后致力于神，今国家土木之功，累年未息，水旱作沴，饥馑居多；乃欲劳民事神，神其享之乎！其不可八也。陛下欲行此礼，不过如汉武帝、唐明皇刻石颂功而已，此皆虚名也。陛下钦明睿哲，当追踪二帝、三王之事，岂止效此虚名！其不可九也。唐明皇嬖宠害政，奸佞当涂，身播国屯，兵缠魏阙。今议者引开元故事以为盛烈，乃欲倡导陛下而为之，其不可十也。臣犹惧言不逮意，愿少赐清问，以毕其说。"

帝遣内侍皇甫继明谕以具条再上，于是奭又上疏曰："陛下将幸汾阴，而京师民心弗宁，江、淮之众，困于调发，理须镇安而矜存之。且土木之功未息而攘夺之盗必行，契丹治兵不远

边境，虽驰单使，宁保其心！昔黄巢出自凶饥，陈胜起于徭戍。隋炀帝缘勤远略，唐高祖由是开基；晋少主智昧边防，耶律德光因之入汴。今陛下俯从奸佞，远弃京师，罔念民疲，不虞边患，涉仍岁荐饥之地，修违经久废之祠，又安知饥民之中无黄巢之剧贼乎？役徒之内无陈胜之大志乎？肘腋之下无英雄之窥伺乎？燕蓟之间无敌人之观衅乎？陛下方祠后土，驻跸河中，若敌骑败盟，忽及澶渊，陛下知魏咸信能坚据河桥乎？周莹居中山能摧锋却敌乎？又或渠魁侠帅，啸聚原野，劫掠州县，侵轶郊畿，行在远闻，得不惊骇？陛下虽前席问计，群臣欲借箸出奇，以臣料之，恐无及也。又，窃见今之奸臣，以先帝寅畏天灾，诏停封禅，故赞陛下力行东封，以为继成先志也。先帝欲北平幽朔，西取继迁，大勋未集，用付陛下，则群臣未尝献一谋、画一策，以佐陛下继先帝之志。而乃卑辞重币，求和于契丹，蹙国縻爵，姑息于保吉；谓主辱臣死为空言，以诬下罔上为己任。撰造祥瑞，假托鬼神，才毕东封，便议西幸，轻劳圣驾，虐害饥民，冀其无事往还，谓已大成勋绩。是陛下以祖宗艰难之业，为佞邪侥幸之资，臣所以长叹痛哭也！"

时群臣数奏祥瑞，奭又上疏言："五载巡狩，《虞书》常典；观民设教，羲《易》明文。何须紫气黄云，始能封岳；嘉禾异草，然后省方！今野雕山鹿，并形奏简，秋旱冬雷，率皆称贺。将以欺上天，则上天不可欺；将以愚下民，则下民不可愚；将以欺后世，则后世必不信；腹非窃笑，有识尽然，上玷圣明，不为细也！"疏入，不报。

四年 辽统和二十九年【辛亥，1011】 春，正月，乙亥朔，辽主自高丽班师，所降诸城复叛。至贵州南峻岭谷，大雨连日，马驼皆疲，甲仗多遗弃，霁，乃得渡。

陕西提点刑狱官言邠、宁、环、庆副都部署陈兴纵所部禁兵劫盗，诏释不诛，辛巳，徙知永兴军王嗣宗代之。

邠州城东有灵应公庙，傍有山穴，群狐处焉，妖巫挟之为人祸福，凡水旱疾疫悉祷之。及嗣宗至，毁其庙，熏其穴，得数十狐，尽杀之，淫祀遂息。

诏："执事汾阴懈怠者，罪勿原。"

癸未，代州言粟斗十馀钱。

乙酉，亲习祀后土仪于崇德殿。

丁亥，谒启圣院太宗神御殿、普安院元德皇后圣容，告将行也。

己丑，辽主次鸭绿江。庚寅，皇后及皇弟楚王隆祐迎于来远城。

丁酉，车驾奉天书发京师。群臣言日上有黄气如匹素，五色云如盖。是夕，次中牟县。

戊戌，次郑州。命陈彭年、王曙同详定邀驾词状。

庚子，次巩县。判河阳张齐贤见于汜水顿，侍食毕，即还任。

辛丑，过訾村，设幄殿，奉置山陵神坐，帝鞾袍拜哭奠献。是日，有白雾起陵上，俄覆神幄，群臣以为帝哀惨所感。夕，次偃师县。

壬寅，至西京。

甲辰，发西京，至慈涧顿，大官始进素膳。夕，次新安县。

二月，乙巳朔，次渑池县。

戊申，东京言狱空。

壬子，出潼关，渡渭河，次严信仓，遣近臣祀西岳。

丙辰，次永安镇，遣近臣祀河渎。

丁巳，发永安镇，群臣言有黄云随天书辇。法驾入宝鼎县奉祇宫。

戊午，致斋。召近臣登延庆亭，南望仙掌，北瞰龙门，自宫至脽，列植嘉树，六师环宿，行阙旌旗帟幕照耀郊次，眺览久之。

己未，宝鼎县守臣言滎泉涌，有光如烛。庚申，群官宿祀所。

辛酉，具法驾诣脽坛，夹路燎火，其光如昼，甬道盘屈，周以黄麾仗。至坛次，服衮冕，登坛，祀后土地祇，备三献，奉天书于神坐之左，以太祖、太宗并配，悉如封禅礼。司天奏言黄气绕坛，月重轮，众星不见，惟大角光明。少顷，改服通天冠、绛纱袍，乘辇诣庙，登歌奠献，省封石匮，遣官分奠诸神。登郏丘亭，视汾河，望梁山，顾左右曰："此汉武帝泛楼船处也。"即日，还奉祇宫。诏以奉祇宫为太宁宫，增葺殿室，设后土圣母像，又遣官祭告河渎。

壬戌，御朝觐坛，受群臣朝贺。大赦天下，恩赐如东封例。建宝鼎县为庆成军，给复二年。赐天下酺三日。大宴穆清殿，赐父老酒食衣帛。帝作《汾阴二圣配飨〔铭〕》，《河渎》、《西海》等赞。

癸亥，发庆成军，观滎泉。夕，次永安镇。

甲子，次河中府，幸舜庙，赐舜井名广孝泉。度河桥，观铁牛。又幸河渎庙，登后亭，见民有操舟而渔，秉耒而耕者，帝曰："百姓作业其乐乎！使吏无侵扰，则日用而不知矣。"

召草泽李渎、刘巽；渎以疾辞，授巽大理评事，致仕。渎，莹子，淳澹好古，王旦、李宗谔与之世旧，每劝其仕，渎皆不答。于是直史馆孙冕言其隐操，陈尧叟复荐之。既辞疾不至，遣内侍劳问，令长吏岁时存问。

乙丑，御宣恩楼观酺。

加号西岳金天王曰顺圣金天王，遣鸿胪少卿裴庄祭告。又诏葺夷、齐庙。

丙寅，赐亲王、辅臣、百官酺宴于行在尚书省，凡二日。

戊辰，发河中府。己巳，次华阴县，幸云台观观陈抟画像，除其观田租。庚午，谒顺圣金天王庙，群臣陪位，遣官分奠庙内诸神。又幸巨灵真君观，并除其田租，宴从官父老于行宫之宣泽楼。召见华山隐士郑隐、敷水隐士李宁，赐隐号曰贞晦先生。

辛未，次阌乡县，召承天观道士柴通玄，赐座，问以无为之要，除其观田租。通玄年百馀岁，善服气，语无文饰，多以修身谨行为说云。

壬申，次湖城县，宴虢州父老于行宫门。

三月，甲戌朔，次陕州，召草泽魏野，辞疾不至。野居州之东郊，不求闻达，赵昌言、寇准来守是州，皆宾礼焉。野为诗精苦有唐人风，辽使者尝言本国得其《草堂集》上帙，愿求全部，诏与之。至是帝巡幸之暇，回望林岭间，亭槛幽绝，意非民俗所居，时野方教鹤舞，俄报有中使至，抱琴逾垣而走。帝乃遣使图上其所居，令长吏常加存抚。

乙亥，幸顺正王庙，宴从官父老于霈泽惠民楼。又登北楼，望大河，赐运河卒时服。是日，雨，石普请驻跸城中，勿涉泥泞，因令扈从至西京。

戊寅，次新安县。帝之还也，以道远，闵卫士肩舆执盖之劳，多乘车马，御乌藤帽。翼日，入西京。以知河南府薛映有治状，赐诗嘉奖。癸未，张齐贤自河阳来朝，召之也。

甲申，幸太子太师吕蒙正第，慰抚之，赐赉有加。问蒙正："诸子孰可用？"对曰："臣之子豚犬耳；臣侄夷简，宰相才也。"

陈尧叟、李宗谔自河中府来朝，言初经度祀事至礼毕，凡土木工三百九十万馀，止役军士

辇送粮草,供应顿递亦未尝差扰编民,帝称善。

戊子,丁谓言有鹤二百馀翔天书殿上,又有五百馀飞集太清殿。

乙丑,御五凤楼观酺。

车驾将朝陵,甲午,发西京。

乙未,帝素服乘马至永安县,斋于行宫。丙申,谒安陵、永昌、永熙、元德皇太后陵。帝奠献悲泣,感动左右。又遍诣诸后陵、诸王坟致奠。命中使遍祭皇亲诸坟及诣汝州祭秦王坟。

丁酉,次巩县,张齐贤辞归河阳,赐衣带、器币如侍祀例。

戊戌,至汜水县。虎牢关路险,命执炬火以警行者。河阳结采为楼,备乐奏,帝以太宗忌辰甫近,亟止之。夕,至荥阳县。改虎牢关为行庆关。

己亥,次郑州。庚子,召从官宴于回銮庆赐楼,宴父老于楼下,不作乐。

癸卯,次琼林苑,赐部署钤辖羊酒,犒设将士。

辽大丞相晋国王耶律隆运,从征高丽还,得疾,辽主与后亲临视药,是月卒,年七十一。赠尚书令,谥文忠,官给葬具,建庙乾陵侧。

辽以北院大王耶律实噜为北院枢密使,封韩王。自耶律隆运知北院,职多旷废,实噜拜命之日,朝野相庆。

隆运之病也,辽主问:"孰可代卿者?"隆运曰:"北院郎(中)〔君〕耶律世良可任也。"实噜复就问北府之选,隆运曰:"无出世良右。"世良才敏给,练达典故,辽主尝识之,遂代实噜为北院大王。

夏,四月,甲辰朔,驾至自汾阴。

己酉,谒太庙,又谒元德太后庙。

庚戌,诏以时渐炎燠,京师赐酺宜至今秋。

癸丑,遣近臣祭谢后土、西岳、西海、西渎,又遣官分诣诸陵致祭。

己未,诏恭上汾阴后土庙额曰太宁。

以河中府进士薛南为试将作监主簿,首诣阙请祀汾阴者也。

乙丑,葺尚书省,三月而毕。

丁卯,许国公吕蒙正卒,赠中书令,谥文穆。蒙正有器量,居政府不喜更张。初参知政事,入朝,有朝士指之曰:"此子亦参政邪?"蒙正阳不闻。同列不能平,令诘其姓名,蒙正遽止之曰:"一知姓名,终身不能忘,不如弗知也。"尝问诸子曰:"我为相,外议如何?"诸子云:"甚善。但人言无能为,事权多为同列所争。"蒙正曰:"我诚无能,但善用人耳。"朝士有藏古镜者,自言能照二百里,欲献蒙正以求知。蒙正笑曰:"吾面不过碟子大,安用照二百里哉!"闻者叹服。

五月,甲戌朔,辽主诏已奏之事,送所司附日历。又诏帐族有罪,黥墨依诸部人例。

刑部郎中王济卒。临终自草遗表,大率以进贤退谀佞,罢土木不急之费为言,馀不及私。

癸巳,诏州城置孔子庙。

乙未,诏加上五岳帝号,以向敏中等为五岳奉册使,往致祭,奉册衮冕焉。

辽以参知政事刘慎行为南院枢密使,南府宰相邢抱质知南院枢密使事。慎行,景之子;抱质,抱朴之弟也。

六月,丙午,太白昼见。

乙卯，辽北院枢密使韩王实噜卒。丙辰，以南院大王华格为北院枢密使。

先是辽西北路招讨使萧托云自肃州还，诏尚金乡公主，拜驸马都尉，加同政事门下平章事。托云言于辽主曰："准布宜各分部，治以节度使。"丁巳，置准布诸部节度使。自后节度使往往非材，部民多怨。

两浙、福建、荆湖、广南诸州，循伪制输丁身钱，岁凡四十五万四百贯。民有子者，或弃不养，或卖为僮仆，或度为释、老。秋，七月，壬申朔，诏悉除之。

国史院进所修《太祖纪》，帝录纪中义例未当者二十馀条，谓王旦、王钦若等曰："如以钟(楼)鼓〔楼〕为漏室，窑务为甄官，岂若直指其名也？悉宜改正！"钦若曰："此晁迥、杨亿所修。"帝曰："卿尝参之邪？"旦曰："朝廷撰集大典，并当悉心，务令广备，初无彼此之别也。"因诏："每卷自今先奏草本，编修官及同修史官，其初修或再详看，皆具载其名，如有改正增益事件字数，亦各于名下题出，以考勤惰。"

壬午，镇、眉、昌等州地震。

甲午，冯拯罢为刑部尚书，知河南府。

八月，帝谓宰相曰："朝廷宜守经制，傥务更张，则攀扰者众。乃知命令之出，不可不谨。今言某事有利，轻为厘革，始则皆以为当，久乃翻成有害，须加裁正，是朝令夕改也。又莅官之人，不必过为宽恕，以致弛慢；或探求罪恶，不顾烦扰，抑又甚矣。"王旦曰："古人有言，法出而弊作，令下而奸生。宽则民慢，陷法者多；猛则民残，无所措手足；正为此也。"

甲辰，兖州言蝗蝻生，有虫青色，随啮之，化为水，时谓"旁不肯虫"。帝谓宰相曰："昨遣人潜视东畿苗稼，大率所伤不过三四分。"王旦曰："陛下忧民之切，上天固当垂祐；矧连岁丰稔，今兹小损，亦未至失所。"

右谏议大夫知广州杨覃，勤于吏事，所至以干局称。南海有番舶之利，前后牧守或致谤议，覃循谨清介，远人宜之。及卒，父老有洒泣者。

三司使丁谓言："东封及汾阴赏赐亿万，加以蠲复诸路租赋，除免口算，恩泽宽大，恐有司经费不给。"帝曰："国家所务，正在泽及下民。但敦本抑末，节用谨度，自当富足！"

乙巳，太白昼见。

乙丑，刻御制《大中祥符颂》于左承天祥符门。

河决通利军。

九月，癸巳，御乾元楼观酺，凡五日。

是秋，辽主猎于平地松林。

冬，十月，庚子朔，辽主驻广平淀。

丁巳，帝以江南、淮南接壤，而盐酒之价不等，令三司与江淮制置发运使李溥规定以闻。有司言虑失岁课，帝曰："苟便于民，何顾岁入邪！"

殿中侍御史薛奎，性刚，不苟合，遇事敢言。帝时数宴大臣，至有沾醉者，奎谏曰："陛下嗣位之初，勤心万务而简于宴幸。今天下诚无事，而欢乐无度，又大臣数被酒无威仪，非所以尊朝仪。"帝善其言。

十一月，庚午朔，辽主如显州。

丙子，帝御崇政殿亲试进士，赐张师德等及第、出身有差。师德，去华子也。

壬午，知河南府冯拯，请赠给官市刍粟之直，陈尧叟曰："增直以市，不若徙马它所。京师

马旧留二万，今留七千，有馀悉付外监。仍欲于七千之中更以四千付淳泽监，岁可省刍粟三百馀万。若有给赐，朝取夕至矣。”从之。帝又曰：“马及十万当且止。”王旦曰：“听民间畜养，官中缓急，以本直市之，犹外厩耳。且所费刍粟，皆出两税，少损马食，用资军储，亦当世之切务。”马知节曰：“马多不精，虽十万匹，选可用者当得四五万耳。多蓄驽弱，其费愈甚。”帝然之。

工部侍郎种放，屡至阙下，俄复还山。人有贻书嘲其出处之迹，且劝以弃位居岩谷，放不答。放晚节颇饰舆服，于长安广置良田，岁利甚博，亦有强市者，遂致争讼，门人族属依倚恣横。王嗣宗之出守长安，始甚敬放，放被酒稍倨，互相议诮。嗣宗怒，因上疏言所部兼并之家凡十馀族，而放为之首，且述放弟侄无赖，夺编氓厚利，愿赐放终南田百亩，徙放嵩山。疏辞极其丑诋，目放为魑魅，且屡遣人责放不法。帝方待放厚，诏工部郎中施护推究，会赦而止。于是放自乞徙居嵩山，诏遣内侍起第赐之。然犹往来终南，案视田亩，每行必给驿乘，时议浸薄焉。

戊戌，诏加上五岳诸后之号，仍遣官祭告。

是月，诏遣使臣一人管句故太师赵普家事；普妻和氏卒，因其家自请而从之。

十二月，庚子朔，辽主复如广平淀。

戊申，太常博士江嗣宗言：“陛下躬临庶政，十有五年，殿庭间事，一取圣断，有劳宸虑。今请礼乐征伐大事出于一人，自馀细务委任大臣百司。”帝曰：“此颇识大体。”乃诏褒嗣宗，从其所请。

癸丑，辽以知南院枢密使邢抱质年老，诏乘小车入朝。

是月，辽置归、宁二州。

是岁，辽御试进士，放高承颜等二人。

【译文】

宋纪二十九　起庚戌年(公元1010年)五月，止辛亥年(公元1011年)十二月，共一年有余。

大中祥符三年　辽统和二十八年(公元1010年)

五月，己卯朔(初一)，辽国君主到中京。

丙戌(初八)，安定郡王赵惟吉去世。惟吉是魏王赵德昭的儿子，他好学善于文章，精通草、隶、飞白各种书法。生性忠孝，当初，宋太祖让孝章皇后抚养他，后来皇后去世，他比生母去世还哀痛，每次诵读《诗》到“生我劬劳”这一句时，便痛哭流涕，宗室中都称赞他贤德。谥号为康孝。

甲午(十六日)，宋真宗诏令嘉奖益州知州任中正，转运使说当地官民陈状要求他留任。任中正和并州知州刘综都以政绩好闻名，宋真宗对辅臣说：“藩镇重地，关键在于用人得当。今后必须先经过地方锻炼，方可晋升高官，你们都应明白这一点。”

辛丑(二十七日)，京城下大雨，平地水深几尺，毁坏房屋，百姓有被压死的，赐给布帛。

此前，高丽国王王治的妃子皇甫氏，有一外家族人叫金致阳的，经常出入宫嫔住的地方，有人说他们有私情，王治杖罚金致阳，将他发配到边远地方。王治去世，其子王诵继位，年已十八岁。皇甫妃摄理朝政，召回金致阳，授他为阁门通事舍人，不到几年，其贵宠无人可比。

皇甫妃所生之子,即是与金致阳所私生的,阴谋将他立为王位继承人。王诵有个堂弟王询,号大良院君,皇甫妃非常忌恨他,强迫他出家为僧,又派人暗害他,全仗寺庙的和尚将他藏匿起来才得幸免。

王诵生病,暗地召见给事中蔡忠顺,指示他辅立王询,不要让国家落入外姓之手。蔡忠顺建议派人迎回王询,并将西北面巡检使康肇召入京师护卫。康肇闻知召令后,行至洞州,其幕僚主书魏从、掌书记崔昌向来怨恨王诵,阴谋叛乱,便欺骗康肇说:"国王病情严重,命在旦夕,应该慢行以观变化。"康肇犹豫不再前进。皇甫妃听说康肇将到,非常愤恨,派内侍守岊领前去阻止他,康肇的父亲在京城,知道争斗不可避免,于是写信藏在竹杖中,令仆人去掉头发装成和尚,去报知康肇说:"国王已经去世,一群恶人在掌权,请马上举兵前来!"仆人日夜赶路到康肇驻地,气竭而死。康肇从竹杖中找出书信,信以为真,立即率骑兵五千,声称进京平定国难,到达平州,才知王诵未死,垂头丧气了很久。他的亲信说:"既然来了,就不要停止。"康肇这才下定决心,废王诵为让国公,处死金致阳,把皇甫妃迁放到黄州,将其亲信党羽流放到海岛,派兵迎回王询,立他为国王。王询任命康肇为西京留守。康肇随即在积城县杀掉王诵。

辽国君主对群臣说:"康肇杀死君主王诵而立王询,因此而得相位,这是大逆不道,应该发兵向他问罪。"群臣都说:"可行。"国舅详衮萧迪里进谏说;"国家连年征战,士卒已很疲惫。何况陛下正在居丧,收成不好,所受的创伤还未平复。高丽国小,但城垒完备坚固,胜了不见得光彩,万一失利,恐怕后悔不及。不如派一位使节,前去通报并询问其中缘故,如果他伏罪也就罢了,如若不然,那时起兵还不晚。"辽国君主沉醉于南伐宋朝的胜利,不听他的建议。丙午,下令各道修整铁甲兵准备东征。

六月,庚戌(初三),辽国遣使来要求买粮,宋真宗下旨雄州购粮二万石,以低价卖给辽国以赈济荒年。

河中府知府杨举正进言说该府父老僧道共一千二百九十人联名具状请皇上亲祭后土,宋真宗降旨不批准。

丙辰(初九),向各州颁发《释奠玄圣文宣王庙》及《祭器图》。

宋真宗下诏:"前年陕西饥民中有卖掉儿女的,由官府赎还回家。"

翰林侍读学士、礼部尚书郭贽去世。宋真宗因他是老辈学者的缘故,亲自前往哭悼,休朝三天,追赠郭贽为左仆射,谥号文懿。郭贽喜欢提携奖誉后进,宋白、赵昌言,都是他所推荐的。

翰林侍读学士、礼部尚书邢昺,因病告假。壬戌(十五日),宋真宗亲临探问,并赐药一奁。按旧例,不是皇室国戚将相,没有皇帝探病吊丧的礼节,只有郭贽和邢昺因是恩宠旧臣而特别礼待。等到邢昺去世,休朝两天,追赠为左仆射。洪湛之所以获罪,邢昺出力最多,王钦若很感激他的恩德;邢昺受到宠遇,也是王钦若促成的。

秋季,七月,丙申(十九日),户部尚书温仲舒去世,被追赠为左仆射,谥号恭肃。温仲舒少时就与吕蒙正相交深厚,又一同登科及第。温仲舒被贬黜多年,吕蒙正任中书,极力提携他;等到温仲舒重新被起用后,却反过来攻击吕蒙正,士人舆论都鄙视他。

己亥(二十二日),宋真宗下诏:"南宫、北宅大将军以下的都要到书院听讲经史。诸子十岁以上的都必须入学,每天讲授经书,到午后才休息;同时委派侍教授课、伴读官辅导,不

要让他们荒废怠惰。”

辛丑(二十四日),文武官员、将校、高寿老人、道士和尚三万多人到宫前请求祭祀汾阴土地神,未能同意。上表三次,八月,丁未朔(初一),宋真宗诏令来年春天到汾阴祭祀。

戊申(初二),任命知枢密院事陈尧叟为祀汾阴经度制置使,翰林学士李宗谔为副使。

河北转运使李士衡进献钱帛三十万以资助祭祀的开支,宋真宗诏令嘉奖。

己酉(初三),调派陕西、河东兵士五千人到汾阳供役使,设置急脚递铺,拨出宫厩马匹,将驿站递铺的士卒增加到八千多人。

庚戌(初四),宋真宗命翰林学士晁迥、杨亿等与太常礼院详细议定汾阳祭祀的礼仪。

宋真宗诏令:“汾阳沿途禁止游猎,不得侵占民田。如同东巡封禅之制。”

壬子(初六),升州、洪州、润州多次发生火灾,宋真宗派使臣前往抚慰,并向境内的山川神灵祭祀。

甲寅(初八),召近臣到龙图阁观阅书籍,宋真宗阅览《元和国计簿》,三司使丁谓进言说:“唐时江淮每年运米四十万到长安,如今已是五百多万,国库充实,粮仓暴满。”宋真宗说:“百姓生活康富,全靠天地祖宗降赐福祥,而国家储备充足,也自然有财政官员的努力啊。”丁谓再次拜谢。

丁巳(十一日),宋真宗诏令:“宝鼎县不得鞭杖犯人,有罪的全部送州府发落。”

庚申(十四月),解州报告当地池盐不种自生,味道极佳;选取其中晶莹明亮的精品送呈朝廷。宋真宗诏令派遣使者祭祀盐池神庙。

宋真宗赐大理评事苏耆进士及第。苏耆,苏易简之子,宰相王旦的女婿。苏耆先前考进士,到宣布名单时,却阻格在诸科,知枢密院陈尧叟向皇上陈说此事,宋真宗回头问王旦,王旦退后站着不回答。苏耆说:“愿进一步修学。”出来后,陈尧叟对王旦说:“您只要说句话,苏耆就能及第了。”王旦笑着说:“皇上亲自殿试天下士人,以示最公平。我身为宰相,在皇上面前自荐亲属,当着满庭的士子我能不失礼吗!”陈尧叟惭愧地赔谢说:“我现在才知宰相真是自有体统。”到这时苏耆献上所写文章,被召到学士院应试,才有了这道赐命。王旦的大女婿殿中丞雍丘人韩亿,也曾献上所写的文章,宋真宗想马上召试,王旦极力推辞。韩亿按例应当出守边郡,宋真宗特地召见,改授太常博士,任洋州知州。王旦私下对其女说:“韩郎入川,你只管回我家,不要担忧。我如果对皇上有所请求,以后让人指责韩郎因为岳父奏请皇上而免去远任,那么对他所造成的损害就不小了。”韩亿听说后,高兴地说:“岳丈待我太好了。”

丙寅(二十日),辽国君主拜谒显陵、乾陵。

丁卯(二十一日),群臣五次上表请上尊号,宋真宗未准。

辽国君主亲率大军攻打高丽,令皇弟楚王隆祐留守京城,北府宰相、驸马都尉萧巴雅尔为都统,北面林牙萧僧努为都监。

辛未(二十五日),命曹利用祭奠汾河。

有关官员仪定祭祀土地神的仪式,测量庙庭,选择地点挖坑,其玉册、玉柜、石柜、石䃮、印宝,均按社首山祭祀的规格;宋真宗依准。

乙亥(二十九日),河中府父老一千七百人到京宫迎驾,宋真宗予以慰劳,并赐给钱帛。

九月,戊寅(初三),降诏:“西路行营,可以让仪鸾司只用油布帷帐造屋,以备住宿护卫,不必加盖芦竹。”

辛巳(初六),河东转运使、兵部郎中陈若拙请求将他所掌管的钱粮十万转运河中以资助开支,得到允许。

癸未(初八),陈尧叟进言:“在脽上修筑祭坛,按照方丘之制。庙北古双柏旁边堆起土冈,即可就地选用这个地方。”

乙酉(初十),辽国使节册封西平王李德明为夏国王。接着又派枢密直学士高正、引进使韩杞宣旨责问高丽王王询。

丁亥(十二日),宋真宗作《宗室座右铭》和注释,赐给宁王赵元偓以下宗室人员,这是采纳了判宗正赵湘的建议。

华州知州崔端说当地父老二千多人想到京城请求皇上驾临西岳华山,皇上下诏答复。

癸巳(十八日),入内高品江守恩在郑州被杖杀,因为他擅自收取民田麦穗和私自役使军士。舆论认为朝廷执法不徇私情,朝内外都感到惊叹和庆幸。

当初,有关官员提议:“祀宇附近难行朝觐礼,准备回到河中府后,再举行朝会,实行大赦。”这时陈尧叟等进言:“宝鼎县行宫之前,可以设祭坛,如同东巡封禅之制。”宋真宗诏令同意陈尧叟等人所奏。

甲辰(二十九日),朝廷发出安抚百姓的十六条措施,颁给江、淮南安抚使。

冬季,十月,庚戌(初五),陈尧叟进言说解州父老要到京城奉迎皇上,宋真宗诏令陈尧叟进行劝阻。

戊午(十三日),命三司使丁谓去汾阴路筹划粮草。

庚申(十五日),丁谓等人献上《大中祥符封禅记》五十卷,宋真宗作序,收藏到秘阁。

当月,女真族进献良马万匹给辽国,请求一起征伐高丽,辽国君主同意。高丽国王王询派使节向辽国奉进书表,请求罢兵,被拒绝。

十一月,庚辰(初五),将司天台韩显符造的铜浑仪,迁放到龙图阁,召辅臣一同观赏。并令韩显符挑选司天监官或其子孙中可教者传授其法。

李允则将辽国人举兵伐高丽一事向皇上奏报,宋真宗对王旦等说:“契丹征伐高丽,万一高丽穷途无路,或投归于我们,或来请求我们出兵,该如何处理?”王旦说:“应该顾全大局。契丹正与我们结盟,而高丽对我进贡几年来不了一次。”宋真宗说:“对。可告知登州侍其旭,如果高丽有使节来请求援兵,就说因为多年不进贡,不敢传达给朝廷;如果有归降者,只需安抚他们,不须上报。”

辽国君主亲率步兵骑兵四十万,号称义军,乙酉(初十),渡过鸭绿江。康肇率军抵抗,战败,退守铜州。辽国君主将一封信系在箭上射进城,告诉高丽说:“朕因前国王王诵臣服朝廷已久,而今逆臣康肇,杀死君主擅立幼主,所以亲率精兵,已入你们的国境。如果你们能将康肇绑了送来,我们即可退兵。”丙戌(十一日),庚肇兵分三路,隔水立好阵,一路扎营在州西,据守三水交汇之处,康肇居于其中,一路扎营在州城附近的山上,另一路依城扎营。康肇用剑车排阵,辽军对他们进攻,屡败。康肇于是有了轻敌之心,与人弹琴下棋。丙戌(十一日),辽军先锋耶律敏诺率领详衮耶律达鲁攻破三水营寨,擒获斩杀了康肇及副将李立,追击逃军几十里,缴获他们所丢弃的粮饷、铠甲兵器不可数计。碰上辽主率大军赶到,杀敌三万多人。戊子(十三日),高丽的铜州、霍州、贵州、宁州等地全都投降。都统萧巴雅尔又在努古达岭大

破高丽军。

辛卯（十六日），王询派使者上表请求朝见，辽主命群臣商议，都说应该接纳。唯有积庆宫使耶律瑶珠说："王询刚一战败，就立即请求归顺，这是诡计，接纳他们恐怕落入圈套。等到他们势穷力屈时，再接纳也不晚。"辽主急于成功，答应朝见，于是禁止军士俘掠，让政事舍人马保佑担任开京留守，安州团练使昂克巴为副守，派遣太子太师率领骑兵一千护送马保佑等人赴京，又派右仆射高正率兵前去迎接王询。

此前王询派中郎将智蔡文支援西京，而辽国却令卢颢、刘经到西京劝降。西京守将已写好降书，智蔡文到后，即焚掉降书，杀死卢颢、刘经。城中人心不安，智蔡文出兵守城南。遇上东北界都巡检使卓思正好率兵来到，与智蔡文合兵入城驻守。辽国又派韩杞等人前往劝降，卓思正派出骁勇骑兵突袭杀死韩杞等人。卓思正派智蔡文为先锋出城阻敌，马保佑、伊兰等人战败逃走。接着又包围了高正住的使馆，高正与部下壮士突围逃出，剩下的士卒大多被杀。辽主发怒，又派伊士去攻击，智蔡文屡战皆败。过了五天，辽主进驻城西，城中恐慌，卓思正假称出战，晚上打开城门逃走，智蔡文逃奔而回。

高丽众臣准备投降，姜邯宝说："应当避开他们的锋芒，慢慢再想办法复兴。"王询当夜携带后宫和吏部侍郎蔡忠顺等人逃去。巴雅尔、敏诺等攻破开京，将宫庙民舍都放火焚毁，追高丽亡军到清江才返回。

庚子（二十五日），陕州报告宝鼎县的黄河水变清。十二月，丙午（初二），宝鼎县黄河水再次变清。集贤校理晏殊献上《河清颂》。

壬子（初八），在含光殿举行大宴。军校安营在新城之外的，一同令其赴宴到宴会结束，到晚上，派内侍拿着钥匙到各处城门，等人出尽后，便关门上锁。于是形成了固定的制度。

乙卯（十一日），祭告太庙，供奉天书，按照东巡封禅的礼仪。

丙辰（十二日），命资政殿大学士向敏中为代理东京留守；三司使丁谓为随驾三司使，盐铁副使林特为副使。

丁巳（十三日），翰林学士李宗谔等人献上《新修诸道图经》一千五百六十六卷，宋真宗诏令嘉奖。

严禁各种侍从人员焚烧道路草木。

知杂御史赵湘，建议按照《周礼》设立土训、诵训之职，记录所经山川古迹风俗，用来供皇上阅览；诏令钱易、陈越、刘筠、宋绶掌管此事，每停留一处进献一卷。

龙图阁待制孙奭，因为通经术而进官，恪守儒道怡然自处，即使要说什么，也从不阿谀奉承来取悦他人。宋真宗曾问及天书一事，孙奭回答说："据我所闻：'天何曾说过什么!，又哪来的天书呢!"宋真宗了解孙奭朴实忠厚，经常对他很宽容。这年，特命向敏中告谕孙奭，要他陈述朝廷的得失。孙奭陈上纳进谏、恕直言、轻徭役、薄赋税四件事，宋真宗经常采用他的进言。

即将有汾阴祭祀之行，正遇上年遭大旱，京师附近州郡粮价上涨昂贵，孙奭于是上奏说："先王占卜出行要经五年，每年连续卜问吉祥，五年连续吉祥就出行，如不是连续吉祥就要增修德行再重新占卜。陛下刚结束东巡封禅，又接着考虑西幸汾阴，这不符先王出行占卜五年的慎重之意，这是不可以之一。再说汾阴土地神之祭，事不见经传。当年汉武帝准备举行封禅大礼，却又犹豫不决，因此先封中岳嵩山，祭祀汾阴，然后才巡幸郡县，渐进到泰山。现在

陛下既然已经登泰山封禅，又想再行此礼，这是不可以之二。《周礼》所说的圜丘、方泽，是用来在郊外祭祀天地，现在京城的南北郊即是。汉初承袭秦制，只立五畤来祭天，而不祭地，所以汉武帝在汾阴立土地祠。自从汉元帝、汉成帝以来，接受公卿的建议，将汾阴后土祠移到京师北郊，后来的帝王大多不再祭祀汾阴。如今陛下却要舍北郊而去祭祀汾阴，这是不可以之三。西汉建都于雍，去汾阴很近。如今陛下要过重重关隘，越过险阻，轻易放弃京师之根本，这是不可以之四。河东，是唐代帝业兴起之地，唐代也将都城建在雍，所以唐明皇有时驾幸河东，顺便祭祀后土，与我朝情况有所不同。现在陛下无故要祭祀汾阴，这是不可以之五。碰到灾荒而心有恐惧，周宣王因此得以中兴。近年来，水旱不断，陛下应当自省修德来回答上天的谴责，怎能对下放任奸邪，远劳民众，忘了国家的大计，而去追求箫鼓之类的游乐！这是不可以之六。雷在二月出现，八月消失，如错过时间就是异常；如今冬天出现震雷，尤为异常。上天告诫叮咛，而陛下却不领悟，这是不可以之七。先王都是先成就百姓而后才致力于神，如今国家大兴土木，连年不断，水旱成灾，饥民越来越多；却要劳动百姓去忙于祭神，神难道愿意享受吗！这是不可以之八。陛下要举行这样的活动，只不过想和汉武帝、唐明皇刻石颂功一样，这些都只是些虚名。陛下圣明而有智慧，应当效法炎黄二帝、夏商周三朝开国帝王的行为，怎能追求这种虚名呢！这是不可以之九。唐明皇宠爱后妃耽误朝政，奸臣当道，致使自身流离国家遭难，叛兵占守朝宫。如今议事者援引唐明皇开元年间的事情作为盛烈之举，想要倡导陛下去效仿，这是不可以之十。臣恐怕没有表达得很清楚，希望略赐清问，以便我将意思说得更完整。”

宋真宗派内侍皇甫继明告诉他具条再奏，于是孙奭又上疏说：“陛下将要亲临汾阴，但京城民心不稳定，江、淮的百姓，因濒于调遣征发搞得很困乏，理应使他们得到抚慰和安定。况且大兴土木从未停息而抢掠的盗贼必然横行，契丹在边境附近训练军队，虽然派了一位使节前往，怎能保证他们没有野心！昔日黄巢就是在饥荒之年出现，陈胜因为徭役而起兵。隋炀帝因为经常远征，唐高祖却由此而开创了基业；后晋少主不懂边防，耶律德光因此能攻入汴京。现在陛下附从奸佞，远弃京师，不顾念民众的疲惫，不考虑边防的忧患，涉足长年饥荒之地，修整违背礼制而久废弃的祠屋，又怎知饥民之中没有黄巢那样的强贼呢？服徭役的人中没有陈胜那样心存大志的人呢？肘腋之下难道没有英雄窥伺吗？燕蓟之间难道没有敌人在寻找机会吗？陛下正要祭祀后土，在河中停留驻扎，倘若敌方骑兵撕毁盟约，突然兵临澶渊，陛下知道魏咸信能坚守住黄河之桥吗？周莹在中山能够摧其锋锐打败他们吗？再说如果有盗魁侠首，啸聚原野，劫掠州县，侵袭京郊，陛下出行在外听到这些，能不惊骇？陛下即使屈己移席问计，群臣也想借机进献奇策，依我估计，恐怕来不及了。还有，据我观察现在的奸臣，因为先帝敬畏天灾，诏令停止封禅，所以赞成陛下全力东行封禅，以此作为继续完成先帝之志。先帝想讨伐平定幽朔，西征攻取李继迁，大业未成，以此交付陛下，可是群臣未曾献过一谋、划过一策，来辅佐陛下继承先帝之志。反而以卑辞和重金，向契丹求和，割让国土縻费爵禄，对赵保吉姑息放纵；说主辱臣死是一句空话，将欺下瞒上作为己任。编造祥瑞，假托鬼神，刚完成东封泰山，便又建议西行汾阴，随意劳烦圣驾，虐待残害饥民，希望平安无事往还，就认为大功告成。这是陛下将祖宗艰难创下的基业，作为奸臣侥幸成功的资本，臣因此而长叹痛苦啊！”

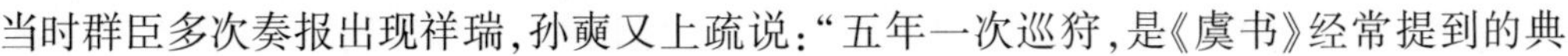

当时群臣多次奏报出现祥瑞，孙奭又上疏说：“五年一次巡狩，是《虞书》经常提到的典

制，观民俗设教化，伏羲的《易经》已明文记载。何须要紫气黄云出现，才能封禅山岳；非要嘉禾异草齐放，才能巡视四方！如今是野雕山鹿出现，都要上章奏报，秋季天旱冬季打雷，一律都要受到称赞祝贺。拿这些来欺瞒上天，则上天是不可欺的；将这些去愚弄下民，而下民也是不可愚的；如果以这些来欺骗后世，那么后世之人必不会相信；口虽不说但暗地窃笑，有识之士都会如此，这样会玷污陛下的圣明，不是小事啊！”奏疏送上后，没有回音。

大中祥符四年 辽统和二十九年（公元1011年）

春季，正月，乙亥朔（初一），辽主从高丽班师回国，原来投降的城市又重新反叛。行至贵州南峻岭谷，大雨连日不断，马匹骆驼都已疲困，军甲器械大多被丢弃，雨停后，才渡过河去。

陕西提点刑狱官报告邠、宁、环、庆等地的副都部署陈兴放纵所统辖的禁军抢劫偷盗，宋真宗下诏释免不杀，辛巳（初七），调永兴知军王嗣宗取代陈兴。

邠州城东有座灵应公庙，庙旁有一山洞，洞里有一群狐狸，妖巫借此来预言人的祸福，一旦遇有水旱灾害或疾病瘟疫都来祈祷。王嗣宗来后，毁掉其庙，烟熏洞穴，捕得数十只狐狸，全都杀了，荒淫的祭祀才停止。

宋真宗诏令：“在汾阴祭祀中办事懈怠的人员，有罪不可原谅。”

癸未（初九），代州报告谷价每斗十余钱。

乙酉（十一日），皇上在崇德殿亲自演习祭祀地神的礼仪。

丁亥（十三日），皇上拜谒启圣院太宗神御殿、普安院元德皇后圣容，奏告将要出行。

己丑（十五日），辽主到达鸭绿江。庚寅（十六日），皇后与皇弟楚王耶律隆祐到来远城迎接。

丁酉（二十三日），宋真宗奉持天书从京城出发。群臣说太阳上有黄气就像一匹绢绸，五彩云就像伞盖。当晚，停宿中牟县。

戊戌（二十四日），在郑州停留。命陈彭年、王曙一同详细审查拦驾送呈的文状。

庚子（二十六日），在巩县停留。判河阳张齐贤到汜水顿拜见皇上，侍奉用餐后，立即返回任所。

辛丑（二十七日），经过訾村，设置帐殿，供奉安置山陵神位，宋真宗穿好靴袍拜哭祭奠献贡。这天，有白雾从陵墓上升起，立即笼罩住设有神位的帐殿，群臣认为这是皇上哀痛至极感动了上天。晚上，停宿偃师县。

壬寅（二十八日），到达西京。

甲辰（三十日），从西京出发，到慈涧顿，大官们开始进食素膳。晚上，停宿新安县。

二月，乙巳朔（初一），在渑池县停留。

戊申（初四），东京报告监狱已空。

壬子（初八），从潼关出发，渡过渭河，在严信仓停留，派近臣祭祀西岳华山。

丙辰（十二日），在永安镇停留，派近臣祭祀河渎。

丁巳（十三日），从永安镇出发，群臣报告有黄云跟随天书辇车。皇上车驾进入宝鼎县奉祇宫。

戊午（十四日），开始斋戒。宋真宗召近臣登上延庆亭，南望仙掌山，北瞰龙门阙，从奉祇宫到脽上，沿途种上美观的树，六师环绕护卫，行宫旌旗帘幕映照郊野，眺望观赏了很久。

己未（十五日），宝鼎县守臣报告说瀵泉涌水，发出的光有如烛光。庚申（十六日），众官在祭祀之所留宿。

辛酉（十七日），宋真宗亲往脽上祭坛，路两旁燎火照耀，火光亮如白昼，甬道盘旋弯曲，四周排列着黄旗仪仗。宋真宗行到坛下，穿上衮冕礼服，登上祭坛，祭祀后土地神，备行三次酌献之礼，将天书供奉在神坐左侧，并将大祖、太宗并配享祭，一切都像封神时礼仪。司天监报告有黄色气雾缠绕祭坛，月亮出现多重光环，众星隐而不见，仅有大角星闪光。少时，宋真宗改穿通天冠、红纱袍，乘车到庙堂，登歌奠献，省视着封好石柜，派官员分别祭祀众神。真宗登上鄈丘亭，俯视汾河，眺望梁山，回头对身边的人说："这是汉武帝乘楼船游过的地方。"当天，回到奉祇宫。下令将奉祇宫改为太宁宫，增修殿室，设置后土圣母像，又派遣官员祭告河渎。

壬戌（十八日），宋真宗临朝觐坛，接受群臣的朝贺。下令大赦天下，所颁恩赐跟封禅相同。将宝鼎县改建为庆成军，免除两年徭役。赐全国聚饮三天。在穆清殿举行盛大宴会，赐给当地父老酒食衣帛。宋真宗作《汾阴二圣配飨铭》《河渎》《西海》等赞文。

癸亥（十九日），从庆成军出发，观赏瀵泉。晚上，停宿永安镇。

甲子（二十日），在河中府停留，亲临舜帝庙，赐舜井名为广孝泉。渡过河桥，观赏镇河铁牛。接着又到河渎庙，登上庙后亭子，看见百姓中有驾船打鱼，持犁耕地的，宋真宗说："老百姓劳作很快乐吧！如果官吏不去侵扰，那就日用有余而不知忧虑了。"

召见草野平民李渎、刘巽；李渎以有病推辞，授予刘巽为大理评事，退休。李渎是李莹之子，为人淳朴文静而喜好古道，王旦、李宗谔与他家是世交，多次劝他做官，李渎都不答允。此次直史馆孙冕奏告他隐居的操行，陈尧叟又举荐他。他以有病推辞不来后，宋真宗派内侍去慰问他，并命令地方长官每年定时探望慰问。

乙丑（二十一日），驾临宣恩楼观看臣民聚饮。

将西岳金天王加号为顺圣金天王，派鸿胪少卿裴庄前往祭告。又下令整修伯夷、叔齐的庙。

丙寅（二十二日），赐亲王、辅臣、百官在随驾出行的尚书省设宴聚饮，共两天。

戊辰（二十四日），从河中府出发，已巳（二十五日），停宿华阴县，驾幸云台观观看陈抟的画像，免除云台观的田租。庚午（二十六日），拜谒顺圣金天王庙，群臣陪同前往，派遣官员分别祭奠庙内众神。又来到巨灵真君观，一并免除此地的田租，在行宫的宣泽楼宴请随从官员及当地父老。召见华山隐士郑隐、敷水隐士李宁，赐郑隐号为贞晦先生。

辛未（二十七日），停宿阌乡县，召见承天观道士柴通玄，赐坐，询问无为的要旨，免除承天观的田租。柴通玄已一百多岁，善于养身炼气，说话毫不修饰，多以修身谨行为其说。

壬申（二十八日），停宿湖成县，在行宫门前宴请虢州父老。

三月，甲戌朔（初一），停宿陕州，召见陕民魏野，魏野以有病推辞不来。魏野住在陕州东郊，不追求名声富贵，赵昌言、寇准来陕州任知州时，都以宾礼相待。魏野作诗严谨刻苦有唐人之风，辽国使者曾说辽国得到他的《草堂集》上帙，希望得到全集，宋真宗诏令给予辽国。到这次宋真宗巡视之空暇，回望山岭之间，亭槛幽绝，心想此非普通百姓的住所，当时魏野正在教鹤起舞，忽听报有宫中使者到来，便抱琴越墙逃走。皇上于是派人将他的居所画下呈来，命地方长官对他经常加以存问抚慰。

乙亥（初二），宋真宗到顺正王庙，在霈泽惠民楼宴请随从官员和当地父老。接着登上北

楼，眺望大河，赐运河士兵应时衣服。当天，降雨，石普请皇上驻留在城中，不要在泥泞路上走，宋真宗于是命他随从到西京。

戊寅（初五），停宿新安县。宋真宗此次返回，因为路途遥远，怜惜卫士抬轿掌伞的艰辛，大多乘坐车马，戴黑藤帽。第二天，进入西京。因为河南府知府薛映理政有方，赐诗嘉奖。癸未（初十），张齐贤从河阳来朝见，是皇上召他来的。

甲申（十一日），亲临太子太师吕蒙正的宅第，对他进行慰抚，加倍赏赐。宋真宗问吕蒙正："你的儿子中谁可以重用？"吕蒙正回答说："臣的儿子都像猪狗一样；臣的侄儿吕夷简，是宰相人才。"

陈尧叟、李宗谔从河中府前来朝见，说从开始筹划祭祀之事到祭礼结束，共用土木工三百九十多万，只调用军士运送粮草，沿途供应食宿也未曾差遣劳扰百姓。宋真宗称好。

戊子（十五日），丁谓报告有两百多只鹤在天书殿上空飞翔，还有五百多只飞聚在太清殿。

己丑（十六日），宋真宗登五凤楼观看臣民聚饮。

皇上将要朝谒祖陵，甲午（二十一日），从西京出发。

乙未（二十二日），宋真宗身着素服乘马到永安县，在行宫斋戒。丙申（二十三日），拜谒安陵、永昌陵、永熙陵、元德皇太后陵。宋真宗祭奠奉献时悲痛流泪，使左右侍臣感动。接着又到各后陵、各王坟处致奠。命宫中使者祭奠所有皇亲的坟，并到汝州祭奠秦王的坟。

丁酉（二十四日），停宿巩县，张齐贤辞行回河阳，宋真宗赐他衣带、器币如同侍祀官待遇。

戊戌（二十五日），到汜水县。由于虎牢关路险，令手执火炬以警戒行人。河阳城搭起彩楼，准备奏乐，宋真宗因为太宗忌辰已近，立即制止。晚上，到荥阳市。将虎牢关改名为行庆关。

己亥（二十六日），停宿郑州。庚子（二十七日），命随行官员在回銮庆赐楼举行宴会，在楼下宴请当地父老，不奏乐。

癸卯（三十日），停宿琼林苑，赐给部署钤辖羊羔美酒，犒劳将士。

辽国大丞相晋国王耶律隆运，随从出征高丽国回来，得病，辽主与皇后亲临探望并为其配药，当月逝世，终年七十一岁。追赠尚书令、谥号文忠，由官府提供所有丧葬费用，并在乾陵旁建立祠庙。

辽主任命北院大王耶律实噜为北院枢密使，封为韩王。自从耶律隆运知北院以来，此职形同旷废虚设，耶律实噜授职那天，朝野都相庆贺。

耶律隆运患病时，辽主问他："有谁可代替你？"耶律隆运说："北院郎君耶律世良可以接任。"耶律实噜又问北府人选，耶律隆运说："没有比耶律世良更好的人选了。"耶律世良才思敏捷，善言辞通典故，辽主知道他，于是让他代替耶律实噜为北院大王。

夏季，四月，甲辰朔（初一），圣驾从汾阴回到京城。

己酉（初六），拜谒太庙，又拜谒元德太后庙。

庚戌（初七），宋真宗诏令因天气渐热，京城所赐的聚饮宜在今年秋天举行。

癸丑（初十），派近臣祭谢后土、西岳、西海、西渎神祇，又派官员分别到各陵墓致祭。

己未（十六日），宋真宗诏令为汾阴后土庙敬上书有"太宁"的牌匾。

命河中府进士薛南为试将作监主簿，他是最早到京城请求祭祀汾阴的人。

乙丑（二十二日），对尚书省进行整修，三个月完工。

丁卯（二十四日），许国公吕蒙正去世，追赠中书令，谥号文穆。吕蒙正为人大度，身居朝廷要职但不喜欢随意变更制度。当初任参知政事，上朝时，有一上朝官员指着他说："这人也是参知政事啊？"吕蒙正装作没听见。同僚对此愤愤不平，让他追问那人的姓名，吕蒙正马上制止说："一知姓名，就终身不能忘掉，不如不知。"他曾问儿子们说："我身为宰相，外面有什么议论？"儿子们说；"很好。只是人们说您无所能力，职权多被同僚所争去。"蒙正说："我的确无能，只是善于用人罢了。"朝官中有位藏古镜的，自称能照二百里，打算献给吕蒙正以求知遇。吕蒙正笑说道："我的脸不过碟子那样大，怎能用得着照二百里的镜子呢！"听者都感到赞叹佩服。

五月，甲戌朔（初一），辽主下令凡已奏报的事情，送交有关部门附记在日历上。又下令皇族人中犯罪，判以黥墨刑罚的按对各部人之例对待。

刑部郎中王济去世。临终时自写遗表，大多说的是进升贤能斥退奸人佞臣，砍掉土木营造不急需的费用，其余不涉及私事。

癸巳（二十日），宋真宗诏令州城设置孔子庙。

乙未（二十二日），宋真宗诏令为五岳加上帝号，命向敏中等五人为五岳奉册使，前往致祭，奉献书册和衮冕。

辽国命参知政事刘慎行为南院枢密使，南府宰相邢抱质为知南院枢密使事。刘慎行，刘景之子；邢抱质，邢抱朴之弟。

六月，丙午（初四），太白星在白天出现。

乙卯（十三日），辽国北院枢密使韩王耶律实噜去世。丙辰（十四日），任命南院大王耶律华格为北院枢密使。

此前辽国西北路招讨使萧托云从肃州回来，辽主令他娶金乡公主，封为驸马都尉，加封同政事门下平章事。萧托云对辽主说："准布族应分成各部，设节度使来管理。"丁巳（十五日），辽主诏令设置准布各部节度使。后来节度使往往无能，部民多有怨言。

两浙、福建、荆湖、广南各州，遵循前十国的旧制征收丁身钱，每年共四十五万四百贯。百姓中有儿子的，或弃而不养，或卖为奴仆，或出家当和尚、道士。秋季，七月，壬申朔（初一），宋真宗下令一律免除。

国史院献上修撰的《太祖纪》，宋真宗录取其中义例不恰当的二十多条，对王旦、王钦若等人说："如果将钟鼓楼称为漏室，窑务称为甄官，怎比得上直称本名呢？都应改正！"王钦若说："这是晁迥、杨亿撰修的。"真宗说："你曾参与过吗？"王旦说："朝廷撰修编集重要典籍，大家都应尽心，务求完备，本无彼此之别。"于是下诏："今后每卷先将草稿奏上，编修官和同修史官，其中初修者或复审者，都要具上自己的姓名，如果有改正或增加的事件和字数，也各在自己的名下标出，以便考核勤惰。"

壬午（十一日），镇州、眉州、昌州等地发生地震。

甲午（二十三日），冯拯被罢为刑部尚书，出任河南府知府。

八月，真宗对宰相说："朝廷应遵守经书礼制，倘若追求变更，那么攀附扰乱的人就会多起来。由此可知下达命令不可不谨慎。今天说某事有利，轻易进行改革，开始时都认为很

好，但时间一久反成有害，必须加以改正，这就是朝令夕改。再说做官的人，没必要过分地宽恕，以至于松弛怠慢；或是一味追究罪恶，不顾烦扰百姓，这也许又太过分了。”王旦说：“古人讲，法令一出弊端也会产生，命令下达后奸邪也会出现。宽容的话百姓便会不在乎，犯法的就会多；过分严厉百姓便会遭受残害，人们会显得不知所措；正是这种情况。”

甲辰（初三），兖州报告当地发现蚱蜢，这种虫为青色，凡经虫咬的东西，就化成水，当时把它称作“旁不肯虫”。宋真宗对宰相说：“前几天派人暗中察看京东郊外的禾苗庄稼，大约受损害的不过十分之三四。”王旦说：“陛下忧民心切，上天本当垂示福祐；何况连年丰收，如今这点小损失，还不至于使百姓流离失所。”

右谏议大夫、广州知州杨覃，勤于政事，所到之处都以干练著称。南海有外舶贸易之利，前后任职者有的因此受到诽谤非议，杨覃为官勤谨廉正，远来的人都感到很安适。到他去世时，当地百姓有流泪哭泣的。

三司使丁谓说：“东巡封禅和汾阴祭祀时的赏赐达亿万钱财，加上免除各路的租赋，免除人口税，虽恩泽广大，恐怕官府经费紧张。”真宗说：“国家所求的，正是在于给予百姓恩泽。只要重本抑末，节俭开支，自会富足。”

乙巳（初四），太白星在白天出现。

乙丑（二十四日），将宋真宗作的《大中祥符颂》刻在左承天祥符门。

黄河在通利军决口。

九月，癸巳（二十三日），宋真宗登乾元楼观看臣民聚饮，共五天。

这年秋天，辽主在平地松林狩猎。

冬季，十月，庚子朔（初一），辽主驻广平淀。

丁巳（十八日），宋真宗因江南、淮南接壤，而盐酒的价格却不相同，命令三司与江淮制置发运使李溥规定价格上报。有关官员说恐怕会损失每年的课税，真宗说：“对百姓有利，何怕顾及每年的收入呀！”

殿中侍御史薛奎，性格刚烈，不喜苟且迎合，遇事敢于说话。皇上多次宴请大臣，以致有喝醉的，薛奎进谏说：“陛下刚登位时，勤心于国家大事而很少宴饮。现在天下确实太平，但如果饮酒玩乐没有限度，加上大臣多次醉酒丧失威仪，这不是尊重朝廷礼仪的表现。”宋真宗认为他说得对。

十一月，庚午朔（初一），辽主前往显州。

丙子（初七），宋真宗在崇政殿亲自考试进士，赐张师德等人为进士及第、进士出身不等。张师德，张去华之子。

壬午（十三日），河南府知府冯拯，建议提高官府购买饲料的价格，陈尧叟说：“提价去买，不如将马匹移到他处。京师的马过去留有二万，现在只留下七千，其余都交给外监。同时想再将七千匹中的四千匹交给淳泽监，这样每年就可节省草料三百多万。如若要赏赐马匹，早上去取晚上到了。”真宗依准。真宗又说：“马匹到了十万就应暂时停止了。”王旦说：“允许民间畜养，如果官府临时急用，按原价去买，就好像寄存了马匹一样。况且所费的饲料，都是从两税中出的，少许减少马料，用来资补军需储备，这也是当前最要紧的事情。”马知节说：“马多而不精良，虽说有十万匹，但能选用的只有五万匹。畜养这样多的弱马，费用更大。”真宗同意这种意见。

工部侍郎种放，多次来京，不久又回到山中。有人写信嘲笑他进退往复的行迹，并且劝他弃官安居深谷，种放不予回答。种放晚年很讲究车马衣着，在长安广置良田，年利甚丰，其中也有强行买来的，以致引起纠纷诉讼，他的门人亲属依仗他的权势恣意横行。王嗣宗任长安长官时，开始很敬重种放，种放酒后逐渐倨傲无礼，互相议论讥诮。王嗣宗发怒，于是上奏称他所辖区有十多个家族兼并土地，其中以种放为首，并且陈述种放的弟侄无赖，强夺百姓的大量财富，希望赐给种放终南山百亩田地，将种放迁往嵩山。疏中言词极力诋毁种放的丑恶，将他视作魔鬼，并且多次派人谴责种放的不法行为。宋真宗当时正厚待种放，下令工部郎中施护查究，遇上大赦便终止了。这时种放自己要求移居嵩山，宋真宗派内侍建好宅第赐给他。但他仍然往来于终南山，视察他的田土，每次出行都给提供驿站车马，当时的议论都逐渐鄙薄他。

戊戌（二十九日），宋真宗下诏加上五岳众神的尊号，同时派遣官员前往祭告。

当月，诏令派使臣一人管理已故太师赵普的家事。赵普之妻和氏去世，这是因他们家的请求而作的决定。

十二月，庚子朔，辽主再次前往广平淀。

戊申（初九），太常博士江嗣宗进言："陛下亲临朝政管理百姓，已有十五年，朝廷中的事，全由陛下亲自决断，有劳于皇上思虑。现在建议礼乐征伐的大事由皇上一人决断，其余的小事委任大臣百官处理。"真宗说："这话很识大体。"于是诏令嘉奖江嗣宗，依从了他的建议。

癸丑（十四日），辽主因知南院枢密使邢抱质年老，诏令他乘坐小车入朝。

当月，辽国设置归、宁二州。

这一年，辽主亲自考试进士，录取高承颜等二人。

续资治通鉴卷第三十

【原文】

宋纪三十　起玄默困敦【壬子】正月，尽昭阳赤奋若【癸丑】六月，凡一年有奇。

真宗膺符稽古神功让德　文明武定章圣元孝皇帝

大中祥符五年　辽开泰元年【壬子，1012】　春，正月，癸酉，命晁迥、刘综、李维、孙奭同知贡举，帝作诗勖以抡材之意。始遣内臣二员承受奏报。

乙亥，兵部尚书致仕宋白卒，赠左仆射。有司议谥文宪，内出密奏，言白素无检操，不当获此谥，遂改为文安。

赐处州进士周启明粟帛，转运使陈尧佐表其行义故也。

戊寅，雨木冰。

壬午，河决棣州。

癸未，女真部长贡于辽，乞授爵秩。

乙酉，并州上刍粟数可给四五年，帝曰："河东仍岁丰穰，储偫尤广。自今诸路稔岁，宜以时积谷，为凶年之备。"

戊子，辽主猎于迈合噜林。

庚寅，辽主祠木叶山。

戊戌，著作佐郎聊城李垂上《导河形势书》三篇并图，其略曰："臣请自汲郡东推禹故道，挟御河，减其水势，出大伾、上阳、太行三山之间，复西河故渎，北注大名西、馆陶南，东北合赤河而至于海。因于魏县北析一渠，正北稍西，经衡漳出邢、洺，如《夏书》，过洚水，稍东注易水，合百济，会朝河而入于海。大伾而下，黄、御混流，薄山障堤，势不能远，如是，则载之高地而北行，百姓获利，而契丹不能南侵矣。《禹贡》所谓夹右碣石入于海。"孔安国曰："河逆上此州界。其始作自大伾西八十里，曹公所开运渠，东五十里，引河水，正北稍东十里，破伯禹古堤，经牧马陂，从禹故道。又东三十里，转大伾西、通利军北，挟白沟，复西大河北径清丰、大名，西历洹水、魏县，东暨馆陶，南入屯氏故渎，合赤河而北至于海。既而自大伾西新发故渎西岸，析一渠，正北稍西五里，广深与汴等，合御河道，通大伾北，即坚壤，析一渠，东西二十里，广深与汴等，复东合大河，两渠分流，则西三分水犹得注澶渊旧渠矣。大都河水从西北大河故渎，东北合赤河而达于海。然后于魏县北发御河，河西岸析一渠，正北稍西六十里，广深与御河等，合衡漳水。又，冀州北界，深州西南三十里，决衡漳西岸，限水为门，西北注滹沱，

潦则塞之使东渐渤海，旱则决之使西灌屯田，此中国御边之利也。

“两汉以下，言水利者屡欲求九河故道而疏之。今考图志，九河并在平原而北，且河坏澶、滑，未至平原而上已决矣，则九河奚利哉！汉武舍大伾之故道，发顿丘之暴冲，则滥兖泛济，接闻于世。夫平原而北，地势浚下，泄水甚易，故沧、德之间，旧障皆完。滑台而北，地形高平，入海稍难，故齐、棣之间，游波互出。若放河北下，则其利甚详。惜哉河朔平田膏腴千里，而纵容敌骑劫掠其间，是授胜地于契丹，借敌兵为虎翼。汉贾谊、晁错不及此议者，以河水未东故也；唐戴胄、马周不及此议者，以守在幽北故也。今大河尽东，全燕陷北，则御边之计，莫大于河。不然，则赵、魏百城，富庶万亿，适足以诲盗而招寇矣。”

诏任中正、陈彭年、王曾详定。中正等上言：“详垂所述，颇为周悉。所言起滑台而下，派之为六，则沿流就下，湍急难制，恐水势聚而为一，不能各依所导。设或必成六派，则是更增六处河口，悠久难于堤防。亦虑入滹沱、漳河，渐至二水淤塞，益为民患。又筑堤七百里，役夫二十一万七千，工至四十日，侵占民田，颇为烦费。其书并图，虽兴行匪易，而博洽可奖，望送史馆。”从之。

二月，壬子，辽主驻瑞鹿原。

癸丑，帝谓宰臣曰：“闻贡院试诸科举人，皆解衣阅视，虑其挟藏书册。颇失取士之体，宜令止之。”先是直史馆刘锴，请挟书并同保人殿一举。是岁，诸科以挟书扶出者十八人，并同保九十三人，而十二人当奏名，有司以闻。帝特令赴殿试，乃诏礼部别加裁定，罢同保殿举之制。

壬戌，令礼部贡院录诸州发解试题进内，帝将亲试贡士，虑其重复故也。自是为例。

甲子，以侍御史宣城赵稹为兵部员外郎、益州路转运使。帝谕稹曰：“蜀去朝廷远，民间事有可更置者，悉条上之。”稹至部，事无大小，悉心究访，至一日章数上。蒲江县捕劫盗不得，而官司反系平民数十人，楚掠诬服，又合其辞若无疑者。稹适行部，意其有冤，乃驰入县狱，因尽得其冤状，释出之。

己丑，帝亲试礼部合格贡举人，始摹印诗赋论题以赐，官给纸起草。赐进士建安徐奭等及第、出身有差。

三月，乙亥，辽主如苇泺。

丁丑，辽封皇女八人为郡主。

乙酉，辽主诏卜日行拜山大射柳之礼，命北宰相、驸马兰陵郡王萧宁、枢密使邢抱质督有司具仪物。

丁亥，辽皇弟楚王隆祐徙封齐王，留守东京。

夏，四月，庚子，高丽王询遣蔡忠顺奉表于辽，请称臣如旧。辽主命询亲朝。

壬寅，李德明进良马于辽。

戊申，命资政殿大学士、刑部尚书向敏中守本官、平章事。敏中再掌留任，厚重镇静，人情帖然，帝嘉之，故复相。

三司请民有贩茶违法者，许家人告论。帝曰：“此犯教义，非朝廷所当言也。”不许。

王嗣宗知镇州，与枢密直学士、给事中边肃为代。二人素不相能，肃尝以公钱贸易规利，又遣部吏强市民物，嗣宗以闻，有司请逮系，帝曰：“肃在近职，朕不欲使之属吏，又念其顷守

邢州有固御之劳。"乃命刘综、任中正以嗣宗奏示之,肃尽引伏。乙丑,坐夺三任,授岳州团练副使,不署州事。嗣宗尝自言徙种放、掘邠狐及案肃为去三害。

先是肃知邢州,澶州之役,帝密诏肃:"若州不可守,听便南保它城。"肃匿诏不发,督丁壮乘城而辟诸门,悉所部兵阵以待之。骑傅城下,肃与战,小胜,辽师引去。

五月,戊辰朔,诏礼部权停今年贡举。

辽主还上京,命裴元感、邢祥知礼部贡举,放进士十九人及第。

辽以驸马萧绍宗为郑州防御使。

帝以江、淮、两浙路稍旱即水田不登,乃遣使就福建取占城稻三万斛分给三路,令择民田之高仰者莳之,盖旱稻也。仍出种法付转运使,揭榜谕民。其后又取种于玉宸殿。

乙亥,辽以刑抱质为大同军节度使。

戊寅,以修仪刘氏为德妃。

知袁州何蒙上言:"本州二税,请以金折纳。"帝曰:"若是,则尽废耕农矣。"不许。

六月,壬子,丁谓言:"天书阁望柱直起气千馀条,青紫黄白相间,又吐白光若银丝,上有轻白云覆之,俄变五色。"帝作《瑞应诗》赐近臣和。

诸州言岁丰谷贱,咸请博籴,帝虑伤农,即诏三司使丁谓规画以闻。谓言莫若和市,而诸州积镪数少,癸丑,出内藏库钱百万贯付三司以佐用度。

修国史院言:"所修《礼志》,旧日历止存事端,并令礼院取索国初以来礼文损益沿革制作之事及论议评定文字,或虑尚有遗落,致国家大典有所不备。龙图阁待制孙奭见判礼院,深于经术,礼乐精博,望专委检讨供报。"从之。

钱唐林逋,少孤力学,性恬淡好古,不趋荣利。初放游江湖间,久之,结庐西湖之孤山,二十年足不及城市。转运使陈尧佐以闻,庚申,诏赐粟帛,长吏岁时劳问。

壬戌,令枢密院修《时政记》,月送史馆。先是枢密院月录附史事送中书,编于《时政记》。及是王钦若、陈尧叟等请别撰,从之。《枢密院时政记》始此。

是月,辽主驻上京。

秋,七月,戊辰,新作保康门于朱雀门东,徙汴河广济桥于大相国寺前,榜曰延安,又作桥跨惠民河,榜曰安国。时将建观以奉五岳,故辟此门。寻命丁谓等就奉节、致远三营地及填乾地之西偏兴筑,内侍邓守恩董其役。

龙图阁待制张知白上言:"唐李峤尝云:'安人之方,须择郡守。窃见朝廷重内官,轻外任,每除牧伯,皆避命致诉。比遣外任,多是贬累之人,风俗不澂,实由于此。望于台阁妙选贤良,分典大州,臣请辍近侍率先具寮。'凤阁侍郎韦嗣立因而请行,遂令以本官出领州郡。伏见江、浙大郡,方切择人,苟有阙员,俾之承乏,臣虽不肖,愿继前修。"帝以知白累更外任,方在要职,不许。辛未,命知白同纠察在京刑狱。

壬申,上封者言:"诸州军司法参军多不得其人,致刑法差枉,望令吏部铨司谨择明法出身者授之。"帝以示辅臣。王旦言:"明法虽习律文,亦须有才识。顷法官阙,多取属县簿、尉习刑名者代之,今请令铨司参酌施行。"从之。

癸未,庆成军大宁宫庙成,总六百四十六区。

辽进士康文昭等,坐论知贡举裴元感、邢祥取士私曲,秘书省正字李万,以上书词涉怨讪，皆杖而遣之。

辽自萧托云请设准布节度使，部民苦节度使之暴，相率谋乱。是月，舍哩太师阿勒岱因众怨杀节度使巴安，屠其家以叛。托云讨之，阿勒岱奔乌噜多城，古所谓龙庭单于城也。准布诸部执阿勒岱以献。已而诸部悉叛，围托云于哈屯城，’势甚张；托云使诸军齐射却之，屯于乌噜多城。

八月，丙申朔，日有食之。

丁酉，诏学士院，青词、斋祝祭文止称皇帝，无列尊号。

戊戌，左仆射张齐贤以司空致仕，还洛阳，入辞，方拜而仆。帝遽止之，许二子扶掖升殿，命益坐茵为三以优之。

知升州张咏，头疡甚，饮食则楚痛增剧，御下急峻。宾寮少不如意者动加诟詈，人颇少之。咏累求分务西洛，壬寅，命工部侍郎薛映代之。咏既还，不能朝谒，即命知陈州。映至升州，言官有牛赋，民出租，牛死租不得蠲。帝览，瞿然曰："此岂朝廷所知邪！"遂诏诸州条上，悉蠲之。

初议铸玉清昭应宫正殿圣像，令江淮发运使李溥访巧匠，得杭州民张文昱等，就建安军西北小山置冶，溥领视之。丙午，溥奏道场有神雀、异光、庆云之瑞，诏修宫使丁谓驰往醮谢。溥与谓相为表里，多载奇木怪石，括东南巧匠以附会帝意。谓复言溥监铸圣像，蔬食者周岁，诏奖之。

帝作《祥瑞论》《勤政论》《俗吏辨》，赐辅臣人一本，因曰："如闻中外有议朝廷崇祥瑞、亲细务者，著此晓之。"辅臣请示百官，立石国学。帝多行矫诬之事，心不自安，故有是论。

丙辰，知制诰王曾判大理寺。判寺旧用郎官，帝欲重其任，故特命曾。对便殿，谕之曰："天下之命系于狱，今以屈卿。"曾顿首谢。仍赐钱三十万。因请辟奏寮属。遂著为令。

己未，高丽王询遣刑部侍郎田供之奉表于辽，称病不能朝。辽主怒，命取兴化、通州、龙州、铁州、郭州、龟州六城。

甲子，上封者言："伏睹文武以郊禋，诞节补任子弟官者，多年在幼稚，坐食廪粮。有穷经潦倒之士，下官沉滞之人，常增浩叹。望行条约。"帝令辅臣议其事，特限年立制，议寻不行。

是月，辽皇弟齐国王隆祐卒，辍朝五日，赠守太师，谥仁孝。

九月，戊子，以吏部尚书、知枢密院事王钦若，户部尚书、知枢密院事陈尧叟，并依前官加检校太傅、同平章事，充枢密院使，佥署枢密院事马知节为副使。儒臣入枢密兼使相，自钦若、尧叟始。

参知政事赵安仁罢为兵部尚书。安仁畏谨精审，特留意刑名，内外书诏要切者，必归安仁裁损之。先是帝议立皇后，安仁谓刘德妃家世寒微，不如沈才人出于相门。帝虽不乐，然察其守正，不罪也。它日，与王钦若从容论大臣谁为长者，钦若欲排安仁，乃誉之曰："无若赵安仁。"帝曰："何以言之？"钦若曰："安仁昔为故相沈义伦所知，至今不忘旧德，常欲报之。"帝默然，始有意斥安仁矣。尝谕王旦曰："闻安仁在中书不亲事，奏对亦未尝有一言，可罢之。"旦对曰："安仁颇知大体，居常进拟，皆同列议定，方敢取旨。臣每见临时变易于上前者，皆迎合陛下意。安仁无异议，是有执守。"帝曰："能如是邪？卿可谕之，使更宣力。"旦退，以语安仁。安仁曰："上误拔擢至此，以不才斥去宜矣。使与众人骋辨取容，安仁不为也。"及罢

政事，仍命同修史。安仁虽贵显，简俭若平素，尤嗜读书，所得禄赐，多置典籍，手自雠校，近朝沿革，衣冠人物，悉能记之。

以三司使丁谓为户部侍郎、参知政事，仍领修玉清昭应宫使。

初，翰林学士李宗谔与王旦善，旦欲引宗谔参知政事，尝以告王钦若，钦若唯唯。宗谔家贫，禄廪不足以给婚嫁，旦前后资借甚多，钦若知之。故事，参知政事谢日，所赐物几三千缗。钦若因密奏："宗谔负王旦私钱，旦欲引宗谔参知政事，得赐物以偿己债，非择贤也。"明日，旦果以宗谔名闻。帝变色，不许。及赵安仁罢，谓时奉诏谒亳州太清宫犹未还，即命谓代之，盖钦若(还)〔所〕荐云。

钦若与刘承珪、陈彭年、林特及谓等交通，踪迹诡异，时论谓之五鬼。

己丑，以盐铁副使、右谏议大夫林特权三司使。

壬辰，殿前司言："诸军诉本军校长敛钱饰营舍、什物，数少者望令鼓司勿受。"帝曰："军民诉事琐细者，朕常寝而不行。若明谕有司，则下情壅塞矣。"不许。

癸巳，翰林学士杨亿以疾赐告。亿刚介寡合，在书局唯与李维、路振、刁衎、陈越、刘筠辈善。当时文士咸赖其品题，或被贬议者，退多怨诽。王钦若骤贵，亿素薄其为人，钦若衔之，陈彭年方以文史售进，忌亿名出己右，相与毁訾于帝。帝素重亿，亿求解近职，优诏不许。

淮南、北岁薄稔，振恤倍至，而言事者以为流亡无算；及丁谓使建安军，因令校其实数。冬，十月，戊申，谓言："转运使司具析大中祥符三年四月十五州、军逃民，数多者及百户，馀止三十户，继有复业者。"时王随为转运使，戒所部出库钱贷民市粮种，岁终，约输绢以偿，故流亡者多复业。

并、代州承受公事李宗政言："火山军南五七里，或掊地尺馀则火出，盖火德之应，请建祠。"帝曰："此山有火，因山名军，其来旧矣，宗政妄言耳。"当时所言祥瑞皆类此，唯宗政为帝所驳。

己酉，以主客郎中、知制诰王曾为辽主生辰使，宫苑使高继勋副之。旧制，出使必假官，继勋本秩既崇，不复假官。自是为例。

辛亥，辽主如中京。

丁巳，以知制诰陈尧咨权同判吏部流内铨。旧制，选人皆用奏举乃得京官，而士有孤寒不为人知者，尧咨特为陈其状而擢之。

自天书议起，四方贡谀者日多，帝好之弥笃。戊午，九天司命上卿保生天尊降于延恩殿。先是八日，帝自言梦见景德中所睹神人传玉皇之命云："先令汝祖赵某授汝天书，将再见汝，如唐朝恭奉玄元皇帝。"翼日，复梦神人传天尊言："吾坐西，当斜设六位。"即于延恩殿设道场。是日，五鼓一筹，先闻异香，少顷，黄光自东南至，掩蔽灯烛。俄见灵仙仪卫天尊至，帝再拜于阶下。俄有黄雾起，须臾雾散，天尊与六人皆就坐，侍从在东阶。帝升西阶，再拜。又欲拜六人，天尊令揖不拜，命设榻，召帝坐，饮碧玉汤，甘白如乳。天尊曰："吾人皇九人中之一人也，是赵之始祖，再降，乃轩辕皇帝。凡世所知少典之子，非也。母感电梦天人，生于寿丘。后唐时七月一日下降，总治下方，主赵氏之族，今已百年。皇帝善为抚育苍生，无怠前志！"即离坐乘云而去。及曙，召辅臣至殿，指示临降之所，又召修玉清昭应宫副使李宗谔、刘承珪、都监蓝继宗同观。

己未，札示中外，大赦天下，常赦所不原者咸除之。两京来年夏税放十之二，诸路十之一。赐致仕官全俸一年，幕职、州县官先经省者权增五百员，任满即停。

命丁谓、李宗谔、陈彭年与太常礼院检讨官详定崇奉天尊仪制以闻。

庚申，群臣诣崇政殿称贺，因赐酒五行而罢。宴宗室诸亲于万岁殿。

辛酉，帝以《崇儒术论》《为君难为臣不易论》示王旦等，旦等请刻石国子监。

诏以天尊降临，分命辅臣告天地、宗庙、社稷。

闰月，丁卯，命王旦为躬谢太庙大礼使，向敏中为礼仪使，王钦若为仪仗使，陈尧叟为卤簿使，马知节为桥道顿递使。鸾驾仪仗旧用二千人，有司请增为七千人，从之。

己巳，上天尊号曰圣祖上灵高道九天司命保生天尊大帝。有司请以玉清昭应宫玉皇后殿为圣祖正殿，东位司命殿为治事之所。

辛未，躬谢太庙六室。诏："圣祖名上曰玄，下曰朗，不得斥犯。以七月一日为先天节，十月二十四日为降圣节，并休假五日；两京诸州，前七日建道场设醮，假内禁屠、辍刑，听士民宴乐，京城张灯一夕。"改延恩殿为真游殿，重加修饰。

癸酉，诏："天下州、府、军、监，天庆观并增置圣祖殿。"

乙亥，诏上圣母懿号元天大圣后。

初，宰臣以太祖谥号有与圣祖名同者，将议易之。帝曰："真祖临降，皇家大庆也，六室并当增谥。"乃诏太庙六室各奉上尊谥二字。

有司言圣祖母未有宫殿，望遣官于兖州曲阜县寿丘奏告，从之。

丙子，群臣上尊号曰崇文广武感天尊道应真佑德上圣钦明仁孝，不允；表三上，从之。诏俟尊册圣祖毕受册。

丁丑，谒谢启圣院太宗神御殿。礼毕，诏于龙图阁取太平兴国中舒州所获志公石以示辅臣，加谥志公曰真觉，遣知制诰陈尧咨诣蒋山致祭；后又加谥曰道林真觉，令公私无得斥志公名。

戊寅，改兖州曲阜县为仙源县，建景灵宫、太极观于寿丘，以奉圣祖及圣祖母。

有司言："唐太清宫乐章皆明皇所作，今崇奉玉皇、圣祖及祖宗配位乐章，请帝自为之。"戊子，内出乐章十六曲以示辅臣，文舞曰《发祥流庆》，武舞曰《降真观德》。

十一月，甲午朔，辽群臣上辽主尊号曰弘文宣武尊道至德崇仁广孝聪睿昭圣神赞天辅皇帝，大赦，改元开泰，改幽都府为析津府，蓟北县为析津县，幽都县为宛平县，覃恩中外。

癸卯，辽以前辽州录事张庭美六世同居，仪坤州刘兴允四世同居，各给复三年。

甲辰，辽西北招讨使萧托云奏准布沿边诸部皆叛，西北路招讨都监萧孝穆进军哈屯城，准布结五群牧长扎拉阿都等，谋中外相应，孝穆悉诛之，乃严备御以待，馀党皆溃。

己酉，诏："黄帝故事，自今凡降书诏，非圣母文字外，不得引用。"时学士院撰承天节教坊宴辞，中有"大电绕枢"之语，帝命宰相谕旨易之，因降是诏。

壬子，改朗州为鼎州。

是月，初置玉清昭应宫使，令宰臣王旦为之。

十二月，丙寅，辽奉迁南京诸帝石像于中京观德殿，景宗及宣献皇后于上京五鸾殿。

先是诏丁谓等于京城择地建宫以奉圣祖，谓等奏："司天少监王熙元言：按《天文志》，太

微宫南有天庙星，乃帝王祖庙也，宜就大内之丙地。”乃得锡庆院吉地，即令谓等与内侍邓守恩修建。戊辰，诏上新宫名曰景灵。

有司请改玄武、玄冥、玄弋、玄枵并为“真”字，诏可。

壬申，改谥玄圣文宣王为至圣文宣王。

辽赈奉圣州饥。

己卯，知天雄军寇准奏狱空，诏奖之。

庚辰，辽赐皇弟秦晋国王隆庆铁券。

癸未，刘晨言殿中高可垣、中京留守推官李可举治狱明允，辽主超迁之。

甲申，辽诏：“诸道水灾，民有质男女者，自明年正月始，日计佣钱十文，价折佣尽，退还其家。”

归州言其居民本新罗所迁，未习文字，请设学；从之。

丁亥，立德妃刘氏为皇后。后性警悟，晓书史，闻朝廷事，能记其本末；帝每巡幸，必以从。衣不纤靡，与诸宫人无少异。庄穆既崩，中宫虚位，帝即欲立之，后固辞。良久，将降诏，宰相王旦忽以病在告，后疑旦有它议，复固辞。于是中书门下请早正母仪，后卒得立。凡处置宫闱事，多引援故实，无不适当者。帝朝退，阅天下封奏，多至中夜，后皆预闻之。

己丑，辽命诸镇建宣敕楼。

六年　辽开泰二年【癸丑，1013】　春，正月，癸巳朔，司天言五星一色。

辽以大册礼成，邢抱质加开府仪同三司、守司空兼侍中，王继忠为中京留守、检校太师，户部侍郎刘泾加工部尚书，驸马萧绍宗加检校太师，耶律康温加政事令，封幽王，以裴元感为翰林承旨，邢祥为给事中，吕用中翰林学士，吕德推枢密直学士。

先是辽主猎云中，故事，车驾经行，长吏当有所献，云中节度使进曰：“臣境无它产，惟幕僚张俭，一代之宝，愿以为献。”辽主尝梦四人侍侧，赐食，人二口，至是闻俭名，始悟，召见，容止朴野，访及世务，占奏三十馀事，由此顾遇特异，以为政事舍人。

庚子，诏：“自今凡更定事宜，并令中书、枢密院参详施行。”

丁未，辽主如瑞鹿原。北院枢密使耶律华格加政事令，封豳王。

戊申，诏：“内臣将命于外，干预州县公事，及所在官吏不即以闻，并置于罪。凡内臣出使，皆责知委状，敢妄奏它事者，当伏军令。”祖宗旧制也。

甲寅，帝谓宰臣曰：“群臣出任，受命后多以南北非便为诉。”向敏中曰：“国家任人，岂容自便！当须厘革。”帝曰：“若所任非所便，则其心不安；心既不安，则何以久于其事？”王旦曰：“俯从人欲，实由圣慈。”

丁巳，以监察御史钱塘唐肃为梓州路提点刑狱。肃持法公正，狱无冤滥，故有是擢。

己未，辽主录囚。

乌库迪里部叛，右皮室详衮延寿率兵讨之。

庚申，置淑仪、淑容、顺仪、顺容、婉仪、婉容，并从一品，在昭仪上。又置司宫令，正四品，在尚宫上。著于令。以婕妤杨氏为婉仪。

辛酉，诏宗正寺以皇属籍为皇宋玉牒。

荣王元俨尝侍宴，颇多言。又尝请石保吉伶人新隶教坊者作戏，及赴北园御筵，有伶人少不中意，元俨遽叱之，将加捶挞，宫寮皆莫敢谏，既而对帝，复请此伶人作戏。帝不悦，它日，以语王旦等。旦曰："今当召记室崔护，谕以亲王喜怒过当，必须规正。"向敏中曰："陛下友爱亲贤，小或不当，必以礼约之，诚渐摩之深旨。"旦曰："闻王罕与宾属相见。"帝曰："朕在东宫，尝与宫僚款接，杨砺、邢昺日夕讲诵，今当儆戒之也。"

二月，戊辰，上御乾元楼观酺，凡五日。

乙亥，泰州言海陵草中生圣米，可济饥。

壬午，辽以北院枢密副使高正案视诸道狱。

准布诸部之叛也，萧托云仅能屯军自守，北院枢密使耶律华格引兵救之，托云遣人诱诸部皆降。辽主以托云始虽失计，后得人心，释其罪，仍命领诸部。托云请益军，辽主诏让之曰："叛者既服，兵安用益！前日之役，死伤甚众，若从汝谋，边患何时而息！"遂不发兵。三月，壬辰朔，华格以西北路略平，留兵戍镇州，〔赴〕行在。

河北转运使、右谏议大夫卢琬被疾。琬勤于吏职，所至以干集闻，诏遣中使挟太医往视。及卒，帝甚悼之。时琬母八十馀，无恙，有诏，琬子太常博士士宗，特追出命知怀州，;次子秘书丞士伦为太常博士，赋禄终丧。

己亥，閤门奏后苑赏花曲宴，群臣有礼容懈惰者，帝曰："饮之酒而责其尽礼，亦人所难也。宜且降诏戒谕之。"

诏京城徼巡宜参用马步军士。时巡卒二人，因寒食假质军装赌博，既不胜，遂谋以五鼓未尽伺击陌上行人，弃尸河流，取衣物贸易以赎所质。帝曰："太宗朝，巡警兼用马步卒，盖营校不同，可以互相觉举。"遂复其制。

权知开封府刘综言："贵要有交结富民，为之请求，或假托亲属，奏授爵秩，缘此谒见官司，烦紊公政，请加抑止。"庚戌，下诏风厉，各令自新，继今复然者，重置其罪。

诏："富民得试衔官者，不得与州县官属、使臣接见；如曾应举及衣冠之族，不在此限。"

甲寅，江南路提点银铜铅锡胡则，言信州铅山县开放坑港，兵卒死伤甚众，诏遣使劾转运司规画乖当及提点刑狱司不即闻奏之罪，其役徒休息之。

铸钱监得吏所匿铜数万斤，吏惧且死，则曰："马伏波哀重囚而纵之，吾岂重货而轻数人之命乎！"籍为羡馀，释弗诛。

乙卯，建安军铸玉皇、圣祖、太祖、太宗尊像成，以丁谓为迎奉使，李宗谔副之。

夏，四月，庚辰，以枢密直学士李士衡为河北转运使。帝尝谓近臣曰："议者言士衡用河北钱五十万贯助东封，致令管内阙乏。"丁谓曰："士衡贡东封见钱止十馀万，即薪刍总计五十万耳。"帝曰："官吏艰于经画，辄以此为辞，当复任士衡，责其集事，以塞众多之口。"故有是命。其后积粟塞下至巨万斛。

壬午，太白昼见。

五月，辛卯朔，辽主复命北院枢密使耶律华格西讨。华格方自准布还，辽主将罢兵，都监耶律世良上书曰："华格以为无事而还，不思师老粮乏，敌人已去，焉能久守？若益兵，可克也。"辽主以为然，故有是命。

辛丑，国子监新修御书阁，有赤光上烛，长丈许，直史馆高绅等以闻。

甲辰，圣像至，帝斋于长春殿，百官宿斋于朝堂。乙巳，帝衮冕朝拜，群臣朝服，陈玉币、

册文酌献，具大驾卤簿，迎至玉清昭应宫，择日各升本殿。丙午，群臣称贺。升建安军为真州，镕范圣像之地特建为仪真观。

己未，翰林学士、右谏议大夫、知制诰李宗谔卒。帝甚悼之，谓宰相曰："国朝将相家，能以身名自立不坠门阀者，惟李昉、曹彬家耳。"因厚赙之。宗谔风流儒雅，内行淳至，事继母以孝闻。二兄早卒，奉嫂字孤，闺门之内，儿无常父，赏延所及，必先群从，及没而己子有未仕者。好贤奖善，荐拔寒素，士论归之。

辽耶律资忠，国留之弟也，博学工词章。国留既为太后所杀，资忠年四十未仕。辽主知之，召补宿卫，数问以古今治乱，资忠对无隐，擢至中丞，眷遇日隆。时高丽贡献不时，至六月，辛酉朔，辽主遣资忠使高丽，索取六州旧地，比还，高丽无归地意，由是为权贵所短。

甲子，监察御史张廓上言："天下旷土甚多，请依唐宇文融所奏，遣官检括土田。"帝曰："此事未可遽行。然今天下税赋不均，富者地广租轻，贫者地蹙租重，由是富者益富，贫者益贫，兹大弊也。"王旦等曰："田赋不均，诚如圣旨。但改定之法，亦须驯致。或命近臣专领，委其择人，令自一州一县条约之，则民不扰而事必集矣。"

翰林学士、户部郎中、知制诰杨亿尝草答辽人书，云"邻壤交欢"，帝自注其侧，作"朽壤""鼠壤"、"粪壤"等字，亿遽改为"邻境"。明日，引唐故事，学士草制有所改为不称职，亟求罢，帝慰谕之。它日，谓辅臣曰："杨亿真有气性，不通商量。"及议册皇后，帝欲得亿草制，使丁谓谕旨，亿难之。谓曰："勉为此，不忧不富贵。"亿曰："如此富贵，亦非所愿也。"乃命它学士草制。

亿虽频忤旨，恩礼不衰。王钦若、陈彭年等深害之，益加谮毁，帝意稍怠。亿尝入直，忽被召至禁中，赐坐顾问，出文稿数箧以示亿曰："卿识朕书迹乎？此皆朕自起草，未尝命臣下代作也。"亿惶恐不知所对，顿首再拜趋出，知谮者之言得行，即谋退遁。

亿有别墅在阳翟，亿母往视之，会得疾，亿遂留谒告榜子与孔目吏，中夕奔去。先一日，帝闻亿母病，遣使者以汤药金币赐之，使者及门，则亿既亡去矣。朝论哗然，以为不可。帝亦谓辅臣王旦曰："亿侍从官，安得如此自便！"旦曰："亿本寒士，先帝赏其词学，置诸馆殿，陛下拔擢至此。责以公议，诚为罪人；赖陛下矜容，不然，颠踬久矣。然近职不可居外地，今当罪之。"帝终爱其才，逾月，命弗下。亿体素羸，于是称疾，请解官。辛未，以亿为太常少卿、分司西京，仍许就所居养疗，俟损日赴任。

中书门下请依宗正寺所奏，降皇后三代父母名氏编入属籍，诏从之。

先天降圣节日，令天下以延寿带、续命缕、保生酒更相赠遗。

以右谏议大夫陈彭年为翰林学士兼龙图阁学士。学士兼职自彭年始也。

甲戌，帝作歌赐彭年，因谓向敏中等曰："彭年词笔优长，擢居清近，久益谨密。常令检讨典故，质正文义，每一事必具载经史子集所出，备而后已，自非强记，何由至此！"敏中曰："彭年兼有器识。"丁谓曰："彭年全才也，岂止以文雅雍容侍从！至如参酌时务，详求物理，皆出人意表。"帝深然之。

【译文】

宋纪三十　起壬子年(公元1012年)正月，止癸丑年(公元1013年)六月，共一年有余。

大中祥符五年 辽开泰元年(公元1012年)

春季,正月,癸酉(初五),宋真宗任命晁迥、刘综、李维、孙奭为同知贡举,真宗作诗意在勉励他们选拔人才。开始派两名宦官接受主考官的奏报。

乙亥(初七),退休的兵部尚书宋白去世,被追赠为左仆射。有关官员提议给他谥号文宪,宫内有人密奏,说宋白平素操行不检点,不应获此谥号,于是改为文安。

赐给处州进士周启明米粟和布帛,这是因为转运使陈尧佐上表陈述他行仁义的缘故。

戊寅(初十),雨水沾到树木即成冰。

壬午(十四日),棣州的黄河决口。

癸未(十五日),女真部首领向辽国进贡,请求授予爵位。

乙酉(十七日),并州上奏粮草之数可供四五年之用,宋真宗说:"河东连年丰收,储备尤为丰富。从今以后各路丰收之年,应按时积存粮谷,以备灾年之用。"

戊子(二十日),辽主在迈合噜林狩猎。

庚寅(二十二日),辽主祭祀木叶山。

戊戌(三十日),著作佐郎聊城人李垂献上《导河形势书》三篇及附图,其大意说:"臣建议从汲郡东推挖寻开大禹当年所开的水道,控制御河,减弱它的水势,使之从大伾、上阳、太行三山之间流出,又流入西河故川,从北注入大名城西、馆陶城之南,往东北与赤河汇合流入海。就在魏县以北开一河渠,从正北偏西方向,经衡漳出邢州、洺州,如《夏书》所记载的那样,过洚水,偏东注入易水,与百济河交汇,会集朝河而流入到海。大伾以下,黄河、御河混流,傍山成障为堤,其势不能远流。如这样,黄河就在高地往北流,百姓能够得利,而契丹则不能南侵。《禹贡》所说夹着右面的碣石流入大海。孔安国说:'黄河逆流而上进此州界。'开始挖渠从大伾以西八十里,即以前曹操所开运渠以东五十里处,引出黄河水,经正北偏东十里地,开通大属古堤,过牧马陂,顺着大禹故道。再向东三十里,弯向大伾以西、通利军以北,沿着北沟,又入西大河从北经清丰、大名等地,西经洹水镇、魏县,东到馆陶,南入屯氏故渎,汇合赤河从北到达大海。继而从大伾西新开禹河故道的西岸,分一河渠,正北偏西五里,纵深与汴河相等,会合御河道,通往大伾以北,便是坚土,在上分开一渠,东西二十里,纵深与汴河相等,再向东会合黄河,两渠分流,那么西面十分之三的水仍能流入澶渊旧渠了。大部分河水从西北大河故道,经东北汇合赤河而流入大海。然后在魏县以北开通御河,河的西岸分开一渠,向正北偏西六十里,纵深与御河相等,汇合衡漳水。另外,在冀州北界,深州西南三十里,决通衡漳水的西岸,以闸门限制水流,往西北注入滹沱河,水涝则堵上使其东入渤海,旱时则决口使其西流灌溉屯田,这是中国防御边关的优越之处。

"两汉以来,谈论水利的人大都要寻找九河故道加以疏通。现在考查图志,九河都在平原以北,而且黄河在澶、滑等地泛滥,还没到平原上游就已决口了,那么九河还有何益呢!汉武帝舍弃大伾的黄河故道,在顿丘决口泄洪,使得兖州济州河水泛滥,而且后世还不断发生。平原以北,地势低下,泄水甚易,所以沧州、德州之间,旧有的堤障都还完好。滑台以北,地形高平,入海比较困难,所以齐、棣州之间,河患不断。如果决河水北下,那么好处是很多的。可惜河朔平原良田千里,却纵容敌骑在那里劫掠,是将有利地势送与契丹,助敌兵如虎添翼。汉代贾谊、晁错没有提到这一建议,是因为当时黄河水还没东流的缘故;唐代戴胄、马周未能

提及这一建议，是因为他们驻守在幽州之北的缘故。如今大河尽向东流，所有燕地都沦陷于北方契丹，那么防御边疆的大计，没有比黄河更为重要的了。不然的话，那么赵、魏的上百座城池，亿万财富，足以引诱盗贼和招来敌寇了。"

宋真宗诏令任中正、陈彭年、王曾对此详加审定。任中正等上书说："详察李垂所述，颇为周全。他所说的从滑台而下，河水分为六支，那么沿流而下，水流湍急难以控制，唯恐水势聚在一流，不能各依所疏导的分流。假若能够分成六支，那就要另增六处河口，时间长了难于修筑堤防。同时还担心流入滹沱河、漳河，逐渐地使这两条河流淤塞，更成为百姓的灾患。再者筑堤七百里，役使民工二十一万七千，费工四十天，侵占民田，耗费很大。此书和图，虽然施行不易，但知识广博值得褒奖，希望送交史馆。"宋真宗依准。

二月，壬子（十四日），辽主停驻瑞鹿原。

癸丑（十五日），宋真宗对宰相说："听说贡院考试各科举人，都要解衣检查，担心有人挟藏书册。这很失取士之体，应明令禁止。"此前直史馆刘锴，建议罚挟藏书者连同担保人停考一届。这年，各科中因挟藏书册者被罚出的有十八人，连同保人九十三名，而其中十二人本当张榜奏名，有关官员将此事上报。宋真宗特令他们参加殿试，于是诏令礼部另加裁定，废除同保人连坐停考的规定。

壬戌（二十四日），诏令礼部贡院抄录各州乡试的试题送往朝内，这是皇上将要亲自考试贡生，恐试题出现重复的缘故。从此成为惯例。

甲子（二十六日），命侍御史宣城人赵稹为兵部员外郎、益州路转运使。宋真宗告谕赵稹说："蜀川离朝廷很远，当地事情有要变更的，全都要具状上报。"赵稹到任后，事无大小，都用心查访。以至于一天几次上报奏章。蒲江县抓不到盗贼，官府却反而绑了几十个百姓，用刑使他们招供，并对好口供使得好像没有疑问。赵稹恰好巡视此地，察觉其中有冤，于是策马赶入县狱，因此详尽此案冤情，释放所有受冤者。

己丑（疑误），宋真宗亲试礼部会试合格的贡举人，先刻印诗、赋、论各试题赐给考生，由考官发纸起草答卷。赐建安人徐奭等人为进士及第、进士出身各有区别。

三月，乙亥（初八），辽主前往苇泊。

丁丑（初十），辽国封皇女八人为郡主。

乙酉（十八日），辽主诏令占卜选择举行拜山大射柳之礼的吉日，命北宰相、驸马兰陵郡王萧宁、枢密使邢抱质监督有关官员准备礼仪所用物品。

丁亥（二十日），辽国皇弟楚王耶律祐改封齐王，留守东京。

夏季，四月，庚子（初三），高丽国王王询派蔡忠顺到辽国奉献表章，请求像以前一样称臣。辽主命王询主持朝政。

壬寅（初五），李德明向辽国进献良马。

戊申（十一日），宋真宗任命资政殿大学士、刑部尚书向敏中保留原官位、任平章事。向敏中两次执掌留守重任，稳重镇静，人心安定，皇上对他很赏识，所以恢复他的相位。

三司建议百姓中有违法贩卖茶叶的，应鼓励家人进行告发。宋真宗说："这样做违犯礼教，不是朝廷所应当说的。"未准。

王嗣宗任镇州知州，代替枢密直学士、给事中边肃。他们二人向来不和，边肃曾用公款做生意获利,又派部下强买百姓的东西,王嗣宗将此事报告给朝廷,有关官员建议逮捕边肃,宋真宗说:“边肃身为近臣,朕不想将他交给官吏,再说还念他守邢州时有守固防御的功劳。”于是命刘综、任中正将王嗣宗的奏章给边肃看,边肃全都认罪。乙丑(二十八日),剥夺边肃多年的任职,授以岳州团练副使,不过问州事。王嗣宗曾自称迁逐种放、掘捣邠州狐洞和查办边肃为除三害。

此前边肃指挥邢州、澶州战役,宋真宗密诏边肃:“如果州城守不住,可自行南撤另守他城。”边肃收起密诏没有公布,督促丁壮登城并打开各城门,率领所属兵马列阵迎敌。敌骑靠近城下,边肃与他们交战,取得小胜,辽军退走。

五月,戊辰朔(初一),诏令礼部暂停今年的贡举。

辽主返回上京,命裴元感、邢祥主持礼部贡举,录取进士十九人及第。

辽主任命驸马萧绍宗为郑州防御史。

宋真宗因江、淮、两浙路稍有旱情就使得水田歉收,于是遣使前往福建取占城稻三万斛分给三路,令其选择地势较高的民田种植,这就是旱稻。并且出示种植之法交给转运使,张榜告诉百姓。后来又在玉宸殿选种。

乙亥(初八),辽国任命邢抱质为大同军节度使。

戊寅(十一日),宋真宗封修仪刘氏为德妃。

袁州知州何蒙上奏说:“本州的两税,请求用金钱折合交纳。”宋真宗说:“如果这样,就会完全荒废农耕了。”未准。

六月,壬子(十六日),丁谓说:“天书阁望柱有千余条气流升起,青紫黄白几色相间,还吐出像银丝般的白光,上有轻飘白云覆盖,不久又变成五色。”宋真宗作《瑞应诗》赐予近臣应和。

各州报告今年丰收谷价便宜,都要求大量买入粮食,皇上担心会伤害农民,便诏令三司使丁谓筹划后上报。丁谓说不如预买,但各州存钱不足。癸丑(十七日),从内库拨钱一百万贯给三司以济开支。

修国史院进言:“所修的《礼志》,旧日历只保存事件,并让礼院收集国初以来有关礼制条文增删沿革制作之事以及议论评定的文字,有人担心还有遗漏之处,致使国家大典有所不全。龙图阁待制孙奭现任职于礼院,他精通经术,博通礼乐,希望专门委任他检讨供报。”宋真宗准从。

钱塘人林逋,少年丧父母而努力学习,性情恬淡喜好古风,不追求名利。起初游荡于江湖之间,时间长了,在西湖的孤山结庐而居,二十年不进城市。转运使陈尧佐将他的情况报告朝廷,庚申(二十四日),宋真宗诏令赐给林逋粟米布帛,并命地方长官每年定时慰劳他。

壬戌(二十六日),命枢密院撰修《时政记》,每月送交史馆。此前枢密院每月抄录附载史事送交中书省,编入《时政记》。到这时王钦若、陈尧叟等建议另外撰写,宋真宗依准。《枢密院时政记》从这时开始撰修。

当月,辽主驻留上京。

秋季,七月,戊辰(初二),在朱雀门东新建保康门,将汴河广济桥迁到大相国寺前,题名延安,并建造一座横跨惠民河的桥,题名安国。当时准备建道观来供奉五岳,所以新开了保

康门。不久命丁谓等人到奉节、致远三营地以及填乾地西侧动工兴建，命内侍邓守恩主管这项工程。

龙图阁待制张知白进言说："唐朝李峤曾说：'安定人民的方法，必须选择好郡守。我发现朝廷重视宫中内官，轻视外任，每当除授州牧郡守时，大家都逃避任命而想法申辩。等到派遣外任官时，大多是贬黜之人，风气不正，都是由这引起的。希望在朝中近臣中优选贤良之士，分别掌管大州，臣建议暂停近侍率先充任臣僚，凤阁侍郎韦嗣立因而请求外任，于是令他以原任官职出任州郡。我发现江、浙这样的大郡，正急于选择人选，如有缺员，需派人补阙，臣虽然没什么才能，但愿意向前贤学习。"宋真宗因张知白多次充任外任，现在又居要职，没有同意。辛未（初五），任命张知白为同纠察在京刑狱。

壬申（初六），有人密奏说："各州军的司法参军大多不称职，以至于执法时出现差错冤枉，希望让吏部铨司严格挑选明法科出身者来任职。"宋真宗将此出示给辅臣看，王旦说："明法出身者虽然熟习法律条文，但也必须要有才识。眼前法官缺乏，可多用属县主簿、县尉中熟习刑法的人代替，现建议令吏部铨司参考斟酌施行。"宋真宗依准。

癸未（十七日），庆成军大宁宫庙建成，总共六百四十六间。

辽国进士康文昭等人，因议论知贡举裴元感、邢祥取士徇私舞弊，秘书省正字李万，因上书言词流露出埋怨诽谤，都被杖责后流放。

辽国自从萧托云建议设置准布节度使后，其部民苦于节度使的暴政，相继谋反叛乱。当月，舍哩太师阿勒岱利用民众的怨恨杀死节度使巴安，并屠杀他全家而反叛。萧托云率兵讨伐，阿勒岱逃奔乌噜多城，即古时所说的龙庭单于城。准布族各部抓住阿勒岱献交萧托云。不久各部全都反叛，将萧托云围困在哈屯城，气势非常嚣张。萧托云令各军一齐射箭打退他们，屯兵在乌噜多城。

八月，丙申朔（初一），有日食。

丁酉（初二），诏令学士院，凡道宫观荐告词文、斋戒祈祷的祭文只称皇帝，不列尊号。

戊戌（初三），左仆射张齐贤以司空之职退休，回洛阳，入朝辞行，正要下拜却仆倒在地。皇上马上制止他，允许他的两个儿子扶他上殿，命增加三个坐垫作为优待。

升州知州张咏，头上长痈疮很厉害，吃饭时则痛楚加剧，对待部下极为严格，宾寮中稍有不如他意的，动辄就痛骂，人们都看不起他。张咏多次请求分管西京洛阳的事务，壬寅（初七），宋真宗命工部侍郎薛映替代张咏。张咏回京后，不能入朝拜谒，朝廷马上命他为陈州知州。薛映到升州后，告说这里官府有牛赋，百姓交纳牛租，但牛死后租却不能免除。宋真宗看后，吃惊地说："朝廷哪里知道这事呢！"于是诏令各州一一报上，尽数免除。

当初议定铸造玉清昭应宫正殿圣像，命江淮发运使李溥寻访能工巧匠，寻得杭州百姓张文昱等人，在建安军西北小山上进行治炼，李溥负责监督。丙午（十一日），李溥报告道场有神雀、异光、庆云之类的祥瑞出现，宋真宗令修宫使丁谓快马赶去祭礼答谢。李溥与丁谓互相配合，运来许多奇木怪石，搜罗东南各地的能工巧匠来迎合皇帝的心意。丁谓又说李溥监铸圣像，已吃素整整一年，宋真宗诏令对他嘉奖。

宋真宗作《祥瑞论》《勤政论》《俗吏辨》，赐给宰辅大臣每人一本，并说："听说朝内外有人议论朝廷崇尚祥瑞、热衷于小事，写此书来晓谕他们。"辅臣建议昭示百官，刻石立于国学。

宋真宗做了许多矫诬虚假之事,内心不安,所以才有这些论著。

丙辰(二十一日),知制诰王曾任判大理寺。此职过去常用郎官,皇上打算增加它的责任,所以特别任命王曾。在便殿召对时,宋真宗告谕王曾说:“天下人的生死都系于刑狱,现在用以委屈你了。”王曾顿首拜谢。同时赏钱三十万给王曾。王曾于是请求让他举荐其下属官员。并定为法令。

己未(二十四日),高丽国王王询派遣刑部侍郎田供之向辽国上表章,称有病不能亲自朝见。辽主大怒,下令攻取兴化、通州、龙州、铁州、郭州、龟州六城。

甲子(二十九日),有人密奏说:“我发现文武官员因祭天、皇上寿辰而补任其子弟为官的,大多都很年幼,坐食国库粮食。有一些穷经潦倒的文士,下层官吏中沉滞已久的人,常增悲叹。希望制定条约。”宋真宗命辅臣商议此事,特限定年龄立为制度,但此议不久便不再实行。

当月,辽国皇弟齐国王耶律隆祐去世,停朝五天,追赠为守太师,谥号仁孝。

九月,戊子(二十三日),令吏部尚书、知枢密院事王钦若,户部尚书、知枢密院事陈尧叟,均依原官加检校太傅、同平章事,充任枢密院使,令佥署枢密院事马知节为枢密院副使。儒臣入枢密院兼任使相,是从王钦若、陈尧叟开始的。

参知政事赵安仁被贬为兵部尚书。赵安仁小心谨慎精明细心,特别留意刑名,朝廷内外诏书重要急切的,必定归赵安仁修改裁定。此前宋真宗商议立皇后,赵安仁说刘德妃家世寒微,不如沈才人出身于相门之家。宋真宗虽然不高兴,但觉得他守正道,没有怪罪他。有一天,与王钦若随便谈论大臣中谁为忠厚长者,王钦若想排挤赵安仁,便赞誉他说:“无人比得上赵安仁。”宋真宗说:“何以这样说?”王钦若回答:“赵安仁过去被已故宰相沈义伦所看重,至今不忘这份恩德,一直想报答。”宋真宗默然不语,开始有贬斥赵安仁的想法了。宋真宗曾告谕王旦说:“听说赵安仁在中书省不管事,奏对时也未曾讲一句话,可罢免他。”王旦回答说:“赵安仁比较识大体,平时进奏拟对,都要和同僚商议定后,才敢取旨。我每次看到那些在皇上面前临时变卦的人,都是为了迎合陛下的心意。赵安仁没有异议,这才是有操守。”宋真宗说:“果真是如此吗?你可告诉他,让他更加努力。”王旦退朝后,将此事告诉赵安仁。赵安仁说:“皇上误把我提拔到今天这个地位,因我没有才能而罢免是合适的。如果要和大家驰骋巧辩来获取安容,我赵安仁不干。”到罢去参知政事后,仍命他同修史。赵安仁虽然地位显贵,但平时却很俭朴,尤其酷爱读书,所得的俸禄赏赐,大多购置了典籍,亲自动手进行校对,对于近朝的历史沿革,著名人物,都能记住。

任命三司使丁谓为户部侍郎、参知政事,同时兼任修玉清昭应宫使。

起初,翰林学士李宗谔与王旦关系很好,王旦想推荐李宗谔为参知政事,曾将此事告诉王钦若,王钦若唯唯应答。李宗谔家境贫困,所得俸禄不足以供办婚嫁之费,王旦前后资助借给他不少,王钦若知道这些事。按照惯例,参知政事授职那天,所得赏赐将近三千缗钱。王钦若于是向皇上密奏说:“李宗谔欠王旦的钱,王旦想推荐李宗谔为参知政事,得到的赏赐用来偿还自己的债,这不是在推举贤能呵。”第二天,王旦果然将李宗谔推荐上来。宋真宗脸变了色,不同意。到赵安仁罢职,丁谓当时奉诏拜谒亳州太清宫还没回来,于是任命丁谓代替,这是由王钦若所推荐的。

王钦若与刘承珪、陈彭年、林特以及丁谓等人往来,踪迹诡秘,当时有人称之为五鬼。

己丑(二十四日),任命盐铁副使、右谏议大夫林特为权三司使。

壬辰(二十七日),殿前司上言:“各军告本军校长搜刮钱财来装饰营舍、什物,那些数量少的希望下令鼓司不要受理。”宋真宗说:“军民投诉的琐碎小事,朕经常压下没有办理。如果明令有关官员,那么下情就难以知道了。”未准。

癸巳(二十八日),翰林学士杨亿因病告假。杨亿性刚不善交际,在书局仅与李维、路振、刁衎、陈越、刘筠等人关系密切。当时的文人都有赖于他的品评论定,有被贬议的,遭斥退后大多怨恨而诽谤他。王钦若骤然显贵,杨亿一向鄙薄他的为人,王钦若怀恨在心,陈彭年正因文史之才而进升,忌恨杨亿声名在自己之上,便与王钦若一起在皇帝面前诋毁杨亿。宋真宗向来器重杨亿,杨亿请求解除近职,宋真宗颁优抚诏书未答允。

淮南、淮北年岁歉收,赈济物品加倍运到,但上报者认为流民无法统计;等到丁谓出使建安军,于是命令查点流民实数。冬季,十月,戊申(十四日),丁谓说:“转运使司具析大中祥符三年四月十五个州、军流民,数量多的达百户,余下的三十户,后来有回乡恢复生产的。”当时王随为转运使,他告诫下属从官库出钱借给百姓购粮种,年底,规定以绢偿还,因此流亡的人大多恢复了旧业。

并州、代州承受公事李宗政上言:“火山军以南五七里处,有人掘地一尺多就有火冒出,这全是火德的应验,建议建立祠庙。”宋真宗说:“此山有火,因山作为军的名称,由来已很久了,李宗政是胡说。”当时所说的祥瑞都类似这种情况,只有李宗政被皇上驳回。

己酉(十五日),任命主客郎中、知制诰王曾为辽主生辰使,宫苑使高继勋为副使。依照旧制,出使必借名义授官,高继勋本来官职很高,故不再临时授官。此后成为惯例。

辛亥(十七日),辽主前往中京。

丁巳(二十三日),任命知制诰陈尧咨为权同判吏部流内铨。按旧制,选拔的人都要通过奏报举荐才能成为京官,但士人中有孤苦贫寒而不为人知的,陈尧咨特地为他们陈情而提升。

自从天书议论开始,四方来朝阿谀进言的人日益增多,宋真宗越发喜好。戊午(二十四日),九天司命上卿保生天尊降临在延恩殿。在这前八天,宋真宗自称梦见景德年间所见的神人传玉皇大帝的命令说:“先让你的祖先赵某授予你天书,然后再见你,就像唐代恭奉玄元皇帝。”第二天,又梦见神人传达天尊之言:“我坐西位,应斜设六个席位。”于是在延恩殿设立道场。这一天,五更一过,先闻有异香,不久,有黄光从东南而来,遮住了灯火烛光。不久便见灵仙护卫着天尊到达,宋真宗在台阶下再次叩拜。然后有黄雾升起,很快雾便散去,天尊与六人全都就座,侍从立于东阶。宋真宗登上西阶,再次叩拜。又要拜那六人,天尊令他揖礼不需叩拜,命令设座榻,召宋真宗坐下,饮碧玉汤,甘甜纯自如同乳汁。天尊说:“我是皇九人中的其中一人,是赵氏的始祖,再下,便是轩辕黄帝。凡间认为是少典之子,是不对的。我母亲感于雷电梦见天人,在寿丘生下我。后唐时七月一日降生,总治下方百姓,主掌赵氏家族,至今已有百年。皇帝应该好好抚育天下百姓,不要懈怠前人的心志!”说完便离座乘云而去。等到天亮,宋真宗召辅臣到延恩殿,指出天尊降临的地方给他们看,又召来修玉清昭应宫副使李宗谔、刘承珪、都监蓝继宗一同观看。

己未(二十五日),以书札告示朝廷内外,大赦天下,平时大赦时所不赦免的也包括在内。东西两京第二年的夏税减免十分之二,其他各路减免十分之一。赏赐退休官员全俸一年,幕职、州县官此前裁减的暂增五百员,任满即停。

命令丁谓、李宗谔、陈彭年与太常礼院检讨官详细审定崇奉天尊的礼仪上报。

庚申(二十六日),群臣到崇政殿祝贺,赐酒五次后才罢。在万岁殿宴请宗室诸亲。

辛酉(二十七日),宋真宗将《崇儒术论》《为君难为臣不易论》给王旦等人看,王旦等人建议刻石立于国子监。

诏令因天尊降临,分别命辅臣敬告天地、宗庙、社稷。

闰月,丁卯(初三),命王旦为躬谢太庙大礼使,向敏中为礼仪使,王钦若为仪仗使,陈尧叟为卤簿使,马知节为桥道顿递使。以前鸾驾仪仗用二千人,有关官员建议增加到七千人,宋真宗依准。

己巳(初五),敬上天尊尊号为圣祖上灵高道九天司命保生天尊大帝。有关官员建议将玉清昭应宫玉皇后殿作为圣祖正殿,东边的司命殿作为办事的地方。

辛未(初七),宋真宗亲自拜谢太庙六室。颁诏:"圣祖名字上为玄、下为朗,不得诋毁冒犯。将七月一日定为先天节,十月二十四日为降圣节,都休假五天;两京和各州,前七天设道场进行祈祷,节假内禁止屠宰、暂停刑罚,任凭士民宴饮欢乐,京城通宵张灯。"改延恩殿为真游殿,重新加以修饰。

癸酉(初九),颁诏:"全国的州、府、军、监,天庆观都要增设圣祖殿。"

乙亥(十一日),诏令敬上圣母懿号为元天大圣后。

当初,宰相因为太祖谥号有与圣祖之名相同的,准备提议更改。宋真宗说:"真祖降临,是皇家的大喜事,六室都应当增加谥号。"于是诏令太庙六室分别奉上尊谥二字。

有关官员进言说圣祖母没有宫殿,希望派遣官员到兖州曲阜县寿丘去奏告,依准。

丙子(十二日),群臣敬上皇帝尊号为崇文广武感天尊道应真佑德上圣钦明仁孝,未准;表章三次呈上,依准。诏令等尊册圣祖后再接受尊册。

丁丑(十三日),宋真宗亲往启圣院太宗神御殿拜谢。礼仪完后,诏令到龙图阁拿出太平兴国年间在舒州所得的诘公石给辅臣看,加诘公谥号为真觉,派遣知制诰陈尧咨到蒋山致祭;后来又加谥号为道林真觉,下令公私都不得诋犯诘公名讳。

戊寅(十四日),改兖州曲阜县为仙源县,在寿丘建景灵宫、太极观,用以供奉圣祖及圣祖母。

有关官员上言:"唐代的太清宫乐章都是唐明皇所作,如今崇奉玉皇、圣祖及祖宗配位的乐章,请皇上自己写作。"戊子(二十四日),皇宫发出皇上所作乐章十六曲给辅臣看,文舞称为《发祥流庆》、武舞称为《降真观德》。

十一月,甲午朔(初一),辽国群臣敬上辽主尊号为弘文宣武尊道至德崇仁广孝聪睿昭圣神赞天辅皇帝,实行大赦,改年号为开泰,改幽都府为析津府,蓟北县为析津县,幽都县为宛平县,广施恩惠于朝廷内外。

癸卯(初十),辽主因前辽州录事张庭美六代同居,仪坤州刘兴允四代同居,各免徭役三年。

甲辰(十一日),辽国西北招讨使萧托云奏报准布沿边各部都已反叛,西北路招讨都监萧孝穆进军哈屯城,准布联合五群牧长扎拉阿都等人,图谋内外相应,萧孝穆将他们全部诛灭,并严加防备以待叛军,余党全都溃逃。

己酉(十六日),宋真宗颁诏:"黄帝典故,从今以后凡降书诏,非圣母文字外,不得引用。"当时学士院正撰写承天节教坊宴庆祝辞,其中有"大电绕枢"的字语,宋真宗命宰相传旨改掉,因而降此诏令。

壬子(十九日),改朗州为鼎州。

当月,开始设置玉清昭应宫使,令宰相王旦担任。

十二月,丙寅(初三),辽国将南京诸先帝石像奉迁到中京观德殿,将辽景宗和宣献皇后的石像迁放到上京五鸾殿。

此前曾诏令丁谓等人在京城选地建筑宫殿以供奉圣祖,丁谓等人上奏说:"司天少监王熙元讲,按《天文志》,太微宫以南有天庙星,是帝王的祖庙,所以应将它建在宫内的丙地。"于是找到锡庆院一块吉祥之地,即刻命丁谓等人与内侍邓守恩负责修建。戊辰(初五),诏令奉上新宫名为景灵宫。

有关官员建议将玄武、玄冥、玄弋、玄枵的玄字都改为"真"字,诏令同意。

壬申(初九),改玄圣文宣王谥号为至圣文宣王。

辽国赈济奉圣州饥民。

己卯(十六日),知天雄军寇准奏报监狱已空,诏令予以嘉奖。

庚辰(十七日),辽主赐皇弟秦晋国王耶律隆庆铁券。

癸未(二十日),刘晨说殿中高可垣、中京留守推官李可举治理刑狱明正公允,辽主破格提升他们。

甲申(二十一日),辽主颁诏:"各路发生水灾,百姓中有抵卖儿女的,从明年正月起,每天计算佣钱十文,身价折够佣钱,退回他们家中。"

归州奏报当地的居民是从新罗迁来的,不熟悉文字,请求设立学堂;辽主依准。

丁亥(二十四日),宋真宗立德妃刘氏为皇后。刘后天性机警聪明,通晓书史,听到朝廷中事,能记住所有原委本末;皇上每次巡视,必带她随行。不追求衣着的精致华丽,与各宫妃没有什么两样。庄穆皇后逝世后,中宫之位空缺,宋真宗想马上立她为后,她极力推辞。过了很久,准备颁降诏书,宰相王旦突然称病告假,刘后疑心王旦有别的想法,又极力推辞。在这种情况下,中书门下请求早日确立国母事项,刘后终于得到册立。凡处理后宫事务,她大多援引过去实例,没有不适当的。宋真宗退朝后,批阅全国的封奏,经常到深夜,刘后都参与了解。

己丑(二十六日),辽主命各镇修建宣敕楼。

大中祥符六年 辽开泰二年(公元 1013 年)

春季,正月,癸巳朔(初一),司天官奏报天上出现五星一色。

辽国因大册之礼完毕,邢抱质被加封开府仪同三司、守司空兼侍中,王继忠为中京留守、检校太师,户部侍郎刘泾加封工部尚书,驸马萧绍宗加封检校太师,耶律康温加封政事令,封为幽王,任命裴元感为翰林承旨,邢祥为给事中,吕用中为翰林学士,吕德推为枢密直学士。

此前辽主到云中围猎,依惯例,车驾所经过的地方,其长官应有所奉献,当时云中节度使进言说:“臣所辖境内没有其他特产,唯有幕僚张俭是一代之宝,愿将他奉献。”辽主曾梦见有四人侍奉在侧,赐给他们食物,一人两口,到这时听到张俭的名字,才悟出梦意,于是召见张俭,见他容貌举止朴实,问到时世事务,张俭当场奏对三十多件事,从此给予特殊待遇,任命他为政事舍人。

庚子(初八),颁诏:“今后凡更改确定政务事情,都要让中书、枢密院共同审议后施行。”

丁未(十五日),辽主前往瑞鹿原。北院枢密使耶律华格加官政事令,封为豳王。

戊申(十六日),宋真宗颁诏:“内臣奉命外出,干预州县公事,以及当地官吏不立即将此事上奏的,都要置罪。凡内臣出使,都要责成他们写知委状,如有妄奏其他事情的,按军法处置。”这是祖宗的旧制。

甲寅(二十二日),宋真宗对宰相说:“群臣到外地任职,受命后大多以南方或北方不方便为由提出申诉。”向敏中说:“国家用人,岂能只图自己方便!应当改革。”宋真宗说:“如果所委派的地方使他不方便,就会使他心神不安;心既不安,那么怎能长久任职下去呢!”王旦说:“迁就别人的欲求,确实是出自圣上的仁慈。”

丁巳(二十五日),任命监察御史钱塘人唐肃为梓州路提点刑狱。唐肃执法公正,狱中没有冤案,因而被提升。

己未(二十七日),辽主审理囚犯案卷。

乌库迪里部落叛乱,右皮室详究延寿率兵征讨。

庚申(二十八日),后宫设置淑仪、淑容、顺仪、顺容、婉仪、婉容,都是从一品,在昭仪之上。同时还设置司宫令,为正四品,在尚宫之上。写成条文法令。封婕妤杨氏为婉仪。

辛酉(二十九日),诏令宗正寺将皇属籍确定为皇宋玉牒。

荣王赵元俨曾侍奉皇上宴饮,喜欢多言。还曾请新加入教坊的原石保吉的伶人演戏,到赴北园御宴时,有位伶人稍不如他的意,赵元俨就严加斥责,还要加以鞭打,宫中僚臣无人敢劝阻,不久与宋真宗相对时,又让这个伶人来演戏。宋真宗很不高兴,一天,将此事告诉王旦等人。王旦说:“现在应当召见记室崔昈,告诉他亲王喜怒不正常,必须规劝他改正。”向敏中说:“陛下友爱亲贤,如有人稍有不当,必定用礼数来约束他,这确实需要慢慢体会其中的深意。”王旦说:“听说荣王极少与僚属相见。”宋真宗说:“朕在东宫,曾与官员僚属经常交往,与杨砺、邢昺昼夜在一起讲诵经史,现在应对亲王加以警诫。”

二月,戊辰(初六),宋真宗登乾元楼观看聚饮,共五天。

乙亥(十三日),泰州奏报海陵草中生长出圣米,可用来充饥。

壬午(二十日),辽国派北院枢密副使高正视察各道监狱。

准布各部反叛时,萧托云仅能屯军自守,北院枢密使耶律华格率兵前来救援,萧托云派人劝诱各部全都投降。辽主认为萧托云开始虽有失误,后来能够收服人心,于是释免了他的过失,仍然命他统领各部。萧托云请求增加兵力,辽主颁诏斥责他说:“叛者既服,用不着增兵!前段时间的战役,死伤人数很多,若依从你的建议,边患何时才能平息!”于是没有发兵。三月,壬辰朔(初一),耶律华格因为西北路基本已平定,便留兵戍守镇州,自己去了辽主所在之地。

河北转运使、右谏议大夫卢琬得病。卢琬勤于吏职，所到之处以处事干练闻名，宋真宗下令派遣宫中使臣随太医前往探视。到他去世时，宋真宗非常悲痛。当时卢琬母亲已八十多岁，身体尚好，宋真宗下诏，卢琬的儿子太常博士卢士宗，特地追加他为怀州知州；卢琬的次子秘书丞卢士伦为太常博士，卢琬的俸禄发到丧期完毕。

己亥（初八），阁门奏报在后苑赏花小宴上，群臣中有人礼仪举止懈惰，宋真宗说："让人喝酒却又要求他尽守礼节，也是一般人难以做到的。可以暂且降诏劝诫他们。"

诏令京城巡逻应该兼用骑兵和步兵。当时巡逻兵士二人，因寒冷饥饿典当军装去赌博，输了钱后，于是策划在五更未尽时伺机袭击路上的行人，将其尸体丢入河中，取其衣物卖掉以赎回所典押的军装。宋真宗说："太宗朝时，巡逻警戒兼用马步军卒，是因为各自营校不同，可以互相监督检举。"于是又恢复这一制度。

开封代理知府刘综说："一些权贵有人结交富民，并为他们求情，有的通过亲属，奏请授官封爵，借此进见官府，烦扰公务，请求加以制止。"庚戌（十九日），下诏进行整治其风气，令他们各自自新，今后有继续的，从重治罪。

颁诏："富民得到试衔官职的，不得与州县官员、朝廷使臣接触；如果曾经应举或官宦之家的，则不在此限。"

甲寅（二十三日），江南路提点银铜铅锡胡则，奏报信州铅山县开挖矿坑，兵卒死伤很多，宋真宗诏令遣使弹劾转运司规划失误和提点刑狱司不马上奏报之罪，让那些服役的人停工休息。

铸钱监查得有些官吏所匿藏的铜数万斤，这些官吏惧怕要处死，胡则说："汉代伏波将军马援可怜重案囚犯而放了他们，我怎能看重钱物而轻视众人的性命呢！"以征收正赋外的税物为借口，释免了他们而没加诛罚。

乙卯（二十四日），建安军铸成玉皇、圣祖、太祖、太宗的尊像，朝廷命丁谓为迎奉使、李宗谔为副使。

夏季、四月，庚辰（十九日），任命枢密直学士李士衡为河北转运使。宋真宗曾对近臣说："有人讲李士衡动用河北五十万贯钱资助东巡封禅，以至于使得管辖区内财政紧张。"丁谓说："李士衡贡献东巡封禅的现钱只有十几万，算上柴草总共才五十万。"宋真宗说："官吏要经营规划是不易的，就以此事为托词，应重新起用李士衡，责成他办好事，以塞众人之口。"故有此任命。后来他在边塞屯积储粮达数万斛。

壬午（二十一日），太白星在白天出现。

五月，辛卯朔（初一），辽主又命北院枢密使耶律华格西征。耶律华格刚从准布回来，辽主打算罢兵，都监耶律世良上书说："耶律华格以为无事而回，不考虑军队疲劳粮草缺乏，敌人虽已离去，但怎能长久防守？如果增兵，便可攻克。"辽主认为很对，故有此使命。

辛丑（十一日），国子监新修的御书阁，有红光闪烁，光耀长一丈多，直史馆高绅等人将此事上奏。

甲辰（十四日），圣像到达，宋真宗在长春殿斋戒，朝廷百官在朝堂留宿斋戒。乙巳（十五日），宋真宗衣着衮服头戴冠冕进行朝拜，群臣身着朝服，摆好玉币、册文，酌酒进献，并备好大驾仪仗，奉迎圣像到玉清昭应宫，选好时日各升本殿。丙午（十六日），群臣祝贺。将建安军升为真州，将熔铸圣像之地特地建为仪真观。

己未（二十九日），翰林学士、右谏议大夫、知制诰李宗谔去世。宋真宗十分悲痛，对宰相说："国朝将相之家，能以身名自立而不使门第衰落的，唯有李昉、曹彬两家。"于是赐予优厚的钱财办理丧事。李宗谔风流儒雅，性情淳厚，服侍继母以孝闻名。他两位兄长早逝，奉嫂育孤，闺门之内，儿子没有父亲，朝廷每有赏赐，必先考虑侄子，直到他死其亲子中还没有做官的。他好贤奖善，推荐提拔布衣寒士，当时的舆论都赞誉他。

辽国的耶律资忠，是耶律国留的弟弟，学识广博且擅长辞章。耶律国留被太后所杀后，耶律资忠年到四十还未做官。辽主知道后，召他补授宿卫之职，多次以古今治乱来询问他，耶律资忠对答从不隐留，被提升到中丞之职，眷遇日益隆厚。当时高丽国不按时纳贡，到六月，辛酉朔（初一），辽主派耶律资忠出使高丽，去索取六州旧地，等到他回国，高丽仍无归地之意，于是被朝廷权贵所轻视。

甲子（初四），监察御史张廓进言："天下荒地很多，建议依照唐代宇文融所提出的办法，派遣官吏核查土田。"宋真宗说："此事不能仓促进行。但是当今天下税赋不均，富者地多租轻，贫者地少租重，于是富者越富，贫者越贫，这是很大的弊端。"王旦等人说："田赋不均，确如陛下所言。但是改变的办法，也必须逐步完成。可命近臣专门负责，委派他挑选人，令他们从一州一县进行规范，这样百姓就不会受到骚扰而事情则会成功。"

翰林学士、户部郎中、知制诰杨亿曾起草回答辽国的书信，其中有"邻壤交欢"一句，宋真宗在旁边批注，作"朽壤""鼠壤"、"粪壤"等字，杨亿马上改为"邻境"。第二天，杨亿援引唐代惯例，学士起草文件有改动就是不称职，立即请求罢免，宋真宗于是对他安抚劝慰。有一天，宋真宗对辅臣说："杨亿真有气性，不愿与人商量。"到议定册封皇后时，宋真宗想让杨亿起草制诰，让丁谓转达旨意，杨亿感到为难。丁谓说："尽量去做，不愁没有富贵。"杨亿说："这样的富贵，不是我想要的。"于是让其他的学士起草。

杨亿虽然多次有违旨意，但受到的恩宠礼遇却没有衰减。王钦若、陈彭年等人非常妒忌，越加诋毁他，因而皇上对他也开始淡薄起来。一次杨亿应值，忽被召进宫内，宋真宗赐他坐后顾视询问，拿出几箱文稿给杨亿看说："你认识朕的笔迹吗？这些都是朕亲自起草的，未曾命臣下代作。"杨亿紧张不知如何回答，叩拜后急忙退下，明知这是中伤者的话起作用，马上图谋隐退。

杨亿有别墅在阳翟，他母亲前去察看时，正好得了病，杨亿就留下了一张告假书函，连夜赶去阳翟。在这前一天，宋真宗听说杨亿母亲病了，便派使者带着药品钱币去进行安慰，待使者到杨亿家时，杨亿已经离去。朝中议论纷纷，认为不该这样，宋真宗也对宰相王旦说："杨亿作为侍从官，怎能如此随便！"王旦说："杨亿本属寒士，先帝因欣赏他的文章，将他安置在馆殿，陛下又把他提拔到今天的位置。以公议来评论，他确实是个罪人；全靠陛下对他的宽容，不然，早就革职了。但侍从近职不可居住在外地，现在应当罢免他。"

宋真宗终因爱惜他的才华，过了一个月，还未下诏令。杨亿身体向来瘦弱，于是称病，请求解除官职。辛未（十一日），宋真宗任命杨亿为太常少卿、分司西京，同时允许他在所住地方疗养，等过一段时间再赴任。

中书门下建议依照宗正寺所奏，颁降皇后三代父母的姓名编入皇族簿籍，诏令同意。

先天降圣节，诏令天下用延寿带、续命缕、保生酒互相馈赠。

任命右谏议大夫陈彭年为翰林学士兼龙图阁学士。学士兼职从陈彭年开始。

甲戌（十四日），宋真宗作歌赐予陈彭年，并对向敏中等人说："陈彭年文辞出众，擢升清要近职后，越来越谨慎严密了。经常让他考察典章旧故，质正文义，每件事他都必详载经史子集的出处，完备无遗后才罢休，如不是博闻强记，怎会如此！"向敏中说："陈彭年还具有器度见识。"丁谓说："陈彭年是个全才，岂止是因文雅雍容来侍从皇上！至于参议时务，详细探求事物道理，他都能提出与众不同的见解。"宋真深表同意。

续资治通鉴卷第三十一

【原文】

宋纪三十一　起昭阳赤奋若【癸丑】七月，尽阏逢摄提格【甲寅】十二月，凡一年有奇。

真宗膺符稽古神功让德　文明武定章圣元孝皇帝

大中祥符六年　辽开泰二年【癸丑，1013】　秋，七月，甲午，改上九天司命上卿保生天尊曰东岳司命上卿祐圣真君。初，封禅毕，诏上保生天尊之号。至是以圣祖名称相类，故改上焉。

景福殿使、新州观察使刘承珪久病，帝为取道家易名度厄之义，改"珪"为"规"。疾甚，再表求罢。丙申，授承规安远留后、左骁卫上将军，致仕。初，承规欲求节度使，帝谕王旦，旦不可。翼日，帝又曰："承规俟此以瞑目。"旦曰："若听所请，后必有求为枢密使者。此必不可。"帝乃止。承规寻卒，乃赠镇江节度使，谥忠肃。承规好伺察，人多畏之。帝崇信符瑞，修饰宫观，承规悉预焉。作玉清昭应宫尤精丽，小不中程，虽金碧已具，必毁而更造，有司不敢计其费。及宫成，追赠侍中，命塑像太宗像侧。

以权三司使林特为修玉清昭应宫副使。特善承上接下，每见修宫使丁谓，必拜，一日三见，必三拜之。与吏卒语，欿欿惟恐伤人，人皆喜之。

壬辰，辽详衮延寿，奏乌库迪里部悉还故疆。

乙未，西南招讨使、政事令色轸言于辽主曰："党项诸部叛者皆遁黄河北，其不叛者合当、乌弥两部，因据其地。今复西迁，诘之则曰逐水草。又闻前后叛者多投西夏不纳，若不早图，后恐为患。"辽主使招还故地，不听。辽主怒，欲伐之，使告李德明曰："今欲西伐党项，尔当东击，毋失掎角之势。"仍令诸军各市肥马。

至道末，有司议以懿德皇后配享太宗庙室，或言淑德实当升侑，议久未决。时元德犹未追崇，而明德方在万安宫，都官员外郎吴淑驳议曰："礼缘人情，事贵适变，盖处其事必有其实，据其位必有其功。淑德、懿德，或佐潜跃之前，或承藩邸之际，盖未尝正位中宫，母仪天下，配享之礼，诚为未允。至若虚其祔合，无乃神理有亏！求之前古，实有同配。夫母以子贵，义存在昔。汉昭即位，追尊母赵婕妤为皇太后。此圣贤之通义也。贤妃李氏，诞生圣嗣，天下蒙福，而拟义不及，臣窃惑焉。唐开元四年，睿宗昭成皇后祔庙，而肃明初享仪坤至二十年，又迎肃明神主升于太庙，知与窦后同配明矣。则并位兼配，于义何嫌！伏请行追崇之命，以贤妃李氏处尊极之地，升于清庙，居同配之位，其淑德、懿德，依旧享于别庙，庶协礼中。"淑

议卒不行。贤妃寻加号皇太后，但享别庙而已。

大中祥符三年，十月，判宗正寺赵湘复以为请，始令礼官参议。庚子，中书门下言："元德皇太后，未升侑于宗祊，止奉祠于别庙，诚遵典故，尚郁孝思。窃念后稷诸侯，故姜嫄异祭于帝喾；开元王者，故昭成祔享于睿宗。旧典可知，舆情难夺。今与礼官参议，请改上徽名曰元德皇后，升祔太宗庙室。"近臣及文武官继表陈请，诏从之。有司请升祔元德于懿德之上，诏曰："尊亲之道，盖惟极致，在于陟降，非敢措辞。惟以祔庙之岁时，用为合享之次序，恭以元德神主祔于明德皇后之次。"

初，知滨州吕夷简上言，请免河北农器税。帝曰："务穑劝耕，古之道也，岂独河北哉！"癸卯，诏诸路勿税农器。寻命夷简提点两浙路刑狱。

丁酉，辽以特哩衮耶律迪里为南府宰相，以太尉鄂格为特里衮。

戊申，辽以敦睦宫子钱赈贫民。

己酉，亳州官吏父老三千馀人诣阙请车驾朝谒太清宫，召对崇政殿，慰赐之。

辽北院枢密使耶律华格经略西境，与边将探闻蕃部逆命，居翼只水，华格徐以兵进，准布部长乌巴望风奔溃，获牛马及辎重。都监耶律世良追准布馀众至安真河，大破之。

壬子，诏："自今文武官特奉制旨，专有处分，即为躬亲被受，犯者以违制论。自馀例受诏敕，概行条约，非有指定刑名者，各论如律，无本条者，从违制失断。"先是违制之法，无故失率坐徒二年；翰林学士、知审刑院王曾建议，乃降是诏。未几，有犯者，曾断以违制失，帝不怿，曰："如是，无复有违制者。"曾曰："天下至广，岂人人尽知制书！傥如陛下言，亦无复有失者。"帝然之。自是决徒者差减，帝尝称其协中。尝晚坐承明殿，召对久之，既退，使谒者谕曰："向思卿甚，故不及御朝服。"其见礼如此。

癸丑，诏："在京诸军选江淮习水卒，于金明池试战棹，立为水虎翼军，置营池侧，其江、浙、淮南诸州亦令准取选卒置营。"初，太祖立神卫水军，及江、淮平，不复举。帝以兵备不可废，故复置。

乙卯，辽封皇子宗训为大内特哩衮。

丁巳，文武群臣上表请驾幸亳州，谒太清宫。

八月，庚申朔，诏："以来春亲谒亳州太清宫，先于东京置坛，回日恭谢天地，如南郊之制。"

辛酉，以参知政事丁谓为奉祀经度制置使，翰林学士陈彭年副之，谓仍判亳州，增置官属，如汾阴之制。

己巳，以起居舍人陈尧咨为工部郎中、龙图阁直学士，知永兴军。长安多仕族子弟，恃荫纵横，二千石鲜能治之。尧咨至，子弟亡赖者皆惕息；然用刑过酷，议者病其残忍。

庚午，诏加上真元皇帝号曰太上老君混元上德皇帝。

改起居院详定所为礼仪院，以兵部侍郎赵安仁、翰林学士陈彭年同知院事。

壬申，枢密使王钦若等上《新编修君臣事迹》一千卷，帝亲制序，赐名《册府元龟》，编修官并加赏赉。

丁丑，参知政事丁谓上《新修祀汾阴记》五十卷。

九月，乙卯，以翰林学士晁迥等为辽主生辰使。帝谓辅臣曰："向者东封西祀，皆遣使驰书告契丹。今谒太清宫，密迩京师，重于遣使，就令迥等以此意告之可也。”使还，有言迥与辽人劝酬戏谑，道醉而乘车，皆可罪，帝曰：“此虽无害，然出使绝域，远人观望，一不中度，要为失体。”王旦曰：“远使贵谨重，饮酒不当过量。”帝然之。

冬，十月，辛酉，祔元德皇后于太宗室。

乙丑，河北转运使李士衡贡助奉祀丝绵缣帛各二十万，诏奖之。

辽主驻长泺。

丙寅，详衮张玛啰献女真人知高丽事者，辽主问之，对曰：“臣三年前为高丽所掳，为郎官，故知之。自开京车马行七日，有大砦，广如开京，旁州珍异皆积于此。胜、罗等州之南，亦有二大砦，所积如之。若大军行，由前路取哈斯罕女真北，直渡鸭绿江，并大河而上，至郭州与大路〔会〕，高丽可取也。”辽主以高丽不归六州地，欲伐之，颇采其言。

丁卯，三司借内藏库钱帛五十万，以备奉祀赏给。

癸酉，谒玉清昭应宫。

甲戌，命直集贤院石中立等修车驾所过图经，以备顾问。中立，熙载子也。

龙图阁待制孙奭上疏言：“陛下封泰山，祀汾阴，躬谒陵寝，今又将祀太清宫。外议籍籍，以为陛下事事慕效唐明皇，岂以明皇为令德之主邪？明皇祸败之迹，非独臣能知之，近臣不言者，此怀奸以事陛下也。明皇之无道，亦无敢言者，及奔至马嵬，军士已诛杨国忠，乃诏谕以识理不明，寄任失所。当时虽有罪己之言，觉悟已晚，何所及也？臣愿陛下早自觉悟，抑损虚华，斥远邪佞，罢兴土木，不袭危乱之迹，无为明皇不及之悔。”帝以为：“封泰山，祀汾阴，上陵，祀老子，非始于明皇，《开元礼》今世所循用，不可以天宝之乱举谓为非也。秦为无道甚矣，今官名、诏令、郡县犹袭秦旧，岂以人而废言乎！”作《解疑论》以示群臣。然知奭朴忠，虽其言切直，容之弗斥也。

十一月，甲午，辽主录囚。

辽耶律华格之西讨也，归路由拜实喇，遇阿萨兰回鹘，掠之。都监珠哩从后至，谓华格曰：“君误矣，此部实效顺者。”华格悉还所俘，诸蕃由此不附。及还，辽主使按其罪。癸丑，削其豳王爵，以侍中遥领大同节度使，寻卒。

甲寅，丁谓自亳州来朝，献芝草三万七千馀本。

十二月，戊午朔，日有食之。

甲子，辽北院大王耶律世良为北院枢密使，以宰臣刘晟监修国史，萧孝穆为西北路招讨使。

丙寅，以兵部尚书寇准权东京留守。

辛未，内出丁谓所贡芝草列文德殿庭，宣示百官，从寇准请也。

壬申，酌献天书于朝元殿，遂告玉清昭应宫及太庙。

乙亥，幸开宝寺、上清宫。己卯，幸太一宫。

兵部郎中、龙图阁待制孙奭，自言父年八十二，家居郓州，求典近郡以便侍养；癸未，命知密州。奭请扈从还赴任，从之。

是岁，辽放进士鲜于茂昭等六人。

七年 辽开泰三年【甲寅，1014】 春，正月，己丑，辽主录囚。

准布部长乌巴朝于辽，封为王。

甲午，高阳关言副都部署英州防御使杨延昭卒。延昭即延朗，智勇善战，所得俸赐悉犒军，未尝问家事。性质素，出入骑从如小校。号令严明，与士卒同甘苦，遇敌必身先，克捷推功于下，故人乐为用。在边二十馀年，辽人惮之，目曰杨六郎。讣闻，帝嗟悼，遣中使护丧而归，河朔人多望柩而泣。官其三子。

乙未，辽主如浑河。

丁酉，女真、铁骊遣使贡于辽。

壬寅，车驾奉天书发京师。

丙午，至奉元宫，斋于迎禧殿。判亳州丁谓献白鹿一，灵芝九万五千本。

戊申，奉圣号册宝于庭拜授。摄太尉王旦，持节，载以玉辂，诣宫奉上，摄中书令丁谓读讫，置玉匣中。己酉，三鼓，具法驾赴宫。五鼓，帝奉玉币酌献，读册文，命太尉封石匣。帝又诣先天观、洞霄广灵宫行香，复至太清宫、真元观周览，还奉元宫。曲赦亳州及车驾所经。升亳州为集庆军节度，改真源县曰卫真县，给复二年；奉元宫曰明道宫。

司天言含誉星见。

庚戌，发卫真县，次亳州，谒圣祖殿，御奉元均庆楼，赐酺三日。

壬子，诏："所过顿递侵民田者，给复二年。"

甲寅，发亳州。

乙卯，次应天府。群臣言天书升辇，有云五色如花，又黄云如人连袂翊辂而下。丙辰，升应天府为南京，正殿榜以归德，仍赦境内及东畿车驾所过县流以下罪。御重熙颁庆楼观酺，凡三日。改圣祖殿为鸿庆殿。

是月，辽主畋潢河滨，复偕后猎于瑞鹿原。

二月，丁巳朔，发南京。

雍丘邢惇，以学术称，隐居不出。帝之幸亳也，王曾荐之。及还，自亳召对，问治道，惇不对。帝问其故，惇曰："陛下东封西祀，皆已毕矣，臣复何言！"帝悦，除许州助教，遣归。惇衣服居处，一如平日，乡人不觉其有官也。既卒，乃见其敕与废纸同束置屋梁间。

戊午，次襄邑县，皇子来朝。

庚申，夏州赵德明遣使诣行阙朝贡。

辛酉，车驾至自亳州。

戊辰，大风扬沙砾，百官习仪于恭谢坛，有坠帻者。

三司假内藏库钱五十万贯。

己巳，帝宿斋于玉清昭应宫之集禧殿。庚午，行荐献之礼，遂赴太庙。辛未，享六室。壬申，恭谢天地于东郊。还，御乾元门，大赦，内外文武官悉加恩，诸路蠲放租赋有差。

辽耶律资忠之还自高丽也，权贵数言其短，出为上京副留守。是月，复遣使高丽索取六州地，高丽留弗遣。

三月，庚寅，以奉祀礼成，大宴含元殿。

庚子，辽遣北院枢密使耶律世良城招州。

丁未，以皇子受益为左卫上将军，封庆国公，给俸钱二百千。

初，宰相屡言："皇子未议封建，中外系望；今朝献礼成，愿特降制命。"帝虽从之，而谦让未加王爵。旧制，国公食邑三千户，今止千户，有司之误也。皇子即后宫李氏所生，于是五年矣，刘皇后以为己子，使杨婉仪保视之。

青州民赵嵩年百一十岁，诏存问之。

戊申，辽命南京、奉圣、平、蔚、云、应、朔等州置转运使。

夏，四月，戊午，辽诏南京管内毋淹刑狱以妨农务。

庚申，三司借内藏库绫十五万匹。

帝谓宰相曰："闻永兴陈尧咨用刑峻酷，有窦随者，提点本路刑狱，颇复伺察人过以激怒之，欲使内外畏惮，成其威望，此不可不责也。"辛酉，徙随京西路。后数月，尧咨言导龙首渠入城以给民用，有诏嘉奖，因曰："决渠济之，不若省刑以安之，乃副朕意也。"

癸亥，乌库部叛辽。

丙子，辽以西北路招讨使萧孝穆为北府宰相，赐忠穆熙霸功臣、同政事门下平章事。孝穆廉谨有礼法，时人称之。

舒王元偁薨，帝临哭，赠太尉、中书令，追封曹王，谥恭惠。元偁好学，善属文，性慈恕。有集，帝为之序，藏秘阁。

沙州曹宗寿死，子贤顺自为留后，奉贡请命于朝。是月，以贤顺为归义军节度使。贤顺亦遣使贡于辽。

五月，壬辰，命右仆射、平章事王旦为兖州景灵宫朝修使。

初，钱塘江堤以竹笼石，而潮啮之，不数岁辄坏。转运使陈尧佐与知杭州戚纶议易以薪土，有害其政者言于朝，以为不便。参知政事丁谓主言者以绌尧佐，尧佐争不已。谓既徙纶扬州，癸未，又徙尧佐。京西路发运使李溥请复笼石为堤，数岁功不就，民力大困；卒用尧佐议，堤乃成。

乙未，诏模刻天书，奉安于玉清昭应宫。

修玉清昭应宫使丁谓，表请御制本宫碑颂及御书额，从之。

庚子，太常博士邓馀庆，坐受誓戒不及，在法，私罪当劾举主，诏释之。帝因谓宰相曰："连坐举官，诚亦不易；如此公坐，犹或可矜。其有本不谙知，勉徇请托，及乎旷败，何以逃责！"王旦曰："荐才实难。士人操行，往往中变。"帝曰："然。拔十得五，纵使徇私，朝廷由此得人盖不少矣。"旦曰："求人之际，但信其言而用之。有所旷败，亦如其言而坐之。太祖朝，有自员外郎与所犯州县官同除名者。太平兴国初，程能为转运使，举官至滥，人多鄙之。"帝曰："朝廷急于得人，苟不令荐举，则才俊在下，无由自达。求人之要，固无出于此也。"

丙午，府州言知州兴州刺史折惟昌卒。先是河东民运粮赴麟州，当出兵为援，惟昌时已属疾，或请驻师浃旬以俟少间，惟昌曰："古人受命忘家。死于官事，吾无恨也。"即引众冒风沙而行，疾遂亟。帝遣使挟医诊视，弗及。于是命入内供奉官张文质驰往护葬，所须官给。以其弟惟忠知州事，录其二子官。

礼部侍郎冯起请致仕，帝顾宰相，问其年。王旦曰："起清名素履，搢绅少及，年实七十，以诚引退。"帝曰："起谨畏寡过，亦可嘉也。"戊申，授户部侍郎，致仕。

六月，壬戌，遣使赍御药赐景灵宫朝修使王旦。癸亥，旦入辞，又赐(制)〔袭〕衣、金带、

鞍勒马。诏自京至兖州察吏治民隐,听以便宜行事。

河北缘边安抚司言有自北界市马三匹至者,已牒送顺义军。帝曰:“如闻彼国擒获鬻马出界人,皆戮之,远配其家,甚可闵也。宜令安抚司,自今如有此类,俟夜遣人牵至境上,解羁纵之。”

乙丑,河北缘边安抚司上制置缘边浚陂塘筑堤道条式、画图,请付屯田司提振遵守;从之。又言于缘边军城种柳莳麻,以备边用;诏奖之。

庚午夜,京师新作五岳观东北,黑云中见星如昼,有旌纛甲兵之状,睹者喧怖,而丁谓以祥瑞闻,诏建道场。

壬申,封婉仪杨氏为淑妃。始,皇后为修仪,妃为婉仪,几与后埒,凡巡幸皆从,荣宠莫比。妃通敏有智思,周旋奉顺,后亲爱之。

乙亥,枢密使王钦若,罢为吏部尚书,陈尧叟为户部尚书,副使马知节为颍州防御使。

钦若性倾巧,敢为矫诞,知节溥其为人,未尝诡随。帝尝以《喜雪诗》赐近臣,而误用旁韵。王旦欲白帝,钦若曰:“天子诗,岂当以礼部格校之?”旦遂止。钦若退,遽密以闻。已而帝谕二府曰:“前所赐诗,微钦若言,几为众笑。”旦唯唯。知节具斥其奸状,帝亦不罪也。钦若每奏事,或怀数奏,但出其一二,其馀皆匿之,既退,即以己意称上旨行之。知节尝于帝前顾钦若曰:“怀中奏何不尽出?”钦若宠顾方深,知节愈不为之下,争于帝前数矣。

及王怀信等上平蛮功,枢密院议行赏,钦若、尧叟请转一资,知节云:“边臣久无立功者,请重赏以激其馀。”议久不决。帝趣之,知节忿恚,因面讦钦若之短。既而不暇奏禀,即超授怀信等官。帝怒,谓向敏中等曰:“钦若等议怀信赏典,始则稽留不行,终又擅自超擢,敢以爵赏之柄高下为己任!近位如此,朕须束手也。”又曰:“钦若等异常不和,事无大小,动辄争竞。知节又历诋朝列,审官、两制、三馆、谏官、御史都无其人,其薄人厚己如此!”于是三人者俱罢。知节寻出知潞州。

以兵部尚书寇准为枢密使、同平章事,王旦荐之也。准未告谢,命向敏中权发遣枢密院公事。自是枢密皆罢,即命宰臣权发遣如敏中例。

驿召知镇州王嗣宗、鄜延都部署曹利用赴阙。

辽合国舅二帐为一帐,以伊勒希巴萧迪里为详衮以总之。

丁丑,司空致仕张齐贤卒。帝甚悼之,遣中使祭赙,赠司徒,谥文定。齐贤四践两府,九居八座,晚岁以三公就第,康宁福寿,人罕其比。然不事仪矩,颇好治生,再入相,数起大狱,又与寇准相倾夺,人以此少之。

庚辰,帝作《闵农歌》,又作《读十一经诗》,赐近臣和。

是夏,辽主遣国舅详衮萧迪里、东京留守耶律达实进讨高丽,造浮梁于鸭绿江,城保、宣、义、定远等州。

秋,七月,乙酉朔,辽主如平地松林。

辛卯,左神武统军、检校太师钱惟治卒。帝闻其子孙甚众,婚嫁阙乏,诏优其赐赉。初议赠官,例当得东宫保傅,帝以惟治忠孝之后,特赠太师;录其四子并外弟、子婿、亲友,并甄擢之。

壬辰,广州言知州右谏议大夫邵烨卒。州城濒海,每蕃舶至岸,尝苦飓风,烨凿内濠通舟，飓不能害。及被疾，吏民、蕃贾集僧寺设会以祷之；其卒也，多陨泣者。

辽主多即宴饮行诛赏，北府宰相刘慎行谏曰："饮时以喜怒加威福，恐有未当。"辽主悟，遂谕政事省、枢密院："凡酒间命官、释罪，毋即奉行，明日覆奏。"

癸卯，太白昼见。

甲辰，以同州观察使王嗣宗、内客省使曹利用并为检校太保，充枢密副使。

戊申，王旦至自兖州，言："河北转运使李士衡、张士逊等八人，莅事干集，望赐诏褒谕；莱州通判徐怀式等三人，颇无治声，望令转运、提点刑狱司察之。"诏可。或谓旦曰："公为元宰，将命出使，而所举官吏仅得褒诏，不遂超擢，无乃太轻乎？"旦曰："既称荐之，又请亟用，则上恩皆出于己矣，此人臣之大嫌也。"

入内押班周怀政，与旦同行，或请间，必俟从者皆集，整衣冠见之，白事已则退，未尝私焉，议者以为得体。

八月，甲寅朔，置景灵宫使，以向敏中为之。

是日，辽主如沙岭。

甲子，以参知政事丁谓为修景灵宫使，权三司使林特副之。

秘书监分司西京杨亿，以疾愈求入朝，帝谓王旦曰："亿文学无及者，然或言其好窃议朝政，何也？"旦曰："亿谐谑过当，则恐有之，讪䜀之事，保其必无也。"戊辰，命亿知汝州。

既而监察御史姜遵奏："亿顷以母疾擅去阙廷，所宜屏迹衡茅，尽心甘旨，忽求镇郡，深属要君，请罢之。"帝曰："亿前告归，本无终焉侍养之请；今以疾愈求入朝，故特与郡。遵未谕此意耳。"诏中书召遵谕之。

甲戌，河决澶州。

丙子，诏："自今差发解知举等，授敕讫即令阁门祗候一人引送锁宿，无得与辽友交言，违者阁门弹奏。如所乘马未至，即以厩马给之。"

先是翰林学士王曾、知制诰钱惟演，（授）〔受〕敕于武成王庙试经明行修、服勤词学〔举〕人，与翰林学士李维偶语长春殿阁，又至审刑院伺候所乘马，迟留久之。维、曾同在翰林，曾妻，维侄也，时曾妻将产子，故曾属维以家事。东上阁门副使魏昭亮，意曾受维请托，密以闻；押伴阁门祗候曹仪亦具奏。即令曾、维分析，词与惟演同，释曾等，因有是诏。

丁丑，命内侍都知阎承翰奉安太祖、太宗圣像于南京鸿庆宫。

九月，甲申朔，诏："自今制置发运使，不限官品，其著位并在提点刑狱官上。"

丙戌，含誉星再见。

辛卯，尊上玉皇大帝圣号曰太上开天执符御历含真体道玉皇大天帝，以来年正月一日躬申荐告。

〔戊戌〕，帝御景福殿，试亳州、南京路服勤词学、经明行修举人，得进士绛州张观等二十一人，诸科二十一人，赐及第，除官如东封西祀例。

帝谓宰臣曰："近岁举人，文艺颇精，孤贫得路。然为主司者亦大不易，徇请求则害公，绝荐托则获谤。"王旦曰："今郡县至广，人数亦繁，必须临轩亲试。至于南省解发，非朝廷特为主张，则虽责成主司，亦难以集事也。"

辽耶律世良选马驼于乌尔古部，会德呼勒部人伊喇杀其详衮而叛，邻部皆应。世良遣人

招之，降其数部。

辛丑，虢州防御使、邠宁、环庆路副都部署荆嗣卒，录其子。嗣起行间，以劳居方面，凡百五十战，有功未尝自伐。临终，戒其子曰："吾闻累代为将，其后不兴。汝辈当益修谨也！"

癸卯，以奉上玉皇圣号，分命辅臣告玉清昭应宫、郊庙、社稷。

初，开封府解服勤词学进士二十五人，为下第者刘溉所讼，其十三人以寓贯，皆奔窜潜匿；有司追捕。王旦奏曰："陛下搜罗才俊，今乃变为囚系，恐伤风教。且科举之设，本待贤德；此辈操行如此，望特出宸断以惩薄俗。"帝曰："此盖官司过误，其寓贯者当并释罪，溉付外州羁管。"

既而御史雷泽、高弁上言："溉讼事得实，被责太过。"帝以问旦，旦曰："溉讼本非公心，据款乃俟其得解则讼，此搢绅之蠹贼。朝廷黜其无行，谏官所宜乐闻，弁妄行对奏。由是观之，向非圣断明哲，辨举子误犯，则须连坐府县。御史抨弹，甚无取也。"帝然之。弁寻以谏修玉清昭应宫，降知广济军。

丁未，诏："自今举人，如本贯显无户籍，及离乡已久，许召官保明，于开封府投牒取解。"

壬子，以将作监丞李惟简为太子中允，致仕，别赐钱三十万。惟简，穆子也，性冲澹，不乐仕进，屏居二十馀年，帝特召对而命之。初召惟简，使者不知其所止，帝令至中书问王旦，然后人知惟简乃旦所荐也。旦所荐士甚多，类不以告人，其后史官修《真宗实录》，得内出奏章，乃知朝廷士多旦所荐者。

帝尝观书龙图阁，得王禹偁章奏，嗟美切直，因访其后。宰相言："其子嘉言举进士及第，为江都尉，颇勤词学，而家贫母老。"是日，亦召对，特授大理评事。

辽耶律世良遣使献德俩勒部俘。

冬，十月，甲寅朔，辽主如中京。

高丽方与辽构兵，遂遣使入贡。帝问宰相王旦曰："高丽久失进奉，今许其赴阙，契丹必知之。"王钦若曰："此使到阙，正与契丹使同时。"旦曰："外蕃入贡以尊中国，盖常事耳。彼自有隙，朝廷奚所爱憎！"帝曰："卿言深得大体。"戊午，诏登州置馆以待之。

甲子，玉清昭应宫成，总二千六百一十区。初料功须十五年，修宫使丁谓以夜继昼，每绘一壁给二烛，遂七年而成。军校工匠，第赏者九百馀人。

河北提点刑狱司言博州狱空百三十九日。宰相言天下奏狱空者无虚月，唯此日数稍多，特令降诏奖之。

十一月，癸未朔，以枢密副承旨张质为都承旨。质在枢要几五十年，练习事程，精敏端悫，未尝有过。旧本院吏罕有迁至都承旨者，帝素知其廉谨，故授之。尝召问五代以降洎国初军籍更易之制，且命条其利害。质纂为三篇，目曰《兵要》以进，帝览而称善。

乙酉，滨州河溢。

丙戌，谒玉清昭应宫，宴近臣于集禧殿。己丑，加玉清昭应宫使王旦司空，修宫使丁谓工部尚书。更置玉清昭应宫副使，即以谓为之。

壬辰，御乾元门，观酺五日。

户部尚书陈尧叟上《汾阴奉祀记》三卷。

乙未，鄜延路钤辖张继能言："赵德明进奉人挟带私物，规免市征，望行条约。"帝曰："戎人远来，获利无几，第如旧制可也。”

己酉，置玉清昭应宫判官、都监，以左正言夏竦为判官，内殿承制周怀政为都监。

王旦之为景灵宫朝修使也，竦实掌其笺奏。竦尝卧病，旦亲调药饮之，数称其才；因使教庆国公书，又同修《起居注》，及是为判官，皆旦所荐也。

初，丁谓欲大治城西炮场，酾金水，作后土祠以拟汾阴脽上，林特欲跨玄武门为复道以属玉清昭应宫；李溥欲致海上巨石，于会灵池中为三神山，起阁道；群臣亦争言符瑞。竦独抗疏以为不可，其事遂罢。及为判官，居月馀，乃奏宝符阁奉神果实，旦起视之无有，俎滓狼籍左右，殆神食之云。

知秦州张（告）〔佶〕言蕃部俶扰，已出兵格斗，望量益士卒。王旦曰：“今四方宁辑，契丹守盟，西戎入贡，藩翰之臣，宜务镇静。”帝曰：“边臣利于用兵，殊不知无战为上。顷岁河北请增边兵，王钦若等亦惑其言，惟朕断以不疑，终亦无患。”

十二月，癸丑朔，日当食不亏。

己未，作元符观。初，每岁天庆节，就左承天祥符门设帟幕，启道场，帝以车骑往来喧杂，乃命葺皇城司廨舍新堂为是观。堂即刘承规所创，景德末司命临降处也。

丁卯，权知高丽国事王询遣奏告使尹证古及女真将军大千机以下，凡七十八人，以方物来贡。询表言：“契丹阻其道路，故久不得通。请降皇帝尊号、正朔。”诏从其请。询又言：“大千机自称父兄曾入觐，其兄留弗归，兹行遂往寻访。”又，河北居民窦文显等十七人先为契丹所掠，投奔高丽，询亦遣还，令归本贯。帝深嘉其意，待证古甚厚。

是岁，辽放进士张用行等三十一人及第、出身。

【译文】

宋纪三十一　起癸丑年（公元1013年）七月，止甲寅年（公元1014年）十二月，共一年多。

大中祥符六年　辽开泰二年（公元1013年）

秋，七月，甲午（初四），宋真宗赵恒将奉上泰山的九天司命上卿保生天尊的尊号改为东岳司命上卿祐圣真君。当初，在封禅典礼完后，诏令奉上保生天尊的尊号。到这时因与圣祖的名称相似，所以改上尊号。

景福殿使、新州观察使刘承珪长期患病，皇帝替他用改名避难的办法，将“珪”字改为“规”。病情加重，他再次上表请求辞职。丙申（初六），授予刘承规安远留后、左骁卫上将军，让他退休。起初，刘承规想请求授任为节度使，皇帝告诉王旦，王旦认为不行。第二天，皇帝又说：“刘承规就等这个职位闭目。”王旦说：“倘若听了他的请求，以后必定有请求当枢密使的人，这必定不行。”皇帝就作罢了。刘承规不久去世，就追赠为镇江节度使，谥号为忠肃。刘承规喜欢察言观色，人们多畏惧他。皇帝崇尚迷信符命祥瑞，修建装饰宫殿楼阁，刘承规都参与。修建玉清昭应宫尤为精美华丽，稍不合标准，即使装饰得金碧辉煌，也一定要拆毁重建，有关官员不敢计较工程用费。待到宫殿建成，追赠他为侍中，命令塑造他的像放在宋太宗像旁边。

任命权三司使林特为修玉清昭应宫副使。林特善于奉承上司交接下属，每次看到修宫

使丁谓,必下拜,一日三次见面,就必定三次下拜。他与属吏士卒说话,和颜悦色,唯恐伤人,人人都喜欢他。

壬辰(初二),辽国详衮延寿奏报乌库迪里部全都重返故土。

乙未(初五),西南招讨使、政事令耶律色轸向辽圣宗耶律隆绪上言说:"叛乱的党项各部都逃到黄河以北,那些没叛乱的合当、乌弥两部,趁机占据了他们的土地。如今又向西迁徙,诘问他们,就说是逐寻水草之地。又听说前后叛乱的大多投奔西夏而不被接纳,如不及早图谋,以后恐怕成为祸患。"辽国君主派人招他们返归故地,不予听从。辽国君主发怒,想征伐他们,派人告诉李德明说:"现在我想向西攻打党项族,你应当向东出击,不要失去犄角进攻的形势。"还命令各军各自购置肥马。

至道末年,有关官员讨论将懿德皇后神主在宋太宗庙室里配享,有人说淑德皇后实在应当进升配享,讨论很久不能决定。当时元德皇后还没有追上尊号,而明德皇后神主正在万安宫,都官员外郎吴淑驳斥说:"礼仪来自人情,事物贵在适应变化,大概这个事物正在产生发展必有它的实际原因,占据那个职位必有它应付出的功劳。淑德皇后、懿德皇后,或在发迹之前佐助,或在藩王之际侍奉,都不曾进居中宫正位成为天下国母仪范,给予配享的礼遇,确实不妥当。至于空缺太宗的合祭配享,恐怕有损于祭神的道理!考求前朝古代,确实有同配之礼。大凡母亲因儿子尊贵而尊贵,道义在昔日就存在了。汉昭帝即位,追尊生母赵婕妤为皇太后,这是圣贤的通义。贤妃李氏,生下圣上嫡嗣,天下蒙受福气,但依礼仪又不能配享,臣私下迷惑不解。唐朝开元四年,唐睿宗的昭成皇后神主祔入太庙,而肃明皇后起初在仪坤宫享祭,到开元二十年,又迎肃明皇后神主进升到太庙,可知她与窦后共同配享是明显的了。那么共位同配,对礼仪的道理有什么妨害!恭请颁行追尊的诏命,由贤妃李氏居处极尊的地位,神主升入清庙,居同配的位置。至于淑德皇后、懿德皇后,依旧在别的庙中享祭,这大致符合礼仪标准。"吴淑的提议最后没有实行。贤妃李氏不久追加尊号为皇太后,只在别的庙中享祭而已。

大中祥符三年,十月,判宗正寺赵湘又提出吴淑的那个奏请,这才命令礼官参与讨论。庚子(初十),中书门下上言说:"元德皇太后,没有升入宗庙配享,只在别的庙里尊奉祭祀,确实是遵循典章旧事,但还是抑郁了孝子的思念之情。私下想到后稷只是诸侯,所以姜嫄的祭祀不同于帝喾;开元年间的唐玄宗是帝王,所以昭成皇后祔入睿宗庙享祭。过去的事例可以知晓,众人的情感难以剥夺。现在与礼官商议,请求改上徽名为元德皇后,进升祔入太宗庙室。"近臣及文武官员相继上表陈请,诏令依从。有关官员请求将元德皇后神主进升到懿德皇后神主之上,下诏说:"尊奉双亲之道,大概要竭尽孝道,至于升降神主,不敢措辞。谨以祔入太庙里的时间先后,作为合祭配享的次序,恭敬地将元德皇后神主祔于明德皇后神主之后。"

当初,知滨州吕夷简上言,请求免除河北地区的农器税。皇帝说:"致力于稼穑劝勉农耕是古代的治国之道。岂止是河北一地呢!"癸卯(十三日),下诏各路不征收农器税。不久,任命吕夷简提点两浙路刑狱。

丁酉(初七),辽国任命特哩衮耶律迪里为南府宰相,任命太尉鄂格为特哩衮。

戊申(十八日),辽国用敦睦宫的息钱赈济贫民。

己酉(十九日),亳州官吏父老三千多人到京城请求皇上朝谒太清宫,召他们到崇政殿应对,慰问赏赐他们。

辽国北院枢密使耶律华格管理西部边境,与守边将领探知蕃人部落违抗命令,居在翼只水,耶律华格率兵慢慢前进,准布部酋长乌巴望风溃逃,缴获了他们的牛马和辎重。都监耶律世良追赶准布残余部众到安真河,大败准布残部。

壬子(二十二日),诏令:"今后文武官员特别接受制书诏旨,有专门的安排的,就要由本人亲自接旨,违者以违制论处。其余照常例接受诏令敕命,一律按条例约束,没有指定的刑法名目的,各按有关刑律论处。没有本项条款的,依违制论处。"先前,违制的刑法,无故违制判徒刑两年。翰林学士、知审刑院王曾提出建议,于是颁下这项诏令。不久,有违制的人,王曾以违制论处,皇帝不高兴,说:"如此,就不会有违制的人?"王曾说:"天下极为广大,岂能人人都知道制书!倘若像陛下说的那样,也不会有违制失的了。"皇帝认为对。自此被判决徒刑的人渐渐减少,皇帝曾经称赞他处理适中。曾经晚上坐在承明殿,征召王曾应对了很久,王曾退下后,派谒者告诉他说:"很想念你,所以来不及穿上朝服。"王曾受礼遇如此。

癸丑(二十三日),诏令:"驻京各军挑选江淮地区谙习水性的士卒,在金明池演练战船,建立为水虎翼军,将军营设在金明池旁。江、浙、淮南各州也下令照样选取士卒设立军营。"起初,宋太祖建立神卫水军,待江、淮平定后,不再建置水军。皇帝认为军备不可废弛,所以又建置水军。

乙卯(二十五日),辽国册封皇子耶律宗训为大内特哩衮。

丁巳(二十七日),文武群臣上表请求皇上大驾光临亳州,朝谒太清宫。

八月,庚申朔(初一),诏令:"由于来年春天要亲自朝谒亳州太清宫,预先在东京设置祭坛,以备返回之日依照南郊祭天的礼仪恭谢天地。"

辛酉(初二),任命参知政事丁谓为奉祀经度制置使,翰林学士陈彭年为副使,丁谓仍判亳州,依照汾阴祭祀后土的礼制增设官员属吏。

己巳(初十),任命起居舍人陈尧咨为工部郎中、龙图阁直学士、知永兴军。长安地区很多官宦仕族子弟,他们倚恃恩荫横行霸道,二千石的州郡长官很少有人能管治他们的。陈尧咨上任后,仕族子弟中的无赖之徒都畏惧收敛;然而用刑过分残酷,评议的人批评他残忍。

庚午(十一日),下诏追加真元皇帝号称为太上老君混元上德皇帝。

将起居院详定所改为礼仪院,任命兵部侍郎赵安仁、翰林学士陈彭年为同知院事。

壬申(十三日),枢密使王钦若等人献上《新编修君臣事迹》一千卷,皇帝亲自作序,赐书名为《册府元龟》,编修官一并予以赏赐。

丁丑(十八日),参知政事丁谓献上《新修祀汾阴记》五十卷。

九月,乙卯(二十六日),任命翰林学士晁迥等人为辽主生辰使。皇帝对辅政大臣说:"以往东封泰山、西祀汾阴,都派使者驰送书信告知契丹。如今朝谒太清宫,就在京师附近,难以另派使者,就命令晁迥等人转告这个意思就可以了。"使者回国,有人说晁迥与辽国人相互劝酒时戏言,路上喝醉又乘坐马车,都该治罪,皇帝说:"这些即使没有害处,然而出使极远他国,远方的人看到了,一不符合法度,尤为没有体面。"王旦说:"出使远方的人贵在谨慎庄重,饮酒不应过量。"皇帝认为说得对。

冬,十月,辛酉(初三),将元德皇后神主祔入太宗庙室。

乙丑(初七),河北转运使李士衡进贡丝绵缣帛各二十万匹资助奉祀,下诏嘉奖。

辽国君主驻留长泊。

丙寅(初八),辽国详衮张玛啰献上知晓高丽情况的女真人,辽国君主问他,那人回答说:"臣下三年前被高丽人抓获,担任郎官,所以知道他们的情况。从开京向东乘车骑马走七天,有一个大寨,有开京那样大,其他州进贡的奇珍异宝都存积在这里。胜、罗等州的南面,也有两个大寨,储积的珍宝也如此。若派大军前去,经前路取道哈斯罕女真北面,直接渡过鸭绿江,沿大河而上,到郭州与大路相会,高丽就可攻取了。"辽国君主由于高丽不归还六州的土地,想攻打它,很有兴趣地听取了他这番话。

丁卯(初九),三司借支内藏库钱帛五十万,以备用于祭祀后的赏赐。

癸酉(十五日),朝谒玉清昭应宫。

甲戌(十六日),命令直集贤院石中立等人编绘车驾经过之处的图经,以备顾问咨询。石中立是石熙载的儿子。

龙图阁待制孙奭上疏说:"陛下封泰山、祀汾阴,亲自朝谒先人陵墓,如今又将要祭祀太清宫。宫外议论纷纷,认为陛下事事仰慕仿效唐明皇,岂能将唐明皇看作贤德的君主呢?唐明皇招祸败灭的事迹,不只臣下知道,只是近臣不讲,这就是心怀奸邪来事奉陛下。唐明皇无道,当时也没有敢于直言的人,待逃奔到马嵬,军士诛杀杨国忠后,才下诏宣布自己不明事理,用人失当。当时虽有罪责自己的话,但觉悟为时已晚,怎么来得及改错呢?臣希望陛下及早自己觉悟,抑制虚假荣华,斥逐奸邪佞人,停止大兴土木,不蹈袭唐明皇危殆祸乱的陈迹,不酿成他那种无法补救的悔恨。"皇帝认为:"封泰山、祀汾阴,上陵祭祖,奉祀老子,不始于唐明皇,《开元礼》仍为当今所遵循施行,不能列举天宝之乱就说这些不对。秦朝极为无道,但如今的官名、诏令、郡县等制度还沿袭秦朝旧有的,怎能因人而废言呢!"作《解疑论》颁示群臣。但知道孙奭朴实忠厚,即使言辞急切率直,也包容他不予斥责。

十一月,甲午(初六),辽国君主清理囚犯。

辽国耶律华格领兵西征,回归路过拜实喇,遇上阿萨兰回鹘人,就抢掠这些人。都监珠哩从后面赶来,对耶律华格说:"您错了,这些部众其实是效忠顺服的。"耶律华格把俘获的一概归还,众蕃部众因此不归附辽国。待耶律华格回国,辽国君主派人查处他的罪过。癸丑(二十五日),削夺他豳王的爵位,任命为侍中遥领大同节度使,不久去世。

甲寅(二十六日),丁谓从亳州来朝谒,献上灵芝草三万七千多朵。

十二月,戊午朔(初一),出现日食。

甲子(初七),辽国任命北院大王耶律世良为北院枢密使,任命宰臣刘晟为监修国史,萧孝穆为西北路招讨使。

丙寅(初九),任命兵部尚书寇准为权东京留守。

辛未(十四日),从宫内拿出丁谓贡献的灵芝草放在文德殿大庭中,给文武百官看,这是依从寇准的陈请。

壬申(十五日),在朝元殿酌酒奉献天书,于是祭告玉清昭应宫和太庙。

乙亥(十八日),到开宝寺、上清宫。己卯(二十二日),到太一宫。

兵部郎中、龙图阁待制孙奭自己上言说：父亲年纪八十二岁，家居郓州，请求典领附近州郡以便侍候奉养父亲；癸未（二十六日），任命他知密州。孙奭请求扈从皇上祭祀老子回来后赴任，准从。

这年，辽国放榜录取进士鲜于茂昭等六人。

大中祥符七年 辽开泰三年（公元1014年）

春季，正月，己丑（初二），辽国君主审理囚犯。

准布部落酋长乌巴到辽国朝贡，被封为王。

甲午（初七），高阳关奏报副都部署、英州防御使杨延昭去世。杨延昭就是杨延朗，智勇善战，领到的俸禄赏赐全部犒劳军士，不曾过问家事。生性质朴，出入的车骑侍从如同小校的级别。号令严明，与士卒同甘共苦，遇上敌人必身先士卒，捷报功劳推让给部下，所以众人都乐于为他所用。镇守边疆二十多年，辽国人畏惧他，称之为杨六郎。讣告奏报，皇帝嗟叹哀悼，派中使护丧回到内地，河朔地区的人好多看见他的灵柩就哀哭。录用他的三个儿子为官。

乙未（初八），辽国君主来到浑河。

丁酉（初十），女真、铁骊派使者到辽国进贡。

壬寅（十五日），真宗乘车奉持天书从京城出发。

丙午（十九日），来到奉元宫，在迎禧殿斋戒。判亳州丁谓进献白鹿一只，灵芝草九万五千朵。

戊申（二十一日），在奉元宫大庭中举行奉呈尊号册书宝玺的拜授仪式。摄太尉王旦，手持符节，用玉辂车装载册书宝玺，到奉元宫献上，摄中书令丁谓宣读册书后，将册书放在玉匣中。己酉（二十二日），鼓三响，备好车马赶赴太清宫。鼓五响，皇帝手捧玉币酌酒进献。宣读册文，命令太尉封好石匣。皇帝又到先天观、洞霄广灵宫进香，又回到太清宫、真元观详细游览后，回到奉元宫。特赦亳州和车马所经过的地区。进升亳州为集庆军节度，改真源县为卫真县，免除赋税二年；将奉元宫改为明道宫。

司天奏报含誉星出现。

庚戌（二十三日），从卫真县出发，住在亳州，朝谒圣祖殿，登上奉元均庆楼，赐百姓聚会畅饮三天。

壬子（二十五日），诏令："沿途经过停留而受到侵害的民田，免除赋税二年。"

甲寅（二十七日），从亳州出发。

乙卯（二十八日），住应天府。群臣报告说天书升上辇车时，有云气五色斑斓如同花朵，又有黄云像人联袂辅翼车驾降下。丙辰（二十九日），进升应天府为南京，正殿的榜额题为归德，还赦免南京境内和东京畿辅车驾所经过的县流刑以下的罪犯。上重熙颁庆楼观看百姓聚会畅饮，共看了三天。将圣祖殿改为鸿庆殿。

这月，辽国君主在潢河之滨打猎，又偕同皇后在瑞鹿原打猎。

二月，丁巳朔（初一），真宗从南京出发。

雍丘人邢惇，以学术著称，隐居乡下不出来为官。皇帝到亳州时，王曾推荐他。待返回时，从亳州召他来应对，询问治国之道，邢惇不予回答。皇帝问他不回答的缘故，邢惇说："陛

下东封泰山西祀汾阴，都已做完了，臣下又有什么说的！”皇帝欢悦，任命他为许州助教，遣送回家。邢惇的衣服住所，一概和平日一样，同乡的人不觉得他有官职。他去世后，才看到他的委任敕书与废纸一起捆放在屋梁之间。

戊午(初二)，真宗住在襄邑县，皇子前来朝见。

庚申(初四)，夏州赵德明派遣使者到行宫朝贡。

辛酉(初五)，从亳州回到京城。

戊辰(十二日)，大风刮起沙石，文武百官在恭谢坛演习礼仪，有吹掉头巾的。

三司向内藏库借钱五十万贯。

己巳(十三日)，皇帝在玉清昭应宫的集禧殿进行祭前斋戒。庚午(十四日)，举行荐献祭品的礼仪，于是赶赴太庙。辛未(十五日)，祭祀六个祖宗庙室。壬申(十六日)，在东郊举行恭谢天地的仪式。返回时，登上乾元门，颁布大赦，朝廷内外文武百官全都予以恩赐，各路减免租赋，数量不等。

双龙三口香炉　高丽

辽国律资忠从高丽打仗回来时，权贵多次数落他的短处，被调出京城任上京副留守。这月，又被派遣出使高丽去索取六州土地，高丽扣留不予遣返。

三月，庚寅(初五)，由于奉祀老子的典礼完成，在含元殿大宴群臣。

庚子(十五日)，辽国派北院枢密使耶律世良建筑招州城。

丁未(二十二日)，任命皇子赵受益为左卫上将军，封为庆国公，每月给俸禄二百千钱。起初，宰相屡次上言说：“皇子尚未讨论给予封爵，朝廷内外都仰望这事；如今朝献的典礼已经举行了。希望特别颁降这一制命。”皇帝虽然听取了，但谦让，没有给加王爵。依旧例，国公食邑为三千户，如今只封给一千户，这是有关部门的失误。皇子赵受益就是后宫李氏所生的，到这时五岁了，刘皇后将他作为自己的儿子，要杨婉仪养育他。

青州百姓赵嵩年满一百一十岁，下诏慰问他。

戊申(二十三日)，辽国命令在南京、奉圣、平、蔚、云、应、朔等州设置转运使。

夏季,四月,戊午(初三),辽国诏令南京管区内不得忙于刑事案件而妨碍农事。

庚申(初五),三司向内藏库借取绫绢十五万匹。

皇帝对宰相说:“听说永兴军陈尧咨用刑严峻残酷,有个叫窦随的人,任本路提点刑狱官,总是反复侦察别人的过错来激怒他,想让官署内外畏惧他,以树立自己的威望,这不可不斥责。”辛酉(初六),调窦随到京西路任职。几个月后,陈尧咨上书说要将龙首渠的水引入城中以供给百姓饮用,颁诏嘉奖,因而说:“挖渠供水给百姓,不如减省刑罚来安抚百姓,这才符合我的心意呢。”

癸亥(初八),乌库部背叛辽国。

丙子(二十一日),辽国任命西北路招讨使萧孝穆为北府宰相,赐封为忠穆熙霸功臣、同政事门下平章事。萧孝穆廉洁谨慎,遵守礼法,当时人称道他。

舒王赵元偁去世,皇帝吊唁哀哭,追赠他为太尉、中书令,追封为曹王,谥号为恭惠。赵元偁爱好学习,善于作文,天性仁慈宽容。撰有文集,皇帝为之作序,收藏在秘阁。

沙州曹宗寿去世,儿子曹贤顺自称为节度使留后,向宋朝进贡请求任命。这月,任命曹贤顺为归义军节度使。曹贤顺也派使者向辽国进贡。

五月,壬辰(初七),任命右仆射、平章事王旦为兖州景灵宫朝修使。

起初,钱塘江的江堤用竹笼装石头筑成,但江潮冲洗,不用几年就毁坏了。转运使陈尧佐与知杭州戚纶提议改用柴草泥土,有妒忌陈尧佐政绩的人向朝廷上书,说这样不好。参知政事丁谓赞同上书人的看法贬低陈尧佐的看法,陈尧佐争论不已。丁谓将戚纶调到扬州任职后,癸未(二十八日),又将陈尧佐调到京西路。发运使李溥请求再用竹笼装石头筑堤,筑了几年不能成功,民力大为困乏;最后采用陈尧佐的提议,江堤才筑成。

乙未(初十),诏令雕版摹刻天书、供奉安放在玉清昭应宫。

修玉清昭应宫使丁谓,上表请求皇上撰写该宫的碑颂和宫名匾额,依从。

庚子(十五日),太常博士邓余庆,因接受誓戒没有赶上,依法律,犯私罪的官员应当连同弹劾荐举他的人,下诏释免。皇帝因而对宰相说:“连坐荐举官吏的规定,也确实不能改变;像这样连坐的情况,还是值得可怜的。至于有人原本不熟悉别人,勉强依顺请托,待到渎职败坏时,怎么能逃脱责罚!”王旦说:“荐举人才确实困难。士人的操行,往往中途变化。”皇帝说:“对。如选拔十人能得五名人才,纵使徇私,朝廷因此揽得的人才也不少了。”王旦说:“寻求人才之际,只听信荐举人的话就任用。有了渎职败坏行为,也就按照荐举人说的论罪。太祖朝时,有从员外郎和所荐举犯罪州县官一同除名的。太平兴国初年,程能任转运使,荐举官员最烂,人们大多鄙视他。”皇帝说:“朝廷急于揽得人才,如不让他们荐举,那么俊才藏在民间,自己无法使朝廷知道。搜求人才的关键,本来就不外乎这种办法。”

丙午(二十一日),府州奏报知州兴州刺史折惟昌去世。先前,河东百姓运送粮食赶赴麟州,应当派出军队予以援助,折惟昌当时已患病,有人请求驻军十来天以等病情稍微好转,折惟昌说:“古人接受命令忘却家事。死在官事上,我没有遗恨。”旋即带领部下冒着风沙行军,病情急剧加重。皇帝派使者带医生去诊治探望,也没来得及。于是命令入内供奉官张文质驰马前去护理丧事,所需费用由官府提供。任命他弟弟折惟忠知州事,录用他两个儿子为官。

礼部侍郎冯起请求退休，皇帝转头看看宰相，询问冯起的年龄。王旦说："冯起名声清白操行素洁，仁人之中少有比得上他的，年满七十，诚心退休。"皇帝说："冯起小心谨慎，少有过错，也值得嘉奖。"戊申（二十三日），授任他为户部侍郎，退休。

六月，壬戌（初八），派使臣带上御用药物赐给景灵宫朝修使王旦。癸亥（初九），王旦入宫辞谢，又赐给他袭衣、金带、鞍勒马。诏令他从京城到兖州访察吏治好坏、百姓疾苦，准许根据情况办事。

河北缘边安抚司奏报有从北面边界购得三匹马来的人，已经移送公文解送到顺义军。皇帝说："听说辽国那边抓到卖马出界的人，全都处死，把他的家人发配到远方，很可悯。应命令安抚司，今后如有这种情况，等到夜晚派人把马牵到边境上，解开辔头放走。"

庚午（十六日）晚上，京城新建的五岳观东北，黑云中显出星光，亮如白昼，有旌旗、铠甲、兵器的样子，看到的人喧闹惊恐，但丁谓当作祥瑞奏报，诏令建立道场。

壬申（十八日），册封婉仪杨氏为淑妃。开始，皇后为修仪，淑妃为婉仪，地位几乎与皇后相同，凡外出巡幸都侍从在旁，荣耀恩宠无与伦比。淑妃通达机敏有智慧，周旋侍奉，皇后也亲近喜欢她。

乙亥（二十一日），枢密使王钦若罢免为吏部尚书，枢密使陈尧叟罢贬为户部尚书，枢密副使马知节罢贬为颍州防御史。

王钦若生性倾轧巧诈，敢于作假扯谎，马知节鄙视他的为人，不曾诡诈迎合。皇帝曾将《喜雪诗》赐给亲近大臣，诗中误用旁韵。王旦要告诉皇帝，王钦若说："天子的诗，怎能用礼部制定的格律来校正呢？"王旦就作罢了。王钦若退朝后，赶忙秘密奏报。不久皇帝告诉二府官员说："前日赐的诗作，要不是王钦若说出韵脚，差点为大家嗤笑。"王旦唯唯诺诺。马知节详细斥责王钦若奸诈的行为，皇帝也不治他的罪。王钦若每次上奏言事，怀中藏上几个奏折，只拿出其中的一两个，其余的全都藏了起来，退朝后，就按自己的意思谎称皇上旨意办事。马知节曾在皇帝面前看着王钦若说："你怀中的奏折为什么不都拿出来？"王钦若受的恩宠正好日益深厚，马知节愈益不屈在他之下，与他在皇帝面前争执过好几次了。

待到王怀信等人报上平定蛮夷的功劳，枢密院讨论赏赐事宜，王钦若、陈尧叟请求转迁一资，马知节说："守边大臣长期没有立功的，请求重赏来激励其他人。"议论很久不能决定。皇帝催促他们，马知节气愤，因而当面揭王钦若的短。接着枢密院还没来得及禀报，就越级授任王怀信等人的官职。皇帝发怒，对向敏中等人说："王钦若等人讨论给王怀信的恩典，开始滞留不办，后来又擅自越级提升，敢于将爵禄赏赐的权柄随意高下作为己任！亲近大臣尚且如此放肆，我就只好束手不管啰。"又说："王钦若等人异常不和，事无大小，动辄争执。马知节又一一诋毁朝廷大臣，说审刑院、审官院、内外知制诰、三馆、谏官、御史都没有合格的人才，他鄙薄别人推重自己到了如此程度！"于是将他们三人都罢免。马知节不久调出知潞州。

任命兵部尚书寇准为枢密使、同平章事，这是王旦荐举的。寇准没有入宫告谢，命令向敏中权发遣枢密院公事。从此枢密使都被罢免空缺，就命令宰辅大臣权发遣象向敏中一样。

用驿传征召知镇州王嗣宗、鄜延都部署曹利用赶赴京城。

辽国将国舅二账合为一账，任命伊勒希巴萧迪里为详衮来总领。

丁丑（二十三日），以司空退休的张齐贤去世。皇帝很哀痛，派中使去祭奠、赠送丧葬物品，追赠他为司徒，谥号为文定。张齐贤四次进入中书门下、枢密院两府，九次身居八座大员之位，晚年以三公身份回家养老，康宁福寿，很少有人与他相比。然而他不守礼规，很喜欢治产业，第二次任宰相，多次兴起大案，又与寇准相互倾轧争权，人们因此看不起他。

庚辰（二十六日），皇帝撰作《闵农歌》，又作《续十一经诗》，赐给亲近大臣应和。

这年夏天，辽国君主派遣国舅详衮萧迪里、东京留守耶律达实率兵进攻征讨高丽，在鸭绿江上建造浮桥，在保、宣、义、定远等州筑城。

秋季，七月，乙酉朔（初一），辽国君主来到平地松林。

辛卯（初七），左神武统军、检校太师钱惟治去世。皇帝听到他子孙众多，婚嫁喜事缺乏费用，下诏优厚予以赏赐。当初议论给他赠官时，依例应当赠官为东宫保傅，皇帝认为钱惟治是忠孝大臣的后人，特地追赠他为太师；录用他四个儿子连同他的外弟、女婿、亲友，一起分别提升。

壬辰（初八），广州奏报知州右谏议大夫邵烨去世。广州州城濒临大海，每次蕃人船舶到岸，时常为飓风所烦苦。邵烨开凿一条城内的渠道通行船只，飓风就不能伤害他们了。待他患病，官吏百姓、外蕃商人群集在僧寺设法会来为他祈祷；他去世时，很多人哀痛落泪。

辽国君主时常在宴会上颁行诛罚赏赐，北府宰相刘慎行谏议说："宴饮时凭一时喜怒加威赐福，恐怕不妥。"辽国君主觉悟，就晓谕政事省、枢密院说："凡是酒席之间任命官员、释免罪犯，不要立即执行，第二天审核奏报。"

癸卯（十九日），太白星白天出现。

甲辰（二十日），任命同州观察使王嗣宗、内客省使曹利用同为检校太保，充任枢密副使。

戊申（二十四日），王旦从兖州回京，奏报说："河北转运使李士衡、张士逊等八人，处理政事干练利索，希望颁赐诏书褒奖宣谕；莱州通判徐怀式等三人，毫无政绩名声，希望命令转运司、提点刑狱司督察。"下诏许可。有人对王旦说："您身为宰相，奉命出使，所荐举的官吏仅只得到褒奖诏令，不能如愿提升，权威不也太轻了吗？"王旦说："称道荐举之后，又请求马上任用，那么皇上的恩典全都出于我自己了，这是为人臣的大忌。"

入内押班周怀政，与王旦同行，有人趁他闲暇时请求私下相见，他必定等随从人员全部到齐后，整好衣冠再接见，禀报事情完后就退下，不曾私下交谈，评议的人认为周怀政做得得体。

八月，甲寅朔（初一），设置景灵宫使，由向敏中担任。

这天，辽国君主到达沙岭。

甲子（十一日），任命参知政事丁谓为修景灵宫使，权三司使林特为副使。

秘书监分司西京杨亿，由于病愈请求进京入朝，皇帝对王旦说："杨亿的文才没人比得上，然而有人说他喜欢私下议论朝政，是怎么回事？"王旦说："杨亿诙谐过头，那恐怕有这事；至于谤讪朝廷，我担保他必定没有。"戊辰（十五日），任命杨亿知汝州。

不久监察御史姜遵上奏说："杨亿不久前因母亲患病擅自离开朝廷，应该回乡隐居，尽心事奉，忽然要求镇守州郡，实属要挟君主，请求予以罢免。"皇帝说："杨亿以前休假回家，本没有终身侍奉的请求；如今因母亲病愈请求进入朝廷任职，所以特地授予州郡的职任。姜遵没有明白这个意思罢了。"诏令中书门下召来姜遵告诉他。

甲戌(二十一日),黄河在澶州决口。

丙子(二十三日),诏令:"今后差送发解举人、主持科举等,授予敕书后立即让阁门祗候一人带送到与外界隔离的锁宿,不得和同僚朋友交谈,违者阁门予以弹劾奏报。如果本人的乘马没有来,立即将厩养的马匹提供给他。"

先前,翰林学士王曾,知制诰钱惟演,接受敕令在武成王庙考经明行修、服勤词学的举人,与翰林学士李维两人在长春殿阁谈话,又到审刑院等候自己的乘马,停留很久。李维、王曾同在翰林院任职,王曾的妻子是李维的侄女,当时王曾的妻子就要生孩子了,所以王曾向李维托付家务事。东上阁门副使魏昭亮以为王曾接受李维的私下请托,秘密奏报;押伴阁门祗候曹仪也详细奏报了这事。立即命令王曾、李维分别交代,供词与钱惟演说的相同,就放了王曾等人,因而颁有这一诏令。

丁丑(二十四日),命令内侍都知阎承翰将宋太祖、宋太宗的圣像供奉安放在南京鸿庆宫。

九月,甲申朔(初一),诏令:"今后制置发运使,不管官品,他的班位都在提点刑狱官之上。"

丙戌(初三),含誉星再次出现。

辛卯(初八),尊上玉皇大帝圣号为太上开天执符御历含真体道玉皇大天帝,由于明年正月一日要亲自荐献祭告。

戊戌(十五日),皇帝上景福殿,考试亳州、南京路服勤词学、经明行修的举人,录取进士绛州人张观等二十一人,诸科二十一人,赐予及第,除授官职如同东封泰山、西祀汾阴后的授官之例。

皇帝对宰辅大臣说:"近来的举人,文章学术颇为精深,由孤苦清贫进入仕途。然而担任主考官员也很不容易,依从私托请求就危害国家,拒绝荐举请托就会招致诽谤。"王旦说:"如今郡县极为广大,人数也繁多,必须皇上到殿堂亲自考试才行。至于礼部解送遣发合格进士,不是朝廷的特别主张,那么即使责求主考官员,也难。

起初,开封府锵送服勤词学进士二十五人,被落榜的刘溉控告,其中十三人因为外地籍贯寄考,全都逃奔潜藏,被官府追捕。王旦上奏说:"陛下本是搜罗俊才,如今却变成囚犯,恐怕有伤风俗教化。并且设立科举,原本礼待贤德的人;而这些人操行如此败坏,希望特地颁出圣断以惩戒浅薄的风俗。"皇帝说:"这可能是官衙的过错,那些外籍寄考的应当全都释免罪过,刘溉交付外地州郡拘留看管。"

不久,御史雷泽、高弁上书说:"刘溉诉讼的事已查实,但责罚太重。"皇帝拿这事去询问王旦,王旦说:"刘溉上诉本不是出于公心,依据法律条款要等他们解送之后才能起诉,这是官宦中的害虫。朝廷贬黜他没有操行,谏官应该乐于听闻,高弁妄自奏对。由此观之,要不是圣上裁断英明,辨明举子误犯,就必定连坐府县官员。御史的抨击弹劾,太不可取了。"皇帝认为对。不久,高弁由于谏修玉清昭应宫,贬降为知广济军。

丁未(二十四日),诏令:"今后应试举人,如本地明显没有他的户籍,以及离开故乡很久的人,准许请求官吏担保证明,在开封府报考解送。"

壬子(二十九日),任命将作监丞李惟简为太子中允,退休,另外赐钱三十万。李惟简是李穆的儿子,生性恬静淡泊,不乐于仕途进取,隐居二十多年,皇帝特此征召他应对而予以任命。起初征召李惟简时,使者不知他住在那里,皇帝命令他到中书门下去问王旦,后来人们这才知道李惟简是王旦荐举的。王旦荐举的士人很多,一般不告诉别人,后来史官修撰《真宗实录》,得以到内宫拿出奏章,才知道朝廷的士人大多是王旦荐举的。

皇帝曾在龙图阁看书,看到了王禹偁的奏章,赞美他的恳切率直,因而走访他的后人。宰相说:“他儿子王嘉言应试进士及第,任江都尉,很勤于词学,但家境贫寒、母亲年迈。”这天,也征召他应对,特地授任他为大理评事。

辽国耶律世良派使者献上德呼勒部的俘虏。

冬季,十月,甲寅朔(初一),辽国君主到中京。

高丽正与辽国交战,于是派使者入朝进贡。皇帝问宰相王旦说:“高丽很久没来进贡,如今让他们赶赴京城,契丹人一定知道这事。”王钦若说:“这些使者来到京城,正与契丹使者同时到达。”王旦说:“外蕃人入朝进贡以尊敬中国,这是常事而已。他们各自有矛盾,朝廷有什么爱憎呢!”皇帝说:“你说的深得大体。”戊午(初五),诏令登州安排宾馆来款待他们。

甲子(十一月),玉清昭应宫落成,总共二千六百一十间。起初预料用工十五年,修宫使丁谓夜以继日,每画一面墙壁提供两支蜡烛,结果七年就竣工了。军校、工匠,依次受赏的有九百多人。

河北提点刑狱司奏报博州监狱空旷有一百三十九天。宰相上言说天下奏报监狱空旷的情况无月不有,只有这次空旷的天数最多,特地命令颁诏嘉奖。

十一月,癸未朔(初一),任命枢密副承旨张质为都承旨。张质在枢密院任职近五十年,谙习事务规程,精明忠诚,不曾犯有过失。原来本院属吏很少有迁升到都承旨的,皇帝一向知道他廉正严谨,所以授任他。曾征召他询问五代以来到建国初年军队编制变更的情况,还命令他逐条说明其中的利弊。张质编纂为三篇,题目为《兵要》,予以进献,皇帝看了称好。

乙酉(初三),黄河在滨州漫溢。

丙戌(初四),朝谒玉清昭应宫,在集禧殿宴请亲近大臣。己丑(初七),诏令玉清昭应宫使王旦加官司空,修宫使丁谓加官工部尚书。另设玉清昭应宫副使,就任命丁谓担任。

壬辰(初十),上乾元门,观看百姓聚会畅饮,一连五天。

户部尚书陈尧叟献上《汾阴奉祀记》三卷。

乙未(十三日),鄜延路钤辖张继能上书说:“赵德明进奉贡品的人私带物品,以求免除课税,希望按课税条款征税。”皇帝说:“戎人远道而来,获利没有多少,只照原有制度执行就可以了。”

己酉(二十七日),设置玉清昭应宫判官、都监,任命左正言夏竦为判官,任命内殿承制周怀政为都监。

王旦任景灵宫朝修使时,夏竦实际掌管文书奏章。夏竦曾患病卧床,王旦亲自调药给他喝;多次称道他的才干;因而让他教庆国公书法,又一同修撰《起居注》,到这时担任判官,都是王旦荐举的。

当初,丁谓想大修京城西面的炮场,疏导金水,建后土祠以模拟汾阴、睢上的祠庙;林特想横跨玄武门建筑复道连接玉清昭应宫;李溥想搞来海上巨石,在会灵池中建成三座神山,

架起阁道；群臣也争相奏报符瑞。唯独夏竦上疏认为不可，那些事才取消。待他担任判官，过了一个多月，就上奏说宝符阁供奏神灵的果品，早晨起来一看都没有了，果品的渣滓狼藉，大概是神灵吃了。

知秦州张结奏报蕃人部落寇扰，已派兵去战斗，希望适当增加士卒。王旦说："如今四方安宁，契丹遵守盟约，西戎入朝进贡，守边大臣，应致力于保持镇静。"皇帝说："守边大臣精于用兵打仗，殊不知以没有战斗为上策。近年河北地区请求增加守边士兵，王钦若等人也被那些言论迷惑，只有我裁定为不用疑惑，后来也没有什么祸患。"

十二月，癸丑朔（初一），应当出现日食，但太阳没有亏缺。

己未（初七），建造元符观。起初，每年天庆节，就在左承天祥符门设置帷帐，开起道场，皇帝认为车马往来嘈杂，就命令修整皇城司官署新堂建成这个元符观。堂就是刘承规所创建的，是景德末年同命神降临的地方。

丁卯（十五日），权知高丽国事王询派遣奏告使尹证古和女真将军大千机以下，总共七十八人，携带地方特产前来进贡。王询上表说："契丹人阻断进贡道路，所以长期不能交通。请求颁降皇帝尊号、正朔。"下诏依从他的请求。王询又上言说："大千机自称父兄曾经入朝觐见，他哥哥留下没有回去，此行就可前往寻访。"另外，河北居民窦文显等十七人原先被契丹人劫掠，后来投奔高丽，王询也遣送回国，让他们回到原籍。皇帝深深嘉许他的心意，礼待尹证古很优厚。

这年，辽国放榜录取进士张用行等三十一人及第、出身。

续资治通鉴卷第三十二

【原文】

宋纪三十二　起旃蒙单阏【乙卯】正月，尽柔兆执徐【丙辰】六月，凡一年有奇。

真宗膺符稽古神功让德　文明武定章圣元孝皇帝

大中祥符八年　辽开泰四年【乙卯，1015】　春，正月，壬午朔，诣玉清昭应宫太初殿，奉表上玉皇大天帝圣号；遂奉安刻玉天书于宝符阁，塑御像冠服立侍。帝升阁，备登歌，酌献；还，御崇德殿受贺，大赦天下。缘河(北)、淮南、两浙民田经水灾者，悉蠲其税。

乙酉，辽主如瑞鹿原。

丙戌，命耶律世良再伐德呼勒部。

庚寅，宴近臣于会灵观，以玉清昭应宫奏告礼毕也。

甲午，命兵部侍郎、修国史赵安仁等知礼部贡举。帝览诸道贡举人数减于常岁，因曰："外郡官吏未体朕意邪？比者诏命累下，但戒其徇私；若能精择寒俊，虽多何害！"是岁，始置誊录院，令封印官封所试卷，付之集书吏录本，诸司供帐，内侍二人监焉。命京官校对，用两京奉使印讫，复送封印院，始送知举官考校。

丁酉，辽主猎马兰淀。

戊戌，徙棣州城。

先是河北转运使李士衡、张士逊等言："河流高于州城者丈馀，朝命累年役兵修固，盖念徙城重劳民力。而去冬盛寒，尚有冲注，若冻解，必致决溢，为患滋深。今请于州之北七十里阳信县界地名八方寺。即高阜改筑州治，以今年捍堤军士助役，则永久之利。"诏可，令权度支判官张绩、内侍押班周文质乘传与士衡、士逊等同莅其事，三月而役成。时故城积粮甚多，或者病其难徙；士逊视濒河数州方歉食，即计其馀以贷民，期来岁输新，治，公私便之。

先是河决棣州，知天雄军寇准请徙州滴河，命孙冲按视，还言："徙州动民，亦未免治堤，不若塞河为便。"遂以冲知棣州。自秋至春凡四决，皆塞之。至是徙州阳信，冲坐事为使者论奏，徙知襄州；复上疏论徙州非便，且著《河书》以献。既而大水没故城丈馀。

壬寅，辽东征。东京留守善宁、平章哈里衮奏已总大军及女真诸部兵分道进讨。辽主遣使赍密诏于军。

二月，壬子朔，辽主如萨堤泺。

于阗国贡于辽。

泗州周宪百五岁，诏赐束帛。

甲寅，宗正寺火，有司奉玉牒属籍置它舍得免。命盐铁副使段煜择地营宗正寺。

丙辰，西蕃首领嘉勒斯赍等并遣贡名马，估其直约钱七百六十万；诏赐锦袍、金带、供帐什物、茶、药有差，凡中金七千两，它物称是。

丙寅，以楚王元佐为天策上将军、兴元牧，赐剑履上殿，诏书不名。

丙子，诏礼部贡院："进士六举、诸科九举以上，虽不合格，并许奏名。"

知永兴军、龙图阁直学士陈尧咨，好以气凌人，转运使乐黄目表陈，因求解职，诏不许。己卯，徙尧咨知河南府兼留守司事。帝闻尧咨多纵恣不法，诏黄目察之，尽得其实。帝不欲穷治，止落职，徙知邓州。

它日，帝谓宰相曰："或言黄目在陕西条约边事，虽主将亦罕饶假。"王旦曰："太祖朝边臣横恣，或得一儒臣稍振纪纲，便为称职。"帝曰："近闻外官多事依违，黄目苟能如此，亦可嘉也。然不可过当生事，宜密戒之。"

三月，辛卯，中书上群臣应诏所举官。帝览之，曰："皇甫选，人言其好谈民政，陈绛亦闻有吏干。"王旦等曰："选好师慕古人，而临事迂阔，无益于用。绛制策入等，外任有声，而性多简倨。"时李永锡亦在举中，旦等言："永锡即顷年妄陈封事被黜者。"帝因曰："搢绅之士，多恣毁訾，近日颇协附有位，久则便成朋党，深宜绝其本原也。"

戊戌，赵安仁等上礼部合格人数姓名。帝顾谓宰相曰："今岁举场，似少谤议。"王旦曰："条式备具，可守而行，至公无私，其实由此。"

癸卯，帝御崇政殿覆试，多所黜落；又疑所黜抹者或未当，命宰相阅视之。于是赐进士胶水蔡齐以下百九十七人及第，六人同出身。又赐六举以上特奏名进士七十八人同《三礼》出身，赐诸科三百六十三人及第、同出身。齐等既考定，帝顾问王旦等曰："有知姓名者否？"皆曰："人无知者，真所谓搜求寒俊也。"

故事，当赐第，必召其高第数人并见，又参择其材质可者，然后赐第一。时新喻萧贯与齐并见，齐仪状秀伟，举止端重，帝意已属之，知枢密院寇准又言："南方下国人不宜冠多士。"齐遂居第一。帝喜，谓准曰："得人矣！"特召金吾给七驺，出两节传呼，因以为例。准性自矜，尤恶南人轻巧，既出，谓同列曰："又与中原夺得一状元。"

吴人范仲淹，生二岁而孤，母贫，更适长山朱氏，从其姓，名说。读书僧舍，日作粥一器，分块为四，早暮取二块，断齑数茎，入少盐以啖之，盖三年焉。至是登第，除官，始复姓改名，迎其母归养。

召崇文馆检讨冯元讲《周易·泰卦》。元因言："君道至尊，臣道至卑，必以诚相感，乃能辅相财成。"帝悦，特赐五品服。

夏，四月，辽以林牙建福为北院大王。

甲寅，辽国舅详衮萧迪里等征高丽，无功而还。

丙辰，辽哈斯罕部请括女真旧无籍者，会其丁人赋役；从之。

枢密使贯宁奏大破德呼勒部，辽主命侍御札拉奖谕，代行执手之礼。

壬戌，以枢密使、同平章事寇准为武胜军节度使、同平章事。

先是准恶三司使林特之奸邪，数与争。特方有宠，帝不悦，谓王旦等曰："准年高，屡更事,朕意其必改前非,今所为似更甚于昔。”旦等曰:“准好人怀惠,又欲人畏威,皆大臣所当避,而准乃以为己任,此其所短也。非至仁之主,孰能全之!”准之未为枢密使也,旦尝得疾,久不愈,帝命肩舆入禁〔中〕,劳问数四,因曰:“卿今疾亟,谁可代卿者?”旦谢曰:“知臣莫如君,惟明主择之!”帝举张咏,又问马亮,皆不对。帝曰:“试以意言之。”旦强起举笏曰:“以臣之愚,莫如寇准。”帝怃然,有问曰:“准性刚褊,更思其次。”旦曰:“它非臣所知也。”

及准为枢密使,中书有事关送枢密院,违诏格,准即以闻。帝谓旦曰:“中书行事如此,施之四方,奚所取则!”旦拜谢曰:“此实臣等过也。”中书吏皆坐罚。既而枢密院有事送中书,亦违诏格,吏得之,欣然呈旦,旦令送还枢密院。吏白准,准大惭。

旦每见帝,必称准才,而准数短之。帝谓旦曰:“卿虽谈其美,彼专道卿恶。”旦谢曰:“臣在相位久,阙失必多。准对陛下无所隐,此臣所以重准也!”帝由是愈贤旦。

及准自知当罢,使人求为使相,旦大惊曰:“使相岂可求邪?”准憾之。既而帝问旦:“准当何官?”旦曰:“准未三十,已蒙先帝擢置二府,且有才望,若与使相,令处方面,其风采亦足为朝廷之光。”及制出,准入见,泣涕曰:“非陛下知臣,何以至是!”帝具道所以,准始愧叹,语人曰:“王子明器识,非准所测也!”

是日,以吏部尚书王钦若、户部尚书陈尧叟并为枢密使、同平章事。

丙寅,诏申明咸平中条制,凡仓庾所收羡剩,不为劳绩。

辽耶律世良破准布,遣人上其俘获之数。

戊辰,辽主驻沿柳湖。

己巳,女真贡于辽。

壬申,世良讨乌尔古部,破之。甲戌,辽主遣使赏有功将校。

世良讨德呼勒部,至清泥埚。是时于厥既平,朝议欲内徙其众,于厥安土重迁,遂复叛。世良惩于部族易叛,既破德呼勒,辄歼其丁壮,勒兵还噶喇河,进击馀党。而斥候不谨,其将巴固聚兵稠林中,乘辽师不备击之,辽师小却,退陈于河曲。是夜,巴固来袭,会闻辽后军且至,巴固遂诱于厥之众皆遁。世良追之,军至险阨,巴固方阻险少休。辽军侦知其所,世良不亟掩击,巴固得以轻骑遁去。获其辎重及所诱于厥之众,并迁德呼勒部民,城胪朐河上以居之。

荣王元俨宫火,延烧内藏左藏库、朝元门、崇文院、秘阁。王旦等请对,帝曰:“两朝所积,一朝殆尽,诚可惜也!”旦曰:“陛下富有天下,财帛不足忧,所虑者政令赏罚之不当耳。臣等备位宰辅,天灾如此,当罢斥。”帝遂下诏罪己,求直言,命丁谓为大内修葺使。

五月,庚辰朔,侍御史知杂事王随言:“准诏劾荣王元俨宫遗火事,本元俨侍婢韩盗卖金器,恐事发,遂纵火。”诏韩氏断手足,令众三日,凌迟死。狱成,当坐死者甚众,王旦独请对,言曰:“陛下始以罪己诏天下,今乃过为杀戮,恐失前诏意。且火虽有迹,宁知非天谴邪?”帝纳之,减死者几百人,止降荣王元俨为端王。记室参军崔昈,坐辅导无状,亦责官。

辛巳,辽命北府刘慎行为都统,枢密耶律世良副之,殿前都点检萧库哩为都监,以伐高丽。慎行先携家置边郡,致缓师期;辽主追慎行还,下吏议责,以世良、库哩总兵进讨。

甲申,命寇准知河南府兼西京留守司事。

辛卯,河北转运使李士衡等言:“有羡馀钱四十万贯,绢五千匹,丝三千两,布二十万匹,

请悉以上供。”诏令本路贮积,勿更辇致。

壬辰,诏于右掖门外创崇文外院,别置三馆书库。时宫城申严火禁,帝以群臣更直寓宿,寒月饮食非便,乃命翰林学士陈彭年检唐故事而修复之。

废内侍省黄门,其高班内品,改为前殿祗候高班内品。

诏自宫禁逮臣庶之家,一切服玩皆不得以金为饰,严其科禁,自是遂绝。

知制诰钱(淮)〔惟〕演献其父所赐礼贤宅,优诏赐惟演钱五十万,令均给六房,仍各赐宅一区。

诏:“契丹国信物,旧用金饰者,并易以锦绣。”

庚子,放宫人一百八十四人。

六月,己酉朔,日有食之。

给事中、知荆南府马亮言:“庶官职田过为优厚,请二三年间权住支给,聊助经费。臣今岁所得米麦四百二十馀石,已牒本府纳官讫。”诏奖之。

庚戌,辽主拜日如礼,与玛都布耶律世勋易衣马为好。以上京留守耶律巴格为北院枢密〔副〕使。

辛未,令诸州以御制七条刻石。

闰月,己卯朔,大赦天下,非己杀人及枉法赃致杀人、十恶至死者,悉原之。

庚辰,王钦若上准诏编修后妃事迹七十卷,赐名《彤管懿范》。

以童子蔡伯希为秘书省正字。伯希家本福州,随父龟从至京师,才四岁,诵诗百馀篇。帝召入禁中,应对周详,所诵精习,因命以官。又以龟从久在场籍,善于训子,召试中书,授校书郎。

戊戌,昭宣使、平州团练使、入内都知秦翰卒。帝甚悼惜,赠贝州观察使,赙禭加等。翰倜傥有武力,以方略自任,前后身被四十九创,群帅推其勇敢。轻财好施,所得俸赐多均给将士。帝尝谓王旦曰:“翰尽忠国家,不害人,亦不妄誉人。在先朝尝言:‘与李继迁款昵,出入帐中无间,可阴刺之。’且言:‘臣一内官不足惜,或为国家去此剧贼,死亦无恨。’太宗深赏其忠。”旦曰:“雷有终在西川,与上官正、石普多不协,赖翰和解,不然,几生事。”帝曰:“昨刘承规卒,翰曰:‘承规不避众怨,今必流谤,望悉勿听。’朕益嘉其为人。”其后重赠彰国军节度使。诏杨亿撰碑文,亿以翰不畜财,表辞所赀物,虽朝旨不许,而时论(羡)〔美〕之。

秋,七月,戊午,枢密副使王嗣宗罢为大同节度使。先是嗣宗与寇准不协,累表求罢。准既去位,嗣宗复固请补外,因授以旄钺,寻命知许州。

庚午,徙知升州、工部侍郎薛映知扬州;以给事中马亮为工部侍郎,知升州;以吏部员外郎李迪为右谏议大夫,知永兴军。帝谓辅臣曰:“大藩长吏,尤难其人。要在洞达物情,遵守条诏,爱民抑暴而已。其或廉而肆虐,或察而滋章,或急掊敛以为公,或旷职务以为恕,如此则何由致治!”

乙亥,以郭崇仁为宫苑使、昭州团练使。崇仁,守文子,章穆皇后弟也,虽外戚,朝廷未尝过推恩泽,自是凡十年不迁。

八月,癸未,陈州言知州、枢密直学士、礼部尚书张咏卒。赠左仆射,谥忠定。咏尚气节,重然诺,勇于为义。为令守多异政,威惠及民,民皆不敢为恶,而亦不苦其严。成都人立庙祀之。帝尝称咏才任将帅，以疾不尽其用。咏临终奏疏言："不当造宫观，竭天下之才，伤生民之命。此皆贼臣丁谓诳惑陛下，乞斩谓头置国门以谢天下，然后斩咏头置丁氏之门以谢谓。"帝亦不以为忤。咏尝言："事君者廉不言贫，勤不言苦，忠不言己效，公不言己能，可以事君矣。"又尝语人曰："吾榜中得人最多：谨重有雅望，无如李文靖；深沉有德，镇服天下，无如王公；面折廷争，素有风采，无如寇公；至于当方面，则咏不敢辞。"

乙未，以三司使林特为户部侍郎、同玉清昭应宫副使，太常少卿马元方为右谏议大夫，权三司使事。帝以特久任三司，高年勤瘁，特置此职，班在翰林学士之上，优其月给以宠之。帝数访以朝廷大事，特因有所中伤，人以此惮焉。

九月，己酉，注辇国遣使来贡。注辇前古不通中国，其使者舟行涉千一百五十日乃达广州，约其道路，盖四十一万一千四百里。帝待其使者加厚。

庚戌，以工部郎中、知邓州陈尧咨守本官，知制诰。尧咨性刚戾，数被挫辱，忽忽无聊。帝闻之，以问其兄尧叟，尧叟曰："尧咨不知上恩保佑，自谓遭谗以至此。望取元犯事尤重者切责之，使知悔惧。"遂诏尧咨曰："卿知永兴日，所为乖当，非独用刑惨酷也。如擅置武库，建视草堂，开三门，筑甬道，出入列禁兵自卫，此岂人臣所宜？众论甚喧，不但乐黄目奏也。朕念尧叟朝夕近侍，未欲穷究，姑示薄责，旋加甄叙。卿不内省，但曰为人所倾。自今宜体国恩，改过迁善；不然，当以前后事状尽付有司。"尧咨乃惶恐称谢。

嘉勒斯赉始立文法，聚众数十万，表请伐夏州以自效。帝以戎人多诈，或生它变，命周文质监泾原军、曹玮知秦州以备之。

甲寅，辽师攻高丽之通州，高丽将郑神勇引兵绕辽师阵后，击杀七百馀人，神勇战死。辽师进攻宁州，不克而退。高丽将高积馀追之，败死；辽师遂取定远、兴化二镇，城之。

丁卯，辽主与伊勒希巴兵部尚书萧荣宁定为交契，以重君臣之好。丙子，以旗鼓苏拉详衮题哩古为六部奚王。

冬，十月，丙戌，以右谏议大夫慎从吉为给事中，权知开封府。帝召戒从吉曰："京府浩穰，凡事太速则误，缓则滞，惟须酌中。有请属，一切拒之。"又曰："府吏多与豪右协谋造弊，所宜深察。"及从吉领府事，谤者甚多，帝以问辅臣，丁谓曰："从吉好言人过，故积众怨。"帝曰："当官宜守常道，或强为善以取名，则毁讟必随至矣。"

辛卯，以翰林学士晁迥权吏部流内铨，知制诰盛度知通进、银台司兼门下封驳事。迥以父名佺为辞，遂命与度两换其任。度，杭州人也。

时翰林学士王曾亦领银台司，宰相议令迥代曾。帝曰："朕闻外议，谓曾尝封驳诏敕，自是中书衔之，多沮曾所奏。今若罢去，是符外议。"旦曰："臣等本无忌曾之意，今兹宣谕，为宰相避谤，请迥与度相易，曾如旧。"帝可之。旦因言："降敕或差误有害，勘会失实，臣等省视不至，颁下四方，诚为不当。封驳司官苟能详览改正，乃助臣等不逮，必无责之之理。"帝然之。

乙巳，王钦若上《圣祖事迹》十二卷，帝制序，赐名《先天记》。钦若又续成三十二卷，上之。

辽主自八月射鹿至于九月，复自癸丑至于辛酉连猎于诸山。辽主善射多力，尝遇二虎方逸，策马驰之，发矢连殪二虎。又尝一矢贯三鹿，时南京方试举人，以《一箭贯三鹿》为赋题。驸马刘三嘏献《射二虎颂》，辽主嘉其赡丽。三嘏，慎行子也。

十一月，庚申，辽主命汰东京僧，又命上京、中京〔及〕诸宫选精兵五万五千人以备东征。

工部侍郎种放卒。帝亲制文，遣内侍致祭，护丧归葬终南，赠工部尚书。先是有讥放循默者，帝闻之，谓辅臣曰："放为朕言事甚众，但外廷不知耳。"因出所上时议十三篇。放将卒，忽取前后章疏稿悉焚之，服道士衣，召诸生会饮于次，酒数行而卒。

癸酉，高丽与东女真来贡。

十二月，戊寅，皇子行加冠礼。

辛卯，以皇子庆国公受益为忠正军节度使兼侍中，封寿春郡王。

甲辰，命枢密使、同平章事王钦若都大提举抄写校勘馆阁书籍，翰林学士陈彭年副焉，铸印给之。初，荣王宫火，燔崇文院、秘阁，所存无几；既别建外院，重写书籍，故有是命。

是月，辽主自海徼如显州。

九年 辽开泰五年【丙辰，1016】 春，正月，丁未，辽主北还。

庚戌，辽耶律世良、萧库哩与高丽战于郭州西，破之，斩首万馀级，尽获其辎重。乙卯，师次南海军，世良卒于军。

丙辰，置会灵观使，以参知政事丁谓为之。

以马军副都指挥使张旻为宣徽南院使兼枢密副使。先是旻被旨选兵，下令太峻，兵惧，谋欲为变。有密以闻者，帝召二府议之，王旦曰："若罪旻，则自今帅臣何以御众？急捕谋者，则震惊都邑，此尤不可。"帝曰："然则奈何？"旦曰："陛下数欲任旻以枢密，臣未敢奉诏；今若擢用，使解兵柄，反侧者自安矣。"帝从其言，军果亡它。

辛酉，同玉清昭应宫副使林特上《会计录》，诏付秘阁。

癸亥，发内藏钱五十万贯给三司。

兴州团练使德文，少好学，凡经史百家，手自抄撮，工为辞章。帝以其刻励如诸生，尝因进见，戏呼之曰"五秀才"。德文数言愿得名士为师友，己巳，特命翰林学士杨亿与之游。

壬申，以张士逊为户部郎中，崔遵度为户部员外郎，并充寿春郡王友。

时王将受经，命中书择方正有学术者为府官。以士逊平雅和谨，澹于荣利，遵度同修起居注逾十年，每立墀上，常退匿楹(开)〔间〕，虑帝见之，搢绅推其长者，因召两人并命焉。

初，宰相将用士逊等为翊善、记室，帝曰："翊善、记室，府属也，王皆受拜。"故以王友命之，令王每见答拜。士逊尝谒王旦，称王学书有法，旦曰："王不应举、选学士，不在学书。"士逊愧谢。

癸酉，辽主驻雪林。

二月，准布部长朝于辽。

辛巳，辽主如萨堤泺。

丁亥，监修国史王旦等上《两朝国史》一百二十卷，优诏答之。

庚寅，辽以前东京统军使耶律罕谟为右伊勒希巴。

壬辰，命修景灵宫副使林特诣兖州景灵宫太极观设醮，以营建毕故也。宫观总一千三百二十二区。

甲午，诏筑堂于元符观南，为皇子就学之所，赐名曰资善。帝作记，刻石堂中。命人内押班周怀政为都监，入内供奉官杨怀玉为寿春郡王伴读，仍面戒不得于堂中戏笑及陈玩弄之具。

丙申，以后宫崇阳县君李氏为才人。

戊戌，辽皇子宗真生，宫人萧纳木锦所生也。纳木锦少而黝面，很视，其母尝梦金柱擎天，诸子欲上而不能，纳木锦从后至，与仆从皆升，母心异之。久之，得入宫；侍承天太后。尝拂太后榻，获金鸡，吞之，肤色光泽异常，太后惊异，曰："是必生贵子。"命侍辽主。至是举子，辽主之长子也。皇后无子，取为己子。纳木锦渐进为元妃。皇后爱养宗真如己出，元妃顾妒皇后之宠，心常怏怏。

三月，辛酉，辽以诸道狱空，守臣并进阶赐物。

癸亥，宗正卿赵安仁言："唐朝玉牒首载混元皇帝，今请以御制《圣祖降临记》冠列圣玉牒，及别修皇朝新谱，仍别制美名。又请以知制诰刘筠、夏竦并为宗正寺修玉牒官。"从之，名新谱曰《仙源积庆图》。

庚午，亳州言明道宫成，总四百八十区。诏遣内侍设醮。

夏，四月，辽赈招州民。

王继忠既见执于辽，荐擢汉人行宫都部署，封琅邪郡王。时伊勒希巴萧哈绰，方以明习典故，善占对，被宠于辽主。继忠侍辽主宴，辽主语及哈绰，欲用为枢密使，继忠曰："哈绰虽有刀笔才，暗于大体；萧迪里才行兼备，可任也。"辽主以为党于迪里，弗听。戊寅，以哈绰为北院枢密使。

庚辰，司天监言周伯星再见。

丁亥，陕西转运副使张象中言："安邑、解县两池，除见贮盐三亿八千八百八十二万馀斤外，恐尚有遗利，望行条约。"帝曰："厚地阜财，此亦至矣。若过求增羡，必有时而阙。不可许也。"

丙申，赐天下酺。

辛丑，令人内内侍省定群官与诸宫院婚嫁财物之数。先是连姻戚里者，冗费过甚，每纳采成礼之日，多领慊从，其家供给饮食，动逾千万，或有破产者。帝曰："国家宗支渐广，此不可不限其制度。"于是多所差减，且赐金帛给其费焉。

五月，甲辰朔，诏以来年正月一日诣玉清昭应宫，上宝册。又以十一月有事于南郊，行恭谢之礼。诸军赏赐，并以内藏物充。三司勿催促诸路钱帛，诸州军监无得以修贡、助祭为名，辄有率敛。

〔乙巳〕，邠宁环庆部署王守斌言夏州蕃骑千五百来寇庆州，内属蕃部击走之。

丁未，殿中侍御史张廓言："群官有丁父母忧者，多免持服，非古道也。伏望自今并依礼令解官行服。"诏从之，其官秩当起复及武臣内职，悉如旧制。

丙辰，以景灵宫、会灵观及兖州景灵宫、太极观成，释死罪囚流以下。

丁巳，以向敏中为宫观庆成使。

己未，河北转运使李士衡献助南郊绢布六十万匹，钱二十万贯，且言："六十万皆合上供者，馀二十万即本路羡馀，请遣使臣起发。"先是每有大礼，士衡必以所部供军物为贡，言者以为不实，故是奏条析之。有诏嘉奖，因谓辅臣曰："士衡应卒有材，然事多忽略，故人往往以虚诞目之。然朝廷所须，随大小即办，亦其所长也。"

乙丑，以王旦为恭上宝册南郊恭谢大礼使。

庚午，太白昼见。

辛未，司天奏："岁星太阴失度，太白高，主兵在秦外。"帝谓辅臣曰："秦地控接三蜀，疆境甚远，军中不逞辈虑忽聚盗，宜谨备之。嘉勒斯赉与秦、渭熟户结为衅隙，曹玮请益屯兵，可如所请。川、陕长吏、监押、巡检有旷弛者，代之。"

六月，辛巳，比部员外郎、知齐州范航坐受财枉法，免死，仗脊黥面，配沙门岛。其子昭时任江南东路提点刑狱，及受代还，至南京，上言愿为边卒，赎父移善地。宰臣言父子罪虽不相及，然亦当降其职任，遂令厘务；从之。

癸巳，京畿蝗，命辅臣诣玉清昭应宫、景灵宫、会灵观建道场以祷之。

丙申，以虞部员外郎张怀宝、秘书丞韩庶、户部判官梁固分判三司盐铁、度支、户部句院。先是起居郎乐黄目判三司句院，三司使马元方言其不称职，罢之。帝谓王旦等曰："人言三司官不欲数易，盖吏人幸其更移，不能尽究曹事之弊耳。又，句院乃关防之局，官卑权轻，难举其职。"旦曰："三部句院为一司，实为繁剧，纵使重官为之，徒益事势，于句稽则愈疏矣。若复分三部设官，选才力俊敏者主之，庶乎分减簿领，稍得精意。"故命怀宝等分领焉。

辽以政事舍人吴克昌按察霸州刑狱。

【译文】

宋纪三十二　起乙卯年(公元1015年)正月，止丙辰年(公元1016年)六月，共一年多。

大中祥符八年　辽开泰四年(公元1015年)

春季，正月，壬午朔(初一)，宋真宗赵恒来到玉清昭应宫太初殿，奉上表章进献玉皇大天帝圣号；于是把刻玉天书护送安置在宝符阁，塑造皇上穿衣戴帽站立侍奉的像。皇帝登上宝符阁，演奏登歌，行酌献之礼；回宫，在崇德殿接受朝贺，宣布大赦天下。黄河两岸、淮南、两浙的民田遭受水灾的，全部免除他们的赋税。

乙酉(初四)，辽圣宗耶律隆绪前往瑞鹿原。

丙戌(初五)，辽国命令耶律世良再次征伐德哷勒部。

庚寅(初九)，真宗在会灵观宴请亲近大臣，因为玉清昭应宫的奏告典礼已完毕。

甲午(十三日)，命令兵部侍郎、修国史赵安仁等人知礼部贡举。皇帝览阅各道的贡举情况，发现人数少于常年，就说："外地州郡的官吏没有领会我的意思吗？近来屡次颁下诏命，只是训诫官吏徇私枉法；如果能精心选拔寒门俊秀，即使再多又有何妨！"这年，开始设置誊录院，命令封印官封好所有试卷，交给誊录院召集书写吏抄录，各司设置帷帐，由宫内侍者二人监督。命令京官校对，盖用两京奉使印后，再送封印院，然后才送知举官员考核校对。

丁酉(十六日)，辽国君主在马兰淀打猎。

戊戌(十七日)，迁徙棣州城。

先前河北转运使李士衡、张士逊等人上奏说："黄河水高出州郡的城墙一丈多，朝廷命令连年派兵修固城墙，可能是考虑到迁徙城治会加重人民的负担。但就在去年冬天大寒时节，河水还冲出堤外，倘若天暖解冻，必定导致决口泛滥，造成的祸患更为深重。现在请求在州城北面七十里阳信县界地叫八方寺的地方，就高坡山冈改筑州城治所，派今年护堤军士帮助工役，这才是长久之利。”下诏批准，命令权度支判官张绩、内侍押班周夕质乘驿站车马前去与李士衡、张士逊等人共同处理这件事，三个月时间工程就完成了。当时旧城储积的粮食很多，有人担心存粮难以搬迁，张士逊看到沿河几个州正歉缺粮食，就统计剩下的粮食借贷给百姓，约定来年交纳新粮，这样公私都方便。

先前黄河在棣州决口，知天雄军寇准请求将州城迁到滴河，朝廷命令孙冲巡视考察，他回来上奏说："迁徙州城动用民力，也免不了要修筑河堤，还不如堵塞河堤决口更为方便。"于是任命孙冲知棣州。从秋天到春天，总共决口四次、全都堵塞住。到现在仍要把州城迁往阳信县，孙冲犯了身为使者而上奏不准的错误，调往知襄州；孙冲还上疏论述迁州城不方便，并且撰写《河书》进献朝廷。不久黄河大水淹没了棣州旧城，水深一丈多。

壬寅（二十一日），辽国东征高丽。东京留守善宁、平章哈里衮奏报已经总领大部队和女真各部军队分路进兵讨伐。辽国君主派使者随带密诏给军队。

二月，壬子朔（初一），辽国君主前去萨堤泊。

于阗国向辽国进贡。

泗州人周宪一百零五岁生日，下诏赏赐绢帛。

甲寅（初三），宗正寺失火，有关官员捧出玉牒、属籍放置到另一房舍，才免于烧毁。命令盐铁副使段煜选择地方营造宗正寺。

丙辰（初五），西蕃首领嘉勒斯赉等人一并派遣使者进贡名马，估计马的价值大约为七百六十万钱；下诏赏赐锦袍、金带、帷帐、日常用品、茶叶、药材数量各有不同，总共约合黄金七千两，其他物品此相当。

丙寅（十五日），封楚王赵元佐为天策上将军、兴元牧，恩赐佩剑穿履上殿的特权，诏书中不直接称他的名。

丙子（二十五日），下诏礼部贡院："进士应试六次以上、诸科应试九次以上，即使考试不合格，也准许一起列名奏上。"

知永兴军、龙图阁直学士陈尧咨，喜欢盛气凌人，转运使乐黄目上表陈说，由此请求解除他的职务，诏令不予批准。己卯（二十八日），调离陈尧咨任河南府兼留守司事。皇帝听到陈尧咨处事放肆，不合法度，诏令乐黄目去考察，尽得到证实。皇帝不想彻底追究，改任知邓州。

后来，皇帝对宰相说："有人说乐黄目在陕西管理边境事务，即使是主将也很少宽容姑息。"王旦说："太祖朝时守边大臣横行纵恣，或许用一儒臣稍微振兴法纪，便是称职。"皇帝说："近日听说地方官大多办事模棱两可，乐黄目如果能像以前那样，也值得嘉许。但不能过分，以免生出事端，最好详细告诫他。"

三月，辛卯（十一日），中书门下呈上群臣应诏荐举的官员的名单。皇帝看过名单，说："皇甫选，别人说他喜欢谈论民政，陈绛也听说有办事能力。"王旦等人说："皇甫选就爱效法仰慕古人，处理政事有些迂阔，无益于实用。陈绛对策列入上等，外任政绩颇有名声，但生性简约傲慢。"当时李永锡也在荐举名单上，王旦等人说："李永锡就是近年妄陈密封奏书被罢黜的那位。"皇帝因而说："官吏士人，大多随意毁誉，近日却依附权贵，长此以往就会结成朋党，应该彻底杜绝这一根源。"

戊戌(十八日),赵安仁等人呈上礼部考试合格人员姓名。皇帝转过来对宰相说:“今年科举考场,似乎批评的言论很少。”王旦说:“条规程式完整齐备,能够遵守执行,最公正无私,这实在是由于这个原因。”

癸卯(二十三日),皇帝上崇政殿复试,筛落很多人;又顾虑筛选得不恰当,命令宰相过目审视。于是赐进士胶水人蔡齐以下一百九十七人及第,六人同出身。又赐应试六次以上特别奏名进士七十八人为同《三礼》出身,赐诸科三百六十三人及第、同出身。蔡齐等人考查审定完毕,皇帝转头问王旦等人说:“还有知道不当落选的姓名不?”都说:“没有知道的人,真正是所说的搜求寒门俊秀呢。”

依旧例,当要赐及第时,必须召来其中列入高第的几个人一并进见皇上,再从中选择出才能气质优秀的人,然后赐第一。当时薪喻人萧贯和蔡齐一同进见,蔡齐仪表形态俊秀魁伟,举止端正庄重,皇帝心意倾向他,知枢密院寇准又上书说:“南方下等国人不应在众士之上。”蔡齐就占据第一。皇帝心喜,对寇准说:“选到人才了!”特地召见金吾街仗司官员拨给七名管马士卒,出行手持两节为状元呼唤开道,沿袭成为惯例。寇准生性爱自夸,尤其厌恶南方人轻浮灵巧,出宫后,对同僚说:“又给中原人争得一名状元。”

吴人范仲淹,生下两岁就丧父,母亲贫困,改嫁到长山朱氏家,范仲淹也改姓朱,名说。他在僧侣宿舍读书,每天煮一锅粥,分成四块,早晚各吃两块,切几根大蒜或韭菜之类的香料,加少许盐来吃,大致苦读了三年。到这时登科及第,授官,才恢复原姓改换名字,把母亲接回家来奉养。

征召崇文馆检讨冯元来讲解《周易·泰卦》。冯元趁机说:“君主地位最为尊贵,臣子地位最为卑贱,但君臣必须用诚信相互感化,才能辅相天地之宜,财成万物之道。”皇帝听了高兴,特意赏赐他五品官服。

夏季,四月,辽国任命林牙建福为北院大王。

甲寅(初五),辽国国舅详衮萧迪里等人征讨高丽,没有取得战功而归。

丙辰(初七),辽国哈斯罕部请求搜查女真部原来没有户籍的人,统计其中的男丁让他们为国家纳税服役;被批准。

枢密使贯宁上奏已大败德呼勒部,辽国君主命令侍御札拉去嘉奖,代行执手之礼。

壬戌(十三日),任命枢密使、同平章事寇准为武胜军节度使、同平章事。

先前,寇准憎恶三司使林特的奸诈邪恶,多次与他争执。林特正受宠幸,皇帝看了不高兴,对王旦等人说:“寇准年事已高,多次调换职务,我以为他肯定会改掉过去的缺点,现在的行为似乎比过去更为厉害了。”王旦等人说:“寇准喜欢别人对他感怀恩惠,又想别人畏惧他的权威,这都是做大臣所当避免的,而寇准却把这些作为己任,这是他的短处。没有最仁慈的君主,谁能保全他!”寇准还没有任枢密使时,王旦曾经患病不起,好久没有治好,皇帝命令用轿子把他抬入宫中,再三慰劳问候,趁机说:“你现在病重,谁可以代替你?”王旦辞谢说:“要了解臣子没人比得上他的君主,望明主自己选择。”皇帝举出张咏,又问马亮,王旦都不回答,皇帝说:“试以你的意愿说说。”王旦勉强坐起举起笏版说:“依臣下愚见,没有人比得上寇准。”皇帝觉得失望,过了一会儿说:“寇准生性刚烈偏激,再考虑其他人。”王旦说:“其他人不是臣下知道的。”

待到寇准任枢密使，中书门下有事情送关文给枢密院，违反诏令规格，寇准旋即报告皇帝。皇帝对王旦说："中书门下办事如此违反诏令，传播到各地，地方官员究竟以什么准则来效法呢！"王旦跪拜谢罪说："这实在是臣等的过错。"中书门下的官吏都因此受罚。不久枢密院也有事送公文到中书门下，也违反了诏令规格，官吏们拿到了，很高兴地呈给王旦，王旦就派人送还枢密院。官吏们把这事告诉寇准，寇准听了很惭愧。

王旦每次见到皇帝，必定称赞寇准的才能，而寇准却每次揭王旦的短处。皇帝对王旦说："你虽然称道他的优点，他却专说你的坏处。"王旦谢罪说："臣下居相位时间长了，缺点过失必定很多。寇准对陛下不加隐瞒，这正是臣下器重他的地方！"皇帝因此更加认为王旦贤。

待寇准自知会被罢免枢密使，派人向王旦请求当使相，王旦大为吃惊地说："使相怎么能自己请求呢？"寇准听了很是不满。不久皇帝问王旦："寇准应当授予什么官职？"王旦说："寇准不到三十岁，就承蒙先帝提拔安排在中书门下、枢密院两府重地，并且有才能和声望，如果授任使相，使他主持一方面的事务，他的风采也足以为朝廷增光。"待制书公布，寇准入见皇上，感激涕零地说："要不是陛下了解臣下，哪有这样的任命！"皇帝向他一一讲述了其中原委，寇准这才惭愧慨叹，向别人说："王子明的器量见识，不是我寇准能测度得了的。"

这天，任命吏部尚书王钦若、户部尚书陈尧叟同为枢密使、同平章事。

丙寅（十七日），下诏重申咸平年间的条文制度：凡是粮仓收藏的剩余粮食，不能作为考核成绩。

辽将耶律世良攻破准布部，派人呈上俘获的数目。

戊辰（十九日），辽国君主驻扎在沿柳湖。

己巳（二十日），女真向辽国进贡。

壬申（二十三日），耶律世良讨伐乌尔古部，攻破该部。甲戌（二十五日），辽国君主派使者奖赏有功将校。

耶律世良征讨德呼勒部，抵达清泥埚。这时于厥部已经平定，朝廷讨论想将其部众内迁，但于厥人安土重迁，就又举兵反叛。耶律世良鉴于新征服的部族容易反叛，攻破德呼勒部后，就将这一部族的丁壮全部杀死。他率兵返回噶喇河，进军攻打剩余党羽。但由于侦察疏忽，德呼勒将领巴固在密林中聚结军队，乘辽军不防备时袭击，辽军稍后退，退到噶喇河弯曲处列阵。这天夜晚，巴固率兵袭击，刚好听到辽国后续援军将要抵达，巴固于是引诱于厥部众全部逃跑。耶律世良领兵追赶，行军到险隘地段，巴固正好依险地稍事休息。辽军侦察到巴固的地方，耶律世良没有立即袭击，巴固因此得以率轻骑逃跑离去。辽军缴获了巴固的军用辎重和诱逃的于厥部众，将他们连同德呼勒部民一起迁走，在胪朐河上筑城，让他们居住下来。

荣王赵元俨宫中失火，火势漫延烧到内藏左藏库、朝元门、崇文院、秘阁。王旦等人请求应对，皇帝说："两朝的积蓄，一早晨就尽烧掉了，实在可惜！"王旦说："陛下富有天下，财物钱帛的损失不足以担心，应该考虑的是政令赏罚的不当之处而已。臣等身居宰辅大臣，天灾如此严重，应当罢免贬斥。"皇帝于是下诏责备自己的罪过，寻求直言之士，任命丁谓为大内修葺使。

五月,庚辰朔(初一),侍御史知杂事王随上奏说:“依诏令查劾荣王赵元俨宫中失火一事,原本是赵元俨侍婢韩氏盗卖宫中金器,害怕事情败露,于是纵火毁迹。”诏令斩断韩氏手脚,示众三天,凌迟处死。调查结案,因此而犯死罪的人很多,王旦独自请求应对,说:“陛下开始用罪己诏颁示天下,而今却过度杀戮,恐怕违失了前面诏书的本意。况且即使大火有迹可查,怎能知道这不是上天的谴责呢!”皇帝采纳了他的建议,减免判处死刑的几百人的罪责,只降荣王赵元俨为端王;记室参军崔旷因辅佐引导没有成绩,也被贬官。

辛巳(初二),辽国任命北府刘慎行为都统,枢密耶律世良为副都统,殿前都点检萧库哩为都监,领兵讨伐高丽。刘慎行先携带家眷安置到沿边州郡,以致拖延了出兵日期;辽国君主追回刘慎行,交付狱吏讨论责罚,任命耶律世良、萧库哩总领军队前去讨伐。

甲申(初五),任命寇准知河南府兼西京留守司事。

辛卯(十二日),河北转运使李士衡等人上奏说:“现在剩余的钱四十万贯,绢五千匹,丝三千两,布二十万匹,请求全部用来上供朝廷。”诏令本路贮存,不要调运到京城。

壬辰(十三日),诏令在右掖门外创建崇文外院,另建三馆的书库。当时皇宫城中宣布严厉的火禁,皇帝考虑到群臣要轮流值班住宿,寒冷月份吃喝不便,于是命令翰林学士陈彭年按唐代旧例而修建这一建筑。

废除内侍省黄门,其中的高班内品改为前殿祗候高班内品。

诏令从皇宫禁中到臣僚平民,一切服饰玩物都不得用黄金来装饰,严格执行禁令条例,从此用黄金作装饰的现象绝迹。

知制诰钱惟演献上他父亲受朝廷赐予的礼贤宅,皇帝颁优抚诏赐钱惟演五十万钱,命令平均分给钱氏六房,还各赐宅一所。

诏令:“送给契丹国的信物,过去用黄金装饰的,现在一并改成用锦绣装饰。”

庚子(二十一日),放出宫女一百八十四人。

六月,己酉朔(初一),出现日食。

给事中、知荆南府马亮上奏说:“一般官员的职田俸禄过于优厚,请求二三年间暂时停止支给职田收入,借此支助国家经费。臣下今年收得米麦四百二十多石,已报知本府交纳官府完毕。”下诏嘉奖。

庚戌(初二),辽国君主按礼仪拜日。与玛都布耶律世勋交换衣服乘马结为友好。任命上京留守耶律巴格为北院枢密副使。

辛未(二十三日),命令各州将自己亲撰的七条刻在石上。

闰月,己卯朔(初一),大赦天下,只要不是自己杀人和贪赃枉法以致杀人、犯十恶以至判死罪的,都可宽赦。

庚辰(初二),王钦若呈上依诏编修的后妃事迹七十卷,赐名《彤管懿范》。

任命童子蔡伯希为秘书省正字。蔡伯希老家原本在福州,跟随父亲蔡龟从来到京城时,才四岁,能背诵诗一百多篇。皇帝召他进宫,他应对周密详细,诵习的学业精通熟练,因而皇帝任命他为官。又因蔡龟从长期在科场应试,研习典籍,又善于教导儿子,被召来进行中书考试,授予校书郎。

戊戌(二十日),昭宣使、平州团练使、入内都知秦翰去世。皇帝非常痛惜,授意贝州观察

使赠赐办丧事的财物外加一等。秦翰风流倜傥又有武艺气力，以善于谋略自评，先后身上遭受四十九处创伤，众将帅推许他的勇敢。他轻财好施，领得俸禄赏赐大多匀给手下将士享用。皇帝曾经对王旦说："秦翰尽忠于国家，不陷害别人，也不随意赞誉他人。他在前朝曾经说：'和李继迁亲密无间，出入营帐中不分彼此，可以暗杀他。'还说：'臣下是一名内官不足怜惜，或许能替国家除掉这个强贼，死了也没有遗恨。'宋太宗非常赞赏他的忠诚。"王旦说："雷有终在西川，和上官正、石普时常不和，全靠秦翰和解，不然的话，差点滋生出事端。"皇帝说："昔日刘承规去世，秦翰说：'刘承规不回避众人的怨恨，如今肯定流传着对他的诽谤言论，希望全都不予听从。'我更加嘉许他的为人。"以后又赠授他彰国军节度使。诏令杨亿撰写碑文，杨亿由于秦翰不积蓄钱财，上表辞谢所赐润笔财物，虽然朝廷下旨不准，但当时舆论传为美谈。

秋季，七月，戊午（十一日），枢密副使王嗣宗免职为大同节度使。先前，王嗣宗与寇准不和，多次上表请求免职。寇准调离枢密院后，王嗣宗又坚决请求补任地方官，因此就授予他旄牛尾装饰的钺，不久任命他知许州。

庚午（二十三日），将知升州、工部侍郎薛映调任知扬州，任命给事中马亮为工部侍郎，知升州；任命吏部员外郎李迪为右谏议大夫、知永兴军。皇帝对辅政大臣说："重大州郡的长官，最难找到合适的人选。关键是要求既能洞察通达事物情理，又要遵守条文诏令，还要爱护百姓抑制强暴。但有的廉洁而肆意暴虐，有的苛察而滋生事端，有的加紧搜括聚敛财物还认为正确，有的旷缺职务还认为可以宽恕，这样怎么能治理好！"

乙亥（二十八日），任命郭崇仁为宫苑使、昭州团练使。郭崇仁是郭守文的儿子，章穆皇后的弟弟，尽管是外戚，朝廷也不曾过分推施恩泽，从此以后总共十年没有升迁。

八月，癸未（初六），陈州奏报知州、枢密直学士、礼部尚书张咏去世。赠授左仆射，谥号为忠定。张咏崇尚气节，重视履行诺言，见义勇为。任县令知州时常常有特殊的政令，恩威施及百姓，百姓都不敢作恶，但也苦于政令过分严厉。成都人建庙宇来祭祀他。皇帝曾经称张咏才能可胜任将帅，因病而不能全部发挥。张咏临终上奏疏说："不应当建造宫殿楼观，这样竭尽天下财力，损伤百姓的生命。这都是贼臣丁谓欺骗迷惑陛下，乞求斩下丁谓的头放在国门上来向天下人谢罪，然后斩下张咏的头挂在丁谓家的门上来向丁谓谢罪。"皇帝也不认为是忤逆。张咏曾经说："侍奉君主的人廉洁但不说贫穷，勤劳但不说辛苦，忠诚但不说自己的功劳，公正但不说自己能干，这样才可以侍奉君主了。"又曾经告诉别人说："我同榜中得到的人才最多；谨慎持重而有美名众望，没人比得上李文靖；深沉有德，能镇服天下，没有比得上王公；敢于在朝廷上面析皇上、据理力争，素有重臣风采，没人比得上寇公；至于在地方为官独当一面，那张咏不敢谦让。"

乙未（十八日），任命兰司使林特为户部侍郎、同玉清昭应宫副使，太常少卿马元方为右谏议大夫、权三司使事。皇帝考虑到林特长久在三司任职，年事已高，辛勤劳累，特地设置这个职位，班位在翰林学士之上，给以优厚的月俸来宠遇他。皇帝多次向他询问朝廷大事，林特借机中伤了一些人，别人因此畏惧他。

九月，己酉（初二），注辇国派使者前来进贡。注辇国自古不与中国交往，它的使者乘船涉海一千一百五十日才到达广州，估计路程，约有四十一万一千四百里。皇帝款待这些使者

更为优厚。

庚戌(初三),任命工部郎中、知邓州陈尧咨保留原官阶,任知制诰。陈尧咨生性刚烈乖戾,多次遭到贬谪的屈辱,因此惆怅无聊。皇帝听到后,询问他兄长陈尧叟,陈尧叟说:“陈尧咨不知圣上恩泽保佑,却自称是遭受谗言所致。希望选取原犯事中特别严重的深刻地批评他,让他知道悔改惧怕。”于是下诏给陈尧咨说:“你在知永兴时,行为乖戾失当,不仅是用刑残酷。还有诸如擅自建立武库,建立巡视草堂,开三道门,修筑甬道,出入排列禁兵自卫,这些难道是人臣所应该做的吗?大家议论纷纷,不只是乐黄目一人上奏。我念陈尧叟朝夕在身边侍奉,不想彻底追究,暂且稍微表示轻罚,旋即加以甄别录用。你不内心反省,只说是被别人排挤。从今以后应该体察国家恩典,改过从善;不然的话,定要把你前后所犯的错误事实都交付有关官员查办。”陈尧咨这才惶恐谢罪。

嘉勒斯赉开始建立法律条文,聚结部众几十万,上表请求攻伐夏州来报效朝廷。皇帝认为戎人多诈,可能出现其他事变,就命令周文质监泾原军,曹玮知秦州来防备。

甲寅(初七),辽军进攻高丽的通州,高丽将领郑神勇率兵绕到一辽军阵后,击杀七百多人,郑神勇战死。辽军进攻宁州,没有攻克就退兵了。高丽将领高积余率军追赶,兵败战死;辽军于是攻取定远、兴化二镇,修筑城墙防守。

丁卯(二十日),辽国君主与伊勒希巴兵部尚书萧荣宁订交好文契,以加强君臣的友好。丙子(二十九日),任命旗鼓苏拉详衮题哩古为六部奚王。

冬季,十月,丙戌(初九),任命右谏议大夫慎从吉为给事中、权知开封府。皇帝召见告诫慎从吉说:“京府政事浩繁,凡处理政事太快就易生差错,太慢又会滞积,你思忖着必须斟酌做到恰到好处。如有请托,一律拒绝。”又说:“政府办事官吏大多与豪门大族同谋作弊,应该严加注意。”待慎从吉典领开封政府事务后,诽谤他的人很多,皇帝因而询问辅政大臣,丁谓说:“慎从吉爱指责别人的过失,所以招致众人的怨恨。”皇帝说:“做官应遵守常道,如果勉强为善来博取虚名,那么毁谤怨言就随之而来了。”

辛卯(十四日),任命翰林学士晁迥权吏部流内铨,知制诰盛度知通进、银台司兼门下封驳事。晁迥因父亲名佺辞去任命,于是命令他与盛度对换职位。盛度是杭州人。

当时翰林学士王曾也兼领银台司,宰相建议让晁迥代替王曾。皇帝说:“我听到外面议论,说王曾曾经封还驳正诏令敕书,从此中书门下怨恨,经常使王曾上奏的事受挫。现在如果罢去王曾,这正符合外面的议论。”王旦说:“臣等原本没有忌恨王曾之意,现在宣布圣谕,替宰相避开诽谤,请求晁迥与盛度调换官职,王曾依旧。”皇帝许可。王旦因而说:“颁降敕书有时出现差误、造成伤害,勘核审定失实,这是臣等审视不周,这样颁布四方,确实不妥当。封驳司官员如能详细阅览改正,可帮助臣等考虑不周之处,必定没有责备他的道理。”皇帝认为说得对。

乙巳(二十八日),王钦若呈上《圣祖事迹》十二卷,皇帝撰写序言,赐名《先天记》。王钦若又续撰成三十二卷,呈上。

辽国君主从八月射鹿直到九月,又从九月癸丑(初六)到辛酉(十四日),连续在各山上打猎。

辽国君主善射箭气力大,曾遇到两虎正在奔跑,就策马追赶,发箭连射两虎。又曾经一箭穿透三只鹿，当时南京正好考试举人，就用《一箭贯三鹿》作为辞赋的题目。驸马刘三嘏献上《射二虎颂》，辽国君主嘉许他文辞艳丽。刘三嘏是刘慎行的儿子。

十一月，庚申（十四日），辽国君主命令裁减东京僧侣，又命令上京、中京以及各宫挑选精兵五万五千人准备东征。

工部侍郎种放去世。皇帝亲自撰写祭文，派内侍前去代为祭奠，护送灵柩送回终南山安葬，赠授工部尚书。先前有人讥讽种放循规缄默，皇帝听到后，对辅政大臣说："种放对我谈论了很多政事，只是朝廷外不了解罢了。"因而取出他呈上的时议十三篇给他们看。种放将要去世时，突然取出前后呈上的章疏草稿全部烧毁，穿上道士衣服，召集诸生在他家聚会饮酒，酒喝了几个回合就去世了。

癸酉（十七日），高丽和东女真前来进贡。

十二月，戊寅（初二），皇子举行加冠典礼。

辛卯（十五日），任命皇子庆国公赵受益为忠正军节度使兼侍中，封为寿春郡王。

甲辰（二十八日），任命枢密使、同平章事王钦若为都大提举抄写校勘馆阁书籍，翰林学士陈彭年为副职，铸制官印交给他们。当初，荣王宫失火，烧毁了崇文院、秘阁，保存下来的藏书很少；现已另建外院，需要重新抄写书籍，所以有这项任命。

这月，辽国君主从海上绕道到显州。

大中祥符九年 辽开泰五年（公元 1016 年）

春季，正月，丁未（初二），辽国君主从北方回来。

庚戌（初五），辽将耶律世良、萧库哩率兵与高丽在郭州城西交战，攻破高丽军，斩首一万多人，全部缴获了高丽军的军用物资。乙卯（初十），辽军临时驻扎在南海军，耶律世良在军中去世。

丙辰（十一日），设置会灵观使，由参知政事丁谓担任。

任命马军副都指挥使张旻为宣徽南院使兼枢密副使。先前张旻依圣旨选练士兵，但他下达的军令太严厉，士卒惧怕，密谋兵变。有人秘密将这事禀报皇上，皇帝召集中书门下，枢密院二府大臣商议，王旦说："倘若治张旻的罪，那么从今以后将帅大臣怎么敢统兵？如果马上逮捕密谋士兵，就会震惊都城，这样做更是不行。"皇帝说："那又怎么办呢？"王旦说："陛下几次想让张旻担任枢密使，臣下没敢接受诏令；现在倘若提拔任用，让他解除兵权，那么谋反的士兵就自然安定了。"皇帝听从了他的建议，军队果然没有出现其他变故。

辛酉（十六日），同玉清昭应宫副使林特呈上《会计录》，下诏交付秘阁。

癸亥（十八日），拨出内库藏钱五十万贯给三司。

兴州团练使赵德文，从小喜欢读书，举凡经史典籍、百家杂语，都自己动手抄摘，善做辞赋文章。皇帝因他像诸生一样刻苦自励，曾经因此召他进见，戏称他为"五秀才"。赵德文多次说他希望请名士做他的师友，己巳（二十四日），皇帝特意命令翰林学士杨亿和他交游。

壬申（二十七日），任命张士逊为户部郎中，崔遵度为户部员外郎，一同充任寿春郡王的僚友。

当时寿春郡王将要学习经典，命令中书门下选择品行端正又有学问的人担任王府官员。由于张士逊心境平和、兴趣高雅、办事严谨，淡于名利；崔遵度与他一同修起居注已有十年

多，每次站在殿堂上时，常常退藏在楹柱之间，担心皇帝看见他，同僚推举他为忠厚长者，皇帝因而召见两人一起任命。

起初，宰相准备任用张士逊等为翊善、记室，皇帝说："翊善、记室是王府属官，王都接受他们的礼拜。"所以用王友的名义任命他们，让郡王每见到他们都要答拜。张士逊曾经拜谒王旦，称赞郡王学习书写有法度，王旦说："郡王不要应试科举、荐选学士，主要精力不在于学书法。"张士逊惭愧谢罪。

癸酉（二十八日），辽国君主驻扎在雪林。

二月，准布部酋长朝见辽国君主。

辛巳（初六），辽国君主到达萨堤泊。

丁亥（十二日），监修国史王旦等人呈上《两朝国史》一百二十卷，赐优抚诏书作答。

庚寅（十五日），辽国任命前东京统军使耶律罕谟为右伊勒希巴。

壬辰（十七日），命令修景灵宫副使林特前往兖州景灵宫、太极观设坛祭祀，这是由于景灵宫营建完工的缘故。宫观总共一千三百二十二间。

甲午（十九日），下诏在元符观南面修筑殿堂，作为皇子就学的地方，赐堂名资善。皇帝撰写记文，刻石立于堂中。任命入内押班周怀政为都监，入内供奉官杨怀玉为寿春郡王伴读，还当面告诫不得在堂中嬉笑和摆设玩具。

丙申（二十一日），封后宫崇阳县君李氏为才人。

戊戌（二十三日），辽国皇子耶律宗真出生，是宫女萧纳木锦生的。萧纳木锦从小面色黝黑，视力不好，她母亲曾经梦见金柱擎天而立，几个子女想爬上去都没有爬上，萧纳木锦从她们后面跟来，与仆从一起上去升天了，她母亲心里奇怪。很久以后，萧纳木锦被选入皇宫，侍奉承天太后。曾经擦拭太后的卧榻时，得到一只金鸡，就吞进肚里，肤色突然变得异常光泽，太后很惊奇，说："这必定会生贵子。"便命令她侍候辽国君主。到这时生出儿子，是辽国君主的长子。辽皇后没生儿子，就抱过来作自己的儿子。萧纳木锦渐升为元妃。皇后喜爱抚养耶律宗真如同自己生的一样，元妃看了反而妒忌皇后的宠幸，心里常常不快。

三月，辛酉（十七日），辽国君主因为各道的监狱空无囚犯，对地方守臣都进升官阶赏赐财物。

癸亥（十九日），宗正卿赵安仁上奏说："唐朝玉牒首先记载混元皇帝，现在请求用皇上亲撰的《圣祖降临记》列在玉牒的前面，待另修皇朝新谱，就另取美名。又请求任命知制诰刘筠、夏竦同为宗正寺修玉牒官。"批准，将新谱定名为《仙源积庆图》。

庚午（二十六日），亳州报称明道宫建成，总计四百八十间。诏令派遣内侍设坛祭祀。

夏季，四月，辽国赈济招抚州县饥民。

王继忠被辽国扣留后，推荐提升为汉人行宫都部署，封为琅邪郡王。当时伊勒希巴萧哈绰，正由于他明白熟悉典章旧制，善于言谈应对，受到辽国君主宠信。王继忠侍奉辽国君主宴谈，辽国君主谈到萧哈绰，想任用为枢密使，王继忠说："萧哈绰虽然有文秘方面的才干，但不懂国事的大体；萧迪里德才兼备，可以任用。"辽国君主认为他偏袒萧迪里，没有听从他的话。戊寅（初五），任命萧哈绰为北院枢密使。

庚辰（初七），司天监上奏说周伯星再次出现。

丁亥(十四日),陕西转运副使张象中上奏说:“安邑、解县的两个盐池,除现存盐三亿八千八百八十二万余斤外,恐怕还有遗漏的盐利,希望订出新的征税条规。”皇帝说:“富裕地区财利丰厚,这也是达到极点了。倘若过分贪求增收余利,必然到时候就出现短缺。不能准许。”

丙申(二十三日),诏令赐天下聚会饮酒。

辛丑(二十八日),命令入内内侍省确定各级官员与各宫院婚嫁所用财物的数目标准。先前举行婚嫁事宜,冗费过多,每到纳采成礼的日子,率领很多随从人员,办喜事的人家供给饮食,动辄超过千万钱,致使有的人家因此倾家荡产。皇帝说:“国家皇室宗族逐渐扩大,这不可不加以限制。”于是多有缩减,并且赐金钱绢帛供给婚嫁费用。

五月,甲辰朔(初一),下诏准备明年正月一日到玉清昭应宫,奉上宝册。又将于十一月在南郊祭祀天地,举行告谢典礼。各军的赏赐,都用内府存藏的财物供应。三司不要催促各路交纳钱帛,各州、军、监也不得以进贡、助祭为名,随意聚敛。

乙巳(初二),邠宁环庆部署王守斌奏报夏州蕃部骑兵一千五百人前来侵扰庆州,归附内属的蕃人部落把他们打跑了。

丁未(初四),殿中侍御史张廓上书说:“官员有逢父母去世的,大多免去服丧,这不合古代礼仪。希望自今以后都依礼法命令解除官职实行服丧。”下诏遵从这一建议,那些应当提前起用复职的官员和武臣、内官,全都依旧制度施行。

丙辰(十三日),因为景灵宫、会灵观和兖州景灵宫、太极观建成,释放死罪放逐以下的囚犯。

丁巳(十四日),任命向敏中为宫观庆成使。

己未(十六日),河北转运使李士衡进献助祭南郊的绢布六十万匹、钱二十万贯,并且奏称:“六十万都是应该上供的,其余二十万是本路的羡余,请求派遣使臣起程发运。”先前朝廷每当有重大典礼,李士衡必定将所部上供的军需物资作为贡品,议论的人认为这些东西不是实数,所以,这次奏报逐条分清。下诏嘉奖,因而对辅政大臣说:“李士衡应付突然情况有才能,但办理常事常有疏忽,所以人们往往把他的行为视为虚假荒诞。然而朝廷所要办的事,不论大小都能随时办理,这也是他的长处。”

乙丑(二十二日),任命王旦为恭上宝册南郊恭谢大礼使。

庚午(二十七日),太白星在白天出现。

辛未(二十八日),司天监奏报:“岁星太阴运行失度,太白星偏高,这表明在秦地分野有兵事发生。”皇帝对辅佐大臣说:“秦地控制、连接三蜀,边境很长,军中不法之徒,担心他们会突然聚集为盗,应该严加防备。嘉勒斯赉与秦州、渭州的土著勾结滋事,曹玮请求增加驻兵,可以依准他的请求。川、陕地区的长官、监押、巡检有疏忽职守的,就予以更换。”

六月,辛巳(初九),比部员外郎、知齐州范航,因为受贿犯法,免予死刑,受杖脊黥面之刑,发配到沙门岛。他儿子范昭当时担任江南东路提点刑狱,待到被接替回京,到南京,上书说情愿当戍边士卒,以赎他父亲改迁好地方。宰辅大臣上书说父子之间,有罪虽不相牵连,然而也当贬降范昭的责任,于是命令他主持厘务;被依从施行。

癸巳(二十一日),京畿蝗灾,真宗命辅臣前往玉清昭应宫、景灵宫、会零观建道场举行

祈祷。

丙申(二十四日),任命虞部员外郎张怀宝、秘书丞韩庶、户部判官梁固分判三司盐铁、度支、户部句院。先前,起居郎乐黄目判三司句院,三司使马元方奏告他不称职,就罢免了他。皇帝对王旦等人说:“有人说三司官员不宜经常调换,可能是属吏希望官长频繁调换,这样就不能彻底清查各曹事务的弊端吧。另外,句院是把关防范的部门,官职卑下权力轻微,难以胜任这个职务。”王旦说:“盐簺:度支、户部三部句院合为一司,事务实在繁重,纵使由权重官员担任,也只是增加声势,对于检察审核就更加疏忽了。如果再分成三部设官,选择才能优秀办事迅速的人主持,或许可以分别减少各人管理簿籍文书的分量,各人可以稍微精心处理。”所以任命张怀宝等人分领三部句院。

辽国命令政事舍人吴克昌检查霸州的刑狱案件。

续资治通鉴卷第三十三

【原文】

宋纪三十三　起柔兆执徐【丙辰】七月，尽强圉大荒落【丁巳】十二月，凡一年有奇。

真宗膺符稽古神功让德　文明武定章圣元孝皇帝

大中祥符九年　辽开泰五年【丙辰，1016】　秋，七月，甲辰，辽主猎于赤山，以敦睦宫太保陈昭衮兼掌围场事。辽主射虎，以马驰太骤，矢不及发，虎怒奋，势将犯跸；左右辟易，昭衮舍马，捉虎两耳骑之，马骇且逸。辽主命卫士追杀，昭衮大呼止之。虎虽轶山，昭衮终不堕地，伺便拔佩刀杀之，辇至辽主前。慰劳良久，即日设燕，悉以席上金银器赐之，加节钺，迁围场都太师，赐国姓，命张俭、吕德懋赋以美之。

辛亥，飞蝗过京城，帝诣玉清昭应宫、开宝寺、灵(隐)〔感〕塔焚香祈祷，禁宫城音乐五日。先是帝出死蝗以示大臣曰："朕遣人遍于郊野视蝗，多自死者。"翼日，执政有袖死蝗以进者曰："蝗实死矣，请示于朝。"率百官贺。王旦曰："蝗出为灾，灾弭，幸也，又何贺焉？"众力请，旦固称不可，乃止。于是二府方奏事，飞蝗蔽天，有堕于殿廷间者。帝顾谓旦曰："使百官方贺而蝗若此，岂不为天下笑邪！"

甲寅，诏："前降德音赐酺，宜俟来春。"

乙卯，分命内臣与转运使、诸州通判、职官案视蝗伤苗稼，仍许即时改种，悉除其租。申禁宫城音乐十日。

癸亥，上封者言蝗旱由大臣子弟恣横所致。诏曰："近以蝗蝝伤于苗稼，考前书之所记，由部吏之侵渔。属者郡县之官，冒法不检，子弟之辈，怙势肆求，民实怨嗟，气用堙郁，俯从轻典，恐长弊风。自今士大夫各务敦修，更思教勖，姑念保家之美，勿贻败类之羞，苟掇显尤，难从末减。仍令所在官司谨察视之！"

甲子，诏："禁京城音乐尽此月。"

丙寅，诏："自今群官职田并须遵守元制，无得侵扰客户，遇灾沴即蠲省之。"先是殿中侍御史王奇，请籍纳职田以助赈贷，帝曰："朕以此田均济官吏，本欲人各足用，责其清谨耳，奇未晓给田之理。然朕每览法寺奏款，在外官属所占职田，多逾往制，不能自备牛种，或水旱之际，又不蠲省，致民无告。"遂罢奇奏，降诏申敕焉。

八月，丙子，令江淮发运使岁留上供米五十万，以备饥年赈济。

辽主如怀州，有事于诸陵。戊寅，还上京。

己卯，中使张文昱等言分路检视，蝗伤民田约十之一二，帝命所定蠲税分数，更加优厚。

丙戌，帝亲制玉皇圣号册文，召辅臣同观，自禁中具仪仗迎导赴大安殿，摹写刻玉。

枢密使、同平章事陈尧叟罢为右仆射。尧叟以久疾求领外任，从之，寻命判河阳，月给实俸，岁赐公使钱百万。尧叟入辞，别赉钱二百万，又作诗饯其行。尧叟奏对明辨，久典机密，军马之籍，悉能周记云。

丁亥，以向敏中使回，宴近臣于长春殿；不举乐，闵雨也。

壬辰，群臣请受尊号册宝，表五上，从之。

九月，癸卯，辽主弟秦晋国王隆庆朝辽主于上京，辽主亲出迎劳，至实德山，因同猎于松山。未几，封隆庆长子札拉为中山郡王，次子遂格为乐安郡王。

甲辰，兵部尚书、参知政事丁谓罢为平江节度使。谓上章请外任，即授本镇旄钺以宠其行。寻命谓知升州，谓请归拜墓，许之。

丙午，以翰林学士陈彭年为刑部侍郎，王曾为左谏议大夫，权御史中丞张知白为给事中，并参知政事。枢密直学士任中正为工部侍郎、枢密副使。

曾、知白、彭年等与王旦同在中书，尝乘间谓旦曰："曾等拔擢至此，公力也，愿有所裨补。"旦曰："愿闻之。"曾曰："每见奏事，其间有不经上览者，公批旨行下，恐人言之以为不可。"旦逊谢而已。一日，曾等以前说闻于帝，帝曰："所行公否？"皆曰："公。"帝曰："王旦事朕，多历年所，朕察之无毫发私。自东封后，朕谕以小事专行，卿等当谨奉之。"曾等退，谢于旦曰："上之委遇，非曾等所知也。"旦曰："向蒙谕及，不可自言先得上旨，今后更赖诸公规益。"略不介意。

右谏议大夫凌策，自成都代还，帝将擢任之，谓王旦曰："策有才用，治蜀，敏而能断。"旦曰："策性质淳和，临莅强济。"帝曰："然。"于是命为给事中、权御史中丞。

丁未，曹玮言："嘉勒斯赉、宗哥等率蕃部兵三万馀人寇至伏羌寨三都谷，即领军击败之，逐北二十馀里，斩首千馀级，生擒七人，官军被伤者百六十人，阵殁者六七十人。"诏赐玮及驻泊钤辖高继忠、都监王怀信锦袍、金带、器币，将校立功者第迁一资，仍赐金帛，阵殁者恤其家。

先是翰林学士李迪，召对龙图阁，命草诏书，徐谓迪曰："曹玮在秦州屡请益兵，未及遣，遽辞州事，谁可代玮者？"对曰："玮知嘉勒斯赉欲入寇，且窥关中，故请益兵为备，非怯也。且玮有谋略，诸将皆非其比，何可代？陛下重发兵，岂非将上玉皇圣号，恶兵出宜秋门邪？今关右兵多，可分以赴玮。"帝因问："关右几何？"对曰："臣向在陕西，以方寸小册书兵粮数备调发，今犹置佩囊中。"帝令自探取，目内侍取纸笔，具疏某处当留兵若干，馀悉赴塞下。帝顾曰："真所谓颇、牧在禁中。"未几，嘉勒斯赉果犯边，秦州方出兵，复召问曰："玮战克乎？"对曰："必克。"及玮捷书至，帝谓迪曰："卿何料之审也？"迪曰："嘉勒斯赉大举入寇，使谍者声言以某日下秦州会食，以激怒玮，玮勒兵不动，坐待其至，是则以逸待劳，臣用此知其决胜也。"

庚戌，以不雨，罢重阳宴。

甲寅，令诸路转运使督民捕蝗。帝以久旱，忧形于色，减膳撤乐，遍走群望。及是沾沛，帝作《甘雨应祈诗》，近臣毕和。

丁巳，诏："诸州蝗旱，今始得雨，方在劝农，罢诸营造。"

己未，诏："诸州县七月以后诉灾伤者，准格例不许；今岁蝗旱，特听受其牒诉。"

戊辰，青州言飞蝗投海死。

己巳，诏闻益州频雨谷贵，令发官廪粜济之；所修玉局观、上清宫悉罢。

诏："灾伤州军，有以私廪赈贫民者，二千石与摄助教，三千石与大郡助教，五千石至八千石第授本州文学、司马、长史、别驾。"

庚午，内出《北面榆柳图》示辅臣，数逾三百万。帝曰："此可代鹿角也。雄州李允则颇用心于此，朕尝询其累任劳课书历否，对曰：'设官本要莅事，但当竭力，何得更谋课最！'此言亦可嘉也。"

先是京畿、京东、西、河北路蝗生，弥覆郊野；七月，过京师，延至江、淮，及霜寒始尽。飞蝗之过京城也，帝方坐便殿，左右以告，帝起，临轩仰视，则蝗势连云障日，莫见其际。帝默然还坐，意甚不怿，乃命撤膳；自是体遂不豫。

冬，十月，壬申朔，诏以来年正月二日诣景灵宫奉上圣祖徽号。礼仪院言："正月天书降，用上元日朝拜玉清昭应宫。十月圣祖降，请以下元日朝拜景灵宫。著为定式。"

己卯，王钦若表上《翊圣保德真君传》三卷，帝制序。

初，祠部员外郎吕夷简提点两浙路刑狱，时京师大建宫观，伐材木于南方，有司责期令峻急，工徒至有死者，诬以亡命，收系妻子；夷简疏请缓役，从之。又言："盛冬挽运艰难，宜须河流渐通，以兵卒番送。"及代归，帝曰："卿所奏有为国爱民之心。"擢刑部员外郎兼侍御史知杂事。岁蝗旱，夷简请责躬修政，严饬辅相，思所以恭顺天意，及奏弹李溥专利罔上。

寇准判永兴，黥有罪者，徙湖南，道由京师，上准变事。夷简曰："准治下急，是欲中伤准耳，宜勿问，益徙之远方。"帝从之。

先是丁谓力庇李溥，主行新法，言不便者虽众，谓持之益坚。及谓罢政，群议复起。帝谓王旦等曰："茶盐之利，要使国用赡足，民心和悦，卿等宜熟思之。"旦等曰："此属邦计，欲选官与三司再行定夺，臣等参详可否奏裁。"帝曰："卿等宜即具诏，明述恤民之意。"丁酉，遂下诏言："茶盐等亦依常例，更不别生名目，致有疑误亏损。"

十一月，辛丑朔，辽以参知政事马保忠同知枢密院事、监修国史。

甲辰，三司言诸司欠商贾飞钱，欲罢来年官市缯绢偿之，诏发内藏钱二十万缗以给其费。

河西节度使、知许州石普，上言九月下旬，日食者三。又言："商贾自秦州来，言嘉勒斯赉欲阴报曹玮，请以臣尝所献阵图付玮，可使必胜。"先是帝方崇符瑞，而普请罢天下醮设，岁可省缗钱七十馀万以赡国用，遂忤帝意，于是帝益怪普言逾分。而枢密使王钦若，因言普欲以边事动朝廷，帝怒，欲遣使就劾；宰相王旦请先召还，命知杂御史吕夷简推鞫。狱具，集百官参验。九月下旬，日不食，普坐私藏天文，罪应死，诏除名，配贺州，遣使絷赴流所。帝谓辅臣曰："普出微贱，性轻躁，干求不已。既懵文艺，而假手撰述以揣摩时事。朕以先朝故，每容忍之，而普言益肆，录其微效，俾贷极典。闻普在流所思幼子辄泣下，流人有例携家否？"王旦等曰："律无禁止之文。"诏许挈族以行。寻命房州安置，增屯兵百人守护之。普倜傥有胆略，凡预讨伐，闻敌所在，即驰赴之。两平蜀盗，大小数十战，摧锋与贼角，众伏其勇。

壬子，以知秦州曹玮为秦州都部署，依前兼泾、原、仪、渭州、镇戎军缘边安抚使；以礼部郎中李及为太常少卿、知秦州。时玮数上章求解州事，帝问王旦："谁当代玮者？"旦荐及可任，帝即命之。

众议皆谓及非守边才，秘书监杨亿以告旦，旦不答。及至秦州，将吏亦心轻之。会有屯

驻禁军白昼掣妇人金钗于市中，吏执以闻。及方坐观书，召之使前，略加诘问，其人服罪。及不复下吏，亟命斩之，复观书如故，将吏皆惊服。不日，声誉达京师。亿见旦，具道其知人之明，旦笑曰："禁军戍边，白昼为盗于市，此固当斩，乌足为异！旦之用及者，其意非在此也。夫以曹玮知秦州，戎羌詟服，边境之事，玮处之已尽其宜。使它人往，必矜其聪明，多所变置，败坏玮之成绩。旦所以用及者，但以及厚重，必能谨守玮之规而已。"

辽秦晋国王隆庆自上京还，至北安，浴于温泉，得疾，十二月，乙酉，卒。辽主哀恸，辍朝，追赠皇太弟。

乙卯，诏改来年元曰天禧。

戊戌，奉天书置天安殿，玉皇宝册、衮服、二圣绛纱袍于文德殿。己亥，奉天书及玉皇宝册、衮服赴玉清昭应宫，圣祖宝册、仙衣赴景灵宫。

是岁，辽放进士孙杰等四十八人。

天禧元年 辽开泰六年【丁巳，1017】 春，正月，辛丑朔，改元。奉天书升太初殿，行荐献礼，上玉清皇大天帝宝册、衮服；又诣二圣殿，奉上绛纱袍，奉币进酒；诸路分设罗天大醮。壬寅，奉上圣祖宝册仙衣于天兴殿，礼毕，车驾还内。群臣入贺于崇德殿。

丙午，诏以是月十五日行宣读天书之礼。

庚戌，亲享六室。辛亥，奉天书合祭天地，以太祖、太宗并配。还，御正阳门，大赦天下，赏赐如东封例。免灾伤州军见欠田租及和籴，减荆湖南路盐价，蠲天下逋欠，虽盗用经三十年者亦蠲之。遂御天安殿，受尊号宝册。

乙卯，帝与群臣读天书于天安殿。

壬戌，诏以四月一日为天祺节，其制度悉如天贶。

丙寅，命宰相王旦为兖州太极观奉上册宝使。

己巳，给事中孙仅卒。帝曰："仅笃于儒学，性端悫，中立无竞，深可惜也！"命迁其子官。

是月，辽主如锥子河。

二月，庚午朔，诏赈灾，发州郡常平仓。

辛未，三司假内藏库钱五十万贯。

壬申，御正阳门观酺，凡五日。

甲戌，辽驸马萧托云削同平章事，以公主杀无罪婢，托云不能齐家也。公主降为县主。

丁丑，诏："别置谏官、御史各六员，增其月俸，不兼它职。每月须一员奏事，或有急务，听非时入对；及三年，则黜其不胜任者。"

戊寅，内外官并加恩。

发常平仓粟出粜以济贫民，京师物贵故也。

丁亥，设元天大圣后版位于文德殿，帝亲酌献，拜授册宝于王旦，仙衣于赵安仁。旦等跪奉以升辂，具卤簿仪卫。所过禁屠宰二日，官吏迎拜；至兖州，遣官三十员袴褶前导。奉册日，帝不视朝。

庚寅，进封李公蕴为南平郡王。

辛卯，召太子中允、直龙图阁冯元讲《易》于宣和门之北阁，待制查道、李虚己、李行简预焉。自是听政之暇，率以为常。帝因数访大臣能否，行简无所怨昵，必称道其长，人推其长者。

初，有日者上书言宫禁事，坐诛，籍其家，得朝士所与往还占问吉凶简尺，帝怒，欲尽付御史案罪。王旦具请以归，翼日，白帝曰："此人之常情，且语不及朝廷，不足究治。"因自取旧所占问者进曰："臣少贱时，不免为此。必以为罪，愿并臣下狱。"帝曰："此事已发，何可免？"旦曰："臣为宰相，执国法，岂可自为之幸于不发，而以罪人？"帝意解。旦至中书，悉焚所得书。既而大臣有欲因是以挤己所不快者，力请究治；帝令就旦取书，旦曰："臣已焚之矣。"由是获免者众。

己亥，刑部侍郎、参知政事陈彭年卒。帝闻之，即幸其第，涕泗良久；赠右仆射，谥文僖，录其子孙甥侄。彭年敏给强记，尤好仪制沿革、刑名之学，自升内阁，即以翰墨为己任。及李宗谔卒，杨亿病退，彭年专其任，事务益繁，愈勤职以固宠，手披简策，口对宾客，及胥吏白事满前，或密答诏问，晓夕若是，形神皆耗。然彭年素奸谄，时号"九尾野狐"。在翰林日，尝诣中书谒宰相，王旦辞不见；翌日复至，旦令见向敏中。它日，敏中命吏取彭年所留文字示旦，旦瞑目索纸封之，曰："不过兴建符瑞，图进取耳。"始，彭年仕未达，求为大理寺详断官。张齐贤时当国，一见，辄不可。人问其故，齐贤曰："此人在朝，必乱国政。"或疑齐贤过甚，后乃服其知人。

三月，戊午，以枢密使王钦若为会灵观使。会灵初置使，命执政兼领，于是王曾次当为之，钦若方挟符瑞固恩宠，意欲得此，曾因恳辞焉。帝颇不怿，谓曾曰："大臣宜傅会国事，何遽自异邪？"曾顿首谢曰："君从谏为明，臣尽忠为义。陛下不以臣驽病，使待罪政府，臣知义而已，不知异也。"

庚申，免潮州逋盐三百七十馀万斤。

辛酉，江南提点刑狱范应辰言："伏睹辛亥制书，常赦不原者咸除之。谨按《吕刑》云：'五刑之疑有赦，五罚之疑有赦。'今奸凶之辈，密料赦期，肆其残酷，方合正典刑而遽逢霈泽，配为卒伍，皆给衣粮，又何异赏人为盗邪！较诸疑则赦之，谅有殊矣。望自今凡有知赦在近而故为罪戾者，死罪以下，递减一等断之。"帝曰："先帝因郊礼议赦，有朝士秦再思上书，引诸葛亮佐刘备数十年不赦事，先帝颇疑之，时赵普入对，言曰：'圣朝定制，每三年郊祀即覃肆眚，所谓其仁如天，尧、舜之道也。刘备偏据一方，何足法哉？'自是赦宥之文遂定。应辰发论，颇见尽心；然全无赦宥，亦恐难行。"张知白曰："古人所谓数则不可，无之实难，斯为确论也。"

是春，京畿旱。

夏，四月，庚午，王旦至自兖州，言："曹、济、徐、郓州、广济、淮阳军每年船运上供斛斗三十七万石。去岁蝗旱，望免夏税一科支移。"诏可。

乙亥出圣祖神化金宝牌分给京城寺观及天下名山。牌长三寸许，广寸馀，面文曰"玉清昭应宫成天尊万寿金宝"，背文曰"永镇福地"，其周郭皆隐起蛇龙华葩之状，封以绛囊漆匣，帝亲题署之。

壬午，赐进士杨伟及第，贾昌朝同出身。大礼之初，贡举人献颂者甚众，惟伟及昌朝可采，故召试学士院而命之。

甲申，命龙图阁待制查道知虢州。将行，帝御龙图阁饮饯之。时虢州蝗灾，道既至，不俟报，出官廪米设糜粥赈饥者，发州麦四千斛给农民种，所全活万馀人。

乙酉，以著作郎刘煜为右正言。时准别诏置谏官，煜首预其选。帝曰："谏官、御史当识朝廷大体,乃为称职。”煜,温叟之子也。尝知龙门县,群盗杀人,煜捕得之,将械送府,恐道亡去,皆斩之,众伏其果。

通判益州,召还,时王曙治蜀,或言其政苛暴,因对,帝问曙治状与凌策孰愈,煜曰:“策在蜀,岁丰事简,故得以宽假民。比岁小歉,盗贼间发,非诛杀不能禁。然曙所行,亦未尝出法外也。”帝善之。曙峻法以绳盗贼,赃无轻重一切戮之,众股栗。居数月,盗贼屏窜,蜀民外户不闭。尝有卒夜告其军谋乱者,曙立辨其伪,斩之。民安其政,以比张咏,号“前张后王”。

辛卯,辽封秦晋国王隆庆少子色嘉努为长沙郡王。

以漆水郡王耶律制心权知诸行(营)〔宫〕都部署事。制心,隆运之侄也,以皇后外弟,恩遇日隆。时萧哈绰方用事,制心奏哈绰寡识无行检,辽主默然。

自南北通好,边境承平,辽主数与南北院诸臣宴饮,或连昼夕。辽主于音律特所精彻,中席或自歌,命宫人弹琵琶侑酒。详衮萧柳好滑稽,虽君臣燕饮,诙谐无所忌,时人比之俳优。制心遇内宴欢洽,辄引避,皇后怪而诘之曰:“汝不乐邪?”制心曰:“宠贵鲜能长保,以是为忧耳。”

壬辰,辽禁命妇再醮。

五月,戊戌朔,辽以枢密使萧哈绰为都统,以(南)〔汉〕人行宫都部署王继忠副之,殿前都点检萧库哩为都监,以伐高丽。

(甲辰)〔庚子〕,太保、平章事王旦以疾求退。旦柄用凡十八年,为相一纪,素羸多疾,又忧名位太重,不自安,自东鲁复命,连章求解;帝优诏褒答,继以面谕。戊申,制授太尉兼侍中,听五日一赴起居,因入中书,遇军国重事,不限时日,入预参决。旦闻命愈恐,家居不出,手疏恳请去位,具言:“私门百口,属疾将遍,欲退身以息灾咎;今加此峻秩,则是愈增罪衅。”辞意坚苦。又遣其子诣向敏中附奏。乃诏止加封邑,其馀优礼悉如前制。

〔庚戌〕,诏以仍岁蝗旱,遣使分路安抚。

〔乙卯〕,以高邮军民荀怀玉为本军助教,以其出米麦三千斛济饥民故也;仍许自今为例。

甲寅,辽以南京统军使萧惠为右伊勒希巴。惠尝从其伯父巴雅尔伐高丽,力战,破阻险之师,及攻开京,以军律严整闻,故有是命。

丙辰,开封府及(东京)〔京东〕、陕西、江、淮、两浙、荆湖路百三十州军,并言二月后蝗蝻食苗;诏遣使臣与本县官吏焚捕,每三五州命内臣一人提举之。

西京应天禅院太祖皇帝神御殿成,为屋凡九百九十一区。己未,命宰相向敏中为奉安圣容礼仪使,入内都知张景宗管句迎奉,左谏议大夫戚纶告永昌陵。

以秘书丞谯人鲁宗道为右正言,用新诏也。

殿中侍御史张廓言:“奉诏京东安抚,民有储蓄粮斛者,欲诱劝举放以济贫民,俟秋成依向例偿之,如有欠负,官为受理。”从之。

乙丑,辽主驻九层台。

六月,戊辰朔,辽德妃萧氏赐死,葬兔儿山〔西〕,后数日,大风起冢上,昼暝,大雷电而雨,不止者逾月。

丙子,右正言鲁宗道言:“亲民之官,政事最切。汉宣帝凡拜刺史、守相,必亲见之,考察其言,观其能否。今或未然。凡除知州、通判,京朝官知县,候满三五人,宜令大臣延之中书,察其应对,考其臧否。县令则择台阁有风鉴闻望臣僚主遣之。能否之间,各知其状,恐于圣政稍得其宜。又，审官之任，本宰相之职，宜妙选英哲以委之，庶激浊扬清，渐得良牧、贤宰，则斯民之大幸也。”

庚辰，发运使言：“真州等处转般仓及江、浙上供米二百二十馀万斛，欲留逐处以济阙乏。”从之。

盗发后汉高祖陵，论如律，并劾守土官吏。遣内侍王克让以礼治葬，知制诰刘筠祭告。因诏州县申前代帝王陵寝樵采之禁。

甲申，以武昌节度副使边肃知光州，用辛亥赦书也。时刑部奏其元犯，帝曰：“肃在邢州日，方契丹侵扰，屡诏令弃城入保，肃能固守，颇著成效；虽冒贿赂，亦累该赦宥矣，故特授以郡。”

诏：“金部员外郎、提点中书制敕院五房公事刘明恕，自今遇庆节大礼，许依枢密副都承旨例进奉上寿，仍赴宴会。”始更旧制也。

是月，辽南京诸县蝗。

秋，七月，辛丑，以蝗蝻再生，遣官分祷京城宫观、寺庙，仍令诸州公署设祭坛。

辽主如秋山。遣礼部尚书刘京、翰林学士吴淑达等分路按察刑狱。

己酉，右正言刘烨、鲁宗道等言：“每有章疏，例于阁门投进，事颇非便。欲于通进、银台司进入。”从之。又言：“章疏例须手写，伏缘笔札不精，虑渎圣览。”诏并令亲书。

王旦以病坚求罢相，甲寅，召对滋福殿，左右掖扶而升。帝睹其瘦瘁，闵然曰：“朕方欲以大事托卿，而卿疾如此，奈何？”因命皇子出拜，旦皇恐走避，皇子随而拜之。旦言：“皇子盛德，必任陛下事。”因荐可为大臣者十馀人，其后不践两府者，独凌策、李及。旦退，复上疏请去位，帝乃许之。丁巳，以旦为太尉，仍领玉清昭应宫使，特给宰相俸料之半，令礼官草仪，赴上尚书省。

旦为宰相，务遵法守度，重改作，善于论奏，言简理顺。其用人，不以名誉，必求其实。居家客宾满座，必察其可言及素知名者，别召与语，询访四方利病，或使疏其言而献之，密籍其名以荐，人未尝知。

谏议大夫张师德，两诣旦门不得见，意为人所毁，以告向敏中。敏中乘间言之，旦曰：“旦处安得有毁人者！”及议知制诰，旦曰：“惜哉张师德！”敏中问之，旦曰：“师德名家子，有士行，不意两及吾门！状元及第，荣进素定，当静以待之；若复奔竞，彼无阶而入者，当如何也？”

辽人常于岁给外别假钱币，旦请以岁给三十万内各借三万，仍谕次年额内除之。辽人得之，大惭。次年，复下有司，契丹所借金币六万，事属微末，令仍依常数与之，后不为比。

当是时，兵革不用，海内富实，天下称为贤相。

辛酉，三司请依常岁于开封府界均买草千馀万围。帝以螟蝗为害，虑烦民力，令中书、枢密院议其可否。向敏中曰：“国家监牧马数，比先朝倍多，广费刍粟。若令群牧司度数出卖，散于民间，缓急取之，犹外厩耳。”王钦若曰：“敏中之论，实为便利，臣请别具条奏。”帝可之。

八月，庚午，以枢密使、同平章事王钦若为左仆射、平章事。先是帝欲相钦若，王旦曰：“钦若遭逢陛下，恩礼已隆，乞令在枢密院，两府任用亦均。臣见祖宗朝未尝使南人当国，虽古称立贤无方，然必贤士方可。”帝遂止。及旦罢，卒相钦若。钦若尝语人曰：“为王子明，迟我十年作宰相！”

〔辛未〕，礼仪院奏详定太尉王旦赴上仪注。旧时，三公不兼宰相，无赴上之礼；帝优宠大

臣，特有是命，然旦终以病不赴。

帝以先所遣按抚诸路使者，方属西成，或妨农事，乃悉召赴阙；所在百姓，委长吏倍加安抚，无辄骚扰。

壬申，加向敏中尚书(左)〔右〕仆射。宣命之日，帝使人觇之，敏中方谢客，门阑悄然。帝笑曰："敏中大耐官职！"

丙子，诏："京城禁(园)〔围〕草地听民耕牧。"

丙戌，以都官员外郎、判三司都磨勘司浦城黄震为江、淮、两浙、荆湖制置发运使，赐金紫。

先是李溥出自三司小吏，为发运使十馀年，奸赃狼籍，丁谓党之，无敢言者。震将行，上书自陈，词颇愤激；帝知其意在溥也，谕之曰："卿当与人和。"震对曰："廉正公忠，不负陛下任使者，臣敢不与之和？"既至，发溥奸赃数十事，诏遣御史、阁门祗候各一人案劾之。

震尝通判遂州，会有诏特给两川军士缗钱，诏至西川，而东川独不及，军士谋为变。震白守曰："朝廷岂忘东川？殆诏书稽留耳！"即开库给钱如西川，众乃定。明日而诏至。

丁亥，诏："伎术人虽任京朝官，审官院不在磨勘之例。"

九月，戊戌，帝与宰相议省吏员。向敏中曰："太祖、太宗朝，阁门祗候不过三五员，宣导赞谒而已。今逾数百而除授未已，禄廪至厚，地望亦优，其间不无滥被升擢者，愿赐裁损。"帝曰："此盖相承为例，当渐减省之。"

庚子，辽主还上京。以皇子属思生，大赦。

癸卯，给事中、参知政事王曾罢为礼部侍郎。曾以会灵观使让王钦若，帝意不怿。及钦若为相，因欲排异己者，数谮之。会曾市贺皇后家旧第，其家未迁，而曾令人舁土门外，贺氏入诉禁中。明日，帝以语钦若，遂罢曾政事。曾既罢，往谒王旦，旦疾甚，辞弗见。既而语其家人曰："王君它日勋业甚大。昨让会灵观使，虽拂上旨，而词直气和，了无所慑。且始被进用，已能若是。我自任政事，几二十年，每进对，稍忤上意，即蹙缩不能自容，以是知其伟度矣。"

以翰林学士、右谏议大夫李迪为给事中、参知政事，依前会灵观副使。

先是迪尝独对内东门，帝出三司使马元方所上岁出入财用数以示迪。时仍岁旱蝗，帝忧不给，问何以济，迪曰："祖宗初置内藏库，欲办收复西北故土，且以备凶荒；今边无它费，陛下用此以佐国用，则赋敛宽，民不劳矣。"帝曰："朕欲用李士衡代元方，俟其至，当出金帛数百万借三司。"迪曰："天子于财无内外，愿诏赐三司以显示德泽，何必曰借？"帝悦。迪又言："陛下东封时，敕所过无伐木除道，即驿舍或州治为行宫，才令加涂塈而已。及幸汾、亳，土木之役过往时百倍。今旱蝗之灾，殆天意所以儆陛下也。"帝深然之。

以马知节知枢密院事，曹利用、任中正、周起同知院事。

戊(寅)〔申〕，以蝗罢秋宴。

己酉，太尉、玉清昭应宫使王旦卒。前数日，驾幸其第，帝手自和药并薯蓣粥赐之，复赐白金五千两。旦命家人还献，作奏毕，自益四句云："已惧多藏，况无所用，见欲散施，以息咎殃。"亟令舁至内阏。有诏不许，还至门，旦已卒。旦与杨亿素厚善，病革，延至卧内，清撰遗表，且言："忝为宰相，不可以将尽之言为宗亲求官，止叙生平遭遇，愿帝日亲庶政，进用贤士，少减焦劳之意。"仍戒子弟勿为厚葬。时年六十一。帝遽临哭之，废朝三日，优诏赠太师、尚

书令、魏国公，谥文正，录其子、弟、侄、外孙、门人、故吏，授官十数人。及诸子服除，又诏各进一官。

旦性冲澹寡欲，所居甚陋，帝欲为治之，旦以先人旧庐恳辞。每有赐予，见家人列置庭下，辄叹曰："生民膏血，安用许多！"被服质素，家人服饰稍过，即瞑目不视。有货玉带者，子弟以为佳，呈旦，旦命系之，曰："还见佳否？"曰："系之，安得自见？"旦曰："自负重而使观者称好，无乃劳乎？亟还之。"生平不置田宅，曰："子孙当念自立，何必田宅，徒使争财为不义耳！"兄子睦，颇好学，尝献书求举进士，旦曰："我尝以太盛为惧，岂可复与寒士争进？"至其殁也，子素犹未官。

咸平初，旦闻李沆之言，犹未深信，及见王钦若、丁谓等所为，欲谏则业已同之，欲去则帝遇之厚，乃叹曰："李文靖真圣人也！"祥符间，每有大礼，辄奉天书以行，尝悒悒不乐。临终，语其子曰："我别无过，惟不谏天书一节，为过莫赎。我死之后，当削发披缁以敛。"诸子欲奉遗令，杨亿以为不可，乃止。

辽萧哈绰之伐高丽也，辽主赐以剑，俾得专杀，故副都统王继忠不敢复言其短。哈绰至高丽，攻兴化城，九日不克。高丽将坚一、洪光、高义出战，攻获甚众，辽师败绩。乙卯，哈绰自高丽还，辽主始以继忠为知人，然于哈绰不罪也。时求进者多附哈绰，然其服食、仆马不加于旧，辽主以为廉，以族属女妻其子，诏许亲友馈献，由是豪贵奔趋于门。

〔甲寅〕，诏："自今特旨召试者，并问时务策一道，仍别试赋、论或杂文一首。"

癸亥，上封者言："国子监所鬻书，其直甚轻，望令增定。"帝曰："此固非为利，正欲文籍流布耳。"不许。

右正言鲁宗道言："进士所试诗赋，不近治道，诸科对义，但以念诵为工，罔究大义。"帝谓辅臣曰："前已降诏，进士兼取策论，诸科有能明经者，别与考校。可申明之。"

冬，十月，丁卯，辽以南京饥，挽云、应等州粟以赈之。

辛未，辽主猎于铧子河。

壬申，谕诸州非时灾诊不以闻者论罪。

庚寅，辽主驻达离山。

十一月，辛亥，翰林学士李维等上新修《大中祥符降圣记》五十卷，《迎奉圣象记》二十卷，《奉祀记》五十卷，诏赐器帛有差。

乙卯，幸太一宫，大雪盈尺。帝谓宰相曰："兹固丰稔之兆，但虑民力未充，失于播稼，卿等其设法赈劝，勿遗地利！"

十二月，丁卯，辽主轻骑还上京。

（丙子）〔丁丑〕，知制诰盛度等言奉诏蠲放逋欠凡九百四十三万，所释万五千五百人。

庚寅，玉清昭应宫判官、礼部郎中、知制诰夏竦，责授职方员外郎、知黄州。竦娶杨氏，颇工笔札，有钩距。竦浸显，多内宠，与杨不睦。杨与弟娟疏竦阴事，窃出讼之，又，竦母与杨氏母相诟言，皆诣开封府以闻；下御史台置劾，仍令与杨离异。

壬辰，遣使缘汴河收瘗流尸，从淮南转运使薛奎请也。

是岁，诸路民饥。

【译文】

宋纪三十三　起丙辰年（公元1016年）七月，止丁巳年（公元1017年）十二月，共一年

有余。

大中祥符九年 辽开泰五年(公元1016年)

秋季,七月,甲辰(初二),辽主去赤山打猎,任命敦睦宫太保陈昭衮兼管围场事宜。辽主射老虎,由于他的坐骑跑得太急,箭还没有发出去,老虎愤怒地跳了起来,眼看就要冲到辽主的坐骑,左右随从都惊退了。陈昭衮跳下自己的马抓住老虎的两只耳朵,骑上虎背,他的坐骑惊得都逃走了,辽主命令卫士追杀老虎,陈昭衮大喊,制止他们。老虎虽然跑到山里,陈昭衮始终没有从虎背上掉下来。他伺机拔出佩带的刀子,把老虎杀了,然后把它拖到了辽主的面前。辽主久久地慰劳陈昭衮,当天设宴,把酒席上的金银器皿全都赐给他,还赐给他符节和斧钺,升迁他为围场都太师,赐姓国,令张俭,吕德懋作赋,来赞美他。

辛亥(初九),蝗群飞过京城,真宗驾临玉清昭应宫、开宝寺、灵感塔焚香祈祷,禁止宫城里奏乐五天。在此之前,真宗拿出死蝗虫给下臣们看,说:“朕派人到郊外各处田野察看蝗灾。他们回来说,蝗虫好多都自己死了。”第二天,有一个执政大臣从袖中拿出死蝗虫给真宗看,说:“蝗虫确实已经死了,请在朝廷上给大家看。”真宗于是率领百官祝贺。王旦说:“出现蝗虫灾害,灾害消除了,是幸运的事,有什么可以庆贺的呢?”大家竭力请求庆贺,王旦坚决说不可以,这才没有庆贺。就在此时,枢密院和中书省前来报告情况,说飞蝗遮蔽了天空,还有掉落在殿廷之间的。皇上回头对王旦说:“假使百官正在庆贺,蝗虫却铺天盖地而来,这岂不被天下耻笑!”

甲寅(十二日),真宗降旨:“以前曾下诏赐宴群臣,等来年春天再举行吧。”

乙卯(十三日),分别命令内臣与转运使,诸州通判、职官,考察蝗虫伤害庄稼禾苗的情况,允许立即改种,免去全部田赋。真宗宣布在宫城禁止演奏音乐十天。

癸亥(二十一日),有人向朝廷递交秘密奏章,说:蝗灾、旱灾都是由大臣的子弟们放纵横暴造成的。真宗下诏说:“由于近来蝗虫伤害庄稼禾苗,查阅以往典籍记载,可以知道,是由各部门官吏侵吞,鱼肉百姓造成的。下属群县之官吏,冒犯法令,毫不检点,他们的子弟,依仗权势,肆意勒索,百姓确实怨声载道,怒气冲天。如果从轻处罚,恐怕会助长歪风邪气。从今以后,士大夫们都务必勉励修养,更要想着教育勉励自己的子弟;姑且念及保全家庭美满,但也不要让败类耻辱贻误了后人,如果惩处那些罪恶昭彰的人,最终也难以减少这些恶劣现象。还是让所在的各级官吏严格地监督他们的子弟为好。”

甲子(二十二日),真宗降旨:“禁止京城演奏音乐,直至本月月底。”

丙寅(二十四日),真宗降诏:“从今天起,各级官吏的职田,都务必遵守原来的制度耕种,不得侵扰客户,遇有灾害,就该减免租税。”在此之前,殿中侍御史王奇,请求收回职田,以帮助朝廷发放救济贷款。真宗说:“朕用职田,接济各级官吏,本来是想让大家丰衣足食,要求他们廉洁谨慎罢了,王奇不明白朝廷分给官吏们职田的原因。然而,朕每次阅览掌管刑狱法寺的奏款,在地方任职的官吏们,所占的职田,大多超过以往规定的数目。他们又不能自备耕牛耕种,有时遇到水旱灾害,又不减免租税,致使百姓有冤无处告发。”这样便否定了殿中侍御史王奇的收回职田的请求,降旨申明这个法令。

八月,丙子(初五),令江淮发运使,每年留下本应上供的米粮五十万石,以备荒年救济之用。

辽主到怀州,祭奠诸陵。戊寅,回到上京。

己卯（初八），中使张文昱等人上奏，分路查看，蝗虫伤害的民田约十分之一、二，真宗下令所免赋税的份额应更加优厚。

丙戌（十五日），真宗亲自撰写玉皇圣号册文，召辅臣们一同观看，从禁宫中，由仪仗队迎导，送到大安殿，命人摹写，刻在玉石上。

枢密使、同平章事陈尧叟，免去原职，拜为右仆射。陈尧叟由于久病，要求外调任职，真宗表示同意，不久，任命他为河阳地方官，每月发给优厚的俸禄，每年赐予公使钱一百万。陈尧叟入朝告别，真宗另外赏钱二百万，并作诗饯行。陈尧叟在奏对时，事理明辨清晰，在很长时间里，主管国家机密，连登记在册的军马，他都能详细地记得。

丁亥（十六日），因为向敏中出使回来，真宗在长春殿宴请近臣。不奏乐，担心影响下雨。

壬辰（二十一日），群臣请求真宗接受尊号，册文和金玺，共上表五次，真宗才接受这个建议。

九月，癸卯（初二），辽主的弟弟秦晋国王耶律隆庆，在上京朝拜辽主。辽主亲自出宫迎接慰劳，到宝德山，便一同去松山打猎。不久，封耶律隆庆的长子耶律扎拉为中山郡王，封其次子耶律遂格为乐安郡王。

甲辰（初三），兵部尚书，参知政事丁谓，免去原职，拜为平江节度使。丁谓上疏，请调外任，真宗即授予他本镇的一支旄钺，丁谓上路时深感荣耀。不久，任命丁谓为知升州。丁谓请求回家乡祭扫坟墓，真宗同意。

丙午（初五），任命翰林学士陈彭年为刑部侍郎，任命王曾为左谏议大夫，任命代理御史中丞张知白为给事中，并参知政事。任命枢密直学士任中正为工部侍郎、枢密副使。

王曾、张知白、陈彭年等人与王旦同在中书省任职，他们曾抽空对王旦说："我们提拔到今天的位置上，都是仗着你的力量，我们愿意做一些增益补缺的事情。"王旦说："我想听听你们怎么做。"王曾说："每次见到给皇上的奏章，其中有一些没有经过皇上的批览，你批之后，作为皇上的圣旨下达，恐怕会有人说，这样做不可以。"听了王曾的话，王旦只是谦逊地表示感谢而已。有一天，王曾等人把前面听说的事告诉了真宗，真宗说："他所做的事公道吗？"大家都说："公道。"真宗说："王旦侍奉朕，已经多年了，朕观察他，办事没有一点儿私心，自从东封泰山以来，朕曾宣谕，小事他可以自行决定，你们应当小心侍奉。"王曾等退朝后，向王旦表示歉意，说："皇上委任你小事自行决定，对此，非我们所知。"王旦说："上次承蒙你们告诉我，但我不能自己说出预先得到了圣上的旨意，今后还要靠诸公规劝。"他一点也不介意。

右谏议大夫凌策，从成都代职还朝，真宗将提升他，对王旦说："凌策有才能，治理蜀的时候，很机敏善断。"王旦说："凌策性格敦厚温和，遇时果敢坚决。"真宗说："是的。"于是任命他为给事中，代理御史中丞。

丁未（初六），曹玮上奏："嘉勒斯赉、宗哥等人率领蕃部三万人马侵犯伏羌寨三都谷，我等立即率领军队打败了他们，把北军赶出二十多里以外，斩首级千余，活捉七人。官兵被打伤一百六十人，阵亡七十人。"真宗降旨，赐予曹玮及驻泊钤辖高继忠、都监王怀信锦袍、金带、器币，立功将校按次序升迁一等，并赐予金帛，阵亡者，抚恤其家。

在此之前，翰林学士李迪，被召到龙图阁，真宗命他起草诏书，并慢慢地对李迪说："曹玮在秦州屡次请求增兵，还没有来得及调遣，他却辞去了秦州的事务，谁可以去代替他？"李迪回答说："曹玮知道嘉勒斯赉有入侵的企图，并且正窥视着关中，所以他请求增兵，以做准备，

并不是胆怯。再说，曹玮有谋略，诸将都不能同他相比，谁可替代他呢？陛下重视发兵，是不是因为将要上玉皇圣号，忌讳兵从宜秋门杀出呢？现在，关右的兵多，可以分出部分到曹玮处。”真亲说：“关右有多少人马？”李迪回答：“臣以前在陕西，用小册子记下了军队和粮食的数量，以备调动和调拨，现在还放在佩囊里呢。”真宗叫他拿出来看看，且眼睛示意内侍取过纸笔来。李迪详细地对真宗说明，某处该留多少兵，其余全部到塞下去。真宗回过头来说：“真是宫中出了廉颇、李牧将军了。”没过几天，嘉勒斯赉果然来侵犯边境，秦州守将正要出兵，这时真宗又召李迪，问他：“曹玮能取胜吗？”李迪回答说：“一定能打胜仗。”等到曹玮的捷报书信传来，真宗又对李迪说：“你怎么预料得如此准确啊？”李迪说：“嘉勒斯赉大举入侵，派刺探扬言，于某日打下秦州之后会餐，用这种方法激怒曹玮，可是曹玮却按兵不动，坐等敌军到来。这就叫作以逸待劳。臣因此知道曹玮一定能取得胜利。”

庚戌（初九），因不下雨，取消重阳酒宴。

甲寅（十三日），令各路转运使督促百姓捕蝗。由于久旱，真宗忧形于色，决定减膳撤乐，各处祈祷山川众神。这时下了大雨，真宗作《甘雨应祈诗》，近臣们都来应和。

丁巳（十六日），真宗降旨：“各州都发生了蝗灾旱灾，现在才下了雨，现在正该鼓励农民耕作，停止各宫室的营造。”

己未（十八日），真宗降诏：“各州县，七月以后上报灾情，按法令是不许的；因今年的蝗灾旱灾，特准接受各州县报告灾情的公文。”

戊辰（二十七日），青州上奏，飞蝗均投海而死。

己巳（二十八日），真宗下诏，听说益州降雨频繁，粮价上涨，下令打开官仓粜粮济民，正在修建的玉局观、上清官工程全部停下来。

真宗降旨：“凡遭受灾害的州军，有用自家粮仓中拿出粮食赈济穷苦百姓，数量达两千石者，授予摄助教之职，数量达三千石者，授予大群助教之职，数量达五千石到八千石者，依次授予本州文学、司马、长史、别驾之职。”

庚午（二十九日），内廷拿出《北面榆柳图》给辅臣们看，数量超过三百万株。真宗说：“这可以代替防御设施啊。雄州的李允则对此事十分用心，朕曾问他历次劳绩考核都做过详细记录没有，他回答说：‘设置官吏，本来应该管事，只有尽心竭力，怎么可以再去谋求考核居先呢！’这句话也值得嘉许啊。”

在此之前，京畿、京西、河北路，发现蝗虫滋生，覆盖了郊野。七月蝗虫飞过京师，漫延到长江、淮河一带，一直到霜冻来临时才死光。飞蝗掠过京城时，真宗正坐在便殿，左右侍从告诉真宗，真宗站起来，走到窗户口，抬头观看，蝗虫真是遮天盖地，看不见边际。真宗默默地回到座位上，心中郁郁不乐，叫人撤去饭菜，从此，真宗得病。

冬季，十月，壬申朔（初一），真宗降旨，于明年正月二日去景灵宫，向圣祖献上徽号。礼仪院上奏：“正月，天书下降，于上元日朝拜玉清昭应宫。十月圣祖降灵，请于下元日朝拜景灵宫。这要作为制度定下来。”

己卯（初八），王钦若献上《翊圣保德真群传》三卷，由真宗给作序。

当初，祠部员外郎吕夷简提点两浙路的刑狱，当时京师正大兴土木，建造宫观，从南方采伐木材。有关官吏责令按期竣工，工期十分紧迫。工人和被罚劳役的人中，有死亡的。官吏们诬陷他们逃亡，并且把这些人的妻子儿女抓了起来。吕夷简上疏，请求延缓他们的劳役，真宗同意。吕夷简又上疏："隆冬季节，运输困难，应该在河流渐渐解冻，可以通航的时候，派兵卒轮流押运。"等到吕夷简代职回来，真宗对他说："你的奏章，表现了为国爱民的心意。"于是提升他为刑部员外郎兼侍御史知杂事。今年发生蝗灾旱灾，吕夷简请真宗自陈己过，修明政治，严格训饬辅相，考虑如何才能恭顺天意，他还上奏弹劾了李溥专权擅利，欺君罔上。

寇准兼任永兴的地方官，在犯人脸上刺字，并把他们迁徙到湖南去，从京师经过，有人上告，说寇准要造反。吕夷简奏说："寇准治理地方很严格，上告的人是想中伤寇准罢了，不用去过问此事，应把犯人迁徙到更远的地方去。"真宗同意吕夷简的意见。

在此之前，丁谓竭力庇护李溥，主张推行新法，说推行新法不利的人虽然很多，但丁谓越发坚持自己的意见。等到丁谓罢了官，大家又纷纷议论起来。真宗对王旦等人说："茶盐业专卖赢利既要使国家财用富足，又要让民心和悦，你们好好考虑考虑。"王旦等人说："这属于国家大计，要选择一些官吏与三司再行论定，臣等参酌详审其可否之后再奏，请皇上予以裁定。"真宗说："卿等应立即起草诏书，说明体恤百姓的心意。"丁酉，下达诏书，说："茶盐等业仍依照常例经营，不再另立名目，以免造成疑误和亏损。"

十一月，辛丑朔（初一），辽国任命参知政事马保忠同知枢密院事、监修国史。

甲辰（初四），三司上疏说，诸司均拖欠商贾们飞钱，想取消明年官卖缯绢来抵偿。真宗降旨，拨出内藏钱二十万缗，用来归还这些飞钱。

河西节度使、知许州石普上疏说，九月下旬，将发生三次日蚀。他还上疏说："有商贾从秦州来，说嘉勒斯赉想暗中报复曹玮，请把臣以前进献的阵图交给曹玮，可以保证他必胜。"在此之前，真宗正迷恋着符瑞，可是石普却请求取消天下的祷神旧道场，说这样可以节省缗钱七十余万，以满足国用，他的请求与真宗的心意相反。这时，真宗越发责怪石普的话僭越了自己的本分。枢密使王钦若趁机说，石普想用边疆的事动摇朝廷。真宗十分生气，要派使者立刻去弹劾他。宰相王旦请求先把他召回来，叫知杂御史吕夷简审理。讼案已经准备好，召集百官都来参加验证。九月下旬，没有发生日蚀。石普被判以私藏天文材料的罪行，应判处死刑。真宗降旨除名，发配到贺州，派使者押解到流放的地方。真宗对辅臣们说："石普出身微贱，性格轻狂浮躁，总想升官。对文艺懵懂，又想假手起草诏书，来揣摩时事，朕因为先朝的缘故，每每容忍了他，可他的言语益加放肆。姑且念他做过一点有益的事，宽免他的死罪。朕听说石普在流放的地方思念他的幼子，往往落泪，流放的人有携带家眷的先例吗？"王旦等人说："法律上没有禁止携带眷属的条文。"真宗降旨，允许石普带家眷去。不久，又命房州安置他，并增派一百名屯兵守护他。

石普为人洒脱有胆略，每次参与讨伐，先打听敌人驻扎的地方，然后就亲自骑马赶去。他两次平定了蜀盗，参加过大小战斗数十次，摧毁敌人的先头部队，与贼兵较量，大家都佩服他的勇敢。

壬子（十二日），任命知州曹玮为秦州都部署，依旧兼泾、原、仪、渭州、镇戎军缘边安抚使；任礼部郎中李及为太常少卿、知秦州。当时曹玮几次上奏章，请求解除他秦州的事务，真宗问王旦："谁去代替曹玮？"王旦推荐说，李及可以任用，真宗就命李及去接任。

大家都议论说，李及不是守卫边疆的人才。秘书监杨亿把大家的议论告诉了王旦，王旦不答。李及到了秦州，将吏们心里也看不起李及。这时正好有一个屯驻的禁军，大白天在街市上，把妇女的金钗拿下来了。一个下级军官抓住了他，把此事告诉了李及，李及正坐着看

书，他把禁军召到跟前，稍加盘问，那人就服罪了。李及也不再回复那个下级军官，立刻命令斩首，说完，仍像刚才那样看书，将吏们惊服了。过了没有几天，李及的声誉就传到了京师。杨亿见到王旦，十分称道他有知人之明，王旦笑道："禁军去戍边，大白天在街上抢东西，这本来就该斩首，有什么值得奇怪的呢！我王旦所以荐用李及，用意并不在这里。任命曹玮知秦州，戎、羌慑服，边境上的事，曹玮已经处理得很合适了。假使派别人去，他们一定自以为有才能，改变原来的法令制度，败坏了曹玮的成绩。我王旦荐用李及的原因，是因为李及为人厚重，一定能谨守曹玮定下的规矩而行。"

辽国秦晋国王耶律隆庆，从上京回去，走到北安，在温泉沐浴，得了病。十二月，乙酉（二十一日），去世。辽主十分悲痛，不上朝听政，追赠他为皇太弟。

青玻璃切子瓶　辽

乙卯（十五日），真宗下诏，明年，改年号为天禧。

戊戌（二十八日），奉天书置于天安殿，捧玉皇宝册、衮服、二圣绛纱袍到文德殿。己亥，捧天书及玉皇宝册、衮服赴玉清昭应宫，捧圣祖宝册、仙衣赴景灵宫。

这一年，辽国放榜录取进士孙杰等四十九人。

天禧元年　辽开泰六年（公元 1017 年）

春季，正月，辛丑朔（初一），改年号。真宗手捧天书，登太初殿，行荐献礼，献上玉清皇大天帝宝册、衮服；又到二圣殿，献上绛纱袍，献上礼物，进酒；诸路分设罗天大醮。壬寅（初二），在天兴殿献上圣祖宝册、仙衣。礼仪完毕，车驾回宫。众大臣在崇德殿朝贺。

丙午（初六），真宗降旨，于本月十五日行宣读天书之礼。

庚戌（初十），真宗亲自祭享六室。辛亥（十一日），捧天书，合祭天地，以太祖、太宗一起配享。回宫，御驾正阳门，大赦天下，所有赏赐都按照东封泰山时定例。免除受灾州军所欠的田赋，停止官家收购民间粮食，降低荆湖南路的盐价，免去天下的拖欠。即使是盗用公款经三十年的，也免去。御驾天安殿，接受尊号宝册。

乙卯（十五日），真宗和群臣在天安殿阅读天书。

壬戌（二十二日），真宗降旨，定四月一日为天祺节，其制度完全和天贶节一样。

丙寅（二十六日），命宰相王旦为兖州太极观进献册书和宝玺的使臣。

己巳（二十九日），给事中孙仅去世。真宗说："孙仅笃信儒学，秉性正派诚实，保持中立，与人无争，他的去世，朕深感痛惜！"命令提升他儿子的官职。

本月，辽主去锥子河。

二月，庚午朔（初一），真宗下诏发放州郡常平仓粮食，救济灾民。

辛未（初二），三司借用内藏库钱五十万贯。

壬申（初三），真宗于正阳门赐宴臣民，共五天。

甲戌（初五），辽国驸马萧托云，罢免同平章事，因为公主杀死了无罪的婢女，萧托云治家无方。公主降为县主。

丁丑（初八），真宗降旨："另设谏官、御史各六员，增加他们的月俸，不兼其他职务。每月必须有一位谏官、御史上朝奏事，如果遇有急事，可以随时入朝面奏。三年之后，罢黜不能胜任的人。”

戊寅(初九),朝廷内外官员一并加恩。

打开常平粮仓,出售粮食,救济贫苦百姓,这是因为京师物价昂贵的缘故。

丁亥(十八日),在文德殿设立元天大圣后的神位牌,真宗亲自献酒。真宗向王旦拜授册宝和金玺,向赵安仁拜授仙衣。王旦等人跪接,登上大车,用仪仗卫士护送。所经过的地方,两天之内禁止屠宰牲口。官吏跪拜迎送,到兖州,派遣三十位官吏,穿上袴褶,在前引导。奉册那一天,真宗不上朝听政。

庚寅(二十一日),晋封李公蕴为南平郡王。

辛卯(二十二日),真宗召太子中允、直龙图阁冯元在宣和门的北阁讲解《易经》,待制查道、李虚己、李行简等人也参加讲解。从此之后,真宗常常在临朝听政的空闲时间,听讲《易经》。在听讲时,真宗多次问到大臣们的能力,李行简对任何人均无怨恨,也不歧视,一定称道他们的长处。人们都推崇他为长者。

当初,有一个占候卜筮的人上书,说到禁宫中的事情,由此而被诛杀。在抄没其家产的时候,抄得朝廷官吏与占卜的人往来占问凶吉的信札,真宗非常生气,想全部交给御史按罪论处。王旦请求全部带回这些信札。第二天,王旦对真宗说:“这是人之常情,再说,并没有涉及朝廷,不值得去追究治罪。”说着,自己拿出从前占卜的信札给皇上看,说:“臣年轻不晓时事,不免也去占卜;如果以此论罪,请把臣一起投入牢狱吧。”真宗说:“此事已经揭出,怎么可以免除呢?”王旦说:“臣为宰相,执行国法,怎么可以自己做了错事,只是侥幸没有被人发现,不办自己的罪,而去治别人的罪呢!”真宗打消了给这些人治罪的想法。王旦到中书省,把抄出的信札全部烧了。不久,有些大臣想借此机会排挤自己不喜欢的人。竭力请求朝廷追究治罪,皇上让他们去王旦那里取信札,王旦说:“臣已经烧掉了。”由此很多人幸免于难。

己亥(三七日),刑部侍郎、参知政事陈彭年去世。真宗听到噩耗后,亲临其家,涕泪俱下,哭了很久,赠授右仆射,谥号为文僖,任用其子孙甥侄等人。

陈彭年聪明,记忆力强,尤其喜好研究典章制度的沿革和刑名之学。自从升入内阁以来,就把诗文书画作为己任。直至李宗谔谢世,杨亿病退,陈彭年才专任刑部侍郎、参知政事,事务日益繁重,越加勤于职责,以便保持皇上对自己的宠幸。他手里翻阅着简策,嘴里回答着宾客的提问,胥吏们纷纷上前向他报告各种事情,有时密答皇上的诏问,都是如此。他精神耗尽,形容憔悴,可是平素为人邪恶不正,喜欢临媚奉承,当时人们给他起了一个绰号叫“九尾野狐”。在翰林院的日子里,有一次到中书省去拜谒宰相,王旦推辞不见,第二天他又去了,王旦叫他去见向敏中。后来,向敏中叫小吏取来陈彭年留下的文字给王旦看,王旦闭上眼睛,要了一张纸,把它封起来,说“不过是要求兴建符瑞,企图有所进取而已。”当初,陈彭年仕途不畅,他要求到大理寺当详断官,张齐贤那时主持国政,一见陈彭年的文字,就说不行。有人问为什么,张齐贤说:“此人在朝中,必然扰乱国家大政。”有人怀疑张齐贤评论太过分,后来才佩服他能知人。

三月,戊午(十九日),任命枢密使王钦若为会灵观使。会灵观当初设置使官时,都让执政兼任。这时王曾按顺序该担任此职,王钦若正利用符瑞,以保持皇上对自己的恩宠,心里很想得到会灵观使这个职务,王曾趁机很恳切地辞掉它。真宗心中不悦,对王曾说:“大臣应该领会贯通国事,怎么突然异心了呢?”王曾顿首谢罪说:“国君能虚心听取别人的意见,叫作

英明,大臣能竭尽忠心为国君办事,叫作恪守大义。陛下不因臣才能低下,让臣在政府中供职,臣只知道秉公执义罢了,不知什么叫异心啊!"

庚申(二十一日),免去潮州拖欠的食盐三百七十余万斤。

辛酉(二十二日),江南提点刑狱范应辰上疏说:"臣看辛亥年间的诏书,经常获得赦免,可又不肯让改恶从善的人,全部除名。谨根据《吕刑》所说:'五刑之疑有赦,五罚之疑有赦。'如今那些凶残邪恶的人,暗中估量大赦的日期将临,便肆无忌惮地干起残酷的事情来,正应用常刑判他们的罪,忽然又碰上帝王的恩泽,放逐出去当兵卒,都发给衣服、粮食,这和有人作了盗贼,却给予奖赏又有什么区别呢!这与赦免各种嫌疑犯相比,确实大不一样。希望从今以后,凡是知道大赦之日临近而故意犯罪的人,判处死刑以下的,应递减判罪。"真宗说:"先帝在郊外祭祀天地时,谈论过赦的事,有一个朝中的官吏秦再思上书,引用了诸葛亮辅佐刘备几十年,从未实行过大赦的事,先帝颇为怀疑,当时赵普面奏说:'宋朝的定制,每隔三年一次郊祀,对有罪的人实行宽赦,这可谓是仁爱如天,尧、舜之道。刘备割据一方,哪里值得效法呢!'从那时宽免的法律条文才定下来。范应辰发表的议论,颇见他尽了心力,可是全然没有赦免,也很难行得通。"张知白说:"古人所说的赦免过多不可行,没有宽赦确实很难,这是正确的言论。"

这年春天,京城郊区遭受旱灾。

夏季,四月,庚午(初二),王旦自兖州回,上疏说:"曹、济、徐、郓州、广济、淮阳军等地,每年船运上供京师的粮食有三十七万石。去年这些地方发生蝗灾,希望免除夏税,向这些地方运送粮食。"真宗降旨许可。

乙亥(初七),把圣祖神化金宝牌分给京城各寺观,以及全国各名山。牌长三寸多,宽一寸多,正面的文字为"玉清昭应宫成天尊万寿金宝。"背面的文字为"永镇福地。"牌的周边都隐约有蛇龙华葩的形状隆起,用绛囊漆匣封起来,皇帝亲自题字署名。

壬午(十四日),赐予进士杨伟及第,赐予贾昌朝同出身。在开始举行隆重礼仪的时间,贡举人呈献颂词的很多,只有杨伟和贾昌朝的可以采用,所以把他们召到学士院考试,而后才任命的。

甲申(十六日),任命龙图阁待制查道为虢州知州。临行时,真宗在龙图阁设宴为他饯行,当时虢州正闹蝗灾,查道到了虢州之后,没等人报告,就调出官仓米粮,煮糜粥,救济挨饿的人,分发州仓的麦子四千斛给农民播种,被救活的人达一万多。

乙酉(十七日),任命著作郎刘烨为右正言。当时准许另诏设置谏官,刘烨首先参与待选。真宗说;"谏官、御史应该认清朝廷的大体,才算称职。"刘烨是刘温叟之子,曾担任过龙门知县。那时群盗任意杀人,刘烨将他们捕获之后,带上刑械,准备押送回府衙时,刘烨怕他们半路逃跑,下令统统杀头,人们佩服他的果断。

刘烨通判益州,被召回京城。那时王曙治蜀,有人说,王曙为政苛刻残暴。刘烨入朝应对。真宗问,王曙治蜀的情况与凌策相比,哪个好,刘烨回答:"凌策在蜀的时候,年景很好,事情也简单,所以能够对百姓宽松。近年来稍微歉收时,有盗贼出现,不诛杀就不能禁绝;可是王曙的所作所为,并没有超出法律的范围。"真宗称赞他的意见。王曙严肃法纪,惩处盗贼,无论抢劫多少财物,一律杀头,盗贼们心惊胆战。过了几个月,盗贼纷纷隐匿逃窜,蜀百姓的大门都可以不关。曾经有一个小卒夜里报告,军队闹事,王曙立刻辨别出这是假的,随

即把那个小卒斩了。百姓在其治下,安居乐业,可以把王曙与张咏相比,称为"前张后王。"

辛卯(二十三日),辽国封秦晋国王耶律隆庆的小儿子耶律色嘉为长沙郡王。

任命漆水郡王耶律制心代理知诸行宫都部署事。耶律制心,是耶律隆云的侄子。因为是皇后的表弟,所以越来越受到恩宠。那时萧哈绰刚当权,耶律制心就上奏说,萧哈绰孤陋寡闻,行为不端,辽主听后,默不作声。

自从南北交好以看,边境呈现出一片和平景象。辽主多次与南北两院诸大臣宴饮,有时甚至通宵达旦。辽主对音律特别精通,在席间,有时亲自唱歌,让宫女弹奏琵琶,劝人喝酒。详衮萧柳喜欢滑稽,即使君臣宴饮,言语诙谐,也无所顾忌,当时人们把他比作滑稽艺人。耶律制心遇到内廷宴饮欢乐,就避开了,皇后奇怪地问他:"你不高兴吗?"耶律制心说:"被宠爱而富贵,很少能保持长久的,所以为此而担忧啊!"

壬辰(二十西日),辽国禁止命妇改嫁。

五月,戊戌朔(初一),辽国任命枢密使萧哈绰为都统,任命汉人行宫都部署王继忠为副都统,任命殿前都点检萧库哩为都监,准备讨伐高丽。

庚子(初三),太保、平章事王旦因生病请求引退。王旦掌握权柄前后共达十八年,担任宰相十二年,平时身体瘦弱多病,对各位忧心太重,很不安宁。自东鲁完成使命之后,连上奏章,要求解除其职务。真宗亲切地召见他,嘉奖他,继而训示他。戊申,授予他太尉兼侍中之职,听凭他每五日朝见一次,他同时到中书省,遇有国家军机重大事情,不论什么日子,什么时间,都可参与决策。王旦听到这个任命,心中更加恐惧,呆在家里不出门,亲手书写奏章,恳请辞去职务,详细地说明:"一家上百口人,接连不断地生病都快病遍了,想就此退身,以平息灾祸;如今授予这样崇高的职位,就越发增加我的罪恶。"辞职的意思很坚决,很哀怜,又派自己的儿子到向敏中那里,请他帮助奏请,真宗于是降旨,停止加给他封邑,其余优待礼遇全都根据从前的制度办理。

庚戌(十三日),真宗下诏,由于连年发生蝗灾旱灾,派遣使者分路进行安抚。

乙卯(十八日),任命高邮军百姓荀怀玉为本军助教,因为他拿出米麦三千斛救济了饥民。从今以后,遇有同类事情,以此为例。

甲寅(十七日),辽国任命南京统军使萧惠为右伊勒希巴。萧惠曾经跟随其伯父萧巴雅尔讨伐过高丽,他努力奋战,打败了依仗险要地势坚守的敌军,一直打到开京,以军纪严明而闻名,因此才有这次任命。

丙辰(十九日),开封府及京东、陕西、江、淮、两浙、荆湖路等一百三十州军都上奏说,二月以后发现蝗蝻吃苗。真宗降旨,派使臣会同本县官吏焚捕,每三五州,命内臣一人掌管此事。

西京应天神院太祖皇帝神御殿落成,共有九百九十一间屋子,己未(二十二日),真宗命宰相向敏中为奉安圣容礼仪使,入内都知张景宗负责迎奉,左谏议大夫戚纶祭告永昌陵。

任命秘书丞谯县人鲁宗道为右正言,这是因为真宗最近下了新诏书。

殿中御史张廓上书说:"臣奉诏,去京东安抚百姓。百姓中有储存粮食的,臣想劝导他们把粮食拿来救济穷苦百姓,等秋收之后,按以往惯例偿还,如有拖欠,政府负责处理。"真宗表示同意。

乙丑(二十八日),辽主暂时留驻九层台。

六月,戊辰朔(初一),辽国德妃萧氏,被赐死,葬于兔儿山西,过了几天,坟冢上刮起大风,大白天昏天黑地,接着雷电大作,雨共下了一个多月才停。

丙子(初九),右正言鲁宗道上疏说:“州界官吏与民众直接联系,因此与政事关系最为密切。汉宣帝凡任命刺史、州守、国相,一定亲自召见,考察他们的言论,观察他们的能力是否胜任。现在,有时就不这样。凡是任命知州、通判以京朝官代授知县,等满了三五人,就应让大臣请他们到中书省来,考察他们的应对能力,考核他们的善恶。县令,则应选择台阁中有高见卓识的杰出臣僚来负责派遣,这些县令有无能力胜任职务,台阁们各自了解他们的情况,这样做,恐怕对圣朝的政治稍有好处。另外,审核官员,本来是属于宰相的职责,应妙选明智的人,委以此任,希望这样可以激恶扬善,慢慢会得到良牧、贤宰,那么这就是百姓的大幸了。”

庚辰(十三日),发运使上疏说:“真州等处转运入库的以及江、浙一带上供京都的米粮二百二十余万斛,要截留下来,分发各处,以救济缺乏粮食的地方。”真宗表示同意。

有人盗挖后汉高祖的陵墓,按法律论处,并弹劾当地官吏。派内侍王克让按礼为后汉高祖治葬,知制诰刘筠祭告,朝廷因此诏示州县申明前朝帝王的陵寝一律禁止打柴。

甲申(十七日),任命武昌节度副使边肃知光州,这是根据辛亥年的赦书决定的。当时刑部上奏,说边肃是一件案子的主犯。真宗说:“边肃在邢州的时候,契丹正侵扰我边境,朝廷屡次下诏,令他弃城,进入内地自保,边肃却能固守,颇有战功。虽然他不审慎,接受了贿赂,也早就该宽赦了,所以特此授予郡官。”

真宗降旨:“金部员外郎、提点中书制敕院五房公事刘明恕,从今以后,遇有庆节大礼,准许依照枢密副都承旨的惯例进奉上寿,并可参宴会。”这是改变了原有的规章制度。

这个月,辽国南京各县发生蝗灾。

秋季,七月,辛丑(初五),由于蝗蝻再生,派遣官员分别去京城宫观、寺庙祈祷,并命令各州公署设主祭坛。

辽主到秋山,真宗派礼部尚书刘京,翰林学士吴叔达等人分别检察刑狱。

己酉(十三日),右正言刘烨、鲁宗道等人上言:“每有奏章,按例经閤门投进,事情很不方便。臣等想从通进、银台司投进。”真宗表示同意。刘烨、鲁宗道等人又说:“奏章按例必须亲手写,但因臣等书法不精,生怕影响皇上批阅。”真宗仍诏令亲手书写。

王旦因病坚决辞去宰相职务。甲寅,真宗把王旦召到滋福殿,左右两边有人扶着他的胳膊。登上滋福殿,真宗看见他的脸色黄瘦,担心地说:“朕正想把大事托付给你,而你却病得如此,怎么办呢?”说着,便叫皇子出来拜见,王旦惶恐地避开,皇子随即拜见了王旦。王旦说:“皇子盛德,必能胜任陛下的事情。”这时他推荐十几个可任大臣的人,后来,没有担任中书省、枢密院两府职务的,只有凌策、李及二人。王旦退朝之后,又上疏请求离职,真宗才同意。丁巳(二十一日),任命王旦为太尉,仍旧领玉清昭应宫使,特赐给宰相俸禄和料钱的一半,叫礼官起草容止仪表,交到尚书省。

王旦当宰相时,严格遵守法度,重视改革,他善于论奏,语言简明,道理顺畅。他用人,不看其人的名誉,只看他的实际能力。在家中闲居时,总是宾客满座,他一定用心观察那些可以交谈和平时知道其名字的人,把他们另外找来谈话,探问他们对各地优劣利弊的看法,有时让他们把自己的言论上疏朝廷,暗中记下他们的姓名向朝廷推荐,人们从来不知道他的这种做法。

谏议大夫张师德，两次登门拜访王旦，可都没有见着，张师德心想，背后一定有人诽谤了他，就把这个想法告诉了向敏中。向敏中趁空把张师德的这种想法告诉了王旦。王旦说："我这里怎么会有诽谤的人呢？"等两人议论到知制诰一职时，王旦说："可惜啊！张师德！"向敏中问他为何可惜？王旦说："张师德是有名望的人家的子弟，有士大夫的操行，没有想到，他竟两次登我家门！状元及第，能荣进，本来是肯定的了，那就该在家安静地等着；如果还东奔西跑地和别人争抢，那些晋升无门的人，又该如何呢？"

辽人经常在每年的供给之外，还向宋朝另借一些钱币，王旦向朝廷请示，从今年供给的三十万中各借给三万，并告诉他们，第二年扣除。辽人得到之后，非常惭愧。第二年，王旦又命有关官员，契丹所借的六万金币，是个小数目，下令仍按平常的数目供给，以后不可以此作为攀比。

这时，没有战事，国内富足，天下称他为贤明宰相。

辛酉（二十五日），三司请按常年的办法，在开封府地界，收购草料千余万围均摊到户，真宗由于螟蝗为害，忧虑这会烦劳百姓，让中书省、枢密院商量，可否实行。向敏中说："国家放养的马匹数量，比先朝多出一倍有余，耗费的粮草很多，如果让群牧司估计数字出售，散在民间，遇有急事，再取回来，这等于是把马放养在外厩。"王钦若说："敏中的意见，十分方便有利，请允许我另写奏章。"真宗认为这方法可行。

八月，庚午（初五），任命枢密使、同平章事王钦若为左仆射、平章事。在这以前，真宗想让王钦若当宰相，王旦说："王钦若遇到了陛下，陛下对他的恩礼已经很突出了，乞求把他放在枢密院，或中书省，两府中任用都可以。臣在祖宗朝都没有见过任用南方人当政的。虽然古人说，树立有才能的人是不分地方的，但必须是贤士才行。"听了王旦的话，真宗才作罢。等王旦辞去了宰相之职，才任命王钦若当了宰相。王钦若曾经对人说："因为这个王子明，让我迟当了十年的宰相！"

辛未（初六），礼仪院上奏已详细拟定太尉王旦赴上的礼仪。以前，三公都不兼宰相，没有赴上的礼仪。真宗为了表示优待宠幸大臣，特意下达这个命令。可是王旦终于因病没有去。

真宗以前派遣去安抚各路的使者，因正值秋收季节，或许会妨碍农事，全部召回京都，委派地方官对当地百姓倍加安抚，切勿骚扰。

壬申（初七），加委向敏中尚书右仆射之职。公布任命的那一天，真宗派人去他家暗中察看，向敏中刚送完客人，大门口静悄悄的。真宗笑道："向敏中十分禁得起官职的考验！"

丙子（十一日），真宗降旨："京城禁止圈围草地，听凭百姓放牧。"

丙戌（二十一日），任命都官员外郎、判三司都磨勘司浦城人黄震为江、淮、两浙、荆湖制置发运使，赐予金鱼袋、紫袍。

在此之前，李溥出身于三司小吏，担任发运使达十多年，为非作歹，贪污受贿，声名狼藉，丁谓袒护他，没有谁敢说话。黄震临行赴任时，给朝廷上书，表明自己的看法，言词十分愤怒激烈，真宗知道，他的意见是冲着李溥的，因而告诉他说："你应当与他人团结。"黄震回答说；廉洁公正，忠心耿耿，决不辜负陛下任命使者之用心，臣敢不与他团结吗？"到了任所，揭出李溥为非作歹，贪污受贿的事情数十件，真宗下诏，派御吏、阁门祇候各一人弹劾李溥。

黄震曾经通判遂州，有一次，正好碰上真宗下诏，特意发出两川军士缗线。诏书到了西川，独有东川没有传到，东川的军士商量要闹事。黄震告诉太守：“朝廷岂能忘了东川，大概诏书在哪里耽搁了！”随即打开仓库，和西川一样给钱，众军士才安定下来。第二天，诏书传到。

丁亥（二十二日），真宗降旨：“技艺方术之人即使担任京朝官员，审官院也不考定他们的成绩。”

九月，戊戌（初三），真宗与宰相商量裁减官吏的事。向敏中说：“太祖、太宗朝，阁门祗候不过三五个人，他们的职责是引导臣子参拜皇上而已。如今这些人已经超过数百人，而且还在不断拜授。他们的俸禄很优厚，地位名望也很高，他们中间不无滥竽充数的提升起来的，请降旨裁减。”真宗说：“这本来是承袭的惯例任命的，应当逐步地裁减。”

庚子（初五），辽主回到上京，因皇子耶律属思诞生，大赦天下。

癸卯（初八），给事中、参知政事王曾，免去原职，任命为礼部侍郎。王曾曾将会灵观使的职务让给王钦若，真宗心中不高兴。王钦若当了宰相之后，就想排斥异己，多次中伤他。正遇王曾买了贺皇后家的旧宅第，皇后的家还没有搬走，王曾就叫人把土抬到门外。贺氏到禁宫中告了王曾。第二天，真宗把这件事告诉了王钦若，于是罢了王曾的参知政事。

王曾罢官之后，去拜谒王旦，王旦病得很厉害，推辞没有见他。不久，王旦对家里人说：“王钦若将来勋业很大。让会灵观使，虽然有违皇上的旨意，但言词直爽，口气和缓，心中一点也不害怕。他刚刚被进用，已经能够这样了，我自从担任参知政事，几乎二十年，每次入朝回答皇上的问题，稍微违背了皇上的意见，心里就局促不安，不能自容，从此可以知道王钦若的大度了。”

任命翰林学士、右谏大夫李迪为给事中、参知政事，依旧任会灵观副使。

在此之前，李迪曾在内东门单独面奏真宗，真宗拿出三司使马元方上呈的每年支出收入的财用数字给李迪看。当时连年发生旱灾蝗灾，真宗担心入不敷出，问李迪，怎样才能渡过难关，李迪说：“祖宗开始设置内藏库，是想办理收复西北故土的事，同时用来防备灾荒。如今边疆没有别的费用，陛下可用这笔费用帮助国家的财用，那样赋税就可以减轻，百姓就不会太劳累了。”真宗说：“朕想任用李士衡，以替代马元方，等他来了，应拿出金帛数百万借给三司。”李迪说：“财用对天子来说，没有内外之分，请降旨，赐给三司，以表示皇上的德泽，何必说借呢？”真宗听了，心中感到高兴。

李迪又说：“陛下东封泰山时，下令所经过的地方，不得砍伐树木，修治道路，就用驿舍或州治作行宫，仅让涂一下屋顶而已。等皇上临幸汾、亳时，土木方面的劳役就超过以往的一百倍。如今遭旱灾蝗灾，这大概是天意用来警诫陛下的。”真宗听了，深表同意。

任命马知节知枢密院事，任命曹利用、任中正、周起同知院事。

戊申（十三日），由于蝗灾，免去秋宴。

己酉（十四日），太尉、玉清昭应宫使王旦逝世。在他逝世前几天，真宗临幸王旦宅第，亲手给王旦和药，并赐予山药粥，同时又赐白金五千两。王旦叫家人奉还，写好奏章，又加了四句话：“已惧多藏，况无所用，现欲散施，以息咎殃。”说完，急忙叫家人把五千两白金抬回皇宫。真宗有诏不许抬回来。刚抬到门口，王旦就死了。王旦与杨亿平素很要好，病危时，把杨亿请到卧室，请他撰写遗表，王旦说：“我身为宰相，不可于临死之时提出为宗亲求官的事，

也不谈自己生平遭遇，希望皇上每天亲自处理各种政务，进用有才能的人，不可过于急躁烦劳。”并且告诫自己的子弟不要厚葬。王旦去世时，享年六十一岁。听到噩耗，真宗亲临哭悼，三天不上朝，降旨，赠予太师、尚书令、魏国公，谥号文正。他的儿子、弟弟、侄子、外孙、门人、故吏，有十几人授予官职。等到他的儿子除去丧服，真宗又降旨，各进一官。

王旦性格平和淡泊，清心寡欲；居住的地方也十分简陋，皇上让给他整治一下，王旦说他的祖先旧宅也是这样，恳切地推辞了。每当皇帝有赐予时，他看家人把赐予的东西列置庭下，总是叹息说：“这是民脂民膏，百姓的血汗，怎么可以用很多呢！”穿的衣服也很朴素，家人的服饰稍有过分，就闭上眼睛，不愿意看。有一个人卖玉带，王旦的子弟以为好，给王旦看，王旦叫他系上，说：“还好看吗？”子弟说：“系在身上，自己怎么能看得见呢？”王旦说：“自己带着也重，让看的人说好，岂不是太劳累了吗？赶快还给人家。”王旦生平不置田地房产，他说：“子孙应当想着自立，何必置买田宅，只会让他们争财，做出不义的事来罢了！”王旦哥哥的儿子王睦，很好学，曾写过一封信，要求王旦推举他去考进士，王旦说：“我曾因权势太盛而担心害怕，怎么可以再替寒士争取引荐呢？”一直到他去世，儿子王素还没有做官。

成平初年，王旦听了李沆的话，还不很相信，等到他看见王钦若、丁谓等人的所作所为，想劝阻，可是他已参与其间了，想离职，皇帝待他又很好，他叹息说：“李文靖真是圣人啊！”祥符年间，每逢朝廷举行大礼，由他手捧天书走，他心中总郁郁不乐。临终前，告诉他的儿子说：“我没有别的过失，只是没有劝谏有关天书这一件事，这个过错已无法挽回了。我死之后，入殓时应剃去头发，披上僧服。”他的儿子想按这个遗言去做，杨亿认为不可以，这才止住。

辽国萧哈绰讨伐高丽时，辽主赐给他一把尚方宝剑，授予他生杀大权，所以副都统王继忠不敢再说他的短处，萧哈绰到了高丽，攻打兴化城，打了九日也没有打下来。高丽派坚一、洪光、高义出战，缴获很多，战果累累，辽军被打败。乙卯，萧哈绰从高丽班师回国，辽主才明白，王继忠能知人，可是对萧哈绰也不治罪。当时有不少谋求官职的人都依附于萧哈绰，可是他的吃穿、仆人、马匹，比原来也没有增加，辽主以为他廉洁奉公，把同族亲属的女儿嫁给他的儿子为妻。辽主降诏，允许亲友之间馈赠礼物，从此豪门贵族纷纷投奔萧哈绰的门下。

甲寅（十九日），真宗降诏：“从今天起，凡是特旨招考，都要考时务策一题，另外考赋、论文或杂文一篇。”

癸亥（二十八日），有人密奏：“国子监所售书籍，价钱太便宜，希望命令提价出售。”真宗说：“这本来并不是为了赢利，朕正想让书籍广为传播呢。”没有答应这一要求。

右正言鲁宗道上疏说：“进士所考的诗词歌赋，与治理国家的道理不切近，各科的对策议论，只考察其念诵的工底，并不研究治国的大道理。”真宗对辅臣说：“前已降诏，考进士需兼考策论，诸科如有通晓经义的，另外进行考核，可以将此规定申明一下。”

冬季，十月，丁卯（初二），辽国由于南京遭受饥荒，调运云、应等州的粮食救济。

辛未（初六），辽主在去铧子河打猎。

壬申（初七），诏谕各州，如发生反常灾祸，而又不上报者，要以罪论处。

庚寅（二十五日），辽主在达离山停留。

十一月，辛亥（十七日），翰林学士李维等人上献已经修撰完毕的《大中祥符降圣记》五十卷、《迎奉圣象记》二十卷、《奉祀记》五十卷，真宗降诏，分别赐予器帛。

乙卯(二十一日),真宗临幸太一宫,大雪深达一尺。真宗对宰相说:“这必定是来年丰收的吉兆,只是担心百姓财力不充足,错过播种季节,希望你们设法下去赈济劝导他们,不能不利用这一地利!”

十二月,丁卯(初三),辽主轻骑回上京。

丁丑(十三日),知制诰盛度等上奏,奉诏免除拖欠粮款共九百四十三万,释放犯人一万五千五百人。

庚寅(二十六日),玉清昭应宫判官、礼部郎中、知制诰夏竦,授予职方员外郎、知黄州。

夏竦娶杨氏为妻,杨氏工书法,善于旁敲侧击,追究实情。夏竦慢慢地有了名声和权势,不免姬妾成群,与杨氏不和。杨氏和弟妹上疏参奏夏竦的秘事,并暗中提出诉讼。又,夏竦的母亲与杨氏的母亲相互诟骂,都上告开封府,开封府让御史台弹劾夏竦,并叫他与杨氏离婚。

壬辰(二十八日),朝廷派人沿着汴河收埋流尸,这是根据淮南转运使薛奎的请求而决定的。

这年,各路百姓遭受饥荒。

续资治通鉴卷第三十四

【原文】

宋纪三十四　起著雍敦牂【戊午】正月，尽上章涒滩【庚申】七月，凡二年有奇。

真宗膺符稽古神功让德　文明武定章圣元孝皇帝

天禧二年　辽开泰七年【戊午，1018】　春，正月，乙未朔，永州大雪，六昼夜方止。江陵溪鱼皆冻死。

己亥，以赵安仁为御史中丞兼尚书右丞。左右丞兼中丞始此。

辛亥，幸元符观、资善堂，宴从臣及寿春郡王府官属，出御制赐寿春郡王》《颂，并出寿春郡王诗什、笔翰示宰相。

戊午，王钦若等上《天禧大礼记》四十卷。

己未，诏："诸路灾伤州军并设粥，贱粜官粟，以惠贫民。"

是月，辽主如达离山。

二月，乙丑朔，辽主拜日，如浑河。

丁卯，以升州为江宁府，置军曰建康；命皇子寿春郡王为节度使，加太保，封升王。先是宰臣屡请早议崇建，帝谦让久之，固请再三，乃许。

戊辰，以寿春郡王友张士逊、崔遵度并为升王府谘议参军，左正言、直史馆晏殊为记室参军。

庚午，右正言刘煜请自今言事许升殿面对，从之。壬午，对右正言刘煜、鲁宗道于承明殿，凡八刻。

三月，壬寅，帝谓宰臣曰："近日疆(邮)〔陲〕肃静，民亦安阜。"向敏中对曰："边境虽安，而兵数未减，虑多冗费。"帝曰："今京师兵可议裁减，存其精锐。"敏中等曰："军额渐多，农民转耗。近准诏已住招募，或斥去疲老，则冗食渐少。"帝曰："卿等宜讲求经久也。"

丙午，辽乌库节度使萧普达讨德呼勒部之叛命者，灭之。

甲寅，右正言鲁宗道言："大辟罪如婺州讹言者，望自今精加案覆。"帝出其状以示辅臣，且曰："自今当详议者，更加审细，贵无滥也。"

宗道每月风闻，多所论列，帝意颇厌其数。宗道因对，自讼曰："陛下所以任臣者，岂欲徒事纳谏之虚名邪？臣窃愧尸禄，请得罢斥！"帝慰谕良久。它日念之，因题壁曰"鲁直"。

丙辰，诏："州县先贷贫民粮种，止勿收。"

夏，四月，丙寅，辽赈川州、饶州饥。辛未，赈中京贫乏。

癸酉，辽禁匿名书。

乙亥，诏："江、淮方稔，宜令更留粮储三二百万石，以充军食，免其扰民。"

庚寅，降天下死罪一等，流以下释之。灾伤地分，去年夏秋税及借粮种悉与除放，今年夏税免十之三，大名府、登、莱、潍、密、青、渭州免十之四，不得折变支移。欠负物色未及依限科校，候丰熟日渐次催纳。诸处造上供物，追集百姓工匠，有妨农业，并令权罢；如系供军切要者，候次年裁奏。

壬辰，辽以吕德懋为枢密副使。

闰月，癸卯，知枢密院事马知节，罢为彰德军留后，留京师。

戊申，奖州团练使李溥坐贪猥责授忠正节度副使。初，黄震发溥奸赃，遣御使鞫治，得溥私役兵健为姻家吏部侍郎林特起宅，又附官船贩鬻材木，规取利息，凡十数事；未论决，会赦，有司以特故不穷治，大理寺详断官考城刘随请再劾之，卒抵溥罪。随尝为永康军判官，军无城堞，伐木为栅，坏辄易之，颇困民力。随令环植柳数十万株，使联属为界，民得不扰。属县令受赃鬻狱，随劾之；益州李士衡因为令请，随不从。士衡怒，奏随苛刻，罢归。初，西南夷市马入官，苦吏诛求，随为绳案之。既罢，夷人数百诉于转运使曰："吾父何在？"事闻，乃得调。

壬子，辽以萧进忠为彰武军节度使兼五州制置。

皇城司言拱圣营西南真武祠泉涌祠侧疫，疠者饮之，多愈。甲寅，诏即其地建祥源观。士女徒跣奔走瞻拜，判度支句院河南任布言不宜以神怪衒愚俗，不报。

戊午，吐蕃遣使言于辽，凡朝贡之期，乞假道夏国；辽主从之。

五月，甲子，太尉、尚书令兼中书令徐王元偓薨。帝临奠恸哭，赠太师、尚书令，追封邓王，谥恭懿。

丙寅，辽封皇子宗真为梁王，宗元永清军节度使，宗简右卫大将军，宗愿左骁骑大将军，宗伟右卫大将军，皇侄宗范昭义军节度使，宗熙镇国军节度使，宗亮绛州节度使，宗弼濮州观察使，宗奕曹州防御使，宗显、宗肃皆防御使。

辽以张俭守司徒兼政事令。

丁卯，命宰臣王钦若管句修祥源观事。

右正言刘煜言："前世传圣水者皆诡妄不经。今盛夏亢阳，不宜兴土木以营不急。"疏入，不报。

丙戌，河阳三城节度使张旻言："近闻西京讹言，有物如帽盖，夜飞入人家，又变为大狼状，微能伤人。民颇惊恐，每夕皆重闭深处，至持兵器捕逐。"诏设祭醮禳祷。

六月，乙未，以宣徽北院使、同知枢密院事曹利用知枢密院事。

乙巳，京师民讹言帽妖至自西京，入民家食人，民聚族环坐达旦叫噪，军营中尤甚。诏立赏格募告为妖者。既而得僧天赏、术士耿概、张岗等，鞫之，并弃市。然讹言实无其状。时自京师以南，皆重闭深处，知应天府王曾令夜开里门。(故)〔敢〕倡言者即捕之，妖卒不兴。

辛亥，有彗出北斗，凡三十七日没。

秋，七月，甲子，辽主命翰林待诏陈升写《南征得胜图》于上京五鸾殿。

壬申，以星变赦天下流以下罪，死罪减一等。

诏："自今锁厅应举人，所在长吏先考艺业，合格即听取解；如至礼部不及格，当停见任；其前后考试官举送长吏，并重置其罪。"

甲戌，以刑部侍郎、知青州李士衡为三司使。帝作《宽财利论》赐士衡，士衡请刻圣制于本厅，从之。士衡方进用，王钦若害之。会帝论时文之弊，钦若因言："路振，文人也，然不识体。"帝曰："何也？"曰："士衡父诛死，而振为赠告，乃曰'世有显人'。"帝颔之，士衡以故不大用。

八月，丁酉，群臣上表请立皇太子，不允；表三上，许之。

先是知梧州陈执中上《复古要道》三篇，帝异而召之。帝时已属疾，春秋高，大臣莫敢言建储者。执中既至，进《演要》三篇，以早定根本为说。翼日，帝以它疏示辅臣，皆赞曰："善！"帝指其袖中曰："更有善于此者。"出之，即《演要》也。因召对便殿，劳问久之。寻擢为右正言。执中，恕之子也。

癸卯，诏："前岁上圣号册宝所赐酺，今秋丰稔，可追行之。"

甲辰，立升王受益为太子，改名祯，大赦天下。

乙巳，以翰林学士晁迥为册立皇太子礼仪使，命秘书监杨亿撰皇太子册文，知制诰盛度书册，陈尧咨书宝。

壬子，以参知政事李迪兼太子宾客。帝初欲授迪太子太傅，迪辞以太宗时未尝立保傅，乃止兼宾客，而诏皇太子礼宾客如师傅。有殿侍张迪者，春坊祗候，太子不欲其名与宾客同，改名克一。迪奏其事，帝喜，以告辅臣。

诏："中书、门下五品，尚书省、御史台四品，诸司三品，见皇太子，并答拜；自馀受拜。"

加彭王元俨太傅，进封通王。

癸丑，帝作《元良箴》赐皇太子，又作诗赐宾客而下。

甲寅，楚王元佐加兴元牧，徐国、邠国、宿国三长公主俱进加封号。

丁巳，诏皇太子月给钱二千贯。

礼仪院言："至道中，敕百官于皇太子称名，宫僚称臣；续准敕，依皇太子所请，官僚止称名。"诏如至道之制。

九月，丁卯，御天安殿册皇太子。

壬申，三司假内藏银十万两。

戊辰，辽主诏："内外官因事受赇，事觉而称子孙仆从者，禁之。"

庚午，辽主录囚。括马给东征军。

庚辰，御正阳门观酺，凡五日。帝作《稼穑倍登诗》《欹器》《戒酒》三论示辅臣。

祥源观成，观宇凡六百一十三区。

是月，辽主驻土河川。

冬，十月，辽名中京新建二殿曰延庆，曰永安。

壬寅，辽以顺义军节度使石用中为汉人行宫都部署。

癸丑，左谏议大夫孙奭言："茶法屡改，非示信之道，望遣官重定经久之制。"即诏奭与三司详定，务从宽简。未几，奭出知河阳，事遂止。

奭初自密州代还，时方置天庆等节，天下设斋醮，张燕，费甚广。奭请裁省浮用，不报。

丙辰，辽以东平郡王萧巴雅尔为都统，殿前都点检萧库哩副之，东京留守耶律巴格为都监，伐高丽。仍谕高丽官吏能率众自归者厚(资)〔赏〕，坚壁相拒者追悔无及。

十一月，己未，以翰林学士晁迥为承旨。时朝廷数举大礼，诏令多出迥手。尝夜召对，帝

令内侍持御前巨烛送归院。

壬戌，辽以吕德懋知吏部尚书，杨又元知详覆院，刘慎行为彰武军节度使。

乙亥，起居舍人吕夷简言："澶、魏丰熟，望出内藏钱二十万贯市刍粮。"从之。

辽萧巴雅尔攻高丽兴化镇，高丽遣其臣姜邯赞、姜民瞻御之。先期设伏山谷，以大绳贯牛皮塞城东大川以待之，辽师至，决塞发伏。辽师战不利，巴雅尔乃由慈州直趋王城。进至新恩县，去王城百里，邯赞等遣兵来援，巴雅尔度王城不可下，乃大掠而还。十二月，师至茶、陀二河，邯赞等追兵大至。诸将皆欲使高丽渡两河而后击之；都监巴格独以为不可，曰："敌若渡两河，必殊死战，此危道也，不若战于两河之间。"巴雅尔从之。及战，高丽以强弩夹射，相持未决，忽风雨自南来，旌旗北指，高丽兵乘势攻之，辽师大败，巴雅尔委甲仗而走，详衮多战死，天云及皮室二军伤陷略尽。

参知政事张知白与宰相王钦若论议多相失，因称疾辞位，丙午，罢为刑部侍郎、翰林侍读学士、知天雄军。

是岁，辽放进士张克恭等三十七人。

三年　辽开泰八年【己未，1019】　春，正月，壬戌，辽建景宗庙于中京。封沙州节度使曹顺为敦煌郡王。

丁卯，翰林学士钱惟演等四人权同知贡举。

乙亥，诸路贡举人郭桢等四千三百人见于崇政殿。时桢冒缌丧贡举，为同辈所讼，殿三举；同保人并赎金，殿一举。时有司欲脱宋城王洙，问洙曰："果保桢否？不然，可易也。"洙曰："保之，不愿易也。"遂与桢俱罢。

京西转运使胡则言："滑州进士杨世质等诉本州黜落，即取元试卷付许州通判鄢陵崔立看详，立以为世质等所试不至纰缪，已牒滑州依例解发。"诏转运司具析不先奏裁，直令解发缘由以闻，其试卷仰本州缴进，世质等仍未得解发。及取到试卷，贡院言不合充荐，诏落世质等，而劾转运使及崔立罪。

立初为果州团练推官，役兵辇官物它州，道险，乃率众钱佣舟载归。知州姜从革论如率敛法，三人当斩，立曰："此非私己，罪止杖耳。"从革初不听，论奏，诏如立议。帝记其名，代还，特转大理寺丞，知安丰县。

立性淳谨，尤喜论事。大中祥符间，士大夫争奏符瑞，立独言："水发徐、兖，旱连江、淮，无为烈风，金陵大火，是天所以戒骄矜；而中外多上云露、草木、禽虫诸物之瑞，此何足为治道哉！愿敕有司：草木之异，虽大不录；水旱之变，虽小必闻。"前后凡上四十馀事云。

是月，三司言："使臣传宣取物，承前止是口传诏旨，别无凭由，致因缘盗取钱物。今请下入内内侍省置传宣合同司，专差内臣一员主之，以绝斯弊。"从之。

二月，丁未，出皇太子所书御诗赐宰相。

辽以前南院枢密使耶律制心为中京留守，以汉人行宫都部署王继忠为南院枢密使。

三月，戊午朔，日有食之。

乙丑，三司假内藏库银一十三万。

丙寅，亲试礼部奏名贡举人，得进士王整以下六十三人赐及第，八十六人同出身，又赐学究、诸科各及第、出身有差。

乙亥，辽萧巴雅尔、耶律巴格自高丽还，以出师失律，数其罪而释之。

壬午，辽主阅飞龙院马。

入内副都知周怀政，日侍内廷，权任尤盛，附会者颇众。性识凡近，酷信妖妄。有朱能者，本单州团练使田敏家厮养，性凶狡，遂赂怀政亲信得见，妄谈神怪事以诱之。怀政大惑，援引能至御药使、领阶州刺史。俄于终南山修道观，与殿直刘益辈造符命，托神言国家休咎，或臧否大臣。时寇准镇永兴，能为巡检，能诈言天书降。帝访诸大臣，或言准素不信天书，今使准上之，百姓必大服；乃使怀政谕准。准始不肯，其婿王曙诒书要准，乃从之。是月，准奏天书降乾祐山中。

夏，四月，辛卯，备仪仗至琼林苑迎导天书入内。太子右谕德鲁宗道上疏，略曰："天道福善祸淫，不言示化。人君政得其理，则作福以报之，失其道，则出异以戒之，又何书哉？臣恐奸臣肆其诞妄以惑圣听也。"知河阳孙奭上疏言："朱能奸俭小人，妄言祥瑞，而陛下崇信之，屈至尊以迎拜，归秘殿以奉安，上自朝廷，下及闾巷，靡不痛心疾首，反唇腹非。"又曰："天且无言，安得有书？天下皆知能所为，独陛下一人不知耳，乞斩能以谢天下。"帝虽不听，然亦不罪奭也。

河东转运使李放贡钱三十万贯，粮百二十万石，诏奖之。

己亥，召山南东道节度使、同平章事、判永兴军府寇准赴阙。

壬寅，召近臣诣真游殿朝拜天书。

是月，辽主如缅山。

五月，乙丑，左谏议大夫、知郓州戚纶，责授岳州团练副使，以提点刑狱官李仲容奏纶有讪上语故也。纶善谈名理，喜言民政，颇近迂阔。事兄维，友爱甚厚。士子谒见者，必询其所业，访其志尚，随才诱掖之。尝云："归老后得十年在乡闾讲习，亦可以恢道济世矣。"乐于荐士，每一奏十数人，皆当时知名者。晚节为权幸所排，遂不复振。

壬申，辽以驸马萧克忠为长宁军节度使。

乙亥，以右正言刘煜判三司户部句院，盖执政者不欲其专任言责，故兼它职。

辛巳，监察御史刘平为盐铁判官，章频为度支判官。御史于是复兼省职。

辽迁宁州、渤海户于辽、土二河之间。

甲申，寇准自永兴来朝。准将发，其门生有劝准者曰："公若至河阳称疾，坚求外补，此为上策。傥入见，即发乾祐天书之诈，尚可全平生正直之名，斯为次也。最下，则再入中书耳。"准不怿，揖而起，卒及于祸。

六月，戊子，保信军节度使丁谓自江宁来朝，召之也。

辽录征高丽战殁将校之子弟，未几，复益封其妻。

己丑，辽以伊勒希巴萧谐哩为西南面招讨使，御史大夫萧嘉济为伊勒希巴。

先是江淮发运使贾宗言："诸路岁漕，自真、扬入淮、汴，历堰者五，粮载剥卸，民罢牵挽，舰舟由此速坏。今议开扬州古河，缭城南接运渠，毁龙舟、新兴、茱萸三堰，通漕路以均水势，岁省官费十万，功利甚厚。"诏按视，以为当然。于是役成，水注新河，与三堰平，漕船无阻，公私大称其便。

甲午，左仆射、平章事王钦若罢为太子太保。

时钦若恩遇浸衰，人有言其受金者，钦若自辨，乞下御史台覆实。帝不悦，曰："国家置御史台，固为人辨虚实邪！"钦若惶恐，因求出藩。会商州捕得道士谯文易畜禁书，能以术使六

丁六甲神,自言尝出入钦若家,得钦若所遗诗及书。帝以问钦若,钦若谢不省,遂罢相。寻命判杭州。

丁酉,以李允则为客省使、知镇州,兼镇、定钤辖。

允则在雄州十四年,河北既罢兵,允则治城垒不辍。辽人疑违誓约。既而有以为言,诏诘之。允则奏言:"初通好不即完治,它日复安敢动乎!"帝以为然。

城北旧有瓮城,允则欲合大城为一,先建东岳祠,出黄金百两为供器,导以鼓吹,居人争献金银。久之,密自撤去,声言盗自北至,遂下令捕盗,三移文北界。乃兴板筑,扬言以护祠,而卒就关城,浚壕,起月堤,自此瓮城之人悉内城中。

始,州民多以草覆屋,允则取材木西山,大为仓廪营舍。教民陶瓦甓,标里闬,置廊市。城上悉累甓,下环以沟堑,莳麻,植榆柳。广阎承翰所修屯田,架桥引水,作石梁,列堤道,以通安肃、广信、顺安军。岁修禊事,召界河战棹为竞度,纵北人游观,潜寓水战。州北旧设陷马坑,城上起楼为斥堠,望十里,自罢兵,人莫敢登。允则曰:"南北既讲和矣,安用此为?"命撤楼夷坑,为诸军蔬圃,浚井疏洫,列畦垄,筑短垣,纵横其中,植以荆棘,而其地益险阻。因治坊巷,徙浮图北垣上,登望三十里。下令安抚司所莅境,有隙地悉种榆,久之,榆满塞下。

上元旧不然灯,允则结采山,聚优乐,使民纵游。明日,侦知辽将欲间行入城观之,允则与同僚伺郊外,果有紫衣人至,遂与俱入传舍,不交一言,出女奴罗侍左右,剧饮而罢,且置其所乘驴庑下,使遁去,即辽之南京统军也。后数日,其人得罪。

尝燕军中,而甲仗库火,允则作乐行酒不辍。少顷,火熄,命悉瘗所焚物,密遣使持檄瀛州,以茗笼运器甲,不浃旬,兵数已完,人无知者。枢密院移诘之,对曰:"兵械所藏,儆火甚严,方宴而燔,必奸人所为,舍宴救焚,事或不测矣。"

一日,民有诉为辽人殴伤而遁者,允则不治,与伤者钱二千,众以为怯。逾月,辽人以其事来诘,答以无有。盖它谍欲以殴人为质验,比得报,以为妄,乃杀谍。云翼卒亡入北界,允则移文督还,辽人报以不知所在。允则曰:"在某所。"辽人骇,不敢隐,即归卒;乃斩以徇,后无敢亡者。

允则不事威仪,间或步出,遇民可与语者,延坐与语,以是洞知人情,盗发辄获,人亦莫知其由。身无兼衣,食无重羞,不蓄资货,当时边臣鲜能及之者。

戊戌,以寇准为中书侍郎兼吏部尚书、平章事,保信军节度使丁谓为吏部尚书、参知政事。故事,节度使除拜当降麻,翰林学士盛度以为参知政事当属外制,遂命知制诰宋绶草辞,谓甚恨焉。谓在中书,事准甚谨。尝会食,羹污准须,谓起,徐拂之,准笑曰:"参政国之大臣,乃为官长拂须邪?"谓甚愧之,由是倾构始萌矣。

己亥,辽以特里衮耶律哈噶为南府宰相,以南面林牙耶律韩留为特里衮。

滑州(决河)〔河决〕,泛澶、濮、郓、齐、徐境,遣使救被溺者,恤其家。

丁未,以吏部侍郎林特为尚书左丞、玉清昭应宫副使。特性邪险,善附会,故丁谓始终善特,亟引用之。

秋,七月,辛酉,知河南府冯拯言:"父老、僧道、举人等列状,愿赴厥请车驾封中岳。"帝曰:"兹事体大,未可轻议。"令拯慰遣之。

三司假内藏钱五十万贯,绢十万匹。

学士院言:"准诏,大理评事胥偃与试,偃乃盛度婿,又钱惟演亲戚,欲乞下别处。"诏送舍人院试。自是有亲嫌者并如例。

戊辰，殿前都指挥使、忠武节度使曹璨卒。车驾临奠，赠中书令，谥武懿，录其子侄。璨起贵胄，以孝谨称。习知韬略，虽无攻战之效，然累历边任，领禁卫十馀年，善抚士卒。晚节颇伤吝啬，物议少之。璨母尝阅其家帑，见积钱数万，召璨谓曰："汝父履历中外，未尝有此积也，可知不及汝父远矣！"

三司假内藏钱帛二百四十五万。

庚午，辽主观市，曲赦市中系囚。

己卯，群臣表上尊号曰体元御极感天尊道应真宝运文德武功上圣钦明仁孝皇帝，不允；凡五上，从之。

庚辰，屯田员外郎钟离瑾言："窃见诸州长吏，才境内雨足苗长，即奏丰稔，其后霜旱蝗螟灾诊，皆隐而不言，上罔朝廷，下抑氓俗。请自今诸州有灾伤处，即时腾奏，命官检视。如所部丰登，亦须俟夏秋成日乃奏。如奏后灾伤者，听别上言；隐而不言，则论其罪。"从之。

八月，丁亥，以天书再降，大赦天下。

滑州龙见河决。

彰德军留后马知节以疾留京师，逾年，表求外任，命知贝州兼部署。将行，请对，帝闵其羸，令归本镇，上党、大名之民争来迎谒。疾浸剧，俄求还京师，卒。遗命诸子令辞诏葬。帝深轸悼之，赠侍中，谥正惠，官其子孙四人。知节习兵事，以方略自任。颇涉文艺，每应诏，亦为诗咏，所与游接，必一时名士。为治专务抑豪强，恤孤弱。性刚直敢言，未尝少自卑屈。求之武人，盖鲜俪云。

辛丑，太白昼见。大会释、道于天安殿，建道场，凡万三千馀人。己亥，帝临视，以药银铸大钱，面赐之。

戊申，自琼林苑迎奉天书入内。

庚戌，遣使安抚水灾州军，有合宽恤改更事件，与转运使、副、所在长吏会议施行。

九月，乙丑，赐大理寺丞王质进士及第。质，旦弟之子，献文召试故也。

己巳，辽以石用中参知政事。

壬申，辽主录囚；甲戌，复录囚。

诏："自今应犯赃注广南、川峡幕职、州县官，委逐路转运使常加纠察，再犯赃罪者，永不录用。"时司勋员外郎梁象言："川峡幕职、州县官，曾坐赃左降者，多复恣贪，逾扰远民。请自今犯赃者不注川峡官，并除广南远恶州军。"帝以广南犹吾民也，且非自新之道，故特有是诏。

辛巳，参知政事李迪言："皇太子举动由礼，言不轻发，视伶官杂剧，未尝妄笑。"帝曰："常日居内廷，亦未尝妄言也。"寇准曰："皇太子天赋仁德，严重温裕，实邦家之庆也。"

壬午，辽主驻土河川。

冬，十月，辽诏下诸道，事无巨细，已断者每三月一次条奏。

癸巳，命横帐三房不得与卑小帐族为婚，凡嫁娶必奏而后行。

己酉，知审刑院盛度言："在京及诸路止有断案三道，值降圣节不奏，自馀绝无刑牍，请宣付史馆。"寇准曰："此陛下以德化民、精意钦恤所致。"诏奖度等。

十一月，辛酉，阁门、太常礼院上《大礼称庆合班图》，皇太子序坐在宰相上，太子恳让。帝以谕辅臣，寇准等面陈储副之重，不可谦抑，望遵仪制。凡再请，乃许。

诏:“自今给事中、谏议大夫、中书舍人母、妻并封郡君。”初止封县,枢密直学士、给事中王曙,寇准女婿也,因改旧制,议者非准专私而不忌云。

己巳,谒景灵宫。是日,月重轮。庚午,享太庙。辛未,合祭天地于南郊,大赦天下。

丁丑,谒玉清昭应宫。还,御天安殿,受册尊号。

十二月,丙戌,富州蛮首向光泽表纳疆土。帝曰:“朝廷得之安用!当是其亲族不相容耳。”命转运司察之,果然。

辛卯,辽主驻中京。

癸巳,以任中正、周起并为枢密副使。

河中府处士李渎、陕州处士魏野皆卒,诏各赠秘书省著作郎,赐其家米帛,州县常加存恤,二税外蠲其差役。

乙巳,辽以广平郡王宗业为中京留守,大定尹耶律制心为特里衮。

辛亥,高丽王王询遣使如辽,请贡方物,辽主命纳之。

是岁,燕地饥疫,民多流殍,辽主以翰林学士杨佶同知南京留守事,发仓廪,赈乏绝,贫民鬻子者计佣而出。先是佶尝知易州,治尚清简,征发期会必信,民便之。

四年 辽开泰九年【庚申,1020】 春,正月,乙丑,以华州观察使曹玮为宣徽北院使、镇国军留后、佥署枢密院事。佥署兼领藩镇,自玮始也。

丙寅,开扬州运河。

丙子,改诸路提点刑狱为劝农使、副使兼提点刑狱公事。诏:“所至视民籍差等,有不如式者惩革之。劝恤农民,以时耕垦,招集逃散,检括(稻)〔陷〕税,凡农田事悉领之。”仍各赐《农田敕》一部。

二月,帝有疾,不视朝。

癸未,遣使安抚淮南、江、浙、(和)〔利〕州饥民。

丁亥,户部员外郎兼太子右谕德鲁宗道奏:“请自今群臣除故枉法受赃外,其因事计赃情可闵者,并奏裁。”从之。又请:“选人有罪,令铨曹于刑部、大理寺两司中止问一处。”诏铨曹:“自今刑部、大理寺定选人罪名不一,即送审刑院速详定以闻。”

滑州言河塞,诏奖之。己亥,命翰林学士承旨晁迥致祭。庚子,群臣诣崇德殿称贺。赐修河官吏、使臣、将士有差。是役,凡赋诸州薪石楗橛茭竹之数千六百万,用兵夫九万人。帝亲制文刻碑以纪其功。

辛丑,发唐、邓八州常平仓赈贫民。

是月,辽主如鸳鸯泺。

三月,戊辰,改祯州为惠州。

癸酉,诏川峡、广南举人勿拘定额。

乙亥,以益、梓州路物价翔踊,命知制诰吕夷简、引进副使曹仪乘传赈恤之。夷简等请:“所至劳问官吏、将校,仍取系囚,与长吏等原情从轻决遣;民愿出谷救饥民,元诏第加酬奖,望给空名告敕付臣往。”从之。

己卯,左仆射兼中书侍郎、平章事向敏中卒。帝即时临哭,赠太尉、中书令,谥文简,子婿并迁官。敏中端厚恺悌,善处繁剧,累在衡轴,门无私谒,谨于采拔,不妄推荐,居大位几三十年,时以重德目之。

夏,四月,〔乙酉〕,两月并见于西南。

翰林学士承旨晁迥,累表求解近职。庚寅,授工部尚书、集贤院学士,判西京留司御史台,许一子官河南以就养。

命工部侍郎杨亿为翰林学士。大中祥符末,亿自汝州代还,久之不迁,或问王旦曰:"杨大年何不且与旧职?"旦曰:"大年顷以轻去上左右,人言可畏,赖上终始保全之。今此职欲出自清衷,以全君臣之契也。"逾六年,乃复入禁署。

分江南转运使为东西两路,从户部判官滕涉之请,以便按巡也。

丁亥,大风昼晦。

丙申,杖杀前定陶县尉麻士瑶于青州,黥配其亲属家僮有差,籍其家。

初,士瑶祖希梦,事刘铢为府掾,专以掊克聚敛,用致巨富。至士瑶,益豪纵,郡境畏之,过于官府。士瑶素帷簿不修,又私蓄天文禁书、兵器,杀人为奸,虽镇将、县官,多被殴刺。先是侍御史姜遵,风闻士瑶幽杀其侄温裕,奏遣监察御史章频往鞫之,于是并得它罪,故悉加诛罚焉。时青州幕僚胡顺之实首发其事云。

顺之尝为浮梁县令,杖豪富臧氏之不输租者,又械杖本州职员、教练官,由是吏莫敢扰。及在青州,高丽尝入贡,道出州境,中贵人挟以为重,使州官旅拜于郊,顺之独不拜,因上书论辨,朝廷是之。

先是度支员外郎、直集贤院胶水祁玮出知潍州,母亡,殡于州城之南。玮既解官,就殡所筑小室,号泣守护,蔬食三载,徒跣经冬,足堕二指。州以状闻,己亥,降诏旌美。及其归葬,又赐粟帛,令州长吏每月就所居存问。

初,感德军节度使、知陕州王嗣宗,以老病再表愿入朝,优诏召还。以足疾不任朝谒,复上表求再知许州。宰相寇准素恶其为人,庚申,特命以左屯卫上将军致仕。

嗣宗历事三朝,所至以严明御下。性傲很,家有恩仇簿,已报者则句之,晚年交游,皆入仇簿。为中丞日,尝忿宋白、郭贽、邢昺七十不请老,屡言于帝,请敕其休致。及晚岁,疾甚,犹眷厚禄,徘徊不去,尝谓人曰:"仆惟此一事未能免物议耳。"然敦睦宗族,待诸侄如己子。临终,令以《孝经》、弓剑、笔砚置圹中云。

五月,辽耶律资忠自高丽还。资忠之被留也,辽主时忆之,每与群臣宴,辄曰:"资忠亦有此乐乎?"资忠留高丽六年,忠节不屈,怀念君亲,见诸著述,编为《西亭集》。至是高丽送其归,辽主郊迎,同载以归,命大臣宴劳,留禁中数日,谓曰:"朕将屈卿为枢密,何如?"对曰:"臣不才,不敢奉诏。"乃以为林牙、知特里衮事。

高丽王询表请称藩纳贡,辽主许之。

癸酉,辽以耶律宗教检校太傅,宗诲为启圣军节度使,刘慎行为太子太傅,仍赐保节功臣。

六月,丙申,右仆射兼中书侍郎、平章事寇准,罢为太子太傅、莱国公。

先是准为枢密使,曹利用副之。准素轻利用,议事有不合者,准辄曰:"君武夫,岂解此大体邪!"利用由是衔之,而丁谓以拂须故亦恨准,及同为枢密使,遂合谋欲排准。

翰林学士钱惟演,见谓权盛,附丽之,与讲姻好,而惟演女弟实为马军都虞候刘美妻。时帝不豫,艰于语言,政事多中宫所决,谓等交通诡秘,其党日固。刘氏宗人横于蜀,夺民盐井,帝以皇后故欲舍其罪,准必请行法,重失皇后意,谓等因媒蘖之。

准尝独请间曰："皇太子人望所属，愿陛下思宗庙之重，传以神器，以固万世基本。丁谓佞人也，不可以辅少主，请择方正大臣为羽翼。"帝然之。准密令翰林学士杨亿草表请太子监国，且欲援亿以代谓。亿畏事泄，夜，屏左右为之辞，至自起翦烛跋，中外无知者。

既而准被酒漏言，谓等益惧，力谮准，请罢政事，帝不记与准初有成言，诺其请。会日暮，召知制诰晏殊入禁中，示以除目，殊曰："臣掌外制，此非臣职也。"乃召惟演。须臾，惟演至，极论准专恣，请深责。帝曰："当与何官？"惟演请用王钦若例，授准太子太保。帝曰："与太傅。"又曰："更与加优礼。"惟演请封国公，出袖中具员册以进，帝于小国中指"莱"字。惟演曰："如此，则中书但有李迪，恐须别命相。"帝曰："姑除之。"殊既误召，因言恐泄机事，不敢复出，遂宿于学士院。

壬寅，御试礼部奏名举人九十三人。

秋，七月，庚戌朔，日有食之。

癸亥，参知政事李迪、兵部尚书冯拯、翰林学士钱惟演对于滋福殿。初，寇准罢，帝欲相迪，迪固辞，于是又以属迪。有顷，皇太子出拜帝前曰："陛下用宾客为相，敢以谢。"帝顾谓迪曰："尚可辞邪？"

是日，惟演又力排寇准曰："准自罢相，转更交结中外以求再用，晓天文卜筮者皆遍召，以至管军臣僚，陛下亲信内侍，无不著意；恐小人朋党，诳惑圣听，不如早令出外。"帝曰："有何名目？"惟演曰："闻准已具表乞河中府，见中书未除宰相，兼亦闻有人许以再用，遂不进此表。"帝曰："与河中府何如？"惟演乞召李迪谕旨，因言："中书宜早命宰相。"帝难其人，惟演对："若宰相未有人，可且用三两员参知政事。"帝曰："参政亦难得人。"问："今谁在李迪上？"惟演以曹利用、丁谓、任中正对，帝默然。惟演又言："冯拯旧人，性纯和，与寇准不同。"帝亦默然，既而曰："张知白何如？"惟演言："知白清介，使参政则可，恐未可为宰相。"帝颔之。惟演又言："寇准朋党盛，王曙又其女婿，作东宫宾客，谁不畏惧！今朝廷人三分，二分皆附准矣。臣言出祸从，然不敢不言。"帝曰："卿勿忧。"惟演再拜而退。

甲子，大雨，流潦泛溢公私庐舍大半，有压死者。

丙寅，以参知政事李迪为吏部侍郎兼太子少傅、平章事，兵部尚书冯拯为枢密使、吏部尚书、同平章事。是日告谢，即赐袭衣、金带、鞍勒马，正谢日亦如之，非常比也。

先是冯拯以兵部尚书判都省，帝欲加拯吏部尚书、参知政事，召学士杨亿使草制。亿曰："此舍人职也。"帝曰："学士所职何官？"亿曰："若除枢密使同平章事，则制书乃学士所当草也。"帝曰："即以此命拯。"

拯既受命，枢密领使者凡三人，前此未有，人皆疑怪。曹利用、丁谓因各求罢，帝徐觉其误，召知制诰晏殊语之，将有所易置。殊曰："此非臣职也。"遂召钱惟演入，对曰："冯拯故参知政事，今拜枢密使，当矣。但中书不应止用李迪一人，盍用曹利用、丁谓！"帝曰："谁可？"惟演曰："丁谓文臣，任中书为便。"又言："曹利用忠赤，有功国家，亦宜与平章事。"帝曰："诺。"庚午，以枢密使、吏部尚书丁谓平章事，枢密使、检校太尉曹利用加同平章事，皆用惟演所言，然所以待寇准者犹如故。谓等惧甚，谋益深。壬寅，准入对，具奏谓及利用等交通踪迹，又言："臣若有罪，当与李迪同坐，不应独被斥。"帝即召迪至前质之。两人论辨良久，帝意不乐，迪再三目准令退。及俱退，帝复召迪入对，作色曰："寇准远贬，卿与丁谓、曹利用并出外。"迪言："谓及利用须学士降麻，臣但乞一知州。"帝沉吟良久，色渐解。迪退，复作文字呈

进，帝意遽释，乃更诏谓入对；谓请除准节钺，令出外，帝不许。

甲戌，昭宣使、英州团练使、入内副都知周怀政伏诛。

初，帝疾浸剧，自疑不起，尝卧枕怀政股，与之谋，欲命太子监国。怀政实典左右春坊事，出，告寇准，准遂请问建议。已而事泄，准罢相，丁谓等因疏斥怀政，使不得亲近，然以帝及太子故，未即显加黜责。怀政忧惧不自安，阴谋杀谓等，复相准，奉帝为太上皇，传位太子，废皇后。与其弟礼宾副使怀信谋，潜召客省使杨崇勋、内殿承制杨怀吉、阁门祗候杨怀玉议其事，期以二十五日窃发。

前一夕，崇勋、怀吉诣谓等第告变，谓中夜微服乘妇人车，过曹利用计之，及明，利用人奏于崇政殿。怀政时在殿东庑，即令卫士执之，诏宣徽北院使曹玮与崇勋就御药院鞫讯，不数刻，具引伏。帝坐承明殿临问，怀政但祈哀而已。命载以车，赴城西普安佛寺斩之。谓等并发朱能所献天书妖妄事，亟遣入内供奉官卢守明、邓文庆驰驿诣永兴军捕能。

怀政既诛，有欲并责太子者，帝意惑之，李迪从容奏曰："陛下有几子，乃欲为此计！"帝大悟，由是东宫得不摇。

丁丑，太子太傅寇准降授太常卿，知相州，翰林学士盛度、枢密直学士王曙并罢职，度知光州，曙知汝州，皆坐与周怀政交通，曙又准之婿也。

【译文】

宋纪三十四　起戊午年（公元 1018 年）正月，止庚申年（公元 1020 年）七月，共二年有余。

天禧二年　辽开泰七年（公元 1018 年）

春季，正月，乙未朔（初一），永州降大雪，六昼夜才停。江陵溪中的鱼全都冻死。

己亥（初五），任命赵安仁为御史中丞兼尚书右丞。左右丞兼中丞始于此。

辛亥（十七日），真宗亲自到元符观、资善堂设宴，款待侍臣和寿春郡王府官属，拿出真宗自己创作的《恤黎民》等歌，《元符观》《资善堂》等记、颂，赐给寿春郡王，并拿出寿春郡王的诗卷、文辞给宰相看。

戊午（二十四日），王钦若等进献《天禧大礼记》四十卷。

己未（二十五日），真宗降旨："诸路受灾州、军都安排施舍粥，低价出售官府米粟，让贫民能得到好处。"

这月，辽主去达离山。

二月，乙丑朔（初一），辽主举行拜日礼，去浑河。

丁卯（初三），改升州为江宁府，设建康军；任命皇子寿春郡王为节度使，位居太保，封升王。此前，中书宰臣多次奏请及早商议给王子加封号，皇帝一直谦让，经再三请求才允许。

戊辰（初四），任命寿春郡王友张士逊、崔遵度同为王府咨议参军；左正言、值史馆晏殊为记室参军。

庚午（初六），右正言刘烨请求自今日起，有事上奏允许登殿当面对答，真宗同意。

壬午（十八日），真宗在承明殿召右正言刘烨、鲁宗道议事，历时八刻。

三月，壬寅（初九），真宗对宰臣说："近日边境安然无事，百姓也安定富足。"向敏中回答说："边境虽然安静而军队的数目未见减少，怕会增加许多无谓的开支。"真宗说："现在京师

的兵力可以想法裁减，只保留精锐部分。”向敏中等说：“军队编制一大，人力物力的消耗就转移到农民身上了。最近遵照陛下命令已停止招募，或是让老弱兵员退役，这样吃闲饭的人就少了。”真宗说：“卿等应考虑一个长远的办法。”

丙午（十三日），辽国乌库节度使萧普达讨伐德呼勒部的背叛命令的人，将他们歼灭。

甲寅（二十一日），右正言鲁宗道上言：“大辟罪如婺州讹报的那样，望今后要细细查复。”真宗拿出诉状给辅臣看，同时说：“自今日起，应详加研究的案子，要更加谨慎仔细，重在不滥杀无辜。”

鲁宗道每月进谏，好发议论，真宗心中烦其次数太多。鲁宗道在应对时，自我责备说：“陛下任用臣下的原因，难道是要臣下空挂一个言官的虚名吗？臣深自惭愧受禄而不尽职，请求陛下将我免了！”真宗安慰劝导了好长时候。后来想到这件事，就在墙壁上题写“鲁直”两个字。

丙辰（二十三日），真宗降旨：“州县先前贷放给贫民的粮种，暂停收回。”

夏季，四月，丙寅（初三），辽国发粮赈济川州、饶州饥荒。辛未（初八），赈济中京贫困缺粮人户。

癸酉（初十），辽国禁止匿名上书。

乙亥（十二日），真宗降旨：“江、淮正值庄稼成熟，宜令换留新粮储备三二百万石，作为军粮，以免军队骚扰百姓。”

庚寅（二十七日），将全国死罪犯减刑一等，流刑以下全部释放。灾害地区，全部减免去年夏秋税和所借粮种，今年夏税减免十分之三，大名府、登、莱、淮、密、青、渭州减免十分之四，不得改征其他财物和令民户改变仓口交纳。拖欠的诸色物品未及按期征收查对，等到丰熟日子渐次催纳。各处制造上供物品，严逼百姓工匠，有妨农业，一概命令暂时停止，如确实军队急用者，等待明年才能上报奏请。

壬辰（二十九日），辽国任命李德懋为枢密副使。

闰月，癸卯（十一日），知枢密院事马知节，免去原职，改授彰德军留守，留在京师。

戊申（十六日），奖州团练使李溥，因贪财不尽职责，改授忠正节度副使。

初时，黄震揭露李溥苟且贪赃，朝廷派御史查问处置，落实李溥私自役使军士为姻亲吏部侍郎林特盖宅第，又让官船捎带贩卖木材，套取得息，共十数事。还没有最后定罪，适逢大赦。司法部门由于林特的原因，没有深究，大理寺详断官考城人刘随要求再次弹劾，最终还是让李溥抵了罪。

刘随曾任永康军判官，军队戍守地没有城墙，砍树木作为栅栏，坏了就换，颇费民力。刘随命令在四周种植柳树数十万株，联结成为界线，百姓方得不受骚扰。永康军属下有县令受贿开脱罪犯，刘随揭发他，益州人李士衡为县令说情，刘随不卖情面。李士衡恼怒，上奏说刘随苛刻，反被罢官回家。最初，西南夷以马易茶，苦于官府吏员的索取刁难，刘随为之建立法令标准，加以制止。罢官后，夷族数百人找转运使诉苦说：“我们的父亲在哪里？”事情传到朝廷，于是调刘随为大理寺详断官。

壬子（二十日），辽国任用萧进忠为彰武军节度使兼五州制置。

皇城司上奏说，位于拱圣营西南的真武祠有泉水在祠侧涌出，得疫病的人喝了大多都告痊愈。甲寅（二十一日），真宗命令在该处修建祥源观，男男女女赤脚步行奔往瞻拜，制度支句院河南人任布，上言说不应拿神奇鬼怪的事来迷惑没有知识的老百姓，奏章上去后没有答复。

戊午（二十六日），吐蕃派使者到辽国商量，每逢朝贡的日子，请求借路夏国，辽主同意了。

五月，甲子（初三），太尉、尚书兼中书令徐王赵元偓去世。真宗亲临祭奠失声哀哭，赠赵元偓太师、尚书令，追封邓王，赐谥号恭懿。

丙寅（初五），辽主封皇子宗真为梁王，宗元为永清军节度使，宗简为右卫大将军，宗愿为左骁骑大将军，宗伟为左卫大将军，皇侄宗范为昭义军节度使，宗熙为镇国军节度使，宗亮为绛州节度使，宗弼为濮州观察使，宗奕为曹州防御使，宗显、宗肃皆为防御使。

辽国任用张俭暂时署理司徒兼政事令。

丁卯（初六），命宰臣王钦若办理修祥源观事。

右正言刘烨上言："前代人关于圣水的传说都是荒诞不经之谈。当今盛夏久晴不雨，阳光炽盛，不宜大兴土木营建不急需的寺观。"奏章上去后，不见答复。

丙戌（二十五日），河阳三城节度使张旻上言："最近听到西京谣传，有象帽盖那样的异物，夜间飞入百姓家，又变成大狼形状，暗暗地伤害人。百姓十分惊恐，一到晚上都紧锁门户躲在里屋，以至执刀棒捕逐。"真宗命令设祭坛做道场祈祷消灾。

六月，乙未（初四），宣徽北院使、同知枢密院事曹利用升知枢密院事。

乙巳（十四日），京师百姓谣传帽妖从西京到来，进入百姓家吃人。民间多聚集全族人环坐到天亮，大声叫喊鼓噪，军营中更是如此。真宗降旨，立赏格招人告发兴妖作怪的人。不久查出和尚天赏、术士耿槩、张岗等人，对他们进行审讯，一并处死。陈尸街头示众，听说帽妖实际上没有这种事情。当时在京师以南地区，都紧闭门户深藏不出，知应天府王曾命令百姓在夜间打开大门，敢有意见的立即拘捕，帽妖结果还是没有来。

辛亥（二十日），有彗星出现在北斗星所在的天区，共三十七日才消失。

秋季，七月，甲子（初四），辽主命令翰林待诏陈升在上京五鸾殿作《南征得胜图》。

壬申（十二日），因星象变异大赦全国流刑以下罪犯，死罪犯减刑一等。

真宗降旨："自今日起，凡现任官或有爵禄参加应举，所在地区的长官先对其进行六艺考试，合格者即听选送；如至礼部不及格，应停现任；应试者的前后考试官和保送的地区长官，一律从重治罪。"

甲戌（十四日），刑部侍郎、知青州李士衡升为三司使。真宗作《宽财利论》赐给李士衡，李士衡请求将真宗的作品镌刻在本厅，真宗同意。

李士衡正受到真宗重用，王钦若出来打击他。一天真宗说到科举考试所采用的文体有缺点，王钦若借机说："路振，是个文人，然而不明事体制。"真宗说："怎么回事？"王钦若说："士衡父亲因罪诛杀，而路振作赠言，竟然说'世有显人'"。真宗点头。李士衡因此再得不到皇帝重用。

八月，丁酉（初八），群臣上表请立皇太子，皇帝没有答应；经三次上表，皇帝同意了。

最初，知梧州陈执中进献《复古要道》三篇，真宗感到惊异而召见他。真宗当时常多疾病，年事已高，大臣都不敢提建立储君继承的事，陈执中到京师后，进献《演要》三篇，以早定根本的话劝说真宗。第二天，真宗拿出别的奏章给辅臣看，大家都称赞说："好！"真宗指着袖

中说："更有比这好的。"拿出来一看，就是《演要》。真宗接着在便殿召陈执中进宫，当面回答问题，慰勉询问好长时候。不久提升为右正言。陈执中，是陈恕的儿子。

癸卯(十四日)，真宗降旨："去年上圣号册宝答应赐大宴饮，今秋丰收，可补行。"

甲辰(十五日)，立皇子升王赵受益为太子，改名祯。大赦天下。

乙巳(十六日)，任命翰林学士晁迥册立皇太子礼仪使，命秘书监杨亿撰写皇太子册文，知制诰盛度书写册文，陈尧咨书写印信。

壬子(二十三日)，用参知政事李迪兼任太子宾客。真宗开始想任命李迪为太子太傅，李迪逊让，认为太宗皇帝时未曾有个太子太保、太傅这样的官职，真宗听从了，只让他兼宾客，但仍命令皇太子以师傅之礼待宾客。当时有一殿侍名张迪，为太子官署春坊的祗候，太子不愿意他的名字和李迪一样，让他改名克一。李迪把这件事上奏，真宗大为喜悦，在辅臣面前称赞太子。

真宗下诏："中书门下五品，尚书省、御史台四品，各衙门三品，见皇太子一律答拜；在这些品位以上的受拜。"

加彭王赵元偓太傅，进封通王。

癸丑(二十四日)，真宗作《元良箴》赐给皇太子，又作诗赠给宾客以下的太子官属。

甲寅(二十五日)，楚王赵元佐加授兴元牧，徐国、邠国、宿国三位长公主都进加封号。

丁巳(二十八日)，诏令每月给皇太子钱二千贯。

礼仪院上言："太宗至道年间，敕命百官在皇太子前称名，王宫官吏称臣；继续以敕命为准，依皇太子所请，王宫官吏只称名。"诏令依照至道时制度。

九月，丁卯(初八)，真宗在天安殿册立皇太子。

壬申(十三日)，三司借内藏银十万两。

戊辰(初九)，辽主诏令："内外官员因事受贿，事情被察觉而把责任推到子孙仆从者，加以制止。"

庚午(十一日)，辽主省察囚徒的罪状记录。搜集马匹给东征军。

庚辰(二十一日)，真宗在正阳门观看大宴饮，大宴饮共进行五天。真宗作《稼穑倍登诗》《敧器》《戒酒》三篇给辅臣看。

祥源观落成，寺观楼宇计六百一十三处。

此月，辽主停留在土河川。

冬季，十月，辽国命令中京新建二殿为延庆殿、永安殿。

壬寅(十三日)，辽国任命顺义军节度使石用中为汉人行宫都部署。

癸丑(二十四日)，左谏议大夫孙奭上言："官府管理茶的产销制度和茶政法令、则例一改再改，不是取信于民的办法，望派遣官员重新制定长久的制度。"真宗当即诏令孙奭与三司审慎研订，在规则条例上务必从宽和简便。不久，孙奭出任河阳知县，事情于是停止。

孙奭刚从密州卸任回来，当时正开始设立天庆等节日，全国上下设坛供斋，大摆筵席，费用浩大。孙奭奏请节省无谓的花费，奏章上去后没有答复。

丙辰(二十七日)，辽国任命东平郡王萧巴雅尔为都统，殿前都点检萧库哩为副都统，东京留守耶律巴格为都监，征伐高丽。同时告谕高丽官吏能率领部众自动归附的有厚赏，实行坚壁清野相对抗的将追悔莫及。

十一月，己未（初一），任命翰林学士晁迥为承旨。当时朝廷多次举行大礼，诏令的文稿大多出自晁迥之手。晁迥曾在夜间应召当面回答提问，真宗命令内侍拿自己书案上的巨烛送他回翰林院。

壬戌（初四），辽国任命吕德懋知吏部尚书，杨又元主持详复院，刘慎行为彰武军节度使。

乙亥（十七日），起居舍人吕夷简上言："澶、魏五谷丰登，希望拨出内藏钱二十万贯购买粮草。"真宗同意。

辽国萧巴雅尔进攻高丽兴化镇，高丽派遣大臣姜邯赞、姜民瞻率军抵御。他们预先设伏兵于山谷，用大绳把牛皮穿起来堵住城东河流以等待敌兵，辽军一到，打开堵住的河流，出动埋伏的兵丁。辽军战斗失利，萧巴雅尔即由慈州直奔王城。进军到新恩县，距离王城约百里之遥，姜邯赞等派兵来救援，萧巴雅尔估量王城一时拿不下来，于是大事劫掠而回。十二月，辽军抵达茶、沱两河，姜邯赞等率追兵大批来到，辽军将官都想让高丽渡过两河然后攻打，独有都监巴格认为不行，说："敌人若渡过两河，必定殊一死战，这是危险的办法，不如在两河之间开战。"萧巴雅尔依从了他。等到战斗打响，高丽兵用力量强大的弩夹射，两军相持不下，忽然风雨从南而来，指挥军队的旗帜都向北飘，高丽兵乘势掩杀过去。辽军大败，萧巴雅尔的军队丢盔弃甲而逃，详衮军大多战死，天云、右皮室两个军几乎全部伤亡和陷在里面。

参知政事张知白与宰相王钦若对问题的看法总不一样，因而声称有病辞职。丙午（十八日），张知白降职为刑部侍郎，翰林侍读学士，主持天雄军。

此年，辽国录取进士张克恭等三十七人。

天禧三年　辽开泰八年（公元 1019 年）

春季，正月，壬戌（初四），辽国于中京建立景宗庙。封沙州节度使曹顺为敦煌郡王。

丁卯（初九），翰林学士钱惟演等四人暂代同知贡举之职。

乙亥（十七日），各路贡举人员郭桢等四千三百人引见于崇政殿。当时郭桢犯服丧期贡举，为同辈所指控，罚停殿试三科；同保人一齐罚款，停殿试一科。当时有司想开脱宋城人王洙，问王洙说："是否确实为郭桢作保？如果不是，可以改过来。"王洙说："保了，不愿意改过来。"于是与郭桢一起被罢黜。

京西转运使胡则上言："滑州进士杨世质等诉本州除名落榜。臣即提取原试卷交许州通判鄢陵人崔立评审，崔立认为杨世质等试卷文理没有错误，已行文滑州依例解送。"真宗下诏说，转运使所称情状不先请示朝廷，便即以解送缘由上报，其试卷切望本州交来，杨世质等人仍不得解送。及至取到试卷，贡院认为不符合荐举要求，真宗下诏勾销杨世质名额，弹劾转运使崔立罪状。

崔立最初任果州团练推官，差使兵士搬运官家物品于另一州，由于道路险阻，于是收集众人的钱雇船运回，知州姜从革欲比照聚敛法论罪，三人当斩，崔立说："这并非谋个人私利，罪只是杖刑。"姜从革开始时不准，将意见反映到朝廷，真宗诏令依崔立所议。真宗记下他的名字，派人接替他的职务，让他回来，特令转换大理寺丞，知安丰县。

崔立生性忠厚谨慎，尤其喜欢论事。大中祥符年间，士大夫竞相上奏祥瑞的征兆，唯独崔立上言："徐、兖大水，江、淮干旱，无为暴风，金陵大火，这是上天用来惩戒骄奢矜夸的征兆；而京城和地方累上报云露、草木、禽虫之类出现的吉祥事物，这怎么能作为治理有道的说明！臣愿陛下敕命有司：草木出现奇迹，虽大不录，水旱之变，虽小必报。"前后据说共上奏四

十余事。

此月，三司上言："使臣传诏领取物品，以前只是口传圣旨，别无凭据，以至得有机会盗取钱物，现在请陛下下令入内内侍省设署传宣合同司，专派内臣一名主持，以便杜绝这样的弊病。"真宗同意。

二月，丁未（十九日），拿出皇太子书写的真宗诗作赐给宰相。

辽国任命前南院枢密使耶律制心为中京留守，任命汉人宫都部署王继忠为南院枢密使。

三月，戊午朔（初一）日蚀。

乙丑（初八），三司借内藏库银十三万两。

丙寅（初九），真宗亲试礼部上报名字的贡举人员，取进士王整以下六十三人赐及第，八十六人同进士出身，又赐学究、各科数目不等的及第、出身。

乙亥（十八日），辽国萧巴雅尔、耶律巴格从高丽回来，因出师失利，列数其罪状，而后释放他们。

壬午（二十五日），辽主检阅飞龙院马匹。

入内副都知周怀政，终日侍奉内廷，弄权献媚达于极点，随声附和的人很多，性情见识平庸肤浅，特别迷信怪诞虚妄的事。有一名叫朱能的人，本是单州团练使田敏家里的杂役，天性凶狠狡猾，他贿通周怀政的亲信而得获引见，瞎扯一些神奇鬼怪的事来打动他，周怀政大受迷惑，荐举朱能官至御药使，领阶州刺史。不久在终南山修建道观，一殿值刘益等人伪造天符，假托神道议论国家祸福，或褒贬大臣。当时寇准镇守永兴，朱能任巡检，朱能伪称天书下降。真宗咨询各大臣，有人说寇准素来不相信天书，现今让寇准进献，百姓必定深信不疑，于是派周怀政告谕寇准。寇准开始时不愿意，他的女婿王曙写信求他，寇准才答应了。此月，寇准上奏天书降于乾祐山中。

夏季，四月，辛卯（初四），朝廷备仪仗到琼林苑迎接天书直入内廷。太子右谕德鲁宗道上奏章，大略说："天道保佑积善的人和降灾于无德的人，天不言而只是通过演化来显示。人君治理有道，则降福以报偿，失治理之道，则展示变异以告诫，那里又有什么天书啊！臣下担心的是奸臣恣意妄为拿荒诞不经的事来迷惑皇上视听。"知河阳孙奭上奏章说："朱能奸佞小人，妄言祥瑞，而陛下崇拜和相信他，降至尊的身份来迎拜，放置秘殿来供奉，上自朝廷，下至街巷，无不痛心疾首，心有所不服而口里不说。"又说："天且不言，怎么会有书！全国上下都知道是朱能所为，唯独陛下一人不知道罢了。请求处斩朱能以告天下。"真宗虽然不听，然而也没有怪罪孙奭。

河东转运使李放贡献钱三十万贯，粮一百二十万石，真宗下令嘉奖。

己亥（十二日），召山南东道节度使、同平章事、判永兴军府寇准来朝廷。

壬寅（十五日），召集近臣往真游殿朝拜天书。

此月，辽主去缅山。

五月，乙丑（初九），左谏议大夫、知郓州戚纶，贬为岳州团练副使，这是因为提点刑狱官李仲容参劾戚纶说了讥诮皇帝的话。

戚纶善谈名理之学，好议论民政，近似迂阔，侍奉兄长戚维，友爱甚厚，读书人去拜访他，必定询问来访者的学业，了解他的志向，根据才识加以诱导扶持，戚纶曾经这样说："退休后如有十年在乡里讲学，也可以发扬圣人之道造福于世人了。"戚纶乐于荐举读书人，每次奏请

数达十余人，均一时名流。晚年受权贵幸臣排挤，就再也没有出来。

壬申（十六日），辽国任命附马萧克忠为长宁军节度使。

乙亥（十九日），右正言刘烨佐理三司户部句院，因执政者不想让他专任言官的职务，故让他另兼他职。

辛巳（二十五日），监察御史刘平兼职盐铁判官，章频兼职度支判官。御史从这时起兼任尚书省职务。

辽国迁徙宁州，渤海民户于辽、土两河之间。

甲申（二十八日），寇准从永兴来朝廷。寇准临行时，门生中有人劝寇准说："师尊若是抵达河阳时声称有病，坚持要求在外省注补官职，这是上策；若是入朝见到皇帝，立即揭发乾祐天书是假的，还可以保全平生正直的名节，这是中策；下策，那就是再进中书省。"寇准听了很不高兴，作揖而起，最终还是受到了连累。

六月，戊子（初三），保信军节度使丁谓从江宁来朝廷，这是真宗召他来的。

辽国登记征伐高丽战役中阵亡将校的子弟，不久，又加封他们的妻子。

己丑（初四），辽国任命伊勒希巴萧谐哩为西南面招讨使，御史大夫萧嘉济为伊勒希巴。

此前，江淮发运使贾宗上言："各路每年河道运粮，自真、扬进入淮、汴要经过五道拦河堰，粮食装上去遇到浅滩又卸下来，民工疲于牵挽，船只因此损坏很快。臣下意见不如开挖扬州古河，绕到城南接通运河，拆除龙舟、新兴、茱萸三堰，打通漕运河道平衡水势，每年可节省公家费用十万，所带来的利益很大。"真宗诏令调查研究，结论认为可行，于是施工。现今工程完成，将水引入新河，与三堰相平，漕船通行无阻，公私大为称便。

甲午（初九），左仆射、平章事王钦若免去原职，任太子太保。

当时真宗对王钦若的恩宠优遇渐渐淡薄，有人告发他接受贿赂，王钦若上本为自己辩护，要求把问题交给御史台复查核实，真宗很不高兴说："国家设立御史台，岂是替人辨别真假的吗？"王钦若恐惧不安，因而请求到边远地方去。这时恰逢商州捉到道士谯文易家里藏有禁书，能够用道术驱使六丁六甲神，自称曾出入王钦若家，官府搜到王钦若写给他的诗和信。真宗质问王钦若，王钦若自认有罪，于是被免去宰相职位。不久让他去杭州佐理政事。

丁酉（十二日），任命李允则为客省使、知镇州，兼镇、定钤辖。

李允则在雄州任职十四年，河北停战后，李允则不停地整治城墙堡垒。辽国人怀疑有违誓约。不久有人把情况反映给朝廷，真宗下令质问他，李允则上奏说："两国刚和好就不让整治，将来那里还再敢动工呀！"真宗认为有道理。

城北旧有月城，李允则想将它与大城合成一体，先前这里有个东岳祠，他拨出黄金一百两置办供神的器具、幡盖等物，以吹鼓手为前守，居民争献金银。过了一段时间，暗自将供具撤走，声称强盗是北边来的，即下令捕盗，三次向北界发出文书。这时才发动泥水木作，扬言要造土墙来保护祠庙，而最终一直修到城关，挖壕沟，筑日堤，从此月城的人全部被纳入城中。

初时，州内百姓大多用草盖屋顶，李允则从西山砍伐成材的树木，大修仓廪营房。他教百姓烧砖瓦，立巷门，开办庙市。城上部全用砖垒，下面围绕着壕沟，移栽大麻，种植榆柳。扩大阎承翰所修的屯田，架桥引水，造石桥，置堤道，直通安肃、广信、顺安军管区。每年三月三日招民在水边举行消除不祥的祭祀，请界河战船来做竞渡游戏，让北人随便游观，暗中寓

意于水战。州北过去没有陷马坑,城上筑有侦察用的高楼,可看到十里外的地方,从休战后,没有人敢上去。李允则说:“南北既已讲和,还要这些干什么!”命令拆除望楼来填平陷马坑,作为军队的菜园,打井修渠,划定畦垄,筑短墙,交错其中,上面遍植荆棘,比原来陷马坑更为险阻。由于整治街坊里弄,把佛塔迁移到北墙上,登上佛塔可遥望三十里外。下令安抚司所到之地,有空闲的地方全部种上榆树,时间一长,塞下满是榆树。

元宵节过去不挂灯,李允则用五色绸布扎缚成彩色缤纷的小山,召集优伶乐舞,让百姓纵情赏玩。第二天,侦察到辽国有一将军想要抄小路进城观看,李允则和同僚到郊外探察,果然有个穿紫衣的人到来,就和他一起到招待旅客的房里,不说一句话,即召女奴环侍左右,一气把他灌醉,并且把他所骑的毛驴放在廊屋下,让他逃跑,此人即辽国的南京统军。几天后,受到处罚。

一次,在军中宴饮,而兵械库起火,李允则叫大家奏乐行酒不停。一会儿,火灭,命令把所烧毁的东西都掩埋起来,暗中派使者拿了公文去瀛洲,用运茶的箱笼运兵器,不到十天,兵器数目已补齐,但谁也不知道。枢密院追查到他头上质问他,回答说:“藏兵械的地方,对火的戒备十分严格。军中刚开筵而火起来,必定是奸人所为,罢宴救人,事情恐怕会发生另一种结果。

一天,有百姓申告被辽人打伤而凶者已逃跑,李允则没有派人去追,给了受伤的人钱二千,众人以为他胆小怕事。过了一个月,辽国派人来查问这件事情,李允则回答没有发生过这种事,原来对方的奸细想要用打过人来做凭据,等到回来的人说没有,认为奸细是说假话,就把他杀了。侧翼部队有个兵逃跑到北界,李允则去公文要求遣还,辽人答称不知所在,李允则说:“在某某地方。”辽人惊惧,不敢留他,即遣返,于是依法将他斩首,以后没有敢逃跑的。

李允则不拿架子不讲排场,有时步行外出,碰到可与之交谈的百姓,就请他坐到一起说话,因而能了解民情,有盗窃作案的一下就能抓获,大家都猜不透其中道理。李允则除平常穿着,没有多余的衣服,吃饭不备两种以上的好菜,不积聚财物,当时守边的官员很少能有像他这样的。

戊戌(十三日),任命寇准为中书侍郎兼吏部尚书、平章事,保信军节度使丁谓为吏部尚书、参知政事。按照旧例,节度使授职拜官应由翰林学士起草,用黄白麻纸颁诏,翰林学士盛度认为参知政事应属中书门下撰拟诏敕,于是命知制诰宋绶起草,丁谓很是怨恨。

丁谓在中书,对待寇准很是慎重小心。一次,在一起吃饭,羹汁弄脏了寇准胡须,丁谓站起来,慢慢地给他擦去,寇准笑着说:“参政是国家的大臣,竟然替官长擦胡须呀?”丁谓感很羞耻,由此产生了倾轧构陷的心思。

己亥(十四日),辽国任命特里衮耶律哈噶为南府宰相,任命南面林牙耶律韩留为特里衮。

滑州黄河决口,泛滥到澶、濮、郓、齐、徐地界,派使者救援被淹的人,抚恤他们的家属。

丁未(二十二日),任命吏部侍郎林特为尚书左丞、玉清昭应宫副使。林特生性怪诞险恶,善于附和,所以丁谓始终赞许林特,屡次提拔他。

秋季,七月,辛酉(初六),知河南府冯拯上言:“父老、僧道、举人等联名上书,要求来宫门请御驾封中岳。”真宗说:“这件事很重大,不可草率从事。”命令冯拯好好地跟他们说,让他们回去。

三司借内藏钱五十万贯,绢十万匹。

学士院上言:"根据诏书,大理评事胥偃参加考试,胥偃乃盛度之婿,又是钱惟演亲戚,想请求让他们到别处考试。"真宗命令送舍人院应试。从此有亲戚嫌疑者一律照此办理。

戊辰(十三日),殿前都指挥使、忠武节度使曹璨去世。真宗亲临祭奠,赠中书令,赐谥号武懿,登录他的子侄姓名。

曹璨身贵族后代,以孝顺谨敬而为人称道,熟知用兵的谋略,虽无攻战之功,但历任守边重任,管领禁卫十多年,善于安抚士兵,晚节因过于吝啬而受到很大影响,当时众人的议论很看不起他。曹璨母亲曾查看家中所藏金帛,见积钱数万,召唤曹璨尊来跟他说:"你父亲做内外官多年,未尝有这样的积蓄,可知你跟你父亲差远了!"

三司借内藏钱帛二百四十五万。

庚午(十五日),辽主参观市场,特赦市中所关囚犯。

己卯(二十四日),群臣上奏章,请求真宗尊号为体元御极感天尊道应真宝运文德武功上圣钦明仁孝皇帝,真宗没有允许,经五次上本,真宗才同意。

庚辰(二十五日),屯田员外郎钟瑾上言:"臣子私下看到各州长吏,所管地区刚刚呈现雨水充沛禾苗长势好,即奏称丰年,以后霜冻、干旱、蝗虫、螟虫、气候不和,都隐而不说,上欺朝廷、下压百姓。请自今日起,各州有灾害处,即时上奏,派官视察。若所管地区丰登,也须待夏秋庄稼成熟时才奏。若奏后又有灾害,另外再行上奏;隐而不言,务必论罪。"真宗同意。

八月,丁亥(初三),因又有天书下降,大赦天下。

滑州出现苍龙于黄河决口。

彰德军留守马知节因病留居京师,一年后,上表请求出任地方官,被任命知贝州兼署。临行时,请求当面回答提问,真宗怜悯他身体瘦弱,让他回归本镇,上党、大名的百姓纷纷前来迎接拜见。马知节病情渐渐加重,旋即请求返回京师,去世。遗嘱要求他的几个儿子辞谢辞诏安葬待遇。真宗对马知节去世深为哀痛,赠侍中,赐谥号正惠,对他的四个子孙封官。

马知节熟知军事,以用兵有谋略自许。颇通文艺,每次奉真宗召对,常赋诗作文。他所交游的人,必一时的名士。在治理上着力打击依仗权势横行不法的人,而对贫弱无靠的人则予周济。生性刚直敢说,从不卑躬屈膝。在武将中要找这样的人,恐怕很少能与之相比的。

辛卯(初七),太白星在白天出现。大会佛教徒、道教徒于天安殿,设道场,共一万三千多人,己亥(十五日),真宗前来观看,用药银铸大钱,当面赐给他们。

戊申(二十四日),从琼林苑迎接天书到宫内。

庚戌(二十六日),派使者安抚遭受水灾的州、军,有符合宽免周济条件或需作更改的各种事情,使者会同转运使、转运副使、地方长官协商办理施行。

九月,乙丑(十二日),赐大理寺丞王质进士及第。王质,是王旦的侄子,由于作文献于真宗而让他应试所赐给的。

己巳(十六日),辽国任命石用中为参知政事。

壬申(十九日),辽主省察记录囚徒的罪状;甲戌(二十一日),再次省察记录囚徒的罪状。

真宗降旨:"自今日起,因犯贪赃罪而降职的广南、川峡的幕僚和州县官,托付诸路转运

使常加纠察。再犯贪赃罪者,永不录用。”当时司勋员外郎梁象上言:“川峡幕僚、州县官,因过去犯贪赃罪降职的,大多又贪得无厌,不顾法度骚扰边远百姓。请自今日起,犯贪赃者不予降授川峡官职,一律投补到广南荒凉的州军。”真宗认为广南也是朝廷的百姓,而且这也不是使贪赃者改过自新的办法,所以特为此下了这样的一道圣旨。

辛巳(二十八日),参知政事李迪上言:“皇太子言语举止合乎礼法,轻易不说话,观看内廷伶人戏曲,未尝乱笑。”真宗说:“平常在内廷居住的时候,也未尝说过不得体的话。”寇准说:“皇太子天赋仁德,谨严持重,温和宽宏,实国家之大幸。”

壬午(二十九日),辽主停留在土河川。

冬季,十月,辽国下诏给各道,事情不分大小,已审理和判决的,每三月分条呈报一次。

癸巳(初十),辽国命令极为显贵的家族不得和卑小、边境少数民族通婚,凡嫁娶事必须先奏后行。

己酉(二十六日),知审刑院盛度上言:“在京师和各路只有断案三道,正值降圣节,不奏,其余地方绝无刑事公文,请宣召史馆记录。”寇准说:“这是陛下以仁德感化百姓,诚意体恤的结果。”真宗下令嘉奖盛度等人。

十一月,辛酉(初九),阁门、太常礼院进献《大礼称庆合班图》,皇太子座位次序在宰相之上,太子恳切谦让。真宗告诉了辅臣,寇准等当面陈述太子名位的重要,不可谦让,希望尊重礼仪制度。经再次请求,真宗才允许。

真宗降旨:“自今日起,给事中、谏议大夫、中书舍人之母、妻概封郡君。”起初只封县君,因为枢密直学士、给事中王曙,是寇准女婿,所以更改旧制,当时有人非议寇准独断谋私而不知顾忌。

己巳(十七日),真宗亲临景灵宫。此日,月亮周围出现光环。庚午(十八日),献祭于太庙。辛未(十九日),合祭天地于南郊,大赦天下。

丁丑(二十五日),真宗亲临玉清昭应宫,回来后,御天安殿,受册尊号。

十二月,丙戌(初四),富州蛮人头领向光泽上表献领土。真宗说:“朝廷要他干什么用!谅必是他们亲族互不相让罢了。”命转运使进行调查,果不出所料。

辛卯(初九),辽主停留在中京。

癸巳(十一日),任命任中正、周起同为枢密副使。

河中府隐士李读、陕州隐士魏野先后去世,真宗下诏各赠秘书省著作郎,赐给家属米帛,州县常加慰问救济,除夏秋两税外又免其差役。

乙巳(二十三日),辽国任命广平郡王宗业为中京留守,大定尹耶律制心为特里衮。

辛亥(二十九日),高丽王王询派使者到辽国,进贡土产,辽主命令收下。

此年,燕京地区灾荒,疫病流行,百姓多流亡饿死,辽主任命翰林学士杨佶为同知南京留守司,开仓放粮,赈济穷乏,贫苦百姓卖子者以雇工计值赎出。在此之前,杨佶曾知易州,治事崇尚清明简捷,征调的限度时机适宜,言出必信,百姓认为方便。

天禧四年 辽开泰九年(公元1020年)

春季,正月,乙丑(十三日),任命华州观察使曹玮为宣徽北院使、镇国军留守、佥署枢密院事。佥署兼领藩镇职,是从曹玮开始的。

丙寅(十四日),开凿扬州运河。

丙子(二十四日),改各路提点刑狱为劝农使、副使兼提点刑狱公事。真宗下诏:"所到之处审察百姓户籍等次,有不合法式的加以改正。鼓励耕作体恤农民,依时耕垦,招集流民,清查漏税,凡农田事全部归劝农使管领。"同时各赐给《农田敕》一部。

二月,真宗有病,不临朝听政。

癸未(初一),派使者安抚淮南、江、浙、利州饥民。

丁亥(初五),户部员外郎兼太子右谕德鲁宗道上奏:"请自今日起,群臣除有意枉法贪赃外,凡因公事受贿贪赃情有可原者,一律奏请裁定。"真宗同意。鲁宗道又奏请:"候补,候选的官员有罪,令分管人事衙门在刑部、大理寺两司中只由一处审问。"真宗下诏给吏部:"自今日起,刑部、大理寺在定候补、候选官员罪名上不统一的,可即送审刑院从速裁定奏报。"

滑州报告黄河诸防完成,真宗下诏嘉奖。己亥,命翰林学士承旨晁迥致祭。庚子(十八日),群臣前往崇德殿祝贺。分别赏赐修河官吏、使臣、将士。这次修河工事,共征发各州柴草、石料、木条、橛子、篾缆、竹竿计一千六百万之数,调用军队、民工九万人。真宗亲自撰写碑文,刻碑记功以作纪念。

辛丑(十九日),发放唐、邓八州常平仓存粮赈济贫民。

此月,辽主去鸳鸯泊。

三月,戊辰(十七日),改祯州为惠州。

癸酉(二十二日),真宗诏谕川峡、广南贡举人数不限定额。

乙亥(二十四日),因益、梓州路物价飞腾,命知制诰吕夷简,引进副使曹仪乘驿车进行赈济慰问。吕夷简等请示:"所到之处慰劳官吏、将校,提取在押囚犯,与地方长官等按情况从轻发落;百姓愿捐粮救饥民,原诏按等次予以酬奖,望给空名授官凭信交臣带去。"真宗同意。

己卯(二十八日),左仆射兼中书侍郎、平章事向敏中去世。真宗即时亲临吊唁,赠太尉、中书令,赐谥号文简,子、婿一齐调升官职。

向敏中端正宽仁,亲易近人,事务繁重,然处置若定。长期主管吏部工作,但门前没有托私情求见的人;慎重选拔人才,不胡乱推荐,任重要职位近三十年,时人把他看作是辅佐皇帝的贤臣。

夏季,四月,乙酉(初四),西南同时出现两个月亮。

翰林学士承旨晁迥,多次上表请求解除现任职务,庚寅(初九),改授工部尚书、集贤院学士、判西京留司御史台,许可让一个儿子在河南为官以便就近奉养。

诏命工部侍郎杨亿为翰林学士。大中祥符年末,杨亿从汝州代职回京以后,长久不见迁调,有人问王旦说:"杨大年何不暂且给以归职?"王旦说:"杨大年不久前因轻率地调离皇帝身边近臣,人言可畏,还全靠皇上一直保全他。现今翰林学士的职位要出自皇上的意思,这样才能保全君臣相契关系。"过了六年,才复入禁署。

分江南转运使为东西两路,这是同意户部判官滕涉的奏请,有便于巡察。

丁亥(初六),大风,白天昏暗。

丙申(十五日),用杖刑打死前定陶县尉麻士瑶于青州,分别刺字发配他的亲属、家僮,抄没家产。

当初,麻士谣祖父麻希梦,在刘铢手下任属官,专门用凶狠的手段搜刮百姓,成为巨富。到麻士谣,愈加强横霸道,地方上见到他,比见官府还怕。麻士谣平常私人生活放荡,又私藏

天文禁书、兵器，杀人作恶，即使镇将、县官，大多遭殴打。在此以前，侍御史姜遵，风闻麻士瑶暗杀他的侄子麻温裕，奏请派监察御史章频前去审讯，于是还查出其他罪状，所以全家都受到诛罪。当时传说实际是青州幕僚胡顺之第一个告发的。

胡顺之曾任浮梁县令，当地豪富臧氏家族不纳租就加以杖责，又拘系杖责本州职员、教练官，打这以后吏员都不敢侵扰百姓。调到青州后，一次，高丽入贡，所行路线在州界之外，有权势的太监借这机会抬高自己身价，要州官一起到郊外行礼，胡顺之独不去行礼，并为此上书论辩，朝廷认为他是对的。

在此之前，度支员外郎、直集贤院胶水人祁暐出知潍州，母亲死，灵柩停放在州城之南。祁暐服丧解官，挨近殡所筑一小室，号泣守护，蔬食三年，整个冬天赤脚走路，冻掉两个足趾。潍州官府将请状上报朝廷。己亥（十八日），真宗下诏表彰。等到祁暐归乡安葬母亲时，又赐给粟帛，命令潍州长吏每月去祁暐居处慰问。

当初，感德军节度使、知陕州王嗣宗，以年老有病再次上表请求还朝，真宗特诏召回。因足有病不能早朝，复上表请求再出知许州。宰相寇准一向憎恶他的为人，庚申，特命以右屯卫上将军官阶退休。

王嗣宗先后做了三朝官，所到之处对部属很严格。性情傲慢狠毒，家里立有恩仇簿，已经报答或报复的就勾去，晚年相来往的，都记入仇簿。任中丞时，曾愤恨宋白、郭贽、刑昺年已七十还不请求退休养老，多次向皇帝提出，要求下命令让他们退休。待到晚年，自己多病多难，但还留恋丰厚的俸禄，徘徊不愿退下来，曾跟人说："在下也就是这一件事难免招人议论罢了。"然而与宗族之间的关系亲密和睦，待侄辈如同自己儿子，临终时，让家属把《孝经》、弓箭、笔砚一起放到墓穴内。

五月，辽国耶律资忠从高丽回国，耶律资忠被扣留后，辽主经常惦记他，每次和群臣宴饮，便说："耶律资忠也能有这样的欢乐吗？"耶律资忠留高丽六年，忠贞不屈，对皇上和亲人的思念之情，表现在他的著述中，他汇编成《西亭集》。如今高丽送他回国，辽主到城外迎接，一同坐车回来，又命大臣设宴慰劳，留在宫中好几天，辽主向耶律资忠说："朕想让你屈就枢密之职，你以为如何？"回答说："臣没有才能，不敢接受诏命。"于是被任命为林牙、知特里衮事。

高丽王王询上表请求藩国纳贡，辽主允许了。

癸酉（二十三日），辽国任命耶律宗教为检校太傅，耶律宗诲为启圣军节度使，刘慎行为太子太傅，复赐保节功臣。

六月，丙申（十六日），右仆射兼中书侍郎平章事寇准，改授太子太傅、莱国公。

在此之前，寇准为枢密使，曹利用为枢密副使。寇准一向轻视曹利用，商量问题有争论时，寇准即说："君武夫，怎能懂得内中道理！"曹利用从此怀恨在心，而丁谓由于拂须的事件也嫉恨寇准，及至同为枢密使，就两人合谋想排斥寇准。

翰林学士钱惟演，看到了丁谓权势盛炽，就投靠他，和他拉姻亲关系，而钱惟演的妹妹实际是马军都虞候刘美的妻子。当时真宗身患风疾，说话困难，政事多委决于刘皇后。丁谓等往还诡秘，朋党的势力日益巩固。刘氏同族的人横行于蜀，强占百姓盐井，真宗因为皇后想赦免他们的罪，寇准一定要求执法，使皇后大为失望，丁谓等因而挑拨是非，想欲陷害寇准。

寇准曾独自请见，乘间向真宗说："皇太子众望所归，愿陛下思宗庙之重，传以大位，以固

万世之基。丁谓是个小人,不可让他辅佐少主,请选方正大臣为辅佐的人。”真宗认为是这样。寇准秘密命令翰林学士杨亿起草表章,请真宗诏谕皇太子监国,并且想引进杨亿,代替丁谓位置。杨亿惧怕事情泄露,夜间,屏退侍卫人员来起草表章,甚至自己起来剪烛花,朝内外没有一个人知道。

不久,寇准酒后漏出话来,丁谓等更加害怕,拚命说寇准的坏话,力请免去寇准职务,真宗不记得先前与寇准的说话,答应了他们的请求。这时已到傍晚,真宗召知制诰晏殊到宫中,拿出开缺的职官表给他看,晏殊说:“臣归中书门下,这不是臣职务范围的事。”于是召钱惟演前来,片刻,钱惟演到,大肆谈论寇准专横跋扈,要求严加责罚,真宗说:“当给什么官?”钱惟演请求援用王钦若的例子,授寇准太子太保,真宗说:“给太傅。”又接着说:“再加优礼一等。”钱惟演提出加封国公,从袖中拿出备员名册给真宗,真宗在小国中指“莱”字。钱惟演说:“这样一来,那么中书就只有李迪,恐怕得另任命一个宰相。”真宗说:“慢慢再说。”晏殊既被误召,因而称说恐怕泄露机密大事,不敢再出去,就借宿在学士院。

壬寅(二十二日),真宗亲试礼部奏名的举人九十三人。

秋季,七月,庚戌朔(初一),日蚀。

癸亥(十四日),参知政事李迪、兵部尚书冯拯、翰林学士钱惟演应召到滋福殿,当面回答问题。起初,寇准罢相,真宗想李迪当宰相,李迪坚决不肯。而今又以相位托付给李迪。片刻,皇太子出来拜见真宗说:“陛下任用宾客为宰相,故冒昧相谢。”真宗望着李迪说:“还能推辞吗?”

此日,钱惟演又极力排斥寇准,说:“寇准自罢相后,转而改为交结宫内外人以求再用,知晓天文卜筮的都一个个召见,直至管军臣僚,陛下亲信内侍,无不用心拉拢;臣恐小人相互勾结,欺骗迷惑圣上听闻,不如及早调离京师。”真宗说:“有什么名目?”钱惟演说:“听说寇准已写好表章请求去河中府,但看到中书未授宰相,兼之听说有人许诺再起用他,才不上此表。”真宗说:“给他河中府怎么样?”钱惟演请求召唤李迪前去下达皇上的旨意,从而说道:“中书应及早任命一个宰相。”真宗想不出有谁合适,钱惟演回答:“若宰相没适当人选,可暂且用三两个参知政事。”真宗说:“参知也难得其人。”问:“现今谁的才能在李迪之上?”钱惟演回答是曹利用、丁谓、任中正,真宗听了没出声。钱惟演又说;“冯拯旧臣,性情纯和,与寇准不同。”真宗也不作声。过了一会儿说:“张知白怎么样?”钱惟演说:“张知白清高孤介,当参知则可,恐未可当宰相。”真宗点头。钱惟演又说:“寇准朋党众多,王曙又是他的女婿,为东宫宾客,谁不畏惧?现今朝廷官员,有三分之二的人都依附寇准了。臣这样说,大祸即跟踪而至,但不敢不说。”真宗说:“卿不必担忧。”钱惟演再拜而退。

甲子(十五日),大雨,路上积水淹没公私房屋大半,有人压死。

丙寅(十七日),任命参知政事李迪为吏部侍郎兼太子少傅、平章事,任命兵部尚书冯拯为枢密使、吏部尚书、同平章事,此日赴朝谢恩,即赐衣披、金带、鞍辔。正式告谢日也给予相同赏赐,非一般可比。

此前,冯拯以兵部尚书判都省。真宗想加封冯拯为吏部尚书、参知政事,召唤翰林学士杨亿前来起草制书。杨亿说这是中书舍人的职掌,真宗说:“学士所掌的是那些官职,那么制书就该由学士起草。”真宗说:“就用这官职给冯拯下诏书。”

冯拯接受任命后,有枢密使头衔的共计三人,这是前所未有的,大家都觉得奇怪。曹利

用、丁谓因此请求免去他们的职务，真宗慢慢察觉这样做法不妥，召见知制诰晏殊说这件事，准备做些调动，晏殊说："这不是臣的职掌。"于是召钱惟演当面咨询，回答说："冯拯出任过参知政事，现今拜官枢密使，是合宜的。但中书不应只用李迪一个人，何不用曹利用、丁谓！"真宗说："哪个合适？"钱惟演说："丁谓文官，任中书为好。"又说："曹利用赤胆忠心，有功国家，也应拜平章事。"真宗说："好"。庚午，枢密使、吏部尚书丁谓改授平章事，枢密使、校检太尉曹利用加授同平章事，这都是采纳钱惟演的意见，然而对寇准的处理还是同原先一样。丁谓等很害怕，更加紧谋算。壬寅，寇准应召当面回答皇上问题，告发丁谓和曹利用等串通勾结踪迹，又说："臣若有罪，应与李迪一样问罪，不应一个人被贬斥。"真宗立即召唤李迪前来，进行对质。两人争辩了好长时间，真宗心中不乐，李迪再三用眼睛暗示叫寇准退下。等到两人都走了以后，真宗再次召唤李迪询问，脸色很不好看地说："寇准贬官到远方，卿与丁谓一齐外放。"李迪说；"丁谓和曹利用应当由学士制诏，臣只请求给一知州。"真宗犹疑良久，脸色渐渐缓和下来。李迪退下后，又用书面上本，真宗心里的芥蒂一下消除，于是召唤丁谓当面询问，丁谓请皇上去掉寇准的符节和斧钺，让他到地方做官，真宗没有同意。

甲戌（二十五日），昭宣使、英州团练使、入内副都知周怀政被处斩。

当时，真宗病情渐渐加重，自己以为不行了，曾靠在周怀政大腿上，和他讨论事情，想要让太子监国。周怀政实际掌管着左右春坊事务，出来后，告诉了寇准，寇准请周怀政乘间提出要太子监国的事情。不久事情泄露了。寇准罢相，丁谓等就上书谴责周怀政，使得他不能再接近真宗，但由于牵涉到皇帝和太子的关系，所以没有立即明显地加以贬斥。周怀政担心害怕坐卧不安，暗自谋划杀掉丁谓等人，恢复寇准相位，奉皇帝为太上皇，传位太子，废黜皇后。他和弟弟礼宾副使周怀信谋划，偷偷召集客省使杨崇勋、内殿承制杨怀吉、阁门祗候杨怀玉来商量事情，准备定在二十五日动手。

二十五日前夕，杨崇勋、杨怀吉赶到丁谓等人家中报告情况严重，丁谓半夜改穿平民衣服，乘坐妇女的小车，到曹利用那里商量对付办法。天刚亮，曹利用入宫陈告于崇政殿，周怀政当时在殿的东廊屋，即令卫士把他抓起来，诏命宣徽北院使曹玮和杨崇勋就在御药院进行审讯，没过几刻钟，周怀政认罪画供。真宗坐承明殿亲自查问，周怀政只是祈求怜悯。真宗命令用车子把他拉走，到城西普安佛寺处斩。

丁谓等同时告发朱能所献天书纯属邪门左道的欺哄，皇帝急忙派遣入内供奉官卢守明、邓文庆坐驿车昼夜兼程去往永兴军捕拿朱能。

周怀政处斩后，有人想让太子也承担责任，真宗心里有点动摇，李迪从容地向真宗说："陛下有多少儿子，竟然出这样主意！"真宗大悟，由于李迪的话，东宫才得保住。

丁丑（二十八日），太子太傅寇准降授太常卿、知相州，翰林学士盛度、枢密值学士王曙一齐免去原职，盛度知光州，王曙知汝州，都是因为周怀政私下往还而获罪，王曙还因为是寇准的女婿。

续资治通鉴卷第三十五

【原文】

宋纪三十五　起上章涒滩【庚申】八月，尽玄默阉茂【壬戌】十二月，凡二年有奇。

真宗膺符稽古神功让德　文明武定章圣元孝皇帝

天禧四年　辽开泰九年【庚申，1020】　八月，太子太保、判杭州王钦若，自以备位东宫，请入朝；甲申，召之，令乘传赴京师。

徙知相州、太常卿寇准知安州。

初，李迪与准同在中书，事之甚谨；及准罢，丁谓意颇轻迪。于是谓等不欲准居内郡，白帝，欲远徙之。帝命与小州，谓退而署纸尾曰："奉圣旨，除远小处知州。"迪曰："向者圣旨无远字。"谓曰："君面奉德音，欲擅改圣旨以庇准邪？"二人忿争自此始。

朱能闻使者至，自度不免，衷甲以出，杀卢守明，帅部兵、挈家属叛逸。既而能众溃，入桑林自缢死。

乙酉，以枢密副使任中正、礼部侍郎王曾并参知政事，翰林学士钱惟演为枢密副使。

辛卯，以太常丞、直龙图阁冯元为左正言兼太子右谕德。初，太子为寿春郡王，王旦荐元宜讲经资善堂，帝以元少，更用崔遵度。于是遵度卒，乃命元代之。

壬寅，太常卿、知安州寇准坐朱能叛，再贬道州司马。准过零陵，逾大坡，护兵先后不属，溪洞蛮夷乘间抄掠。其酋长闻而责之曰："奈何夺贤宰相行李邪？"趣遣人还所掠。其在道州，晨具朝服如常时，起楼，置经史道释书，暇则诵读，宾至笑语，若初无廊庙之贵者。

自准罢相，继以三黜，帝初不之知。岁馀，帝忽问左右曰："吾目中久不见寇准，何也？"左右亦莫敢对。

癸卯，以右司谏、判户部勾院刘煜为工部员外郎兼侍御史知杂事。初，河决滑州，大兴力役，道殍相望。煜请策免宰相以答天变，时寇准、丁谓实在中书。及王曙坐准贬官，在朝无敢往见者，煜叹曰："朋友之义，独不行于今日欤！"往饯之，经夕而还。谓亦不罪也。

是月，高丽遣使如辽，贺千龄节。

九月，己酉朔，以兵部员外郎、知制诰吕夷简为刑部郎中，权知开封府。夷简为治严辨有声，帝识其姓名于屏风，意将大用之也。

丙辰，御崇德殿视事。帝自中春不豫，止视事于长春殿，至是体平，始御前殿。

戊午，辽以驸马萧绍宗为平章事。

己未，罢枢密副使周起为户部侍郎、知青州，佥署枢密院事曹玮为宣徽南院使、环庆路都部署兼管句秦州兵马。起素善寇准，玮亦不附丁谓，谓恶之，并指为准党，故俱罢。起性谨密，凡奏事及答禁中所问，随辄焚草，故其言外无知者。

丁卯，赦天下系囚。除十恶已杀人、官典犯赃、盗官物、持仗放火、伪造符印外，咸除之。其周怀政、朱能党类，除已行勘断外，馀咸许自新，一切不问。

辽群臣请上尊号，辽主不许；表三上，乃许之。

壬申，赐京城酺。

太子太保王钦若自杭州来朝，令入赴内殿起居。

甲戌，给事中、知河阳孙奭言："父户部郎中致仕翌，年九十，案礼文，'九十者其家不从政'，今父母八十者许解官侍养，望许退归田里。"优诏不许。

冬，十月，戊寅朔，中书门下言："机务清简，请依唐制，只日视事，双日不坐。"从之。

壬午，御正阳门观酺，皇太子侍坐，凡五日。帝自不豫，罕复临幸，至是人情大悦。

戊子，辽西南招讨使奏："党项部有小族输贡不时，常有它意，宜以时遣使督之。"辽主曰："边鄙小族，岁有常贡，边臣骄纵，征敛无度，彼怀惧不能自达耳。第遣清慎官将，示以恩信，无或浸渔，自然效顺。"

己丑，以前起居郎、直史馆陈尧佐知滑州。时滑州方庀徒筑堤，尧佐创木龙以杀水怒，堤乃可筑。既又筑长堤以护之，人号为陈公堤。

壬辰，以太子太保王钦若为资政殿大学士，仍令日赴资善堂侍皇太子讲读。

十一月，乙卯，令劝农使兼提点刑狱官，自今以提点刑狱劝农使、副为称。

修尚书省，命龙图阁学士陈尧咨总其事。

丁巳，辽以漆水郡王耶律制心为南京留守、析津尹、兵马都总管。己未，以伊勒希巴萧孝顺为南面诸行(营)〔宫〕都部署，加左仆射。

庚申，内出圣制七百二十二卷示辅臣；壬戌，宰臣丁谓等请镂板宣布，仍命禁中别创殿阁缄藏，诏可。寻于龙图阁后修筑，是为天章阁。又请令中书、枢密院取《时政记》中盛美之事，别为《圣政录》，从之，仍命钱帷演、王曾编次。

乙丑，对辅臣于承明殿。帝曰："朕迩来颇渐康复，然国事未免劳心。今太子年德渐成，皇后贤明，临事平允，深可付托。欲令太子莅政于外，皇后居中详处，卿等可议之。"辅臣请令中书、枢密院大臣各兼东宫职任，帝许之。

自寇准贬斥，丁谓浸擅权，至除吏不以闻。李迪愤懑，尝慨然语同列曰："迪起布衣，十馀年至宰相，有以报国，死且不恨，安能附权臣为自安计乎！"

及议兼职时，迪已带少傅，宜得中书侍郎、尚书，谓执不可，第兼左丞，迪不能堪，变色而起。丙寅，晨朝待漏，谓又欲以林特为枢密副使，仍领宾客。迪曰："特去岁迁右丞，今年改尚书，入东宫，皆非公选，物议未息，况已奏除詹事，何可改也！"因诟谓，引手版欲击之；谓走，得免。同列极意和解，不听，遂入对于长春殿。

内臣奉制书置榻前，帝曰："此卿等兼东宫官制书也。"迪进曰："东宫官属不当增置，臣不敢受此命。"因斥"谓奸邪弄权，私林特、钱惟演而嫉寇准，特子杀人，寝而不治，准无罪远斥，惟演以姻家使预政，曹利用、冯拯相为朋党，臣愿与谓同下宪司置对。"顷之，谓、迪等先退，独留枢密使、副议之。帝怒甚，初欲付御史台，利用、拯曰："大臣下狱，不惟深骇物听，况丁谓本无纷竞之意，而〔与〕李迪置对，亦未合事宜。"帝曰："曲直未分，安得不辨！"既而意稍

解，乃曰："朕当即有处分。"惟演进曰："臣与谓姻亲，忽加排斥，愿退就班列。"帝慰谕久之，乃命学士刘筠草制，各降秩一级，罢相，谓知河南府，迪知郓州。

制书犹未出，丁卯，迪请对于承明殿，又请见太子于内东门，其所言人莫闻。而谓阴图复入，惟演亦恐谓出则已失援，白帝欲留之，并请留迪，因言："辽使将至，宰相绝班，冯拯旧臣，可任中书。"帝可之，戊辰，命谓以户部尚书、迪以户部侍郎归班。事颇迫遽，其制词，舍人院所草也；筠所草制讫不行。是日，惟演及中正、曾等并如初议，迁秩领东宫官，而太子议政诏书及拯、利用等制皆格。

己巳，谓入对于承明殿，帝诘所争状，谓曰："非臣敢争，乃李迪忿詈臣耳，臣愿复留。"遂赐坐。左右欲设墩，谓顾曰："有旨复平章事。"乃更以杌子进。于是入内都知张景宗、副都知邓守恩传诏，送谓赴中书，令依旧视事，仍诏迪出知郓州。

谓始传诏令筠草复相制，筠不奉诏，乃更召晏殊。筠自院出，遇殊枢密院南门，殊侧面而过，不敢揖，盖内有所愧也。

先是帝久不豫，语言或错乱，尝盛怒，语辅臣曰："昨夜皇后以下皆之刘氏，独留朕于宫中。"众皆不敢应，迪进曰："果如是，何不以法治之？"良久，帝悟，曰："无是事也。"后适在屏间，闻之，由是恶迪。迪所以不得留，非但谓等媒孽，亦中宫意尔。

庚午，诏："自今除军国大事仍旧亲决，馀皆委皇太子，与宰臣、枢密使已下就资善堂参议行之。"皇太子上表陈让，优诏不允。初议欲令太子总军国事，丁谓以为不可，曰："即日上体平，何以处此？"李迪曰："太子监国，非古制邪？"力争不已。迪既罢出，故有是诏。

以冯拯为右仆射、中书侍郎兼少傅、平章事。

辛未，诏："自今群臣五日于长春殿起居，其馀只日视朝于承明殿。"

壬申，皇太子见宰相、枢密使于资善堂，诸司职掌以次参谒。

十二月，丁丑朔，翰林学士杨亿卒，谥曰文，录其子。亿天性颖悟，于书无所不览，文思敏速，不加点窜，对客谈笑，挥毫无废，而精密有规裁；尤长典章制度之事，时多取正。喜诲诱后进，赖以成名者甚众。性耿介，敦尚名节，多周给亲友，所得廪赐随尽。

乙酉，皇太子亲政。诏内臣传禀须覆奏。自是辅臣每会议，皇太子秉笏南面而立，中书、枢密院以本司事递进承令旨，时政之外，京朝、幕职、州县官、使臣、禁卒咸引对焉。事毕，接见辅臣如常礼。

丁亥，辽禁僧然身炼指。

戊子，辽诏中京建太祖庙，制度祭器，皆从古制。

丁酉，以资政殿大学士、司空王钦若为山南东道节度使、同平章事，判河南府。

初，钦若与丁谓善，援引至两府。及谓得志，稍叛钦若，钦若恨之。时帝不豫久，事多遗忘，钦若先以太子太保在东宫，位三少上，谓不悦，因改授司空。钦若宴见，帝问曰："卿何故不之中书？"对曰："臣不为宰相，安敢之中书？"帝顾都知，送钦若诣中书视事。谓令设馔以待之，曰："上命中书设馔耳。"钦若既出，使都知入奏，以无白麻，不敢奉诏，因归私第；有诏，学士院降麻，谓乃除钦若使相，为西京留守。帝但闻宣制，亦不之悟也。

闰月，丁卯，以嘉勒斯赉为边患，诏陈尧(叟)〔咨〕等巡检。

帝久不豫，前二日，因药饵泄泻，前后殿罢奏事。乙亥，力疾御承明殿，召辅臣，谕以尽心辅导储贰之意，出手书一幅付之。自是体中渐平，凡(旬浃)〔浃旬〕，乃复常焉。

时太子虽听事资善堂,然事皆决于后,中外以为忧。钱惟演,后戚也,王曾语惟演曰:“太子幼,非中宫不能立;中宫非倚太子,则人心亦不附。加恩太子则太子安,太子安乃所以安刘氏也。”惟演以为然,因以白后,两宫由是益亲,人遂无间。

是岁,辽放进士张仲举等四十五人。

赵德明始城怀远镇而居之,号兴州。

五年　辽太平元年【辛酉,1021】　春,正月,丁丑朔,帝御延庆殿见辅臣。

乙未,遣使抚京东水灾。

丁酉,以右谏议大夫张士逊为枢密副使。

翰林学士刘筠见帝久疾,丁谓擅权,叹曰:“奸人用事,安可一日居此!”因表求外任。授右谏议大夫,知庐州。

二月,丁未,给事中、知河阳孙奭,再表求解官养父;庚戌,命知兖州,以奭父时居郓州,兖、郓相迩故也。

乙卯,辽主如(钦)〔铍〕河。壬戌,猎于高(祁)〔柳〕林。

庚午,以光禄寺丞孔圣祐袭封文宣公,知仙源县事。

三月,辛巳,御正阳门观酺。

戊戌,天章阁成。庚子,奉安御集、御书于天章阁,遂宴辅臣于阁下。

先是大食国进象及方物于辽,为子请婚。是月,复来请,辽主封皇族女为公主嫁之。

夏,四月,辽东京留守奏女真三十部长请各以其子诣阙祗候,辽主命与其父俱来受约。

乙卯,辽主录囚。丁卯,置莱州。

是月,辽主清暑于缅山。

五月,乙亥朔,虑囚,降天下死罪。

癸未,诏皇太子读《春秋》。

六月,丙午,太白昼见。

己未,国子监请以御制《至圣文宣王赞》及近臣所撰《十哲、七十二贤赞》镂版;诏可。

秋,七月,甲戌朔,日有食之。先是司天测《仪天历》当食既,前九日,帝避正殿,分命中使祈祷。是日,食四分而止。翼日,群臣表贺。

乙亥,辽遣库哩取石晋所上玉玺于中京,以是冬将行大册礼也。

准布贡于辽。

戊寅,新作景灵宫、万寿殿,为帝祈福。

辛巳,辽主如沙岭,旋猎于黄河。

九月,辽主如中京。

宋绶等使辽还,上契丹风俗。

戊寅,吐蕃嘉勒斯赉请降。

冬,十月,丁未,德呼勒部贡马于辽。

戊申,辽主录囚。

祥源观成。

诏奖淮南、江、浙、荆湖发运副使周寔,以其自春至冬运上供米凡六百馀万石故也。

壬子,辅臣以帝违豫浸久,表引汉宣帝、唐高宗故事,请五日一御便殿;从之。

庚申，辽主幸通天观，观鱼龙曼衍之戏；翼日，复观之。还，升玉辂，自内三门入万寿殿，奠酒七庙御容，因宴宗室。

十一月，癸未，辽主御昭庆殿，群臣上尊号曰睿文英武遵道至德崇仁广孝功成治定昭圣神赞天辅皇帝。大赦，改元太平，中外官进秩有差。

辽皇子梁王宗真，幼聪明，长而魁伟，豁达大度，善骑射，好儒术，通音律，辽主及后皆爱之；甲申，册为皇太子。

山南东道节度使、同平章事、判河南府王钦若有疾，累表请就医京师，未报。丁谓密使人给钦若曰："上数语及君，甚思一见；君第上表径来，上必不讶也。"钦若信之，即令其子右赞善大夫从益移文河南府，舆疾而归。谓因言："钦若擅去官守，无人臣礼。"命御史中丞薛映就第案问，钦若惶恐伏罪。戊子，降授司农卿，分司南京，夺从益一官。转运使及河南府官皆被责，仍颁谕天下。

十二月，乙巳，以内殿崇班皇甫继明同勾(管)〔当〕三馆、秘阁公事。咸平中，初命刘崇超监三馆、秘阁图籍，其后因循与判馆联署掌事，时论非之。崇超素与王钦若厚善，丁谓为相，别用继明以分其权，更号监图籍曰勾当公事。自是内臣遂与大学士同职，时论愈非之。

辽特里衮耶律资忠之在高丽也，其弟昭为著帐郎君，坐罪，没家产。至资忠还，辽主遇之甚厚，复昭横帐，且还旧产，以外戚女妻之。是时枢密使萧哈绰、少师萧巴格方有宠于辽主，资忠性伉直，不肯俯附，尝于辽主前诋之。辽主怒，夺资忠官。昭博学善属文，先以从猎拔里堵山，为羱羊所触而死。

先是辽主铸钱，文曰"统和元宝"，至是复铸"太平元宝"钱，新旧互用。

乾兴元年　辽太平二年【壬戌，1022】　春，正月，辛未朔，诏改元。

辽主如纳水。

二月，庚子朔，大赦天下。诏自今中外所上表章，省去尊号。群臣再表请复称，不允。乃别上尊号曰应天尊道钦明仁孝，癸卯，诏从之，然亦不果受册。

辛丑，辽主驻鱼儿泊。

甲辰，封丁谓为晋国公，冯拯为魏国公，曹利用为韩国公。

甲寅，对宰相于寝殿之东偏。帝不豫浸剧，戊午，崩于延庆殿。遗诏："皇太子即皇帝位，尊皇后为皇太后，淑妃杨氏为皇太妃。"是日，百官见太子于延庆殿之东楹。遣内殿承制、阁门使薛贻廓告哀于辽。京城内外，并增兵卫，罢工役。

初，辅臣共听遗命于皇太后，退，即殿庐草制，军国大事兼权取皇太后处分。丁谓欲去"权"字，王曾曰："皇帝冲年，政出房闼，斯已国家否运，称权尚足示后；况言犹在耳，何可改也！且增减制书有法，表则之地，先欲乱之乎？"谓不敢言。曾又言："尊礼淑妃太遽，须它日议之，不必载遗制中。"谓怫然曰："参政顾欲擅改制书邪？"曾复与辨，而同列无助，曾亦止。时中外汹汹，曾正色独立，朝廷赖以为重。

己未，大赦，除常赦所不原者。百官进官一等，优赏诸军。山陵诸费，无以赋民。

庚申，命宰臣丁谓为山陵使。

先是群臣议太后临朝仪，王曾援东汉故事，请五日一御承明殿，太后坐左，帝坐右，垂帘听政。既得旨，而丁谓独欲帝朔望见群臣，大事则太后召对辅臣决之，非大事悉令雷允恭传奏，禁中画可以下。曾曰："两宫异处而柄归宦者，祸端兆矣。"谓不听。癸亥，太后忽降手书，

处分尽如谓所议。盖谓不欲令同列预闻机密，故潜结允恭使白太后，卒行其意。及学士草辞，允恭先持示谓，阅讫乃进。甲子，始听政于崇政殿西庑。

乙丑，以生日为乾元节。

丙寅，宰臣丁谓加司徒，冯拯加司空，枢密使曹利用加左仆射，并兼侍中。王曾谓丁谓曰："自中书令至谏议大夫、平章事，其任一也；枢密珥貂可耳。今主幼，母后临朝，君执魁柄，而以数十年旷位之官一旦除授，得无公议乎？"谓不听。

戊辰，贬道州司马寇准为雷州司户参军，户部侍郎、知郓州李迪为衡州团练副使，仍播其罪于中外；准坐与周怀政交通，迪坐朋党傅会也。始议窜逐，王曾疑责太重，丁谓熟视曾曰："居停主人恐亦未免耳。"盖指曾尝以第舍假准也，曾遂不复争。知制诰宋绶当直，草责词，谓嫌其不切，即用己意改定。诏所称"当丑徒干纪之际，属先皇违豫之初，罹此震惊，遂至沉剧"，皆谓语也。

谓恶准、迪，必欲置之死地，遣中使赍敕就赐二人。中使承谓指，以锦囊贮剑揭于马前，示将有所诛戮状。至道州，准方与群官宴，驿吏言状，州吏皆悚惧出迎，中使避不见；问其所以来之故，不答。众惶恐不知所为，准神色自若，使人谓之曰："朝廷若赐准死，愿见敕书。"中使不得已，乃授以敕。准即从录事参军借绿衫著之，短才至膝，拜敕于庭，升阶复宴，至暮乃罢。及赴贬所，道险不能进，州县以竹舆迎之，准谢曰："吾罪人，得乘马幸矣。"冒炎瘴，日行百里，左右为泣下。

中使至郓州，迪闻其异于它日，即自裁，不殊，其子东之救之，乃免。人往见迪者，中使辄籍其名；或馈之食，留至臭腐，弃捐不与。迪客邓馀怒曰："竖子！欲杀我公以媚丁谓邪？邓馀不畏死，汝杀我公，我必杀汝！"从迪至衡州，不离左右，迪由是得全。或语谓曰："迪若贬死，如士论何？"谓曰："异日好事书生记事，不过曰'天下惜之'而已。"

初，迪贬衡州，丁谓戒使者，持诏促迪上道。通判郓州范讽辄留数日，为治装祖行。讽，正辞子也，先知平阴县，会河决王陵埽，水去而土肥，失阡陌，民数争不能决。讽为手书分别疆理，民皆持去，以为定券，无复争者。及通判淄州，岁旱蝗，它谷皆不粒，民以蝗不食菽，犹可艺，而患无种，讽行县至邹平，发官廪贷民，即出三万斛。比秋，民皆先期而输。在郓州日，诏塞决河，州募民入刍楗，而城邑与农户等，讽曰："贫富不同而轻重相若，非诏书使度民力之意，有司误也。"即改符，使富人输三之二。因请下诸州，以郓为率，朝廷从其言。

曹玮责授左卫大将军，知莱州。玮时任镇、定都部署，丁谓疑玮不受命，诏河北转运使韩亿驰往收其兵。先是亿尝忤谓意，谓欲缘是并中亿。而玮得诏，即日上道，从弱卒十馀人，不以弓韔长矢箙自随，谓卒不能加害。

三月，壬申，以给事中李及知杭州。及治尚简严而乐道人善，以钱塘风俗轻靡，屏绝宴游。一日，冒雪出郊，众谓当置酒召客；乃独造林逋，清谈至暮而归。居官数年，未尝市吴中物，比去，惟市《白乐天集》一部。

以龙图阁直学士鲁宗道权判流内铨。宗道在选调久，患铨格烦密，及知吏所以为奸状，于是多所厘正，又悉书科条揭于庑下，人皆便之。

丙子，赐群臣御飞白书各一轴。帝始未尝飞白书，一日，至真宗灵御前见所陈飞白笔，遂取而试书，体势遒劲，有如夙习，因以分赐。

戊寅，中书请自禫祭后，只日于崇政殿或承明殿视事，双日如先帝故事，前后殿皆不坐。

诏："双日虽不视事，亦当宣召近臣人侍讲读。"

乙酉，作受命宝，其文曰"恭膺天命之宝"，命参知政事王曾书。

庚寅，初御崇德殿听朝，皇太后设幄次于承明殿，垂帘以见辅臣。

是月，辽地震，云、应二州屋摧地陷，嵬白山裂数百步，泉涌成流。

光禄寺臣尉氏马季良，家本茶商，刘美女婿也。夏，四月，壬寅，召试馆职，太后遣内侍赐食，促令早了，主试者分为作之。

戊午，加赠皇太后三代，父通为彭城郡王，母庞氏为遂国太夫人，兄美为侍中。

遣薛田使于辽，告即位也。

辽主如缅山清暑。

五月，己巳朔，辽参知政事石用中卒。

丁丑，诏先朝《日历》、《起居注》未上者，亟修纂之，以大中祥符元年后史官失于撰集故也。

六月，己亥朔，上大行皇帝谥曰文明章圣元孝，庙号真宗。

辽主闻真宗崩，集蕃、汉大臣举哀号恸，因谓其宰相吕德懋曰："闻嗣皇尚少，恐未知通好始末，苟为臣下所间，奈何?"及薛贻廓至，具道朝廷之意，辽主喜，谓后曰："汝可致书宋太后，使汝名传中国。"乃设真宗灵御于范阳悯忠寺，建道场百日，为真宗饭三京僧。复命沿边州郡不得作乐，下令国中，诸犯真宗讳悉易之。

遣殿前都点检耶律藏引等祭奠、吊慰。时太常博士程琳为接伴，辽使者谓琳曰："昔先帝尝通使承天太后，今太后独无使，何也?"琳曰："南北为兄弟，则先皇帝视承天犹叔母，故无嫌。今皇太后乃嫂也，礼不通问。"使者语屈。

庚申，西京作坊使入内押班雷允恭伏诛。

允恭与丁谓交接，倚势骄恣。始，宦官以山陵事多在外，允恭独留不遣，自请于太后，太后不许。允恭泣曰："臣遭遇先帝，不在人后，而独不得效力陵上，敢请罪!"太后曰："吾虑汝妄有举动，适为汝累。"允恭泣告不已，乃以为山陵都监。

三月，乙亥，允恭驰至陵下，司天监邢中和为允恭言："今山陵上百步，法宜子孙，类汝州秦王坟。"允恭曰："如何不用?"中和曰："恐下有石若水耳。"允恭曰："先帝无它子，若如秦王坟，当即用之。"中和曰："山陵事重，按行覆验，时日淹久，不及七月之期。"允恭曰："第移就上穴，我走马入见太后言之。"允恭素贵横，众莫敢违，即改穿上穴。乃入白太后，太后曰："此大事，何轻易如此!"允恭曰："使先帝宜子孙，何为不可!"太后意不然之，曰："出与山陵使议可否。"允恭见谓，具道所以。谓亦知其不可，而重逆允恭意，唯唯而已。允恭即入奏曰："山陵使亦无异议矣。"

既而上穴果有石，石尽水出，众议藉藉。修奉山陵部署惧不能成功，中作而罢，奏请待命。谓庇允恭，依违不决。癸巳，入内供奉官毛昌达还自陵下，具奏其事。太后连遣人诘谓，谓始请遣使按视。

丙申，遣人内供奉官罗崇勋等就巩县讯鞫允恭罪状以闻。癸卯，又遣权知开封府吕夷简、龙图阁直学士鲁宗道同内臣覆视皇堂；咸请复用旧穴，乃诏辅臣会谓第议。明日，再命王曾覆视。谓请俟曾还，与众议不异，始复役。诏复役如初，唯皇堂须议定乃修筑。曾卒从众议。

允恭坐擅移皇堂，并盗金珠、银帛、犀玉带等，杖死于巩县，籍其家；弟允中决配郴州编管，邢中和决配沙门岛。

初，丁谓与雷允恭协比专恣，内挟太后，同列无如之何。太后尝以帝卧起晚，令内侍传旨中书，欲独受群臣朝。谓适在告，冯拯等不敢决，请谓出谋之。及谓出，颇陈其不可，且诘拯等不即言，由是稍失太后意。又尝议月进钱充宫掖之用，太后滋不悦。

允恭既下狱，王曾欲因山陵事并去谓，而未得间，一日，语谓曰："曾无子，将以弟之子为后，明日朝退，当留白此。"谓不疑曾有它意也。曾因独对，具言谓包藏祸心，故令允恭擅移皇堂于绝地；太后大惊。谓徐闻之，力自辨于帘前，未退，内侍忽卷帘曰："相公谁与语？驾起久矣。"谓惶恐不知所为，以笏叩头而出。癸亥，辅臣会食资善堂，召议事，谓独不与，知得罪，颇哀请。钱惟演遽曰："当致力，无大忧也！"冯拯熟视惟演，惟演踧踖。

及对承明殿，太后谕拯等曰："谓身为宰相，乃与允恭交通！"因出谓尝托允恭令后苑匠所造金酒器示之。又出允恭尝干谓求管句皇城司及三司衙司状，因曰："谓前附允恭奏事，皆言已与卿等议定，故皆可其奏，近方识其矫诬。且营奉先帝陵寝而擅有迁易，几误大事。"拯等奏曰："自先帝登遐，政事皆谓与允恭同议，称得旨禁中，臣等莫辨虚实。赖圣神察其奸，此宗社之福也。"太后怒甚，欲诛谓，拯进曰："谓固有罪，然帝新即位，亟诛大臣，骇天下耳目。且谓岂有逆谋哉？第失奏山陵事耳。"太后怒少解，令拯等议降黜之命。任中正言谓被先帝顾托，虽有罪，请如律议功。曾曰："谓以不忠，得罪宗庙，尚何议邪！"乃责谓为太子少保、分司西京。故事，宰相罢免皆降制，时欲亟行，止令拯等召舍人草词，仍榜朝堂，布谕天下。

丙寅，参知政事任中正罢为太子宾客、知郓州，坐营救丁谓故也。中正弟中行、中师并坐降黜。

秋，七月，辛未，王曾加中书侍郎、平章事，吕夷简为给事中，鲁宗道为右谏议大夫，并参知政事。

宗道为谕德时，居近酒肆，尝微行就饮肆中，偶真宗亟召，使者及门，久之，宗道始自酒肆来。使者先入，约曰："即上怪公来迟，何以为对？"宗道曰："第以实告。"使者曰："然则公当得罪。"曰："饮酒，人之常情；欺君，臣子之大罪也。"真宗果问使者，具以宗道所言对。帝诘之，宗道谢曰："有故人自乡里来，臣家贫，无杯杓，故就酒家饮。"帝以为忠实可大用，尝以语太后，太后识之。于是并夷简皆首蒙擢任。

礼仪院言："大行山陵礼毕，庄穆皇后郭氏，尝母仪天下，礼当升祔；庄怀皇后潘氏，本从藩邸追命，止当享于后庙。"诏集议尚书省，学士承旨李维等请如礼仪院所定，从之。

丙子，以枢密副使钱惟演为枢密使。

戊寅，诏真宗陵名曰永定。始，丁谓请名陵曰镇，及谓贬，冯拯谓三陵皆有"永"字，故易曰永定陵。然永定乃县名也，而宣祖止名安陵，又以翼祖陵已名为定，复追改为靖。议者议拯不学，当时无正之者。

辅臣三上表，请皇太后遵遗制，每五日一临便殿，依先定仪注，许令中书、枢密院奏事，与皇帝共加裁酌，皇太后不许；复上皇帝表，乃从之。

初，女道士刘德妙，尝以巫师出入丁谓家，谓败，逮系德妙，内侍鞫之。德妙具言谓尝教之曰："汝所为不过巫事，不若托老君言祸福，足以动人。"于是即谓家设神像，夜醮于园中，雷允恭数至请祷。及真宗崩，引入禁中。又因穿地得龟蛇，令德妙持入内，绐言出其家山洞中。

仍复教云:“上即问若所事何知为老君,第云相公非凡人,当知之。”谓又作颂,题曰“混元皇帝赐德妙”,语涉妖诞。辛卯,再贬谓崖州司户参军,诸子并勒停,籍其家,得四方赂遗,不可胜纪,仍以谓罪状布告中外。

始,谓命宋绶草寇准责词,绶请其罪,谓曰:“《春秋》无将,汉法不道,皆证事也。”绶虽从谓指,然卒改易谓本语不纯用。及谓贬,绶犹当制,即草词曰:“无将之戒,旧典甚明;不道之辜,常刑罔救。”论者快焉。

谓初逐准,京师为之语曰:“欲得天下宁,当拔眼中钉;欲得天下好,莫如召寇老。”不半岁,谓亦贬。谓道出雷州,准遣人以一蒸羊逆之境上。谓欲见准,准拒绝之。闻家僮谋欲报仇,乃杜门使纵博,毋得出,伺谓行远乃罢。

壬辰,诏:“中外臣僚有曾与丁谓往来者,一切不问。”

甲午,辅臣请“皇太后、皇帝五日一御承明殿,凡军马机宜及臣下陈乞恩泽,并呈禀取旨;若常事,即依旧进入,候印画付外;或事从别旨,有未可行者,即于御前纳下,再俟处分。”从之。

八月,壬寅,以礼部郎中张师德等为辽后生辰国信使。辽后生辰专遣使始此。

乙巳,帝与皇太后御承明殿,垂帘决事,始用王曾议也。时冯拯继丁谓为首相,颇欲蹑谓故迹,曾独晓以祸福,且逆折之,拯不敢肆。自是事一决于两宫。

初,谓定太后称“予”。谓败,中书与礼仪院参议,每下制令称“予”,而便殿处分事称“吾”。太后诏止称“吾”。

九月,己巳,诏:“伎术官自今不得如京朝官用考课迁陟。”先是司天监丞徐起等言遇先帝御楼,及帝即位,止迁一官,愿如京朝官例,迁两官。朝廷恶其幸进,条约之。

己卯,诏以天书从葬永定陵,用王曾、吕夷简之议也。

辛卯,灵驾发引,帝不视事者十日,其后虽视事,犹御便殿。初,有司请悉坏灵驾所经道路城门、庐舍,以过车舆、象物。侍御史知杂事谢涛言:“先帝东封西祀,仪物大备,犹不闻有所毁撤。且遗诏务从俭薄,今有司治明器侈大,以劳州县,非先帝意,愿下少府裁损之。”太后不可。帝时与太后俱坐阁中,乃言曰:“城门卑者当毁之,民居不当毁也。”太后以为然。

是月,辽主驻鲁古思淀。

冬,十月,丁酉朔,辽赐宰臣吕德懋、参知政事吴叔达、枢密副使杨又玄、右丞相马保忠钱物有差。

己酉,葬文明章圣元孝皇帝于永定陵,庙号真宗。

己未,祔真宗神主于太庙,庙乐曰《大明之舞》。以庄穆皇后配享,仍诏立庄穆忌。

初,太后欲具平生服玩如宫中,以银罩覆神主;参知政事吕夷简言:“此未足以报先帝。今天下之政在两宫,惟太后远奸邪,奖忠直,辅导圣德,则所以报先帝者宜莫如此。”

甲子,帝与皇太后始复御承明殿。

是月,辽主至上京,曲赦畿内囚。

十一月,丁卯朔,枢密使钱惟演罢为保大军节度使,知河阳。初,丁谓逐寇准,惟演与有力焉。及序枢密题名石,独刊去准名,曰“逆准削而不书”。谓祸既萌,惟演虑并得罪,遂挤谓以自解。冯拯恶其为人,因言:“惟演以妹妻刘美,实太后姻家,不可与政,请出之。”乃有是命。

惟演至河阳,尝请曲赐镇兵特支钱。太后将许之,侍御史知杂事蔡齐曰:"赏罚者,上人所操,非臣下所当请。且天子新即位,惟演连姻后家,乃请偏赏以自为恩,摇撼众心,不可许。"即劾奏惟演。遂罢赐钱。

戊辰,以李沆、王旦、李继隆配享真宗庙庭。

以翰林学士刘筠为御史中丞。先是三院御史言事,皆先白中丞。筠举旧仪,榜之台中,令各举纠弹之职,毋白中丞、杂知。

癸酉,命翰林学士承旨李维、翰林学士晏殊修《真宗实录》;寻复命翰林侍讲学士孙奭、知制诰宋绶、度支副使陈尧佐同修。

乙亥,以皇太后生日为长宁节。

庚辰,判国子监孙奭言:"知兖州日,建立学舍以延生徒,至数百人,臣虽以俸钱赡之,然常不给。自臣去郡,恐渐废散,乞给田十顷为学粮。"从之。诸州给学田始此。

辛巳,始御崇政殿西阁,召翰林侍讲学士孙奭、龙图阁直学士兼侍讲冯元讲《论语》,侍读学士李维、晏殊与焉。初诏双日御经筵,自是虽只日亦召侍臣讲读。王曾以帝新即位,宜近师儒,故令奭等入侍。帝在经筵,或左右瞻瞩,则奭拱默以俟。每讲,体貌必庄,至前世乱君亡国,必反覆规讽,帝为竦然改听。

壬午,以尚书右丞张知白为枢密副使。

国子监旧制皆用近臣及宿儒典领,以后颇任贵游子弟之初仕者,与管库资序略均。壬辰,始命冯元同判国子监,仍诏自今毋得差补荫京朝官。

是月,吐蕃李立遵来附。

十二月,辛丑,高丽王询卒,其子钦遣使告于辽,辽主即命使册钦为高丽国王。

甲辰,诏辅臣崇政殿西庑观孙奭讲《论语》;既而帝亲书唐贤诗以分赐焉。自是每诏辅臣至经筵,多以御书赐之。

京城谷价翔贵,戊申,出常平仓米贱粜以济民。

丁卯,诏:"应典卖田产影占徭役者,听人告,以所隐田三之一予之。"

加冯拯昭文馆大学士,监修国史,王曾集贤殿大学士。自是上相必加昭文、监史,次相加集贤。若上相罢免,则以次而升。如除三相,则分监修国史于次相云。

是岁,辽放进士张渐等四十七人。

【译文】

宋纪三十五　起庚申年(公元1020年)八月,止壬戌年(公元1022年)十二月,共二年多。

天禧四年　辽开泰九年(公元1020年)

八月,太子太保、判杭州王钦若,自以为是东宫的一个辅佐大臣,请求入朝;甲申(初五),宋真宗赵恒征召他,让他乘坐驿站车马赶赴京师。

调知相州、太常卿寇准知安州。

起初,李迪与寇准一同在中书门下任职,李迪事奉寇准很恭谨,待寇准罢免相位,丁谓心中很轻视李迪。这时丁谓等人不想让寇准掌管京都附近州郡,他们把这一意思告诉了皇帝,打算把寇准调到远处任职。皇帝命令给予寇准小州。丁谓回到中书门下后就在公文的末尾批道，：“遵奉皇上圣旨，授予偏远小地方知州。”李迪说：“原来的圣旨中并没有‘远’字。”丁谓说：“你当面接受皇帝的旨意，还想擅自更改圣旨来庇护寇准不成吗？”李迪与丁谓二人的怨愤争执就从这时开始。

朱能听到使者来了，自己思量不免一死，便内穿铠甲而出，杀死卢守明，率领部众，携带家眷叛逃。不久，朱能部众溃散，他就逃入桑树林中上吊而死。

乙酉（初六），任命枢密副使任中正、礼部侍郎王曾兼参知政事，翰林学士钱惟演为枢密副使。

辛卯（十二日），任命太常丞、直龙图阁冯元为左正言兼太子右谕德。起初，太子做寿春郡王时，王旦推荐冯元适合在资善堂为太子讲解经书，皇帝嫌冯元年轻，改用崔遵度。现在崔遵度去世了，就让冯元代替他的职位。

壬寅（二十三日），太常卿、知安州寇准因朱能叛逃而受牵连，再次贬谪为道州司马。寇准赴任经过零陵，翻越大山坡时，护卫士兵前后难以相接，溪洞蛮夷乘机抢劫。蛮夷酋长听到这事后就斥责他的手下说：“怎么能抢夺贤明宰相的行李呢？”赶紧派人归还抢掠来的行李。寇准在道州任职期间，象往常一样，每天早晨穿好朝服；还建起一小楼，专用来放置经史、道教、佛教等书籍；一有空暇就吟诵研读；宾客来了，他与之笑谈，就像当初不曾做过朝廷显贵大臣一样。

自从寇准罢免宰相后，接连三次贬官，皇帝开始并不知道这些情况。过了一年多，皇帝忽然向左右侍从问道：“我眼前有好久没有看见寇准了，这是怎么回事？”左右侍从也不敢如实对答。

癸卯（二十四日），任命右司谏、判户部句院刘煜为工部员外郎兼侍御史知杂事。当初，黄河在滑州决口，大规模兴发徭役，道路旁饿死的人很多。刘煜请求罢免宰相来回应上天降下的灾异，当时寇准、丁谓都在中书门下任职。后来王曙因寇准罢相而遭到贬谪，在朝官员没有人敢前去看望王曙。刘煜慨叹道：“朋友之间的情义，唯独今天就不存在了吗！”于是去为王曙饯行，过了一晚才回来。丁谓也没有追究他。

这月，高丽国派遣使臣到辽国，去庆贺千龄节。

九月，己酉朔（初一），任命兵部员外郎、知制诰吕夷简为刑部郎中，临时知开封府。吕夷简任职有严谨明辨的名声，皇帝在屏风上把他的姓名做了标记，想将来重用他。

镂花莲座法　高丽

丙辰（初八），到崇德殿处理政事。皇帝自仲春二月患病以来，只在长春殿办公，到现在身体康复，开始到前殿办公。

戊午（初十），辽国任命附马萧绍宗为平章事。

己未（十一日），枢密副使周起罢免为户部侍郎、知青州，佥署枢密院事曹玮被贬为宣徽南院使、环庆路都部署兼管句秦州兵马。周起平素对寇准很友好，曹玮也不附和丁谓，丁谓憎恶他们，将他们一并划成寇准的同党，所以把他们都

罢免了。周起生性谨慎严密，凡上奏政事及对答禁中的提问，事后马上就把草稿烧掉，所以他的言论别人都不知道。

丁卯（十九日），赦免天下在押囚犯，只有十恶中已经杀人、主管官员贪赃枉法、偷盗官家财物、持仗放火、伪造符玺印信的除外，全都免罪。至于周怀政、朱能的同党，除了已经审讯判决的以外，其余都准许改过自新，一概不予追究。

辽国群臣请求为辽国君主加上尊号，辽圣宗耶律隆绪不予批准；群臣三次上表，才应允。

壬申（二十四日），恩赐京城百姓聚会畅饮。

太子太保王钦若从杭州来朝，命令他到皇宫内殿谒见。

甲戌（二十六日），给事中、知河阳孙奭上奏说："父亲户部郎中退休在家，明年就九十岁了，依制度规定，'九十岁的人，他的儿女不能在官府任职'，现在如果父母到了八十岁就准许辞官回家侍奉赡养父母，恳望恩许退休回到乡里。"下优抚诏书不许辞官。

冬季，十月，戊寅朔（初一），中书门下上书说："机要政务清闲简约，请求依照唐朝制度：单日办公，双日不坐班。"批准。

壬午（初五），登上正阳门观看百姓宴会，皇太子侍坐在旁，共看了五天。皇帝自患病以来，很少再来正阳门，现在来到这里，群臣大为欢悦。

戊子（十一日），辽国西南招讨使上奏说："党项部有些小族不按时进贡，常常心怀他意，应该按时派使者去督促他们。"辽国君主说："边远地区的小族，每年都有经常性的贡品，边境官员骄横放纵，征收没有限度，那些小族心怀畏惧只是不能将情况上报而已。只须派遣清廉谨慎的将官前去，向他们宣示国家对他们的恩宠和信任，不再侵扰掠夺他们，他们自然会效忠归顺。"

己丑（十二日），任命前任起居郎、直史馆陈尧佐知滑州。当时滑州正在组织民夫修筑黄河大堤，陈尧佐创制木龙来缓解湍急的流水，这样河堤才能动工修筑。大堤筑成后，又在外围另修一条长堤加以防护，人们称之为陈公堤。

壬辰（十五日），任命太子太保王钦若为资政殿大学士，还命令他每天到资善堂侍奉皇太子讲解研读经书。

十一月，乙卯（初八），命令劝农使兼提点刑狱官，今后用提点刑狱劝农使、提点刑狱劝农副使作为称号。

修缮尚书省，命龙图阁学士陈尧咨总管这件事。

丁巳（初十），辽国任命漆水郡王耶律制心为南京留守、析津尹、兵马都总管。己未（十二日），任命伊勒希巴萧孝顺为南面诸行宫都部署，加官左仆射。

庚申（十三日），内宫传出御撰的书七百二十二卷让辅政大臣们传阅；壬戌（十五日），宰相丁谓等人请求刻板宣布，又命令在内宫中另建殿阁封藏，诏令许可。不久在龙图阁后面修建，这便是天章阁。丁谓等又请求命令中书、枢密院摘取《时政记》中十分美好的政事，另编为《圣政录》，准从，依旧命令钱惟演、王曾负责编排。

乙丑（十八日），在承明殿与辅政大臣对答。皇帝说："我近来身体日益康复，然而国家大事未免让人劳心费神。现在太子的年龄和品德都逐渐成熟，皇后也贤慧聪明，处理政事公平允当，完全可以托付。所以我想让太子在外朝处理政事，皇后在内宫中详细处理，你们可以商议一下。"辅政大臣请求让中书、枢密院大臣各自兼任东宫的职事，应允这一请求。

自从寇准被贬斥以后，丁谓逐渐专权，以至任命官吏也不上报。李迪对此十分气愤，曾愤慨地跟同僚说："我李迪出身于百姓，十多年后升为宰相，有机会报效国家，死了也没有遗恨的，怎么能为了贪图自身安逸而依附权臣呢！"

待到讨论兼职的事时，李迪已经佩带了少傅的官衔，本应兼任中书侍郎、尚书，而丁谓执意不赞同，只许兼左丞，李迪不能忍受，气得脸色都变了，忽地站了起来。丙寅（十九日），早晨等待早朝时，丁谓又想让林特任枢密副使，兼领太子宾客。李迪说："林特去年升迁为右丞，今年改任为尚书，又进入东宫任职，这都不是公推选拔的，人们议论不止，况且已经奏请任林特为太子詹事，怎么可以更改呢？"接着大骂丁谓，拿起笏板想打丁谓，丁谓跑开，才免于挨打。同僚极力劝解，李迪不听，于是到长春殿见皇帝对质。

宦官捧来制书放到皇帝榻前，皇帝说："这就是你们兼任东宫官职的制书。"李迪上前说："东宫的官属不应当增设，臣下不敢接受这个任命。"接着斥骂"丁谓奸心邪恶，玩弄权术；偏爱林特、钱惟演而嫉恨寇准：林特的儿子杀人，搁置案件不予治罪，寇准无罪却贬斥远方；钱惟演因为是他的儿女亲家就让他参预政事。曹利用、冯拯也和他结为私党，臣下愿与丁谓一起转交到下宪司对案。"不一会儿，丁谓、李迪等先退下，只留下枢密使、枢密副使商议这事。皇帝非常愤怒，本打算交付御史台审理，曹利用、冯拯说："大臣下狱受审，不考虑会使百姓听闻惊骇？何况丁谓本来就没有争执的意思，让他与李迪当堂对质，也不合事宜。"皇帝说："是非还没有弄清楚，怎么能不加区分呢！"不久怒意稍有缓解，于是说："我当很快会处置的。"钱惟演上前说："臣下与丁谓是儿女亲家，忽然遭此排斥，愿意退居原来的职位。"皇帝对他安慰晓谕了好久，接着命令学士刘筠起草制书：丁谓、李迪各降秩一级，罢去相职，丁谓知河南府，李迪知郓州。

制书尚未发出，丁卯（二十日），李迪请求在承明殿谒见对答，又请求在内东门谒见太子，他说的这些话别人都没听到。而丁谓暗中活动企图再回朝廷任职，钱惟演也怕丁谓一出京城自己就会失去援助，告诉皇帝想把他留下来，并且请求留下李迪，因而说："辽国使者将要到来，而宰相的职位空缺，冯拯是朝中旧臣，可以担任中书。"皇帝许可。戊辰（二十一日），任命丁谓为户部尚书，李迪为户部侍郎回到朝官的班列。事情来得紧迫，这份制书的文词是由舍人院起草的；学士刘筠草拟的制书搁置下来没有发出去。这天，钱惟演和任中正、王曾等人都依当初商议的，升迁品秩兼领东宫官职，而关于太子议政的诏书以及关于任命冯拯、曹利用等人的制书全都被搁置下来。

己巳（二十二日），丁谓进入承明殿对答。皇帝诘问他与李迪相争的情况，丁谓说："不是臣下敢和他争吵，只是李迪怒骂臣下而已，臣下愿意重新留任。"于是皇帝赐座，左右侍从想放个坐墩，丁谓回头说："得圣旨恢复我平章事之职。"就换成杌凳进来。于是入内都知张景宗、副都知邓守恩传达诏令，送丁谓赴任中书，使他依旧处理政事，还诏令李迪调出京城知郓州。

丁谓开始传达诏令要刘筠草拟恢复他宰相职位的制书，刘筠不肯接受诏书，便另召晏殊草拟。刘筠从枢密院出来，在枢密院南门碰到晏殊，晏殊侧脸走过，不敢向刘筠作揖，大概内心有愧吧。

先前，皇帝长期患病，语言有时错乱，曾经极度愤怒，对辅政大臣说："昨天晚上皇后以下的妃嫔都到刘氏那里去了，只把我一个人留在宫中。"众大臣都不敢答话，李迪上前说："果真

如此，怎么不依法惩治他们呢？”过了很久，皇帝醒悟过来，说：“没有这事。”刘皇后恰巧在屏风间，听到这些话，因此憎恶李迪。李迪之所以不能留在朝廷，不只是丁谓等人的诬陷，也有刘皇后的意图。

庚午（二十三日），下诏说：“今后除有关军队国家的大事依旧由我裁决外，其余政务都委托给皇太子，让他与宰相、枢密使以下官员在资善堂商议施行。”皇太子呈上表章表示辞让，皇帝下优抚诏不许辞让。起初商议想让太子总揽军国大事，丁谓认为不行，说：“如果不久皇上身体康复，那又怎么处置呢？”李迪说：“太子监理国政，不是古代的制度吗？”力争不止。李迪已罢去宰相调出朝廷，所以才有这项诏令。

任命冯拯为右仆射、中书侍郎兼少傅、平章事。

辛未（二十四日），下诏：“今后，群臣每五天在长春殿参拜问安一次，其余时间我单日在承明殿听理朝政。”

壬申（二十五日），皇太子在资善堂接见宰相、枢密使，各司主管官员依次参拜谒见。

十二月，丁丑朔（初一），翰林学士杨亿去世，谥号为文，录用他的儿子。杨亿天赋聪颖，理解力强，各种书籍无不阅览；文思敏捷，不用删改，待客谈笑之间，挥毫疾书，不用删弃即成文章，并且行文精密而有规则；特别善于撰写典章制度，当时很多人向他请教。他喜欢教诲诱导年轻人，靠他的引导而成名的人很多。为人耿直，崇尚名声气节，常常周济亲戚朋友，所得到的俸禄和赏赐也随手用尽。

乙酉（初九），皇太子亲自处理政事。下诏宦官传告皇帝旨意必须经太子详审再奏。从此辅政大臣每次聚会商议，皇太子就手执笏板面向南面站立，中书、枢密院各以本司政事依次进呈，接受太子令旨，批阅时政之后，京朝官、幕职官、州县官、使臣、禁中士卒都引见对答。接见完毕，照平常礼节接见辅政大臣。

丁亥（十一日），辽国禁止僧人以火烧身炼指。

戊子（十二日），辽国下诏在中京建筑太祖庙，庙的制度和祭祀用器都依古代制度办理。

丁酉（二十一日），任命资政殿大学士、司空王钦若为山南东道节度使、同平章事，判河南府。

起初，王钦若与丁谓友好，攀援引荐丁谓到中书、枢密院。待到丁谓得志后，渐渐背叛王钦若，王钦若憎恨他。当时皇帝长期患病，时常忘事，王钦若先前在东宫为太子太保，职位在太子少傅、太子少师、太子少保之上，丁谓不高兴，因而改任王钦若为司空。王钦若在皇上闲暇时谒见，皇帝问他：“你为什么不去中书？”王钦若说：“臣下不做宰相，怎敢去中书！”皇帝回头看看都知，命他送王钦若去中书办公理事。丁谓让人摆上食品招待他，说：“皇上命令中书准备食物。”王钦若走出中书后，要都知进宫回奏：因为没有任命宰相的白麻纸诏书，不敢接受任命，所以就回家了。诏令学士院颁下任命王钦若为宰相的白麻诏书，丁谓才升王钦若为不参预政务的使相，任西京留守。皇帝只听说宣布了制书，也不了解实情。

闰月，丁卯（二十日），由于嘉勒斯赉造成边患，诏令陈尧咨等巡视检查。

皇帝长期患病，前两天，因服药腹泻，前殿后殿都停止奏事。乙亥（二十八日），皇帝勉强带病升承明殿，召来辅政大臣，晓谕他们尽心辅佐引导皇太子的心意，拿出手书一幅交给他们。从此体内逐渐平和，总共十天，才恢复如常。

当时太子虽然在资善堂听理国事，但国家大事都由刘皇后裁决，宫内宫外都因而忧心忡忡。钱惟演是刘皇后的儿女亲家，王曾对钱惟演说："太子年幼，没有皇后的支持就不能自立；皇后不倚靠太子，那么人心也不会归附。增加对太子的恩义，太子的地位就安稳了，太子地位安稳也就能使刘氏安稳。"钱惟演认为这话正确，因而就回报给刘皇后，这样，中宫东宫的来往更加亲近，人们这就没有闲话可说了。

这年，辽国放榜录取进士张仲举等四十五人。

赵德明开始在怀远镇修筑城墙居住，号称兴州。

天禧五年 辽太平元年(公元1021年)

春季，正月，丁丑朔(初一)，皇帝在延庆殿接见辅政大臣。

乙未(十九日)，派遣使者安抚京东遭受水灾的灾民。

丁酉(二十一日)，任命右谏议大夫张士逊为枢密副使。

翰林学士刘筠看到皇帝长期患病、丁谓专权，慨叹说："奸人掌权，怎能在这里多住一天！"因而上表请求调出朝廷。授予他为右谏议大夫，知庐州。

二月，丁未(初二)，给事中、知河阳孙奭又上表请求辞官回乡奉养父亲；庚戌(初五)，命令孙奭知兖州，因为孙奭的父亲当时住在郓州，而兖州与郓州相距很近。

乙卯(初十)，辽国君主到铍河。壬戌(十七日)，他在高柳林打猎。

庚午(二十五日)，任命光禄寺丞孔圣祐沿袭文宣公的封号，执掌仙源县的政事。

三月，辛巳(初六)，登上正阳门观看吏民聚会畅饮。

戊戌(二十三日)，天章阁建成。庚子(二十五日)，将皇上的文集和书法作品放在天章阁，于是在天章阁下宴请辅政大臣。

先前，大食国向辽国进贡大象和土特产，替他的王子求婚。这月，又来求婚，辽国君主就封皇族某女子为公主，嫁给大食国王子。

夏季，四月，辽国东京留守奏称女真三十个部落的酋长请求各自派他们的儿子到宫廷恭候，辽国君主命令他们各随其父亲都到京城来接受约束。

乙卯(初十)，辽国君主审查在押囚犯。

丁卯(二十二日)，设置莱州。

这月，辽国君主在缅山避暑。

五月，乙亥朔(初一)，审查在押囚犯，犯有死罪的予以减刑。

癸未(初九)，诏令皇太子读《春秋》。

六月，丙午(初二)，太白星白天出现。

己未(十五日)，国子监请求把皇帝撰写的《至圣文宣王赞》和近臣撰写的《十哲赞》《七十二贤赞》刻版；下诏许可。

秋季，七月，甲戌朔(初一)，出现日食。在此以前司天根据《仪天历》推测这天应该发生日全食，九天前，皇帝避开正殿不敢居住，另命令中使分别祈祷。这天，日食十分之四就停止了。第二天，群臣上表祝贺。

乙亥(初二)，辽国派库哩到中京取石晋献上的玉玺，因为这年冬季将举行盛大册封典礼。

准布向辽国进贡。

戊寅(初五)，新建景灵宫、万寿殿，为皇帝求福。

辛巳(初八),辽国君主到沙岭,旋即在黄河打猎。

九月,辽国君主到中京。

宋绶等人出使辽国回来,上奏报告契丹风俗。

戊寅(初六),吐蕃国嘉勒斯赉请求归降。

冬季,十月,丁未(初五),德呼勒部向辽国进贡马匹。

戊申(初六),辽国君主清理囚犯。

祥源观建成。

下诏奖励淮南、江、浙、荆湖发运副使周寔,因为他自春季至冬季运来上供的税米共六百余万石的缘故。

壬子(初十),辅政大臣由于皇帝患病日久,便上表援引汉宣帝、唐高宗的旧例,请求皇帝每五天到便殿听理朝政一次;准从。

庚申(十八日),辽国君主到通天观,观看鱼龙繁衍杂技;第二天,又去观看。归来路上,乘坐玉饰的专车,从内三门进入万寿殿,在七庙画像前依次奠酒,接着宴请皇族宗室。

十一月,癸未(十二日),辽国君主到昭庆殿,群臣呈上尊号:睿文英武遵道至德崇仁广孝功成治定昭圣神赞天辅皇帝。颁布大赦,改年号为太平,宫内外的官员都晋升品秩各不相同。

辽国皇子梁王耶律宗真,年幼聪明,长大成人而身材魁梧,豁达大度,擅长骑马射箭,爱好儒学,通晓音律,辽国君主和皇后都喜爱他;甲申(十三日),册封他为皇太子。

山南东道节度使、同平章事、判河南府王钦若患病,多次上表请求到京师就医,没有得到答复。丁谓秘密派人骗王钦若说:“皇上好几次谈到你,很想和你见上一面;你只管上表后径自前来,皇上肯定不会惊讶的。”王钦若听信了这话,随即要他的儿子右赞善大夫王从益把公文转交河南府,王钦若就带病乘车回到京师。丁谓乘机向皇上说:“王钦若擅离职守,不遵守人臣的礼节。”皇帝便命令御史中丞薛映到王钦若家里去审问,王钦若惶恐服罪。戊子(十七日),降任王钦若为司农卿,分司南京,削夺王从益一个官阶。转运使及河南府的官员都受斥责,还把这事通报天下。

十二月,乙巳(初四),任命内殿崇班皇甫继明为同勾当史馆、昭文馆、集贤院三馆和秘阁公事。咸平年间,最初任命刘崇超监三馆、秘阁图书,后来沿袭旧例与判馆官员联合掌管公事,当时的议论都批评这事。刘崇超向来与王钦若很友好,丁谓当宰相,另用皇甫继明同勾当三馆、秘阁公事,借以削弱刘崇超的职权,把监图籍改称作勾当公事。从此宫中宦官便与大学士同掌一职,当时的评论更加指责这事。

辽国特里衮耶律资忠在高丽国的时候,他弟弟耶律昭为著帐郎君,因犯罪,被抄没家产。待耶律资忠回国,辽国君主待他很优厚,恢复耶律昭的横帐官职,并且归还他的家产,把皇后娘家的女子嫁给他。这时枢密使萧哈绰、少师萧巴格正受辽国君主宠信,而耶律资忠性格耿直,不愿依附,曾在辽国君主面前诋毁他们。辽国君主一发怒,便削夺耶律资忠的官职。耶律昭博学,善于写文章,在此之前随辽国君主在拔里堵山打猎,被野羊撞死。

先前,辽国君主铸钱,铸的文字是“统和元宝”,到现在又铸“太平元宝”钱,新旧钱可相互通用。

乾兴元年 辽太平二年(公元1022年)

春季，正月，辛未朔（初一），宋真宗下诏改年号。

辽国君主来到纳水。

二月，庚子朔（初一），大赦天下。诏令今后宫廷内外官员呈上表章，省去尊号。群臣又上表请求恢复书写尊号，没有应允。于是另上尊号为应天尊道钦明仁孝，癸卯（初四），下诏依从，但后来还是没有接受册封。

辛丑（初二），辽国君主驻留鱼儿泊。

甲辰（初五），册封丁谓为晋国公，冯拯为魏国公，曹利用为韩国公。

甲寅（十五日），在寝殿东侧与宰相对话。皇帝病情加剧，戊午（十九日），在延庆殿驾崩。遗诏说："皇太子即皇帝位，尊皇后为皇太后，淑妃杨氏为皇太妃。"这天，文武百官在延庆殿东楹柱下拜见太子。派遣内殿承制、阁门使薛贻廓到辽国报丧。京城内外都增加卫兵把守，停止各项工程劳役。

起初，辅政大臣共同聆听皇太后传达遗命，退下来，就在殿庐草拟遗制，中间提到军国大事都权且听从皇太后安排。丁谓想去掉"权"字，王曾说："皇帝年幼，政事由后宫做出决定，这已是国家的灾运，遗制中称'权'字还可以昭示后人；况且先帝的遗言还在耳旁，怎么能更改呢！并且增减制书要依法而行，中书是人们的表率，难道带头乱法不成吗？"丁谓不敢再说什么。王曾又说："尊崇礼遇杨淑妃太突然了，须待以后商议，不必记载在遗制之中。"丁谓愤怒地说："王参政想擅改制书吗？"王曾又与他争辩，而同僚没人帮他，王曾也就不争了。当时宫廷内外形势严峻，王曾能正言厉色而自立，朝廷大臣都倚重他。

己未（二十日），颁布大赦，平常赦令所不赦免的也予免除。文武百官各升官秩一等，优厚赏赐各地军队。修治真宗陵墓的各种费用，不再向人民征收。

庚申（二十一日），任命宰相丁谓为山陵使。

先前，群臣讨论太后临朝的仪式，王曾援引东汉时的旧例，请求每五天上承明殿一次，太后坐在左边，皇帝坐在右边，垂帘听理朝政。获旨批准后，丁谓却只想让皇帝每月初一、十五召见群臣，有军国大事就由太后召见辅政大臣裁决，不是军国大事全由雷允恭转奏，在宫中批示"可"就向下面颁布。王曾说："皇太后和皇帝的住处不在一地，这样权柄就操在宦官的手里，这是引起灾祸的征兆。"丁谓不肯听从。癸亥（二十四日），刘太后忽然降下手书，处理安排都与丁谓议论的一致。大概丁谓不想让同僚参与了解国家机密，所以私下勾结雷允恭让他禀报太后，最终实现了他的用意。待到大学士草拟制书文辞时，雷允恭先拿给丁谓过目，看过之后才进呈太后。甲子（二十五），太后开始在崇政殿西廊屋听理朝政。

乙丑（二十六日），将皇上的生日定为乾元节。

丙寅（二十七日），宰相丁谓加官司徒，冯拯加官司空，枢密使曹利用加官左仆射，并兼任侍中。王曾对丁谓说："从中书令到谏议大夫、平章事，他们只能担任一个职位；枢密使加官就可以了。现在君主年幼，由母后临朝听政，你掌握着权柄，竟把几十年空缺的官职在一个早晨就给除授了，岂能不招来大家的议论呢？"丁谓不予听从。

戊辰（二十九日），贬谪道州司马寇准为雷州司户参军，贬谪户部侍郎、知郓州李迪为衡州团练副使，还向朝廷内外宣布他们的罪过：寇准犯有与周怀政勾结的罪行，李迪犯了结党营私的罪行。最初商议流放驱逐他们时，王曾怀疑责罚太重，丁谓盯着王曾说："让他居住、停留的主人恐怕也不能免罪吧。"可能是指王曾曾经把房子借给寇准住一事，王曾于是不敢

再争。知制诰宋绶值班，草拟责罚的文辞，丁谓嫌不深刻，就按自己的意思删改定稿。诏书中称："在丑徒们干犯法纪之时，正是先皇患病之初，先皇遭受如此震惊，以致病情急剧加重。"这番话都是丁谓写的。

丁谓憎恶寇准、李迪，一定要置他们于死地，派遣中使携带敕书去就地赐死二人。中使禀受丁谓的旨意，用锦囊装着宝剑放在马前，表示将要杀戮的样子。中使来到道州，寇准正与群官宴会，驿站官吏来报告情况，道州官吏都惶恐地出去迎接，中使避而不见；问中使前来的缘故，也不回答。大家惶恐不安，不知如何是好，寇准神色自然，派人对中使说："朝廷倘若要赐寇准死，我想看看敕书。"中使不得已，就授给他贬官敕书。寇准就向录事参军借了件绿衫穿上，绿衫短了些，才够到膝盖，在庭中拜受敕书，接着又走上台阶恢复宴饮，直到天黑宴会才结束。到了赶赴贬谪的地方时，路途险阻不能前进，州县派出竹轿子来迎接，寇准辞谢说："我是罪人，能骑马就幸运了。"冒着炎热瘴气，每天行走百里，左右随从为之落泪。

中使来到郓州，李迪听到中使这次与往日不同，就自杀，没死，他的儿子李东之抢救，才免于一死。人们去看望李迪的，中使就记下他们的名字；有的赠送食物，中使就扣留，留到腐败发臭就扔掉，也不给李迪。李迪的门客邓余愤怒地说："小子！要杀我李公来讨好丁谓呀？邓余不怕死，你杀死我李公，我一定杀了你！"他随李迪到了衡州，始终不离左右，李迪因此得以保全性命。有人跟丁谓说："李迪倘若贬谪而死，士人将会如何评论呢？"丁谓说："将来好事书生记载这事，不过说'天下惜之'而已。"

当初，李迪贬谪到衡州，丁谓告诫中使，要拿着诏书催促李迪上路。通判郓州范讽特意留李迪住了几天，替他办理行装设宴送行。范讽是范正辞的儿子，原来知平阴县，碰上黄河在王陵埽决口，大水退去后土地肥沃，但原来的疆界也被肥土掩盖了，农民多次争执不能解决。范讽亲自写下文书来划分各自的田界，农民拿着文书，作为田界的法定券契，不再争执。后来通判淄州，当年就遭到干旱蝗灾，其他谷物都颗粒无收，农民认为蝗虫不吃豆类，还可以种植，但又愁着没有豆种，范讽视察到邹平县打开官仓贷给农民，当即贷出三万斛。到了秋天，农民在规定的日期之前就还种缴粮。范讽在郓州期间，朝廷下诏堵塞黄河决口，州衙向百姓征募草料和木桩，而且征募数额城市居民与农户相等，范讽说："贫富不同而征募数量相当，这不是诏书考虑民力的意思，而是主管官员的失误。"立即修改征募符命，让富人交纳总数的三分之二。接着奏请向下传达各州，以郓州为准，朝廷采纳了他的意见。

曹玮贬责授任为左卫大将军，知莱州。曹玮当时担任镇州、定州都部署，丁谓担心曹玮不会接受任命，便诏令河北转运使韩亿快马前去接收他的军权。先前韩亿曾经违背丁谓的心意，丁谓想借这事一起中伤韩亿。但是曹玮接到诏书，当天就上路，随从十几个弱兵，随身不带弓箭，丁谓终究没有找到借口加害他。

三月，壬申(初三)，任命给事中李及知杭州。李及从政崇尚简洁严谨，乐于称道他人的优点，他认为钱塘地区的风俗轻浮奢侈，因而拒绝交际。一天，他冒雪出城到郊外，众人都说应当是去备酒待客，其实是只身拜访林逋，与他清谈，到天黑才回来。在那里当官几年，不曾购置吴中的特产，待到离任时，仅购置了一部《白乐天集》。

任命龙图阁直学士鲁宗道为权判流内铨。鲁宗道任选调官职的职位很久了，担心铨选的条文烦琐细密，还了解官吏们如何干坏事的情况，于是对条文多加修订，又把这些法令条文写出来揭于廊庑之下，人人都觉得方便。

丙子(初七),赐给群臣他亲手写的飞白体书法每人一轴。皇帝开始并没有写过飞白书,一天,到真宗灵座前看到陈设的飞白笔,就取来试写,体势遒劲,好像早就习过一样,因此就拿来分赐给群臣。

戊寅(初九),中书请求从服祭之后,单日到崇政殿或承明殿听理朝政,双日照先帝旧例,前后殿都不坐朝。下诏说:“双日虽不听理朝政,也应当宣召大臣进宫侍奉讲读。”

乙酉(十六日),制作受命宝印,上面的文字是“恭膺天命之宝”,是命令参知政事王曾书写的。

庚寅(二十一日),初次在崇德殿听理朝政,刘太后在承明殿设置帷幄,隔着垂帘来接见辅政大臣。

这月,辽国地震,云州、应州房屋倒塌,地面下陷,嵬白山裂开几百步,泉水涌流出来。

光禄寺丞尉氏人马季良,他家里原本是经营茶叶的商人,他是刘美的女婿。夏季,四月,壬寅(初三),召马季良来应试馆职,太后派遣宦官赐给食物,催促早些结束,主考官员就分头替他做文章。

戊午(十九日),加赠刘太后三代人的官爵,封她父亲刘通为彭城郡王,封她母亲庞氏为遂国太夫人,任命她哥哥刘美为侍中。

派遣薛田出使辽国,告知宋仁宗即位。

辽国君主到缅山避暑。

五月,己巳朔(初一),辽国参知政事石用中去世。

丁丑(初九),诏令撰写先朝《日历》、《起居注》没有上交的,要赶紧修撰好,因为大中祥符元年以后史官失于撰写汇集的缘故。

六月,己亥朔(初一)呈上大行皇帝的谥号为文明章圣元孝,庙号为真宗。

辽国君主听到宋真宗驾崩,召集蕃、汉大臣举哀痛哭,于是对他的宰相吕德懋说:“听说刚继位的皇帝还年轻,恐怕不了解两国通好的始末,假使被他的臣下所离间,怎么办呢?”待到宋国使臣薛贻廓到来,完整地表达了宋朝廷修好的意愿。辽国君主欢喜,对皇后说:“你可以写信给宋朝太后,使你的名字传扬中国。”于是在范阳悯忠寺里设置宋真宗灵位,建道场一百天,替宋真宗施饭给三京的僧人。又命令靠宋国边境的州郡不得作乐,下令国中,凡是触犯宋真宗名讳的全都改换称呼。

辽圣宗派遣殿前都点检耶律藏引等人前去宋朝祭奠,吊唁慰问。当时宋朝太常博士程琳担任接待陪伴官员。辽国使者对程琳说:“过去贵国先帝曾派出使者问候我国承天太后,如今贵国太后唯独不派使者问候我国国君,这是什么原故?”程琳说:“南北两国是兄弟,那么我国先帝就把承天太后看成叔母,因而没有嫌疑。如今我国皇太后与贵国国君论辈份是嫂子,依礼节叔嫂不通问候。”辽国使者没话可说。

庚申(二十二日),西京作坊使入内押班雷允恭因罪处死。

雷允恭与丁谓勾结,倚仗权势骄横放纵。起初,宦官们因为皇帝陵墓事务大多出宫在外,雷允恭唯独没有派出去,他自己就向太后请求,太后没有答应。雷允恭流着泪说:“臣下受先帝恩惠,并不在别人之下,而现在唯独不能为先帝陵墓效力,请问我有何罪!”刘太后说:“我考虑到你如果轻举妄动,只会给你增加麻烦。”雷允恭流泪央告个不停,这才任命他为山陵都监。

三月,乙亥(初六),雷允恭骑马驰到山陵下,司天监邢中和向雷允恭说:“如今在山陵向上一百步的地方,依风水的看法对子孙有益,这与汝州秦王坟的地形相似。”雷允恭说:“为什么不选用那个地方?”邢中和说:“恐怕那下面有岩石或泉水。”雷允恭说:“先帝没有别的儿子,如果那里的地形与秦王坟相似,就应当选用。”邢中和说:“修筑山陵事关重大,如果考察巡视来回勘验,时间就会拖得很长,会赶不上七月下葬的期限。”雷允恭说:“只管调迁工匠去挖上穴,我快马入宫谒见太后汇报这事。”雷允恭平常骄贵专横,众人不敢违抗,所以就改在上边去挖墓穴。雷允恭入宫告诉刘太后,刘太后说:“这样重大的事情,为什么如此轻率地更改!”雷允恭说:“这能使先帝墓有益于子孙的发达,为什么不可!”太后心里不以为然,说:“出宫与山陵使商议这样可不可以。”雷允恭见到丁谓,详细说了前后情况。丁谓也知道这样做不行,但不想太违背雷允恭的心意,就只是唯唯诺诺。雷允恭就入宫回奏太后说:“山陵使也没有不同意见。”

不久在山的上部挖掘的墓穴中果然有岩石,岩石挖完后又有泉水涌出,大家议论纷纷。修奉山陵部署恐怕不能成功,挖了一半就停工,上奏请示,等待命令。丁谓庇护雷允恭,犹豫不决。癸巳(二十四日),入内供奉官毛昌达从山陵回来,把情况一一上奏。刘太后接连派人诘问丁谓,丁谓才开始请求派使者考察巡视。

丙申(二十七日),派入内供奉官罗崇勋等人到巩县审讯雷允恭罪状来汇报。癸卯(初四),又派权知开封府吕夷简、龙图阁直学士鲁宗道同宦官一起审视皇陵;都请求再挖原来的墓穴。于是诏令辅政大臣在丁谓府上商议。第二天,又命令王曾到山陵去审核。丁谓请求等王曾回来,如果王曾也与大家商议的意见没有不同,就开始复工,结果,下诏复工如初,只是皇堂要等讨论决定后才能修筑。王曾审核后终于听从了大家的意见。

雷允恭犯了擅自移动皇堂,并且盗窃金珠、银帛、犀玉带等罪行,在巩县被刑杖打死,家产也被抄没;他弟弟雷允中被判决发配到郴州管制,邢中和被判决发配到沙门岛。

起初,丁谓与雷允恭相互配合、专横放肆,宫内挟制刘太后,同僚对他没有办法。刘太后曾经由于皇帝起床迟了,就命令宦官传旨中书,想单独接受群臣朝见。丁谓碰巧休假,冯拯等人不敢决定,请丁谓出来商讨。待丁谓出来上班,大讲一通不行的理由,还责问冯拯等人没有立即跟他说,由此有些让刘太后失望。丁谓又曾经讨论按月进上一定数目的钱充作后宫费用,刘太后更是不高兴。

雷允恭下狱后,王曾想乘山陵事件一并去掉丁谓,但没有找到机会,一天,王曾对丁谓说:“我王曾没有儿子,准备把弟弟的儿子过继为后代,明天退朝时,我要留下来向太后汇报这件事。”丁谓没有怀疑王曾这话有别的用意。王曾因而能与太后单独对话,他详细说了丁谓如何包藏祸心,所以让雷允恭擅自把皇堂移到险恶的地方;刘太后听了大为吃惊。丁谓后来慢慢听到了这事,就在大殿帘前极力自我辩白,迟迟不退,内侍宦官忽然卷起帘子说:“相公在跟谁说话?太后起驾很久了!”丁谓惶恐,不知所措,拿着笏板敲着脑袋走了出来。癸亥(二十四日),辅政大臣在资善堂聚会宴饮,召集商议政事,丁谓唯独不敢参加,知道得罪太后,很可怜地向同僚请托。钱惟演急忙说:“我当尽力而为,你不会有大的麻烦!”冯拯盯着钱惟演,钱惟演显得局促不安的样子。

待到承明殿应对时,太后晓谕冯拯等人说:“丁谓身为宰相,却与雷允恭勾结!”顺便拿出丁谓曾经托付雷允恭命令后苑工匠制造的金质酒具给大家看。又拿出雷允恭曾经请托丁谓

让他掌管句皇城司和三司衙司的书状，接着说："丁谓以前附和雷允恭奏事，都说已经与你们等人商议妥当了，所以我都批准了他们的奏请，近日我才认识他们的矫饰与欺骗行为。况且他们营造先帝陵墓却擅自迁移改变位置，差点误了大事。"冯拯等人上奏说："自从先帝登仙，政事都是丁谓与雷允恭共同商议，声称在宫中得旨，臣等不能区分真假。仰赖您圣智神明，察觉他们的奸情，这是宗庙社稷的福气。"刘太后怒气冲天，想诛杀丁谓，冯拯上前说："丁谓固然有罪，但皇帝刚刚即位，马上诛杀大臣，这会使天下人惊恐不安。再说丁谓难道有叛逆的阴谋吗？只是在上奏山陵事情上有疏失而已。"太后的怒意这才稍有缓解，命令冯拯等人商议贬黜丁谓的命令。任中正说丁谓是接受先帝临终嘱托的重臣，即使有罪，也要请按法律中议功条例议定。王曾说："丁谓由于不忠，得罪宗庙，还议什么功呢！"就把丁谓贬责为太子少保、分司西京。依旧例，宰相的罢免都要降下制书，当时想快点执行，只命令冯拯等人召集舍人起草文辞，依旧张贴在朝堂上，布告晓谕天下。

丙寅（二十七日），参知政事任中正贬降为太子宾客、知郓州，因营救丁谓而犯罪的缘故。任中正的弟弟任中行、任中师都因此牵连而降职。

秋季，七月，辛未（初三），王曾加官中书侍郎、平章事，吕夷简为给事中，鲁宗道为右谏议大夫，并参知政事。

鲁宗道在谕德任职时，家住在酒馆附近，曾经微服到酒馆里喝酒，恰巧宋真宗急于召见他，使者赶到他家里，呆了很久，鲁宗道才从酒馆回来。使者要先进去，就和鲁宗道商量说："假使皇上责怪您来迟了，怎么对答？"鲁宗道说："只管以实相告。"使者说："这样您就会得罪皇上。"鲁宗道说："喝酒是人之常情，而欺骗君主是做臣子的大罪。"宋真宗果真向使者问及这事，使者全都按鲁宗道所讲的对答。皇帝诘问鲁宗道，鲁宗道谢罪说："有熟人从家乡来，臣下家贫，没有酒具，所以就到酒馆喝酒。"皇帝认为他忠厚老实可以重用，曾经向太后说过，太后记下这事，这时，鲁宗道和吕夷简都首先被提升。

礼仪院上奏说："大行皇帝安葬山陵的典礼完毕后，庄穆皇后郭氏，曾经是天下人母的榜样，依礼应当升祔宗庙；庄怀皇后潘氏，原是从先帝在藩邸而追命为皇后的，只当在庄穆皇后庙中从享。"下诏召集大臣在尚书省商议，学士承旨李维等人请求依礼仪院议定的执行，准从。

丙子（初八），任命枢密副使钱惟演为枢密使。

戊寅（初十），诏令宋真宗陵的名称为永定。开始，丁谓请求把山陵命名为镇，等到丁谓贬官，冯拯说前三陵都有"永"字，所以改称为永定陵。然而永定是县名，并且宣祖陵只称安陵，又由于翼祖陵已命名为定，所以再追改为靖。议论的人就说冯拯没有学问，当时也没有人去纠正。

辅政大臣们再三上表，请求皇太后遵循遗制，每五天亲临便殿一次，依照先前拟定的仪式规定，允许中书、枢密院上奏政事，与皇帝共同加以斟酌裁定，皇太后不赞成这样做；他们又向皇帝上表，这才接受这个建议。

起初，女道士刘德妙曾以巫师的名义出入丁谓家中，丁谓的事败露后，刘德妙被逮捕，交由内侍审讯。刘德妙一一招供，说是丁谓教唆她说："你所做的不过是巫事，不如假托太上老君来预言祸福。这才足以煽动人心。"于是就在丁谓家里摆设神像，夜晚在园中祭祀，雷允恭多次前去祈祷。到宋真宗驾崩后，刘德妙被引入宫中。又因为挖地时捉到龟蛇，就让刘德妙

拿到内宫，谎称出自丁谓家的山洞中。又还教唆她说："皇上假使问你所侍奉的怎么知道就是太上老君，你只说宰相不是凡人，他应当知道。"丁谓还写了颂词，题目是"混元皇帝赐德妙"，谈到妖怪荒诞的事情。辛卯（二十三日），又贬谪丁谓为崖州司户参军，几个儿子都被除名停职，抄没他的家产时，抄到了四方送来的财物，不可尽数，仍旧把丁谓的罪状向朝廷内外公布。

起初，丁谓命令宋绶草拟贬责寇准的文辞，宋绶请问给寇准定什么罪名，丁谓说："《春秋》中的不得叛逆，汉法中的不道条文，都可作为证据事实。"宋绶虽然顺从了丁谓的旨意，但最后还是改变了丁谓的原话没有全用。待到丁谓遭贬，宋绶还在当班起草制书，当即草拟责词称："不得叛逆的训诫，旧典章上记得非常清楚；身犯不道的罪恶，常刑中不予赦免。"谈论的人觉得痛快。

丁谓刚驱逐寇准时，京师编出谚语说："欲得天下宁，当拔眼中钉；欲得天下好，莫如召寇老。"不出半年，丁谓也遭贬。丁谓取道经过雷州，寇准派人用一只蒸羊在州境迎候。丁谓想会见寇准，寇准拒绝了。寇准听说家僮谋划着要报仇，于是就关上门让他们尽情赌博，使他们不得出大门，等到丁谓走远了才作罢。

壬辰（二十四日），诏令："朝廷内外的官员有曾经与丁谓有往来的，一概不予追究。"

甲午（二十六日），辅政大臣奏请："皇太后、皇帝每五天驾临承明殿一次，凡军国机要事宜和臣下奏请恩泽，一并进呈禀告听取圣旨；若是一般政务，便依旧传进，等候加印签署交付宫外；有的政事还要听从另外的旨意，有的政事不能马上施行的，就在皇帝面前接纳下来，再等候处理。"准从。

八月，壬寅（初五），任命礼部郎中张师德等人为辽国皇后生辰国信使。辽国皇后生辰，专派使者祝贺，就从这时开始。

乙巳（初八），皇帝与皇太后登临承明殿，太后垂帘决断国事，开始采用王曾的建议。当时冯拯继丁谓之后做首相，很想蹈袭丁谓的老路，王曾特意向他指明祸福利害，还迎面驳斥他，冯拯不敢放肆。从此政事一概由两宫决断。

起初，丁谓拟定太后自称"予"。丁谓罢相，中书与礼仪院共同商议，太后每次颁下制书时自称"予"，而在便殿处理政事称"吾"。太后的诏书只称"吾"。

九月，己巳（初二），诏令："技术官今后不得象京朝官那样，用考核成绩的办法确定迁升。"先前，司天监丞徐起等人说逢先帝升仙及皇帝即位，只迁升一官，希望像京朝官的例子，迁升两官。朝廷讨厌他们侥幸进升，所以定出条文加以制约。

己卯（十二日），诏令将天书也随葬在永定陵，这是采用的王曾、吕夷简的建议。

辛卯（二十四日），宋真宗灵车启动，皇帝十天不听理朝政，以后即便听政，也只在便殿。起初，主管官员请求全部拆毁灵车将经过的城门、房舍，以便车辆、冥物经过。侍御史知杂事谢涛上奏说："先帝东面封禅，西面祭祀，典礼所用的器物最为完备，还没听说过拆毁什么。况且遗诏要求务必俭节薄葬，现在主管官员做的冥器奢侈庞大，劳累州县百姓，这并非先帝的遗愿，希望下令少府裁减。"太后不予批准。皇帝当时与太后都坐在阁房中，皇帝于是说："城门低矮的应当拆毁，百姓的住房不应当拆毁。"太后认为对。

这月，辽国君主驻留鲁古思淀。

冬季，十月，丁酉朔（初一），辽国赏赐宰相吕德懋、参知政事吴叔达、枢密副使杨又玄、右丞相马保忠钱物各有等差。

己酉（十三日），将文明章圣元孝皇帝葬在永定陵，庙号为真宗。

己未（二十三日），在太庙祔祭真宗神主，庙乐称作《大明之舞》，用庄穆皇后配享，还下诏确定庄穆皇后的名讳、忌辰。

起初，刘太后想在太庙里摆上宋真宗平生服用玩赏的物品，像往日宫中的摆设那样摆好，用银罩罩上神主；参知政事吕夷简说："这也不足以报答先帝。现在天下大政掌握在两宫，只要太后疏远奸邪，褒奖忠直，辅导皇上，使之养成高贵的品性，那么，用来报答先帝的没有比这更好的了。"

甲子（二十八日），皇帝与太后又开始在承明殿听政。

这月，辽国君主来到上京，特赦京畿内的囚犯。

十一月，丁卯朔（初一），枢密使钱惟演贬为保大军节度使，知河阳。当初，丁谓逐出寇准，钱惟演也参与出力了。待到排列枢密使题名刻石时，他唯独削去寇准的名字，说："逆臣寇准应该删除不予书写。"丁谓的祸乱败露后，钱惟演顾虑一并获罪，于是排挤丁谓来自我解脱。冯拯讨厌他的为人，因而进言说："钱惟演将妹妹嫁给刘美，实际上是太后的亲家，不能参与政事，请把他调出朝廷。"这才颁下这项诏命。

钱惟演到河阳上任，曾经请求拨给他特别赏赐镇守士兵的一笔特支钱。太后准备批准，侍御史知杂事蔡齐说："赏罚大权应由君上掌握，不是臣下所当请求的。况且天子刚即位，钱惟演与太后娘家联姻，竟请求特殊的赏赐作为自己的恩惠，动摇众心，不能准许。"随即弹劾钱惟演。于是取消了赐钱的事。

戊辰（初二），以李沆、王旦、李继隆等功臣配享真宗庙庭。

任命翰林学士刘筠为御史中丞。先前，台院、殿院、察院三院和御史上书言事，都要先禀告御史中丞。刘筠拿出过去的规章，张贴在御史台中，令御史们各自执行纠察弹劾之职，不须禀告中丞、杂知。

癸酉（初七），命令翰林学士承旨李维、翰林学士晏殊修纂《真宗实录》；旋即又命令翰林侍讲学士孙奭、知制诰宋绶、度支副使陈尧佐共同撰修。

乙亥（初九），将皇太后的生日定为长宁节。

庚辰（十四日），判国子监孙奭上奏说："臣下知兖州期间，建立学舍来招收学生，达到几百人，臣下虽然用自己的俸钱供养他们，但时常供给不上。自从臣下离开州郡后，恐怕学舍荒废学生流散，请求国家拨给学舍十顷田作为学粮。"依从。各州拨各学田的制度就从这里开始。

辛巳（十五日），初次驾临崇政殿西阁，召见翰林侍讲学士孙奭、龙图阁直学士兼侍讲冯元讲解《论语》，侍读学士李维、晏殊陪同参与。初次下诏每逢双日皇帝设席听讲经书，从此即使是单日也召来侍臣讲读经书。王曾认为皇帝刚即位，应亲近学习儒学，所以命令孙奭等人入宫侍奉。皇帝在听讲席上有时左顾右盼，孙奭就拱手静默来等候。每次讲解时，孙奭都做到身体容貌必须端庄，讲到前世乱君亡国的事件时，一定要反复规谏讽喻，皇帝为之肃然恭听。

壬午（十六日），任命尚书右丞张知白为枢密副使。

国子监里，依旧制度都任用近臣和宿儒掌管领导，后来大多任用贵族子弟初次做官的

人，与保管仓库的资历级别大致相当。壬辰（二十六日），开始任命冯元同判国子监，仍旧诏令今后不得差遣世袭职位的人补入京朝官。

这月，吐蕃国李立遵前来归附。

十二月，辛丑（初六），高丽国国王王询去世，他儿子王钦派使者向辽国报丧，辽国君主当即命令使者前去册封王钦为高丽国王。

甲辰（初九），下诏辅政大臣到崇政殿西廊屋观看孙奭讲解《论语》；接着皇帝亲笔书写唐代贤人的诗句分赐大臣。从此以后，每次诏令辅政大臣到讲经处，常把自己的书作赐给他们。

京城谷价飞涨，戊申（十三日），拨出常平仓的米贱价出卖来赈济饥民。

乙卯（二十日），诏令："凡典当出卖田产来逃避徭役的人，听便人们告发，把被告所隐瞒田产的三分之一给予告发人。"

冯拯加官昭文馆大学士，监修国史，王曾加官集贤殿大学士。从此以后，上相必加官昭文馆大学士、监修国史，次相必加官集贤殿大学士。倘若上相罢免，就以次相升任上相。如果除授三位相，就分出监修国史一职给次相。

这年，辽国放榜录取进士张渐等四十七人。

续资治通鉴卷第三十六

【原文】

宋纪三十六　起昭阳大渊献【癸亥】正月，尽柔兆摄提格【丙寅】三月，凡三年有奇。

仁宗体天法道极功全德　神文圣武睿哲明孝皇帝

天圣元年　辽太平三年【癸亥，1023】　春，正月，丙寅朔，诏改元。帝读诏，号泣者久之，谓左右曰："朕不忍遽更先帝之号也。"

辽主如纳水。

以耶律藏引为平章事。

庚午，辽初使来贺长宁节。

自建隆以来，吴、蜀、江南、荆湖、南粤，皆号富强，相继降附，太祖、太宗因其蓄藏，守以恭俭简易。方是时，天下生齿尚寡，而养兵未甚蕃，任官未甚冗，佛、老之徒未甚炽，百姓亦各安其生，不为巧伪放侈，故上下给足，府库羡溢。承平既久，户口岁增，兵籍益广，吏员亦众，佛、老、塞外，耗蠹中国，县官之费，数倍昔日，百姓亦稍纵侈，而上下始困于财矣。权三司使李谘尝言："天下赋调有常，今西北寝兵二十年，而边馈如故，它用浸广，戍兵虽未可减，其末作浮费非本务者，宜一切裁损，以宽敛厚下。"盐铁判官歙人俞献卿亦言："天下谷帛日益耗，物价日益高，人皆谓稻苗未立而和籴，桑叶未吐而和买，自荆湖、江、淮间，民愁无聊。转运使务刻剥以增其数，岁益一岁，又非时调率、营造，一切费用，皆出于民，是以物价益高，民力积困也。自天禧以来，日侈一日，又甚于前。卮不盈者漏在下，木不茂者蠹在内，陛下宜与公卿大臣朝夕图议而救正之。"帝纳其言。癸未，命御史中丞刘筠、提举诸司库务薛贻廓与三司同议裁减冗费。

诏中书、枢密院同议塞滑州决河。

先是茶制，惟川、峡、广南听民自买卖，禁其出境，馀悉榷，犯者有刑。在淮南则蕲、黄、庐、舒、寿、光六州，官自为场，置使总之，谓之山场者十三，六州采茶之民皆隶焉，谓之园户。岁课作茶，输其租，馀则官悉市之。其售于官者，皆先受钱而后入茶，谓之本钱。又，百姓岁输税愿折茶者，谓之折税茶。总为岁课八百六十五万馀斤，其出鬻皆就本场。在江南则宣、歙、江、池、饶、信、洪、抚、筠、袁十州，广德、兴国、临江、建昌、南康五军，两浙则杭、苏、明、越、婺、处、温、台、湖、常、衢、睦十二州，荆湖则江陵府，潭、鼎、澧、鄂、岳、归、峡七州，荆门军，福建则建、剑二州，岁如山场输租折税，馀则官悉市而敛之。总为岁课，江南千二十七万馀斤，两浙百二十七万九千馀斤，荆湖二百四十七万馀斤，福建三十九万三千馀斤，皆转输要会之

地，曰江陵府，曰真州，曰海州，曰汉阳军，曰无为军，曰蕲州之蕲口，为六榷货务。凡民欲茶者，皆售于官，其以给日用者，谓之食茶，出境则给券。商贾之欲贸易者，入钱若金帛京师榷货务，以射六务、十三场茶，给券，随所射与之，谓之交引。愿就东南入钱若金帛者，听计直予茶如京师。凡茶入官以轻估，其出以重估，县官之利甚博，而商贾输于西北以至散于塞外，其利又特厚焉。县官鬻茶，岁课缗钱，虽赢缩不常，景德中至三百六十馀万，此其最厚者也。

然自西北宿兵既多，馈饷不足，因募商人入中刍粟，度地里远近，增其虚估，给券，以茶偿之。后又益以东南缗钱、香药、象齿，谓之三说。而塞下急于兵食，欲广储偫，不受虚估，入中者，以虚钱得实利，人竞趋焉。及南北和好罢兵，边储稍缓，物价差减，而交引虚钱未改，则其法既弊，虚估日益高，茶日益贱，入实钱金帛日益寡，而入中者非尽行商，多其土人，既不知茶利厚薄，且急于售钱，得券则转鬻于茶商或京师坐贾号交引铺者，获利无几。茶商及交引铺，或以券取茶，或收畜贸易以射厚利，由是虚估之利皆入豪商巨贾，券之滞积，虽二三年茶不足以偿，而入中者以利薄不趋，边备日蹙，茶法大坏。景德中，丁谓为三司使，尝计其得失，以为边籴才及五十万，而东南三百六十馀万茶引尽归商贾，当时以为至论。厥后虽屡变以救之，然不能无弊。丁亥，诏置计置司，以枢密副使张士逊、参知政事吕夷简、鲁宗道总之。

庚寅，计置司考茶法利害，奏言："十三场茶，岁课缗钱五十万。天禧五年，才及缗钱二十三万。每券直钱十万，鬻之，售钱五万五千，总为缗钱实十三万，除九万馀缗为本钱，岁才得息钱三万馀缗，而官吏廪给不与焉。是则虚数虽多，实利殊寡。"因请罢三说，行贴射之法。其法，以十三场茶买卖本息，并计其数，罢官给本钱，使商人与园户自相交易，一切定为中估，而官收其息。如鬻舒州罗源场茶，斤售钱五十有六，其本二十有五，官不复给，但使商人输息钱三十有一而已。然必辇茶入官，随商人所指而与之，给券为验，以防私售，故有贴射之名。若岁课贴射不尽，则官市之如旧。园户过期而输不足者，计所负数，如商人入息。旧输茶百斤，益以二十斤至三十五斤，谓之耗茶，亦皆罢之。其入钱以射六务茶者，如旧制。大率使茶与边籴各以实钱出纳，不得相为轻重，以绝虚估之弊，从之。

庚子，发卒增筑京城。

二月，丙申，铸"天圣元宝"钱。

初，祥符天书既降，建天庆、天祺、天贶、先天降圣节，及真宗诞节，本命三元，用道家法，内外为斋醮，京城之内外，一夕数处。帝即位，并太后诞节亦如之，縻费甚众。至是或以为言，而宰相冯拯，因奏海内久安，用度宜有节，帝及太后曰："此先帝意也。"即诏礼仪院裁定。礼仪院请帝及太后诞节、本命宜如旧，它节命八宫观迭醮。旧一岁醮四十九，请损为二十；大醮二千四百分，请损为五百，斋官第给汤茗。诏增醮分为千二百，馀悉可。

辽以丁振为武信军节度使，进封兰陵郡王。

辽萧巴雅尔之败于高丽也，辽主使人责之曰："汝轻敌深入，以至败绩，何面目来见乎！朕当皮面然后戮之。"及归，止坐免官。至是念其南伐之功，复以为西南面都诏讨，进封(幽)〔豳〕王。

三月，己巳，礼仪院又请罢天庆等五节天下赐宴。诏新定设醮州府，赐宴如旧，馀悉罢。

减玉清昭应宫、景灵宫、会灵观、祥源观清卫卒以分配诸军，其工役送八作司；兖州景灵宫、太极观清卫准此。

辛卯，始行淮南十三山场贴射茶法。

司天监上新历，赐名《崇天》，保章正张奎、灵台郎楚衍等所造也。

夏，四月，己亥，以吏部郎中、龙图阁待制薛奎权知开封府。奎为政严敏，击断无所贷，人畏惮之，目为“薛出油”。其语上达，帝因问奎，谢曰：“臣知击奸，安避此！”帝益加重焉。

辛丑，中书言：“诸道转运使、副，河北、河东、陕西部署、钤辖、都监并奉使契丹臣寮辞见，请并许上殿奏事。”从之。

初，但令两府大臣附奏，太常丞祥符丁度言：“臣下出外，必有所陈，今一切令附奏，非所以防壅蔽也。”故中书为言，卒得请。帝初即位，度上书论六事，又尝献《王风论》于皇太后，以戒外戚云。

罢礼仪院，从枢密副使张士逊等请也。太常礼院，典礼所出，大中祥符中，又增置礼仪院，以辅臣领其事，于是始罢。

丁巳，诏：“翰林学士至三司副使、知杂御史，各举堪充谏官、御史者，以名闻。”先是上封者请复置谏官、御史三五员，盖宋初左右谏议大夫、司谏、正言多不专言责，而御史或领它局，天禧初，诏两省置谏官，御史台置侍御史以下各六员，不兼职务，每月须一员奏事；其后员缺不补，故言者及之。

钦州深在山谷间，人苦瘴毒，推官建安徐的请徙州濒水。转运使以闻，且留的在任办役；辛酉，诏从其请。的短衣持梃，与役夫同劳苦，筑城郭，立楼橹，画地居军民，治府舍、仓库、沟渠、廛肆，民皆便之。

五月，甲子，行陕西、河北入中刍粮见钱法。

庚寅，议皇太后仪卫，制同乘舆。

是月，辽主清(署)〔暑〕缅山；未几，赐缅山名曰永安。

六月，戊申，河南府言永定陵占民田十八顷，凡估钱七十万。帝曰：“营奉先帝陵寝而偿民田直，可拘以常制邪？”特给百万。

乙卯，禁毁钱铸钟。

秋，七月，戊寅，辽以南府宰相耶律哈噶为上京留守，封漆水郡王。

壬午，蠲天下逋欠，以即位赦恩也。自是因赦除欠负，遂为例。

丙戌，辽以皇后生辰为顺天节。

初，后见爱于睿智太后，太后殁后，辽主恩礼有加，为置宫闱司，补官属，得出教令。元妃妒之弥甚。先是辽主南伐，掠深州小儿赵安仁，俘为阉，渐为内侍省押班，元妃密令伺后短长，后宫中动静，元妃无弗知者。久之，无所得。后善琵琶，乃诬后与琵琶工燕文颇、李文福私，辽主不之信。又为国书投辽主帐中，辽主得之，曰：“此必元妃所作也。”命焚之。安仁见谗间不行，而后权方盛，惧祸，谋亡归宋。事泄，后欲诛之，元妃营救于辽主曰：“安仁父母兄弟俱在南朝，每一念及，神魂陨越。今为思亲而亡，亦孝子用心，实可怜悯。”辽主赦之。

八月，乙巳，以太常博士建安曹修古为监察御史，孔延鲁、刘随并为左正言。延鲁常为宁州军事推官，数与州将争事。有蛇出天庆观真武殿中，州将率官属往奠拜之，欲上其事。延鲁径前以笏击蛇，碎其首，观者大惊，已而莫不叹服。迁大理寺丞，知仙源县，主孔氏祠事。孔氏故多放纵者，延鲁一绳以法。上言庙制卑陋，请加崇饰，从之。延鲁后更名道辅。

甲寅，有芝生天安殿柱，召辅臣观之，退，奉表称贺。乙卯，诏群臣就观，监察御史开封鞠咏言：“陛下新即位，河决未塞，霖雨害稼，宜思所以应灾变。臣愿陛下以援进忠良、退斥邪佞

为国宝,以训劝兵农、丰积仓廪为天瑞,草木之怪,何足尚哉!"

先是钱惟演自河阳赴亳州,因朝京师,图入相。泳奏:"惟演俭险,尝与丁谓为婚姻,缘此大用;后揣知谓奸状已萌,惧牵连得祸,因出力攻谓。今若遂以为相,必大失天下望。"太后遣内侍持奏示之,惟演犹顾望不行。泳语左正言刘随曰:"若相惟演,当取白麻廷毁之。"惟演闻,乃亟去。

冯拯病,太后有复相王钦若意,钦若时以刑部尚书知江宁府,帝为飞白书王钦若字。适钦若有奏至,太后因取字缄置汤药合,遣中人赍以赐,且口宣召之,辅臣皆不与闻。己未,钦若至国门,庚申,入见。九月,丙寅,冯拯罢为武胜节度使兼侍中,判河南府;钦若守司徒兼门下侍郎、平章事、昭文馆大学士。

初,拯五上表乞罢相,于是遣使抚问。还,奏其家俭陋,被服甚质,太后赐以衾裯、锦绮屏。然拯平居自奉侈靡,顾禁中不知也。为相气貌严重,宦者传诏至中书,不延坐。林特常诣拯第,累日不得通;白以咨事,使诣中书,既至,又遣堂吏谓之曰:"公事,何不自达朝廷?"卒不见。

钦若再入中书,谓平时百官叙进,皆有常法,为《迁叙图》以献,冀便省览,然亦不能大用事如真宗时矣。同列往往驳议,钦若不堪,曰:"王子明在政府日,不尔也。"鲁宗道曰:"王文正先朝重德,固非它人可企。公若执政平允,宗道安敢不服!"

闰月,戊戌,寇准卒于雷州。

冯拯病,不能赴河南,己亥,卒。赠太师、中书令,谥文懿。

癸卯,始命寇准为衡州司马,准已卒,弗及知也。其妻宋氏乞归葬西京,许之。道出荆南公安县,人皆设祭于路,折竹植地,挂纸钱焚之。逾月,枯竹尽出笋,众因为立庙,号竹林寇公祠。

淮南、江、浙、荆湖制置发运使封丘赵贺,言苏州太湖塘岸坏及并海支渠堙废,水侵民田。即诏贺与两浙转运使徐奭领其事,伐石增堤,浚积潦,自吴江东赴海;流民归占者二万六千户,岁出苗租三十万。

先是贺通判汉州,蜀吏喜弄法,而贺精明,吏不敢欺,人称为"赵家关",言如关梁不可越也。后为江淮制置发运使,所部漕船,旧皆由主吏自遣,受赇不平,或数得诣富饶郡,因以商贩,贫者至不堪其役。贺乃籍诸州物产厚薄,分剧易为三等,视其功过自裁定,由是吏巧不得施。

癸丑,诏审官院:自今知州军、同判、知县人并引对于便殿。

冬,十月,辛酉朔,徙陕西缘边军马屯内地。

监察御史鞠泳嫉王钦若阿倚,数睥睨其短,钦若心忌之。会泳兼左巡,率府率安崇俊入朝失仪,泳言崇俊少在边有劳,此不足罪。钦若奏泳废朝廷仪,责授太常博士、同判信州。

辽主自秋猎于赤山,是月,驻辽河。

十一月,辛卯朔,辽以皇侄宗范为归德军节度使,北府宰相萧孝穆为南京留守,封燕王,南京留守耶律制心(封)〔为〕南院大王,兵马都总管仇正为燕京转运使。

戊戌,诏禁江南诸路师巫邪术。先是知洪州夏竦,索部中师巫得一千九百馀户,勒令归农,毁其淫祠,因奏请朝廷严赐条约,故降是诏。

初,蜀民以铁钱重,私为券,谓之交子,以便贸易,富民十六户主之。其后富者稍衰,不能偿所负，争讼数起。大中祥符末，薛田为转运使，请官置交子务以榷其出入，久不报。寇瑊守蜀，遂乞废交子不复用。会瑊去而田代之，诏田与转运使张若谷度其利害。田、若谷议："废交子不复用，则贸易非便，但请官为置务，禁民私造。"戊午，诏从其请，始置益州交子务，以百二十五万六千三百四十为额。瑊，临汝人；若谷，南剑人也。

大理寺丞、知彭山县卢察乞官襄州以扫洒坟墓，帝许之。

十二月，壬戌，辽以皇侄宗范为平章事，封三韩郡王。

江州陈蕴，聚居二百年，食口二千，而蕴年八十，且有行义，州以闻。帝曰："良民一乡之表，旌之则为善者劝矣。"甲子，授蕴本州助教。

丁卯，辽以萧永为太子太师。

辛未，诏吏部流内铨选幕职官知大县，阙京朝官故也。

己卯，辽皇子重元为秦国王。重元，元妃之少子也。

二年　辽太平四年【甲子，1024】　春，正月，癸卯，命御史中丞刘筠等四人权知贡举。

诏修景灵宫之万寿殿以奉真宗，署曰奉真；庚辰，命王钦若为礼仪使。

辽主如鸭子河；二月，己未朔，猎达鲁河，改鸭子河为混同江，达鲁河为长春河。

三月，戊子朔，诏礼部："诸科举人不能对策者，毋辄黜落。"先是上封者言："经学不究经旨，乞于本科问策一道。"至是对者多纰缪，帝特下诏宽之。

己丑，同提点开封府界公事磁州张君平言："南京、陈、许、徐、宿、亳、曹、单、蔡、颍等州，古沟洫与畿内相接，岁久不治，故京师数罹水患，请委官疏凿之。"诏从其请。

丁酉，奉安真宗御容于景灵宫奉真殿。

皇太后谕宰臣曰："比择儒臣侍上讲读，深有开益。"宰相因言工部郎中单父马宗元，通经有行义，可使入奉经筵。辛丑，命宗元直龙图阁。

癸卯，王钦若等上《真宗实录》一百五十卷，降诏褒谕。

乙巳，御崇政殿，赐进士安陆宋郊、长洲叶清臣、吴县郑戬等一百五十四人及第，四十六人同出身。不中格者六人，以尝经真宗御试，特赐同《三礼》出身。丙午，又赐诸科一百九十六人及第，八十一人同出身。

郊与其弟祁，俱以词赋得名，礼部奏祁第三，太后不欲以弟先兄，乃擢郊第一而置祁第十；人呼曰"二宋"，以大、小别之。刘筠得清臣所对策，奇之，故擢第二。以策擢高第，自清臣始。

壬子，赐乡贡进士张瑰、太常寺太祝吕宗简进士及第，仍附春榜。瑰，洎之孙，宰臣王钦若之婿；宗简，参知政事夷简弟也。

夏，四月，知池州李虚己，言州县春初豫支钱和买绸绢，民或不欲者，强之则为扰。辛酉，诏三司谕州县毋得抑配，非土产者罢之。

初，帝乳母许氏，为宫人所谗出宫，嫁苗继宗，及是邀驾自陈。丙寅，封临颍县君，以继宗为右班殿直。寻加许氏当阳郡夫人，复入宫。

五月，丁亥朔，司天监言日当食不食，宰相奉表称贺。

乙未，录系囚。

六月，己未，百官表请听乐，不许；表五上，乃许之。因谕王钦若曰："今虽勉从众请，秋宴但当用乐之半，其诸游幸，则心所未忍也。"

辽南院大王耶律制心卒。制心守上京，多惠政。时酒禁方严，有捕获私酝者，制心一饮而尽，笑而不诘。或劝以奉佛，制心曰："吾不知佛法，惟心无私，则近之矣。"赠政事令，追封陈王。

壬申，罢天庆、天祺、天贶、先天降圣节宫观燃灯。

甲戌，辽以萧迪里为南院大王。

秋，七月，戊子，诏以冬至有事于南郊。

壬辰，遣殿中侍御史王硕、内殿承制朱绪点检山场所积茶。

初，朝廷既用李谘等贴射法，行之期年，豪商大贾不能轩轾为轻重；而论者或谓边籴偿以见钱，恐京师府藏不足以继，争言其不便。会江淮制置司言茶有滞积坏败者，请一切焚弃。朝廷疑变法之弊，下书责计置司，令硕等行视。既而谘等条上利害甚悉，且言："推行新法，功绪已见。盖积年侵蠹之源，一朝闭塞，商贾利于复故，欲有以动摇，而论者不察其实，助为游说。愿力行之，无为流言所易。"于是诏有司榜谕商贾以推行不变之意，赐典吏银绢有差。

初，禁寺观毋得市田。及真宗崩，内遣中使赐荆门军玉泉山景德院白银三千两，令市田，言为先帝植福，后仍不得为例。由是寺观稍益市田矣。

癸丑，奉安真宗御容于玉清昭应宫安圣殿。

八月，丙辰朔，宴崇政殿，初用乐之半。乐工奏技，帝未始瞩目，终宴，犹有戚容。

时诏下成都府，召优人许朝天等补教坊，左正言刘随以为贱工不足辱诏书。监察御史李纮亦言："陛下即位，尚未能显岩穴之士，而首召伶官，非所以广德美于天下。"朝天等遂罢归。纮，昌龄从子也。

诏："举官已迁改而贪污者，举主以状闻；闻而不以实者，坐之。"

辽以驸马萧都哩为殿前都点检。

己卯，幸国子监，谒先圣文宣王。召从臣升讲堂，令直讲、屯田郎中马龟符讲《论语》，赐龟符三品服。已而观《七十二贤赞述》，阅《三礼图》，问侍讲冯元三代制度。又幸昭烈武成王庙。还，幸继照堂，宴从臣。

甲申，太白入太微垣。

九月，辛卯，祠太一宫，赐道左耕者茶帛。

庚子，皇太后手书赐中书门下，以故中书令郭崇孙女为皇后，谕辅臣曰："自古外戚之家，鲜能以富贵自保，故兹选于衰旧之门，庶免它日或挠圣政也。"

冬，十月，辛巳，诏："自今诏书，令刑部摹印颁行。"

时判部青州燕肃，言旧制，集书吏分录，字多舛误，四方覆奏，或致稽违，因请镂版宣布。或曰："版本一误，则益甚矣。"王曾曰："勿使一字有误可也。"遂著于令。

丙辰，奉安真宗御容于洪福院。

是月，辽主驻辽河。

十一月，乙未，朝享玉清昭应宫、景灵宫。丙申，享太庙。丁酉，合祭天地于圜丘，大赦。百官上尊号曰圣文睿武仁明孝德皇帝，上皇太后尊号曰应元崇德仁寿慈圣皇太后。赐百官、诸军加等。

乙巳，立皇后郭氏。时张美人有宠，帝欲立之，太后不可而止，故后虽立，而颇见疏。

辛亥，王钦若封冀国公，曹利用改封鲁国公，并加恩。故事，辅臣例迁官，参知政事吕夷简与同列豫辞之,遂著为式。

十二月,丙寅,权判都省马亮言:“天下僧以数千万计,间或为盗,民颇苦之。请除岁合度人外,非时更不度人;仍令自今毋得收曾犯真刑及文身者系籍。”诏可。

是冬,辽大阅,声言猎幽州。二府皆请备粟练师以待不虞,枢密副使张知白独言:“辽人修好未远,今其举兵者,以上初政,观试朝廷耳,岂可自生衅邪!若终以为疑,莫如因今河决,发兵以防河为名,万一有变,亦足应用。”未几,果无事。

辽主尝微服出猎,有耶律罕班者,游京师,寓行宫侧,惟囊衣匹马而已。辽主见而问之,罕班初不识,漫应曰:“我北院部人,觅官耳。”辽主与语,知其才,阴识之。会北院奏南京疑狱久不决,辽主召罕班驰驿审录,举朝皆惊。罕班量情处理,人无冤者,辽主嘉之。又令籍群牧,马阙其二,同事者考寻不已,罕班略不加诘,即先驰奏,辽主益信任焉。

是岁,辽放进士李炯等四十七人。

三年 辽太平五年【乙丑,1025】 春,正月,乙酉,辽主如混同江。

戊子,辽遣宣徽南院使萧从顺等来贺长宁节,见于崇政殿,皇太后垂帘,置酒殿中以宴之,御史中丞薛奎馆伴。从顺欲请见,且言南使至北者皆见太后,而北使来独不得见。奎折之曰:“皇太后垂帘听政,虽本朝群臣亦未尝得见也。”从顺乃已。及辞,从顺有疾,命宰臣王曾押宴都亭驿。从顺问曾曰:“南朝每降使车,悉皆假摄,何也?”曾曰:“使者之任惟其人,不以官之高下。今二府八人,六常奉使,惟其人,不以官也。”从顺默然。既而从顺称疾留馆,不以时发,帝遣使问劳,挟太医诊视,相属于道。枢密使曹利用请一切罢之,乃引去。

二月,戊午,辽禁其境内服用明金及金线绮,国亲当服者,奏而后用。

乙丑,权御史中丞薛奎,罢为集贤院学士、知并州,或谮奎漏禁中语也。既而秦州阙守,帝以奎屡官西边,习其土风,即改奎知秦州。秦州宿重兵,经费常不足,奎务俭约,教民水耕,谨商算,岁中廪粟积者三百万,征算衍者三十万,核民隐田数千顷,复得刍粟十馀万。

是月,辽主如鱼儿泊。

三月,丙子,徙知河南府陈尧佐知并州。每汾水涨,州人忧溺,尧佐为筑堤,植柳数万本,作柳溪亭,民赖其利。

壬辰,辽以左丞相张俭为武定军节度使,以殿前都点检萧都哩为契丹行宫都部署。

是月,辽主如长春河。鱼儿泊有声如雷,其水一夕越沙冈四十里,别(无)〔为〕一陂。

夏,四月,壬子朔,诏恤刑狱。

是月,以龙图阁直学士、刑部郎中刘煜知河南府。煜世家河南,衣冠旧族。尝权发遣开封府事,独召见,太后问曰:“知卿名族,欲一见卿家谱,恐与吾同宗也。”煜曰:“不敢。”它日,数问之,煜无以对,因伪风眩,仆而出,乃免。

五月,庚寅,录系囚。

癸巳,幸御庄观刈麦,闻民舍机杼声,赐织妇茶帛。

辽主清暑永安山。以萧从顺为太子太师,吴叔达翰林学士,道士冯若谷加太子中允。命张俭移镇大同。

六月,癸酉,环、原州属羌叛,寇边,环庆都监赵士隆等死之。遣使者安抚陕西。

秋,七月,戊子,诏诸路转运使察举知州、同判不任事者。

壬寅,以前户部郎中夏竦起复知制诰。竦急于进取,喜任数术,世目为奸邪。尝上疏乞

与修《真宗实录》，不报。既而丁母忧，潜至京师求起复，依中人张怀德为内助，而王钦若雅善竦，因左右之，故有是命。

辽主猎于平地松林。

八月，辛亥，知益州薛田言："本州解发举人，自张咏以来，例给馆券至京，今得三司移文，乃责吏人偿所给官物，恐非朝廷之意。"帝曰："汉贡士皆郡国续食，今独不能行之远方邪？其令悉蠲之！"

戊午，夔州路提点刑狱盛京，言忠州盐井岁增课，奉节、巫山县营田户逃绝，里胥代纳户税，万州户纳谷税钱，皆为民害；诏悉除之。京，度之从兄也。

初，李谘等既条上茶法利害，论者犹争言其不便。辛未，命翰林侍读学士孙奭、知制诰夏竦等再加详定。

九月，庚辰朔，始遣使贺辽后正旦。

辽主驻南京。

己亥，辽始遣使来贺宋太后正旦。

冬，十月，乙卯，太白犯南斗。

辛酉，以翰林学士、礼部侍郎晏殊为枢密副使。

庚午，以宰臣王钦若为译经使。唐译经使以宰相明释学者兼领之；宋初翻译经论，令朝官润文，及丁谓相，始置使；而钦若乃因译经僧法护等请为使，议者非之。

十一月，己卯朔，孙奭等言："十三场茶积而未售者六百一十三万馀斤，盖许商人贴射，则善者皆入商人，其入官者皆粗恶不时，故人莫肯售。又，园户输岁课不足者，使如商人入息，而园户皆细民贫弱，力不能给，繁扰益甚。又，奸人倚贴射为名，强市盗贩，侵夺官利。其弊如此，不可不革。请罢贴射法，官复给本钱市茶，而商人入钱以售之。"于是茶法复坏。

庚子，辽主幸内果园宴，京民聚观。求进士得七十二人，命赋诗，第其工拙，以张昱等一十四人为太子校书郎，韩栾等五十八人为崇文馆校书郎。

王钦若既兼译经使，始赴传法院，感疾亟归；车驾临问，赐白金五千两。戊申，卒。皇太后临奠出涕，赠太师、中书令，谥文穆，遣官护葬事，录亲属及所亲信二十馀人。建隆以来，宰相恤恩，未有此比。

钦若状貌短小，项有附疣，时人目为"瘿相"。智数过人，每朝廷有所兴造，委曲迁就以中上意。性倾巧，敢为矫诞。太后以先朝所宠异，故复用之。及吴植事败，太后滋不悦，同列稍侵之，钦若悒悒以殁。后有诏塑像茅山，列于仙官。

辽北院枢密使萧哈绰有疾，辽主欲临视之，哈绰谢曰："臣无状，猥蒙重任；今形容毁瘁，恐陛下见而动心。"辽主乃止。会北府宰相萧朴问疾，哈绰握其手曰："吾死，君必为枢密使，慎勿举胜己者。"朴闻而鄙之。乙丑，卒。

十二月，戊辰，辽以萧朴为北院枢密使，封兰陵郡王。

先是朝班以宰相为首，亲王次之，使相又次之，枢密使虽检校三师兼侍中、尚书、中书令，犹班宰相下。咸平初，曹彬以枢密副使兼侍中，位户部侍郎、平章事李沆下，循旧制也。乾兴中，王曾由次相为会灵观使，曹利用由枢密使领景灵宫使，时以宫观使为重，诏利用班曾之上，议者深以为非。至是曾进昭文馆大学士、玉清昭应宫使，同集殿庐，将告谢，而利用犹欲班曾上，阁门不敢裁。曾抗声目吏曰："但奏宰相王曾等告谢。"班既定，利用郁郁不平，张士逊慰晓之。庚申，诏宰臣、枢密使序班如故事。而利用志矫，尚居次相张知白上。及闻召张旻于河阳为枢密使，利用疑代己，始悔惧焉。

殿前副指挥使杨崇勋，尝诣中书白事，属微雨新霁，崇勋穿泥靴登阶，王曾颔之，不以常礼延坐。崇勋退，劾奏其失，送宣徽院问状。翼日，曾入对，请传诏释罪，太后问其故，曰："崇勋武夫，不知朝廷之仪。举劾者，柄臣所以振纪纲；宽释者，人君所以示恩德。如此，则仁爱归于上而威令肃于下矣。"

癸亥，徙崖州司户参军丁谓(曹)〔雷〕州司户参军。

谓以家寓洛阳，常为书自责，叙国厚恩，戒家人毋辄怨望，遣人致于西京留守刘煜，祈付其家，戒使伺煜会众寮时达之。煜得书，不敢私，即以闻；帝见之感恻，故有是命。宰相言："谓，天下不容其罪而窜之，今不缘赦宥，未可内徙。"帝曰："谓斥海上已数年，欲令生还岭表耳。"

乙丑，淮南节度使、检校太师、同平章事张旻依前充枢密使。太后微时，尝寓旻家，旻事之甚谨，后深德之，故复掌枢府。寻改名耆。

是岁，燕民以年谷丰熟，辽主车驾临幸，争以土物来献。辽主礼高年，惠鳏寡，赐酺饮。至夕，六街灯火如昼，士庶嬉游，辽主亦微行观之。

丁丑，辽禁工匠不得销毁金银器。

四年　辽太平六年【丙寅，1026】　春，正月，癸未，辽使萧迪里等入见。辽又遣人持酒果与迪里等。帝问宰相王曾曰："送酒果者三十馀人，已至(鄚)〔莫〕州，听其来否?"曾曰："宜止其来，而以舟兵代之，转酒果付迪里可也。"帝曰："善!"

知益州薛田言："两川犯罪人配隶它州，虽老疾得释者，悉留不遣；自今请无拘停。"帝曰："远民无知犯法，而终身不得还乡里，岂朕意乎！察其情有可矜者，听遣还。"

庚辰，辽主如鸳鸯泺。

二月，己酉，辽以同知枢密院黄翩为兵马都部署，引军城混同江、疏木河之间。黄龙府请建堡障三，烽台十，辽主命侯农隙筑之。

东京留守耶律巴格奏黄翩领兵入女真界徇地，俘获不可胜计，得降者二百七十户。辽主奖谕之。

庚戌，玉清昭应宫使王曾请下三馆校《道藏》，从之。帝因曰："道书多言飞炼金石，岂若老氏五千言之约哉!"

壬戌，遣官祀九宫贵神。帝谓辅臣曰："祀日适与真宗大忌同，其施乐邪?"王曾曰："但设而不作耳。"又问古今乐之异同，曾曰："古乐用于天地、宗庙、社稷、山川、鬼神，而听者莫不和悦。今乐则不然，徒娱人耳目而荡人心志，自昔人君流连荒亡者，莫不由此。"帝曰："朕于声技未尝留意，内外宴游，皆勉强尔。"

己巳，辽以南京水，遣使赈之。

庚午，命："党项别部塌西，设契丹节度使治之。"

三月，庚寅，辽以大同军节度使张俭入为南院枢密使、左丞相兼政事令。辽主方眷倚俭，参知政事吴叔达与俭不相能，辽主怒，出叔达为康州刺史。

御史台自薛奎后，中丞阙人不补，侍御史知杂事韩亿独掌台务者逾年。壬午，始命权知开封府汝阴王臻权御史中丞。臻建言："三司、开封府诸曹参军及赤县丞、尉，率用贵游子弟，骄惰不任事，请易以孤寒登第、更仕宦书考无过者为之。”又言：“京百司吏人入官，请如《长定格》，归司三年。”并从之。

是月，准布侵辽，西北路招讨使萧惠破之。

【译文】

宋纪三十六　起癸亥年(公元1023年)正月，止丙寅年(公元1026年)三月，共三年有余。

宋仁宗，名讳赵祯，起初名受益。是宋真宗的第六子。母亲为李宸妃。于大中祥符三年(公元1010年)四月十四日出生。章献皇后没有儿子，把他领来作为自己的儿子抚养。祥符七年(公元1014年)封为庆国公，祥符八年(公元1015年)封为寿春郡王，天禧元年(公元1017年)兼中书令，第二年进封升王，九月丁卯(初八)册封为皇太子。

天圣元年　辽太平三年(公元1023年)

春季，正月，丙寅朔(初一)，诏令改年号。仁宗察看诏书时，号啕大哭了很久，对左右说：“我不忍心马上更换先帝的年号啊！”

辽主前往纳水。

任命耶律藏引为平章事。

庚午(初五)，辽国初次派使者前来祝贺长宁节。

宋仁宗皇后像

自建隆以来，吴、蜀、江南、荆湖、南粤，都号称富强，相继投降归附于宋，太祖、太宗因此而积蓄储藏，以恭俭朴素为本。当时天下出生的人口还少，养兵不很多，任用的官吏还不很滥，佛教、道教之徒不很狂热，百姓也各自安于生计，不做乖巧虚伪放纵奢侈之事，所以朝廷上下物资供应充足，官府仓库丰盛有余。天下持续太平已久，人口每年增加，士兵日益增多，官吏也多起来，佛、老之徒充塞朝廷，消耗蠹食着中原；各级政府的经费支出数倍于往日，百姓也渐渐纵欲奢侈，而朝廷上下开始感到财力紧张。代理三司使李谘曾上奏说：“全国的赋税收入有固定的数目，现今西北没有战争二十年，而供应边境地区军队的粮饷同从前一样，其他用度日渐增多，戍守边疆的军队虽不可减少，他们所从事的工商之业和不切实际的费用本来就不是军队支出的范围，应当裁减，藉以减少老百姓的赋税负担，宽厚地对待民众。”盐铁判官歙州人俞献卿也上奏说：“天下谷物缯帛消耗越来越多，物价越来越高，人们都说田地里的稻苗还未成熟已由官府买去，桑叶还未发芽官府已在收购，荆湖、江、淮一带，百姓发愁无以聊生，转运使务求苛盘剥百姓以求增加赋税收入之数，一年甚似一年，又违误农时征调民夫，营造宫室，一切费用，都出自百姓，所以物价日渐增高，百姓已经很穷困。白天僖以来，一天比一天奢侈，现在更胜于前。酒杯不满是因为下面漏酒，树木不茂

盛是因为树内有蠹虫，陛下应与公卿大臣朝夕筹划商议以匡正时弊拯救百姓。”仁宗采纳了他的意见。癸未，任命御史中丞刘筠、提举诸司库务薛贻廓与三司共同商议裁减费用，压缩不必要的开支。

下诏命中书门下枢密院一同商议堵塞滑州黄河决口。

原来的茶叶管理制度，只有川、峡、广南地区任百姓自由买卖，禁止茶叶出境，其余的地方都由国家专卖，违者判刑。在淮南，有蕲、黄、庐、舒、寿、光六州，官府自行设茶场，派使者作总管，叫作山场的共有十三个，六州采茶的百姓都隶属这十三个茶场，被称为园户，每年规定采制茶叶的数量，这些茶叶要向官府交纳租税，其余的都由官府全部收购。卖给官府的茶，都先由官府付钱而后园户送交茶，称之为本钱。另外，百姓每年交纳的茶税愿意折合成茶的，称之为折税茶，总共全年课税的茶为八百六十五万余斤，这些茶都在本场出卖。在江南，有歙、江、池、饶、信、洪、抚、筠、袁十州，广德、兴国、临江、建昌、南康五军；两浙有杭、苏、明、越、婺、处、温、台、湖、常、衢、睦十二州；荆湖有江陵府、潭、鼎、澧、鄂、岳、归、峡七州，荆门军；福建有建、剑二州，每年都像山场那样交租纳税，其余皆由官府收购起来。总计每年课税的茶，江南是一千零二十七万余斤，两浙是一百二十七万九千余斤，荆湖是二百四十七万余斤，福建是三十九万三千余斤，都转运到交通发达工商业繁荣的地方：江陵府、真州、海州、汉阳军、无为军、蕲州的蕲口，为六个专卖茶叶的机构——“榷货务”的所在地。凡是百姓想购买茶，都到官府去买，其中在当地零售给百姓供日用的，称之为食茶，运出境外的由官府发给证券。商贾想进行茶叶贸易的，要到京师的榷货务去缴纳钱和金帛作为茶价，分别到六个榷货务和十三个山场去取茶，发给证券，由指定场、务分别付给，称为“交引”。愿在东南地区交钱和金帛的，如同在京师那样计值予茶。官府收购茶，都压低价格，官府出售茶叶都抬高价格，官府获利很大，而商贾输送茶叶到西北地区以至分散在塞外各地，他们所获的利润更要大得多。官府卖茶，每年征收茶税所得到的钱，虽然多少不固定，景德中达到三百六十余万，这是收入最多的一年。

然而自从西北驻军多了起来，粮饷供应不足，便募集商人将中原的草料粮食运往边境地区，根据地里远近，增加他们的利润，付给他们证券，用茶叶来偿还。后来付给他们的东西又增加了东南缗钱、香药、象牙，称之谓“三说”。当时塞下急于要求供应兵食，打算扩充粮食等军需用品的储备，便不受利润的限制，把草料粮食运送到边地的人，没有拿出什么本钱却得到很大实际利益，人们争先恐后地去干这件事。等到南北和好罢兵，边地的储备渐渐缓和，物价不再上涨而有所下降，而用交引换茶的办法并未改变，它的弊端也就暴露出来了，利润越来越高，茶价越来越便宜，用实钱和金帛换取交引的人越来越少，把内地的草料粮食运送到边境的人，并非全是行商，多半是当地的土著居民，既不知道茶利的厚薄，又急于出卖赚钱，他们得到交引就转卖给茶商或者专门收购交引的京师坐商，得到的利润没有多少。茶商和收购交引的店铺，有的用交引去取茶，有的囤积居奇求厚利，自此贩卖茶的利润全部归豪商巨贾所有，交引被积压下来，就是两年、三年所产的茶也抵偿不了，而把内地的草粮食运往边地的人获利微薄不愿意再干，于是边境的储备日益拮据紧张，茶法已严重地被破坏了。景德中，丁谓任三司使，曾经计算过这种作为所造成的损失，认为边境地区官买的粮食才五十万，而东南三百六十余万茶引都归了商贾，当时以为讲得很有道理。其后虽然屡次变更茶法以图挽救这种局面，然而终不能没有弊端。丁亥，诏令设置计置司，任命枢密副使张士逊、参

知政事吕夷简、鲁宗道总管该司。

庚寅(二十五日),计置司考核茶法的利弊,向仁宗上奏说:"十三个场产茶,每年征收茶税缗钱五十万,天禧五年,才收入缗钱二十三万。每张交引值钱十万,卖出去,得钱五万五千,总计缗钱实为十三万,除去官府先行付给园户的九万余缗为本钱外,每年才得利息钱三万余缗,而有关官吏的薪俸还不算在内。因此虚数虽然很多,实际获利却非常小。"于是奏请罢"三说",实行贴射之法,该法以十三场茶叶买卖的本钱和利息,一并计算数目,官府不再给园户本钱,使商人和园户相互自行交易,所有茶叶都按中等定价,而官府只收利息。例如出售舒州罗原场的茶叶,每斤售钱五十六,每斤茶的本钱二十五,官府不再付给园户这二十五的本钱,只要商人向官府缴纳三十一的息钱而已。但必须将茶运送到官府,按照商人所指定的地方付予茶叶,发给他们证券作为验放茶叶的根据,以防私自售茶,所以有贴射之名。如果年生产的茶叶用贴射法卖不完,就由官府按旧法全数收购;园户过期而不交售茶的,计算他们欠交之数,如同商人一样向官府缴纳息钱。过去向官府交一百斤茶,要增加二十至三十五斤,称为耗茶,也一并废除。商人向官府纳钱购买六个榷货务的茶,仍按旧茶法的规定办理。大抵要做到茶叶贸易与边境官府购粮,各以实钱计算支出和收入,双方都不得随意抬价或压价,以杜绝豪商巨贾钻旧茶法的空子获取暴利的弊端。仁宗采纳了这个建议。

庚子(初六),派兵增筑京城。

二月,丙申(初二),铸"天圣元宝"钱。

当初,祥符天书已降,于是建天庆节、天棋节、天贶节、先天降圣节,等到真宗诞辰,本命年的上元、中元、下元三日,用道家法,朝廷内外斋醮,设祭坛祈祷,京城内外,一晚有几处如此。仁宗即位以及太后诞节亦然,极尽奢侈浪费。这时有人进言,宰相冯拯因此上奏请海内久安,用度应该有所节制。仁宗和太后说:"这是先帝的意思啊。"马上下诏命令礼仪院裁定。礼仪院奏请仁宗及太后诞辰节、本命节应同旧制,其他节命令八宫观迭醮。过去一年醮四十九,奏请减少为二十;大醮二千四百分,请减为五百,斋官只给汤茶。诏令增醮分为一千二百,其余按礼仪院请求办理。

辽任命丁振为武信军节度使,进封兰陵郡王。

辽将萧巴雅尔败于高丽,辽主派使者斥责他说:"你轻敌深入,以至打了败仗,有什么脸面来见我?我应撕下你的面皮然后杀掉你。"等到他回到朝廷,仅因此而免官。现在辽主念他南伐之功,又任命他为西南面都招讨,进封豳王。

三月,己巳(初六),礼仪院又奏请免除天庆等五节天下赐宴。下诏新设醮州府,赐宴照旧,其余皆免。

裁减玉清昭庆宫、景灵宫、会灵宫、祥源观清卫卒用以分配到各军,其中的工匠杂役送至八作司;兖州景灵宫、太极观也以此为准。

辛卯(二十八日),开始实行淮南十三山场贴射茶法。

司天监呈上新历,赐名"崇天"。该新历是保章正张奎、灵台郎楚衍等创造。

夏季,四月,己亥(初六),任命吏部郎中、龙图阁待制薛奎代理知开封府。薛奎为政严正敏锐,打击罪犯和决断刑狱毫不留情,众人畏惧,视他为"薛出油"。这个绰号被仁宗听到后,因此向他发问,薛奎表示感谢地说:"我只知打击奸邪,怎么能躲避这些!"仁宗越发器重他。

辛丑(初八),中书上奏说:"各路转运使、副使,河北、河东、陕西部署、钤辖、都监,以及奉命出使契丹的臣僚向仁宗辞行时求见，请求都准许上殿奏事。”仁宗同意。

当初只令两府大臣附上奏呈，太常丞祥符人丁度上奏说：“臣下外出，必有所陈述，现在一切都令附奏，不是用来防止壅蔽的方法。”所以中书为此奏言，终于得到应允，仁宗刚接位时，丁度上书论六件事，又曾献《王风论》给皇太后，以戒外戚参政。

撤除礼仪院，是应枢密副使张士逊等的请求。太常礼院，本是制定典礼的，大中祥符年间，又增设礼仪院，以辅臣掌管其事，到现在又开始撤掉。

丁巳（二十四日），仁宗下诏：“翰林学士至三司副使、知杂御史，各自举荐出能够胜任谏官、御史的人选，将他们的名字呈报上来。”在此之前上封者奏请重设谏官、御史三五员，原来在宋朝初年，左、右谏议大夫、司谏、正言多不专司进谏之责，而御史还掌管其他局；天禧初，诏令两省设谏官，御史台设侍御史以下各六员，不兼职务，每月必须有一员奏事，其后员缺不补，因此进言的人提出这一建议。

钦州地处深山峡谷之间，百姓苦于瘴毒，推官建安人徐的奏请将州府迁到靠水的地方。转运使将此事呈报仁宗，暂且留徐的在任办理这事；辛酉，下诏，同意徐的奏请。徐的著短衣持棍棒，与役夫同劳苦，筑城廓，立楼橹，画出地盘，使军民驻下；修治府舍、仓库、沟渠、库房酒肆，老百姓都感到很方便。

五月，甲子（初二），实行陕西、河北商人运送粮草到边疆地区付给现钱的法令。

庚寅（二十八日），讨论皇太后出行时的护卫礼仪，与皇帝乘舆礼仪相同。

这月，辽主在缅山避暑；不久，赐缅山名为永安。

六月，戊申（十六日），河南府上奏说永定陵占民田十八顷，估计总价值七十万钱。仁宗说：营建先帝陵寝而偿还民田价值，怎么可以固守常规呢？特下诏令给一百万。

乙卯（二十三日），禁止毁钱铸钟。

秋季，七月，戊寅（十六日），辽国任命南府宰相耶律哈噶为上京留守，封漆水郡王。

壬午（二十日），免除天下债务拖欠，是仁宗即位赦恩。至此因赦恩而免除欠负，便成为惯例。

丙戌（二十四日），辽国以皇后生辰为顺天节。

当初，睿智太后很喜欢皇后，太后去世后，辽主恩宠有加，为她设置宫闱司，增补官员，并能发出教令。元妃嫉妒她更甚于以前。在此之前辽主南伐，劫掠深州小儿赵安仁，俘入宫内作了阉割术，后来渐渐升为内侍省押班。元妃命令他暗中监视皇后的一举一动，因此后宫中的一切动静，元妃无所不知。但过了很久，一无所得。皇后善弹琵琶，元妃便诬陷皇后与琵琶演奏者燕文颇、李文福私通；辽主不相信她的话。元妃又作国书投至辽主帐中，辽主得后说：“这国书一定是元妃所作。”于是命令焚烧掉。赵安仁见谗言挑拨离间行不通，而皇后权势正盛，害怕招惹灾祸，打算逃离辽国而回归宋朝。事情败露，皇后打算杀他，元妃向辽主求救，她说：“赵安仁父母兄弟都在南朝，每次想到这些，悲切失魂。现在他为思亲而逃跑，也是一片孝子之心，实在是可怜。”于是辽主赦他死罪。

八月，乙巳（十四日），任命太常博士建安人曹修古为监察御史，孔延鲁、刘随为左正言。

孔延鲁长期作宁州军事推官，好几次与州将争执一些事。一次，有一条蛇从天庆观真武殿中爬出，州将率领官属前往奠拜，并想向朝廷禀告此事。孔延鲁径直走向前用朝笏猛击蛇，击碎了蛇头，观者大惊。过了一会儿，大家都叹服不已。后来孔延鲁迁升大理寺丞，任仙

原县知县，主持孔氏祠庙事务。孔氏过去很多人放纵自己，孔延鲁都一律以法绳之。他还上奏朝廷说，孔庙的规模小而简陋，请求加以扩建修饰，仁宗答应了。孔延鲁后来改名为孔道辅。

甲寅（二十三日），有一灵芝生于天安殿殿柱上，仁宗召集辅臣观看，辅臣退下后，上表称贺。乙卯，诏令群臣观看，监察御史开封人鞠泳上奏说："陛下新即位，黄河决口尚未堵塞，大雨侵害庄稼，应该考虑怎样应付灾害。臣希望陛下以选拔进用忠良之臣、退斥奸佞邪恶的小人为国宝，以训练劝导兵卒农夫，丰足积累仓库粮食为天瑞，草木之怪异，哪里值得这么崇尚！"

在此之前钱惟演自河阳到亳州赴任，因而到京师朝见仁宗，企图当宰相。鞠泳启奏："钱惟演为人奸险，曾与丁谓结为姻亲，因此而受重用；后来钱惟演揣度丁谓奸状已发，害怕牵连得祸，因此就卖力地攻击丁谓。现在如果就任命他为宰相，必然使天下人大失所望。"太后派内侍拿这奏章给钱惟演看，钱惟演还观望不肯走。鞠泳对左正言刘随说："如果任命钱惟演为宰相，我即取任命诏书当庭毁掉。"钱惟演听见此话，便急忙离去。

冯拯生病，太后有再起用王钦若为宰相的想法。当时王钦若正以刑部尚书的身份知江宁府，仁宗曾为他用飞白书法体写了"王钦若"三个字。正好王钦若有奏章到来，太后便取字置于汤药盒内封装好，派宦官带去赐给王钦若，并亲口宣召王钦若，辅臣都不知道。己未（二十八日），王钦若到京城。庚申（二十九日），王钦若进入朝廷见到皇上。九月，丙寅（初五），冯拯被罢免为武胜军节度使兼侍中，判河南府；王钦若置理司徒兼门下侍郎、平章事、昭文馆大学士。

当初，冯拯曾五次上表请求免去宰相之职，于是仁宗派使者抚慰问候。使者回来后，奏说冯拯家里很简陋，被服很单薄，太后便赐给他衾被、锦绮屏。然而冯拯平时生活很奢侈靡烂，只是宫中不知道。为宰相时气度相貌严肃，宦者传诏令到中书，冯拯也不让坐，林特常到冯拯府上，几天不得通报；向咨事询问这件事，回答让他到中书；到了中书，又派堂吏对林特说："公事，为什么自己不去朝廷？"冯拯始终不见。

王钦若再次入中书，说平时百官分等级进用，都有常规法则，作《迁叙图》进献，希望方便阅览，但是也不能像真宗那样大权独揽了。同列往往对王钦若的论点进行驳议，弄得他狼狈不堪，说："王子明在朝的时候，不是这样的啊！"鲁宗道说："王文正公是先朝有重德的大臣，当然不是其他人能达到的。你若执政公平允正，鲁宗道怎敢不服！"

闰月，戊戌（初七），寇准在雷州去世。

冯拯病重不能去河南；己亥（初八），去世；赠太师、中书令，谥号文懿。

癸卯（十二日），开始任命寇准为衡州司马，寇准已死，朝廷未及得知。寇准的妻子宋氏乞求归葬在西京，朝廷应允。灵柩从荆南公安县出发，百姓都在路上设祭，把竹子折下来插在地上，挂上纸钱焚烧。过了一个月，枯竹都钻出了新笋，百姓因此为寇准建立了一座庙，号"林竹寇公祠。"

淮南、江、浙、荆湖制置发运使封丘人赵贺，向仁宗奏言苏州太湖塘岸损坏及入海支渠堵塞不通，水浸淹民田，仁宗立即下诏令赵贺与两浙转运使徐奭主持此事，伐石增堤，疏浚积水，引至吴江往东流入东海；流民回来居住的有二万六千户，每年出苗租三十万。

在此之前，赵贺通判汉州，蜀地官吏喜欢弄权斗法，而赵贺精明，官吏不敢欺他，人称赵贺为“赵家关”，意即赵贺如同关口梁津不可逾越。赵贺后被任命为江淮制直发运使，所部漕船，过去都由主吏自行调遣，出现贪赃枉法接受贿赂所得利益不均等情况，有的数次得以去富饶之郡，因而成为商贩，而贫者则到了不能忍受其劳役之苦地步。赵贺于是将各州物产的厚薄全部登记入册，把各州按难易程度分为三等，根据胥吏的功过决定谁去何处，从此以后蜀吏之投机取巧不得施展。

癸丑(二十二日)，下诏审官院：从现在起知州军、同判、知县等人一并召引到便殿应对。

冬季，十月，辛酉朔(初一)，迁徙陕西边远地区的兵马屯于内地。

监察御史鞠咏嫉恶王钦若的阿谀逢迎、倚势凌人，几次对其短处表示鄙夷。王钦若心里很忌恨鞠咏。适逢鞠泳兼左巡，率府率安崇俊入朝时有失礼仪，鞠咏说安崇俊少年时在边境有功劳，这点失礼不足构罪。王钦若就向朝廷奏本，说鞠咏废弃朝廷礼仪，于是鞠咏被责授太常博士、同判信州。

辽主自秋狩猎于赤山，驻辽河。

十一月，辛卯朔(初一)，辽国任命皇侄宗范为归德军节度使，北府宰相萧孝穆为南京留守，封燕王；南京留守耶律制心封为南院大王，兵马都总管仇正为燕京转运使。

戊戌(初八)，下诏禁止江南各路教给人习巫邪术。在此之前知洪州夏竦，查索出部中巫师计一千九百余户，勒令他们归田务农，拆毁他们的淫祠，为此奏请朝廷赐发条令严加约束，所以降下此诏。

当初，蜀民因铁钱沉重，私自印证券，称之为“交子”，以便于贸易，十六户富民主持此事。后来富者渐渐衰落，不能偿还所欠的钱，争讼屡屡发生。大中祥符末年，薛田被任命为转运使，请求由官府设置交子务专管钱的兑出兑入，很久未见回答。寇瑊守蜀，便请求废交子不再用。适逢寇瑊离蜀而薛田代替他，诏令薛田与转运使张若谷考虑研究交子使用之利弊。薛田、张若谷奏议：“废除交子不用，对经商贸易不方便，请由官方设立衙门，禁止民间私自营造。”戊午(二十八日)，下诏批准他们的请求，开始设置益州交子务，制作交子数为一百二十五万六千三百四十。寇瑊是临汝人；张若谷是南剑人。

大理寺丞、彭山知县卢察要求任官襄州以便于祭扫坟墓，仁宗应允。

十二月，壬戌(初三)，辽国任命皇侄宗范为平章事，封为三韩郡王。

江州陈蕴祖居当地二百年，有两千口人靠他家吃饭，而陈蕴已八十多岁了，尚且不断行善，州府将此事上奏仁宗。仁宗说：“良民是一乡的表率，表彰他就是对行善的人的激励。”甲子(初五)，授陈蕴为本州助教。

丁卯(初八)，辽国主任萧永为太子太师。

辛未(十二日)，诏命吏部流内铨量才选用幕职官知大县，这是由于京中缺少朝官的缘故。

己卯(二十日)，辽国主封皇子重元为秦国王。重元是元妃的小儿子。

天圣二年 辽太平四年(公元1024年)

春季，正月，癸卯(十四日)，命御史中丞刘筠等四人暂理贡举之事。

诏命修筑景灵宫的万寿殿以供奉真宗，题署奉真；庚辰(二月二十二日)，任命王钦若为礼仪使。

辽主前往鸭子河；二月，己未朔(初一)，在达鲁河狩猎，将鸭子河改为混同江，达鲁河改

为长春河。

三月,戊子朔(初一),下诏礼部:“诸科举人不能应对策问的,不能立即除名。”在此之前上封的人奏言:“学经学的不深究其要旨,请求在本科增加问策考试。”至此应对的多有谬误,仁宗特下诏放宽尺度。

己丑(初二),同提点开封府界公事磁州人张君平上奏说:“南京、陈、许、徐、宿、亳、曹、单、蔡、颍等州,古代的田间沟渠与京城附近地方相连接,年久失修,因而京师屡遭水灾,请派官员去疏通。”诏命表示同意。

丁酉(初十),安置真宗画像于景灵宫奉真殿。

皇太后谕告宰相说:“近来选择儒臣侍奉皇帝讲读学习,深有启迪受益。”宰相推荐工部郎中单父人马宗元,精通经典有行义,可以让他入宫到经筵侍奉皇帝,辛丑(十四日),命马宗元入直龙图阁。

癸卯(十六日),王钦若等献上《真宗实录》一百五十卷,仁宗降诏予以褒奖。

乙巳(十八日),仁宗临驾崇正殿,赐进士安陆人宋郊、长州人叶清臣、吴县人郑戬等一百五十四人及第,四十六人同出身。不及格的六人,由于曾经经过真宗考试,特赐予同《三礼》出身。丙午(十九日),又赐诸科一百九十六人及第,八十一人同出身。

宋郊与他的弟弟宋祁,都以擅长辞赋出名,礼部上奏宋祁为第三名,太后不愿让弟弟位居先前,就擢升宋郊为第一名而将宋祁列为第十名;人称为“二宋”,以大、小来区别他们。刘筠看到叶清臣的对策,很为惊奇,所以擢升为第二名。以对策擢取高第,是从叶清臣开始的。

壬子(二十五日),赐乡贡进士张环、太常寺太祝吕宗简进士及第,仍附考试进士之榜。张环是张洎之孙,宰相王钦若的女婿;吕宗简是参知政事吕夷简的弟弟。

夏季,四月,池州知州李虚己上奏说:“州县在初春时节预先付钱给百姓,至夏秋,令百姓以绸绢抵还官府,百姓有的不想预贷,而官府强行预付,实为扰民。辛酉,诏令三司谕告各州县不许再强行预贷,不是当地生产这种土特产品不准收购。

起初,仁宗乳母许氏,被宫女残害而出宫,嫁给苗继宗,到这时她才拦驾向仁宗陈诉。丙寅(初九),封她为临颍县君,任命苗继宗为右班殿直。不久又加封许氏为当阴郡夫人,再次入宫。

五月,丁亥朔(初一),司天监说本该日食而不食,宰相敬奉表章祝贺。

乙未(初九),审察在押囚犯的罪状。

六月,己未(初三),百官上表请仁宗听奏乐曲,不准;上表五次,才允许。因而传谕王钦若:“现在虽然勉强答应了大家的请求,秋宴只应当演奏全乐曲的一半,其他各项游幸的事,我都不忍心享受。”

辽国南院大王耶律制心去世。

耶律制心镇守上京,多施仁政,当时酒禁正严,有时逮捕了私自酿酒的人,耶律制心将酒一次饮尽,对私酿的人笑而不责。有人劝他信奉佛教,他说:“我不知道佛教,只有一心无私,就接近佛法了。”赠政事令,追封为陈王。

壬申(十六日),免去天庆、天棋、天贶及先天降圣节宫观燃灯的制度。

甲戌(十八日),辽国任命萧迪里为南院大王。

秋季,七月,戊子(初三),诏命冬至于南郊祭天。

壬辰(初七),派遣殿中侍御史王硕、内殿承制朱绪清点检察山场的库存茶叶。

起初,朝廷已采用了李谘等的贴射法,推行一年后,豪商大贾们在议论中还不能抑扬其轻重,而有些议论者却说在边疆一带买粮食都付现钱,恐怕京师库存钱不够难以为继,争着说贴射法不方便。正值江淮制置司奏报茶叶有的积存过久而腐败变质了,请求同意将所有茶叶烧毁。朝廷怀疑这是变法的弊端,下书责备计置司,命王硕等巡行视察。之后李谘等上奏很全面地陈述了其法的利害,并且说:"推行新法的成绩已经很明显。多年来侵公肥私的漏洞,一下子堵塞了;对商贾们来说复旧更有利,于是想动摇新法,而议论者不考察实际情况,帮助他们游说。希望朝廷坚持推行新法,不要听信流言而有所改变。"于是诏命有司贴出告示晓谕商贾,朝廷推行新法不变之意;并分别赏赐典吏银绢不等。

起初,禁止寺庙道观买田。到真宗去世,宫中派遣使赏赐荆门军玉泉山景德院白银三千两,令其买田,说是为先帝造福,今后仍不得以此为例,从此寺庙道观逐渐开始买田。

癸丑(二十八日),安置真宗像于玉清昭应宫安圣殿。

八月,丙辰朔(初一),在崇政殿设宴,头一次用了半数乐队奏乐。乐工演奏时,仁宗一直没有看他们,直到宴会终结,仁宗脸上仍有悲戚的样子。

当时诏书下达成都府,召优伶许朝天等入补教坊,左正言刘随认为为了卑贱的优伶而下诏,有辱诏书的尊严。监察御史李纮也上奏说:"陛下即位以来,还没有召有才德的隐士出山,而首先召优伶,这不是把美德推广于天下呀。"于是才免召许朝天等优伶,并命令他们回成都府。李纮是李昌龄的侄子。

诏命:"凡被举荐的官员已升迁而贪污的人,举荐者要书写文牍上报皇帝,上报不实的,按罪犯论处。"

辽国任命附马萧都哩为殿前都点检。

己卯(二十四日),仁宗亲临国子监,祭谒先圣文宣王。召随从的臣下登入讲堂,命令直讲、屯田郎中马龟符讲《论语》,赏赐马龟符三品服色。后又观看《七十二贤赞述》,阅览《三礼图》,询问侍讲冯元有关三代制度情况。又亲临昭烈武成王庙。回宫后亲临继照堂,宴饮随从侍臣。

甲申(二十九日),太白星入太微垣星座。

九月,辛卯(初六),在太一宫祭祀,赐给道旁迎候的农民茶叶、布帛。

庚子(十五日),皇太后亲笔写信给中书门下,立过去中书令郭崇的孙女为皇后,皇太后谕告辅臣:"自古以来,外戚之家很少能以富贵自保,因此我选择衰落门庭的,或许可以使以后免于外戚扰乱朝政。"

冬季,十月,辛巳(二十七日),诏令:"从今以后下诏书令刑部刻版印发。"

当时刑部青州人燕肃上奏说,按旧制度,聚集书吏分别抄录,错字很多,造成四方复命奏章有的与原意相违,因而请求刻版印发。有人说:"版本一错,后果就更严重了。"王曾说:"可以一字不错。"于是才颁布这一诏令。

丙辰(初二),把真宗像安置在洪福院。

这个月,辽国主驻留在辽河。

十一月,乙未(十一日),祭祀玉清昭应宫、景灵宫。丙申(十二日),祭太庙。丁酉(十三日),在圜丘合祭天地,大赦天下。百官进上皇帝尊号为圣文睿武仁明孝德皇帝,进上皇太后

尊号为应元崇德仁寿慈皇太后。赏赐百官,诸军晋级。

乙巳(二十一日),立郭氏为皇后。当初张美人受宠,皇帝有意立为皇后,太后不同意而止,因此,郭氏虽被立为皇后,而皇帝颇为疏远她。

辛亥(二十七日),封王钦若为冀国公,改封曹利用为鲁国公,并格外施恩。按照成例,每逢朝廷大礼,辅臣照例进宫,自从参知政事吕夷简与同朝大臣恳请取消这种定例以后,才改成格外施恩宰相的制度。

十二月,丙寅(十三日),代理判都省马亮上奏说:"天下僧人有成千上万,有的成为盗贼,百姓受害匪浅。请求除每年按制度剃度僧人外,其他时间不再剃度;并且命令从今以后凡曾犯法判罪或文过身的人都不准为僧。"诏令允许。

这年冬天,辽国大阅兵,扬言前往幽州狩猎。枢密院和中书省都请求备粮练兵以防辽军进犯,唯有枢密副使张知白奏言:"与辽人和好不久,现在他们阅兵是由于他们的皇帝刚临政,观察试探朝廷的动静,怎能自己挑起争端呢!若总是怀疑不放心,不如以黄河决口发兵驻防黄河为借口,万一有变,也足以对付了。"过了不久,果然无事。

辽国主曾改换百姓服装出外行猎,有一个叫耶律罕班的在京师游历,往在行宫附近,随身只有一包衣服和马匹而已。辽主看见后询问他,罕班不认识辽主,随口回答说:"我是北院部人,想找机会当官而已。"辽主与其交谈,发现此人才学匪浅,暗地记下他。正值北院呈奏南京有疑狱很久不能判决,辽主召罕班飞马前往审察,满朝震惊。罕班量情处理,没有冤屈一个人,辽主给予嘉奖。又令他统计牧群,缺两群马,同事者考察搜寻不止,罕班并不责备属下,立即先驰马向辽主以实奏报,辽主更加信任他。

这年,辽国录取进士李炯等四十七人。

天圣三年 辽太平五年(公元1025年)

春季,正月,乙酉(初二),辽主前往混同江。

戊子(初五),辽派遣宣徽南院使萧从顺等来祝贺长宁节,仁宗在崇政殿召见萧从顺,皇太后垂帘,在殿中设酒宴招待,由御史中丞薛奎至驿馆相陪。萧从顺请求面见太后,并且说南朝使臣到辽的都面见太后,而辽使来南朝却不能面见太后,薛奎解释说:"皇太后垂帘听政,即使是本朝群臣也不曾面见呀。"萧从顺才作罢。到辞行时,萧从顺生病,朝廷命宰相王曾在都亭驿设宴送归,萧从顺问王曾说:"南朝每次派使臣来,都是由官员兼任,为什么?"王曾道:"使者要选用合适的人,而不取决于官职的高低。现今枢密院和中书省一共八个人,六人常任使节出使,只由于其人适合,不以官职决定。"萧从顺沉默不语。这以后萧从顺以有病为由留居于驿馆之中,不能肯定何时返归,仁宗派使臣慰问,请太医诊病,往来不断。枢密使曹利用请求免除对萧从顺的一切探视诊治,萧从顺才归去。

二月,戊午(初五),辽国禁止国内穿戴明金及金线丝织衣服,皇亲国戚应当穿这种服装的,要先奏请而后使用。

乙丑(十二日),暂代御史中丞薛奎,罢免为集贤院学士,知并州,有人诬告薛奎泄漏了宫中机密。接着秦州守官缺员,仁宗因薛奎屡次在西部边疆一带任官,熟悉当地风土人情,就改命他知秦州,秦州一向有大量军队驻守,经费却常不足,薛奎力求节俭,教给百姓种水田,精细地经商贸易,年中仓储粮达到三百万,所征赋税超出三十万,核查出百姓隐匿的田产数千顷,又得草与粮十余万。

这月，辽主前往鱼儿泊。

三月，丙子（疑误），知河南府陈尧佐迁官知并州。每当汾水上涨，州中人为遭水淹担忧，陈尧佐为此修筑河堤，种植柳树数万棵，建造柳滨亭，百姓受益匪浅。

壬辰（初十），辽国任命左丞相张俭为武定军节度使，任命殿前都点检萧都哩为契丹行宫都部署。

这日，辽主前往长春河。鱼儿泊出现雷鸣般的响声，水势一夜间越出沙冈四十里，沿山陂地都被淹没。

夏季，四月，壬子朔（初一），诏命恩恤判刑入狱之人。

这月，任命龙图阁直学士、刑部郎中刘烨知河南府。

刘烨为河南世家，官宦旧族。曾暂代发遣开封府事，被单独召见，太后问道："知道你是名族之后，想看看你的家谱，恐怕是和我同族吧？"刘烨答："不敢。"过些天又问了几次，刘烨无以回答，就假装中风，倒在地上爬出去，才得免。

五月，庚寅（初九），审察在押囚犯的罪状。

癸巳（十二日），仁宗亲临御庄观看割麦，听见百姓屋中传出机织之声，赏赐织布妇女茶与布帛。

辽主在永安山避暑。任命萧从顺为太子太师，吴叔达为翰林学士，道士冯若谷加官太子中允。命张俭转移镇守大同。

六月，癸酉（二十三日），环州、原州的羌人反叛，攻打边疆，环庆都监赵士隆被杀，仁宗派遣使者前往陕西进行安抚。

秋季，七月，戊子（二十一日），诏命诸路转运使审察检举知州、同判中不称职的人。

壬寅（二十二日），前户部郎中夏竦守丧满期起用为知制诰。

夏竦急于进取升官，他喜好占卜，世人视他为奸邪之人。他曾上奏疏请求参加修订《真宗实录》，仁宗没有回答。接着为母守丧，暗中到京师要求起用，依靠宦官张怀德在宫内帮忙，而王钦若又欣赏夏竦，从侧面给他帮了不少忙，才有这项任命。

辽主在平地松林狩猎。

八月，辛亥（初二），益州知州薛田上奏说："本州送举人进京，从张咏以来，照例都是发给馆券到京城，现接三司公文，要求州吏负责发给应由官府供给的一切物品，这恐怕不是朝廷的意见吧。"仁宗说："汉代的贡士们都由郡国供给食用，现在唯独远方地区不能这么做？三司的公文全作废。"

戊午（初九），夔州路提点刑狱盛京上奏说忠州地区对盐井每年加税，奉节、巫山县种田人都跑光了，由里胥们代替交纳户税，万州地区每户交纳谷税钱，这都成了害民之事，仁宗下诏全部免除。盛京是盛度的堂兄。

起初，李咨等已上条陈叙述茶法的利弊，议论者还在争论指责其不便。辛未（二十二日），仁宗命翰林侍读学士孙奭，知制诰夏竦等再加以审定。

九月，庚辰朔（初一），开始派使节去祝贺辽国皇后的寿辰。

辽主留驻南京。

己亥（疑误），辽国开始派使节来祝贺宋太后的寿辰。

冬季，十月，乙卯（初七），太白星犯南斗。

辛酉(十三日),任翰林学士、礼部侍郎晏殊为枢密副使。

庚午(二十二日),任命宰相王钦若为译经使。唐代译经使是宰相懂佛学的人兼任;宋代初年翻译经文是由朝臣们润色,到丁谓为宰相时,才开始设置译经使;而王钦若任译经使是由于译经僧法护等的奏请,议论的人有所指责。

十一月,己卯朔(初一),孙奭等上奏说:"十三个产茶的山场茶叶堆积卖不出去的共有六百一十三万余斤,原来允许商人贴射,好茶都被商人贩走,交入官府的都是粗糙低劣不按时采制的茶叶,所以没人肯出售。又,按贴射法规定,园户每年不能交足应交的茶数所欠之数也要像按商人那样向官府交纳息钱,而园户都是小民贫弱,无力支付,对他们的侵害更大。又,奸商倚仗贴射法之名,强行购买私自贩运,侵犯夺取了官府的利益。贴射法有这么多严重的弊端,不能不废除。请求废除此法,恢复由官府给园户本钱买茶,而商人向榷货务交钱买茶而后出售。"于是茶法又被破坏了。

庚子(二十二日),辽主亲临果园宴会,京城百姓聚观,求取进士得到七十二人,命他们赋诗,按优劣排列顺序,任命张昱等十四人为太子校书郎,韩栾等五十八人为崇文馆校书郎。

王钦若已经兼任译经使,刚去传法院,就因生病而急速返回,仁宗驾临慰问,赐白金五千两,戊申(三十日),王钦若去世。皇太后亲临祭奠哭泣,赠太师、中书令,谥号文穆,派遣官员护卫丧葬等事。录用他的亲属及所亲信的人共二十多人。自从建隆年间以来,抚恤宰相的恩惠,没有能与此相比的。

王钦若身材矮小,脖子上生有附疣,当时人视他为"瘿相"。智力超人,每当朝廷有所兴建营造,他都能委曲迁就以迎合圣上的心意。性情极为乖巧,敢于纠正虚妄荒诞之言。太后因为他是受先朝特殊宠信的人,所以再度任用他。到吴植的事败露,太后很不高兴,同朝臣僚也稍为排挤他,王钦若抑郁而死。后有诏命在茅山为他塑像,列于仙官。

辽北院枢密使萧哈绰生病,辽主想亲往探视,萧哈绰辞谢道:"臣没有做出什么成绩来,辜负了重用,现在面容憔悴不堪,恐陛下见了会伤感。"辽主才没有前去。正值北府宰相萧朴前去探病,萧哈绰握住他的手说:"我死后,你必定任枢密使,千万不要推荐能力比自己强的人。"萧朴听了这话很鄙视他。乙丑(疑误),萧哈绰去世。

十二月,戊辰(二十日),辽国任命萧朴为北院枢密使,封兰陵郡王。

以前,朝班中以宰相为首,其次是亲王,再次是使相,枢密使虽然检校三师兼侍中、尚书、中书令,但在朝班中仍在宰相之下。咸平初,曹彬任枢密副使兼侍中,位于户部侍郎、平章事李沆之下,是遵宋旧制度。乾兴中,王曾由次相任会灵观使,曹利用由枢密使任景灵宫使,当时以宫观使为显贵,诏命曹利用于朝班中在王曾之上,议论的人深以为不应该。到这时,王曾进升昭文馆大学士、玉清昭应宫使,朝臣集于殿廷,王曾将拜谢皇恩时,曹利用仍想列班于王曾之上,群臣不敢仲裁。王曾看着殿使高声说:"你只启奏宰相王曾等告谢。"列班已排定,曹利用郁郁不平,张士逊劝慰了一番。庚申(十二日),诏命宰相、枢密使序班按照旧例。而曹利用心志高傲,仍居次相张知白之上。等到听说仁宗从河阳召回张旻并任命其为枢密使时,曹利用怀疑要用张代替自己,这才开始后悔害怕。

殿前副指挥使杨崇勋,曾前往中书省谈事情,正是小雨初晴的天气,杨崇勋穿着带泥的靴子登上台阶,王曾向他点点头,不按常礼请他落座。杨崇勋退出以后,王曾弹劾其失礼,送交宣徽院问罪。第二天,王曾入宫对策时,要求太后传诏命为杨崇勋解除罪责,太后询问原因,王曾回答说:“杨崇勋是个武夫,不懂朝廷礼仪。我弹劾他,是掌权之臣为了振兴国家纪纲;现在又要求宽释他,是表示人君的恩德深重。这样一来,则仁爱之心归属于君主,而威严的法令也在臣下中得到整肃。”

癸亥(十五日),迁崖州司户参军丁谓为曹州司户参军。

丁谓因家居洛阳,曾给家人写书信自责,感谢国恩厚重,告诫家人不可有怨望情绪,他派人把书信交给西京留守刘煜,请求交付其家,并叮嘱送书信的人,要等刘煜与群僚们聚会时送交。刘煜接书信后不敢自作主张,立即禀告仁宗,仁宗看了以后很感动,动了恻隐之心,因此有以上诏命。宰相上奏说:“丁谓是由于天下不容其罪才被放逐的,现在没有特赦之恩,不能把他调回来。”仁宗说:“把丁谓放逐海边已有几年了。只不过想让他活着返回岭表而已。”

乙丑(十七日),淮南节度使、检校太师,同平章事张旻照旧充任枢密使,太后卑微时,曾住在张旻家,张旻侍奉她非常恭谨,太后深为感激,所以让他再掌枢密府。不久他改名为耆。

这年,燕地百姓因庄稼丰收,辽主亲临该地区,争着向他敬献土特产品,辽主以礼待年长者,安抚鳏寡之人,赏给他们肉和酒。到晚上,街道上灯火如同白昼一般,官民一起嬉戏游玩,辽主也换了便服来观看。

丁丑(二十九日),辽国下禁令,工匠们不准销毁金银器皿。

天圣四年 辽太平六年(公元 1026 年)

春季,正月,癸未(初五),辽国使臣萧迪里入朝参见。辽又派人给萧迪里送来酒果。仁宗问宰相王曾:“有三十多人来送酒果,已到莫州,就听任他们来吗?”王曾说:“最好制止这些人前来,而以舟兵替代他们,把酒果转给萧迪里即可。”仁宗说:“好!”

益州知州薛田上奏说:“两川地区罪犯发配到其他州的,虽然年老有病者被释放了,也都留在原地不许返回家乡,从今以后请求不再拘留他们”。仁宗说:“边远地区的百姓由于无知而犯法,终身都不能返回故乡。难道是我的本意吗! 审查他们之中情有可悯的,听任遣送他们返回家。”

庚辰(初二),辽主前往鸳鸯泊。

二月,己酉(初二),辽国任命同知枢密院黄翩为兵马都部署,领兵在混同江和疏木河之间筑城,黄龙府请求建立三座堡垒,十座烽火台,辽主命令等农闲时修建。

东京留守耶律巴格奏报黄翩领兵进入女真境内略地,俘获不计其数,有二百七十户归降,辽主表扬奖勉黄翩。

庚戌(初三),玉清昭应宫使王曾请求下令三馆校理《道藏》。仁宗同意。仁宗说:“道书多谈飞升炼丹,不如老子的《道德经》五千言之简要!”

壬戌(十五日),派遣官员祭祀九宫贵神。仁宗对辅臣说:“祭祀那天正与真宗的忌日相同,还奏乐吗?”王曾回答说:“只设置乐队而不演奏吧。”又询问古今演奏乐曲有何异同,王曾说:“古乐用于祭天地、宗庙、社稷、山川、鬼神,而听到乐声的人没有不感到和谐愉快的。今乐则不同,只是让人耳目娱悦,心志荡漾,从古以来君王丧失国家流离逃亡者,没有不是由此引起的。”仁宗说:“我对音乐演奏不大留意,宫内外的宴游都是勉强去的。”

己巳(二十二日),辽国南京发生水灾,派使臣前去赈济。

庚午(二十三日),诏令:“党项的别部塌西,设契丹节度使治理。”

三月，庚寅（十三日），辽国任命大同军节度使张俭为南院枢密使，左丞相兼政事令。辽国主正在眷顾依赖张俭，参知政事吴叔达与张俭不和，辽主发怒，派吴叔达出任康州刺史。

御史台从薛奎离任以后，中丞缺人一直没有补缺，侍御史知杂事韩亿独掌台务超过一年。壬午（初五），才任命代理知开封府汝阴人王臻暂任御史中丞。王臻建议："三司、开封府诸曹参军及京城周围的县丞、县尉，大多是用的贵族子弟，这些人骄傲懒惰不称职，请求任用那些出身清寒、科考登第而且在任官期间经考核没有过失的人。"又说："京师百司的吏人入官，请按照《长定格》办理，归属该司三年。"两者都被批准。

这个月，准布侵辽，西北路招讨使萧惠打败了他们。

续资治通鉴卷第三十七

【原文】

宋纪三十七　起柔兆摄提格【丙寅】四月，尽屠维大荒落【己巳】七月，凡三年有奇。

仁宗体天法道极功全德　神文圣武睿哲明孝皇帝

天圣四年　辽太平六年【丙寅，1026】　夏，四月，安德节度推官李佑，唐庄宗曾孙也，上书求便官以洒扫陵庙，因改授西京留守推官。帝谓辅臣曰："唐庄宗百战有天下，嬖用伶官以及祸，可叹也！"王曾曰："陛下日听政事，又以前代治乱为龟鉴，天下之福也。"

知宁州、职方员外郎杨及，尝因乾元节献绣佛。帝谓辅臣曰："及，佞人也。民安政举，乃守臣之职，焉用为此？"辛亥，令邸吏还之。

丙寅，辽主如永安山。

五月，己卯，诏礼部贡举。

判刑部燕肃上奏曰："唐大理卿胡演进月囚帐，太宗诏，凡决死刑，京师五覆奏，诸州三覆奏，全活甚众。贞观四年，断死罪二十九，开元二十五年，才五十八。今天下生齿未加于唐，而天圣三年，断大辟二千四百三十六，视唐几至百倍。京师大辟虽一覆奏，而州郡之狱有疑及情可悯者，至上请而法寺多举驳，官吏得不应奏之罪，故皆增饰事状，移情就法，失朝廷钦恤之意。望准唐故事，天下死罪皆得一覆奏。"下其章中书，王曾谓："天下皆一覆奏，则死囚充满狴犴，久不得决；请狱疑若情可矜者听上请。"壬午，诏曰："朕念生齿之繁，抵冒者众；法有高下，情有重轻，而有司巧避微文，一切致之重辟，岂称朕好生之志哉！其令天下死罪情理可矜及刑名疑虑者，具案以闻，有司毋得举驳。"

戊子，录囚。

辛卯，辽以东京统军使萧慥古为契丹行宫都部署。

癸卯，辽命西北路招讨使萧惠将兵伐甘州回鹘。

闰月，戊申，减江、淮岁漕米五十万石，除舒州、太湖等九茶场民逋钱十三万缗。

辛亥，复陕西永丰渠以通解盐。

甲子，诏辅臣于崇政殿西庑观侍读学士宋绶等讲《唐书》。

帝曰："朕览旧史，每见功臣罕能保始终者，若裴寂、刘文静，俱佐命元功，不免诛辱。"王曾对曰："寂等之祸，良由功成而不知退也。"绶兼句当三班院，因请解所兼，专事劝讲。太后命择前代文字可资孝养、补政治者以备帝览。遂录进唐谢偃《惟皇诫德赋》，又录《孝经》、《论语》要言及唐太宗所撰《帝范》二卷、明皇朝臣寮所献《圣典》三卷、《君臣政理论》二卷

上之。

六月，丁亥，建、剑、邵武等州、军大水，赈之。

庚寅，大雨震电，京师平地水数尺。辛卯，避正殿，减常膳。

癸巳，以西上阁门使曹仪、洛苑副使、内侍押班江德明提举修葺在京营房库务，内殿崇班麦守忠相度疏导积水。水之作也，宰执方晨朝，未入，俄有旨放朝。王曾亟附中使奏曰："天变甚异，乃臣等燮理无状，岂可退安私室，恬然自处！"亟请入见，陈所以备御之道。同列有先归者，闻之皆愧服。时又传言汴口决，水且大至，都人恐，皆欲东奔。帝以问曾，曾曰："河决奏未至，民间讹言不足虑。"已而果然。

初，汴水大涨，众汹汹忧京城，乃用枢密院奏，敕八作司决陈留堤及城西贾(陂冈)〔冈陂〕池，泄之于护龙河。水既落，命开封府界提点张君平调卒复治其堤防。秋，七月，丙午，赐役卒缗钱。

诏："官物漂失，主典免偿；流徙者所在抚存之。"

戊申，御长春殿，复常膳。

〔乙丑〕，罢永兴军、秦、坊等州新醋务。

辽主猎于黑岭。

辛未，诏："两川所造锦绮、鹿胎透背欹正等，岁减上供之半，其大小绫及花纱，仍令改织绢以供边费。"先是上封者以此为言，帝谓辅臣曰："朕意正欲如此，宜亟行之。"王曾等曰："锦绮纂组，有害无益。臣约一锦之费，可为绢数匹。陛下崇俭节费以惠远人，臣等敢不奉诏！"

帝谓辅臣曰："比以天暑罢讲读，适已召孙奭等说书，卿等公事退，可暂至经筵。"王曾曰："陛下留意经术，虽炎暑不辍，有以见圣学之高明也。"

壬申，诏诸路转运使举所部官通经术者。

八月，丁亥，筑泰州捍海堰。先是堰久废不治，岁患海涛冒民田，监西谿盐税范仲淹言于发运副使张纶，请修复之。纶奏以仲淹知兴化县，总其役。议者谓涛患息则积潦必为灾，纶曰："涛之患十九而潦之灾十一，获多亡少，岂不可乎？"役既兴，会大雨雪，惊涛汹汹且至，役夫散走，旋泞而死者百馀人，众讙言堰不可复，诏遣中使按视，将罢之。又诏淮南转运使胡令仪同仲淹度其可否，令仪力主仲淹议。仲淹寻以忧去，犹为书抵纶，言复堰之利。纶表三请，愿身自总役。乃命纶兼权知泰州，筑堰自小海寨东南至耿庄，凡一百八十里，而于运河置闸，纳潮水以通漕。逾年，堰成，流逋归者二千六百馀户。民为纶立生祠。令仪及纶各迁官。

辽萧惠之讨甘肃回鹘也，征兵诸路，独准布部长特喇后期，立斩以徇。至甘州，攻围三日，不克而还。时特喇之子聚兵来袭，准布部有乌拜者，密以告惠，惠未之信。会西准布诸部皆叛，都监尼噜古。国舅帐太保阿卜鲁等将兵三千来救，遇敌于哈屯城西南，为其所败，尼噜古、阿卜鲁俱死之，士卒溃散。惠仓卒列阵，准布诸部出不意，攻辽营。辽人请乘势奋击，惠曰："我军疲敝，未可用也。"乌拜请以夜斫诸部之营，惠又不许。及诸部兵退，惠乃设伏以邀击之，前锋始交，诸部散去。辽主遣特里衮耶律洪古、林牙耶律华格将兵讨之。洪古，华格之弟也。辽主尝刺臂血与洪古盟为友，礼遇尤异，及讨准布有功，拜南府宰相，改上京留守。

九月，乙卯，诏孙奭、冯元举京朝官通经术者。

庚申，诏礼部贡院，诸科通《三经》者荐擢之。

录周世宗从孙柴元亨为三班奉职。

辛未，废襄、唐二州营田务，以田赋民，每顷输税五分。

壬申，命翰林学士夏竦、蔡齐、知制诰程琳等重删定《编敕》。帝问辅臣曰："或谓先朝诏令不可轻改，信然乎？"王曾曰："此悭人惑上之言也。咸平中，删太宗朝诏令，十存一二。盖去其繁密之文以便于民，何为不可！今有司但详其本末，又须臣等审究利害，一一奏禀，然后施行。"帝然之。

是月，辽主驻辽河。

冬，十月，甲戌朔，日有食之。

丙子，哈斯罕诸部长朝于辽。未几，哈斯罕部乞建旗鼓，辽主从之。

〔辛卯〕，淮南转运司言楚州北神堰、真州江口堰修水闸成。

初，堰度舟，岁多坏，而监真州排岸浔阳陶鉴、监楚州税元城王乙，并谓置水闸堰旁，以时启闭。及成，漕舟果便，岁省堰卒十馀万。乃诏发运司，它可为闸处，令规画以闻。鉴、乙并优迁。

先是孙奭、冯元共荐大理寺丞安丘杨安国为国子监直讲，于是并召安国父兖州州学讲书光辅入见。帝令说《尚书》，光辅曰："尧、舜之事，远而未易行，臣愿讲《无逸》一篇。"时年七十馀矣，而论说明畅。帝欲留为学官，光辅固辞。〔十一月〕，乙卯，以光辅为国子监丞，遣还。

辽萧惠为招讨使累年，屡遭侵掠，士马疲困。十一月，有小校诉其三罪，辽主命案之，旋降惠为南京侍卫马步军都指挥使。

十二月，丁丑，恤畿内饥。

辛巳，辽主诏北面诸部廉察州县之官，不治者罢之。又诏："大小职官，有贪暴残民者立罢，终身不录；其不能廉直，虽处重任，亦代之；清勤者，虽卑位，亦当荐拔。"

辽自萧哈绰、萧朴相继为枢密使，专尚吏才，好自听讼，时人转相效习，风俗日衰。辽主下诏曰："朕以国家以南、北二院分治契丹、汉人，盖欲去贪枉，除烦扰也。若贵贱异等，则怨必生。夫小民犯罪，必不能动有司以达于朝，惟内族、贵戚，各恃恩行贿以图苟免，如是则法废矣。自今贵戚以事被告，不以事之大小，并令所在官吏案问，具申北、南院覆问，得实以闻；其不按辄申及受请托为奏言者，以本犯人罪罪之。"

丁亥，帝白太后，欲元日先上太后寿乃受朝，太后不可。王曾奏曰："陛下以孝奉母仪，太后以谦全国体，请如太后令。"因再拜称贺。帝固欲先上太后寿，既退，出墨诏付中书。

五年 辽太平七年【丁卯，1027】 春，正月，壬寅朔，初率百官上皇太后寿于会庆殿，遂御天安殿受朝。

己未，枢密副使晏殊罢。殊上疏论张耆不可为枢密使，忤太后旨。会从幸玉清昭应宫，从者持笏后至，殊怒，以笏撞之折齿，御史弹奏，遂出知宣州。之州数月，改应天府，延范仲淹以教生徒。自五代以来，天下学校废，兴学自殊始。

戊辰，以夏竦为枢密副使。

是月，辽主如混同江。

二月，癸酉，命吕夷简、夏竦修先朝国史，王曾为提举，翰林学士宋绶、枢密直学士刘筠、陈尧佐同修。初，内出札子，以先朝正史久而未修，虑年祀浸远，事或沦坠，宜令王曾修纂之。故事，宰臣自领监修国史；至是以曾提举，乃别降敕焉。

丙子，诏赈京东流民。

三月，辛酉，御崇政殿，试礼部奏名进士，仍命翰林学士宋绶以下二十六人为殿后弥封、誊录、考覆、详定、编排官，如先朝旧制。乙丑，赐进士王尧臣等一百九十七人及第，八十二人同出身，七十一人同学究出身，二十八人试衔；丙寅，赐诸科及第并出身者又六百九十八人。尧臣，虞城人也。

夏，四月，癸酉，试特奏名进士及诸科；甲戌，赐同出身及试衔者凡三百四十二人。寻下诏戒谕诸道举人，宜奋励词学，毋坐视岁月，冀望恩泽。

辛巳，辽杜防、萧蕴等来贺乾元节，知制诰程琳为馆伴使。蕴出位图，指曰："中国使者至北朝坐殿上，位高；今北朝使至中国，位下，请升之。"琳曰："此真宗皇帝所定，不可易。"防又曰："大国之卿当小国之卿，可乎？"琳曰："南、北朝安有大小之异！"防不能对。诏与宰相议，或曰："此细事，不足争。"将许之。琳曰："许其小，必启其大。"固争不可，乃止。

乙未，辽主猎于黑岭。

帝尝谓辅臣曰："世无良医，故夭横者众。"张知白对曰："古方书虽存，率多舛缪；又，天下学医者不得尽见。"乃命医官院校定医书。至是诏国子监摹印颁行，并诏翰林学士宋绶撰《病源序》。

五月，庚子朔，诏："武臣子孙习文艺者，听奏文资。"

丙午，阅诸班骑射。

辛亥，录系囚。

癸亥，楚王元佐薨，追封齐王，谥恭宪；后改封潞王。

是月，辽主清暑永安山。西南招讨司奏阴山中产金银，请置冶，从之；复遣使循辽河北求产金银之所。由是兴冶采炼，人赖其利。

六月，甲戌，以京畿旱，祷雨于玉清昭应宫、开宝寺。

丙子，诏决畿内系囚。

丁丑，雨。

癸未，罢诸营造之不急者。先是太后大出金帛，重修景德寺，遣内侍罗崇勋主之。宰臣张知白因言："按《五行志》，宫室盛则有火灾。近者洞真、寿宁观相继火，此皆土木太盛之证。"帝纳其言。

诏："翰林学士依大中祥符五年故事，双日锁院，只日降麻。"

辽禁诸屯田不得擅货官粟。

癸巳，辽复使萧惠讨准布。

秋，七月，己亥朔，赈泰州水灾。

辽主谕中外大臣曰："制条中有遗阙及轻重失中者，其条上之，议增改焉。"

乙巳，辽诏："辇路所经，旁三十步内不得耕种者，不在所讼之限。"

丙辰，发丁夫三万八千，卒二万一千，缗钱五十万，塞滑州决河。

诏察京东被灾县吏不职者以闻。

先是司天监主簿苗舜臣等，尝言土宿留参，太白昼见，诏日官同考定。日官奏："土宿留参，顺不相犯；太白昼见，日未过午。"舜臣等坐妄言灾变被罚。监察御史曹修古言："日官所定，希旨悦上，不足为信。今罚舜臣等，其事甚小，然恐自此人人畏避，佞媚取容，以灾为福。"

禁中以翡翠为服玩，诏市于南越，修古以为重伤物命，且真宗尝禁采狨毛，故事未远，宜罢之。时方崇建塔庙，议营金阁，费不可胜计，修古极陈其不可。八月，壬申，修古出知歙州。

九月，庚戌，阅龙卫神勇军习战。

〔癸卯〕，召辅臣至崇政殿西庑观孙奭讲书，各赐织成御飞白字图。

陕西转运司言，同、华等州旱，蚜蝣虫食苗。太常博士、秘阁校理、国史院编修官谢绛上疏曰："去年京师大水，败民庐舍，河渠暴溢，几冒城郭；今年苦旱，百姓疫死，田谷焦槁，秋成绝望；此皆大异也。陛下夙夜勤苦，思有以揽塞时变，固宜改更理化，下罪己之诏，修顺时之令，宣群言以导壅，斥近幸以损阴。而圣心优柔，重在改作，号令所发，未闻有以当天心者。夫风雨寒暑之于天时，为大信也；信不及于物，泽不究于下，则水旱为诊。近日制命有信宿辄改，适行遽止，而欲风雨以信，其可得乎？

"天下之广，万几之众，不出房闼，岂能尽知！而在廷之臣，未闻被数刻之召，吐片言之善；朝夕左右，非恩泽即佞幸，上下皆蔽，其事不虚。昔两汉日蚀、水旱，有策免三公以示戒惧。陛下进用丞弼，极一时之选；而政道未茂，天时未顺，岂大臣辅佐不明邪？陛下信任不笃邪？必若使之，宜推心责成以极其效；谓之不然，则更选贤者。比来奸邪者易进，守道者数穷，政出多门，俗喜由径。圣心固欲尽得天下之贤能，分职受事，而宰相方考资进吏，无所建白，循依违之迹，行寻常之政，臣恐不足回灵意，塞至戒。

"古者谷不登则亏膳，灾屡至则降服，凶年不涂塈。愿陛下〔下〕诏引咎，损太官之膳，避路寝之朝，许士大夫斥讳上闻，讥切时病，罢不急之役，省无名之敛，勿崇私恩，更进直道。诚动乎上，惠洽于下，岂有时泽之艰哉！"绛，涛之子也。

辽主驻辽河。冬，十月，丁卯朔，诏："诸帐院庶孽，并从其母论贵贱。"

辽主留心翰墨，始画谱牒以别嫡庶，由是争讼纷起，枢密使萧朴，有吏才，能知人主意，敷奏称旨，时议多取决之。

辛未，太常博士、直集贤院、同知礼院王皞，上所撰《礼阁新编》六十卷。

初，天禧中，同判太常礼院陈宽请编次本院所承诏敕，其后不能就，皞因取国初至乾兴所下诏敕，删去重复，类以五礼之目，成书上之，赐五品服。皞，曾弟也。

乙酉，监修国史王曾言："唐史官吴兢，于《实录》正史外，录太宗与群臣对问之语为《贞观政要》。今欲采太祖、太宗、真宗《实录》《日历》《时政记》《起居注》，其间事迹不入正史者，别为一书，与正史并行。"从之。

壬辰，医官院上所铸俞穴铜人式二，诏一置医官院，一置相国寺。

甲午，同皇太后幸御书院，观太宗、真宗御书。

丙申，滑州言塞决河毕。是日旬休，帝与太后特御承明殿，召辅臣谕曰："河决累年，一旦复故道，皆卿等经画力也。"王曾等再拜称贺。诏速第修河僚劳效以闻，作灵顺庙于新堤之侧。十一月，丁酉朔，名滑州新修埽曰天台埽，以其近天台山麓故也。自天禧三年河决，至是九载，乃复塞。修河部署彭睿、权三司使河南范雍、知滑州寇瑊，并加秩；凡督役者第迁官，民经率配，免秋税十之三。

乙未，辽皇侄匡义军节度使中山郡王查噶、保宁军节度使长沙郡王色嘉努、广德军节度使乐安郡王遂格，奏言各将之官，乞选伴读书史，辽主从之。

壬寅，工部郎中、直诏文馆燕肃请造指南车，内侍卢道隆又上所创记里鼓车，诏皆以其法

下有司制之。

甲辰，百官集尚书省，受荐享景灵宫誓，乙巳，受享太庙誓。丙午，受合祭天地誓。丁未，帝谓辅臣曰："百官三日受誓，礼当然邪？"王曾等曰："宫庙告享，皆缘郊祀之事，止当一受誓尔。今循先朝旧制，请俟它日厘正之。"

辛亥，朝享景灵宫。壬子，享太庙。大礼使王曾言："皇帝执玉被衮，酌献七室，而每室奏乐章，恐陟降为劳，请节宫架之奏。"帝曰："三年一享，朕不敢惮劳也。"

癸丑，祀天地于圜丘。贺皇太后于会庆殿。

丁巳，恭谢玉清昭应宫。

十二月，辛未，加恩百官。

丁亥，诏："百官、宗室受赂冒为亲属奏官者，毋赦。"

左正言孔道辅为左司谏、龙图阁待制。时道辅使辽犹未还，辽宴使者，优人以文宣王为戏，道辅艴然径出。主客者邀道辅还坐，道辅正色曰："中国与北朝通好，以礼文相接，今俳优之徒侮慢先圣而不之禁，北朝之过也。"

是岁，南郊肆赦，中外以为丁谓将复还。殿中侍御史临河陈(琬)〔炎〕上疏曰："丁谓因缘憸佞，窃据公台，今禋柴展礼，必潜输琛货，私结要权，假息要荒，冀移善地。李德裕止因朋党，不获生还；卢多逊曲事(主)〔王〕藩，卒无牵复；请更不原赦。"帝然之。

六年　辽太平八年【戊辰，1028】　春，正月，己酉，罢两川乾元节岁贡织佛。

诏："自今南郊军赏有阙，其三司官吏并劾罪。"

先是南郊赏赐军士，而汾州广勇军所得帛不逮它军，一军大噪，捽守佐堂下劫之，约予善帛，乃免。城中戒备，遣兵围广勇营。转运使孙沖适至，命解围弛备，置酒张乐，推首恶十六人斩之，遂定。初，守佐以乱军所约者上闻，诏给善帛。使者至潞，沖促之还，曰："以乱而得所欲，是诱之乱也。"卒留不予。

戊午，诏："诸路提点刑狱朝臣、使臣，交割本职公事与转运使、副使，仍令转运司条所省事件以闻。"或言提点刑狱官过为烦扰，无益于事故也。

庚申，党项侵边界，边帅击破之。

甲子，辽诏州县长吏劝农。

是月，辽主如混同江。

二月，辛未，同知礼院王皞言："谥者，行之表也。近日臣寮薨卒，虽官品合该拟谥，其子弟自知父祖别无善状，虑定谥之际，斥其谬戾，皆不请谥。窃以谥法自周公以来，垂为不刊之典，盖以彰善瘅恶，身殁之后，是非较然，用为惩劝。今若任其迁避，则为恶者肆志而不悛。欲乞今后凡有臣寮薨谢，不必候本家请谥，并令有司举行。如此，则隐慝无行之人有所沮劝矣。"从之。

壬午，工部尚书、平章事张知白卒。知白在相位，慎名器，常以盛满为戒，虽显贵，其清约如寒士。赠太傅、中书令。礼官谢绛议谥文节，御史王嘉言言："知白守道徇公，当官不挠，可谓正矣。请谥文正。"王曾曰："文节美谥矣。"遂不改。嘉言，禹偁子也。

知白九岁，其父终邢州，殡于佛寺；及辽师侵河北，寺宇多颓废，殡不可辨。知白既登第，徒行访之，得佛寺殿基，恍然识其处；既发，其衣衾皆可验。众叹其诚孝。

戊子，辽燕京留守萧孝穆，请于拒马河接宋境上置戍长以巡察，辽主从之。

三月，丙申朔，日有食之。

戊申，太后幸刘美第，左司谏刘随奏疏劝止。太后纳其言，自后不复再往。

壬子，以张士逊为礼部尚书、同平章事。

张知白既卒，帝谋代之者，宰相王曾荐吕夷简，枢密使曹利用荐张士逊。太后以士逊位居夷简上，欲用之，曾言辅相当择才，不当问位，太后许用夷简。夷简因奏事，言士逊事帝于寿春府最旧，且有纯懿之德，请先用之，太后嘉其能让。

癸丑，以姜遵为枢密副使。遵长于吏事，其治尚严猛，所诛残者甚众，时人号为“姜擦子”。太后遣内侍于永兴军营浮屠，遵希太后旨，悉毁汉、唐碑碣以代砖甓，躬自督治，既成，乃得召用。

己未，以范雍为枢密副使，班姜遵上。

是月，辽主驻长春河。

夏，四月，戊辰，诏审官、三班院、吏部流内铨、军头司，各引对所理公事。自帝为皇太子，辅臣参决诸司事于资善堂，至是始还有司。

丁丑，贷河北流民复者种食，复是年租赋。

癸未，命龙图阁待制燕肃、直史馆康孝基同议蠲减三司岁所科上供物。凡中都岁用百货，三司视库务所积丰约，下其数诸路，诸路度风土所宜及民产厚薄而率买，谓之科率。诸路用度非素蓄者，亦科率于民。然用有缓急，则物有轻重，故(方上)〔上方〕所须，轻者反重，贱者反贵，而民有受其弊者。肃等既受命，建言京师库务所积可给二年者，请勿复科买，诏从之。

庚寅，以星变，斋居不视事五日，降畿内囚死罪，流以下释之，罢诸土木工，赈河北流民过京师者。

时命僧道桧禳于文德殿，殿中侍御史李纮奏曰：“文德殿，布政会朝之位，每灾异辄聚缁黄赞呗于间，何以示中外！”

右司谏刘随，因星变言：“国家本支蕃衍，而定王之外，封策未行，望择贤者，用唐故事，增广嗣王、郡王之封，以应祖宗意。”

监察御史鞠咏条上应变五事，又言：“太子少保致仕晁迥，虽老而有器识，宜蒙访对，其必有补。”

五月，乙未朔，交趾寇边，诏广南西路转运司发谿峒丁壮捕之。时文思使焦守节知邕州，遣人入交趾，谕以利害，李公蕴拜章谢罪。

辽主清暑永安山。

庚戌，诏：“温、鼎、广等州岁贡柑，不得以贡馀为名，餉遗近臣。”始，王曾言于帝，请断贡馀。帝曰：“贡且劳矣，况其馀乎！”亟命罢之。

枢密副使姜遵言：“咸阳民元守亮岁贡梨，朝廷给赐，常倍其直，守亮恃此夸其里中，因以凌弱。请绝其献。”帝曰：“朕不知守亮敢恃此以横也。”辛亥，诏罢之。

六月，丙寅，罢戎、泸诸州谷税钱。

周虢州防御使柴贵，世宗弟也，其孙肃自陈求官。帝问王曾曰：“肃果柴氏之后乎？”曾对曰：“得贵告身验之，信然。”帝曰：“世宗开拓土宇，为吾国家也，后裔其可忘哉！”命为三班奉职。

秋,七月,辽以南院大王耶律迪里为上京留守。

戊戌,辽主猎于平地松林。

乙未,开封府推官、监察御史馆陶王沿为河北转运副使。沿上言:“本朝制兵刑,未几于古。自契丹通好三十年,二边地常屯重兵,坐耗国用,而未知所以处之。请教河北强壮,以代就粮禁卒之阙,罢招厢军,以其冗者隶作屯田,行之数年,当渐销减,而强壮悉为精兵矣。

“古者刑平国,用中典,而比者以敕处罪,多重于律。律以绢〔估罪者,敕以缗〕直代之;律坐髡钛而役者,敕黥窜以为卒。比诸州上言,谪卒太多,衣食不足,愿勿复谪者七十馀州。以律言之,皆不至是,是以繁文罔之而置于理也。诚愿削深文而用正律,以钱定罪者,悉从绢估,黥窜为卒者,止从髡钛;此所谓胜残去杀,无待百年者也。”

壬子,江宁府、扬、真、润州江水溢,坏官民庐舍,遣使安抚赈恤。

八月,乙丑,诏免河北水灾州军秋税。

初,帝谓辅臣曰:“比令内侍往缘边视水灾,如闻有龙堰于海口,故水壅而不泄。可遣官致祭。”王曾曰:“边郡数大水,盖《洪范》所谓不润下之证。海口恐非龙可堰,宜宽民赋以答天灾。”故有是诏。

甲戌,淮南、江、浙、荆湖制置发运使张纶知秦州。纶,天禧末为发运副使。时盐课积亏者十年,纶乃奏除通、泰、楚三州盐户宿负,官助其器用,盐入优与之直,由是岁增课数十万。复置盐场于杭、秀、海三州,岁入课又三百五十万。居三岁,增上供米八十万。在江、淮逾六年,为民兴利除害甚众。性喜施与,漕卒多冻馁道死者,纶见之,叹曰:“此有司之过,非所以体上仁也。”推俸钱市絮襦千数,衣其不能自存者。

乙亥,河决澶州王楚埽。

戊寅,翰林学士承旨兼龙图阁学士刘筠知庐州。筠三入翰林,意望两府,及为承旨,颇不怿,尝移疾不出。或戏筠曰:“服清凉散必愈。”盖两府乃得用清凉伞也。筠前尝知庐州,爱其土,遂筑室城中,架阁藏前后所赐书,帝为飞白书,曰“真宗圣文秘奉之阁”。及再至,即营冢墓,作棺,自为铭刻之。后二岁,竟卒于书阁。筠初为杨亿所识拔,后遂与亿齐名,时号杨、刘。性不苟合,临事明达,而其治尚简严。然晚为阳翟同姓富人(奉)〔奏〕求恩泽,清议颇少之。

丙戌,录唐张九龄后。九龄九代孙锡,以九龄告身及明皇批答来献。帝谓辅臣曰:“九龄,唐名相,宜旌其后。”即授国子四门助教。

九月,己亥,诏:“京朝官任内,五人同罪,奏举者减一任。”

乙巳,遣使修诸路兵械。

丙午,太常少卿、直昭文馆陈从易为左司郎中,兵部郎中、集贤院修撰杨大雅并知制诰。

自景德后,文士以雕靡相尚,从易独自守不变;与大雅特相厚,皆好古笃行,无所阿附。天禧初,大雅提点淮南刑狱,案部过金陵境上,遇风舟覆,冠服尽丧。时丁谓镇金陵,遣人遗衣一袭,大雅辞不受。王钦若亦不喜之。时议欲矫文弊,故并进用。大雅初名侃,避真宗旧讳,改焉。

壬子,辽主如中京,北德呼勒部节度使耶律延寿请视诸部,赐旗鼓,从之。

是月,准布诸部长多降于辽。

冬,十月,甲申,除福州民逋官庄钱十二万八千缗。

初，王氏据福州时，有田千馀顷，谓之官庄。太平兴国中，授券与民耕，岁输赋而已。天圣二年，发运使方仲荀言："此公田也，鬻之可复厚利。"遣屯田员外郎辛惟庆领其事，凡售钱三十五万馀缗，诏减缗钱三之一，期三年毕偿。监察御史朱谏以为伤民，不可，诏复为贫弱者宽期。至是知州章频复以为言，诏悉除之。

辽魏王耶律色轸之孙妇指斥乘舆，其夫为之容隐，事觉，连坐，并籍其家。

辽主谕燕城将士："若有敌至，总管备城之东南，统军使守西北，马步军备野战，统军副使缮壁垒、课士卒，各练其事。"

十一月，丙申，辽太子宗真纳纪萧氏，驸马都尉克迪之女也。

辽以耶律求翰为北院大王。

癸卯，翰林学士宋绶等上所撰《天圣卤簿记》十卷。初，南郊，绶摄太仆卿，陪玉辂，帝问仪物典故，占对辨给，因使绶集官撰记，帝叹其详备。

十二月，丁卯，赐故杭州处士林逋谥曰和靖先生，仍赡其家。逋临终赋诗，有"茂陵它日求遗稿，犹喜曾无封禅书"之句。既卒，州以闻，帝嗟惜之。

初，逋尝客临江，李谘方举进士，未有知者。逋曰："此公辅器也。"及逋卒，谘适为州守，为素服，与其门人葬之。

辽主诏："两国舅及南北王府乃国之贵族，贱庶不得任本部官。"

是岁，辽放进士张宥等五十七人。

七年　辽太平九年【己巳，1029】　春，正月，癸卯，枢密使曹利用罢，以侍中判邓州。

初，太后临朝，中人与贵戚稍能轩轾为祸福，而利用以勋旧自居，不恤也。凡内降恩，力持不予，左右多怨。太后亦严惮利用，称曰侍中而不名。利用奏事帘前，或以指爪击带鞓，左右指以示太后曰："利用在先帝时，何敢尔邪！"太后颔之。利用奏抑内降恩，虽屡却，亦有不得已从之者。人揣知其然，或绐太后曰："蒙恩得内降，辄不从。今利用家媪阴诸臣请，其必可得矣。"下之而验，太后始疑其私，颇衔怒。

内侍罗崇勋得罪，太后使利用召崇勋戒敕之。利用去崇勋冠帻，诟斥良久，崇勋恨之。会从子汭为赵州兵马监押，而州民赵德崇诣阙告汭不法事；奏上，崇勋请往案之，遂罢利用枢密而穷治汭罪。汭坐被酒衣黄衣，令人呼万岁，杖死。丙辰，贬利用为左千牛卫上将军，知随州。

是月，辽主至自中京。

二月，庚申朔，参知政事鲁宗道卒。宗道疾剧，帝临问，赐白金三千两。既卒，太后临奠，赠兵部尚书。宗道刚正疾恶，遇事敢言，不为小谨。初，太常议谥曰刚简，复改为肃简，议者以为"肃"不若"刚"为得其实云。

甲子，诏："文臣历边任有材勇，武臣之子有节义者，与换官，三路任使。"

丙寅，张士逊罢。士逊以曹利用荐，得宰相，利用长枢密，凭宠自恣，士逊居其间，未尝有是非之言，时人目之为"和鼓"。及曹汭狱起，罗崇勋因谮利用，帝以问执政，众顾望，未有对者。士逊徐曰："此独不肖子为之，利用大臣，宜不知状。"太后怒，将罢士逊，帝以其东宫旧臣，加刑部尚书，知江宁府，解通犀带赐之。后领定国军节度使，知许州。

以吕夷简同中书门下平章事、集贤殿大学士。

始，王曾荐夷简可相，久不用。士逊将免，曾因对言："太后不相夷简，以臣度圣意，不欲

其班枢密使张耆上尔。耆一赤脚健儿，岂容妨贤至此！”太后曰：“吾无此意，行用之矣。”于是卒相夷简。

丁卯，以夏竦、薛奎参知政事，陈尧佐为枢密副使。奎入谢，帝谕奎曰：“先帝常以卿为可任，今用卿，先帝意也。”

癸酉，贬曹利用为崇信军节度副使，房州安置。利用又坐私贷景灵宫钱贬，命内侍杨怀敏护送，诸子各夺两官，没所赐第，籍其资，黜亲属十馀人。宦者多恶利用，行至襄阳驿，怀敏不肯前，以语逼之。利用素刚，遂投缳而绝，以暴卒闻。利用性悍梗少通，力裁侥幸，而其亲旧或有缘恩以进者，故及于祸。然在朝廷，忠荩有守，始终不为柔屈，死非其罪，人多冤之。

乙酉，以河水灾，委转运使察官吏不任职者易之。

癸巳，募民入粟以赈河北水灾。

闰月，戊申，禁京城创造寺观。时都人厌土木之劳，及诏下，咸喜。

壬子，诏曰：“朕开数路以详延天下之士，而制举独久置不设，意吾豪杰或以故见遗也。其复置此科。”于是稍增损旧名，曰贤良方正、能直言极谏科，博通坟典、明于教化科，才识兼茂、明于体用科，详明吏理、可使从政科，识洞韬略、运筹决胜科，军谋宏远、材任边寄科，凡六，以待京朝官之被举及应选者。又置书判拔萃科，以待选人之应书者。又置高蹈丘园科，沉沦草泽科，茂才异等科，以待布衣之被举及应书者。又置武举，以待方略智勇之士。其法，皆先上艺业于有司，有司较之，然后试秘阁，中格，然后天子亲策之；若武举，则仍阅其骑射焉。

初，盛度建言于真宗，请设四科以取士。夏竦既执政，建请复制举，广置科目以收遗才。帝从之，更采度前议而降是诏。

癸酉，置理检使，以御史中丞为之。其登闻检院匦函改为检匣，如指陈军国大事，时政得失，并投检匣，令画时进入，常事五日一进。其称冤滥枉屈而检院、鼓院不为进者，并许指理检使审问以闻。

时上封者言：“自至道三年废理检院，而朝廷得失，天下冤枉，浸不能自达。”帝读唐史，见匦函故事，与近臣言之，夏竦因请复置使领，帝从其议。

乙卯，始命御史中丞王曙兼理检使。

三月，乙丑，诏：“吏受赇自今毋用荫。”时三司吏毋士安坐受赇，法应徒，而用祖荫以赎论，特决杖勒停，而降是诏。

辛巳，诏以辽饥民流过界河，令所过给米，分送唐、邓等州，以闲田处之。

癸未，诏：“百官转对，极言时政阙失，在外者实封以闻。”

时群牧判官夏县司马池因转对，言：“唐制，门下省，诏书出有不便者，得以封还。今门下虽有封驳之名，而诏书一切自中书下，非所以防过举也。”内侍皇甫继明等三人给事太后阁，兼领估马，自言估马有羡利，乞迁官。事下群牧司，阅实，无羡利。继明方用事，自制置使以下，皆欲附会为奏，池独不可，吏拜曰：“中贵人不可忤也。”池不听，继明等怒甚。会除开封府推官，敕至阁门，为继明党所沮罢，乃以屯田员外郎出知耀州。

甲申，上封者言天下茶盐课亏，请更议其法。帝以问三司使寇瑊，瑊曰：“议者未知其要尔。河北入中兵食，皆仰给于商旅，若官尽其利，则商旅不行，而边民困于馈运矣。法岂可数更！”帝然之，因谓辅臣曰：“茶盐，民所食，而强设法以禁之，致犯法者众。但缘经费尚广，未能弛之,又安可数更其法也?”

泰州盐课亏缗钱数十万,事连十一州,诏殿中丞张奎往案之。还奏:“三司发钞稽缓,非诸州罪。”因言:“盐法所以足军费,非仁政所宜行。若不得已,令商人转贸流通,独关市收其征,则上下皆利,孰与设重禁壅阏之为民病!”有诏,悉除所负。奎,临濮人,全义七世孙也。

丙戌,遣官祈晴。帝因谓辅臣曰:“昨令视四郊,而麦已损腐,民何望焉!此必政事未当天心也。古者大辟,外州三覆奏,京师五覆奏,盖重人命如此。其戒有司,审狱议罪,毋或枉滥。”又曰:“赦不欲数,然舍是无以召和气。”夏,四月,庚寅,赦天下,免河北被水民赋租。京师自三月朔雨不止,前赦一夕而霁。

辛卯,南平王李公蕴卒。其子德政遣人来告,以为交趾郡王。

五月,(乙)〔己〕未〔朔〕,诏礼部贡举。

庚午,上封者言:“近边内地州郡,多是儒臣知州,边事武略,安肯留意!欲望自今选有武勇谋略内殿崇班以上三二十人,于河北、河东、陕西及西川、广南,不以远近,但路居冲要处充知州,得替日,具本处民间利害或边事十件奏闻。或朝廷要人驱使,询之于朝,则曰某人曾在某处,知某处事宜,则是先试之以近边之事,后委之以临边之任,或为州郡之防,或为偏裨之将,不乏人矣。”枢密院请令武臣阁门祇候以上知州军,代还日,分件言事。

辽主清暑永安山。

六月,戊子朔,辽以长沙郡王色嘉努为广德军节度使,乐安郡王遂格为匡义军节度使,中山郡王查噶为保定军节度使,进封潞王。

壬辰,置益、梓、广南路转运判官,与转运使分部案巡,位诸州同判上;别给印,分巡即用之;仍诏磨勘及一年者迁一官。议者以为自罢诸路提点刑狱,而益、梓、广南止一转运使,不能周知民事故也。

丁未,大雷雨,玉清昭应宫灾。宫凡三千六百一十楹,独长生崇寿殿存。翼日,太后对辅臣泣曰:“先帝力成此宫,一夕延燔殆尽,犹幸一二小殿存尔。”枢密副使范雍,度太后有再兴葺意,乃抗言曰:“不若燔之尽也!”太后诘其故,雍曰:“先朝以此竭天下之力,遽为灰烬,非出人意。如因其所存,又将葺之,则民不堪命,非所以祇天戒也。”宰相王曾、吕夷简亦助雍言,夷简又推《洪范》灾异以谏,太后默然。

太庙斋郎苏舜钦,诣登闻鼓院上疏曰:“今岁自春徂夏,霖雨阴晦,未尝少止,农田被灾者几于十九,臣以为任用失人,赏罚弗中之所召也。而大臣归咎于刑狱之滥,肆赦天下以为禳救,是杀人者不死,伤人者不抵罪,而欲以合天意也。古者断决滞狱以平水旱,不闻用赦。故赦下之后,阴霾及今。前志曰:‘积阴生阳,阳生则灾见焉。’乘夏之气,发泄于玉清宫,震雨杂下,烈焰四起,楼观万叠,数刻而尽,非慢于火备,乃天之垂戒也。陛下当降服减膳,避正寝,责躬罪己,下哀痛之诏,罢非业之作,拯失职之民,庶几可变灾为祐。浃日之间,未闻为此,而将计工役以图修复。都下之人,闻者骇惑,咸谓章圣皇帝勤俭十馀年,天下富庶,及作斯宫,海内虚竭。陛下即位未及十年,数遭水旱,虽征赋咸人而百姓困乏。若大兴土木,则费用不知纪极,财力耗于内,百姓劳于下,内耗下劳,何以为国?今为陛下计,莫若采吉士,去佞人,修德以勤至治,使百姓足给而征税宽减,则可以谢天意而安民情矣。夫贤君见变,修道除凶;乱世无象,天不谴告。今幸天见之变,是陛下修己之日,岂可忽哉!”舜钦时年二十一,易简之孙,耆之子也。

甲寅，王曾罢。始，太后受册，将御天安殿，曾执以为不可。及长宁节上寿，止供张便殿。太后左右姻家，稍通请谒，曾多所裁抑，太后滋不悦。会玉清昭应宫灾，累表待罪，乃出知青州。

以玉清昭应宫灾，知宫李知损编管陈州；御史台鞫火起，得知损尝与其徒茹荤聚饮宫中故也。

初，太后怒守卫者不谨，悉下御史狱，欲诛之。中丞王曙上言："昔鲁桓、僖宫灾，孔子以为桓、僖亲尽当毁者也。辽东高庙及高园便殿灾，董仲舒以为高庙不当居陵旁，故灾。魏崇华殿灾，高堂隆以台榭宫室为戒，宜罢之勿治，帝不听，明年复灾。今所建宫，非应经义，灾变之来，若有警者。愿除其地，罢诸祷祠，以应天变。"而右司谏范讽亦言："此实天灾，不当置狱穷治。"监察御史张锡言："若反以罪人，恐重贻天怒。"言者既众，帝及太后皆感悟，遂薄守卫者罪。

议者尚疑将复修宫，讽又言："山木已尽，人力已竭，虽复修，必不成。臣知朝廷亦不为此，其如疑天下何！愿明告四方，使户知之。"秋，七月，己巳，下诏以不复修宫之意谕天下。改长生崇寿殿为万寿观。

乙酉，罢诸宫观使并辅臣所领诸宫观使名，从吕夷简、张耆、夏竦之请也。

【译文】

宋纪三十七　起丙寅年(公元1026年)四月，止己巳年(公元1029年)七月，共三年有余。

天圣四年　辽太平六年(公元1026年)

夏季，四月，安德节度推官李佑，是后唐庄宗的曾孙，上书请求调任闲散的官职以便去洒扫先祖陵庙，因而改授西京留守推官。仁宗对辅臣说："唐庄宗身经百战才拥有天下，后来由于宠幸乐官招来大祸，真是可叹呀！"王曾说："陛下每日亲自听政，又以前代的治乱为借鉴，这是天下的大福啊。"

宁州知州、职方员外郎杨及，曾在乾元节进献绣佛。仁宗对辅臣说："杨及是个奸佞的人，百姓安居乐业，政事顺达，这是守臣的职责，哪里用得着献绣佛！"辛亥(初五)，命令邸吏归还给他。

丙寅(二十日)，辽国国主前往永安山。

五月，己卯(初四)，下诏书命令礼部考试举人。

判刑部燕肃上奏说："唐代大理卿胡演进月囚帐，唐太宗下诏，凡判决死刑的，在京师要五次复奏，在各州要三次复奏，保全活命的囚犯很多。贞观四年判决死罪二十九人，开元二十五年死罪五十八人。现在天下人口不比唐代多，而天圣三年判死罪的有二千四百三十六人，几乎为唐代的一百倍。京师判死罪的虽然复奏一次，而各州郡的案件有疑点或情有可悯的，州郡向上请示时都被法寺驳回，官吏反获不应上奏的罪名，因而各州郡在判案时，夸大情节，或者用感情去套法律，失去了朝廷宽厚体恤百姓的本意。希望能按唐代的成例，天下判死罪的都有一次复奏的机会。"这篇奏章下到中书省，王曾说："天下都施行一次复奏制度，那么死囚就充满了监狱，长期不能处决，请求只有疑案或者情有可悯的，才可以准其上奏。"壬午(初八)，仁宗下诏说："朕考虑到人口之繁，犯罪的也多，法令有严有宽，罪行有轻有重，而

官府巧妙地修饰文字,所有案件都判以重刑,怎能符合我体恤百姓的心意呢!命令天下凡判死罪的情理可悯,或判刑上有疑虑的,都将案情具文上报,有司不许驳回。”

戊子(十四日),审察囚犯的罪状。

辛卯(十七日),辽国任命东京统军使萧慥古为契丹行宫都部署。

癸卯(二十九日),辽国命令西北路招讨使领兵征伐甘州回鹘。

闰月,戊申(初三),减少江、淮每年漕运米五十万石,免除舒州、太湖等九茶场百姓欠的钱十三万缗。

辛亥(初六),恢复陕西永丰渠以便于运输解池产盐。

甲子(十九日),诏命辅臣到崇政殿西庑,观看侍读学士宋绶等讲《唐书》。仁宗说:“朕阅览旧史,常见功臣很少有善始善终的,象裴寂、刘文静都辅助皇帝立了头功,还是难免受到诛杀污辱。”王曾说:“裴寂等之祸,在很大程度上是由于他们功成之后不知引退而造成的啊。”宋绶请求解除兼任句当三班院之职,专门从事劝讲。太后命令选择前代可帮助孝养父母,补益治理政事的书籍,以备皇帝阅读,于是宋绶上唐代谢偃的《惟皇戒德赋》,又抄录了《孝经》《论语》的要言及唐太宗所撰《帝范》二卷,唐明皇的臣僚进献的《圣典》三卷、《君臣政理论》二卷一并呈上。

舞女俑　唐

六月,丁亥(十三日),建、剑、邵武等州、军发生大水灾,朝廷赈济。

庚寅(十六日),大雨雷电,京师地面水深数尺。辛卯(十七日),仁宗避离正殿,减少正常膳食。

癸巳(十九日),任用西上阁门使曹仪、洛范副使,内使押班江德明管理修葺在京城的营房库府等处,由内殿崇班麦守忠规划疏导地面的积水。发水灾时,宰相刚去上早朝,尚未入朝,不一会就有圣旨放朝。王曾急忙请中使上奏说:“天象变化很异常,都是由于臣等助理政事不良所致,怎能不入朝奏明,而安然回家无忧无虑地过日子呢?”极力要求入宫朝见皇帝,陈述防御水灾的办法。同僚中有先回家的,听说此事都很惭愧并佩服王曾。当时又有传说汴口决堤,大水即将涌入京城,京都的老百姓十分恐慌,都打算往东方逃难。仁宗向王曾问策,王曾答道:“黄河决堤的事尚未接到奏章,民间的传言不足虑。”过后证实果然如此。

起初,汴水大涨,人们骚动不安,担忧京城被淹,于是采用枢密院的奏章,敕命八作司将陈留堤及城西贾陂冈地决口,使大水从护龙河泄出。水落以后,命开封府界提点张君平调遣士卒再修复堤防。秋,七月,丙午(初三),赏赐这些服役的士卒缗钱。

诏谕:“官物漂流遗失,主管部门不予赔偿,对流转迁徙的人所在之地要予以安抚。”

戊申(初五),仁宗驾临长春殿,恢复日常的膳食。

乙丑（二十二日），罢黜永兴军、秦、坊等州的新醋务。

辽国主在黑岭狩猎。

辛未（二十八日），诏令：“两川所织造的锦绮丝织品、鹿胎透背欹正等奇巧之物，每年进贡量减半，其他大小绫及花纱织品，仍令改织绢以供边防费用。”在这以前有人上奏章时提出了这些建议，仁宗对辅臣说：“朕意正欲如此，应该从速执行。”王曾等答道：“锦绮刺绣等织品，有害无益，我估算织一匹锦的耗费，可织数匹绢，陛下崇尚节约以施惠于远方戍边的人员，我们怎么敢不按诏令认真执行？”

仁宗对辅臣说：“近来由于天热而停止讲读，刚才朕已召孙奭等来讲说经书，卿等办完公事，可暂到经筵听讲。”王曾说：“陛下注意学习经术，虽酷暑也不停止，由此可见圣学之高明。”

壬申（二十九日），诏命各路转运使举荐所属官吏中精通经术的人。

八月，丁亥（十四日），修筑泰州捍海堰。

在此之前泰州捍海堰长期不能使用也不修筑，每年海涛为患浸淹民田，监西溪盐税范仲淹向发运副使张纶提出建议，请求修复捍海堰。张纶上奏派范仲淹为兴化县知县，总管修复工程。议论的人说海涛之患停息了，则积下的水必发涝灾，张纶说：“海涛之灾损失十分之九，而涝灾只损失十分之一，得多失少，难道不可以吗？”修复工程开始后，正值下大雨雪，惊涛汹涌而来，役夫们都四散逃命，一百多人被冲淹而死。大家都说这堰不能修复，仁宗下诏派中使巡察，将要停止这项工程。又诏命淮南转运使胡令仪同范仲淹一起研究这项工程可否修复，胡令仪全力支持范仲淹的主张。不久范仲淹因遭父母之丧离去，还写信给张纶，言明修复海堰的好处。张纶三次上表请求开工，愿亲自总领这项工程，这才下令张纶兼任权知泰州，从小海寨东南到耿庄修筑海堰，共一百八十里长，而且在运河设置水闸，容纳潮水以通漕运。一年后海堰修成，流落在外的有二千六百多户返归，百姓为张纶建造生祠。胡令仪和张纶都升了官。

辽国萧惠为征讨甘州回鹘，向诸路出兵，唯独准布部长特喇误了期，将他立即斩首示众。兵马到达甘州，围攻了三天没有攻下而回师。当时特喇之子聚集兵力来袭击，准布部有个叫乌邦的向萧惠告密，萧惠不相信。正当西准布诸部族都叛变，都监尼鲁古、国舅帐太保阿卜鲁等领兵三千来援救，在哈屯与敌相遇。援兵在哈屯城西南被打败，尼鲁古、阿卜鲁都战死，士卒四散溃逃。萧惠仓促到阵，准布请部族出其不意进攻辽营。辽人请求乘势奋力抗击，萧惠说：“我军都很疲惫，不能出击。”乌拜要求夜间去偷袭准布之营。萧惠又不答应。等到各部族退兵时，萧惠才设伏兵袭击，前锋刚交手，诸部族逃散。辽主派遣特里衮耶律洪古、林牙耶律华格领兵征讨。耶律洪古是耶律华格的弟弟。辽主曾刺臂血与洪古结盟为友，对他特别以礼相待，等到征讨准布立下功劳，升为南府宰相，改任上京留守。

九月，乙卯（十三日），诏命孙奭、冯元举荐京城朝廷官员中精通经术的人。

庚申（十八日），诏命礼部贡院，诸科精通《三经》的人推荐择举为官。

录用周世宗侄孙柴元亨为三班奉职。

辛未（二十九日），废除襄、唐二州营田务，按田抽税，每顷抽税五分。

壬申（三十日），命翰林学士夏竦、蔡齐、知制诰程琳等人重新删定《编敕》。仁宗问辅臣：“有人说先朝诏令不可轻易更改，确实如此吗？”王曾回答说：“这是奸佞之人蛊惑君心的话。咸平年间删改太宗朝诏令，只保存十分之一二，为的是删去那些繁琐的行文给人民方便，为什么不行呢！现在有司只需审定其本末，又经过臣等审察考究其利害，一一奏禀圣上，然后施行。”仁宗同意。

这月，辽国主驻留辽河。

冬季，十月，甲戌朔（初一），日食。

丙子（初三），哈斯罕诸部长朝拜辽国。不久，哈斯罕部请求建造军中号令的旗鼓之具，辽主采纳了他的建议。

辛卯（十八日），淮南转运司报告楚州的北神堰、真州的江口堰修筑的水闸已经完成。

起初，堰渡漕舟，每年损坏很多，因而监真州排岸浔阳人陶鉴、监楚州税元城人王乙，都提出在堰旁设置水闸，按时开关。水闸修成后，行驶漕船果然便利，每年节省堰卒十多万人。于是仁宗下诏给发运司，其他可以建水闸的地方，令他们规划上奏，陶鉴和王乙都升了官。

以前，孙奭、冯元共同推荐大理寺丞安丘人杨安国为国子监直讲，于是召杨安国及其父兖州州学讲书杨光辅一同进入朝廷见仁宗。仁宗命令杨光辅讲解《尚书》，杨光辅说：“尧、舜之事，遥远不易遵行，臣愿讲《无逸》一篇。”当时杨光辅已七十多岁，而论说清晰流畅。仁宗想留他当学官，杨光辅坚决推辞。乙卯（十三日），任杨光辅为国子监丞，才让他返回。

辽国萧惠任招讨使多年，多次受到侵扰掠夺，兵马疲惫不堪。十一月，有小校控诉他的三项罪状，辽主命令官员前去考察他的言行，不久就将萧惠降职为南京侍卫马兵军都指挥使。

十二月，丁丑（初五），抚恤京城外附近地方饥馑之民。

辛巳（初九），辽主下诏命令北面诸部考察州县官员，不能胜任其职的免官。又下诏说：“大小官员有贪婪暴虐残害百姓的，立即免官，终身不再录用；那些不能廉洁奉公的，虽处于重位，也要由别人取代；清廉勤谨的，虽然官位低卑，也应当举荐提升。”

辽国自从萧哈绰、萧卜相继任枢密使以来，专门崇尚吏治之才，喜欢爱好听取诉讼，当时人受他影响的竞相效尤，国家风气逐渐衰败。辽国主下诏说：“朕将全国分为南北两院分别治理契丹和汉人，是想排除贪赃枉法，消除对国政的烦扰。如果对待贵贱之人不一视同仁，则怨恨之心必生。小民犯罪后，必然不能通过有司上达朝廷，只有皇族、贵戚们才能仗恃皇恩向衙门行贿以图侥幸免罪，照这样下去则国法就被废除了。从现在起，皇亲国戚们若犯罪被控告，不论事件大小，一律令所在地官吏考察讯问，具文申报北、南两院反复讯问，将真实情况上奏；对那些不详细调查就申报以及接受贿赂代为启奏求情的，与原犯罪人同罪论处。”

丁亥（十五日），仁宗对太后说，打算在元旦日先为太后祝寿再去接受朝贺，太后不允许。王曾启奏说：“陛下以孝道行尊奉母亲的礼仪，太后以谦逊之心健全国家的礼制，照太后的命令做。”于是跪拜祝贺。仁宗坚决要先为太后祝寿，退朝后，从宫中发出亲手书的诏令交付中书省执行。

天圣五年　辽太平七年（公元 1027 年）

春季，正月，壬寅朔（初一），仁宗开始率领百官在会庆殿向皇太后祝寿，然后驾临天安殿接受朝贺。

己未（十八日），枢密副使晏殊被罢免官职。

晏殊上疏议论张耆不可任枢密使，违忤了太后的旨意。正值他跟随太后去玉清昭应宫，

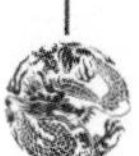

随从持笏来晚了，晏殊一怒之下，用笏把随从的牙打断了，御史弹劾晏殊，于是派他出任宣州知州。到宣州数月又改任应天府，他延聘范仲淹来教学。从五代以来，天下学校都废止了，兴办学校是从晏殊开始的。

戊辰（二十七日），任命夏竦为枢密副使。

这个月，辽主前往混同江。

二月，癸酉（初二），命令吕夷简、夏竦撰修先朝国史，任命王曾为提举，命令翰林学士宋绶、枢密直学士刘筠、陈尧佐共同撰修。起初，从宫内发出札子，由于先朝的正史已年代久远而尚未修撰，虑及年代太长远了，有些事或许被沦落湮没，应令王曾修纂这段正史。按照成例，是由宰相亲自监修国史；此时是以王曾为提举，才另下敕令。

丙子（初五），诏令赈济京东流亡的老百姓。

三月，辛酉（二十日），仁宗到崇政殿，考试礼部奏名的进士，仍然命令翰林学士宋绶以下二十六人任殿后弥封、誊录、考覆、详定、编排官等，象先朝制度一样。乙丑（二十四日），赐进士王尧臣等一百九十七人及第，八十二人同出身，七十一人同学究出身，二十八人试衔；丙寅（二十五日），赐诸科及第并出身者又有六百九十八人。王尧臣是虞城人。

夏季，四月，癸酉（初三），考试特奏名进士及诸科；甲戌（初四），赐同出身及试衔者三百四十二人。不久下诏令告诫各道举人，应该努力文辞之学，不可浪费时光只期望皇恩浩荡。

辛巳（十一日），辽国杜防、萧蕴等来祝贺乾元节，知制诰程琳任馆伴使。萧蕴出示座次图，指着说："中国使者到北朝坐殿上首位，位尊；现在北朝使臣到中国，位次低下。请升尊位。"程琳道："这是真宗皇帝制定的规矩，不可更改。"杜防又说："大国之臣充任小国之臣，可以吗？"程琳道："南、北朝怎有大小之分？"杜防不能回答。诏令与宰相研究，有人说："这是小事，不值得争。"将要允许他们的要求。程琳说："小事上允许他们的要求，必定会启发他对大事的要求。"程琳坚决表示不同意，这才作罢。

乙未（二十五日），辽国主在黑岭狩猎。

仁宗曾对辅臣说："世上没有良医，所以夭折的人很多。"张知白答道："古代处方书虽留存下来，大都有不少谬误，何况天下学医的人不能都看到这些书。"于是命令医官校定医书。这时诏令国子监翻印颁行，并诏令翰林学士宋绶撰写《病源序》。

五月，庚子朔（初一），诏令："武臣子孙学习并具有撰述和写作学问的，听候文职的任命。"

丙午（初七），检阅诸班骑射。

辛亥（十二日），审察在押囚犯罪状。

癸亥（二十四日），楚王赵元佐去世，追封为齐王，谥号恭宪，后改封潞王。

这月，辽主在永安山避暑。

西南招讨司启奏阴山中出产金银，请求开采冶炼，准从。又派使臣沿辽河向北寻找金银产地。从此开始采矿冶炼，百姓靠此获利。

六月，甲戌（初五），由于京城及其附近地方天旱，仁宗在玉清昭应宫、开宝寺求雨。

丙子（初七），诏令判决京城附近地方的在押囚犯。

丁丑（初八），降雨。

癸未（十四日），停止各项建筑营造中不急需的项目。在这以前，太后动用大量金帛重修景德寺，派遣内侍罗崇勋主持。宰相张知白因而上奏说："按照《五行志》的说法，大量修造宫室则会有火灾。最近洞真、寿宁寺相继失火，这都是大兴土木之证。"仁宗采纳了他的意见。

诏令："翰林学士按大中祥符五年的旧制，逢双日锁院以拟诏令或重大决策，禁止出入，单日宣告用白黄麻纸书写的诏书。"

辽国禁止诸屯田不许擅自买卖官府粮食。

癸巳(二十四日)，辽国又派萧惠讨伐准布。

秋季，七月，己亥朔(初一)，赈济泰州水灾。

辽国主传谕朝内外大臣："典制条文中有遗缺及过轻过重欠当的，将该条文奏上，研究增改。"

乙巳(初七)，辽国诏令："皇帝车驾所经过的地方，两边三十步之内不得耕种的，不在土地争讼范围之内。"

丙辰(十八日)，征发丁男役夫三万八千人，兵卒二万一千人，缗钱五十万去堵塞滑州一带黄河决口。

诏令考察在京东各县受灾时不能尽职的官吏情况奏报上来。

在这以前，司天监主薄苗舜臣等曾上奏说土星位于留、参二星之间，白天出现太白星，诏令日官共同研究。日官启奏："土星位于留参二星之间，是顺理成章互不相犯；白天出现太白星，是上午时辰的景象。"苗舜臣等以犯妄言灾变罪被处罚。监察御史曹修古上奏说："日官启奏是想取悦皇上，不足为信。现在惩罚苗舜臣等，虽是件小事，然而恐怕从此以后人人谨小慎微，献媚取悦于皇上，把灾祸当成降福。"宫中很爱好用翡翠做衣服的饰物，诏令去南越购买，曹修古认为这既是伤物又是害人的事；况且真宗曾明令禁采珍兽的皮毛，过去的事距今不远，应免除这项诏令。当时正崇尚修塔建庙，又商议营造金阁，费用不可胜计，曹修古极力陈述此事不可为。八月，壬申(初五)，曹修古被调出任歙州知州。

九月，庚戌(十三日)，检阅龙卫神勇军演习作战。

癸卯(十八日)，召辅臣到崇政殿西庑观看孙奭讲书，赐给每人一幅织成的御书飞白体字图。

陕西转运司提出，同、华等盼天旱，蚵蚄中食禾苗成灾。太常博士、秘阁校理、国史院编修官谢绛上奏说："去年京师大水灾，毁坏百姓住房，河渠猛涨，几乎高过城墙；今年苦旱，百姓死于瘟疫，田中禾苗枯焦，秋季收成绝望；这都是非常怪异的事。陛下夙夜勤苦，想要杜绝天时灾变，确实应该更改政治教化，下罪己诏书，制定顺应天时的法令，广开言路以疏通上下关系，斥绝近幸宠臣的阿谀，减损这些人的能量。但是圣心优柔寡断，重视一些小的改革，所发的号令，没有听说过一件是顺应天意的。那风雨寒暑对天时来说，是大信啊；信不达于事物，皇恩不达于百姓，则水旱为灾。近来天子之言常常是一夜之间就改变，命令刚颁行又突然禁止，还想让风雨讲诚信，怎么可能呢？

天下之大，万事之多，不出房门怎能全都了解呢？而对于在朝廷的大臣们，没有听说有过数刻的召见，让他们提出片言只语的好建议；早晚左右接近的人，不是仰承恩惠的就是奸佞宠幸之人，上下都很闭塞，这种情况是属实的。过去西汉之时，逢日蚀，水旱灾，都有将三公免职的事，以表示戒惧之意。陛下选用的辅弼之臣，都是当代最优秀的；但是治理国家未

见繁荣，天时也不和顺，难道是大臣辅佐不明吗？陛下对他们的信任不够诚笃吗？如果要使用他们，应推心置腹责成他们竭尽全力去效劳；如果不信任他们，就另外选择贤良之人。近来奸邪之人容易受重用，恪守道义之人无能为力，政出多门，世俗喜欢走小道。陛下的心意固然是想尽得天下贤能之人，让他们分别担任各项要职，而宰相正在考核任用官吏，并没有什么建树，只是按照顺从与否的固定程式，推行着守常的政事，我恐怕照这样下去，不足以回敬天意，堵塞上天的告戒。

古代五谷不收皇帝就减膳，灾祸屡次降临就要降低服饰的等级，凶灾之年不以彩色涂饰器物。愿陛下下诏引咎自责，减省膳食，不在朝外召见臣下，允许士大夫不避讳地向皇帝进言，痛切批评现时的弊病，免除不急需的工程劳役和各种额外的征敛，不要看重私人恩怨，更要多任用敢于直言之人，以诚心感动上天，施恩惠于百姓，难道还会有天时方面的难险灾祸吗？”

谢绛是谢涛的儿子。

辽主驻留辽河。

冬季，十月，丁卯朔（初一），诏令：“诸帐院庶出子女，一概随其母的身份论贵贱。”辽主注重翰墨，开始画家谱文书以区别嫡出庶出，由此引起很多争执诉讼。枢密使萧朴很有为官的才能，善于了解君主的心意，有的陈奏很称君主的旨意，当时议论嫡庶多取决于萧朴的意见。

辛未（初五），太常博士、直集贤院、同知礼院王皞，进呈他所撰写的《礼阁新编》六十卷。

起初，天禧年间，同判太常礼院陈宽请求编辑本院所接受的诏命敕令，他走了以后没有人接着把它编完，因而王皞集中了开国之初至乾兴年间所下的诏命敕令，删去重复的，按五礼分类分目，书完成后进呈皇上，赏赐他五品服。王皞是王曾的弟弟。

乙酉（十九日），监修国史王曾上奏说：“唐代史官吴兢，在《实录》正史之外，又录了唐太宗与群臣对问的话，编成《贞观政要》。现在要搜集太祖、太宗、真宗《实录》《日历》《时政记》《起居注》中那些不入正史的事迹，另编一部书与正史并列。”仁宗应允。

甲午（二十八日），仁宗同皇太后驾临御书院，观看太宗、真宗御书。

壬辰（二十六日），医官院呈上所铸造的俞穴铜人两件，诏令将一件放在医官院，另一件放在相国寺。

丙申（三十日），滑州报告堵塞黄河决口工程已完工。这天旬休，仁宗与太后亲临承明殿，召辅臣传谕说：“黄河连年决口，目前能很快地修复故道，都是你们经营筹划之功劳啊！”王曾等再拜祝贺，诏命迅速将修河官吏的功劳成绩奏报皇帝，在新堤之旁建灵顺庙。十一月，丁酉朔（初一），给滑州新修堤取名“天台埽”，是由于它靠近天台山脚的缘故，自从天禧三年黄河决口，至此时已有九年，这才又堵塞住决口，修河部署彭睿、代理三司河南范雍、滑州知州寇瑊都进升官阶；凡监督工程劳役的按顺序调迁官职，百姓经过统率分配，免缴十分之三秋税。

乙未（二十九日），辽国皇侄匡义军节度使中山郡王查噶、保定军节度使长沙郡王色嘉努、广德军节度使安乐郡王遂格，上奏提出各将赴任，请求选派伴读书史，辽主同意。

壬寅（初六），工程郎中、直昭文馆燕肃请求制造指南车，内侍卢道隆又呈上他创造的记里鼓车，诏令按他们的制造方法交有司制造。

甲辰（初八），百官聚集于尚书省，在景灵宫祭祀受誓。乙巳（初九），在太庙祭祀受誓。丙午（初十），合祭天地受誓。丁未（十一日），仁宗对辅臣说："百官三日受誓是符合礼制要求的吗？"王曾等答道："在宫庙祭祀，都起于郊祀，只应当受誓一次，现在是按先朝旧制办的，请等以后再修改订正。"

辛亥（十五日），在景灵宫晨祭。壬子（十六日），在太庙祭祀。大礼使王曾提出："皇上手拿着玉、身穿着衮服，进七间庙堂酌酒进献，而且每间庙堂都要演奏乐章，恐怕皇上进进出出奔忙太劳累，请求省去演奏宫乐。"仁宗说："三年祭祀一次，我不敢怕劳累。"

癸丑（十七日），在圜丘祭天地，在会庆殿向皇太后祝贺。

丁巳（二十一日），仁宗在玉清昭应宫举行祭祀大典。

十二月，辛未（初五），加恩百官。

丁亥（二十一日），诏令："百官、皇族宗室接受贿赂为亲属奏请官职的，不赦。"

任命左正言孔道辅为左司谏、龙图阁待制。

当时孔道辅出使辽国尚未归来。辽宴请使者，优伶拿文宣王开玩笑，孔道辅气愤地退出宴会。主持宴会者请他返回座位，孔道辅正颜厉色地说："中国与北朝往来友好，互相以礼仪对待，今优伶之人侮辱轻慢我国先圣而不被禁止，是北朝的过错。"

这是，南郊祭天大赦，朝廷内外以为丁谓将再回来。殿中侍御史临河陈琬上奏道："丁谓凭借奸佞邪恶，窃居要职，现在行祭祀礼仪，他必定私下呈送珍宝，以结交权贵，假装安心在边远地区休息，希望转移到好的地方。李德裕只因私结朋党，不获生还；卢多逊低三下四地侍奉藩王，最后也不能返回；请求不必赦免丁谓。"仁宗同意这个意见。

天圣六年　辽太平八年（公元 1028 年）

春季，正月，己酉（十三日），免除两川每年乾元节进贡织佛。

诏令："从今以后南郊祭天，颁赐军赏如有差错，对三司官吏一并弹劾治罪。"

在此之前南郊祭天赏赐军士，而汾州广勇军得到的赏帛不如其他军，引起广勇军的骚乱，把守佐揪到堂下劫持而去，直到约定给他们好帛才放了守佐。城中戒备森严，派兵围住广勇军营。正好转运使孙冲到此，命令解围，松缓戒备，摆酒奏乐，把为首的十六人斩首，事态才平息了。起初守佐将乱军所约定的事奏报朝廷。仁宗诏令发给好帛。当送帛的使者到达潞州，孙冲催促他返回，并说道："因骚乱得到所想要的东西，是助长骚乱。"终于扣住东西不往下分发。

戊午（二十二日），诏令："诸路提点刑狱朝臣、使臣，将本职公事移交给转运使及副转运使，并由转运司条陈所减省的事奏报朝廷。"有人说是由于提点刑狱官过于烦扰，于事无益的缘故。

庚申（二十四日），党项侵犯边界，被守边将帅击败。

甲子（二十八日），辽国主诏令各州县长吏鼓励农耕。

这个月，辽国主前往混同江。

二月，辛未（初六），同知礼院王皞上奏说："谥号，是死者行为的表现。近日臣僚去世，虽然按官品应该拟定谥号，但其子弟知道父亲祖父没有什么好的表现，顾虑在定谥号时要指斥他们的错误，都不请求谥号。臣认为谥号自从周公以来，已流传成为不成文的传统制度，原来是为了表彰好的指斥坏的，人死之后，对其一生的是与非有明确评价，可用以惩恶劝善。

现在如果任其改变、回避这一传统的制度，则为恶的人就会肆意妄为而不改正。臣想请求今后凡有臣僚去世，不必等他们的家人请求谥号，即令有司按制度执行。这样对于那些行为不端而还想隐瞒的人可以有所阻止劝勉。”仁宗同意。

壬午（十七日），工部尚书、平章事张知白去世。张知白任宰相之职，对名誉德行十分谨慎，常以骄傲自满盛气凌人为戒。虽然官高爵显，却清苦节约如寒士。朝廷追赠他太傅、中书令。礼官谢绛提出给他谥号文节，御史王嘉言说："张知白遵守道义一切奉公，身为高官而不弯曲，可称得上清正，给他谥号文正。”王曾说："文节已经是美的谥号了。”于是不再更改，王嘉言是王禹偁之子。

张知白九岁时，父亲在邢州去世，停灵于佛寺，到辽军侵犯河北时，寺宇大多衰败倒塌，他父亲的灵柩也找不到了。张知白考试及第后徒步去寻访，找到佛寺的殿基，仿佛能认出安放他父亲灵柩的地方，等到掘出来，父亲的衣衾都能验证，大家都赞叹他的至诚孝道。

戊子（二十三日），辽国燕京留守萧孝穆，请求在拒马河与宋接壤的地区，设置戍长，以便于巡察，辽主同意。

三月，丙申朔（初一），有日食。

戊申（十三日），太后亲临刘美府第，左司谏刘随奏疏劝告阻止。太后接受了他的意见，从此以后不再去。

壬子（十七日），任命张士逊为礼部尚书、同平章事。

张知白去世后，仁宗考虑接替他的人，宰相王曾推荐吕夷简，枢密使曹利用推荐张士逊。太后认为张士逊位居吕夷简之上，打算任用他；王曾说辅相之职应以才高取人，不应该以品位高下决定，太后答应任用吕夷简。吕夷简因而上奏说，张士逊在寿春侍奉皇帝最久，并且道德高尚，请求先任用他，太后赞许吕夷简的谦让美德。

癸丑（十八日），任姜遵为枢密副使。

姜遵擅长吏治，他处理政事崇尚严苛凶猛，所诛杀残害的人很多，当时人给他取绰号叫“姜察子”。太后派内侍在永兴军建塔，姜遵迎合太后的心意把汉、唐以来的碑碣都拆毁了当砖瓦用，并亲自监督修造。塔成之后，他得到了这项任命。

己未（二十四日），任命范雍为枢密副使，位次在姜遵之上。

这个月，辽国主留驻长春河。

夏季，四月，戊辰（初三），诏令审官、三班院、吏部流内铨、军头司，各部门被召见参奏本部政事，从皇帝为皇太子起，辅臣在资善堂参加裁决诸司政事，到这时才还政于有司。

丁丑（十二日），借种子和粮食给河北流民返回故地农耕的人，并免除当年租税。

癸未（十八日），命令龙图阁侍制燕肃、直史馆康孝基共同研究减免三司每年所征收的皇家用品。按照惯例每年京都用的百货，由三司根据库存的多少，下达指标给各路，诸路按当地条件，适宜生产什么及老百姓生产多少而定数购买，称为科率。诸路用度，如果平时积存不足的，也定额向百姓征购。然而用度有缓急之分，物价就有贵贱，所以造成皇室所需用的物品，轻的反而重，贱的反而贵，而百姓有受其害的。燕肃等接受这项工作后，建议凡是京师仓库所积存物品可供两年之用的，要求不再购买。仁宗下诏同意他们的建议。

庚寅（二十五日），由于天空星象变化，仁宗五天吃斋独居不理政事；京城附近地方的囚犯，判死罪的降一等，判流放罪以下的都释放；停止所有土木工程，赈济那些路过京师的河北

难民。

当时命令和尚道士在文德殿祭祀消灾，殿中侍御史李纮启奏道："文德殿是发布政令召集朝臣的地方，每遇到国家有灾变，就聚集和尚道士在那里念诵经文，怎么向朝廷内外交代！"

右司谏刘随解释星象变化说："皇家宗族很多，但除定王以外都未实行封王授爵，希望能挑选贤良之人，按唐代成例，增加嗣王、郡王的封号，以符合祖宗的心意。"

监察御史鞠咏条呈应变的五项大事，又上奏说："太子少保退休的晁迥，虽然年老却有才识胆略，应该召见策问，对朝政必有裨益。"

五月，乙未朔（初一），交趾攻打边疆，诏令广南西路转运使派少数民族地区的壮丁去擒拿，当时文思使焦守节为邕州知州，派人去交趾，使他们明白利害关系，李公蕴呈送表章谢罪。

辽国主在永安山避暑。

庚戌（十六日），诏令："温、鼎、广等州每年进贡柑橘，不许以贡品剩余为名发给近臣。"起初，王曾向仁宗奏言，请求不再进献贡余，仁宗说："进贡已经很辛苦了，何况再进那些贡余呢？"急速免除贡余。

枢密副使姜遵上奏说："咸阳百姓元守亮每年进贡梨，朝廷给他的赏赐比梨的价钱高一倍。元守亮以此炫耀于乡里，依仗这个欺凌弱者，请求从此不许他再进贡梨。"仁宗说："我不知道元守亮胆敢仗恃此事骄横于乡里啊！"辛亥（十七日），诏命免除他的贡献。

六月，丙寅（初三），免除戎、泸诸州谷税钱。

后周虢州防御使柴贵是世宗的弟弟，他的孙子柴肃自我介绍要求官职。仁宗问王曾："柴肃果然是柴氏后代吗？"王曾回答说："核查了柴贵的官符，确实可信的。"仁宗说："世宗开疆扩土，是为我国家啊，怎能忘掉他的后代呢？"任命柴肃为三班奉职。

秋季，七月，辽国任命南院大王耶律迪里为上京留守。

戊戌（初五），辽国主在平地松林狩猎。

乙未（初二），任命开封府推官、监察御史馆陶人王沿为河北转运副使。

王沿向仁宗进言："本朝制订的军事法律，比起古代没有增加。自从与契丹互通友好三十年来，边境地带常屯驻重兵，国家财用耗费很大，而不知如何处理。请求训练河北壮丁，让他们代替禁军取食于当地以补充禁军缺少的粮食，不再招募厢军，让多余的禁军士兵隶属当地从事农田耕作，这样实行若干年，国家财用耗费会逐渐减少，而强壮男丁全部成为精兵了。

古代用刑法治理国家，用中等刑法，而近来用敕令治罪，大多重于刑律。刑律用绢折成钱代替服刑；按刑律判处髡刑（剃光头）、钛刑（斫肢趾）而服役的人，敕令在脸上刺字后流放到外地作为士卒。近来各州上奏说，流放的士卒太多，衣食供应不上，请求不再流放的有七十多州。按照刑律规定，这些人都不该流放，是因为对繁琐的法律条文不甚明了而用推理所造成的。恳切地希望删去苛重的条文而使用正律，用钱赎罪的人，都用绢折钱，刺面流放而成为士卒的人，仅止于剃光头和斫脚趾两种刑罚；这就是所谓胜残去杀，不需要等一百年了。"

壬子（十九日），江宁府、扬、真、润州江水泛滥，冲毁官府及百姓房屋，派使者安抚赈济。

八月，乙丑（初三），诏令免除河北遭水灾地区各州军秋税。

起初,仁宗对辅臣说:"近来派内侍去边沿地区视察水灾,好象听说有龙横在海口处,因而河水壅塞不能宣泄,可派官员去祭祀。"王曾说:"边境地区屡次发大水,大约是《洪范》所说的不滋润万物的明证吧。海口恐怕不是有龙壅堵,应宽减百姓赋税来回应天降的灾祸。"所以有这道诏令。

甲戌(十二日),任命淮南、江、浙、荆湖制置发运使张纶为秦州知州。

张纶在天禧末年任发运副使。当时专卖盐的收入连续十年亏损,张纶就启奏免除通、泰、楚三州盐户的旧欠,官府帮助他们准备制盐的工具,用优惠价收购他们产的盐,由此每年增加收入数十万。又在杭、秀、海三州设置盐场,每年收入又有三百五十万。张纶在当地三年,增加上供米八十万。在江、淮地区六年多,为百姓做了很多兴利除害的事,他为人乐于施舍,漕运的士卒多有冻饿而死于道路上的,张纶看到后叹息道:"这都是有司之过,不知道体现皇帝的仁政啊!"他用自己的薪俸买了上千件棉衣,给那些不能活命的人穿。

乙亥(十三日),黄河在澶州王楚埽决口。

戊寅(十六日),任命翰林学士承旨兼龙图阁学士刘筠为庐州知州。

刘筠三次入翰林院,一心期望进入中书省或枢密院,待到当上承旨,很不高兴,曾托病不肯出任。有人和他开玩笑说:"吃清凉散病就好了。"原来中书省和枢密院才能用清凉伞呀。

刘筠以前曾任庐州知州,十分喜爱当地风土,于是在城中修筑了房室,并高筑楼阁收藏皇帝所有赐书,仁宗为他用飞白书体书写:"真宗圣文秘奉之阁。"当他再次来到这里,又立即营造墓地。制作棺材,自己写了墓铭镌刻好。两年后,竟死于书阁内。

刘筠起初是被杨亿赏识而提拔的,后来就与杨亿齐名,当地号称杨刘。他性情不苟且求合,遇事明达,而为政崇尚简明严谨,然而晚年替阳翟同姓富人向仁宗奏求恩泽,颇为当时的读书人看不起。

丙戌(二十四日),录用唐代张九龄的后代。张九龄第九代孙张锡,献上张九龄为官的任命状和唐明皇的批示,仁宗对辅臣说:"张九龄是唐代名相,应该旌表他的后代。"立即任命张锡为国子四门助教。

九月,己亥(初八),诏令:"京师朝官在职期间,五人一同犯罪,主动上奏举发者减一等罪。"

乙巳(十四日),派使臣修理各路军械。

丙午(十五日),任命太常少卿、直昭文馆陈从易为左司郎中,兵部郎中、集贤院修撰杨大雅并知制诰。

自从景德以后,文士之间崇尚雕饰靡丽之风,只有陈从易保持自己的风格不变;他与杨大雅非常友好,两人都喜好古朴憨厚,不对任何人阿谀逢迎。天禧初年,杨大雅提淮南刑狱,巡察路过金陵境内,遇风暴翻了船,衣帽等物全部失落。当时丁谓镇守金陵,派人送来一套衣服,杨大雅推辞不接受。王钦若也不欣赏他。当时舆论要矫正文风之弊,所以一齐进用了他二人。杨大雅原名叫杨侃,为避讳真宗过去的名字而改名。

壬子(二十一日),辽主前往中京。北德呼勒部节度使耶律延寿请他巡视诸部,赏赐旗鼓,辽主答应。

这个月,准布诸部长大多归降于辽国。

冬季,十月,甲申(二十三日),免除福州百姓拖欠官庄钱十二万八千缗。

起初，王氏据守福州时，有田一千多顷，称为官庄。太平兴国中，凭地契交百姓耕种，每年上缴租税而已。天圣二年，发运使方仲荀上奏说："这是公田，卖了可以再收厚利。"派屯田员外郎辛惟庆主管其事，总共卖钱三十五万余缗，诏令减少缗钱三分之一，限期三年交齐。监察御史朱谏认为这是伤民之事，不可办。诏令又给贫弱之人放宽期限。这时知州章频又为这件事进言，诏令全部免除。

辽国魏王耶律色轸的孙媳指斥君王，她的丈夫包庇她隐瞒不举报，事情暴露后连她丈夫一起定罪，并抄没全家。

辽国主谕告燕城将士："如有敌人来犯，总管守备城东南，统军使守城西北，马步军准备郊野作战，统军副使修筑壁垒、教练士卒，各从其事。"

十一月，丙申（初六），辽国太子宗真纳萧氏为妃，是驸马都尉克迪的女儿。

辽国任命耶律求翰为北院大王。

癸卯（十三日），翰林学士宋绶等呈上所撰写的《天圣卤簿记》十卷。起初，南郊祭天，宋绶代理太仆卿，陪乘玉辇，仁宗向他询问仪仗及礼仪典故，解答清晰明了，因而派宋绶汇集百官编撰，仁宗十分赞赏此书的详细完备。

十二月，丁卯（初七），赐故杭州隐士林逋谥号和靖先生，并赡养其家。

林逋临死前赋诗，有："茂陵他日求遗稿，犹喜曾无封禅书"之句。死后，州府上报朝廷，仁宗很为嗟叹惋惜。

起初林逋曾客居临江，那时李谘刚举进士，还没有人知道他。林逋说："此公是辅臣之才啊。"林逋死时，李谘正为州守，他身穿素服和林逋的弟子们一同安葬了林逋。

辽国主诏令："两国舅及南北王府是国家的贵族，卑贱的百姓不许在此任官。"

这年，辽国录取进士张宥等五十七人。

天圣七年　辽太平九年（公元 1029 年）

春季，正月，癸卯（十三日），枢密使曹利用免官，以侍中之职任邓州通判。

起初，太后主持朝政，宦官和贵戚们言行稍有轻重不当，就会造成祸福，而曹利用以有功勋的老臣自居，一点都不体恤他们。凡是太后降恩，他都极力阻止，左右的人大多怨恨他。太后也很惧怕他，称他侍中而不叫他名字。曹利用在帘前向太后奏事，有时当面用指甲弹腰带，左右的人指给太后看，并且说："曹利用在先帝面前怎敢这样呢！"太后点点头。曹利用奏请减少宫内降恩，虽然他屡次推却，也有不得已而服从太后的时候，人们揣度这是什么缘故，有人就欺骗太后说："承蒙得到太后降恩，曹利用就不应允，现在他家妇人私下已答应臣的请求，曹利用必定会答应。"下一次果真验证了。太后才怀疑曹利用有私，对他很为不满。

内侍罗崇勋获罪，太后派曹利用召见并警诫罗崇勋。曹利用摘除了罗崇勋的冠巾，责骂他很长时间，罗崇勋怀恨在心。正巧曹利用的侄子曹汭任赵州兵马监押，州中百姓赵德崇到京城上书控告曹汭犯法的事；奏章呈上，罗崇勋请求去调查案情，于是罢免曹利用的枢密使之职而彻底追查惩治曹之罪。曹汭犯醉酒后穿黄衣让人向他高呼万岁之罪，被杖死。

丙辰（二十六日），贬曹利用为左千牛卫上将军，知随州。

这个月，辽国主从中京回来。

二月，庚申朔（初一），参加政事鲁宗道去世。鲁宗道病危时，仁宗亲临慰问，赏赐白金三千两；死后，太后亲临祭奠，追封兵部尚书。

鲁宗道性情刚直疾恶如仇,遇事敢于直言进谏,不谨小慎微。起初,太常寺研究提出谥号为刚简,又改为肃简,议论的人认为肃字不如刚字更切合他的实际。

甲子(初五),诏令:"文臣历任边防之职有武勇之才,武臣子弟有亮节文义的,可以调换官职,在三路任职。"

丙寅(初七),张士逊免官。

张士逊是由曹利用举荐才得任宰相的,曹利用主持枢密院,恃宠骄横,张士逊在辅臣之间从未有过说他是与非的话,当时人把他视为"和鼓"。到曹汭案发后,罗崇勋诬告曹利用,仁宗向执政大臣询问这件事,大家你看我,我看你,却没有人回答。张士逊慢慢地说:"这肯定是不肖子弟作的,曹利用是大臣,应该是不知情的。"太后发怒,要罢免张士逊官职,仁宗认为他是从前太子宫的老臣,加给他刑部尚书的官职,出任江宁府知府,并解下自己的通犀带赐给他。后来领定国军节度使,知许州。

任命吕夷简为同中书门下平章事、集贤殿大学士。

起初,王曾推荐吕夷简可任宰相之职,但长期不任用。张士逊将被免职时,王曾上对策说:"太后不任吕夷简为宰相,臣揣度圣意,是不想让他地位高于枢密使张耆。张耆是一个赤脚武夫,怎能让他如此妨碍贤才呢?"太后说:"我没有此意,可以任用他。"于是终于任吕夷简为宰相。

丁卯(初八),任夏竦、薛奎参知政事,陈尧佐为枢密副使。薛奎入朝谢恩,仁宗告谕薛奎:"先帝常说卿可任用,现在任用卿是承先帝的心意啊。"

癸酉(十四日),贬曹利用为崇信军节度副使,安置于房州。曹利用又犯私贷景灵宫钱罪而被贬,命宦官杨怀敏护送,他的几个儿子各减官两等,抄没所赐府第,家产入官,亲属十多人被罢黜。宦官大多厌恶曹利用,走到襄阳驿站,杨怀敏不肯再往前走,用话逼迫曹利用。曹利用性情一向刚烈,于是上吊自杀了。后以得暴病而死奏报仁宗。

曹利用性情强悍耿直很少与人交往,尽力制裁巴结逢迎之人,而他的亲族故旧中有人是靠他才当上官的,所以这次受牵连遭祸。然而他在朝为官竭尽忠诚,尽职尽责,始终不为阿谀逢迎所屈,他的死并非由于他犯罪,很多人都觉得他死得冤枉。

乙酉(二十六日),由于黄河水灾,委派转运使巡察官吏中玩忽职守者,予以撤换。

癸巳(闰二月初四),向百姓募粮赈济河北水灾。

闰月,戊申(十九日),禁止在京城建造寺庙道观。当时京城人厌恶兴建土木的劳役,这道诏令一下,大家都非常高兴。

壬子(二十三日),诏命:"朕在几路地区广为延聘天下有才干的士人,但是制举科却长期搁置不建立,朕揣度天下豪杰也许是由于这个缘故而被遗弃,现在重新设置此科。"于是对旧有科目稍加增减,称为:贤良方正、能直言极谏科,博通坟典、明于教化科,才识兼茂、明于体用科,详明吏理、可使从政科,识洞韬略、运筹决胜科,军谋宏远、材任边寄科,共六科,以待京师朝廷官员被举荐及应选者。又设书判拔萃科,以待候选人之应书名上报者。又设高蹈丘园科,沈沦草泽科,茂才异等科,以待庶人中被推荐的人和应书名上报者。又设武举,以待胸有谋略智勇双全的人才。方法是:都先将个人的专长呈报有司,有司加以权衡比较然后在秘阁考试,合格的最后由天子亲自策问;如果是武举,则照旧检阅他的骑射本领。

起初,盛度曾向真宗建议,请求设置四类科目以取士。夏竦执政后,建议恢复制举,广泛设置科目以收揽散失在民间的人才。仁宗同意,又采纳盛度以前的建议而降下这道诏令。

癸丑(二十四日),设置理检使,由御史中丞担任。登闻检院的匦函改为检匣,如果是指摘陈述军国大事、时政得失,都投入检匣,按规定的时间进呈给皇帝,一般事项五天一进呈。那些认为冤枉的案件而检院、登闻鼓院不给进呈的,都允许指定理检使审问向皇帝报告。

当时呈进密封奏疏的人说:"自从至道三年废除理检院以来,朝廷的得失,天下的冤枉,逐渐不能由本人向上呈报。"仁宗阅读唐史,看到过去匦函的成例,与近臣谈起这件事。于是夏竦请求再设置理检使负责此事。仁宗采纳了他的建议。

乙卯(二十六日),开始任命御史中丞王曙兼任理检使。

三月,乙丑(初六),诏命:"官吏贪赃枉法的从现在起不再因祖先有功而受庇护。"当时三司吏毋士安犯贪赃罪,按法律应放逐,但因祖荫就以赎罪论,特判处杖刑,勒令不许受祖荫庇护,因而才下这道诏书。

辛巳(二十四日),诏令:由于辽国灾民流离失所越过界河,责令灾民所经过的地方发给米粮,并分别把灾民送往唐、邓等州,用空闲的土地安置他们。

癸未(二十六日),诏令:"百官轮流上朝问对,极言时政的缺点过失,在外地的官员用实封向皇帝上奏。"

当时群牧判官夏县司马池在转对中提出:"唐朝的制度规定,皇帝的诏书送到门下省,门下省如认为有不妥当的地方,有权将诏书封还暂不下达。现在门下省虽然有这种封驳的名义,而诏书却全部从中书省下达了,这不是防止举措失当的办法。"内侍皇甫继明等三人在太后内阁任给事之职,兼任估马,他们认为估马有余利可图,要求调动官职。这事经群牧司审核,查实估马并无余利。皇甫继明等当时正当权,从制置使以下的官员,都想附和他们的意见向皇上上奏,只有司马池不同意,官吏向他下拜说:"宦官是权贵之人,不可忤逆他们的心意。"司马池不听。皇甫继明等人非常气愤。当时正值要除授司马池并为开封府推官,敕令传到阁门,被皇甫继明的党羽阻止撤销,司马池便以屯田员外郎之职任耀州知州。

甲申(二十五日),有进呈实封奏章的人提出天下专卖茶盐的收入亏损,请再次审议这两个法令。仁宗就此事向三司使寇瑊询问,寇瑊说:"上奏章的人不知道这些事的重点呀。河北运往边境的军用粮,都靠商人运输。若官府尽收其利,那么商贩就不往来了,而边远地区的军民就会缺少粮食供应。法令怎能多次更改呢?"仁宗以为这话对,因而对辅臣说:"茶、盐是百姓必吃的东西,而强制设立法令禁止运输,会导致犯法的人增多。只是因为边境地区的经费开支还很多,没有能减下来,又怎么可以屡次更改这些法令呢!"

泰州专卖盐的收入亏损缗钱数十万,这种情况涉及十一个州,诏令殿中丞张奎前往探查。他回到朝廷上奏说:"三司发放钞太慢,不是各州的罪责。"因而进言说:"用专卖盐的收入来补足军费,不是仁政所该做的事。若不得已,可令商人转运流通,官府只通过关卡市场征收赋税,就会上下都得利益,比发布禁令设置壅塞给人民造成困难的办法要好得多。"有诏令,全部免除亏欠的缗钱。张奎是临州人,张全义的七世孙。

丙戌(二十七日),派遣官员祈祷晴天。仁宗因而对辅臣说:"昨天令巡视四郊,看到麦子已腐烂损坏,百姓指望什么呢?这必定是国家的政事不符合上天的心意呀。古代判死刑,在外州的要三次复奏,京师五次复奏,就是这样重视人的生命。要告诫有司,审案判罪,不许稍有枉法滥刑。"又说:"犯罪不要多次赦免,然而不这样就没有办法招致和平气氛。"夏,四

月，庚寅，大赦天下，免除河北水灾地区百姓租税。京师从三月初一以来下雨不止，在大赦前一天就雨住天晴了。

辛卯（初三），南平王李公蕴去世。其子李德政派人来报告，任命为交趾郡王。

五月，己未朔（初一），诏令礼部举行科举考试。

庚午（十二日），上封奏疏的人提出："接近边界的内地州郡，多以儒臣任知州，对边事武略，他们怎么能关注呢！希望今后选择有武勇谋略的内殿崇班以上三二十人，在河北、河东、陕西及四川、广南，不论地域远近，只要是交通要塞处，就委任这些人做当地知州，到了轮换的时候，要把本处民间利害或有关边境事情十件上奏皇帝知道。有时朝廷需要用人，向朝臣询问，就可以说明某人曾在某处，知道某处的情况，于是先以接近边防地区的事考查他，然后再委派他担负边防任务，或担任州郡的防守，或任偏将裨将，就不会缺乏人才了。"枢密院请求令武臣阁门祗候以上的人知州军，在有人代替他们任职，他们回到朝廷的时候，要分条奏明情况。

辽国主在永安山避暑。

六月，戊子朔（初一），辽国任命长沙郡王色嘉努为广德军节度使，乐安郡王遂格为匡义军节度使，中山郡王查噶为保定军节度使，晋封为潞王。

壬辰（初五），设置益、梓、广南路转运判官，与转运使分部按察巡视，位在诸州同判之上；另发给印信，分巡时即可以使用；并诏令按照官员考绩升迁制度任职，到一年期限的升一官级。议论认为自从罢黜提点刑狱，而益、梓、广南只有一名转运使，不能全面了解民间情况。

丁未（二十日），大雷雨，玉清昭应宫发生火灾。宫中总共三千六百一十间房，只有长生崇寿殿保存下来。第二天，太后哭着对辅臣说："先帝尽力建成此宫，一夜间几乎全烧完，万幸的是尚保存一两座小宫殿。"枢密副使范雍揣度太后有再修葺的意图，就反对说："不如全烧光了好！"太后诘问何出此言。范雍说："先朝为建筑这些宫殿耗尽了天下之力，忽然间化为灰烬，非人的意志造成的。如果因为尚存一二，又想修复，人民就会受尽苦难不能活命，这就是警畏上天的惩戒了。"宰相王曾、吕夷简也帮助范雍说话，吕夷简又拿《洪范》记载的灾异情况进谏，太后沉默不语。

太庙斋郎苏舜钦到登闻鼓院上奏疏说："今年从春到夏，阴雨连绵，没有一点时间停住，农田受灾的几乎有十分之九，臣认为是任用失人，赏罚不公平所招致。但是大臣们却归咎于刑狱的过滥，大赦天下来补救，这就造成杀人者不死，伤人者不抵罪。想以此符合天意。古代用审理判决积案的办法来减少水旱天灾，没有听说用大赦来解决。所以大赦令下达以后，天空一直阴云不散直到今天。从前有记载道：'积阴生阳，阳生则出现灾害。'趁着夏时之气，在玉清宫发泄出来，雷雨大作，烈焰四起，重叠的高楼，短时间内化为灰烬，不是因为疏忽了防火的工作，而是上天的警戒啊。陛下应当降服减膳，不居在正宫之中，反省自责，下哀痛罪己的诏书，罢黜不适当的土木兴造，拯救流离失所的百姓，也许有可能变灾祸为福佑。十天之内没听说要这样做，却要计划工役想修复被毁的宫殿。京都之人听说后都很惊骇疑惑，都说章圣皇帝勤俭治国十多年，天下富庶，到建筑这些宫殿后，国内财力空虚枯竭。陛下接位不到十年，屡遭水旱天灾，虽然收进全部赋税而百姓已非常困苦贫乏。倘若再大兴土木，则费用没有限度。财力消耗于内，百姓劳苦于下，内耗下劳，怎样来维持这个国家呢？现在为陛下着想，不如招徕贤才，逐除奸佞，勤于修养品德以达到治理天下，使百姓生活足以自给而

宽减赋税，就可以上谢天恩下安民情了。贤良之君对待灾变的办法是修养道德以除灾祸。乱世没有气象的变异，上天不降灾告诫。现在幸亏上天以灾变给我们启示，正是陛下自我修养的时候，怎能忽视不顾呢！”苏舜钦当时只有二十一岁，是苏易简之孙，苏耆之子。

甲寅（二十七日），王曾免职。

起初，太后领受册封，将御临天安殿，王曾执意认为不可以。到长宁上寿时，只在便殿张设帏帐。太后左右及姻亲等有时拜谒太后，王曾也大多加以减少限制，太后心中渐生不满，正赶上玉清昭应宫火灾，王曾多次上表请罪，于是出朝任青州知州。

由于玉清昭应宫火灾，知宫李知损在陈州被机关管制。御史台审讯起火原因时，得知李知损曾和他的一帮人在宫中设宴吃肉饮酒之故。

起初，太后对守卫者不小心十分生气，把他们全关在御史狱中，打算杀掉，中丞王曙上奏说：“过去鲁国的桓公庙、僖公庙发生火灾，孔子认为是由于鲁桓公与僖公亲情断绝招致天谴，尽应当被烧毁；辽东高庙和高园便殿火灾，董仲舒认为不该建高庙于陵园旁边，因而遭灾。魏崇华殿火灾，高堂隆以妄建台榭宫室为戒，应停建不再动工，皇帝不听劝阻，第二年又遭火灾。现在所建的宫殿，不符合经义的要求兴建的，发生火灾似乎含有上天警告的意味。希望能整治那里的土地，罢黜祷词的建筑，以回答上天。”而右司谏范讽也说：“这的确是上天降灾，不应当把有关人员都下狱彻查判刑。”监察御史张锡说：“如果因天灾反而给人加罪，恐怕更加激怒上天。”提这种意见的人很多，仁宗和太后都有所领悟，于是对守卫者治罪很轻。

议论者还疑虑将修复宫殿，范讽又进言：“山中树木已伐尽，百姓人力已告竭，虽然想修复，也必定修不成。臣知道朝廷也不想这样做，为什么让天下有怀疑呢！希望能明确地通告四方，使各家百姓都知道。”秋季，七月，己巳（十二日），下诏把不再修复被烧宫殿的意思谕告天下。改长生崇寿殿为万寿观。

乙酉（二十八日），免除诸宫观使及辅臣所领的诸宫观使名称，这是应吕夷简、张耆、夏竦的请求。

续资治通鉴卷第三十八

【原文】

宋纪三十八　起屠维大荒落【己巳】八月，尽玄黓涒滩【壬申】十二月，凡三年有奇。

仁宗体天法道极功全德　神文圣武睿哲明孝皇帝

天圣七年　辽太平九年【己巳，1029】　八月，丁亥朔，日有食之。

诏："罢天下职田，官收其入以所直均给之。"先是上封者言："职田有无不均，吏或不良，往往多收以残细民。"命资政殿学士晏殊与三司、审官、三班院、吏部流内铨参议，皆以为然，故有是诏。

己丑，以吕夷简为昭文馆大学士。

辛卯，夏竦复为枢密副使，陈尧佐、王曙并参知政事，枢密使张耆改山南东道节度使。竦与夷简不相悦，故以尧佐易之。

初，渤海自神册中附于辽，无榷酤盐曲之税，宽弛关市之征，渤海安之。自冯延修、韩绍勋以燕地平州之法绳之，民不堪命。会燕地荐饥，户部副使王嘉献策造船，使其民漕粟以赈之；水路艰险，多至覆没，鞭扑搒掠，民怨思乱。东京舍利军详衮大延琳因之为变，遂囚留守、驸马都尉萧孝先及南阳公主，杀绍勋、嘉以悦众，僭号兴辽，改元天庆。

时辽主驻黑岭，副留守王道平逾城走告变，即征诸道兵以时进讨。时国舅详衮萧实迪先率本管兵据要害，绝其西渡。延琳以书结保州戍主夏行美，使率渤海军为乱，行美执其人送统军耶律普古，普古遂杀渤海兵八百人，入据保州，断其东路。延琳分兵西取沈州，副使张杰声言欲降，延琳信之，不急攻；既知其诈，攻之，守御已备，不克而还。南北女真皆从延琳，高丽贡使亦不至。

冬，十月，丙戌朔，辽以南京留守、燕王萧孝穆为都统，萧实迪副之，萧普努为都监，讨延琳。遇贼蒲水中，军少却，普努将右翼，实迪将左翼，夹攻之，先据高丽、女真要冲，使不得求援，贼溃，追败之于平山北。普努不介马而驰，追杀余贼。已而大军围东京，普努讨诸叛邑，平吼山贼，延琳深沟自卫，固守不敢出。

十一月，癸亥，冬至，帝率百官上皇太后寿于会庆殿，遂御天安殿受朝。秘阁校理范仲淹疏言："天子有事亲之道，无为臣之礼；有南面之位，无北面之仪。若奉亲于内而行家人礼可也。今顾与百官同列，亏君体，损主威，不可为后世法。"疏入，不报；又疏请太后还政，亦不报，遂乞补外。寻出为河中府同判。

丙寅，辽以张杰为沈州节度使，超授保州戍将夏行美平章事。召皇城进士张人纪等二十二人入朝，试以诗赋，皆赐第。

壬申，辽以驸马都尉刘四端权知宣徽南院。

十二月，庚寅，以知制诰李仲容判礼部。故事，茂才异等、高蹈丘园、沉沦草泽三科所上策论，先委礼部考核以闻，乃得召试。时直史馆康孝基判礼部，定富弼等十人；帝改命仲容而以孝基同判，仍取弼等策论覆较之。弼，河南人也。

辛亥，以左司谏、龙图阁待制孔道辅知郓州，坐纠察刑狱不当也。道辅尝极论曹利用、罗崇勋弄权，时利用死而崇勋犹委任云。

八年 辽太平十年【庚午，1030】 春，正月，丙寅，命资政殿学士晏殊权知礼部贡举。

甲戌，真定府、定州路都部署、彰武节度使曹玮卒，赠侍中，谥武穆。玮为将不如其父宽，然用士得死力。平居意气舒暇，及行师，多奇计，出入神速。一日，张乐饮僚吏，中坐，失玮所在；明日，徐出视事，贼首已掷庭下矣。将兵几四十年，未尝少失利。真宗遇边奏，必手诏诘难至十数反，而玮守初议，卒无以夺。开边壕，率令深广丈五尺，山险不可堑者，因其峭绝治之，使足以限敌，后皆以为法。

临淄人贾同尝造玮，玮欲案边，邀与俱。同问："从兵安在？"曰："已具。"既出就骑，见甲士三千环列，初不闻人马声。同归，语人曰："真名将也。"王钦若方贵盛，闻同名，欲致之，固辞不往。久之，始同判兖州。天圣初，上书言："自祥符已来，谏诤路塞，丁谓乘间造符瑞以欺先帝。今谓奸既白，宜明告天下，正符瑞之谬，使先帝免后世之议。"又言寇准忠规亮节，宜还之内地。时太后临朝，而同言如此，人以为难。再迁，知棣州，卒。

集贤校理华阳彭乘恳求便亲，诏乘知普州。蜀人得乡郡自乘始。普人鲜知学者，乘为兴学，召其子弟为生员，教育之，俗遂以变。

辛巳，作会圣宫于西京永安县。

二月，戊子，诏："五代时官三品以上告身存者，子孙依荫律叙荫，仍须得保官三人。"御史台主簿兖州石介上疏以为不可，坐罢。

辽主如龙化州。

三月，甲子，御崇政殿试礼部奏名进士；丙寅，试诸科。丁卯，赐进士咸平王拱寿等二百人及第，四十九人同出身；己巳，赐诸科及第、同出身者又五百七十三人。诏更拱寿名曰拱辰。

壬申，幸后苑，赏花钓鱼。每岁从官赋诗，或预备，及是出不意，坐多窘者，优人以为戏，左右皆大笑。翌日，尽取诗付中书，第其优劣。秘阁校理韩羲所赋独鄙恶，落职，同判冀州。

乙亥，诏："宗室嫁女，择士族之有行义者；敢以财帛为婚，御史台、街司察举之。"

以度支副使、刑部郎中钱唐唐肃为龙图阁待制。肃清直廉俭，恬于仕进。在度支，会籴麦京师，数且足，有豪姓欲入官数十万石，因权幸以干掖庭。太后面命肃，肃曰："麦贮仓率不过二岁，多则腐朽不可食，况挠法邪！"卒不受。尝知洪州，舣舟南康，不即赴。或问之，肃曰："职田以四月为限，今遽往，得无趋利之讥乎？"逾月乃上。

三司以方建太一宫及洪福等院，市材木于陕西。同判河中府范仲淹言："昭应、寿宁，天戒不远。今复侈土木，破民产，非所以顺人心，合天意也。"寻徙陈州，又言："恩幸多以内降除

官，非太平之政，愿以上官、贺娄为戒。”事虽不行，帝嘉其忠。

辽都统萧孝穆围东京，去城五里，四面筑城堡，起楼橹，使内外不相通。驸马萧孝先及南阳公主既为大延琳所囚，闻辽师至，孝先与其妹穴地逃出。公主在后，为守陴者所觉，遇害。公主，辽主之第四女也。

夏，四月，辽主如乾陵。以耶律行平为广平军节度使，以夏行美为中顺军节度使。

五月，戊申，辽主清暑柏坡。

甲寅，赐信州龙虎山张道陵二十五世孙乾曜号虚靖先生，以其孙见素为试将作监主簿，仍令世袭先生号，蠲其租课。

六月，癸巳，监修国史吕夷简等上《新修国史》于崇政殿。故事，史成，监修而下进秩，夷简固辞之。

乙巳，御崇政殿，试书判拔萃及武举人。武举法，先阅骑射，而试之以策为去留，弓马为高下，每遇制举则试焉。

戊申，以书判拔萃人宣州司理参军曲江余靖为将作监丞、知海阳县，安德节度推官河南尹洙为武胜节度掌书记、〔知河阳县〕。

秋，七月，丁巳，诏修《国朝会要》。

丙子，策制举人，御崇政殿，策试贤良方正能直言极谏太常博士成都何诚、茂才异等富弼。诚、弼对策，并及第四等。丁丑，以诚为祠部员外郎、同判永兴军，赐五品服；弼为将作监丞、知长水县。

壬午，辽诏来岁行贡举法。

八月，戊子，诏：“流配人道死者，其妻子给食送还乡里。”

辽东京被围既久，城中撤屋以爨。戊申，贼将杨详世密送款，夜，开南门纳辽军，禽大延琳，渤海平。驸马大力秋，坐延琳事伏诛。

九月，丙辰，罢百官转对。自复转对，言事者颇众，大臣不悦，故复罢之。

乙丑，枢密副使姜遵卒。

刘美家婢出入禁中，大招权利，枢密直学士、刑部侍郎赵稹厚结之。己巳，擢稹枢密副使。命未出，人驰告稹，稹问曰：“东头、西头？”盖意在中书也。世传以为笑。

宋初，盐利皆归县官，其解池引水而成者曰颗盐，淮、浙、蜀，广煮海井碱而成者曰末盐，初皆通商贸易。咸平中，梁鼎请官自鬻解盐，未几，以公私烦扰，复旧商贩。帝初即位，置计置司，议茶盐利害。茶法变贴射而盐则官自鬻，利微而害博。两池积盐为阜，其上生木合抱。选人王景上言，请通商平估以售，少宽百姓之力，太后以为然，命盛度、王随议更其制。

随与权三司使胡则画通商五利上之曰：“方禁商时，伐木造船以给辇运，而兵民罢劳，不堪其命，今去其弊，一利也。始以陆运，既差帖头，又役车户，贫人惧役，连岁逋逃，今悉罢之，二利也。舟运有沉溺之患，纲吏侵盗，杂以泥沙硝石，其味苦恶，疾生重腿，今皆得其真盐，三利也。国之钱币，谓之货泉，盖欲使之通流，而富室大家多藏镪不出，故民用皆蹙，今岁得商人六十馀万，颇助经费，四利也。岁减盐官兵卒、畦夫佣作之给，五利也。”冬，十月，丙申，诏罢三京二十八州军榷法，听商贾入钱若金银京师，榷货务给钞，受盐于解池，而申私贩鬻之禁。诏下，蒲、解之民皆作感圣恩斋。自是虽贾商流行，而岁课之入官者耗矣。

壬寅,置天章阁待制,位龙图阁待制之下,命鞠咏、范讽为之。

是月,辽主驻长宁淀。

十一月,丙寅,朝享景灵宫。丁卯,享太庙。戊辰,合祀天地于圜丘,大赦,贺皇太后于会庆殿。

辛亥,辽都统萧孝穆等自东京凯旋,戎服入见,辽主赐宴劳之。翌日,封孝穆为东平王,赐佐国功臣号。驸马萧实迪封兰陵郡王,萧普努加侍中,以萧惠为南京统军使。寻以孝穆为东京留守。东京残破之后,孝穆抚纳流民,为政务宽简,民安之。辽主诏渤海旧族,有勋劳材力者叙用,馀分居来、隰、迁、闰等州。

十二月,癸未,加恩百官。

壬辰,以雷州司户参军丁谓为道州司户参军。

丁未,定难节度使西平王赵德明遣使来,献马七十匹,乞赐《佛经》一藏,从之。

是岁,河中府同判范仲淹上疏,请太后复辟,其略曰:"陛下拥护圣躬,听断大政,日月持久。今皇帝春秋已盛,睿哲明圣,握乾纲而归坤纽,非黄裳之吉象也。岂若保庆寿于长乐,卷收大权,还上真主,以享天下之养!"疏入,不报。

高丽来贡。

九年 辽太平十一年,六月,改景福元年【辛未,1031】 春,正月,丙辰,长宁节,百官初上皇太后寿于会庆殿。

己未,龟兹国、沙州并遣使贡方物。庚申,资政殿学士晏殊言:"占城、龟兹、沙州、邛部川蛮夷往往有挈家入贡者,请如先朝故事,委馆伴使询其道路风俗,及绘人物衣冠以上史馆。"从之。

辛酉,以刑部尚书、知许州张士逊为定国节度使、检校太傅。时士逊朝京师,冀复入相。天章阁待制鞠咏奏曰:"曹利用擅作威福,士逊与之亲厚,援引至相位,陛下特以东宫僚属用之。臣愿割旧恩,伸公议,趣使之藩。"士逊乃赴许州。

丁卯,以祠部员外郎晁宗悫为知制诰。宗悫,迥子也。宋绶尝谓:"自唐以来,唯杨於陵身见其子嗣复继掌书命,今始有晁氏焉。"

辛未,钱惟演改判河南府。惟演托病久留京师,既除陈州,迁延不赴,且图相位。天章阁待制范讽奏曰:"惟演尝为枢密使,以皇太后姻属罢之,示天下不私,今不可复用。"殿中侍御史须城郭劝亦催督惟演上道。惟演自言:"先垅在洛阳,愿司宫钥。"遂命惟演守河南,促其行。

翰林学士盛度请其子奉礼郎申甫于馆阁读书,从之。

二月,癸巳,诏复职田。

三月,壬子,礼部员外郎、天章阁待制鞠咏卒。

〔癸亥〕,赐青州州学《九经》,从王曾之请也。自是州郡当立学者皆得赐书。

辽主自春初如混同江,旋如长春河。辽主末年得消渴疾,语多忌讳,凡死亡者,左右侍臣俱不得言及之,至是增剧。

夏,四月,戊寅,诏以陇州论平民五人为劫盗抵死,主者虽更赦,并从重罚。

五月,乙丑,录囚。

辽境诸河，以大雨横流，失其故道。

六月，辽主疾大惭，驿召东京留守萧孝穆、上京留守萧孝先及左丞相张俭，使辅立太子，诫无失南朝信誓。己卯，辽主殂于大斧河之行宫，年六十一，谥曰文武大孝宣皇帝，庙号圣宗。

圣宗守约甚坚，未尝稍启边隙。在位四十九年，理冤滞，举才行，察贪残，抑奢僭，录死事子孙，振诸部贫乏，责近臣迎合，却高丽女乐，在辽诸帝中号为令主。及殂，太子即位，改元景德。

初，圣宗知元妃与皇后有隙，病中属太子曰："皇后事我四十年，以其无子，故命汝为嗣。我死，汝母子切无杀之。"元妃闻之，恚益甚。圣宗疾革，元妃詈皇后曰："老物，宠亦有既邪！"令左右扶后出。圣宗遗诏以皇后为皇太后，元妃为皇太妃；元妃匿之，自尊为皇太后，摄国政。

太后既得志，引萧孝先与密谋，欲构后以罪，以驸马萧实迪为皇后所喜，深忌之。秦晋公主窃闻其谋，告实迪曰："尔将无罪被戮，与其死，曷若奔女真以全其生！"实迪曰："朝廷讵肯以飞语害忠良？宁死，弗适它国。"会护卫冯嘉努、帐下医耶律喜逊希旨上变，诬北府宰相萧绰布及实迪谋逆，欲奉皇后摄政，徐议当立者，太后命鞫治之。辛丑，太后诛绰布、实迪及其党七人，狱词连及皇后。辽主闻之，曰："皇后侍先帝历有岁年，抚育眇躬，当为太后，今不果，反罪之，可乎？"太后曰："此人若在，恐为后患。"辽主曰："皇后无子而老，虽在，无能为也。"太后不从，卒载以小车，囚之上京。时辽臣慑太后威，无敢言者。枢密使萧朴独上书白皇后之诬，不报，朴感愤，至于呕血。

雄州以辽圣宗讣闻。辛丑，辍视朝七日，在京及河北、河东缘边亦禁音乐七日，遣使祭奠、吊慰及贺即位。

秋，七月，丙午朔，辽太后率皇族大临于太平殿，高丽遣使吊慰。辽主召晋王萧普古等饮博，夜分乃罢。

辽奉陵军节度使耶律吉实来告哀，帝为成服于内东门之幄殿，向其国哭，五举音而止，皇太后举哭如上仪。遣近臣诣馆吊慰，常服，黑带，系鞋，不佩鱼。

丁未，辽主击鞠。

庚戌，辽赈蓟州饥。

乙卯，辽以比岁丰稔，罢给东京统军司粮。

丁巳，辽主谒圣宗御容，哀恸久之，因命写北府宰相萧孝友、南府宰相萧孝穆像于御容殿。

戊午，命孔道辅为贺辽太后册礼使。辽太后册礼使自此始。

壬申，辽主谒神主帐，时奥隈萧氏始入宫，亦命拜之。

癸酉，以翰林侍讲学士、兵部侍郎孙奭为工部尚书，知兖州。奭三请致仕，召对承明殿，敦谕之。奭以年逾七十，固请，泣下，帝亦恻然。诏与冯元讲《老子》三章，各赐帛二百匹。以不得请，求近郡，故优拜焉，仍诏须宴而后行。

甲戌，右正言陈执中罢度支判官，谏院供职。是时谏议大夫、司谏、正言皆不任谏职，须别降敕赴谏院者，乃曰谏官。

八月，丁丑，太子少保致仕马亮卒，赠右仆射。亮有智略，敏于政事，然所至无廉称。及卒，以婿吕夷简在相位，得谥忠肃，人不以为然。

权知开封府寇瑊卒。瑊初附丁谓，故早达。及谓败，左迁，郁郁不自得。秘书丞彭齐赋《丧家狗》以刺之。

九月，戊申，辽主亲视庆陵。

己巳，以右谏议大夫程琳为给事中，权知开封府。王蒙正子齐雄捶老卒死，琳令有司验状。蒙正连姻太后，太后因琳入对，谓曰："齐雄非杀人者，乃其奴尝捶之耳。"琳曰："奴无自专理，且使令与己犯同。"太后默然。遂论如法。

庚午，以吏部尚书、知天雄军王曾为彰德节度使，仍知天雄军。辽使者往还，敛车徒而后过，无敢哗者。人乐其政，为画像而生祠之。

甲戌，辽遣使来谢吊慰。

冬，十月，戊寅，辽宰臣吕德懋卒。

己卯，以翰林学士宋绶为龙图阁学士、知应天府。

时太后犹称制，五日一御承明殿，垂帘决事，而帝未始独对群臣也。绶言："宜约唐先天中制度，令群臣对前殿，非军国大事及除拜，皆前殿取旨。"书上，忤太后意，故命出守。侍御史刘随、殿中侍御史郭劝并言绶有词学，当留于朝，不听。

丙戌，下诏申儆庶官，因侍御史知杂事刘随请也。其略曰："比者缙绅之间，名节罔励，矜劳者掠美以近名，希进者行险以邀宠，分屏翰者或奏请之靡厌，任案察者或宽纵之为得；贪而无耻，故务营私，老而非材，曾不知退。用稽彝训，申儆群伦，苟少冒于官箴，将自投于公宪。"

辽遣使来，致其先主遗物。己酉，遣使来谢贺即位及太后册礼。

闰月，辛亥，辽有司请以辽主生辰为永寿节，太后生辰为应圣节，从之。

辛酉，辽主阅新造铠甲。

癸亥，以盐铁副使赵州王硕为天章阁待制。

初，马季良建言："京师贾人常以贱价居茶盐交引，请官置务收市之。"季良方用事，有司莫敢迕其意，硕独不可，曰："与民竞利，岂国体邪！"事遂寝。

丁卯，辽赈黄龙府饥。

戊辰，知兖州孙奭陛辞，曲宴太清楼，召太子少保致仕晁迥及近臣皆预。翌日，奭入谢，又命讲《老子》，赐袭衣、金带、鞍勒马。及行，赐宴瑞圣园，又赐诗，诏近臣皆赋。

十一月，辛巳，徙三馆于崇文院。先是三馆、秘阁在左掖门内，左升龙门外，大中祥符八年，大内火，权寓右掖门外，至是修崇文院成，复徙之。

丙申，辽葬文武大孝宣皇帝于庆陵。

初，耶律资忠为圣宗所信任，以忤权贵，出为昭德节度使，至是表请会葬，既至，伏梓宫大恸曰："臣幸遇圣明，横被谗谮，不获尽犬马之报。"气绝而苏。辽主命医治疾，久之，言："国舅孝先无忧国之心，陛下不当复用唐景福年号。"于是用事者恶之，遣归镇。寻卒。

丁亥，弛两川矾禁。

十二月，癸丑，辽主至自庆陵。

太后听政，辽主不亲庶务，群臣表请，辽主不从。

甲寅，诏吏部铨："选人父母年八十以上者，权注近官。"

是岁，辽封李德明子元昊为夏国公，以兴平公主归之。

明道元年 辽重熙元年【壬申，1032】 春，正月，壬申朔，辽太后御正殿，受辽主与群臣朝。

乙亥，以知江陵府会稽杜衍为河北都转运使。初，命衍守荆南，殿中侍御史郭劝言衍清直，当留中朝，不听。会河北乏军费，乃命衍往经度之，不增赋于民而用足。

丁丑，辽主如雪林。

癸巳，诏："案举官奏劾所部官吏而反为所讼者，自今无得受理。"

二月，癸卯，监修国史吕夷简上《三朝宝训》三十卷。

庚戌，以知许州、定国节度使张士逊为刑部尚书、同中书门下平章事。

丁卯，以真宗顺容李氏为宸妃。是日，宸妃薨。妃始生帝，皇太后即以为己子。帝即位逾十年，妃默处先朝嫔御中，未尝自异，人畏太后，亦无敢言者，终太后世，帝不自知妃所出也。疾革，乃进位，年四十六。

始，宫中未治丧，宰相吕夷简朝奏事，因曰："闻有宫嫔亡者。"太后矍然曰："宰相亦预宫中事邪？"引帝偕起。有顷，独坐帘下，召夷简问曰："一宫人死，相公何与？"夷简曰："臣待罪宰相，内外事无不当预。"太后怒曰："相公欲离间我母子邪？"夷简曰："太后不以刘氏为念，臣不敢言；尚念刘氏，则丧礼宜从厚。"太后悟，遽曰："李宸妃也，且奈何？"夷简乃请治丧皇仪殿，用一品礼殡洪福寺。又谓内侍罗崇勋曰："宸妃当以后服殓，用水银实棺。"有司希太后旨，言岁月未利。时有诏欲凿宫城垣以出丧，夷简遽求对，太后揣知其意，遣崇勋问之，夷简言："凿垣非礼，丧宜自西华门出。"太后复遣崇勋曰："岂意卿亦如此！"夷简曰："臣位宰相，理当廷争。太后不许，臣终不退。"崇勋三反，太后犹不许。夷简正色谓崇勋曰："宸妃诞育圣躬，而丧不成礼，异日必有受其罪者，莫谓夷简今日不言也！"崇勋惧，驰告，太后乃许之。

三月，壬申朔，辽命尚父、漆水郡王迪礼复为特里衮。

辽太后自摄政，即追封其曾祖为兰陵王，父为齐王，诸弟皆王之，萧氏奴为团练、防御、观察、节度使者至四十馀人。燕民无赖者多占名乐工，为萧氏奴。

戊子，始行《天圣编敕》。

太常博士安丘明镐，初为蕲州幕职，知州邓馀庆贪暴不法，州事皆镐持正之。薛奎领秦州、益州，皆辟镐自随。于是镐罢益州同判，还朝，赐对，帝问辅臣以镐所能者，奎曰："镐有文学，沈鸷能断大事，愿陛下亟用之。"己丑，命镐权开封府推官，寻即真。

江、淮旱。戊戌，诏虑系囚，流以下降一等，杖、笞释之。

己亥，除婺、秀州丁身钱。

是春，辽主大蒐。太后虑辽主怀齐天皇后鞠育之恩，因其出蒐，遣人驰至上京弑后。后曰："我实无辜，天下共知，待我浴而后就死，可乎？"使者退，比复至，则后已殂矣，时年五十。因杀其左右百馀人，以庶人礼葬。

夏，四月，戊午，知棣州王涉，坐冒请官地为职田，配广南牢城。

六月，殿中侍御史冀人张存上疏言："陛下嗣统以来，延纳至言，罔有忌讳，函夏之人，共思谠直。自前秋诏罢百官转对，去冬黜降御史曹修古等，昨又闻进士林献可因奏封事远窜岭南，人心惶惑，中外莫测。臣恐自今忠直之言，与理乱安危之几，蔽而不达。”因历引周昌、朱云、辛庆忌、辛毘事以广帝意。

秋，七月，乙酉，参知政事王曙罢为资政殿学士，知陕州，以疾自请也。

辛卯，以门下省为谏院，徙旧省于右掖门之西。先朝虽除谏官而未尝置院，及陈执中为谏官，屡请之。置谏院自此始。

辽主猎于平地松林。

八月，辛丑，以三司使、兵部侍郎晏殊为枢密副使。丙午，以晏殊参知政事。

辽主驻剌河源。是日，皇子洪基生。

甲寅，以杨崇勋为枢密副使。

戊午，诏国子监重修七十二贤堂，其左丘明而下二十一人，并以本品衣冠图之。

壬戌，修文德殿成。是夜，大内火，延及崇德、长春、滋福、会庆、崇徽、天和、承明、延庆八殿。帝与皇太后避火苑中；癸亥，移御延福宫。

甲子，以宰相吕夷简为修葺大内使，枢密副使杨崇勋副之。

乙丑，诏群臣直言阙失。

先是大内火，百官晨朝而宫门不开。辅臣请对，帝御拱宸门，百官拜楼下，宰相吕夷简独不拜。帝问其故，曰：“宫庭有变，群臣愿一望清光。”帝举帘见之，夷简乃拜。

丁卯，大赦。诏：“营造殿宇，宜约祖宗旧制，更从减省。”

时宦者置狱治火事，得缝人火斗，已诬服，下开封府，使具狱。权知府事程琳辨其不然，乃命工图火所经处，且言：“后宫人多而所居隘，其烓灶近板壁，岁久燥而焚，此殆天灾，不宜以罪人。”监察御史宜兴蒋堂亦言：“火起无迹，安知非天意？陛下宜修德应变，今乃欲归咎宫人，以之属吏。宫人付狱，何求不可，而遂赐之死，是重天谴也。”帝为宽其狱，卒无坐死者。

是月，殿中丞河南滕宗谅、秘书丞大名刘越准诏上封事。宗谅言：“国家以火德王，火失其性，由政失其本。”因请太后还政，而越请太后还政，言尤鲠直；皆不报。

九月，丁亥，永兴军言左卫大将军、分司西京李士衡卒。士衡前后管计二十年，虽才智过人，然素贪，家资至(屡)〔累〕巨万，建大第长安里中，俨若宫府云。

庚寅，重作册宝，以旧册宝为火所焚也。有司言册宝法物，凡用黄金二千七百两。诏易以银而金涂之。

冬，十月，己酉，辽主如中京。

十一月，甲戌，以修大内成，恭谢天地于天安殿，遂谒太庙，大赦，改元。是日，还延福宫。

己卯，冬至，百官贺皇太后于文德殿，帝御天安殿受朝。

是日，辽主率群臣上太后尊号曰法天应运仁德章圣皇太后；群臣上辽主尊号曰文武神圣昭孝皇帝。大赦，改元重熙。不逾年而再改元，犹用耶律资忠之言也。

辽主以萧萨班为祗候郎君。萨班，孝穆之子也，性廉介，风姿爽(明)〔朗〕，善球马驰射。辽主每宴饮，喜谐谑，萨班虽承宠顾，常以礼自持，时人称之。

辽萧罕嘉努，少好学，博览经史，通辽、汉文字，尝为右通进，典南京栗园，至是命同知三司使事。

定难节度使、西平王赵德明，凡娶三姓：卫慕氏，生元昊；咩迷氏，生成遇、讹藏；屈怀氏，

生成嵬。元昊小名嵬理,羌语谓惜为嵬,富贵为理。性凶鸷猜忍;圆面高准,长五尺馀;晓浮屠学,通蕃、汉文字,案上置法律书,常携《野战歌》《太一金鉴诀》。忽引兵袭夜洛隔可汗王,破之,夺甘州。数谏德明无臣中国,德明辄戒之曰:“吾久用兵,终无益,徒自疲耳。吾族三十年衣锦绮衣,此宋天子恩,不可负也。”元昊曰:“衣皮毛,事畜牧,蕃姓所便。英雄之生,当王霸耳,何锦绮为!”既陷甘州,复举兵攻拔西凉府。至是德明死,元昊继立,延州以闻。诏辍视朝三日,赠太师、尚书令兼中书令,命度支员外郎朱昌符为祭奠使,赙绢甚厚。帝与皇太后为德明成服苑中,百官奉慰。

辛卯,进封孟王元俨为荆王。

癸巳,以元昊为检校太师兼侍中、定难节度使、西平王,命司封员外郎杨告为旌节官告使。元昊既袭封,即阴为叛计。时改元明道,而元昊避父名,辄称显道于国中,虽贡奉,然僭已萌矣。初对使者,设席自尊大,而告徙坐即宾位,不为屈。又闻屋后有数百人锻声,知其必叛,独畏懦不敢言。告,允恭子也。

丙申,诏苏州所没丁谓庄田还给其家,仍以其子前内殿承制珝为供奉官。

是月,辽册元昊为夏国王。

十二月,庚子,诏以来年二月躬耕籍田,先请皇太后恭谢宗庙,权罢南郊之礼,其恩赏并就礼毕施行。

辛丑,命礼官详定籍田及皇太后谒庙仪注。始,太后欲纯用帝者之服,参知政事晏殊以《周官》王后之服为对,失太后旨;辅臣皆依违不决。薛奎曰:“太后必御此,若何而拜?”力陈其不可。太后为改它服,虽终不纳,犹少杀其礼焉。

壬寅,以宣徽南院使兼枢密副使杨崇勋为枢密使。崇勋曲谢,太后与帝言,先帝最称崇勋质信,可任大事,又超迁之。

壬子,以太子中允安阳韩琦为太常丞,直集贤院。

初,琦举进士第二,方唱名,太史奏日下五色云见,左右皆贺。

己未,上封者言:“比诏淮南民饥,有以男女雇人者,官为赎还之。今民间不敢雇佣人,而贫者或无自存,望听其便。”从之。

庚申,命权三司使李谘同盛度、王随议解盐法。天圣八年,既听解盐通商,行之一年,岁入视天圣七年增缗钱十五万,明年,更损九万;其后岁益耗,故令谘等议之。度、随皆初以通商为便者也。

是岁,同判陈州、太常博士范仲淹,以京师多不关有司而署官赏者,乃附驿上奏,以唐中宗朝墨敕斜封官为戒;又屡论内降之弊。

辽以萧孝友为西北路招讨使,封兰陵郡王。

先是萧革为招讨使,专以威制西羌,诸部多叛。孝友下车,多加绥抚,每入贡,辄增其赐物,羌人以安。其后浸成姑息,诸部桀骜之风遂炽。孝友,太后之弟也。

太后诸弟,惟孝穆位高,益畏太后,有赐,辄辞不受,妻子无骄色。而孝先最为骄横,尤用事。

太后姊秦国夫人,早岁嫠居,有丑声,太后见长沙王色嘉努美姿容,为杀其妃而以秦国妻之。妹晋国夫人,喜户部侍郎耿元吉貌美,太后从晋国之请,亦为杀其妻,以晋国妻之。

辽放进士刘师贞等五十七人。

【译文】

宋纪三十八　起己巳年(公元1029年)八月,止壬申年(公元1032年)十二月,共三年有余。

天圣七年　辽太平九年(公元1029年)

八月,丁亥朔(初一),有日食。

诏令:"废除天下职田制度,职田的收入归官府,然后官府将总收入平均地分发给官吏们。"在这以前进封奏疏的人提出:"职田分配不均,有些不良官吏,往往多征收以残害百姓。"命令资政殿学士晏殊与三司、审官院、三班院、吏部流内铨考察研究,都认为正确,所以有这道诏命。

己丑(初三),任命吕夷简为昭文馆大学士。

辛卯(初五),夏竦复任枢密副使,陈尧佐、王曙都任参知政事,枢密使张耆改任山南东道节度使。夏竦与吕夷简不和,所以改换陈尧佐。

起初,渤海从神册年间归附于辽国,当时没有盐酒专卖的赋税,关市赋税也很宽松,渤海很是安定。自从冯延修、韩绍勋按燕地平州的法令统一要求它以后,百姓难以生存。正赶上燕地饥荒,户部副使王嘉献策制造船只,让百姓水运粮食去赈济灾区;水路艰险,多翻船沉浸,官吏又凶残抢掠,百姓怨声载道想起来造反。东京舍利军详衮大延琳因此造反,于是将留守、附马都尉萧孝先及南阳公主囚禁,杀死韩绍勋和王嘉以取悦于百姓,僭用帝王年号为兴辽,改元天庆。

当时辽主驻黑岭,副留守王道平翻越城墙奔走前往报告发生事变,辽主立刻征集诸道军队约定时间前往征讨。当时国舅详衮萧实迪先率领本部军队据守要害地区,断绝叛乱者往西渡河之路。大延琳派人下书联合保州戍主夏行美,让他率领渤海军起兵造反,夏行美捆绑了下书人送交统军耶律普古。于是耶律普左杀死渤海军士八百人,占据绿州,断绝了叛乱者东逃之路。大延琳分兵向西攻打沈州,沈州副使张杰传出话来说要投降,大延琳相信了这话并不加紧进攻;后来知其为诈降,才奋力进攻,但张杰已加强了守备,结果没打下来就收兵返回。南北女真都服从大延琳,高丽的贡使也不来辽国进贡了。

冬季,十月,丙戌朔(初一),辽国任命南京留守、燕王萧孝穆为都统,萧实迪为副都统,萧努力为都监,征讨大延琳。在蒲水中与贼相遇,辽军稍退,萧普努率领右翼,萧实迪率领左翼,两面夹攻,先占据高丽、女真的重要通路口,使敌不能求援,贼兵溃败,官军追至平山以北,萧普努不披甲胄飞驰而去,追杀余贼。最后大军围住东京,萧普努讨伐各叛逆城镇,平定吼山贼寇,大延琳挖掘深沟自卫,固守不敢出战。

十一月,癸亥(初九),冬至,仁宗率领百官在会庆殿为皇太后祝寿,然后驾临天安殿接受朝拜,秘阁校理范仲淹上疏说:"天子有事奉母亲的道义,没有当臣子的礼法;天子有南面为君的地位,没有北面为臣的礼仪;假如在宫内事奉母亲,行家人之礼,就可以了。但是现在和百官站在一起向母亲祝寿,有亏皇帝的体统,有损君主的威严,不可成为后世的榜样。"奏疏呈进后没有回答,范仲淹又上疏请求太后将政权交还仁宗,也没有回答。于是范仲淹请求离

朝任职，不久派他出任河中府同判。

丙寅（十二日），辽任张杰为沈州节度使，超授保州戍将夏行美为平章事，召皇城进士张人纪等二十二人入朝，经诗赋考试后，都赐予及第。

壬申（十八日），辽国任命驸马都尉刘四端暂知宣徽南院。

十二月，庚寅（初六），任命知制诰李仲容判礼部。过去制度，茂才异等、高蹈丘园、沉沦草泽三科所呈上的策论，先由礼部考核后再上奏皇帝，才能入召应试。当时直史馆康孝基判礼部、审定富弼等十人；仁宗改命李仲容而以康孝基同判，仍取富弼等人的策论再作比较。富弼是河南人。

辛亥（二十七日），任命左司谏、龙图阁待制孔道辅为郓州知州，他犯了纠察刑狱不当之罪。孔道辅曾严厉指责过曹利用、罗崇勋依仗权势营私，当时曹利用已死而罗崇勋还在职。

天圣八年　辽太平十年（公元 1030 年）

春季，正月，丙寅（十三日），使命资政殿学士晏殊暂知礼部贡举。

甲戌（二十一日），真定府、定州路都部署、彰武节度使曹玮去世，赠侍中，谥号武穆。

曹玮为将不如其父宽容，然而部下都愿意为他效死力。平日在家，意向气度从容舒缓，到行军打仗，多出奇计，出入神速。一天，奏乐宴饮他手下的官兵，宴饮中途，不知曹玮去哪里了，第二天，曹玮慢慢地走出来治事时，贼人的首级已排在庭院里了。他领兵近四十年，不曾稍有失利之处。真宗每接到边界来的奏章，必定亲手下诏向曹玮反复诘问至十多次，而曹玮坚持己意，最终也不改变。他在边界开挖沟壕，大抵深和宽都有一丈五尺，凡是山势险峻不能挖濠的，都顺应山势的陡峭治理，使其足以阻止敌军，后代都效法他。

临淄人贾同曾拜访曹玮，曹玮将要巡察边境，邀他同往。贾同问道："跟从的士兵在哪里？"答道："已准备好了。"出来骑上马，才发现有穿好盔甲的武士三千人围绕着排好了队，开始一点人马之声都听不到。贾同回来后向别人说："曹玮确实是名将啊！"王钦若当时正负有盛名，听说贾同名声很大，想与他交往，贾同坚决推辞不肯前往。长时间以后，才同判兖州。天圣初年，贾同上书说："自祥符年间以来，向皇帝进谏诤言的路堵塞，丁谓乘机制造符瑞欺骗先帝。现在丁谓的奸情已真相大白，应明确地向天下宣告，纠正符瑞的荒谬，免除后世对先帝的议论。"又说寇准忠诚，有法度有气节，应当使他返回内地。当时太后临朝听政，而贾同却提出这样的意见，大家认为很难办到。贾同又被调动官职，任棣州知州，直至去世。

集贤校理华阳人彭乘恳求到近地为官便于照顾父母，诏令彭乘知普州，蜀人到家乡郡县为官自彭乘开始。普州人很少有知道读书学习的，彭乘为他们兴办学校，召集他们的子弟为生员，教育他们，于是风俗有所改变。

辛巳（二十八日），在西京永安县建造会圣宫。

二月，戊子（初五），诏令："五代时期三品官以上还存有任命状的，子孙按照世袭制度叙官任职的，必须有三个官员担保。"御史台主簿兖州石介上疏认为不合适，被免职。

辽国主前往龙化州。

三月，甲子（十一日），仁宗亲临崇政殿考试礼部奏名的进士；丙寅，考试各科。丁卯，赐进士咸平人王拱寿等二百人及第，四十九人同出身；乙巳，赐诸科及第、同出身的又有五百七十三人。诏令王拱寿改名叫王拱辰。

壬申（十九日），仁宗游幸后苑，赏花钓鱼。每年随从官员赋诗，有的做了准备；到这次是出其不意，座中很多人窘态百出，优伶们把这编演成戏，左右侍从都大笑。第二天，把官员所赋的诗都交付中书省，排出优劣次序。只有秘阁校理韩羲所赋的诗最低劣，被削职，同判冀州。

乙亥（二十二日），诏令："皇家宗室嫁聘女儿，选择士族中行为有德行道义的；胆敢从财物着眼嫁女的，御史台、街司要调查检举。"

任命度支副使、刑部郎中钱塘人氏唐肃为龙图阁待制。

唐肃为人清廉耿直勤俭，对仕进一向淡漠，在度支任职时，正值京师官府收购小麦，数量已经够了，有大户人家还要卖给官府数十万石，仗着有权势受宠幸的官员干请后宫，太后当面令唐肃收买，唐肃说："麦子贮藏于仓库中大抵不能超过两年，麦子多了就会腐烂不能吃，何况这是违法的！"到底没有接受。唐肃曾知洪州，他在南康停船不立即赴洪州。有人问他有何缘故，唐肃说："职田以四个月为限，现在马上前去洪州，能没有趋利的指责吗！"超过月限才去。

三司由于正在建造太一宫及洪福院等处，在陕西买木材，同判河中府范仲淹进言："昭应寿宁宫遭灾，上天的警告距今并不久远，现在又大兴土木，毁坏百姓财产，这不是下顺民心，上合天意的事呀。"不久范仲淹被调到陈州，他又进言："加恩宠幸之人，多是从内宫降旨授官，这不是太平盛世的政治表现，希望能以上官、贺娄为戒。"虽然没有按他的意思办，皇帝很嘉许他的忠心。

辽国都统萧孝穆围困东京，离城五里地，四面修筑城堡，建起岗楼，使城内外不能相通，驸马萧孝先及南阳公主已被大延琳囚禁起来，听说辽军到来，萧孝先与他的妹妹挖地洞逃了出来，公主跟在后边，被城上看守发现，遇害。公主是辽主的第四个女儿。

夏季，四月，辽主前往乾陵。任命耶律行平为广平军节度使，夏行美为中顺军节度使。

五月，戊申（二十六日），辽国主在柏坡避暑。

甲寅（初二），赐号信州龙虎山张道陵第二十五世孙张乾曜为虚靖先生，任张乾曜之孙张见素为试将作监主簿，依旧世袭虚靖先生称号，免其租税。

六月，癸巳（十一日），监修国史吕夷简等在崇政殿呈上《新修国史》。按成例，完成国史后，监修官以下各官员晋升，吕夷简坚决推辞不接受。

乙巳（二十三日），仁宗驾临崇政殿，考试书判拔萃及武举人。按武举制度，先检阅骑射，再考试策论以决定去留，弓马决定名次高低，每遇到制举就举行这种考试。

戊申（二十六日），任命书判拔萃人宣州司理参军曲江人余靖为将作监丞、知海阳县，安德节度推官河南人尹洙为武胜节度掌书记、知河阳县。

秋季，七月，丁巳（初六），诏令修撰《国朝会要》。

丙子（二十五日），仁宗亲临崇政殿出题考试举人，策试贤良方正能直言极谏太常博士成都人何诙、茂才异等富弼。何诙、富弼对策，一并考取第四等。丁丑（二十六日），任命何诙为祠部员外郎，同判永兴军，赐五品服；富弼为将作监丞，知长水县。

壬午（初一），辽国下诏命明年推行贡举法。

八月，戊子（初七），诏命："放逐发配的人死于中途的，发给其妻及子粮食送归故乡。"

辽国东京已被围困很久，城中拆房子烧火做饭。戊申（二十七日），贼将杨详世秘密送出降书，夜间开南门让辽军进城，活捉大延琳，渤海平定。驸马大力秋，犯与延琳有牵连之罪伏诛。

九月，丙辰（初六），免除百官轮流上朝答对。自从恢复转对，进言的人很多，大臣们不高兴，故而又免除了。

乙丑（十五日），枢密副使姜遵去世。

刘美家婢女出入宫中，大肆弄权，枢密直学士刑部侍郎赵稹与她结交甚厚。己巳（十九日），赵稹被提拔为枢密副使。拜官命令还没有下达，有人就骑马飞驰去向赵稹报告，赵稹问道："东头还是西头？"原来他的心意是想进中书省啊。社会上传为笑柄。

宋朝初年，产盐的利益都归于官府，解池引水生产的盐叫颗盐，淮浙、蜀、广引海水晒制成的盐和打盐井抽上来的盐水煮成的盐叫末盐，起初都有商贩自行流通贸易。咸平中，梁鼎请求由官府自卖解池之盐，不久，由于公私利益不清互相干扰，又恢复由商人贩运买卖。仁宗刚即位，设置计置司，研究茶法与盐法的利弊。改变茶法为贴射法，而盐则由官府自卖，盈利少而害处大。两池盐堆积如山，盐堆上长的树粗达双臂合抱。候补官员王景上奏，请求由商人贩运流通平价买卖，稍微使百姓宽松一些，太后认为很对，命盛度、王随研究改变盐法制度。

王随与权三司使胡则总结了通商的五大利益进呈皇帝说："刚禁止商人贩运时，官府伐木造船以供运输之用，而且士兵百姓服役极为疲惫辛苦，几乎不能生存，现在除掉了这一弊端，一利也。开始由陆路运输，已经向帖头派官差，又让车户服劳役。穷人怕服役，连年躲避逃亡在外，现在全都免除了，二利也。用船运输有沉船之患，加上押送官吏的侵掠偷窃，把一些泥沙硝石掺在盐里，盐味又苦又难吃，吃了会得重病，现在都能吃到真正的盐了，三利也。国家的钱币，称为货泉，本来是要让它流通，而富豪之家多把钱藏起来不用，因而百姓用钱很缺乏。今年得到商人上缴六十余万，对流通钱币很有帮助，四利也。每年减少了对盐、官、兵卒、畦夫佣做工的支出，五利也。"冬季，十月，丙申（十五日），诏令废除三京二十八州军的专卖法，任凭商贩把钱或金银送到京师，由榷货务发给盐钞，到解池领盐，重申私人贩卖盐的禁令。诏命下达后，蒲、解的百姓都作起感圣恩斋祭。从此以后虽然盐由商贾贩运流通，而每年官府的收入减少了。

壬寅（二十一日），设置天章阁待制，位于龙图阁待制之下，任命鞠咏、范讽担任其职。

这个月，辽国主留驻长宁淀。

十一月，丙寅（十七日），朝祭景灵宫。丁卯（十八日），祭太庙。戊辰（十九日），在圜丘合祭天地，大赦天下，在会庆殿拜贺皇太后。

辛亥（初二），辽国都统萧孝穆等从东京凯旋而归。身穿戎服入见辽主，辽主赐宴慰劳他。第二天，封萧孝穆为东平王，赐佐国功臣称号。驸马萧实迪封为兰陵郡王，萧普努加封侍中，任命萧惠为南京统军使。不久任命萧孝穆为东京留守。东京遭到摧残破坏之后，萧孝穆安抚接纳流民，为政务求宽松简便，百姓安定下来。辽主诏令渤海州过去的豪神之族，有功勋有才力的分等任用，其余的人分别安排他们居住在来、隰、迁、闰等州。

十二月，癸未（初五），对百官加恩。

壬辰(十四日),任命雷州司户参军丁谓为道州司户参军。

丁未(二十九日),定难节度使,西平王赵德明派使者前来进献七十匹马,请求赐给《佛经》一套,仁宗答应。

这一年,河中府同判范仲淹上奏疏,请求太后还政于仁宗,大略说:"陛下拥护着皇帝,临朝听政,时间已久。现在皇帝正年富力强,聪颖圣明,如果总由妇女掌握朝政,不是吉利的气象。不如保养长寿享受安乐,将统治大权还给真正的主人,以安享天下对您的供养!"奏疏呈进后,没有回答。

高丽来朝贡。

天圣九年 辽太平十一年,六月,改景福元年(公元1031年)

春季,正月,丙辰(初八),长宁节,百官开始在会庆殿为皇太后祝寿。

己未(十一日),龟兹国、沙州都派遣使臣前来进贡当地土特产。庚申(十二日),资政殿学士晏殊提出:"占城、龟兹、沙州、邛部川蛮夷经常有带领全家来入贡的,请按先朝旧制,委派馆伴使向他们询问道路交通及人情风俗,并描绘出他的衣冠呈交给史馆。"仁宗应允。

辛酉(十三日),任命刑部尚书,知许州张士逊为定国节度使、检校太傅。当时张士逊入京朝见,希望能再入朝为相。天章阁待制鞠咏上奏道:"曹利用擅自作威作福,张士逊与他关系亲密有深交,由曹利用把他提拔到相位,陛下特别因为他是从前东宫的僚属而任用他。臣希望割舍旧恩,伸张公议,催促他到许州。"张士逊才去许州任知州。

丁卯(十九日),任命祠部员外郎晁宗悫为知制诰。晁宗悫是晁迥之子。宋绶曾说过:"自从唐代以来,唯独杨於陵亲自见他的儿子杨嗣复继承掌书命,今天开始有晁氏了。"

辛未(二十三日),钱惟演改判河南府。钱惟演以生病为借口长期留居京师,已除授陈州官职,拖延不赴任,而且图谋宰相职位。天章阁待制范讽上奏说:"钱惟演曾任枢密使,由于是皇太后的姻亲而免职,为的是向天下人显示朝廷不徇私情,现在不能再任命他。"殿中侍御史须城郭劝也催促钱惟演上路,钱惟演自己提出:"先人坟墓在洛阳,希望能掌握当地权柄。"于是任命他守河南,催他上路前往。

翰林学士盛度请求允许其子奉礼郎申甫在馆阁读书,仁宗应允。

二月,癸巳(十六日),下诏令恢复职田制度。

三月,壬子(初五),礼部员外郎、天章阁待制鞠咏去世。

癸亥(十六日),应王曾的要求,赏赐青州州学《九经》,从此各州郡应当建立州郡学的都得到赐书。

辽国主自从初春前往混同江,又转往长春河。辽主晚年得消渴疾,说话有很多忌讳,凡是死亡的人,左右侍臣都不许提起,到这时忌讳得更加严重。

夏季,四月,戊寅(初一),诏命认为陇州判定平民五人为抢劫偷盗应抵死罪,主管官员虽遇赦,但都要从重处罚。

五月,乙丑(十九日),审察狱中囚犯的罪行。

辽国境内诸河流,因为大雨暴涨而泛滥,改了河流故道。

六月,辽主的病愈加严重,驿马飞召东京留守萧孝穆,上京留守萧孝先及左丞枢张俭,让他们辅助拥立太子,告诫大家不要丧失与南朝互不相犯的信誓。己卯(初三),辽主死于大斧

河的行宫，年六十一岁，谥号文武大孝宣皇帝，庙号圣宗。

圣宗信守盟约很坚决，从未挑起边界事端。在位四十九年，审理冤案积案，举荐有才德之人，察处贪婪残害百姓的臣属，抑制奢侈僭越的行为，录用死于王事者的子孙后代，振兴诸部摆脱贫困，责备近臣的阿谀逢迎，拒绝高丽进献女乐，在辽国诸帝中号称令主。死后，太子即位，改元景福。

起初，圣宗知道元妃与皇后不和，于病中嘱咐太子道："皇后侍奉我四十年，由于她没有儿子，所以才立你为太子，我死以后，你们母子千万不要杀他。"元妃听说后，仇恨更深了，圣宗病危，元妃骂皇后说，"老东西，恩宠也有到头的时候啊！"命令左右把皇后架出去。圣宗遗诏以皇后为皇太后，元妃为皇太妃；元妃藏起遗诏，自尊为皇太后，摄理国政。

太后已经得志，召来萧孝先共同密谋，想编造罪行陷害皇后，由于驸马萧实迪是皇后所喜爱的人，太后他们对驸马非常忌恨。秦晋公主私下里听到太后的密谋，告诉萧实迪说："你将要无罪而被杀，与其死，何不逃到女真去保住命呢？"萧实迪说："朝廷岂肯以流言杀害忠良呢！我宁愿死也不去别国。"当时护卫冯嘉努、帐下医耶律喜逊迎合太后心意，诬告北府宰相萧绰布和萧实迪阴谋叛变，打算尊奉皇后摄政，再慢慢商议拥立谁为皇帝，太后命审讯穷究其罪。辛丑（二十五日），太后杀萧绰布、萧实迪及其党羽七人，案件牵连到皇后。辽主听说后说："皇后侍奉先帝很多年，我小时候她抚育过我，应当为太后，现在不奉为太后，反而加罪，能这样吗？"太后说："此人若在，恐怕成为后患。"辽主说："皇后没有儿子而且年老，虽然在，也不会有能力做什么。"太后不答应，到底还是把皇后用小车载走，囚禁在上京。当时辽臣们惧怕太后的淫威，没有敢说话的，唯有枢密使萧朴独自上书为皇后受诬害辩白，但不予回答，萧朴感慨愤怒，以至于吐血。

雄州将辽圣宗的死讯报告仁宗。辛丑（二十五日），停止视朝七日，在京师及河北、河东沿边境地区也禁止音乐七天，派使臣前往辽国祭奠，吊慰及祝贺新皇帝即位。

秋季，七月，丙午朔（初一），辽太后率皇族亲临太平殿，高丽派使臣前来吊慰。辽主召晋王萧普古等饮酒赌博，至半夜才止。

辽国奉陵军节度使耶律吉实来报丧，仁宗在内东门的幄殿为辽圣宗穿丧服，面向辽国高声痛哭，哭五次才停止，皇太后也像皇帝一样按仪礼哀哭。派遣近臣到馆驿吊慰、身穿常服、腰系黑带、系鞋、不佩剑。

丁未（初二），辽国主打球。

庚戌（初五），辽国赈济蓟州饥荒。

乙卯（初十），辽国由于连年丰收，不再给东京统军司粮食。

丁巳（十二日），辽国主拜谒圣宗遗容，悲声痛哭很长时间，又命在御容殿画北府宰相萧孝友、南府宰相萧孝穆的像。

戊午（十三日），任命孔道辅为贺辽太后册礼使，辽太后册礼使从此开始。

壬申（二十七日），辽国主拜谒神主帐，当时奥隈萧氏刚入宫，也命她去拜谒。

癸酉（二十八日），任命翰林侍讲学士、兵部侍郎孙奭为工部尚书，知兖州，孙奭三次请求告老辞官，仁宗在承明殿召他对策，对他多有敦促告谕，孙奭以年过七十坚决要求辞职退隐，流泪不止，仁宗也很凄然。诏命孙奭与冯元讲《老子》三章，各赏赐帛二百匹。由于不允辞官，孙奭要求就在靠近京师的州郡任职，所以从优除授官职，按诏命须先赐宴而后赴任。

甲戌（二十九日），右正言陈执中免去度支判官，在谏院供职。当时谏议大夫、司谏、正言都不担任谏官之职，必须另下敕令召赴谏院的人，才称谏官。

八月，丁丑（初二），以太子少保退休的马亮去世，赠右仆射。

马亮有智谋胆略，善于处理政事，不过他所到过的地方没有清廉的名声。死后，由于女婿吕夷简为宰相，得谥号为忠肃，人们都不以为然。

代理知开封府寇瑊去世。

寇瑊起初是攀附丁谓的，因而很早就飞黄腾达了。到丁谓失势，降官，他郁郁不得志。秘书丞彭齐赋《丧家狗》一篇讽刺他。

九月，戊申（初三），辽主亲自视察庆陵。

己巳（二十四日），任右谏议大夫程琳为给事中，暂知开封府。王蒙正之子王齐雄用杖将老兵打死，程琳令有司验查，王蒙正与太后有联姻之亲，太后叫程琳入朝对策，对程琳说："王齐雄不是杀人者，是他的奴才用杖打他。"程琳道："奴才没有自作主张的道理，而且使令别人犯罪与自己犯罪一样。"太后无话可说。于是依法判决。

庚午（二十五日），任命吏部尚书、知天雄军王曾为彰德节度使，仍知天雄军。辽国使者往返路过这里，车马随从敛声屏气而过，没有敢喧哗的人。百姓拥戴他的施政措施，为他画像建生祠。

甲戌（二十九日），辽国派遣使者来答谢宋朝使者的吊慰。

冬季，十月，戊寅（初四），辽国宰臣吕德懋去世。

己卯（初五），任翰林学士宋绶为龙图阁学士、知应天府。

当时太后还在临朝，五天一至承明殿，垂帘处理政务，而仁宗还从未单独召对群臣呢。宋绶提出："应按照唐代先天年间制度，令群臣在前殿对策，除了军国大事及升降官员以外都在前殿领取圣旨。"书呈上，违反了太后心意，所以命宋绶出朝任职。侍御史刘随、殿中侍御史郭劝都提出宋绶擅长文辞，当留在朝廷，太后不同意。

丙戌（十二日），下诏书警戒众官，是应侍御史知杂事刘随的请求。大略说："近来缙绅之间，不顾名节，以功劳自居的掠他人之美求名、想升官的行险诈以争恩邀宠，任国家屏藩要职的，有人奏请加恩贪得无厌，任按察职务的有人以宽纵为非作歹之人为得计。贪婪无耻，只顾营私，老而无才，不知引退。根据祖宗的教训，告诫百官，如果稍有触犯官规，将会自投法网。"

辽国派遣使臣来，送交其先主的遗物。己酉，派遣使臣来答谢宋祝贺辽新主即位及太后册封典礼。

闰月，辛亥（初七），辽国有司要求以辽主生日为永寿节，太后生日为应圣节，辽主采纳了这个建议。

辛酉（十七日），辽主察看新造的铠甲。

癸亥（十九日），任盐铁副使赵州人王罴为天章阁待制。

起初，马季良提出建议："京师商人常用贱价收购囤积茶盐交引，请官府设置专卖机构收买它。"马季良正专权，有司不敢违背他的意思，只有王罴认为不行，他说："与百姓争利，岂是

国家该做的!"此事就作罢。

丁卯(二十三日),辽国赈济黄龙府饥荒。

戊辰(二十四日),兖州知州孙奭向仁宗辞行,在大清楼赐宴,召太子少保辞官退隐的晁迥及近侍之臣都参加。第二天,孙奭入朝谢恩,皇帝又命他讲述《老子》,赐一套衣服、金带、鞍及勒马。到出发时,在瑞圣园赐宴,又赐诗,诏令近臣都赋诗相送。

十一月,辛巳(初八),三馆迁至崇文院。以前三馆、秘阁在左掖门内,左升龙门外,大中祥符八年,因宫中火灾,暂处右掖门外,这时崇文院修成,又迁回来。

丙申(二十三日),辽国安葬文武大孝宣皇帝于庆陵。

起初,耶律资忠为圣宗所信任,因他忤逆了权贵之人,出京去任昭德节度使,这时上表要求参加葬礼,来了之后,伏在皇帝的棺椁上放声大哭说:"我有幸遇到圣明之君,却无端遭到谗谄,不能尽犬马之力报答您。"哭得昏死过去又苏醒过来。辽主命医生给他治病,过了很久以后,又提出:"国舅孝先无忧国之心,陛下不应再用唐景福的年号。"于是又招来当权者厌恶,把他送回昭德,不久就去世了。

丁亥(十四日),放松两川禁矾令。

十二月,癸丑(初十),辽国主自庆陵返回。

太后临政,辽主不处理政务,群臣上表要求辽主亲理政事,辽主不答应。

甲寅(十一日),诏令吏部铨叙官员:"候补官员父母年八十岁以上的暂任近家地区的官职。"

这一年,辽国封李德明之子李元昊为夏国公,将兴平公主嫁给他。

明道元年 辽重熙元年(公元1032年)

春季,正月,壬申朔(初一),辽太后亲临正殿,接受辽主与群臣朝拜。

乙亥(初四),任命知江陵府会稽人杜衍为河北都转运使。起初,命杜衍镇守荆南,殿中侍御史郭劝进言说杜衍清廉耿直,应当留在朝中,仁宗没有采纳他的意见。正赶上河北缺乏军费,就命杜衍前去筹措,不增加老百姓赋税而国家财用充足了。

丁丑(初六),辽国主前往雪林。

癸巳(二十二日),诏令:"按举官上奏弹劾所属官吏而反被他们控告,从今以后不许受理这类案子。"

二月,癸卯(初二),监修国史吕夷简进上《三朝宝训》三十卷。

庚戌(初九),任命知许州、定国节度使张士逊为刑部尚书、同中书门下平章事。

丁卯(二十六日),封真宗的女官顺容李氏为宸妃,这一天宸妃去世。

宸妃刚生下皇帝(仁宗),皇太后立刻把仁宗当作自己的儿子。皇帝即位超过十年,宸妃默默无闻地与先朝嫔妃在一起,从来没有说出自己的特殊身份,大家都畏惧太后,也没人敢提什么。一直到太后死,皇帝都不知道自己是宸妃所生。宸妃病重时才受封,时年四十六岁。

开始,宫中没有治丧,宰相吕夷简上朝奏事提出:"听说宫中有个嫔妃死了。"太后惊讶地问:"宰相也干预宫中的事吗?"拉住皇帝一同站起。一会儿,太后独自坐在垂帘下,召吕夷简问道:"一个宫女死了,你为什么干预?"吕夷简问道:"我身为宰相,宫内外的事没有不该管的。”太后发怒说：“你想离间我们母子吗？”吕夷简说：“太后不为刘氏着想，臣不敢说；如果还为刘氏着想，丧礼就应从厚。”太后明白了，马上说：“封她李宸妃，将如何？”吕夷简请求在皇仪殿办丧事，用_品礼仪殡于洪福寺。又对内侍罗崇勋说：“宸妃应当用皇后服饰入殓，用水银充填棺内。”有司衙门迎合太后心意，提出年月不吉利。当时有诏令要凿穿宫墙抬出灵柩发丧，吕夷简马上求见皇上答对，太后揣摩知道吕夷简的用意，派遣罗崇勋去问吕夷简，吕夷简说：“凿墙出丧不合礼仪，应从西华门出丧。”太后又派罗崇勋说：“没想到你竟然提这种要求。”吕夷简道；“我在宰相之位，理应在朝廷据理力争，太后不答应，我就不退出。”罗崇勋反复传话三次。太后还是不应允。吕夷简正颜厉色地对罗崇勋说：“宸妃生育了皇帝，而丧事不按礼仪办，他日必定有人受到惩罚，不要说我吕夷简今天没有提出意见。”罗崇勋害怕了，飞跑进宫禀告太后，太后才答应了。

三月，壬申朔（初一），辽国任命尚父、漆水郡王迪礼复为特里衮。

辽太后自从代理执政，就追封其曾祖为兰陵王，父亲为齐王，诸弟兄都封王，萧家奴才当团练、防御、观察、节度使的达四十多人。燕民中无业游民多挂名当乐工、当萧家奴。

戊子（十七日），开始颁行《天圣编敕》。

太常博士安丘人明镐，起初为蕲州幕府，知州邓余庆，贪暴不法，州中政事都由明镐主持。薛奎统领秦州、益州，都征召明镐跟从。于是明镐被免去益州同判，还朝，赐他上朝答对，仁宗问辅臣明镐有何才干，薛奎说：“明镐有文学之才，沉着果敢能决断大事。愿陛下尽快起用他。”己丑（十八日），任命明镐代理开封府推官，不久就正式任命。

江、淮旱灾，戊戌（二十七日），诏命审察在押囚犯，判流放刑以下的降一等，判杖刑、鞭笞的释放。

己亥（二十八日），免除婺州、秀州丁口之税。

这年春天，辽主大行出猎。太后担心辽主怀念齐天皇后抚育之恩，因而乘辽主外出大规模行猎之机，派人飞马驰至上京杀死皇后。皇后说：“我实在无辜，这是天下都了解的，等我沐浴后再受死，可以吗？”使者退下，等他再次到来时，皇后已经死了，时年五十岁。又杀死皇后左右一百多人，用庶人之礼仪埋葬了皇后。

夏季，四月，戊午（十八日），知棣州王涉，犯冒请官地为职田罪，发配广南牢城。

六月，殿中侍御史冀人张存上疏说：“陛下嗣位大统以来，接受劝言，没有任何忌讳，全国上下都直言进谏，毫无顾忌。自从前年秋天下诏免除百官轮流上朝答对，去年冬天又降免御史曹修古等，昨天又听说进士林献可因启奏封事而将他远远地流放到岭南去，造成人心惶惑不安，朝廷内外不知将发生什么事。臣恐怕从今以后忠心耿直的言论和治乱安危的劝谏，将会被阻隔而不能上达。”又一一援引周昌、朱云、辛庆忌、辛毘的事以开扩启发仁宗。

秋季，七月，乙酉（十六日），参知政事王曙降职为资政殿学士、知陕州，是因病自己请求的。

辛卯（二十二日），以门下省为谏院，迁徙旧省于右掖门之西，先朝虽然拜授谏官但未曾设置谏院，到陈执中任谏官时，屡次请求。设置谏院是从此时开始的。

辽主在平地松林狩猎。

八月，辛丑（初二），任命三司使、兵部侍郎晏殊为枢密副使。丙午（初七），任命晏殊参

知政事。

辽主留驻剌河源。这天,皇子洪基降生。

甲寅(十五日),任命杨崇勋为枢密副使。

戊午(十九日),诏命国子监重修七十二贤堂,从左丘明以下二十一人,都按本人品位衣冠画相。

壬戌(二十三日),建成文德殿。这天夜里,宫内失火,延及崇德、长春、滋福、会庆、崇徽、天和、承明、延庆八座宫殿。仁宗与皇太后到花园避火;癸亥(二十四日),转移到延福宫。

甲子(二十六日),任命宰相吕夷简为修葺大内使,枢密副使杨崇勋任副职。

乙丑(二十六日),诏令群臣直言进谏朝廷的缺失。

在此之前,宫中起火,百官早朝时宫门不开。辅臣要求对策,皇帝亲临拱宸门,百官在楼下朝拜,唯有宰相吕夷简不下拜。仁宗问他原因,吕夷简说:"宫廷发生了变故,群臣希望看一看清明的君王。"仁宗掀起帘子大家望见后,吕夷简才下拜。

丁卯(二十八日),大赦,诏命:"营造宫殿房屋,应按祖宗旧制办事,更要一切减省节约。"

当时宦官审理火灾的案件,找到裁缝的熨斗,已经屈打成招,送到开封府,就要结案。代理知府事程琳却认为不然,不同意宦官的决断,于是他命画工绘出火势所经过的地方,并且提出:"后宫人多而居处狭窄,炉灶靠近木板墙,年代久了木板干燥而燃烧,这是天降之灾,不应将人治罪。"监察御史宜兴人蒋堂也上奏说:"起火没有踪迹可寻,怎知不是上天之意呢!陛下应当修养德行以应灾变,现在要归罪于宫中之人,把他交给官府。宫人入狱,重刑之下不得不违心招认,于是就赐他死罪,是加重上天的谴责啊。"仁宗为之放宽刑狱,终于没有人判死罪。

这个月,殿中丞河南人滕宗谅、秘书丞大名刘越经仁宗批准上封奏事。滕宗谅说:"国家以火德称王,而火丧失本性造成灾祸,是国政丧失了根本。"因而请求太后还政于皇帝,而刘越请求太后还政,言语特别直率,都没有得到回答。

九月,丁亥(十九日),永兴军上奏说左卫大将军,分司西京李士衡去世。李士衡前后主事共计二十年,虽然才智过人,然而一向贪婪,家中资产累至巨万,在长安里修建府第,俨然像皇宫一样。

庚寅(二十二日),重做册书宝玺,因为旧册宝玺被火烧毁了。有司提出册宝法物,总共要用黄金二千七百两。诏令改成银制表面涂金。

冬季,十月,己酉(十一日),辽主前往中京。

十一月,甲戌(初六),由于皇宫修建完工,仁宗在天安殿恭谢天地,又拜谒太祖,大赦,改元明道,当天,返回延福宫。

己卯(十一日),冬至,百官在文德殿朝贺皇太后,仁宗驾临天安殿接受朝拜。

这天,辽主率群臣进上太后尊号为法天应运仁德章圣皇太后;群臣进上辽主尊号文武神圣昭孝皇帝。大赦,改元重照。当年再次改元,是采纳了耶律资忠的意见。

辽主任萧萨班为祗候郎官。萧萨班是萧孝穆之子,生性清廉耿直,作风豪爽,擅长于马球及飞马射箭。辽主每当宴会,喜好诙谐玩笑,萧萨班虽很受宠爱,却时常用礼仪约束自己,当时人很称道他。

辽国萧罕喜努，从小好学，博览经史，精通辽、汉文字，曾任右通进，主管南京栗园，到这时任命同知三司使事。

定难节度使、西平王赵德明共娶了三个妻子：卫慕氏，生元昊；咩迷氏，生成遇、讹藏；屈怀氏，生成嵬。赵元昊小名嵬理。羌语称爱惜为嵬，富贵为理。他为人性情凶悍多疑，圆脸高鼻，身长五尺多，通晓佛经，通蕃、汉文字，书案上放置法律书籍，常手持《野战歌》《太一金鉴诀》等书阅读。他迅疾出人不意地领兵袭击夜洛隔可汗王，打败对方，夺取甘州。数次向赵德明进谏，不要向中原称臣，赵德明总是训诫他说："我长期用兵，终究没有好处，徒然使自己疲惫。吾族三十年穿丝绸衣服，这是宋朝天子的恩惠，不可负恩啊。"赵元昊说："穿皮毛，从事畜牧业，是藩族习俗。英雄在世，应称王称霸，何在乎丝绸衣服！"既已攻下甘州，又出兵攻下西京府。这时赵德明去世，赵元昊继位，延州将此情况上报仁宗。下诏罢朝三天，封赠赵德明太师、尚书令兼中书令，任命度支员外郎朱昌符为祭奠使，厚赠绢以助丧仪。仁宗与皇太后为赵德明在苑中穿丧服，百官安慰问候。

辛卯(二十三日)，进封孟王元俨为荆王。

癸巳(二十五日)，任命赵元昊为检校太师兼侍中、定难节度使、西平王，任命司封员外郎杨告为旌节官告使。赵元昊已经承袭封号，立刻阴谋策划叛变。当时宋改元明道，而赵元昊避讳父名，就在国内称显道，虽然贡奉如常，然而已生僭越叛逆之心。第一次接待使者，设法座席妄自尊大，而杨告改坐在宾客之席，不受屈辱，又听见屋后有几百人锻造武器声响，知道他必定谋叛，只是胆怯不敢说。杨告是杨允恭之子。

丙申(二十八日)，诏命苏州将所没收入官的丁谓的庄田归还其家，仍任命其子前内殿承制丁珝为供奉官。

这个月，辽国册封赵元昊为夏国王。

十二月，庚子(初三)，诏命明年二月仁宗亲自耕种籍田，先请皇太后恭谢宗庙，暂停南郊祭天之礼，其恩赏在礼毕后发给。

辛丑(初四)，命礼官审定籍田及皇太后祭庙的礼仪规定。起初，太后想完全穿皇帝的服装，参知政事晏殊以《周官》王后之服回答，不符合太后的旨意，辅臣都决定不了是否服从。薛奎说："太后一定要这样穿衣服，怎样参拜呢？"极力陈述不可穿皇帝之服。太后为改穿其他服装的事，虽然最终没有采纳大家的意见，还是在礼仪上稍有减少。

壬寅(初五)，任命宣徽南院使兼枢密副使杨崇勋为枢密使。杨崇勋委婉辞谢，太后对仁宗说，先帝最称赞杨崇勋质朴诚信，可担当重任，又越级提升他。

壬子(十五日)，任命太子中允安阳人韩琦为太常丞，直集贤院。

起初，韩琦中进士第二名，刚一念到他的名字，太史启奏太阳下出现五色彩云，左右之人都祝贺。

己未(二十二日)，向仁宗上封事的人说："近来诏令淮南饥民，有以子女受人雇佣的，由官府出钱赎还。现在民间不敢雇佣人，而穷人有的无力生存，希望能听任民间自便。"仁宗采纳了这个建议。

庚申(二十三日)，命代理三司使李谘同盛度、王随一起研究解盐法。天圣八年，已经听

任解盐由商人贩运贸易，执行了一年，年财政收入比天圣七年增加缗钱十五万，第二年减少九万，其后每年减少得更多，所以命李谘等研究。盛度、王随都是开始认为由商贩流通有利的人。

这年，陈州同判、太常博士范仲淹，认为京师多有不通过主管部门就任命官职作为奖赏的事，就通过驿站向仁宗上奏，希望以唐中宗朝一些权贵人物贪财卖官，违反任命官职的程序，由宫中发出不合规的墨敕和斜封付中书省任命官职的事为戒；又屡次论及由内宫直接颁发皇帝的敕令的弊端。

辽国任命萧孝友为西北路诏讨使，封兰陵郡王。

在此之前萧革任诏讨使，专门以威力压制西羌，诸部多有叛变。萧孝友到任，多加安抚，羌人每次进贡都增加对他们的赏赐之物，羌人得以安定下来，其后逐渐成为姑息纵容，各部凶残剽悍的风气愈来愈严重。萧孝友是太后的弟弟。

太后诸弟中，只有萧孝穆地位高，令人敬畏，太后有赏赐都推辞不接受，妻子和子女没有丝毫骄矜之色。而萧孝先最为骄横，尤为专权。

太后的姐姐秦国夫人，早年寡居，有丑闻，太后见长沙王色嘉努姿容美丽，为此就杀了色嘉努的妃子而把秦国夫人嫁给他。太后的妹妹晋国夫人，喜爱户部侍郎耿元吉美貌，太后应妹妹的要求，也杀了耿元吉的妻子，让他娶了晋国夫人。

辽国录取进士刘师贞等五十七人。

续资治通鉴卷第三十九

【原文】

宋纪三十九　起昭阳作噩【癸酉】正月，尽阏逢阉茂【甲戌】十二月，凡二年。

仁宗体天法道极功全德　神文圣武睿哲明孝皇帝

明道二年　辽重熙二年【癸酉，1033】　春，正月，戊寅，罢馆阁侍书。

初，光禄寺丞盛申甫、马直方在馆阁读书，自陈岁久，请一贴职，帝止令大官给食，候三年与试，因诏后毋得复置。

己卯，诏发运使以上供米百万斛赈江、淮饥民。

癸未，铸“明道元宝”钱。

壬辰，女直贡于辽。女直即女真，避辽主名，改称女直。

二月，庚子，诏：“江、淮民被灾死者，官为葬祭。”

乙巳，皇太后服衮衣、仪天冠，享太庙，为初献，皇太妃亚献，皇后终献。是日，上皇太后尊号曰应天齐圣显功崇德慈仁保寿皇太后。丁未，祀先农，行藉田礼，礼成，御正阳门，大赦。百官上尊号曰睿圣文武体天法道仁明孝德皇帝。

三月，庚寅，皇太后不豫，大赦。丁谓特许致仕。

甲午，皇太后崩于宝慈殿。遗诰：“尊太妃为皇太后，军国大事与太后内中裁处；赐诸军缗钱。”乙未，帝御皇仪殿之东楹，号恸见辅臣，曰：“太后疾不能言，犹数引其衣，若有所属，何也？”参知政事薛奎曰：“其在衮冕也，服之何以见先帝？”帝悟，以后服敛。命吕夷简为山陵使。既宣遗诰，阁门趋百官贺太后于内东门。御史中丞蔡齐目台吏毋追班，入白执政曰：“上春秋长，今始亲国政，岂宜使女主相继称制乎？”遂罢预政。

是月，温逋奇囚嘉勒斯赉于阱中，而出兵收不附己者。守阱人出之，嘉勒斯赉因集部众讨杀温逋奇而徙居青唐。

夏，四月，丙申朔，下诏求言。删去遗诰“皇帝与太后裁处军国大事”之语。

皇太后既崩，左右有以宸妃事闻者，帝始知为宸妃所生，号恸累日不绝。壬寅，追尊宸妃为皇太后；甲辰，诏改葬于永定陵，以大行皇太后山陵五使并兼追尊皇太后园陵使。或言太后死非正命，丧不成礼，帝亦疑焉。因易梓宫，帝遣太后弟李用和视之，则容貌如生，服饰严具。用和入告，帝叹曰：“人言其可信哉！”遇刘氏加厚。

戊申，帝听政于崇政殿西厢。

庚戌，以流人林献可为三班奉职。明道初，献可抗言请太后还政，太后怒，窜于岭南，至是特录之。

壬子，群臣上表请御正殿，不允；表三上，乃从之。诏："内外毋得进献以祈恩泽，及缘亲戚通章表。"罢创修寺观。帝始亲政，裁抑侥幸，中外大悦。

癸丑，召知应天府宋绶、同判陈州范仲淹赴阙。

初，太后称制，宦者江德明、罗崇勋、任守忠等，交通请谒，权宠颇盛；参知政事薛奎言不遂斥逐，恐阶以为乱。帝不欲暴其罪状，止黜之于外。

己未，吕夷简罢为武胜节度使、同平章事，判澶州；枢密使张耆罢为左仆射、护国节度使，判许州，寻改陈州；枢密副使夏竦罢为礼部尚书，知襄州，寻改颍州；参知政事陈尧佐罢为户部侍郎，知永兴军；枢密副使范雍罢为户部侍郎，知荆南府，寻改扬州，又改陕州；枢密副使赵稹罢为尚书左丞，知河中府；参知政事晏殊罢为礼部尚书，知江宁府，寻改亳州。

帝始亲政，夷简手疏八事，曰正朝纲，塞邪径，禁贿赂，辨佞壬，绝女谒，疏近习，罢力役，节冗费，其语甚切。帝与夷简谋，以耆、竦等皆太后所任用，欲悉罢之。退，告郭后，后曰："夷简独不附太后邪？但多机巧，善应变耳。"由是并罢夷简。及宣制，夷简方押班，闻唱其名，大骇，不知其故。而夷简素厚内侍副都知阎文应，因使为中诇，久之，乃知事由后云。

宰臣张士逊加昭文馆大学士、监修国史；资政殿大学士、工部尚书、判都省李迪同平章事、集贤殿大学士；户部侍郎王随参知政事；礼部侍郎、权三司使事李谘为枢密副使；步军副都指挥使王德用为检校太保、佥署枢密院事。

始，太后临朝，有求内降补军吏者，德用曰："补吏，军政也；敢挟此以干军政，不可与。"太后固欲与之，卒不奉诏，乃止。帝阅太后阁中，得德用前奏军吏事，奇之，以为可大用，故擢任枢密。德用谢曰："臣武人，待罪行间，不足以当大任。"帝遣使者趣入院。

以权御史中丞蔡齐为龙图阁学士，权三司使事；天章阁待制范讽为右谏议大夫，权御史中丞。

时有飞语传荆王元俨为天下兵马都元帅者，即捕得，系狱，逮及数百人，齐案之无迹。帝督责愈急，齐曰："小人无知，不足治，且无以安荆王。"一夕三疏。帝大悟，止笞数人而已。

先是讽出知青州，时山东旱蝗，前宰相王曾，家多积粟，讽发取数千斛济饥民，因请遣使安抚。于是以御史中丞召，其在青州不逾岁也。

以太常博士、秘阁校理范仲淹为右司谏。仲淹初闻遗诰以太妃为皇太后，参决军国事，上疏言："太后，母号也，自古无因保育而代立者。今一太后崩，又立一太后，天下且疑陛下不可一日无母后之助矣。"时已删去参决等语，然太后之号讫不改，止罢册命而已。

降殿中丞、知吉州方仲弓为太子中舍、监丰国监。

初，仲弓请依唐武后故事立刘氏七庙，太后见其奏，怒曰："吾不作此负祖宗事！"裂而掷之，犹用是得知吉州。帝以累更赦宥，止薄责焉。

壬戌，始御崇政殿。

癸亥，上太后谥曰庄献明肃。旧制，后谥二字；称制加四字自此始。追尊李太后谥曰庄懿。

五月，丁卯，判河南府钱惟演请以庄献、庄懿皇太后并祔真宗室。惟演既罢景灵宫使，还河南，不自安，乃建此议以希帝意。

戊辰，诏礼部贡举。

辛未，以屯田员外郎武城庞籍为殿中侍御史。籍奏请下阁门取垂帘仪制尽焚之。又奏："陛下躬亲万机，用人宜辨邪正，进擢近列，愿采公论，毋令出于执政。"孔道辅尝谓人曰："言事官多观望宰相意，独庞君可谓天子御史也。"

癸酉，诏："太后垂帘日诏命，中外毋辄以言。"

始，太后称制，虽政出宫闱，而号令严明，左右近习亦少假借，赐与皆有节。赐族人御食，必易以（铅）〔釦〕器，曰："尚方器勿使入吾家也。"晚，稍进外家，任内官罗崇勋、江德明等访外事，崇勋等以此势倾中外，又以刘从德故黜曹修古等。然太后保护帝既尽力，帝奉太后亦甚备。及太后崩，言者多追斥垂帘时事。范仲淹言于帝曰："太后受遗先帝，保佑圣躬十馀年，宜掩其小故以全大德。"帝大感悟，乃降是诏。

丙子，命张士逊撰《藉田》及《恭谢太庙记》，以翰林学士冯元为编修官，直史馆宋祁为检讨官。既而祁言皇太后谒庙非后世法，乃止撰《藉田记》。

帝始召宋绶，将大用之，为张士逊所沮。丁丑，以绶为翰林侍读学士兼龙图阁学士，判都省。

六月，甲午朔，日有食之。

壬寅，录周世宗及高季兴、李煜、孟昶、刘继元、刘𬬮后。

辛亥，太子少傅致仕孙奭卒。帝谓张士逊曰："朕方欲召奭还，而奭遂死矣！"嗟惜久之，罢朝一日，赠左仆射，谥曰宣。

奭劝讲禁中二十馀年，讨论典礼，必取前代中正合法事类陈之，故政府奉行无疑。当真宗封禅时，独正言谏诤不少阿。晚节勇退。疾甚，徙正寝，屏婢妾，谓其子瑜曰："无令我死妇人手也！"

初，以钱惟演议下，礼院言："夏、商以来，父昭子穆，皆有配坐。每室一帝一后，礼之正仪，前代无同日并祔之文。"诏都省与礼院议，皆以为："庄穆位崇中壸，与懿德有异，已祔真庙，自协一帝一后之文。庄献辅政十年，在懿诞育圣躬，德莫与并，退就后庙，未厌众心。案《周礼》大司乐职：'奏夷则，歌小吕，以享先妣。'先妣者，姜嫄也，帝喾之妃，后稷之母，特立庙而祭，谓之閟宫。宜于太庙外别立新庙，奉安二后神主，同殿异室，岁时荐享，用太庙仪。别立庙名，自为乐曲，以崇世享。忌前一日不御正殿，百官奉慰，著之甲令。"诏从之。己未，命权知开封府程琳、内侍副都知阎文应度地营建新庙。

秋，七月，丁丑，诏知富平县事张龟年增秩再任，以其治行风告天下。

癸未，降知永兴军陈尧佐知庐州，为狂人王文吉所诬也。尧佐罢政，过郑，文吉挟故怨，告尧佐谋反。帝遣中官讯问，复以属御史台。中丞范讽，夜半被旨，诘旦得其诬状，上之，尧佐犹坐是左降。时复有诬谏官阴附宗室者，宰相张士逊置二奏帝前，且言："憸人诬陷良善以摇朝廷，若一开奸萌，臣亦不能自保。"帝悟，置文吉于法，诬谏官事亦寝。

先是右司谏范仲淹以江、淮、京东灾伤，请遣使循行，未报。仲淹请间，曰："宫掖中半日不食，当如何？今数路艰食，安可不恤！"甲申，命仲淹安抚江、淮，所至开仓廪，赈乏绝，禁淫祀，奏蠲庐、舒折役茶，江东丁口盐钱。饥民有食乌昧草者，撷草进御，请示六宫贵戚，以戒侈心。

又上疏曰："祖宗时，江、淮馈运至少，而养六军又取天下。今东南漕米岁六百万石，至于府库财帛，皆出于民，加之饥年，艰食如此。愿下各有司，取祖宗岁用之数校之，则奢俭可

见矣。

“祖宗欲复幽蓟，故谨内藏，务先丰财，庶于行师之时不扰于下。今横为堕费，或有急难，将何以济！天之生物有时，而国家用之无度，天下安得不困！江、淮、两浙诸路，岁有馈粮，于租税外复又入籴，计东南数路不下二三百万石，故虽丰年，谷价亦高。至于造舟之费及馈运兵夫给受赏与，每岁又五七百万缗，故郡国之民率不暇给。

“国家以馈运数广，谓之有备。然冗兵冗吏，游惰工作，充塞京都。臣至淮南，道逢羸兵，自言三十人自潭州挽新船至无为军，在道逃死，止存六人，去湖南犹四千馀里，六人者比还本州，尚未知全活。乃知馈运之患，其害人如此。

“今宜销冗兵，削冗吏，禁游惰，减工作，既省京师用度，然后减江、淮馈运，租税上供之外，可罢高价入籴。国用不乏，东南罢籴，则米价不起；商人既通，则入中之法可以兼行矣。真州建长芦寺，役兵之粮已四万斛，栋宇像塑金碧之资又三十万缗。施之于民，可以宽重敛；施之于士，可以增厚禄；施之于兵，可以拓旧疆。自今愿常以土木之劳为戒。”上嘉纳之。

戊子，诏以蝗旱自责，去尊号“睿圣文武”四字，仍令中外直言阙政。

八月，甲午朔，辽遣使来祭奠、吊慰。

丙申，以太常丞永新刘沆直集贤院。沆前同判舒州，庄献太后遣内侍张怀信修山谷寺，建资圣浮屠，怀信挟诏命，督役严急，州将至移疾不敢出，沆奏罢之。

赠工部员外郎曹修古为谏议大夫。修古鲠直，有风节。当庄献时，权幸用事，人人顾望畏忌，而修古遇事辄言，无所回挠。忤太后旨，贬同判杭州；未行，改知兴化军，卒于官，贫不能归葬。宾佐赙钱五十万，季女泣白其母曰：“奈何以是累吾先人也！”卒拒不纳。帝思修古忠，故优赠之，仍恤其家。

壬寅，名庄献明肃太后、庄懿太后新庙曰奉慈。

癸卯，诏：“凡除转运使及藩镇、边郡守臣，自今并许上殿奏事。”

甲辰，诏：“中外毋避庄献明肃太后父讳。”

丁酉，辽主如温泉宫。

壬子，宰臣张士逊等言：“比诸道旱蝗，请用汉故事册免，蒙赐诏不许。今陛下既减损尊名，愿各降官一等，以塞天异。”帝慰勉之。

乙卯，辽遣使阅诸路禾稼。

丁巳，置端明殿学士，以翰林侍读学士宋绶为之。

三司言：“自藉田后，继有赏赉，用度不足，请假于内藏库。”庚申，出缗钱百万赐之。帝谓张士逊曰：“国家钱本无内外，盖以助经费耳。”自是岁歉或调发，则出内藏以济之。

九月，丙寅，崇信节度使、同平章事、判河南府钱惟演落平章事，还本镇。

初，惟演欲为自安计，首建二后并配议。既与刘美为亲，又为其子暧娶郭皇后妹，至是又欲与庄懿太后族为婚。御史中丞范讽，劾惟演擅议宗庙；前在庄献时权宠太盛，且与后族连姻，请行降黜。帝谕辅臣曰：“先后未葬，朕不忍遽责惟演。”讽袖告身对曰：“臣今奉使山陵，而惟演守河南，臣朝暮忧刺客，愿纳此，不敢复为御史中丞矣。”帝不得已可之，讽乃趋出。丁卯，复夺暧一官，落集贤校理，听随惟演行，诸子皆补外州监当。

甲戌，幸洪福院，临庄懿太后梓宫。丙子、壬午，临如之。

丁丑，诏：“国忌日罢佛像前设神御。”

壬午，庄献明肃皇太后灵驾发引，帝顾辅臣曰："朕欲亲行执绋，以申孝心。"乃引绋行哭，出皇仪殿门，礼官固请而止。遣奠正阳门外，遂诣洪福院，服素纱幞头、淡黄衫，从官常服、黑带奉引庄懿太后梓宫，遣奠廷中，皆改衰服。奉辞，随梓宫攀号不已。左右固请止，帝泣曰："劬劳之恩，终身何所报乎！"步送至院西南隅，仗转乃还。

冬，十月，丁酉，祔葬庄献明肃皇太后、庄懿皇太后于永定陵。

甲辰，诏："两川岁贡绫锦罗绮之属，以三之二易为绸绢，供军需。"

帝富于春秋，左右欲以巧自媚，后苑珠玉之工颇盛。殿中侍御史庞籍言："今螽螟为灾，民忧转死，陛下安得不以俭约为师，惜国费以徇民急！"帝纳其言。

己酉，祔庄献明肃太后、庄懿太后主于奉慈庙。

辛亥，帝谕辅臣曰："近岁进士试诗赋，多浮华，宜令有司兼取策论。"

以司封员外郎、秘阁校理吴遵路为开封府推官。

始，庄献太后称制，遵路条奏十馀事，语皆切直，忤太后意，出知常州。遵路至常州，即令转市吴中米以备岁俭，已而果大乏食，民赖以济，自它郡流至者亦十全八九。范仲淹安抚淮南，荐遵路，乞以遵路救灾事迹颁诸州为法，并付史馆。遵路，淑子也。

癸丑，降东、西京囚罪一等，徒以下释之。缘二太后陵应奉民户，免租赋、科役有差。

戊午，张士逊罢为左仆射，判河南府，枢密使杨崇勋罢为河南三城节度使、同平章事，判许州。先是蝗旱仍见，士逊居首相，无所建明，帝颇复思吕夷简。及百官诣洪福院上庄献太后谥册，退而奉慰，士逊乃过崇勋园饮酒，日中不至，群臣离立以俟。御史中丞范讽劾奏之，遂与崇勋俱罢；然制辞犹以均劳佚为言。

以吕夷简为门下侍郎兼吏部尚书，同平章事；知河南府王曙加检校太傅，充枢密使；佥署枢密院事王德用为枢密副使；端明殿学士、刑部侍郎宋绶参知政事；权三司使事蔡齐为枢密副使。

庚申，诏："自今每日御前殿视事。"帝即位之初，尚循真宗晚年故事，惟只日御殿，至是始复旧制。

自唐以来，民计田输赋外，增取它物，复折为赋，谓之杂变，亦谓之沿纳，名品烦细。官司岁附帐籍，并缘侵扰，民以为患。帝诏三司，沿纳物以类并合。于是三司请悉除诸名品，并为一物，夏秋岁入，第分粗细二色。百姓便之。

十一月，癸亥朔，参知政事薛奎，罢为资政殿学士、户部侍郎、判都省。始，庄献崩，二府大臣皆罢去，奎独留，帝且倚以为相。而奎得喘疾，数辞位，久之乃罢。

以龙图阁待制孔道辅为右谏议大夫，权御史中丞。

诏增宗室俸。

乙丑，追册美人张氏为皇后。

寇准以责死既十一年，以庚寅赦书，始得太子太傅。甲戌，赠准中书令，复莱国公，其婿屯田员外郎张子皋复直史馆。仍令赍诏赐其家，祭酹之。子皋，齐贤孙也。

戊寅，以大理评事保塞刘涣为右正言。初，涣上疏庄献太后，请还政，太后怒，议黥面配白州。属太后疾革，宰相吕夷简故为稽留，不即行。至是涣以前疏自言，夷简请褒擢。帝既用涣，顾谓夷简曰："向者枢密院亟欲投窜，赖卿以免。"夷简谢曰："涣疏外，敢言；大臣或及此，则太后必疑风旨自陛下，使母子不相安矣。"帝喜，以夷简为忠。

己卯，徙判天雄军王曾判河南府。始，陈尧咨与曾有隙，曾实代尧咨于天雄，政有不便者徐更之，弥缝不见其迹。及去，尧咨复继曾后，见府署及什器皆因尧咨旧规，但完葺，无所改，叹曰："王公度量，我不及也！"

十二月，丙申，帝谓辅臣曰："朕退朝，凡天下之奏必亲览。"吕夷简曰："小事皆听览，恐非所以养圣神。"帝曰："朕承先帝之托，万几之重，敢自泰乎！"又曰："朕日膳不欲珍美，衣服多以缯绨，屡经浣濯，宫人或以为笑。大官进膳，有虫在食器中，朕掩而不言，恐罪及有司也。"夷简因称盛德。帝曰："偶与卿等言之，非欲闻于外，嫌近名耳。"

复置诸路提点刑狱官，仍参用武臣。

甲辰，以京东饥，出内藏库绢二十万下三司，代本路上供之数。

丁未，出侍御史张沔知信州，殿中侍御史韩渎知岳州。

先是宰相李迪除二人为台官，言者谓台官必由中旨，乃祖法也。既数月，吕夷简复入，因议于帝前。帝曰："祖法不可坏也。宰相自用台官，则宰相过失无敢言者矣。"迪等皆惶恐。遂出沔、渎，仍诏："自今台官有缺，非中丞、知杂保荐者，毋得除授。"

戊申，出宫人二百。帝时屡出宫人，吕夷简曰："此诚美事，然出宫人，恐有失所者。"帝因曰："曩太后临朝，臣僚戚属多进女，今已悉还其家矣。"

己酉，辽禁夏国使沿途私市金铁。

初，郭皇后之立，非帝意，浸见疏；而后挟庄献势颇骄，后宫希得进。及庄献崩，帝稍自纵，宫人尚氏、杨氏骤有宠；后性妒，屡与忿争。尚氏尝于帝前语侵后，后不胜忿，起批其颊。帝自起救之，后误批帝颈。帝大怒，有废后意。内侍副都知阎文应，白帝出爪痕示执政近臣。吕夷简以前罢相故怨后，而范讽方与夷简相接，讽乘间言："后立九年无子，义当废。"夷简赞其言。帝意未决，外人藉藉颇有闻者。右司谏范仲淹因对，极陈其不可，且曰："宜早息此议，不可闻于外也。"

居久之，乃定议废后，夷简先敕有司无得受台谏疏。(己)〔乙〕卯，诏称："皇后以无子愿入道，特封为净妃、玉京冲妙仙师，赐名清悟，别居长宁宫。"台谏疏皆不得入，仲淹即与权御史中丞孔道辅率知谏院孙祖德、侍御史蒋堂、郭劝、杨偕、马绛、殿中侍御史段少连、左正言宋郊、右正言刘涣伏阁争之，诣垂拱殿门伏奏："皇后不当废，愿赐对以尽言。"守殿门者阖扉不为通，道辅手抚铜镮大呼曰："皇后被废，奈何不听台谏入言！"寻诏诣中书。道辅等语夷简曰："人臣于帝后，犹子事父母也。父母不和，固宜谏止，奈何顺父出母乎！"众哗然，争进说。夷简曰："废后自有故事。"道辅及仲淹曰："人臣当道君以尧、舜，岂得引汉、唐失德为法？公不过引汉光武劝上耳，是乃光武失德，何足法也？"夷简不能答，拱立曰："诸君更自见上力陈之。"道辅与仲淹等退，将以明日留百官揖宰相廷争。而夷简即奏台谏伏阁请对，非太平美事，乃议逐道辅等。祖德，北海人；偕，坊州人；少连，开封人。

丙辰旦，道辅等始至待漏院，诏道辅出知泰州，仲淹知睦州，祖德等各罚铜二十斤。故事，罢中丞必有告辞，至是直以敕除，道辅比还家，敕随至，又遣使押道辅及仲淹亟出城。仍诏："谏官、御史，自今并须密具章疏，毋得相率请对，骇动中外。"绛、偕奏乞与道辅、仲淹俱贬，劝及少连再上疏，皆不报。

将作监丞、签判河阳富弼上疏曰："皇后自居中宫，不闻有过；陛下忽然废斥，物议腾涌。自太祖、太宗、真宗三后未尝有此。陛下为人子孙，不能守祖考之训，而遂有废后之事。治家尚不以道，奈天下何！范仲淹为谏官，所极谏者，乃其职也，陛下何故罪之？假使所谏不当，犹须含忍以招谏诤；况仲淹所谏，大惬众心，陛下乃纵私忿，不顾公议，取笑四方，臣甚为陛下不取也。陛下以万乘之尊，废一妇人，甚为小事，然所损之体则大。夫废后谓之家事而不听外臣者，此乃唐奸臣许敬宗、李世勣谄佞之辞，陛下何足取法！陛下必欲废后，但可不纳所谏，何必加责以重己过！今匹庶之家或出妻，亦须告父母，父母许，然后敢出之。陛下贵为天子，且庄献、庄懿山陵始毕，坟土未干，便废黜后氏，不告宗庙，是不敬父母也。今陛下举一事而获二过于天下：废无罪之后，一也；逐忠臣，二也。此二者，皆非太平之世所行，臣实痛惜之！仲淹以忠直不挠，庄献时论冬仗事，大正君臣之分，陛下以此擢用之。既居谏列，闻累曾宣谕，使大小之事，必谏无隐。是陛下欲闻过失，虽古先圣哲亦无以过。今仲淹闻过遂谏，上副宣谕之意而反及于祸，是陛下诱而陷之，不知自今何以使臣！虽日加宣谕，谏臣以仲淹为戒，必不信矣。愿追还仲淹，复其谏职，减二过之一，庶乎谏路不绝，朝纲复振，斯社稷之庆也。"疏入，不报。

时仍岁蝗旱，执政谓宜有变更以导迎和气。丁巳，诏改明年元曰景祐。

禁边臣增置堡砦。

参知政事王随言："淮南积盐一千五百万石，至无屋以贮，露积苫覆，岁以损耗。又，亭户输盐得本钱，或无以给，故亭户贫困，往往起为盗贼。其害如此，愿得权听通商三五年，使商人入钱京师，又置折博务于扬州，使输钱及粟帛以资国用。"遂诏宋绶等与三司使、江、淮制置使同议可否，皆以为："听通商则恐私贩肆行，侵蠹县官。请敕制置司监造船，运至诸路，使皆有二三年之畜。复天禧元年制，听商人入钱粟京师及淮、浙、江南、荆湖州、军易盐。在通、泰、楚、海、真、扬、涟水、高邮贸易者，毋得出城，馀州听诣县镇，毋至乡村。其入钱京师，增盐予之。并敕转运司经画本钱以偿亭户。"诏皆施行。

辽以北府宰相萧孝先为枢密使。孝先在枢密府，好恶自恣，权倾人主，朝多侧目。

景祐元年 辽重熙三年【甲戌，1034】 春，正月，甲子，许京兆府立学，赐《九经》，仍给田五顷。

发江、淮漕米赈京东饥民。

丁卯，侍御史充贺辽正旦使章频卒于辽境。辽主诏有司赙赠，命近侍护丧以归。

戊辰，诏铸"景祐元宝"钱。

丁丑，命翰林学士浦城章得象等五人权知贡举。

壬午，以太常博士滕宗谅为左正言。宗谅，先与刘越同上庄献太后疏请归政者也。

癸未，令："南省就试进士、诸科十取其二，进士五举年五十、诸科六举年六十、尝经殿试进士三举、诸科五举及尝预先朝御试者，虽试文不合格，毋辄黜，皆以名闻。"自此率以为常。

甲申，以淮南岁饥，出内藏绢二十万下三司，代其岁输。

始置崇政殿说书，命都官员外郎贾昌朝、屯田员外郎赵希言、太常博士王宗道、国子博士杨安国为之，日以二人入侍讲说。初，孙奭出知兖州，帝问谁可代讲说者，奭荐昌朝等，因命中书试说书，至是特置此职以处之。

辛卯，辽主如春水。

是月，赵元昊寇府州。

二月，壬辰朔，权停解州盐池种盐三年，以本池所贮可支十年故也。

辽北院枢密使萧朴，出为东京留守。自太后专制国事，一委弟萧孝先。朴屡言仁德皇后之冤，太后嗛之，故外迁。

乙未，罢书判拔萃科，更不御试。自今幕职、州县官经三考以上，非缘边及川、广、福建者，许应贤良方正能直言极谏等六科；其京朝官至太常博士及进士诸科取解而被黜落者，毋得复应茂才异等三科及武举。用知制诰李淑议也。

先是召知凤翔府、兵部员外郎司马池知谏院，池上表恳辞。帝谓宰相曰："人皆嗜进，池独嗜退，亦难能也。"加直史馆，复知凤翔。尝有疑狱上谳，大理辄复下，掾属惶恐引咎，池曰："长吏者，政事所由，非诸君过。"乃独承其罪。有诏勿劾。

辛丑，诏："礼部贡院，诸科举人，应七举者，更不限年，并许特奏名。"

甲辰，权减江、淮漕米二百万石，候岁丰补之。

戊申，诏麟、府州赈蕃、汉饥民。

三月，开封府判官谢绛言："蝗亘田野，坌入郛郭，跳掷官寺，井匽皆满，而使者数出，府县监捕驱逐，蹂践田舍，民不聊生。鲁史书螟，《穀梁》以为哀公用田赋，虐取于民。今朝廷敛弛之法，近于廉平，以臣愚所闻，似吏不甚称职而召其变。凡今典城牧民，有颛方面之势，才者掠功取名，以严急为术，或辨伪无实，数蒙奖录；愚者期会簿书，畏首与尾；二者政殊而同归于敝。夫为国在养民，养民在择吏，吏循则民安气和而灾息。愿先取大州邑数十百，诏公卿以下举任守州者，使得自辟属县令长，务求术略，不限资考，然后宽以约束，许便宜从事，期年条上理状，或徙或留，必有功化风迹。如此而沴气不弭，嘉休不至者，未之有也。"

丙子，诏："御试进士题目书所出，摹印给之，更不许上请。"

戊寅，御崇政殿，试礼部奏名进士。己卯，试诸科。辛巳，试特奏名。已而得进士诸科八百八十三人，特奏名八百五十七人，赐及第、出身。

夏，四月，壬辰，诏："锁厅举人所试不合格者，除其罪。"始，天禧二年，宰相王钦若请锁厅举人试不合格者，并坐私罪，至是始除之。

甲午，赠故翰林学士、礼部侍郎、知制诰杨亿为礼部尚书，谥曰文。故事，非常任二府及事东宫，则四品无赠官。枢密使王曙言："亿尝为寇准草奏，请太子亲政，为丁谓所排，不得志而殁。准既赠中书令，亿宜蒙旌赍。"故特赠之。

初，准令亿草奏，曙知其不可，尝劝止。准败，曙取奏草付其妻，缝置夹衣中。及朝廷欲理准旧勋，曙乃出之，其字漫灭，几不可识矣。

〔丁酉〕，殿中侍御史庞籍为开封府判官，尚美人遣内侍称教旨，免工人市租。籍言："祖宗以来，未有美人称教旨下府者。"帝为杖内侍，切责美人，仍诏有司："自今宫中传命，毋得辄受。"

癸丑，诏置殿中侍御史、监察御史里行。

江东转运使蒋堂言："窃见诸路武臣知州军者，多是素昧条教。欲乞自今除扼束边陲之处合选任近上武臣外，其馀州改差文资。"帝谕令枢密院，今后差武臣知州军，并须择人。

五月，庚申朔，辽主清暑沿柳湖。

乙丑，以权知开封府程琳为三司使。

先是三司并合田赋沿纳诸名品为一物，琳谓："借使牛皮、食盐、地钱合为一，谷、麦、黍、豆合为一，易于钩校可也。然后世有兴利之臣，复用旧名增之，是重困民无已时也。"琳又上疏，论“兵在精不在众，河北、陕西军储数匮，而招募不已。其住营一兵之费，可给屯驻三兵，昔养万兵者，今三万矣。愿罢河北、陕西募住营兵，勿复增置，遇阙即选厢军精锐者补之。仍渐徙营内郡，以便粮饷。”帝嘉纳焉。

丁卯，禁民间织锦绣为服。

以秘书丞张宗谊、孙沔并为监察御史里行。沔，会稽人也。

壬申，出内藏库缗钱百万赐三司。

以河南府学为国子监。

壬午，录系囚。

辽太后既摄政，虑辽主年长难制，与枢密使萧孝先谋废立，欲立少子重元，重元以所谋白辽主。辽主用内侍赵安仁策，勒卫兵出宫，召孝先至，谕以太后当废状，孝先震慑不能对。遂收太后符玺，迁于庆州，诛内侍数十族，释孝先等不问。

六月，己丑朔，赐陈州、扬州学田三顷。

壬辰，广东转运司言交州陈公永等六百馀人内附，李德政发兵境上捕逐。诏遣公永等还，仍谕德政抚存之。枢密副使蔡齐言：“蛮去暴归德，请纳之，给以荆湖闲田使自营。今纵去，必不复还旧部，若散入山谷，如后患何！”不听。明年，蛮果为乱。

淮南制置发运使刘承颜献轮扇浴器。同知谏院郭劝言：“此非所宜献，承颜欲以此媚上耳。乞付外毁弃，以戒邪佞。”甲辰，诏还之。

己酉，策试贤良方正能直言极谏太常博士晋江苏绅、才识兼茂明于体用大理寺丞建安吴育、茂才异等宋城张方平及武举人于崇政殿。育所对策入第三等，绅、方平并第四等次，以育为著作佐郎、直集贤院、通判湖州，绅为祠部员外郎、通判洪州，方平为校书郎、知昆山县。

闰月，戊午朔，赐杭州学田五顷。

乙丑，府州言赵元昊自正月后数入寇，诏并州部署司严兵备之。

乙亥，毁天下无额寺院。

壬午，罢后苑作所用玳瑁、龟筒，从度支判官谢绛言也。绛又言：“迩来用物滋侈，赐予过制，禁中须索，去年计为缗钱四十五万，自今春至四月，已仅二十万。比诏裁节费用，而有司移文，但求咸平、景德簿书，不存则无所错置。臣以为不若推近及远，递考岁用而裁节之，不必咸平、景德为准也。”又言：“号令数变则亏体，利害偏听则惑聪，请者务欲各行，而守者患于不一。请罢内降，凡诏令皆由中书、枢密院，然后施行。”

甲申，诏：“御试制科举人，自今张幕次于殿庑，仍令大官给食；武举人以别日试之。”从知制诰宋郊言也。

乙酉，以前西京留守推官安福欧阳修为馆阁校勘，枢密使王曙所荐也。

始，钱惟演留守西京，修及尹洙为官属，皆有时名，惟演待之甚厚。修等游饮无节，惟演去，曙继至，数加戒敕，常厉色谓修等曰：“诸君知寇莱公晚年之祸乎？正以纵酒过度耳。”众客皆唯唯，修独起对曰：“寇公之祸，以老不知止耳。”曙默然，终不怒，更荐修及洙，置之馆阁，议者贤之。

秋，七月，戊子朔，辽主始亲政，授赵安仁左承宣、监门卫大将军，充契丹汉人渤海内侍都知兼都提点。以耶律玛陆为崇德宫使。玛陆为人，畏慎容物，或有面相陵折者，恬然若弗闻，不臧否人物，故益为辽主所亲狎。

辽主尝与护卫耶律仁先论政事，亟叹其才。仁先以为不世之遇，言无所隐。辽主善之，授为宿直将军。

以太常博士、监察御史里行卫人高若讷为主客员外郎、殿中侍御史里行。

初，命同判司天监杨惟德等以周天星宿度分及占测之术，纂而为书，成三十卷，至是上之，惟德等皆迁官。

以翰林侍读学士范讽为给事中、龙图阁学士，知兖州。讽性倜傥，不拘细行。雅善李迪。常与张士逊议论不合，为中丞，力挤士逊。援吕夷简入相，又合谋废郭后，欲夷简引己置二府，然夷简惮讽，终不敢荐也。讽建议，朝廷当差择能臣，留以代大臣之不称职者，夷简闻而恶之。权三司使仅半岁，以疾免；既久不得意，愤激求出。将行，复谓帝曰："陛下朝无忠臣，一旦纪纲大坏，然后召臣，何益！"夷简愈恶之，故寻被谴黜。

壬辰，辽主如秋山。召东京留守萧朴为南院枢密使，徙封楚王。

己亥，诏："诸路监司按所部官吏不法者，须密切体访，毋得出榜召人告首。"

乙巳，随州言崇信军节度使钱惟演卒，特赠侍中，官护葬事。惟演始以父归国，故亟显，然自以才能进。尝曰："翰林学士备顾问，司典诰，于书一有所不观，何以称职！"官兼将相，阶勋品皆第一，而终不历中书，故常谓人曰："吾平生不足者，惟不得于黄纸尾押字耳。"

常平仓旧领于司农寺，壬子，始诏诸路转运使与州长吏举所部官专主常平钱粟。既而淮南转运副使吴(道)〔遵〕路言："本路丁口百五十万，而常平钱粟才四十馀万，岁饥不足以救恤。愿自经制，增为二百万，它毋得移用。"许之。

枢密直学士杜衍亦尝建议曰："豪姓蓄贾，乘时贱收，水旱则稽伏而不出，须其翔踊以牟厚利，而农民贵籴。九谷散于穰岁，百姓困于凶年，盖缘常平仓制度不立，有名而无实。谓宜量州县远近，户口众寡，时其饥熟，取贱出贵，严以赏罚，课责官吏，出纳无壅，增损有宜。公籴未充，则禁争籴以规利者；籴毕而储之，则察其以供军为名而假借者。夫香象珠玑，久藏府库，非衣食之急。若州郡阙无钱，愿斥卖以赐之，补助其乏。"

先是庆州柔远蕃部巡检嵬逋，领兵入夏州界，攻破后桥新修诸堡。是月，赵元昊率万馀众来寇，称报仇。缘边都巡检杨遵、柔远塞监押卢训，以骑七百战于龙马岭，败绩。环庆路都监齐宗矩、走马承受赵德宣、宁州都监王文援之，次节义烽。通事蕃官言蕃部多伏兵，不可过壕，宗矩不听。伏兵发，宗矩被执。久之，以宗矩还。

八月，庚申，徙知定州、龙神卫四厢都指挥使刘平为环庆路副都部署。

帝初擢平主四厢，谓左右曰："平，所谓诗书之将也。"平在定州，尝建言："臣前在陕西，见元昊车服僭窃，势且叛矣，宜严备之。"不听。及是，戒平曰："知卿有将略，故委以边寄，卿其勉之！"加赐钱百万。

资政殿学士、户部侍郎薛奎卒，赠兵部尚书，谥简肃。奎在政府，谋议无所迎避，或时不如志，归，辄叹咤不食，曰："吾仰惭古人，俯愧后世耳！"尤善知人，范仲淹、庞籍、明镐，自为吏部选人，皆以公辅许之；欧阳修、王拱辰，皆其女婿也。

壬戌，有星孛于张、翼。

癸亥，枢密使、吏部侍郎、检校太(尉)〔傅〕、同平章事王曙卒，赠太保、中书令，谥文康。曙方严简重，有大臣体。常言人臣患不节俭，及贵显，深自抑损。子益恭，以荫为卫尉寺丞，淡于荣利，数解官。曙始参知政事，治第西京，既成，益恭作书陈止足之义，劝曙谢事退居，曙不果去。益恭终父丧，遂以司门员外郎致仕。

甲子，宰臣吕夷简等上表请立皇后。

参知政事宋绶，以帝富于春秋，天下无事，虑燕乐有渐，乃上言："驭下之道有三：临事尚乎守，当机贵乎断，兆谋先乎密。能守则奸莫由移，能断则邪莫由惑，能密则事莫由变。斯安危之所系，愿陛下念之。至若朝务清夷，深居闲燕，声味以调六气，节宣以顺四时，爱养王躬，使不至伤过，乃保和平，无疆之福也。"

戊辰，帝不豫。

庚午，以王曾为吏部尚书、同平章事、枢密使。

时南京留守推官奉符石介贻曾书曰："主上即位十有三年，不好游畋，不近声色，恭俭之德，闻于天下。乃正月以来，闻既废郭皇后，宠幸尚美人，宫庭传言渐有失德。自七、八月来，所闻又甚，倡优妇人，朋淫宫内，饮乐无时，圣体因常有不豫，斯不得不为虑也。今变异屡见，人心忧危，白气彻霄，凶灾荐岁，此天地神灵所以示戒警也。相公昔作元台，今冠枢府，社稷安危，皆系于相公。当此之时，宜即以此为谏；谏止则已，谏不止则相公宜辞枢衡之任，庶几有以开悟聪听，感动上心。若执管仲不害霸之言，以嗜欲闲事，不欲极争，则遂启成乱阶，恐无及矣。"

辛未，以星变，大赦，避正殿，减常膳，出内藏库钱优赏在京将士。诏辅臣于延和殿阁奏事，其诸司事，权令辅臣处分。

壬申，诏："净妃郭氏出居于外，美人尚氏为道士洞真宫，杨氏别宅安置。长秋之位，不可久虚，当求德门以正内治。"

自郭后废，尚、杨二美人益有宠，每夕侍寝，体为之敝，或累日不进食，中外忧惧，皆归罪二美人。杨太后亟以为言，帝未能去。入内都知阎文应，早暮侍帝，言之不已，帝不胜其烦，乃颔之，文应即命毡车载二美人出。二美人涕泣不肯行，文应搏其颊骂曰："宫婢，尚何言！"驱使登车；翌日，降是诏。

甲戌，司天言孛星不见。

殿中侍御史庞籍、左司谏滕宗谅，并坐言宫禁事不实，乙酉，出籍为广东转运使，宗谅知信州。

九月，己丑，群臣上表请御正殿，复常膳；表三上，乃从之。

壬辰，群臣上表请双日不视朝，从之。仍诏中书、枢密院，双日有合奏事，亦许便殿请对。

丁酉，帝康复，御正殿，复常膳。

范仲淹知睦州，不半岁，徙苏州。州比大水，民田不得耕，仲淹疏五河，导太湖注之海，募游手兴作。未就，又徙明州。转运使言仲淹治水有绪，愿留以毕其役；庚子，诏仲淹复知苏州。

太子少傅晁迥，既与太清楼宴，复召对延和殿阁，问《洪范》雨旸之应，迥据经以对。忽感疾卒，年八十四。诏罢一日朝，赠太子太保，谥文元。

迥乐易纯固，喜质正经史疑义，标括字类，无一日废学。不喜术数，尝曰："自然之分，天命也；乐天不忧，知命也；推理安常，委命也。何必逆计未然乎！"

尚、杨二美人出宫后，帝令参知政事宋绶面作诏云："当求德门，以正内治。"既而左右引寿州茶商陈氏女入宫，帝欲立之为后，绶谏曰："陛下乃欲以贱者正位中宫，不与前日诏语戾

乎？”后数日，枢密使王曾入对，又奏引纳陈氏为不可，帝曰：“宋绶亦如此言。”宰相吕夷简、枢密副使蔡齐相继论谏，兼侍御史知杂事杨偕、同知谏院郭劝复上疏，卒罢陈氏。

甲辰，诏立皇后曹氏，彬之孙女也。郭后废，始聘后入宫。乙巳，命宰相李迪为册礼使，参知政事王随副之，宋绶撰册文，并书册宝。有司奏用冬至日行册礼。监察御史里行孙沔，言庄献三年之丧未除，请终制而后行，秘书丞余靖亦以为言，不报。

壬子，诏名太后所居殿曰保庆宫，自今并以保庆皇太后为称。

冬，十月，己未，辽主驻中会川。

庚申，罢淮南、江、浙、荆湖制置发运使，仍诏：“淮南转运使兼领发运使司事；其制置茶盐矾税，各归逐路转运使司。”

改钱惟演谥曰思。先是太常博士、同知礼院张瑰议：“惟演博学业文，此其所优；贪慕权要，衅生不足，此其所劣。《谥法》，敏而好学曰文，贪以败官曰墨。请谥文墨。”其家诉于朝，诏覆议，以惟演无贪黩状，而晚节率职自新，《谥法》，“追悔前过”，改谥曰思。诏：“自今定谥，须礼院集官众议之。”

乙丑，诏：“阁门祗候，自今须尚书员外郎、诸司〔使〕以上及本路转运使或提点刑狱一员，共七人举之，方许引对。”

赵元昊自袭封，即为反计，多招纳亡命，峻诛杀，以兵法部勒诸羌。始衣白窄衫，毡冠红里、顶，冠后垂红结绶。自号嵬名吾祖，凡六日、九日则见官属。初制秃发令，元昊先自秃发，及令国人皆秃发，三日不从令，许众杀之。每欲举兵，必率酋豪与猎，有获则下马环坐饮，割鲜而食，各问所见，择取其长。是岁春，始寇西边，杀掠居人，下诏约束之。居国中，僭益甚，私改元曰开运，既逾月，人告以石晋败亡年号也，乃更广运。

母米氏族人山喜，谋杀元昊，事觉，元昊鸩其母，杀之，沉山喜之族于河，遣使来告哀。诏起复，以阁门祗候王用中为致祭使，兵部员外郎郭劝为吊赠兼起复官告使。元昊赂遗劝等百万，劝悉拒不受。

癸酉，以净妃、玉京冲妙仙师清悟为金庭教主、冲静元师。美人杨氏听人道，赐名宗妙。并居安和院，仍改赐院名曰瑶华宫。

〔乙亥〕，作郊庙《景安》《兴安》《祐安》之曲。

辛巳，赐舒州学田五顷。

壬午，命龙图阁待制燕肃、集贤校理李照、直史馆宋祁同按试王朴律准。肃时判太常寺，建言旧太常钟磬皆设色，每三岁亲祀，则重饰之。岁既久，所涂积厚，声益不协，故有是命。帝亲阅视律〔准〕，题其背以属太常。肃等即取钟磬划涤考击，用律准按试皆合。

十一月，己丑，册皇后。

己酉，诏亲祠郊庙乃用御所制乐章，其有司摄事乐章，令宰臣吕夷简、李迪分撰之。辛亥，诏太常寺：“自今享先农、释奠文宣王、武成王，并用登歌乐，令学士院撰乐章。”

以东上阁门使曹琮为卫州团练使。琮兄女为后，礼皆琮主办，于是奏曰：“陛下方以至公厉天下，臣既备后族，不宜冒恩泽，乱朝廷法；族人敢因缘请托者，愿署于理。”时论称之。寻出为环庆路部署、知邠州。

屯田员外郎张亢者，奎弟也，豪迈有奇节。常通判镇戎军，上言：“赵德明死，其子元昊喜诛杀，势必难制，宜亟防边。”论西北攻守之计，章数十上。帝欲用之，会丁母忧。或传辽聚兵幽、涿间,河北皆惊,十二月,癸酉,命亢为如京使、知安肃军。因入对,曰:“辽人岁享金帛甚厚,惧中国见伐,特张言耳,非其实也。”

赵元昊献马五十匹,求《佛经》一藏;赐之。

己卯,宣庆使、入内都知蓝继宗,以老疾罢为景福殿使、邕州观察使。

监察御史里行孙沔曰:“窃见上封事人同安县尉李安世,辄因狂悖,妄进瞽言,下吏审问。自孔道辅、范仲淹被黜之后,庞籍、范讽置对以来,凡在搢绅,尽思缄默。又虑四方之人不知安世讪上犯颜,将谓安世献忠获罪,自远流传,为议非美。伏望贷以宽恩,特免投窜,使彼偷安之士,永怀内愧之心。”后七日,责沔知潭州衡山县。

沔未有责命时,复上书曰:“去秋以圣体愆和,准双日不坐之请,是则一岁中率无百馀日视事,宰臣上殿奏事,止于数刻,天下万务,得不旷哉!伏愿陛下因岁首正朝之始,霈然下令,诞告多方,每旦恭己,辨色居位,推择大臣,讲求古道,降以温颜,俾之极论。外则逐刺史、县令无状老懦贪残之辈,内则罢公卿大夫不才谄佞诡诞之士。掖庭之中,简去幽旷,宦寺之内,抑损重任。教敦于上,民悦于下,皆目前可见之事,惟陛下力行而已。”书奏,再责监永州酒。

【译文】

宋纪三十九　起癸酉年(公元1033年)正月,止甲戌年(公元1034年)十二月,共二年。

明道二年　辽重熙二年(公元1033年)

春季,正月,戊寅(十一日),撤销馆阁侍书。

起初,光禄寺丞盛申甫、马直方在馆阁读书,他们说任馆阁侍书年月很久了,请求给予一个职位,宋仁宗赵祯只命令掌膳食的太官供应膳食,让他们等候三年一度的考试;因而诏令以后不再设置馆阁侍书。

己卯(十二日),诏令发运使将上供朝廷的大米一百万斛用来赈济江、淮地区的饥民。

癸未(十六日),铸造“明道元宝”铜钱。

壬辰(二十五日),女直向辽国进贡,女直就是女真,因避辽国君主耶律宗真的名讳改称女直。

二月,庚子(初四),下诏说:“江、淮地区百姓因灾荒而死的,由官府来安葬祭奠。”

乙巳(初九),皇太后身穿衮龙袍,头戴仪天冠,享祭太庙。皇太后为初献人,皇太妃为亚献人,皇后为终献人。当天,奉上皇太后尊号为应天齐圣显功崇德慈仁保寿皇太后。丁未(十一日),祭祀先农,举行藉田典礼,典礼完后,登上正阳门颁布大赦。文武百官献上皇帝尊号称睿圣文武体天法道仁明孝德皇帝。

龙珠纹鎏金银王冠　辽

三月,庚寅(二十五日),刘太后患病,颁行大赦。特许丁谓退休。

甲午(二十九日),皇太后在宝慈殿驾崩,写下遗嘱说:“尊太妃为皇太后,凡军国

大事皇帝要与太后在内宫裁定处理；赏赐各路军钱币。”乙未（三十日），皇帝来到皇仪殿的东楹柱下，痛哭着接见宰辅大臣，说：“皇太后病重得不能说话时，还屡次拽自己的衣服，好像有什么话要嘱托，这是为什么？”参知政事薛奎说：“大概是指身上穿的衮冕服吧，穿戴衮冕服怎么去见先帝呢？”皇帝明白了，就给皇太后换上皇后服之后入殓。任命吕夷简为山陵使。宣布太后遗嘱后，阁门使催促文武百官到内东门礼贺新太后。御史中丞蔡齐向台吏使眼色，示意不要追随朝班中的百官，蔡齐进见宰辅大臣说：“皇上年龄已大，现在刚开始亲理朝政，怎么适宜让女主继续称制掌管朝政呢？”于是，取消太后参与朝政。

这月，温逋奇把嘉勒斯赉囚禁在大陷阱中，出兵逮捕不归附他的人。看守陷阱的人放出嘉勒斯赉，嘉勒斯赉纠集部众讨伐并杀死温逋奇，然后迁居到青唐。

夏季，四月，丙申朔（初一），皇帝下诏征求直言。删去已故皇太后遗嘱中“皇帝与太后裁处军国大事”的话。

皇太后驾崩后，左右近臣有人把有关李宸妃的事情告诉了皇帝，皇帝这才知道自己是李宸妃生的，接连几天痛哭不已。壬寅（初七），追尊李宸妃为皇太后；甲辰（初九），皇帝下诏将李太后改葬在永定陵，任命大行皇太后山陵五使兼任追尊的皇太后园陵使。有人传说李太后死于非命，丧葬也不合礼仪，皇帝也心生疑忌。因而命令给更换棺材，派李太后的弟弟李用和验看，发现李太后容貌和生前一样，服饰用具完整齐备。李用和进宫奏报，皇帝叹道：“人们的传言怎么能轻信呢！”对待刘太后家族更加优厚。

戊申（十三日），在崇政殿的西厢房听理朝政。

庚戌（十五日），任命曾流放在外的林献可为三班奉职。

明道初年，林献可上疏直言请求皇太后把政权归还皇帝，刘太后大怒，把他流放到岭南，这时特别予以录用。

壬子（十七日），群臣上表请求皇帝驾临正殿，皇帝不应允；三次上表后，才依允。诏令：“朝廷内外都不得通过进献贡品来祈求恩赏，也不得通过亲戚故旧来转呈章表。”停止新建修葺佛寺道观。皇帝开始亲理朝政，制裁抑止投机取巧的行为，朝廷内外很是欢悦。

癸丑（十八日），征召知应天府宋绶、陈州同判范仲淹迅速来京。

起初，在皇太后临朝称制时，太监江德明、罗崇勋、任守忠等勾结请托，权势恩宠盛极一时。参知政事薛奎说：如果不彻底斥逐这些人，恐怕渐渐引发出祸乱来。皇帝不想揭露他们的罪状，只把他们贬黜到外地。

己未（二十四日），吕夷简罢免宰相，任命为武胜节度使、同平章事，判澶州；罢免枢密使张耆，改任他为左仆射、护国节度使，判许州，不久改判陈州；罢免枢密副使夏竦，改任为礼部尚书，知襄州，不久改知颍州；罢免参知政事陈尧佐，改任为户部侍郎，知永兴军；罢免枢密副使范雍，改任为户部侍郎，知荆南府，不久改知扬州，又改知陕州；罢免枢密副使赵稹，改任为尚书左丞，知河中府；罢免参知政事晏殊，改任为礼部尚书，知江宁府，不久改知亳州。

皇帝开始亲理朝政，吕夷简亲笔上疏谈八件事，分别是：正朝纲，塞邪径，禁贿赂，辨佞人，绝女谒，疏近习，罢力役，节冗费。疏中言辞非常恳切。皇帝与吕夷简谋议，认为张耆、夏竦等人都是皇太后任用的亲信，想全部罢免。皇帝退朝后，将这事告诉郭皇后，郭皇后说：“难道吕夷简就没有依附太后吗？只不过他机灵巧诈、善于应变罢了。”于是连吕夷简一并罢免。等到宣读制书时，吕夷简正在朝中领班，听到唱他的姓名时，大为惊恐，不知其中的缘

故。吕夷简与内侍副都知阎文应向来交情深厚，就让他到宫中打听，很久，才知道这事是由郭皇后提起的。

宰臣张士逊加官昭文馆大学士、监修国史；任命资政殿大学士、工部尚书、判都省李迪为同平章事、集贤殿大学士；任命户部侍郎王随为参知政事；任命礼部侍郎、权三司使事李谘为枢密副使；任命步军副都指挥使王德用为检校太保、佥署枢密院事。

起初，皇太后临朝听政时，有人请求宫内降职充任军吏，王德用说："补任军吏，属于军政；怎敢以此来干预军政，不能准予。"皇太后坚决要给他，王德用始终不遵奉诏旨，这事只好作罢。皇帝在阁中看到太后，发现王德用以前上奏议论军吏的公文，觉得他不一般，可以重用，所以提升他为枢密院长官。王德用辞谢说："臣下是个武夫，待罪行伍之间，不足以当大任。"皇帝派使者催促他到枢密院上任。

任命权御史中丞蔡齐为龙图阁学士，权三司使事；任命天章阁待制范讽为右谏议大夫，权御史中丞。

当时有谣传说荆王赵元俨为天下兵马都元帅的人，立即逮捕，关进监狱，抓到有几百人，蔡齐审查他们，没查到实据。皇帝督促责问更加急迫，蔡齐说："小人无知，不值得治罪，再追究下去无法让荆王安心。"一天连续三次上疏。皇帝才彻底醒悟，只让鞭打几个人罢了。

先前，范讽出知青州，当时山东出现干旱蝗灾，前宰相王曾家里囤积了许多粮食，范讽就在他家开仓取出几千斛来赈济饥民，接着请求派使者来安抚。这时召他任御史中丞，他在青州任职还没超过一年。

任命太常博士、秘阁校理范仲淹为右司谏。范仲淹当初听到遗嘱中让太妃为皇太后，参与决策军国大事，就上疏说："太后是皇帝母亲的尊号，自古没有因为保护养育了儿子而代儿子当皇帝的事。现在一个太后驾崩，又立一个太后，天下人将怀疑陛下不可一日不能没有母后的帮助呢。"当时已经删掉遗嘱中"参决"等言语，但太后的称号还没有改回，只是不予正式册命罢了。

贬降殿中丞、知吉州方仲弓为太子中舍、监丰国监。

起初，方仲弓请依照唐代武后的旧例建立刘氏七庙，皇太后看到他上的奏章，愤怒地说："我不做这种对不起祖宗的事！"把奏章撕碎扔到地上，但他还是因此而知吉州。皇帝因屡次修改赦宥文辞，只轻微地责备了几句。

壬戌（二十七日），开始上崇政殿听理朝政。

癸亥（二十八日），献上皇太后谥号为庄献明肃。依旧例，皇后谥号为两个字；临朝听政的谥号增加为四字就从此开始。追尊李太后的谥号为庄懿。

五月，丁卯（初三），判河南府钱惟演奏请将庄献、庄懿皇太后的神主一同附入真宗的庙室。钱惟演被罢免景灵宫使后，回到河南，心中不安，于是提出这个建议来迎合皇帝的心意。

戊辰（初四），诏令礼部进行贡举。

辛未（初七），任命屯田员外郎武城人庞籍为殿中侍御史。庞籍奏请让下阁门使取出垂帘听政的仪物全部烧毁。又上奏说："陛下亲理万机，用人应该辨别邪正，提拔近臣，希望听取公论，不要只出于执政官的爱憎。"孔道辅曾经跟别人说："上疏言事的官员大多观看宰相的心意，唯独庞君可称得上是天子的御史。"

癸酉（初九），下诏说："太后垂帘听政所下的诏令，朝廷内外官员不要再轻易议论。"

中华传世藏书

續資治通鑒

起初，皇太后称制掌权时，虽然政令从内宫中发出，但号令严明，左右亲近熟人也很少假借她的权势，赏赐都有分寸。如赐给刘氏家族的食品，定要换用铅器盛装，她说："皇家器物不能让它进入我家。"晚年逐渐进用外家人，委任宦官罗崇勋、江德明等查访宫外事情，罗崇勋等人因此权倾朝野，又因刘从德的缘故贬黜曹修古等人。但皇太后保护皇帝已尽心尽力，皇帝敬奉太后也很周密。待皇太后驾崩，上疏言事的人大都追究斥责垂帘听政时的事情。范仲淹对皇帝说："太后接受先帝遗托，保佑陛下十多年，应该遮掩她的小过失来成全她的大恩德。"皇帝深深领悟，这才降下这个诏令。

丙子（十二日），命令张士逊撰写《藉田》和《恭谢太庙记》，任命翰林学士冯元为编修官，直史馆宋祁为检讨官。不久，宋祁上奏说皇太后谒拜宗庙不可作为后世的典范，这才只撰《藉田》。

皇帝开始征召宋绶，准备重用他，被张士逊阻止。丁丑（十三日），任命宋绶为翰林侍读学士兼龙图阁学士，判都省。

六月，甲午朔（初一），出现日食。

壬寅（初九），录用周世宗和高季兴、李煜、孟昶、刘继元、刘铱的后人。

辛亥（十八日），退休的太子少傅孙奭去世。皇帝对张士逊说："我正要征召孙奭回宫任职，而孙奭却死了！"嗟叹惋惜很久，为此停止听理朝政一天，追赠孙奭为左仆射，谥号为宣。

孙奭在宫中规劝讲授二十多年，研讨论述典章礼仪时，一定选取前代中正合法律制度的事例陈述，所以政府遵奉执行没有疑虑。当宋真宗封禅时，他独自正言规劝，一点也不阿谀迎合。晚年急流勇退。病重时，他搬到正房中安寝，屏退婢妾，他对他儿子孙瑜说："不要让我死在妇人手中！"

起初，将钱惟演议宗庙事的奏议传下来时，礼院上奏说："夏商以来，父为昭、子为穆，都有配坐。每室一帝一后，这是礼仪的正规标准，前代也没有把先后去世的皇后同时附在帝庙中祭祀的记载。"下诏都省与礼院商议，他们都认为："庄穆后在宫中地位崇高，与懿德后有别，已经附入真宗庙室，自然符合一帝一后的记载。庄献后辅政十年，庄懿后生育陛下圣体，恩德无与伦比，让她们的神主退放在后庙，不能满足众人的心愿。按《周礼》大司乐职：'奏夷则调，歌小吕调，来享祭先妣。这里的先妣，指的是姜嫄，是帝喾的皇妃，后稷的母亲，周人特地建庙来祭祀她，这庙就叫閟宫。陛下应该在太庙之外另建新庙，安置两位太后的神主，同殿异室，按年按季祭享，使用祭享太庙的礼仪。另题庙名，别创乐曲，来尊崇世代不替的祭享。在二后忌辰的前一天，陛下不升正殿听政，百官祭礼告慰，把这些写成法令。"下诏准从。己未（二十六日），命令权知开封府程琳、内侍副都知阎文应勘测地形、营建新庙。

秋季，七月，丁丑（十四日），诏令知富平县事张龟年增加官秩继续留任，将他的政绩风采宣告天下。

癸未（二十日），贬降知永兴军陈尧佐改知庐州，这是狂人王文吉诬陷的结果。陈尧佐罢政后，经过郑地，王文吉心怀旧怨，诬告陈尧佐谋反。皇帝派宦官审讯查问，又把案子交付御史台。御史中丞范讽，半夜接旨，天亮就审出王文吉诬陷的实情，上报皇帝，陈尧佐还是因此而贬降。当时又有诬告谏官暗中勾结宗室的，宰相张士逊把两份奏章放在皇帝面前，并且说："小人诬陷好人来动摇朝廷，倘若一旦开启这种奸端，臣下也不能自保了。"皇帝醒悟，将王文吉依法惩办，诬陷谏官一事也搁置下来。

先前，右司谏范仲淹由于江、淮、京东灾害，请求朝廷派使者巡视，没有答复。范仲淹请求皇帝抽空赐见，他说："宫中半天不吃东西将会如何？现在几路的百姓吃饭艰难，怎能不去安抚！"甲申（二十一日），命令范仲淹安抚江、淮地区，所到之处就打开粮仓，赈济缺粮断炊的百姓，禁止过分的祭祀，奏请免除庐州、舒州的折役茶和江东的丁口盐钱。饥民有吃乌昧草的，他采上这种草觐见皇上，请求给六宫、贵戚传看，用来警戒奢侈心理。

范仲淹还上疏说："祖宗时，江、淮地区运粮到京城的数量很少，但能供养六军、夺取天下。现在东南地区漕运米每年六百万石到中原，至于府库中的财物绢帛，也都出之于百姓，遇上荒年，粮食如此欠缺。希望下令各有关官员，取出祖宗治国时每年费用的数目加以比较，那么奢侈节俭就看得明显了。"

"祖宗想收复幽蓟，所以谨守内库储藏，致力于首先贮足财物，希望在行军打仗时不临时烦扰百姓。现在随意浪费，碰上危急艰难的时候，将用什么周济！大自然生长万物有一定的时间限制，而国家使用却没有限度，天下怎么会不困乏！江、淮、两浙各路，每年要运粮到京城，在租税之外又要收购，估计东南各路每年不少于二三百万石，所以即便是丰收年，谷价也很高。至于用在漕运的造船费和运粮兵丁民夫的供给、赏赐，每年又要五至七百万贯钱，所以郡国人民大都供应不暇。"

"国家把运粮数目巨大，称作有所防备。然而冗兵冗吏，游手好闲，怠惰劳作，充满京城。臣下到淮南，路上遇到瘦弱兵卒，自称他们三十人从潭州拖新船运粮到无为军，一路上逃走、死亡，只剩下六人，那里离湖南还有四千多里。这六人等到回到本州，还不知能不能都活下来。可见运粮祸患的严重，危害百姓如此深重。"

"现在最好削减冗兵，裁除冗吏，禁止游闲懒惰，减少各种工程劳作，这就可以节省京城的费用开支，然后减少江、淮地区的粮运，除租税上供之外，可取消高价收购粮食。国家费用不缺乏，东南地区就取消购粮，那么粮价也不会上涨；让商贾通行无阻，那么茶商盐商的输粮之法就一并实行了。真州修建长芦寺，役使兵丁用粮已达四万斛，房屋塑像所涂金施碧等的资用又要三十万贯钱。把这些钱粮，用在百姓身上，可以减轻繁重的税收；用在士人身上，可以增加优厚的俸禄；用在兵卒身上，可以开拓过去的疆土。从今以后希望陛下常常以大兴土木的繁劳为戒。"皇上嘉许并接受了他的意见。

戊子（二十五日），下诏以蝗旱灾害自我谴责，去掉尊号中的"睿圣文武"四字，还让朝廷内外官员直言政治的缺失。

八月，甲午朔（初一），辽国派使者来祭奠、吊慰。

丙申（初三），任命太常丞永新人刘沆直集贤院。刘沆以前同判舒州时，庄献太后派内侍张怀信督修山谷寺，兴建资圣塔，张怀信拿着太后诏令，督促工役过分严格紧急，以至州郡长官称病不敢出面，刘沆上奏请取消这一工程。

追赠已故工部员外郎曹修古为谏议大夫。曹修古为人耿直，颇有风度气节。在庄献太后听政时，权势宠幸之辈掌管国事，人人望而畏忌，但曹修古遇事就说，不曾回避。因违背太后旨意，被贬同判杭州；还没赴任，改知兴化军，在官任上去世，贫穷不能归葬家乡。宾客僚佐资助丧葬费五十万钱，他小女儿哭泣着向母亲说："怎么能因这事连累我父亲的清廉名声呢？"最后还是拒不接收。皇帝念及曹修古的忠诚，所以好好地赠他一个官职，还抚恤他的家属。

壬寅(初九),将庄献明肃太后、庄懿太后的新庙命名为奉慈庙。

癸卯(初十),诏令:“凡授任为转运使及藩镇、边郡的守臣,从今以后都允许上殿奏事。”

甲辰(十一日),诏令:“朝廷内外不须避庄献明肃太后父亲刘通的名讳。”

丁酉(初四),辽国君主来到温泉宫。

壬子(十九日),宰相张士逊等上奏说:“近来各道出现旱灾蝗灾,请依汉朝旧例册免宰相,承蒙赐诏不许。现在陛下已在尊号中减损‘睿圣文武’四字,臣等也愿意各降官阶一等,以敬报上天降下的灾异。”皇帝安慰劝勉他们。

乙卯(二十二日),辽国派使者巡视各路庄稼。

丁巳(二十四日),设置端明殿学士,由翰林侍读学士宋绶担任。

三司上奏说:“自从举行籍田典礼后,依旧例接着就要赏赐,现在费用支出不足,请求向内藏库借用。”庚申(二十七日),从内藏库取出缗钱百万进行赏赐。皇帝对张士逊说:“国家的钱财本来没有内外之分,都是用来解决经费支出的。”从此凡遇上歉收的年成或调发民役,就取出内藏库的钱来接济。

九月,丙寅(初四),崇信节度使、同平章事、判河南府钱惟演免去平章事职务,回到本镇。

起初,钱惟演为保全自己着想,首先提议两太后并配真宗庙室。与刘美结为亲家后,又为他儿子钱暧娶郭皇后的妹妹,现在又想与庄懿太后家族联姻。御史中丞范讽弹劾钱惟演擅自议论宗庙;先前在庄献太后听政时他的权势宠信太盛,并且与太后家族联姻,请求将他降职贬黜。皇帝晓谕辅政大臣们说:“已故皇太后还没有安葬,我不忍急促贬责钱惟演。”范讽从袖中拿出委任状对答说:“臣下现在奉命督修太后陵墓,而钱惟演镇守河南,臣下早晚都担心刺客,请让我交还这张委任状,我不敢再当御史中丞了。”皇帝不得已答应他的奏请,范讽这才快步退出。丁卯(初五),又削夺钱暧一官职,罢免集贤校理,听任他随钱惟演走出京城,钱惟演的其他儿子全都补任外地州郡的监当官。

甲戌(十二日),来到洪福院,临哭庄懿太后灵柩。丙子(十四日),壬午(二十日),又去临哭。

丁丑(十五日),诏令:“国定忌日不得在佛像前设置神用物品。”

壬午(二十日),庄献明肃太后灵车启动,皇帝转身对辅政大臣说:“我想亲自牵引灵车绳索,以表孝心。”于是牵引绳索边走边哭,走出皇仪殿门后,在礼官们一再请求下才停止牵引。送行到正阳门外祭奠后,才到洪福院,戴素纱幞头,穿淡黄衫,随从官员穿常服,腰系黑带,牵引庄懿太后灵柩,送行在廷中祭奠,然后都改穿孝服。捧读祭辞,皇上随着灵柩攀附哭号不止。左右近臣坚决地请求节哀止哭,皇帝哭泣着说:“母亲辛劳之恩,终身难以报答!”徒步送到洪福院西南角,仪仗拐弯了才回去。

冬季,十月,丁酉(初五),祔葬庄献明肃皇太后、庄懿皇太后于水定陵。

甲辰(十二日),诏令:“两川每年进贡的绫罗锦缎之类,将三分之二改为较粗的丝绸,来供给军需。”

皇帝正值青春年少,左右近臣想用工巧物品来取媚。所以后苑加工珠玉很盛行。殿中侍御史庞籍上奏说:“现在蝗虫蛾子成灾,百姓担忧辗转流离而死,陛下怎么不学习勤俭节约,爱惜国家费用来解决百姓的急需!”皇帝采纳了他的意见。

己酉(十七日),将庄献明肃太后、庄懿太后神主祔在奉慈庙。

辛亥(十九日),皇帝晓谕辅政大臣们说:“近年进士考试诗赋,大都浮华不实,应该命令主管官员兼考策论。”

任命司封员外郎、秘阁校理吴遵路为开封府推官。

起初,庄献太后临朝称制,吴遵路逐条上奏十几件事,文辞深切直率,违背了太后心意,被调出京城知常州。吴遵路到常州后,就命令下属购置吴中大米以备荒年,后来果然非常缺粮,百姓靠这些粮食周济渡过难关,从别的郡县流浪来的人也保全了十分之八九。范仲淹安抚淮南时,荐举吴遵路,请求把吴遵路救灾的事迹向各州颁布作为取法的榜样,并交史馆记载。吴遵路是吴淑的儿子。

癸丑(二十一日),将东京、西京的囚犯减罪一等,徒刑以下的释放。两太后陵墓周围应差侍奉的民户,减免租赋、劳役各不相等。

戊午(二十六日),张士逊罢免为左仆射,判河南府;枢密使杨崇勋贬降为河南三城节度使、同平章事,判许州。先前蝗旱灾害不断出现,张士逊位居首相,没有建树,皇帝很想念吕夷简。待百官到洪福院奉上庄献太后谥号宝册,退下后应该告诉皇上,而张士逊在经过杨崇勋家时进去饮酒,直到中午还不来,群臣只好站着等候。御史中丞范讽弹劾他,结果张士逊与杨崇勋都被罢免;不过制出的措辞还都是慰劳的话。

任命吕夷简为门下侍郎兼吏部尚书,同平章事;知河南府王曙加官检校太傅,充任枢密使;任命佥署枢密院事王德用为枢密副使;任命端明殿学士、刑部侍郎宋绶为参知政事;任命权三司使事蔡齐为枢密副使。

庚申(二十八日),诏令:“从今以后每天到前殿听理朝政。”皇帝刚即位时,还遵循宋真宗晚年的成例,只在单日上殿听政,到这时才恢复旧制。

自唐代以来,百姓除依田亩多少交纳赋税之外,还要征取其他物品,又折合为赋税,称作“杂变”,又叫作“沿纳”,名目琐细。官府每年附入账簿,都借此侵扰百姓,百姓看成是祸患。皇帝下诏三司,沿纳物品按类合并。于是三司请求完全除去各种名目,合并为一物,每年分夏秋两次交入,只分为粗细两类。百姓认为方便。

十一月,癸亥朔(初一),参知政事薛奎罢免为资政殿学士、户部侍郎,判都省。起初,庄献太后驾崩,中书门下、枢密院二府大臣都罢官离京,只有薛奎留住,皇帝倚重他做宰相。但薛奎患了哮喘病,多次辞职,很久才罢免他的参知政事职位。

任命龙图阁待制孔道辅为右谏议大夫,权御史中丞。

诏令增加宗室俸禄。

乙丑(初三),追封已故美人张氏为皇后。

寇准被贬死去十一年后,在三月庚寅大赦时,才得太子太傅官称。甲戌(十二日),赠寇准中书令,恢复莱国公,他女婿屯田员外郎张子皋恢复史馆职位。还命令使者携带诏书赏赐他的家属,祭奠他。张子皋是张齐贤的孙子。

戊寅(二十五日),任命大理评事保塞人刘涣为右正言。

起初,刘涣上奏给庄献太后,请她交还政权给皇上,太后动怒,决定对他处以刑罚,脸上刺字,发配到白州。当时正好太后病重,宰相吕夷简故意拖延;不立即执行。到这时刘涣把以前上疏的事提出来,吕夷简请褒奖提升他。皇帝任用刘涣后,转身对吕夷简说:“过去枢密院急于想把他放逐出去,仰赖你才得以幸免。”吕夷简谦让说:“从刘涣上疏中可看出他敢于

直言;大臣如有人像他这样,那么太后一定会疑心是出自陛下的意思,这就会使母子相处不好。"皇帝听了欢喜,认为吕夷简忠诚。

己卯(二十六日),调判天雄军王曾判河南府。

当初,陈尧咨与王曾不和,王曾实际上是接替陈尧咨天雄军的职务,他凡遇上政事中不妥善的就慢慢更改,弥补得不露痕迹。等到王曾离任,陈尧咨又来继任,看到官府公署以及各种器物都沿用陈尧咨的旧规,只是修葺充实,不加更改,陈尧咨感叹地说:"王公的度量,我比不上啊!"

十二月,丙申(初四),皇帝对辅政大臣说:"我退朝之后,凡天下的奏章一定亲自阅览。"吕夷简说:"小事都聆听阅览,恐怕不是保养身体精神的做法。"皇帝说:"我接受先帝的嘱托,肩负国家万事的重任,怎敢自顾安泰呢?"又说:"我每天的膳食不求珍馐美味,衣服多用缯缣织品,多次洗涤之后,宫人有的看了也发笑。太官进呈膳食,有小虫在器皿中,我遮掩不说,恐怕主管官员获罪。"吕夷简因而称赞皇上盛德。皇帝说:"偶尔和你们说说,不想让外边听到,怕引来求名的嫌疑哩。"

恢复设置各路提点刑狱官,仍旧兼用武臣。

甲辰(十二日),因京东饥荒,取出内藏库的绢帛二十万匹转交三司,用以代替京东该年上供的数目。

丁未(十五日),调出侍御史张沔知信州,殿中侍殿史韩渎知岳州。

先前,宰相李迪任命张沔、韩渎二人为御史台官员,有人议论说任命台官必须有皇上旨意,这是祖宗的规矩。过了几个月,吕夷简又进入朝廷为相;顺便在皇上面前谈论这事。皇帝说:"祖宗的规矩不能破坏。宰相自己选用台官,那么宰相的过失就没有人敢议论了。"李迪等都惶恐不安。于是调出张沔、韩渎,还下诏:"从今以后台官有缺额,不是御史中丞、御史知杂保举推荐的人,不得任命。"

戊申(十六日),放出宫女二百人。皇帝多次放出宫女,吕夷简说:"这实在是好事,不过放出的宫女,恐怕有流离失所的。"皇帝接着说:"过去太后临朝称制,臣僚亲属多进献宫女,现在已经全部遣送回家了。"

己酉(十七日),辽国禁止西夏国使者沿途私购黄金和铁。

起初,郭皇后立为皇后,不是出自皇帝的心意,所以后来逐渐被疏远;而郭后依仗庄献太后权势很骄横,后宫女子很少能接近皇帝。待到庄献太后驾崩,皇帝逐渐放纵,宫女尚氏、杨氏很快受到宠幸;郭后生性嫉妒,多次与她们忿争。尚氏曾经在皇帝面前说话时冲犯了郭后,郭后忍不住愤怒,站起来抽她的嘴巴。皇帝站起来救护,郭后的巴掌错打在皇帝的脖子上。皇帝很愤怒,产生了废掉郭后的念头。内侍副都知阎文应,让皇帝露出被抓爪痕给执政近臣看。吕夷简因以前被罢去宰相的事怨恨郭后,而范讽正与吕夷简相交,范讽乘机说:"郭后册立九年没生孩子,按理应当废除。"吕夷简赞同他的话。皇帝犹豫不决,外面人言纷纷,有不少人知道这事。右司谏范仲淹借谒见应对的机会,极力陈述不可废后,还说:"应该尽早平息这一议论,不可让外人听到。"

过了很久,这才决定废除郭后。吕夷简事先告诫有关官员不得接受御史台和谏院的奏疏。乙卯(二十三日),下诏称:"郭皇后因为没生孩子愿意皈依道教,特封她为净妃、玉京冲妙仙师、赐名清悟,另居长宁宫。"御史和谏官的奏疏都不能送入,范仲淹就与权御史中丞孔道辅带领知谏院孙祖德、侍御史蒋堂、郭劝、杨偕、马绛、殿中侍殿史段少连、左正言宋郊、右正言刘涣等拜伏在阁前谏争，又到垂拱殿门跪奏："皇后不应废除，希望赐召应对，让臣等把话都说完。"守殿门的人关上大门不予通报，孔道辅就手抚铜门环大声喊道："皇后废除，为何不让御史、谏官进宫奏言！"不久诏书下达中书。孔道辅等人对吕夷简说："人臣对待皇帝、皇后，就像事奉父亲、母亲一样。父母亲不和，本应该劝谏阻止，为何阿顺父意逐出母亲呢！"众人喧哗，争着进宫劝说。吕夷简说；"废黜皇后自有旧例。"孔道辅和范仲淹说："人臣应当用尧舜之道来引导君主，怎能援引汉唐失德的事例来效法！您不过是援引汉光武帝废郭后的事来劝导皇上罢了。这本是汉光武帝失德的行为，怎么能效法呢？"吕夷简不能回答，拱手站立说："各位还是自己亲见皇上尽力陈述吧。"孔道辅和范仲淹等人退下，打算明天早朝后留下百官揖请宰相在朝廷上力争。但吕夷简旋即上奏说，御史、谏官伏拜阁前请求应对，并非太平时代的美事，就与皇上商议放逐孔道辅等人。孙祖德是北海人，杨偕是坊州人，段少连是开封人。

丙辰（二十四日），早晨，孔道辅等人刚到待漏院，诏书就下达了，孔道辅调出知泰州，范仲淹知睦州，孙祖德等人各罚铜二十斤。依旧例，罢免御史中丞一定要有告辞，现在直接以敕令除官，孔道辅刚回到家，敕令随之送来，又派使臣押送孔道辅和范仲淹迅速出城。还诏令："谏官、御史，今后都要密封装好章疏，不得相聚请求应对，以免震惊朝廷内外。"马绛、杨偕上奏乞求与孔道辅、范仲淹一起贬官，郭劝和段少连也一再上疏，都不予回答。

将作监丞、签判河阳人富弼上疏说："皇后自从居处中宫以来，没听说有什么过失；陛下忽然要废斥她，致使舆论纷纭。太祖、太宗、真宗三朝的皇后没受到过这种处置。陛下为人子孙，不能谨守祖先的遗训，以致有废除皇后的事，治家尚不能称道，又如何治天下呢！范仲淹作为谏官，极力进谏，本是他的职责，陛下为何责罚他？假使他规谏失当，也要容忍以招徕诤谏；何况范仲淹谏议的很符合众心，陛下竟泄私愤，不顾众议，被天下人耻笑，臣下认为陛下这是很不可取的行为。陛下凭借万乘之尊，废除一个妇女，事虽很小，但所造成的影响很大。废除皇后是家庭私事不必听取外臣意见的说法，这只是唐代奸臣许敬宗、李世勣谄媚的言辞，怎么值得陛下效法！陛下一定想废除皇后，可以不采纳臣下的谏议，又何必加罪谏官来加重自己的过错！现在百姓家里偶或休妻，也必须禀告父母，父母同意，然后才敢休妻。陛下作为尊贵的天子，并且庄献、庄懿两后葬在陵墓刚刚完毕，坟土未干，就废除皇后，又不禀告宗庙，这是不敬重父母的做法。现在陛下做一件事就对天下犯下两个过错：废除无罪的皇后，这是其一；放逐忠臣，这是其二。这两件事都不应该是太平盛世发生的。臣下实在为之悲痛惋惜！范仲淹正因为忠诚正直不屈不挠，在庄献当政时曾论奏过冬季仪仗的事，很好地匡正了君臣的名分，陛下因此提拔任用他。他任谏官以后，听说陛下曾屡次宣谕，让他大事小事都诤谏不隐。这都体现了陛下想知道过失的精神，即使古代的圣贤也不能超过您。现在范仲淹听到陛下的过错就劝谏，正符合您宣谕的旨意，但反而遭到灾祸，这岂不是陛下引诱而陷害他吗？不知从今以后陛下如何役使臣子！即使每天宣谕，谏臣们也会以范仲淹为训诫，一定不会相信了。希望陛下追回范仲淹，恢复他的谏官职务，减去两个过失中的一个，或许规谏的渠道还不至于堵塞，朝纲重振，这才是国家的吉庆！"奏疏递入，不予回答。

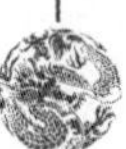

当时连年蝗害旱灾，执政官员说国家政事应有变更来导引迎接祥和的气象。丁巳（二十五），下诏明年改年号为景祐。

禁止边境守臣增建堡垒营寨。

参知政事王随上奏说："淮南积存的盐有一千五百万石，以至没有房屋贮存，露天堆放，草席覆盖，每年都有损耗。另外，盐户给官府运盐，仅得本钱，有时本钱也难保，所以盐户贫困不堪，往往起来当盗贼。旧盐法的危害如此之大。希望批准暂时听任通商三五年，让商人交钱到京师领取盐引，又在扬州设置折博务，让商人交钱和粮食绢帛以资助国家费用。"于是诏令宋绶等人与三司使、江淮制置使一起商议这个建议能否实行，都认为："听任通商就怕贩卖私盐盛行，侵蚀国家利益。请求敕令制置司监造船只，将积盐运到各路，让各路都有两三年的储蓄。恢复天禧元年的制度，听任商人向京师或淮、浙、江南、荆湖地区的各州各军交纳钱粮来换取相应价值的盐。盐商在通州、泰州、楚州、海州、真州、扬州、涟水、高邮进行贸易的，不得出城贩卖，其余各州允许到县镇贸易，不许到乡村。凡盐商到京师交钱的，增给盐量。同时敕令转运司筹划本钱来偿付给盐户。"诏令全部施行。

辽国任命北府宰相萧孝先为枢密使。萧孝先在枢密府，好恶随意，权势超过君主，朝臣大多对他侧目而视。

景祐元年　辽重熙三年(公元1034年)

春季，正月，甲子(初三)，准许京兆府设立学校，赐给《九经》，还给予五顷学田。

调发江淮漕运粮米赈济京东饥民。

丁卯(初六)，侍御史章频充任贺辽正旦使，死在辽国。辽国君主诏令有关官员赠予丧葬财物，派遣近臣护送灵柩回国。

戊辰(初七)，诏令铸造"景祐元宝"铜钱。

丁丑(十六日)，命令翰林学士浦城人章得象等五人权知贡举。

壬午(二十一日)，任命太常博士滕宗谅为左正言。滕宗谅就是原先与刘越一同上书庄献太后，请求她归还政权的那位。

癸未(二十二日)，命令："南省考试进士、诸科，录取十分之二，凡应试进士五次年满五十，应试诸科六次年满六十、曾经考过殿试进士三次、诸科五次以及曾参加过先朝殿试者，即使试卷不合格，也不要废除，都将姓名上报。"从此就沿袭为常例。

甲申(二十三日)，由于淮南遇上荒年，取出内藏库的绢帛二十万匹下交三司，充作淮南该年交纳的数目。

开始设置崇政殿说书的职位，任命都官员外郎贾昌朝、屯田员外郎赵希言、太常博士王宗道、国子博士杨安国担任，每天由两人入侍讲说。起初，孙奭被调出知兖州时，皇帝问他谁可以代替他讲说经籍，孙奭荐举贾昌朝等人，因而命令中书试着讲说经书，到这时特别设置这一职位来安排他们。

辛卯(三十日)，辽国君主来到春水。

这月，赵元昊寇扰府州。

二月，壬辰朔(初一)，暂时停止生产解州池盐三年，这是由于该盐池贮盐可用上十年的缘故。

辽国北院枢密使萧朴，被调出任东京留守。自从萧太后专政，国事全都交付她的弟弟萧孝先。萧朴多次谈到仁德皇后的冤屈，太后恨他，所以将他调往外地。

乙未(初四)，取消书判拔萃科，更不用皇帝考试。从今以后幕职官、州县官经三次考试以上，又不是在边境及川、广、福建任职，准许应试贤良方正、能直言极谏等六科；京朝官至太常博士及进士诸科取解而被黜退落选的，不得再应试茂才异等三科和武举。这是采用了知制诰李淑的建议。

先前，征召知凤翔府、兵部员外郎司马池知谏院，司马池上表言辞恳切。皇帝对宰相说："人们都喜欢进升，而司马池唯独喜欢引退，这也难能可贵。"给他加官直史馆，还让他知凤翔府。他曾经有疑难案件上报朝廷，大理寺立即驳回，他的属下掾吏惶恐不安，引咎自责，司马池说："我是一府之长，政事的是非都由我负责，不是各位的过错。"于是独自承担罪过。下诏不要弹劾。

辛丑（初十），诏令："礼部贡院，诸科举人已应试七次的不再限制年龄，还许可特别奏报姓名。"

甲辰（十三日），暂时减少江淮地区漕运米粮二百万石，待丰收年成补交。

戊申（十七日），下诏麟州、府州赈济蕃、汉饥民。

三月，开封府判官谢绛奏报说："蝗虫遍野，涌入城郭，跳进官署，井里沟里都已塞满，而使者多次派出，府县官吏监督百姓捕捉驱赶，以至践踏农田房屋，民不聊生。鲁国史书记载螟灾，《谷梁传》认为这是鲁哀公施行田赋暴虐搜括百姓造成的。如今朝廷赋敛的制度接近廉洁公平，依臣下愚鲁所了解到的，似乎是官吏不很称职而召来这些灾变。现在凡主管一城百姓的官员，都有专制一方的态势，有才气的掠取功名，采取严峻急切的办法，有的诡辩虚伪不切实用，但多数蒙受奖赏录用；愚笨的在朝会簿书的记录上，畏首畏尾；这两种现象虽政治表现不同，但结果都是政治的弊端。治国的关键在于养育人民，养育人民的关键在于选择官吏，官吏遵循职守，人民就会平安，大气就会祥和，灾异也就自然会消失。希望首先选出几十或上百个大的州邑，诏令公卿以下的官吏推举来任命守州的人，让他们能自己选出所属县的县令、官长，只管他的方略，不限资历考绩，然后放宽约束，允许看情况方便适宜行事，任期一年就逐条呈上治理的情况，来决定他调迁或留任，这样肯定会有益于教化风气。像这样做了而灾气不消、善美不到来的，是不曾有过的。"

丙子（十六日），诏令："殿试进士的题目写明出处，摹印发放，不准再向上请求。"

戊寅（十八日），上崇政殿，考试礼部奏上姓名的进士。己卯（十九日），考试诸科。辛巳（二十一日），考试特许奏上姓名的举人。不久录取进士诸科共八百三十三人，录取特许奏名的八百五十七人，分别赐予及第、出身。

夏季，四月，壬辰（初三），诏令："现任官吏考试举人不合格的，免除他们原规定的私罪。"起初，天禧二年，宰相王钦若请求现任官吏应试举人不合格的，一律以私罪论处，到现在开始废除这项规定。

甲午（初五），追赠已故翰林学士、礼部侍郎、知制诰杨亿为礼部尚书，谥号为文。依旧例，不是常任中书门下，枢密院二府和侍奉东宫的官员，一般四品官都没有给赠官。枢密使王曙上奏说："杨亿曾经替寇准草拟章奏，请求太子亲理朝政，被丁谓排挤，没有得志就去世了。寇准已追赠中书令，杨亿也应受到表彰。"所以特别给他赠官。

当初，寇准让杨亿草拟奏章，王曙知道上奏不行，曾经规劝制止。寇准失败贬官，王曙取来那份草拟的奏章给他妻子，让她缝在夹衣中。等到朝廷要清理寇准过去的功勋时，王曙就拿了出来，上面的字迹模糊不清，差点不能辨认了。

丁酉（初八），殿中侍御史庞籍任开封府判官，尚美人派内侍到开封府宣称受皇上旨意，要免除工匠的市租。庞籍上报说："自祖宗以来，没有什么让美人宣称皇上旨意下达给开封府的情况。"皇帝为此命人廷杖内侍，深切斥责美人，还下诏有关官员："从此以后宫中传达的命令，不得随便接受。"

癸丑（二十四日），下诏设置殿中侍御史、监察御史里行两职。

江东转运使蒋堂上奏说："我看到各路武臣执掌州郡军队时，大多平时不懂条例教令。我想请求自今以后除扼守边境地区适合选任亲近皇上的武臣外，其余各州就改派文臣。"皇帝指示枢密院，今后派遣武臣执掌州郡军队，都必须注意选择人才。

五月，庚申朔（初一），辽国郡主到沿柳湖避暑。

乙丑（初六），任命权知开封府程琳为三司使。

先前，三司将田赋、沿纳的各种名目合并为一类，程琳说："假使将牛皮、食盐、地钱合为一类，谷、麦、黍、豆合为一类，这样易于查核校对，是可行的。然而，后世如果出现兴利的大臣，又再用这些旧名目增加税收，这岂不是加重困扰人民没完没了吗。"程琳又上疏，议论："兵在于精悍不在于众多，河北、陕西军用物资的储存连连匮乏，而招募兵丁无休无止。住营一兵的费用，可以用来供给屯驻的三个兵，过去养一万士兵的费用，现在就需要支出养三万士兵的费用才能办得到。希望取消河北、陕西招募住营兵，不要再增加设置，遇上缺员就选厢军的精锐士兵补充。同时逐渐将住营兵调往内地州郡，以便供应粮饷。"皇帝嘉许并采纳他的意见。

丁卯（初八），禁止民间编织锦绣做衣服。

任命秘书丞张宗谊、孙沔同为监察御史里行。孙沔是会稽人。

壬申（十三日），取出内藏库的缗钱一百万赐给三司。

将河南府学改作国子监。

壬午（二十三日），清理在押囚犯。

辽太后摄政后，忧虑辽国君主年纪大了难以控制，就与枢密使萧孝先密谋废除，想立小儿子耶律重元；耶律重元把他们的密谋报告给辽国君主。辽国君主采用内侍赵安仁的计策，率领卫兵出宫，把萧孝先召来，宣谕萧太后应当废除的情由，萧孝先震惊畏惧不能对答。于是没收太后的符玺，把她迁到庆州安置，诛杀内侍几十家，释放萧孝先等人不予追究。

六月，己丑朔（初一），赐给陈州、扬州学田各三顷。

壬辰（初五），广东转运司奏报交州陈公永等六百人前来归附，李德政派兵到边境追捕。诏令派遣陈公永等回国，同时晓谕李德政安抚慰问他们。枢密副使蔡齐上奏说："蛮人离开暴君归附德政，请求接纳他们，给予荆湖地区的闲置田地让他们自己耕种。现在放他们回去，他们一定不会回到原来的部落，倘若散入山林，必定会有后患，那将如何处置？"不予听从。第二年，蛮人果然作乱。

淮南制置发运使刘承颜进献轮扇浴器。同知谏院郭劝说："这种东西是不应该进献的，刘承颜想用它来取媚皇上罢了。请求交给宫外拆毁扔掉，以警戒奸邪谄媚。"甲辰（十六日），下诏归还刘承颜。

己酉（二十一日），在崇政殿策试应考贤良方正能直言极谏科的太常博士晋江人苏绅、才识兼茂明于体用科的大理寺丞建安人吴育、茂才异等科的宋城人张方平以及举人。吴育所

作的对策列入第三等，苏绅、张方平的对策一同列入第四等，任命吴育为著作佐郎、直集贤院、通判湖州，苏绅为祠部员外郎、通判洪州，张方平为校书郎、知崑山县。

闰六月，戊午朔（初一），赐给杭州学田五顷。

乙丑（初八），府州奏报赵元昊从正月以来好几次入境侵扰，下诏并州部署司严兵防备。

乙亥（十八日），捣毁天下没有名额的寺院。

壬午（二十五日），后苑作坊停止使用玳瑁、龟筒，这是听从度支判官谢绛的意见。谢绛又上奏说："近来使用财物更加奢侈，陛下赏赐超过了规定制度，宫中的供求，去年共计是缗钱四十五万，从今年春到四月，已花费近二十万。最近诏令裁减节省费用，而有关官员转来公文，只求参照咸平、景德年间记录财物的簿书，簿书上没有的就不知如何归类。臣下认为不如推近及远的考察，逐步考察一年的费用而加以裁减节省，不必以咸平、景德年间记录的为标准。"又说："号令多次变更就会损亏国体，利害偏听一面之词就会惑乱听觉，请求的人只想实现自己的想法，而守职办事的人就怕主张不统一。请求取消从宫内直接降旨的做法，凡诏令都经过中书门下、枢密院下达，然后施行。"

甲申（二十七日），诏令："御试制科举人，今后在崇政殿两廊设置帷幕，同时命令太官供给饮食；武举人另定日期考试。"这是听从知制诰宋郊的意见。

乙酉（二十八日），任命前西京留守推官安福人欧阳修为馆阁校勘，这是枢密使王曙荐举的。

起初，钱惟演任西京留守，欧阳修和尹洙是属官，当时都很有名气，钱惟演对待他们也很宽厚。欧阳修游玩畅饮没有节制，钱惟演离任，王曙接替，屡次加以训诫，曾经严厉地对欧阳修等人说："诸位知道寇莱公晚年的灾祸吗？正是由于饮酒过度引起的。"众人都连声称是，唯独欧阳修站起来对答说："寇公的灾祸，是因为他年老不知退休而已。"王曙沉默不语，最后还是没有生气，还推荐欧阳修和尹洙，将他们安置在馆阁，议论这事的人都称赞王曙贤。

秋季，七月，戊子朔（初一），辽国君主开始亲理朝政，授任赵安仁为左承宣、监门卫大将军，充当契丹汉人渤海内侍都知兼都提点。任命耶律玛陆为崇德宫使。耶律玛陆为人谨慎，心怀宽容万物，偶或有人当面欺凌侮辱他，他心境平静好像没有听见，不随意褒贬人物，所以更得辽国君主亲信。

辽国君主曾与护卫耶律仁先谈论政事，再三叹服他的才气，耶律仁先认为这是一生中难得的机遇，所以，谈论不加隐讳。辽国君主认为说得好，授予他为宿直将军。

任命太常博士、监察御史里行卫人高若讷为主客员外郎、殿中侍御史里行。

起初，命令同判司天监杨惟德等人把周天星宿度分和占测星宿的方法编纂成书，纂成三十卷，到这时献上，杨惟德等都因此升官。

任命翰林侍读学士范讽为给事中、龙图阁学士，兖州知州。范讽为人洒脱，不拘小节，欣赏李迪。时常与张士逊的观点不同，当了御史中丞，就着力排挤张士逊。帮助吕夷简入朝当宰相，又合谋废除郭皇后，想让吕夷简引荐他进入中书门下、枢密院二府任职，但吕夷简惧怕范讽，始终不敢推荐他。范讽向皇上建议，朝廷应当选择能臣，留下来代替宰辅大臣中不称职的人，吕夷简听到后就憎恶他。范讽代理三司使仅半年，就因病免职；既然长期不得志，愤激地请求调出京城。临走时，他又向皇帝说："陛下朝臣中没有忠臣，一旦纲纪大乱，然后召回臣下，那有什么好处！"吕夷简更加憎恶他，所以不久就被谴责贬黜。

壬辰(初五),辽国君主来到秋山,召见东京留守萧朴任命为南院枢密使,徙封为楚王。

己亥(十二日),诏令:“各路监司稽查属下的不法官吏,必须周详地亲自查访,不得出榜召人告发。”

乙巳(十八日),随州奏报崇信军节度使钱惟演去世,特追赠为侍中,派官员料理丧事。钱惟演起初因随父亲钱俶归顺宋朝,所以迅即显荣,但他也确实是凭自己的才能晋升的。他曾经说:“作为翰林学士备顾问,掌管典籍文诰,对书籍若有所不观,怎么能称职呢!”官职兼有将相之位,官阶、勋位、品秩都是第一,但最后还是没有做过中书门下的首相,所以常对别人说:“我平生不满足的,只是没有能在黄麻纸的诏书后面签字而已。”

常平仓过去归司农寺统管,壬子(二十五日),开始诏令各路转运使与州郡长官推举所属官员专管常平仓的钱粮。不久淮南转运副使吴遵路上奏说:“本路人口一百五十万,而常平仓的钱粮才四十多万,碰上荒年不够救济抚恤。希望能自己管理节制,增加到二百万;其他事不得调用。”准许。

枢密直学士杜衍也曾建议说:“豪族大姓和囤积商人,乘机低价收购粮食,遇到水旱灾害就囤积不出售,必等到粮价飞涨时再牟取暴利,而农民不得不高价买粮。谷物在丰收年成卖出,百姓在荒年就困乏,这都是常平仓的制度不健全,有名无实的结果。所以应该估计州县远近,户口多少,把握好丰歉年成的时机,贱时买进,贵时放出,严格赏罚,考核督责官吏,收进放出不致滞塞,增损合宜。公家购粮如不充足,就要禁止私人抢购来牟利;公家收购好后注意储存,还要分清是否是以供应军需为名而弄虚作假的行为。国家的香料、象牙、珠宝,长期藏在仓库,不像衣服粮食那样是百姓生活的急需品。所以倘若某些州郡缺少现钱,希望能变卖来赐给州郡,补助他们的困乏。”

先前,庆州柔远蕃部巡检嵬逋,率兵进入夏州边界,攻破后桥新修的一些堡垒。这月,赵元昊率领一万多部众来骚扰,言称报仇。缘边都巡检杨遵、柔远寨监押卢训,率骑兵七百与他在龙马岭交战,被打败。环庆路都监齐宗矩、走马承受赵德宣、宁州都监王文率兵支援,驻扎在节义烽。通事蕃官说蕃部善打埋伏,不能贸然过战壕,齐宗矩不听从。结果,伏兵突起,齐宗矩被俘。很久以后,才把齐宗矩放回。

八月,庚申(初三),调迁知定州、龙神卫四厢都指挥使刘平为环庆路副都部署。

皇帝当初提升刘平统领龙神卫四厢时,对左右大臣说:“刘平是所谓诗书儒将。”刘平在定州时,曾建议说:“臣下以前在陕西时,看到赵元昊的车马衣服都超越他的身份,依发展势头就要反叛朝廷了,应严加防备。”不予听从。到这时,告诫刘平说:“知道你有大将谋略,所以派你守卫边界,你要努力干!”加赐一百万钱。

资政殿学士、户部侍郎薛奎去世,追赠为兵部尚书,谥号为简肃。薛奎在政府里,谋议国事时既不迎合又不回避,有时不如意,回到家中,就叹息不吃饭,说;“我上愧对古人,下愧对后世呀!”他特别善于识别人才,范仲淹、庞籍、明镐,自从为吏部选举人才,都请薛奎帮助或赞许,欧阳修、王拱辰都是他的女婿。

壬戌(初五),有彗星进入张宿、翼宿星区。

癸亥(初六),枢密使、吏部侍郎、检校太尉、同平章事王曙去世,追赠为太保、中书令,谥号为文康。王曙方正严谨、朴实庄重,有大臣风度。常说人臣就怕不节俭,待他显贵后,更加谦退俭省。他儿子王益恭通过恩荫当上卫尉寺丞,但淡于名利,多次辞官。王曙刚任参知政事时，在西京建造宅第，建成后，王益恭写信陈说知足常乐的道理，劝说父亲王曙辞职隐居，王曙结果没有离职。王益恭为父亲服丧期满，就以司门员外郎的身份退休。

甲子（初七），宰相吕夷简等人上表奏求册立皇后。

参知政事宋绶认为皇帝年富力强，天下平安无事时，有只想玩乐的苗头，就上书说："驾驭臣下的办法有三条：遇事尚在坚持，当机贵在决断，谋划重在保密。能坚持到底，奸臣就不能改变心志，敢决断是非，邪恶不能迷惑视听，能保密，那么事物的发展就不会突然朝不利的方面变化。这些都是国家安危之所在，希望陛下深思。至于朝政清平，居处娴静，用声乐滋味来调和好、恶、喜、怒、哀、乐六气，节制宣泄来顺应春、夏、秋、冬四季的变化，爱惜保养贵体，使之不至过分受到损伤，这才是保证阴阳调和平稳、长寿无疆的洪福。"

戊辰（十一日），仁宗患病。

庚午（十三日），任命王曾为吏部尚书、同平章事、枢密使。

当时南京留守推官奉符人石介送书信给王曾说："皇上即位十三年，不好游玩打猎，不接近音乐女色，恭俭的品性传闻于天下。但正月以来，听说废黜郭皇后，又宠幸尚美人，宫廷中传说皇上的品性渐渐有了缺点，从七、八月以来，这种传闻更为严重，倡优女人淫乱宫里，饮酒作乐没有时间限制，皇上的身体因此而常常患病，这就不得不让人担心了。现在灾异多次出现，人心思危，白气通贯天空，凶灾连年，这都是天地神灵用来警诫人们啊。相公昔日担任首相，现在又是枢密院的长官，国家的安危都寄托在相公身上。在这重要时刻，就应该针对这种情况进谏；经劝谏，皇上停止淫乐就算了，劝谏后，皇上仍不停止，相公就应该辞掉枢密使的重任，这样也许能够开悟聪听，感动皇上心志。假若据守管仲的声色不妨害霸业的话，把皇上的嗜欲看成闲事，不想极力谏争，那么这就启开了祸乱的端绪，恐惧也来不及了。"

辛未（十四日），由于星的异变，大赦天下，避开正殿不居，减少膳食的品种，取出内藏库钱优厚地赏赐驻守京城的将士。诏令辅政大臣在延和殿上奏国事，各司政务，暂令辅政大臣处理。

壬申（十五日），诏令："净妃郭氏出居宫外，美人尚氏去洞真宫当道士，杨氏别宅安置。皇后的位置不可以长期空缺，应当访求有德的门第来整顿宫内的秩序。"

自从郭皇后被废黜后，尚氏、杨氏二位美人越发受到宠幸，每晚陪奉皇上就寝，皇上身体因而衰弱，有时几天吃不下饭，皇宫内外都为之担忧，归罪尚氏、杨氏两位美人。杨太后屡次进言，皇帝还不离开她们。入内都知阎文应，早晚侍奉皇帝，不断劝说皇上，皇帝不胜烦恼，才点了头。阎文应立即命人用毡车把两个美人送出宫。两位美人哭泣不肯走，阎文应打她们的嘴巴骂道："宫中婢女，还想说什么！"驱赶她们上车。第二天，颁下这道诏令。

甲戌（十七日），司天上奏彗星消失了。

殿中侍御史庞籍、左司谏滕宗谅，都因犯了议论宫中事务失实的罪，乙酉（二十八日），贬谪庞籍出京为广东转运使，滕宗谅知信州。

九月，己丑（初三），群臣上表章请求居住正殿，恢复平常的膳食规格；三次上表，皇上才听从。

壬辰（初六），群臣上表请求每逢双日皇帝不视理朝政，准从。同时诏令中书门下、枢密院，双日如有该上奏的事，也准许到便殿请求对答。

丁酉（十一日），皇帝身体康复，升正殿，恢复常膳。

范仲淹知睦州，不出半年，调任知苏州。苏州连遭大水，农田不能耕作，范仲淹领导百姓疏通五条河流，引太湖水注入大海，招募无业人员劳动。工程没有完工，又要调往明州。转运使上奏说范仲淹治水有了端绪，希望能留他下来完成这项工程。庚子（十四日），诏令范仲淹还是知苏州。

太子少傅晁迥，参与太清楼的宴会后，又被召到延和殿阁应对，皇上询问《洪范》中记载的雨晴与政事的感应情况，晁迥根据经义来回答。晁迥忽然得病去世，享年八十四岁。诏令停止一天朝会。追赠为太子太保，谥号为文元。

晁迥为人和乐近人，专一坚定，喜欢探究匡正经书史籍中的疑问，标明概括文字的义类，没有一天停止学习。他不喜欢方术技巧，曾经说："自然形成的天赋就是天命，乐于天命而没有忧愁就是知命；推究万物的道理而安守最基本的恒常的道理就是委命；何必预测还没有发生的事呢？"

尚氏、杨氏两美人出宫以后，皇帝命令参知政事宋绶当面拟作诏书说："当要寻求有德望门的女子做皇后，来整顿内宫政务。"接着左右近臣引来寿州茶商陈氏女子进入内宫，皇帝想把她立为皇后，宋绶谏议说："陛下就想把这低贱的女子立为正宫皇后，这不与前几天诏令中的话相违背吗？"后来过了几天，枢密使王曾进宫对答，又上奏说接纳陈氏为皇后是不行的，皇帝说："宋绶也有类似的话。"宰相吕夷简、枢密副使蔡齐相继谏议议论，兼侍御史知杂事杨偕，同知谏院郭劝又上疏反对，终于停止册立陈氏。

甲辰（十八日），诏令立曹氏为皇后，这是曹彬的孙女。郭后废除后，才开始聘曹氏进宫。乙巳（十九日），任命宰相李迪为册礼使，参知政事王随为册礼副使，宋绶撰写册文，并书写册封用的印玺的文字。有关官员奏请在冬至那天举行册封典礼。监察御史里行孙沔上书说，庄献太后三年的丧服期还没有满，请守丧期满后再举行册封典礼，秘书丞余靖也上书这样说，都不予答复。

壬子（二十六日），下诏将太后曾居住的宫殿命名叫保庆宫，从今以后还以保庆皇太后称皇太后。

冬季，十月，己未（初三），辽国君主驻留中会川。

庚申（初四），取消淮南、江、浙、荆湖制置发运使，还诏令："淮南转运使兼理发运使司事；原制置使的茶、盐、矾等税务，各归该路转运使司接管。"

将钱惟演的谥号改为思。先前，太常博士、同知礼院张瓌议论说："钱惟演博学能文，这是他的优点；贪于权柄，但过错重在于不知满足，这是他的缺点。《谥法》中说，敏而好学曰文，贪以败官曰墨。请谥为文墨。"钱惟演的家属向朝廷上诉，于是下诏重新商议他的谥号，由于钱惟演没有贪图财货的事情，并且晚年守职自新，《谥法》上说，追悔前过曰思，所以应当改谥号为思。诏令："今后确定谥号，必须由礼院召集官员集体商议。"

乙丑（初九），下诏："阁门祇候一职，今后必须由尚书员外郎、诸司使以上及本路转运使或提点刑狱一员，共七人举荐，才准许谒见应对。"

赵元昊自从承袭封号后，就定下了反叛的打算，大量招纳亡命之徒，大肆诛杀，用兵法来管理约束羌族各部。开始只穿白色窄衫，头戴红里红顶的毡冠，冠后面垂着红色结绶。自称嵬名吾祖，凡是六月、九月就见下属官吏。起初制定秃发令，赵元昊率先自己剃光头发，接着就命令国里人都剃光头发，三天中不服从命令的，允许众人杀掉他。每次打算用兵打仗，必定率领各部酋长一起打猎，有猎获物就下马围坐饮酒，切割鲜肉吃，询问各个酋长的意见，选取他们的长处。这年春季，开始侵略西部边境，屠杀掠夺居民，下诏限制他。赵元昊在自己国里，更加超越身份，私自改年号叫开运，过了一个月，别人告诉他开运是石晋败亡时用过的年号，于是他就改称广运。

赵元昊母亲米氏的族人山喜，谋杀赵元昊，事情被发觉，赵元昊用鸩酒杀死了他的母亲，把山喜一族人都沉到黄河里，派使者来告丧。下诏起用阁门祇候王用中为致祭使，兵部员外郎郭劝为吊赠兼起复官告使。赵元昊贿赂赠送郭劝等人价值百万的财物，郭劝都拒不接受。

癸酉（十七日），下令净妃、玉京冲妙仙师清悟为金庭教主、冲静元师。听任美人杨氏加入道教，赐名叫宗妙。一起居住在安和院，并改赐院名为瑶华宫。

乙亥（十九日），创作祭祀天地宗庙的曲子《景安》《兴安》《佑安》三首。

辛巳（二十五日），赐给舒州学田五顷。

壬午（二十六日），命令龙图阁待制燕肃、集贤校理李照、直史馆宋祁一同检查测试王朴创制的音律标准器，燕肃当时判太常寺，建议说，太常寺旧有的钟磬都涂过颜色，每三年在皇帝亲自检阅时，又重新涂饰一遍。这样年月一久，涂上的颜色也就增厚了，从而造成声高不准、音调不协和，所以就有这项命令。皇帝亲临检阅音律标准器，在背面上题字交给太常。燕肃等人就取来钟磬刮洗后敲击，用音律标准器逐一测试，声高完全符合标准。

十一月，己丑（初三），册封皇后。

己酉（二十三日），下诏说，亲自祭祀天地、宗庙时，就使用皇帝自己创作的乐章，如有关官员代行祭祀，就奏用由宰相吕夷简、李迪分别撰写的乐章。辛亥（二十五日），下诏太常寺："今后享祭先农，释奠文宣王、武成王，都奏用登歌乐，令学士院负责撰写乐章。"

任命东上阁门使曹琮为卫州团练使。曹琮哥哥的女儿被立为皇后，典礼都由曹琮主办，这时他上奏说："陛下正在用大公无私勉励天下百姓，臣下已是皇后本族，不应凭借恩泽，扰乱朝廷法纪；臣下的族人有敢因此而请托的，希望依法处理。"当时舆论都称赞他的行为。不久，他出任环庆路部署，知邠州。

屯田员外郎张亢是张奎的弟弟，为人豪迈有特别的气节。曾经通判镇戎军，上奏说："赵德明死后，他儿子赵元昊喜欢诛杀，势必难以控制，应该赶紧准备边防事务。"论述西北边疆地区的攻守计策，章奏上呈了几十次。皇帝想重用他，却遇到他母亲去世。有人传说辽国在幽州、涿州之间聚结兵力，河北百姓都惊慌不安。十二月，癸酉（十七日），任命张亢为如京使、知安肃军。张亢因而入宫对答，说："辽国人每年享用我国金银布帛相当丰厚，害怕中国讨伐，只是虚张声势，不是真实情况。"

赵元昊派使者献马五十匹，求佛经一套；朝廷赐给了他。

己卯（二十三日），宣庆使、入内都知蓝继宗，由于年老多病罢免原官，改任景福殿使、邕州观察使。

监察御史里行孙沔上奏说："我看到上封事的人同安县尉李安世，就因为狂妄，胡乱呈进愚昧言论，就被下交官吏审问。自从孔道辅、范仲淹被贬黜之后，庞籍、范讽应对以来，所有官吏，都只想着沉默为安。臣下又想到四方百姓不了解李安世诽谤皇上触犯龙颜的情况，就会说李安世是因为进献忠言而获罪，远近流传，这一议论并非美谈。恳望能宽宥他的罪过，特免重罪，流放边区，好让那些苟且偷安之士永远怀着内疚的心情。"过了七天后，贬责孙沔

到潭州知衡山县。

孙沔在没有接到被贬责的命令时，又上书说："去年秋季由于陛下圣体失和，准许双日不坐朝的请求，这样，一年之中大概就有一百多天不视理朝政，宰辅大臣们上殿奏事，每次也只有几刻时间，天下政务万端，怎能不旷废呢！恳切希望陛下在明年岁首上朝开始时，猛然下令，普告天下，每天早晨亲自临朝，大臣们辨识天色各就班位，推举大臣，讲求古代治国之道。和颜对待臣下，让他们尽心议论。外地就驱逐那些一向懦怯或贪婪残暴的刺史、县令，内宫就罢免那些没有才能专事谄媚诡诈怪诞的公卿大夫。后宫之中，选出除去幽怨不幸的宫女；官府之内，裁抑重复的职位。中央教化敦厚，地方人民欢悦，这都是眼前可以看清的事务，只要陛下努力施行而已。"这书奏上，被再次贬责为监永州酒。

续资治通鉴卷第四十

【原文】

宋纪四十　起旃蒙大渊献【乙亥】正月，尽强圉赤奋若【丁丑】七月，凡二年有奇。

仁宗体天法道极功全德　神文圣武睿哲明孝皇帝

景祐二年　辽重熙四年【乙亥，1035】　春，正月，壬寅，徙江东转运使蒋堂为淮南转运使兼发运司事。堂在淮南，岁荐部吏二百员，曰："十得二三，亦足报国矣。"

以度支判官、工部郎中许申为江南东路转运使。

凡铸铜钱，十分其剂，铜居六分，铅锡居三分，皆有奇赢，此其大法也。申在三司，乃建议以药化铁杂铸，铜居三分，铁居六分，费省而利厚。朝廷从之，即诏申用其法铸于京师。然大率铸钱杂铅锡，则其液流速而易成；杂以铁，则流涩而多不就，工人苦之。初命申铸万缗，逾月才得万钱。申自度言无效，乃求为江东转运使，欲用其法铸于江州，朝廷又从之。诏申就江州铸百万缗，无漏其法。中外知其非是，而执政主之，以为可行，然卒无成功。

先是盐铁副使任布，请铸大钱一当十，而申欲以铜铁杂铸，朝廷下其议于三司。程琳奏曰："布请用大钱，是透民盗铸而陷之罪。唐第五琦尝用此法，讫不可行。申欲以铜铁杂铸，理恐难成，姑试之。"申诈得售，盖琳亦主其议故也。

天章阁待制孙祖德言："伪铜，法所禁，而官自为之，是教民欺也。"固争之，不从，遂出知兖州。

癸丑，置迩英、延义二阁，写《尚书·无逸篇》于屏。迩英在迎阳门之北，东向；延义在崇政殿之西，北向。是日，御延义阁，召辅臣观盛度进读《唐书》，贾昌朝讲《春秋》。既而曲宴崇政殿。

辽以奚六部太尉耶律罕瑠为北面林牙。罕瑠性不苟合，为枢密使萧谐哩所忌。辽主初欲召用，谐哩言其目疾不能视，遂止。至是召见，谓曰："朕欲早用卿，闻有疾，故待之至今。"罕瑠对曰："臣昔有目疾，才数月耳，然亦不至于昏。第臣驽拙，不能事权贵，是以不获早睹天颜。非陛下圣察，则愚臣岂有今日邪！"诏进述怀诗，辽主嘉叹，方将大用，卒。

二月，燕肃等上考定乐器并见工人，戊午，御延福宫临阅，奏郊庙五十一曲。因问李照："乐何如？"照对："乐音高二律，击黄钟则为仲吕，击夹钟则为夷则，是冬兴夏令，春召秋气。盖五代乐坏，王朴创意造律准，不合古法。又，编钟、镈钟无大小、轻重、厚薄、长短之差，铜锡不精。相传以为唐旧钟亦有朴所制者。昔轩辕氏命伶伦截竹为律，复令神瞽协其中声，然后声应凤鸣，而管之参差亦如凤翅，其乐传之夐古，不刊之法也。愿听臣依神瞽律法，试铸编钟

一虡，可使度量权衡协和。”诏许之，仍就锡庆院铸。

庚申，太常博士、直史馆宋祁上《大乐图义》二卷。

帝未有储嗣，取汝南郡王允让子宗实入宫中，皇后拊鞠之，时生四年矣。

丁卯，知兖州范讽，责授武昌行军司马，广东转运使庞籍，降授太常博士、知临江军，光禄寺丞、馆阁校勘宋城石延年落职，通判海州；仍下诏以讽罪申饬中外。

先是籍为御史，数劾讽，宰相李迪右讽弗治，反左迁籍。籍既罢，益追劾讽不置，且言讽放纵不拘礼法，苟释不治，则败乱风俗。会讽亦请辨，乃诏即南京置狱，遣淮南转运使黄总、提点河北刑狱张嵩讯之。籍坐所劾讽有不如奏，法当免；讽当以赎论。讽不待论报，擅还兖州。吕夷简疾讽诡激，且欲因讽以倾迪，故特宽籍而重贬讽，凡与讽善者皆黜削。延年尝上书请庄献太后还政，讽任中丞，欲引延年为属，延年力辞之，竟坐免。人谓籍劾讽不置，实夷简阴教之。

戊辰，工部尚书、平章事李迪，罢为刑部尚书、知亳州。

先是，帝御延和殿，召吕夷简、宋绶决范讽狱，以迪素党讽，不召，迪惶恐还第，翼日，遂罢相。然迪性淳直，实不察讽之多诞也。

以枢密使王曾为右仆射兼门下侍郎、平章事、集贤殿大学士，参知政事王随、枢密副使李谘并知枢密院事，参知政事宋绶为枢密副使，给事中蔡齐、翰林学士承旨盛度为参知政事，枢密副使王德用、御史中丞韩亿并同知枢密院事。

己巳，改李迪知相州；庚午，复改授资政殿大学士，留京师，仍班三司使上。庚辰，降李迪为太常卿、知密州。

始，迪再入相，自以受不世遇，知无不为。及吕夷简继入中书，事颇专制，心忌迪，潜短之于帝，迪不悟。既坐范讽姻党罢政，怨夷简，因奏夷简私交荆王元俨，尝为补门下僧惠清为守阙鉴义。夷简请辨，帝遣知制诰胥偃、度支副使张传即讯，乃迪在中书时所行，夷简以斋祠不预。迪惭惧待罪，故贬。然补惠清实夷简意，迪但行文书，顾谓夷简独私荆王，盖迪偶忘之。它日，语人曰：“吾自以为宋璟，而以夷简为姚崇，不知其待我乃如是也！”

以右谏议大夫、知天雄军杜衍为御史中丞。衍奏：“中书、枢密，古之三事大臣，所（为）〔谓〕坐而论道者也。止只日对前殿，何以尽天下之事！宜迭召见，赐座便殿，以极献替，月不过数四足矣。若末节细务，有司之职耳，陛下何必亲决！”

先是辽主为太子时，纳驸马都尉萧实哩之女为妃，及即位，立为后，未几，以罪降为贵妃。秦王萧孝穆有长女，姿貌端丽，自辽主初即位始入宫，逾年生子洪基。萧氏性宽容，辽主益重之，三月，乙酉朔，册为皇后。

己丑，以杜衍权判吏部流内铨。

先是选补科格繁长，主判不能悉阅，吏多受赇，出缩为奸。衍既视事，即敕吏取铨法，问曰：“尽乎？”曰：“尽矣。”乃阅视，具得本末曲折。明日，晓诸吏无得升堂，各坐曹听行文书，铨事悉自予夺。由是吏不能为奸利。居月馀，声动京师。后改知审官院，其裁制如判铨法。

以知苏州、左司谏范仲淹为礼部员外郎、天章阁待制。

太常礼院言：“侍御史刘夔请去庄献明肃太后、庄懿太后所加太字。盖入庙称后，系于夫，在朝称太，系于子。然二太后奉安别庙，准礼应加太字。”帝以夔不习故典，诏本台谕之。

乙未，赐亳、秀、濮、郑四州学田各五顷。

丁酉，置国子监直讲一员，兼领监丞、主簿事。

戊申，出宜圣殿库真珠付三司，以助经费。

〔壬子〕，诏权停贡举。

夏，四月，甲寅朔，辽主如凉陉。

丁巳，李照言："奉诏制玉律以候气，请下潞州求上党县羊头山秬黍及下怀州河内县取葭莩。"从之。

己未，诏翰林学士承旨章得象、天章阁待制燕肃与翰林侍读学士冯元详定刻漏。

始，李照既铸成编钟一虡以奏御，遂建请改制大乐，取京县租黍，累尺成律，钟铸审之，其声犹高，更用太府布帛尺为法。乃下太常〔制〕四律，照自(制)〔为〕律管，以为十二管定法。

戊寅，命冯元、聂冠卿、宋祁同修乐书。冠卿，新安人。

录曹修古之侄覬为试将作监主簿，仍听为修古后。

五月，甲申朔，诏曰："王者奉祖宗，尚功德，故禋天祀地，则侑神作主，审谛合食，则百世不迁。恭惟太祖皇帝，受天命，建大业，可谓有功矣。太宗，真宗，二圣继统，重熙累洽，可谓有德矣。其令礼官考合典礼，辨崇配之序，定二祧之位，中书门下详阅以闻。"

庚寅，禁(缕)〔镂〕金为妇人首饰。

李照上《九乳编钟图》。钟旧饰以旋虫，改为龙井。自创八音新器，又请别镵石为编磬，辛卯，命内侍挟乐工往淮阳军治磬石。照又言："既改制金石，则丝、竹、匏、土、革、木亦当更治，以备献享。"乃铸铜为龠、合、升、斗四物，以兴钟镈声量之率。及潞州上柜黍，照择大黍纵累之，检考长短。尺成，与大府尺合，法愈坚定。

甲午，广南东、西路并言蛮獠寇边，高、窦、雷、化等州巡检许政死之。遣左侍禁雍丘桑怿会广、桂二州都监讨捕。怿部分军士，尽禽诸盗。还京师，枢密(使)〔吏〕求赂，为改阁门袛候，怿不应；吏匿其功状，止免短使而已。

庚子，从太常礼院议，太祖、太宗、真宗庙并万世不迁。南郊升侑上帝，以太祖定配，二宗迭配。

六月，辛酉，以亲郊，并侑二圣及真宗为不迁主，遣官告于太庙。

左司谏商水姚仲孙言："伏闻议者欲改制雅乐，谓旧律太高，裁之就下。然或制之未得其精，损之必差其度。臣闻其所为，率多诡异。至如炼白石以为磬，范中金以作钟，又欲以三神、五灵、二十四孝为乐器之饰，臣虽愚昧，窃有所疑。望特诏罢之，止用旧乐。"帝欲究李照术之是非，故不听。

先是太常钟磬每十六枚为一(套)〔虡〕，而四清声相承不击。乙丑，李照言："十二律声已备，馀四清声乃郑、卫之乐，请于编县止留十二中声，去四清磬钟，则哀思邪僻之声无由而起也。"冯元等驳之曰："前圣制乐，取法非一，故有十三管之和，十九管之巢，三十六簧之竽，二十五弦之瑟，十三弦之筝，九弦、七弦之琴，十六枚之钟磬，各自取义，宁有一于律吕，专为十二之数也！钟磬八音之首，丝竹以下受而为均，故圣人尤所用心焉。《春秋》号乐，总言金奏，《诗・颂》称美，实依磬声，此二器非可轻改。且圣人既以十二律各配一钟，又设四清声以附正声之次，原其意盖为夷则至应钟四宫而设也。夫五音，宫为君，商为臣，角为民，徵为事，羽为物，不相陵谓之正，迭相陵谓之慢，百王所不易也。声之重大者为尊，轻清者为卑，卑者不可加于尊，古今之所同也。故别声之尊卑者，事与物不与焉。何则？事为君治，物为君用，

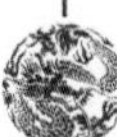

不能尊于君故也。惟君、臣、民三者则自有上下之分，不得相越。故四清声之设，正为臣、民相避，以为尊卑也。今若止用十二钟，旋相考击，至夷则以下四管为宫之时，臣民相越，上下交戾，则陵犯之音作矣，此甚不可者也。其钟磬十六，皆本周、汉诸儒之说及唐家典法所载，欲损为十二，惟照独见。臣以为如旧制便。"帝令权用十二枚为一格，且诏曰："俟有知音者，能考四钟，协调清浊，有司别议以闻。"

丁卯，出内藏库䌷绢百万，下三司市籴军储。

己巳，以都官员外郎曹修睦为侍御史。修睦，修古弟，用中丞杜衍荐也。

辛未，御崇政殿，召辅臣观新乐。

秋，七月，壬午朔，辽主猎于黑岭。因过祖州白马山，见齐天后坟冢荒秽，又无影堂及洒扫人户，恻然而泣，左右皆沾涕。遂诏上京留守耶律赞宁、盐铁使郎元化等于祖州陵园内选地改葬，其影堂廊库并同宣献太后园陵。

辽枢密使萧朴进封魏王，旋卒，赠齐王。

甲申，诏特赐寇准谥曰忠愍。

戊戌，群臣请上尊号曰景祐体天法道钦文聪武圣仁孝德；表五上，从之。

庚子，侍御史曹修睦言："李照所改历代乐，颇为迂诞，而其费甚广；请付有司案劾。"帝以照所作钟磬颇与众音相谐，但罢其增造，仍诏谕修睦。

知杭州郑回，言镇东节度推官阮逸颇通音律，上其所撰《乐论》十二篇并律管十三，诏令逸赴阙。

八月，甲寅，宴紫宸殿，初用乐。

己巳，命李照同修《乐书》。

辛未，诏："荐献景灵宫，朝享太庙，郊祀天地，自今同日受誓戒。"始用王曾之言也。

甲戌，幸安肃门炮场阅习战。

丁丑，内出《景祐乐髓新经》六篇赐群臣。

己卯，以右谏议大夫、知兖州孔道辅为龙图阁直学士。时近臣有献诗百篇者，执政请除龙图阁直学士，帝曰："是诗虽多，不如孔道辅一言。"遂以命道辅。议者因是知前日之斥果非帝意也。

初命朝臣为江、浙、荆湖、福建、广南等路提点银铜坑冶铸钱公事，其俸赐恩例并与提点刑狱同。

九月，乙未，诏司天监制百刻水秤以测候昼夜。

丁酉，命李照为刑部员外郎，赐三品服，以造新乐成故也。起五月造，止八月，成金石七县，而照自造新乐笙、竽、琴、瑟、笛、筚篥等十二种，皆不可施用，诏但存大笙、大竽二种而已。照谓："今筚篥，乃《豳诗》所谓苇管也，《诗》云：'一之日觱发，二之日栗冽。'且今筚篥，伶人谓之苇子，其名出此。"于是制大管筚篥为雅乐，议者嗤之。

工部郎中、天章阁待制刘随卒，擢待制未旬日也。随与孔道辅、曹修古同时为言事官，皆以清直闻。及是帝怜其贫，赐其家钱六十万。

壬寅，御崇政殿按新乐，诏大臣与观。

〔甲辰〕，赐郑州学田五顷。

初，诸王邸散居都城，过从有禁，非朝谒从祠，不得会见。己酉，诏即玉清昭应宫旧地建宫,合十位聚居,赐名睦亲宅。

辽主如长宁淀。

参知政事宋绶,上所编修《中书总例》四百一十九册,降诏褒谕。先是吕夷简奏令绶为此,既而谓人曰:“自吾有此例,使一庸夫执之,皆可为宰相矣。”

冬,十月,辛亥朔,复置朝集院,以待外官之还京师者。

壬子,蔡州言左武卫大将军、分司西京石普卒。普倜傥有胆略,颇通兵书、阴阳、六甲、星历推步之术。太宗尝曰:“普性刚鸷,与诸将少合。”然藉其善战,每厚遇之。

癸亥,复置群牧制置使,仍诏自今止以同〔知〕枢密院或副使兼领之。

礼院言:“《春秋》何休、范宁等注,咸谓妇人无武事,独奏文乐。前诏议奉慈之乐,有司援旧典,已用特磬代镈钟,取阴数尚柔,以静为体。今乐去大钟而舞进干盾,颇戾经旨,请止用《文德之舞》。”奏可。

己巳,出内藏库缗钱七十万、左藏五十万,下河北转运司市军储。

许苏州立学,仍给田五顷。

是月,辽主如王子城。

十一月,辛巳朔,以应天府书院为府学,仍给田十顷。

壬午,辽改南京总管府为元帅府。乙酉,行柴册礼于白岭,大赦。

戊子,废后郭氏薨。

后之获罪也,帝直以一时之忿,且为阎文应等所谮,故废之,既而悔之。后居瑶华宫,帝累遣劳问,又为乐府词以赐,后和答,语甚凄怆,文应大惧。会后小疾,文应与太医诊视,迁嘉庆院,数日,遽不起。中外疑文应进毒,然不得其实。时帝致斋南郊,不即以闻,及闻,深悼,以后礼葬。右正言、直集贤院王尧臣请推举左右侍医者,不报。

癸巳,朝享景灵宫。甲午,享太庙及奉慈庙。乙未,祀天地于圜丘,以太祖、太宗、真宗并配,大赦。

乙巳,封宰臣吕夷简为申国公,王曾为沂国公。丁未,加恩百官。

十二月,壬子,加嘉勒斯赉为保顺军节度观察留后。

癸丑,辽诏诸军炮弩弓箭手以时阅习。

先是,辽筑哈屯城以镇西域诸部,纵民畜牧,反遭寇掠。党项部节度使耶律唐古上疏曰:“自建哈屯城以来,西蕃数为边患,每烦远戍。岁月既久,国力耗竭。不若复守故疆,省罢戍役。”不报。唐古旋致仕,乞勒其父乌珍功于石,辽主命学士耶律庶成制文,勒石上京崇孝寺。

昭宣使、入内都知阎文应,罢为秦州钤辖,寻改郓州;其子句当御药院士良,罢为内殿崇班。时谏官姚仲孙、高若讷劾文应“方命宿斋太庙,而文应叱医官,声闻行在;郭后暴薨,中外莫不疑文应置毒者;请并士良出之。”故有是命。文应又称疾愿留,仲孙复论奏,乃亟去。文应专恣,事多矫旨付外,执政不敢违。天章阁待制范仲淹,将劾奏其罪,即不食,悉以家事属其长子曰:“吾不胜,必死之。”帝卒听仲淹言,窜文应岭南,寻死于道。

赵元昊遣苏奴儿将兵二万五千攻嘉勒斯赉,败死略尽,苏奴儿被执。

元昊自率众攻(氂)〔猫〕牛城,一月不下,既而诈约和,城开,乃大纵杀戮。又攻青唐、安二、宗哥、带星岭诸城,嘉勒斯赉部将安子罗以兵十万绝归路,元昊昼夜战二百徐日,子罗败,然后溺宗哥河及饥死过半。

元昊又尝侵嘉勒斯赉，并临河湟，嘉勒斯赉知众寡不敌，壁鄯州不出，阴间元昊，颇得其虚实。元昊已渡河，插旗识其浅，嘉勒斯赉潜使人移植深处。及大战，元昊溃而归，士视旗渡，溺死十八九，所掳获甚众。嘉勒斯赉来献捷，朝廷议加节度使，同知枢密院韩亿以为二酋皆藩臣，今不能谕令解仇，不当因捷加赏，遂寝。

〔癸亥〕，以范仲淹为吏部员外郎，权知开封府。仲淹自还朝，言事愈急，宰相阴使人讽之曰："待制侍臣，非口舌之任。"仲淹曰："论思正侍臣职也。"宰相知不可诱，乃命知开封，欲挠以烦剧，使不暇它议；亦幸其有失，亟罢去。仲淹处之弥月，京邑肃然称治。

甲子，以左侍禁桑怿为阁门祗候，赏平蛮獠功也。怿辞不受，请推其赏以归己上者，不许。或讥怿好名，怿叹曰："士当自信其心以行，若欲避名，则善皆不可为也。"

〔乙丑〕，许孟州立学，仍给田五顷。

辛未，诏以北海县尉孔宗愿为国子监主簿，袭封文宣公。

先是御史台辟石介为主簿，介上疏论赦书不当求五代及诸伪国后忤意，罢不召。馆阁校勘欧阳修贻书中丞杜衍曰："介一贱士，用之当否，未足害政，然可惜者，中丞举动也。主簿于台中，非言事官，然大抵居台中者，必以正直刚明不畏避为称职。介足未履台门之阈，已用言事见罢，真可谓正直刚明不畏避矣。介之才不止主簿，直可为御史也。今斥介它举，必亦择贤。夫贤者固好辩，若入台又有言，则又斥而它举乎？如此，则必得愚暗懦默者而后止也。"衍卒不能用。

太子中允、知淮阳军梁适，亦疏论朱全忠，唐之贼臣，今录其后，不可以为劝。帝是其言，记适姓名禁中，寻召为审刑院详议官。适，颢之子也。

辽萧罕嘉努迁天成军节度使，徙彰愍宫使。辽主与语，才之，命为诗友。尝从容问曰："卿居外，有异闻乎？"罕嘉努对曰："臣惟知炒栗，小者熟则大者必生，大者熟则小者必焦，使大小均熟，始为尽美，不知其它。"罕嘉努尝掌栗园，故托栗以讽谏。辽主大笑。命与枢密直学士耶律庶成作《四时逸乐赋》，称旨。

制诏问治道之要，罕嘉努对曰："臣伏见比年以来，高丽未宾，准布犹强，战守之备，诚不容已。乃者选富民防边，自备粮糗，道路修阻，动淹岁月，比至屯所，费已过半，只斗簞谷，鲜有还者。其无丁之家，倍其佣僦，人倍其劳，半途亡窜。故戍卒之食，多不能给，求假于人，则十倍其息，至有鬻子割田不能偿者。或逋役不归，在军物故，则更补以少壮。其鸭绿江之东，戍役大率如此。况渤海、女直、高丽，合纵连横，不时征讨，富者从军，贫者侦候，加之水旱，菽粟不登，民以日困，盖势使之然也。"

"方今最重之役，无过西戍。若能徙西戍稍近，则往来不劳，民无深患。议者皆谓徙之非便，臣谓不然。准布诸部，自来有之，曩时北至胪朐河，南至边境，人多散居，无所统一，惟往来钞掠。及太祖西征，至于流沙，准布望风悉降，西域诸国皆愿入贡，因迁种落，内置三部，以益其国，不营城邑，不置戍兵，准布累世不敢为寇。统和间，皇太妃出师西域，拓土既远，降附亦众。自后一部或叛，邻部讨之，使同力相制，正得驭远人之道。及城哈屯，开境数千里，西北之民，徭役日增，生业日殚，警急既不能救，叛服亦复不恒，空有广地之名而无得地之实。若贪土不已，渐至虚耗，其患有不可胜言者。国家大敌，惟在南方，今虽连和，难保它日。若南方有变，屯戍辽邈，猝难赴援，我进则敌退，我还则敌来，不可不虑也。"

"方今太平已久，正可恩结诸部，释罪而归地，内徙戍兵以增保障，外明约束以正疆界。

每部各立酋长,岁修职贡,叛则讨之,服则抚之,诸部既安,必不生衅。如是,则臣虽不能保其久而无变,知其必不深入侵掠也。”

“比年以来,群黎凋敝,利于剽窃,良民往往化为凶暴,甚者杀人无忌,亡命山泽。愿陛下轻徭省役,使民务农,衣食既足,自安教化而重犯法矣。今宜徙哈屯城于近地,与西南副都部署乌库、德浮勒等声援相接,罢黑岭二军,并开、保州,皆隶东京,益东北戍军及南京总管兵,增修壁垒,候尉相望,缮楼橹,浚城隍,以为边防。此方今之急务也,愿陛下裁之!”擢翰林都林牙。

三年 辽重熙五年【丙子,1036】 春,正月,甲申,辽主如鱼儿泺。枢密使萧孝先请改国舅乙室小功帐敞史为将军,从之。

戊子,命李谘、蔡齐、程琳、杜衍、丁度同议茶法。谘以前坐变法得罪,固辞;不许。

时三司吏孙居中等言:“自天圣三年变法,而河北入中虚估之弊,复类乾兴以前,蠹耗县官,请复行见钱法。”度支副使杨偕亦陈三说法十二害,见钱法十二利,以为止用三说,所支一分缗钱足以赡一岁边计。故命谘等更议,仍令召商人至三司,访以利害。

壬辰,追册故金庭教主、冲静元师郭氏为皇后,命知制诰丁度、内侍押班蓝元用同护葬事。寻诏中书、门下停其谥册、祔庙。丁酉,葬于奉先资福院侧,卤簿仪物并用孝章皇后故事。

时上元节,有司张灯俟乘舆出。右正言王尧臣言后已复位号,今方在殡,不当游幸,同知礼院王拱辰亦以为言,帝为罢葬日张灯。

己酉,许洪州、密州立学,仍各赐田五顷。

先是帝以三司胥吏猥多,或老疾不知书计,诏御史中丞杜衍等与本司差择之。有欲中衍者,扬言于外曰:“衍请尽黜诸吏。”于是三司后行朱正、周贵、李逢(年)〔吉〕等百人辄相率诣宰相吕夷简第宣诉,夷简拒不见。又诣王曾第,曾以美言谕之,因使列状自陈。既又诣衍第投瓦砾,肆丑言。明日,衍对,请下有司推究。而曾具得其姓名。二月,乙卯,正、贵杖脊配沙门岛,逢(年)〔吉〕等二十二人决配远州军牢城,其为从者皆勒停。

丙辰,诏翰林学士冯元、礼宾副使邓保信与镇江节度推官阮逸、湖州乡贡进士海陵胡瑗较定旧钟律。瑗以经术教授吴中,范仲淹前知苏州,荐瑗知音,白衣召对崇政殿,与逸俱命。

太常少卿、直昭文馆开封扈偁言:“京师天下之本,而士民僭侈无法,一袭衣直不翅千万,请条约之。”壬戌,诏两制与礼院同详定制度以闻。

三月,复入中见钱算请官茶法,凡商贾入钱于京师者,给南方茶;入刍粮于边者,给京师及诸州钱。

乙未,御崇政殿,召辅臣观所定钟律。丙申,翰林侍读学士冯元等上秬黍新尺,别为钟磬各一架。

戊戌,诏曰:“致仕官旧皆给半俸,而仕尝显者,或贫不能自给,非所以遇高年,养廉耻也。自今大两省、大卿正监、刺史、阁门使以上,致仕给俸如分司官,长吏岁时以朕意劳赐之。”

权判户部句院叶清臣上疏请弛茶禁,以岁所课均赋郭乡村人户,其略曰:“议者谓榷(费)卖有定率,征税无彝准,通商之后,必亏岁计。臣案管氏盐铁法,计口受赋。茶为人用,与盐铁均,必令天下通行以口定赋,民获善利,又去严刑。口出数钱,人不厌取,比于官自榷易,驱民就刑,利病相须,炳然可察。”诏三司与详定所相度以闻。皆以为不可行。

是月，李谘等请罢河北入中虚估，以实钱偿刍粟，实钱售茶，皆如天圣元年制。又以北商持券至京师，旧必得交引铺保任并三司符验，然后给钱，以是京师坐贾，率多邀求，三司吏稽留为奸，乃悉罢之，命商持券径趋榷货务，验实，立(价)〔偿〕之钱。又言："前已用虚估给券者，给茶如旧，仍给景祐二年以前茶。"又言："天圣四年尝许陕西入中，茶商利之，争欲售陕西券，故不复入钱京师，请禁止。"并言："商人输钱五分，馀为置籍召保，期年半悉偿，失期者倍其数。"事皆施行。谘等复言："爽等变法，岁损利不可胜计。今一旦复用旧法，恐豪商不便，依托权贵以动朝廷，请先期申谕。"于是帝为下诏戒敕，而县官滥费自此少矣。

诏权停贡举。

夏，四月，辽以潞王查噶为南府宰相，崇德宫使耶律玛陆为特里衮。

甲子，辽主幸后弟萧无曲第，曲水泛觞赋诗。

丁卯，辽颁新定条制。

己巳，辽主与大臣分朋击鞠。

五月，戊寅朔，范仲淹言："臣近亲奉德音，以孔道辅曾言迁都西洛，臣谓未可也。国家太平，岂可有迁都之议！但西洛帝王之宅，负关、河之固，边方不宁，则可退守。宜渐营廪食，陕西有馀，可运而下，东路有馀，可运而上，数年之间，庶几有备。太平则居东京通济之地以便天下，急难则居西洛险固之宅以守中原。《易》曰：'王公设险以守其国。'此之谓也。先王修德以服远人，然安不忘危，故不敢去兵。陛下内惟修德，使天下不闻其过，外惟设险，使四夷不敢生心，此长世之道也。"

丙戌，天章阁待制、权知开封府范仲淹，落职知饶州。

仲淹言事无所避，大臣权幸多恶之。时吕夷简执政，仕进者往往出其门。仲淹言："官人之法，人主当知其迟速升降之序，进退近臣，不宜全委宰相。"又上《百官图》，指其次第曰："如此为序迁，如此为不次，如此则公，如此则私，不可不察。"夷简滋不悦。

帝尝以迁都事访诸夷简，夷简曰："仲淹迂阔，务名无实。"仲淹闻之，为四论以献：一曰《帝王好尚》，二曰《选贤任能》，三曰《近名》，四曰《推委》，大抵讥指时政。又言："汉成帝信张禹，不疑舅家，故有王莽之乱。臣恐今日朝廷亦有张禹坏陛下家法，不可不早辨也。"夷简大怒，以仲淹语辨于帝前，且诉仲淹越职言事，荐引朋党，离间君臣。仲淹亦交章对析，辞愈切，由是降出。侍御史韩缜，希夷简意，请以仲淹朋党榜朝堂，戒百官越职言事，从之。

时治朋党方急，士大夫畏宰相，少肯送仲淹者。天章阁待制李纮、集贤校理王质，皆载酒往饯，质又独留语数夕。或以诮质，质曰："希文贤者，得为朋党，幸矣。"希文，仲淹字也。质尝知蔡州，州人岁时祠吴元济庙。质曰："安有逆丑而庙食者！"毁之，更立狄仁杰、李愬像，祠之。

范仲淹既贬，谏官、御史莫敢言，秘书丞、集贤校理余靖言："仲淹前所言事在陛下母子、夫妇之间，犹以其合典礼故加优奖；今坐刺讥大臣，重加谴责。傥其言未协圣虑，在陛下听与不听耳，安可以为罪乎？汲黯在廷，以平津为多诈，张昭论将，以鲁肃为粗疏，汉皇、吴主，两用无猜。陛下自亲政以来，三逐言事者，恐非太平之政也。请速改前命。"壬辰，靖落职监筠州酒税。

己未，贬太子中允、馆阁校勘尹洙为崇信军节度掌书记、监郢州酒税。先是洙上言："臣尝以范仲淹直谅不回，义兼师友。自其被罪，朝中多(去)〔云〕臣亦被其荐论，仲淹既以朋党得罪，臣固当从坐，乞从降黜，以明典宪。”宰相怒，遂逐之。

戊戌，贬镇南节度掌书记、馆阁校勘欧阳修为夷陵县令。

初，右司谏高若讷言：“范仲淹贬职之后，遵奉敕榜，不敢妄有营救。今欧阳修移书抵臣，言仲淹平生刚正，通古今，班行中无与比者。责臣不能辨仲淹非辜，犹能以面目见士大夫，出入朝中称谏官，及谓臣不复知人间有羞耻事。仍言今日天子与宰臣以迕意逐贤人，责臣不敢言。臣谓贤人者，国家恃以为治也，若陛下以迕意逐之，臣合谏；宰臣以迕意逐之，臣合争。范仲淹顷以论事切直，亟加进用；今兹狂言，自取谴辱，岂得谓之非辜？恐中外闻之，谓天子以迕意逐贤人，所损不细。请令有司召修戒谕，免惑众听。”因缴进修书，修坐是贬。

西京留守推官仙游蔡襄，作《四贤一不肖诗》，四贤，指仲淹、靖、洙、修；不肖，斥若讷也。泗州通判陈恢，寻上章乞根究作诗者罪，左司谏韩琦，劾恢越职希恩，宜重贬，不报，而襄事亦寝。

光禄寺主簿苏舜钦上疏言：“孔道辅、范仲淹刚直不挠，致位台谏，后虽改它官，不忘献纳。二臣者非不知缄口数年，坐得卿辅，盖不愿负陛下委注之意；而皆罹中伤，窜谪而去，使正臣夺气，鲠士咋舌。昔晋侯问叔向曰：‘国家之患孰为大？’对曰：‘大臣持禄而不及谏，小臣畏罪而不敢言，下情不得上通，此患之大者。’今国家班设爵位，当责其公忠，安可教之循默！赏之使谏，尚恐不言；罪其敢言，孰肯献纳！物情闭塞，上位孤危，轸念于兹，可为惊怛！觊望陛下发德音，寝前诏，勤于采纳，可常守隆平。若诏榜未削，欺罔成风，则不惟堂下远于千里，窃恐指鹿为马之事复见于今朝矣。”

丁未，辽主如呼图里巴山避暑。

六月，戊申朔，许越州立学，仍给田五顷。

壬子，许阶州立学，仍给田五顷。

壬戌，辽命修南京宫阙、府署。

甲子，许真定府、博州、郢州立学，各给田五顷。

壬申，虔、吉州水溢，赐溺家钱有差。

秋，七月，己卯，新作延宁观。本王中正旧第，保庆太后出奁中物市其地而建之。

初，有诏罢修寺观，及是谏官、侍御史以为言。帝谓辅臣曰：“此太后奁中物耳。谏官、御史欲邀名邪？”参知政事宋绶进曰：“彼岂知太后所为，但见兴土木违近诏，即论奏之。且事有疑似，传闻四方，为圣政之累，何可忽也！”

戊子，冯元、聂冠卿、宋祁等上《景柘广乐记》八十一卷；己丑，元等并进官。

〔庚寅〕，右谏议大夫、集贤院学士孙冲上所撰《五代纪》七十卷，降诏褒答。

乙未，初置大宗正司，以宁江节度使允让知大宗正事，彰化留后守节同知大宗正事。时诸王子孙众多，既聚居睦亲宅，故于祖宗后各择一人，使司训导，纠违失。凡宗族之政令，皆关掌奏，事毋得专达，先详视可否以闻。

己亥，命丁度、高若讷、韩琦同详定黍尺钟律。

还卢多逊家怀州所没田宅。

庚子，太平兴国寺灾。是夕，大雨，震电，火起寺阁中，燔开先殿及寺舍数百楹。

朝廷始议修复，崇政殿说书贾昌朝言：“《易·震卦》之《象》曰：‘洊雷震，君子以恐惧修省。’《春秋传》曰：‘人火曰火，天火曰灾。’窃惟近年寺观屡灾，此殆天示谴告。请勿缮治，以示畏天戒、爱人力之意。"从之。

泗州新作普济院成,诏给田十顷;保庆太后施钱所建也。

辛丑,辽主录囚。有耶律札巴者,诬其弟罕格谋杀己,有司奏当反坐。临刑,其弟泣诉:"臣惟一兄,乞贷其死。"辽主悯而许之。

辽有司获盗八人,皆弃市。既而获真盗,八家诉冤,中书令张俭再三申理,辽主勃然曰:"卿欲朕偿命邪!"俭曰:"八家老稚无告,少加存恤,使得收葬,足慰存殁矣。"辽主从之。

八月,己酉,班民间冠服、居室、车马、器用犯制之禁。

右司谏、直集贤院韩琦言:"乐音之起,生于人心,是以喜怒哀乐之情感于物,则噍杀啴缓之声随而应之,非器之然也。故孔子曰:'乐云乐云,钟鼓云乎哉!'孟子对齐宣王云,今乐犹古乐,能与百姓同乐,则古今一也。臣奉诏与丁度等详定阮逸、胡瑗、邓保信所造钟律,粗考前志,参验今法,二家之说,差舛未安。窃以祖宗旧乐,遵用已久,属者徇一臣之偏议,变数朝之同律,赐金增秩,优赏其劳,曾未周岁,又将易制,臣虑后人复有从而非之者,不惟有伤国体,实亦虚费邦用。臣窃计之,不若穷作乐之原,为致治之本,使政令平简,民人熙洽,海内击壤鼓腹以歌太平,斯乃治古之乐,可得以器象求乎!就达其原,又当究今之所急者。且西北二陲,久弛边备,陛下与左右大臣宜先及之,缓兹求乐之议,移访安边之策,然后将王朴、逸、瑗、保信三法,别诏稽古之臣,取其中合典志者以备雅奏,固亦未晚。"诏丁度等速详定以闻。

九月,庚辰,幸睦亲宅,宴宗室及从官。

己丑,出内藏库缗钱五十万,下河北转运司市籴边储。

赐河南府新修太室书院名日嵩阳书院。

〔辛卯〕,诏淮南转运使岁一诣阙奏事。先是罢发运使及岁入奏计,至是祠部郎中杨告领转运使兼发运事,请复之。

壬辰,以阮逸为镇安节度掌书记、知城父县,胡瑗试校书郎。初,召逸、瑗作钟磬律度,丁度等详定,言案之与古多不合,帝犹推恩而遣之。

乙未,以崇政殿说书、国子监直讲王宗道、国子监说书杨中和并为睦亲宅讲书,仍兼国子监讲说。睦亲宅讲书始此。

冬,十月,甲寅,新作朝集院成。

辽主自秋末猎黄华山,获熊三十六。是月,幸燕京,御元和殿,以《日射三十六熊赋》《幸燕诗》试进士于廷,赐冯立、赵徽等四十九人及第,以立为右补阙,徽以下皆为太子中舍,赐绯衣、银鱼,遂大宴。辽御试进士自此始。丞相张俭等又请幸礼部贡院,欢饮至暮而罢。

辽主甚重张俭,进见不名,赐诗褒美。俭衣唯绸帛,食不重味,月俸有馀,赒给亲旧。方冬,奏事便殿,辽主见其衣袍弊恶,密令近侍以火夹穿孔记之,屡见不易。辽主问其故,俭曰:"臣服此袍已三十年。"时尚奢靡,故以此微讽谕之。辽主怜其清贫,令恣取内府物,俭奉诏持布三端而出,益见奖重。俭有弟五人,辽主欲俱赐进士第,俭固辞。

十一月,戊寅,保庆太后杨氏崩。

始,帝起居饮食,后必与俱,拥祐勤备。性慈让,帝尝召其侄永节、永德见禁中,欲授诸司副使,后辞曰:"小儿岂胜大恩!倘小官可也。"乃并命为左右侍禁。庄献崩,后嗣享尊号,帝奉笺称臣,后固辞。又岁奉缗钱二万助汤沐,后复辞,帝不从。帝未有嗣,后从容劝帝选宗子养宫中,由是英宗自宫邸未龆龀养后所。后无疾而终,殡于皇仪殿,敕知枢密院事王随为园陵监护使。礼官请为后服缌麻，帝改用唐武宗服义安王太后故事，加服小功，以五日易月而除，不视前后殿朝凡八日，不朝前殿四日，御素纱巾幞、浅黄袍、黑革带，俟虞主祔奉慈庙，始服常服。内出缗钱千万佐园陵费，上谥曰庄惠，祝册文并称孝子嗣皇帝。

十二月，戊申，诏："宣敕札子，非经通进、银台司，毋得直下诸处。"初，龙图阁直学士李(统)〔纮〕领银台司，具言宣敕札子皆不经本司，封驳之职遂废不举，请用旧制申明之，故有是诏。

丙寅，户部侍郎、知枢密院李谘卒。帝幸其第临奠，辍视朝一日，赠右仆射，谥宪成。谘性明辨，周知世务，在枢密院，务革滥赏，其戎马功簿之目，能悉数帝前，号为称职。

丁卯，以同知枢密院事王德用知枢密院事，翰林学士承旨、礼部侍郎章得象同知枢密院事。得象为人庄重，杨亿尝称为公辅器，或问之，答曰："闽士多轻狭，而得象浑厚有容，此所以贵也。"在翰林十二年，庄献太后临朝，宦官炽横，太后每遣内侍至学士院，得象必正色严待之，或不交一言，议者以此称焉。

赵元昊自制蕃书十二卷，国人纪事悉用蕃书，私改广运三年为大庆元年。再举兵攻回纥瓜、沙、(兰)〔肃〕三州，尽有河(南)〔西〕故地。将谋入寇，恐嘉勒斯赉拟其后，复举兵攻兰州诸羌，南侵至马衔山，筑城瓦川会，留兵镇守，绝吐蕃与中国相通路。

折惟中卒，以其子继宣权知府州事。

初，辽医人鲜知切脉审药，辽主命耶律庶成译方脉书行之，自是人皆通习。

四年　辽重熙六年【丁丑，1037】　春，正月，戊寅，赐蔡州学田十顷。

〔壬午〕，诏均诸州解额。

甲午，内藏库主者言："岁斥缗钱六十万以助三司，盖始于天禧三年，时诏书切戒三司毋得复有假贷。自明道二年距今才四年，而所贷钱帛凡九百十七万二千有馀，请以天禧诏书申饬之。"奏可。

二月，己酉，祔葬庄惠皇太后于永安陵之西北隅。

初，殿中侍御史张奎请亲祀高禖。庚戌，礼院上其仪，诏从之。

己未，祔庄惠太后神主于奉慈庙。

乙丑，置赤帝像于宫中，以祈皇嗣。

〔丙寅〕，赐常州学田五顷。

三月，甲戌朔，置天章阁侍讲，以贾昌朝、王宗道、赵希言、杨安国为之。

追复卢多逊为工部尚书，以其子察援赦自陈也。

戊寅，诏礼部贡举。

辽以秦王萧孝穆为北院枢密使，徙封吴王。孝穆尝语人曰："枢密选贤而用，何事不济！若自亲烦碎，则大事凝滞矣。"故其所荐拔，皆忠直之士。然辽自萧哈绰为枢密，以吏才进，其后转相仿效，多不知大体。孝穆乃叹曰："不能移风易俗，臣子之道，固若是乎！"晋王萧孝先出为南京留守。萧孝先失太后之援，居恒郁郁不乐。

丙申，内出庄惠太后阁金千馀两，市庄园、邸舍以给万寿观。时于万寿观建广爱殿，奉安庄惠御容故也。

同知礼院吴育，言旧藏礼文故事，类例不一，请择儒臣与本院官约古今制度，参定为一代之法；从之。

夏，四月，乙巳，赐宣州学田五顷。

丁未，诏学士院，自今制策登科人并试策论各一道。时将作监丞富弼献所为文，命试馆职，弼以不能为诗赋辞，上特令试策论，因有是诏。弼寻授太子中允、直集贤院。

甲子，宰臣吕夷简罢为镇安节度使、同平章事，判许州；王曾罢为左仆射、资政殿大学士，判郓州；参知政事宋绶罢为尚书左丞、资政殿学士；蔡齐罢为吏部侍郎，归班。

天圣中，曾为首相，夷简参知政事，事曾甚谨，曾力荐夷简为亚相。未几，曾罢，夷简为首相，居五年罢，不半岁复位。李迪为次相，与夷简不协，夷简欲倾迪，乃援曾入使枢密，不半岁迪罢，即代之。始，曾久外，有复入意，绶实为达意于夷简，夷简即奏召曾。及将以曾代迪，绶谓夷简曰："孝先于公，交契不薄，宜善待之，勿如复古也。"夷简笑诺其言。绶曰："公已位昭文，处孝先以集贤可也。"夷简曰："吾虽少下之，何害？"遂请曾为首相，帝不可，乃为亚相。孝先，曾字；复古，迪字也。既而夷简专决，事不少让，曾不能堪，论议多不合。曾数求去，夷简亦屡丐罢，帝疑焉，问曾曰："卿亦有所不足邪？"曾言夷简招权市恩；时外传夷简纳知(泰)〔秦〕州王继明馈赂，曾因及之。帝诘夷简，至交论帝前。夷简乞置对，而曾亦有失实者，帝不悦。绶素与夷简善，齐议事间附曾，故并绶、齐皆罢。

以知枢密院事王随、户部侍郎知郑州陈尧佐并为平章事，吕夷简尝密荐二人可用故也。以参知政事盛度知枢密院事，同知枢密院事韩亿及三司使程琳、翰林学士承旨石中立并参知政事，枢密直学士王鬷同知枢密院事。

乙丑，召宋绶入侍经筵。

辽主猎野狐岭。

闰月，辽主猎龙门县西山。

乙亥，知徐州李迪言："所部滕县与兖州接境，欲因行县祠岱岳，并至景灵宫祝圣算，祷皇嗣。"帝谓韩亿等曰："大臣当询民间利病以分朝廷之忧，祈祷之事，岂为政邪！"诏止之。

知制诰王举正，以宰相陈尧佐之婿，引故事避嫌，戊寅，改为龙图阁待制。举正，化基子也。

赐故将作监丞张唐卿家钱帛米麦。唐卿进士第一人及第，通判峡州，吏事如素习。未几，丁父忧，毁瘠呕血而卒，故有是赐。

光州言秘书监致仕丁谓卒。王曾闻之，语人曰："斯人智数不可测，在海外犹用诈得还。若不死，数年未必不复用。斯人复用，则天下之不幸，可胜道哉！吾非幸其死也。"

五月，翰林侍讲学士兼龙图阁学士、户部侍郎冯元卒，特赠户部尚书，谥章靖。元性简厚，非庆吊，未尝过谒两府。执亲丧，自括发至祥练皆案礼变服；不为世俗斋荐，遇祭日，与门生对诵《孝经》而已。多识古今台阁品式，与孙奭齐名，凡议典礼，多出二人。然论者谓元所陈但务广博，不如奭之能折衷也。

己酉，辽主清暑炭山。以耶律罕班为北院大王。罕班为政尚宽仁，部族安之。

甲寅，辽主(入)〔录〕囚，以南院大王耶律信宁故匿重囚及侍婢赃污，命挞以剑脊而夺其官。都监坐阿附及侍婢罪，皆论死，诏贷之。丙辰，以信宁为西南路招讨使。

庚申，辽主出飞龙厩马，赐皇太弟重元及北南面侍臣有差。

丙寅，有芝生于化成殿柱，召近臣宗室观之，仍出御制《瑞芝诗》赐宰臣王随以下。翼日，儒臣并为赋颂以献。右司谏韩琦言："《春秋》之法，但记灾异，至于祥瑞，略而不书。臣愚望陛下特以灾异为重，于政教之间，思所未至者，随其变而应之。至于珍祥奇瑞，虽陛下仁爱所感，亦望日谨一日，以虽休勿休为念。”

六月，壬申朔，辽主宴群臣，酒酣，赋诗，吴国王萧孝穆、北府宰相萧巴萨皆属和。

甲戌，奉安太祖御容于扬州建隆寺。景德中，尝即寺置殿，绘御容，而其制庳陋。会占者言东南有王气，乃易以塑像，更命新殿日章武。

乙亥，杭州大风，江潮溢岸高六尺，坏堤千馀丈，遣中使致祭。

己卯，辽主祀天地。癸未，赐南院大王耶律洪古命，辽主亲制诰辞，并赐诗以宠之。

戊子，以御制《神武秘略》赐河北、河南、陕西缘边部署、钤辖、知州军，每得代，更相付授。始，韩亿同知枢密院事，建言武臣宜知兵书，而禁不传，请纂集其要赐之。帝于是作《神武秘略》凡三十篇，分十卷，仍自作序焉。

甲午，太子左监门率府副率宗实，特迁右内率府率。

丙申，诏开封府、国子监及别头试，自今封弥、誊录如礼部，从左司谏韩琦请也。

诏颁行《礼部韵略》。

秋，七月，辛丑朔，辽以南北枢密院狱空，赏赉有差。

壬寅，辽主以皇太弟重元生子，赐诗及宝玩器物，曲赦死罪以下。癸卯，辽主如秋山。

丁未，诏河东、河北州郡密严边备。

辛酉，诏三司出银十五万两下河北路，绢十万下河东路，助籴军粮。

【译文】

宋纪四十　起乙亥年（公元1035年）正月，止丁丑年（公元1037年）七月，共二年有余。

景祐二年　辽重熙四年（公元1035年）

春季，正月，壬寅（十七日），调任江东转运使蒋堂为淮南转运使兼发运司事。蒋堂在淮南任期内，每年荐举所辖官吏二百员，说：“十人中有二三位人才，也足以报效国家了。”

任命度支判官、工部侍中许申为江南东路转运使。

天朝万顺　辽

凡铸造铜钱，剂量若分成十分，铜占六分，铅锡占三分，这都能赢利，是铸钱的重要法则。许申在三司任职时，却建议用药化解铁掺杂熔铸，铜占三分，铁占六分，认为这样可节省费用、赢利丰厚。朝廷听了他的意见，就诏令许申采用他的方法在京师铸钱。但大致说来铸钱掺杂铅锡，熔液就流得快又容易铸成；如果掺入铁，熔液就滞涩又大多不能铸成，工匠们被害苦了。最初命令许申铸造一万贯钱，一个多月才铸成一万枚钱。许申自己估计他的说法不能奏效，就请求担任江东转运使，他想在江州用他的办法铸钱，朝廷又依从了。诏令许申在江州铸一百万贯钱，毫无遗漏地采用他的办法。朝廷内外的官员都认为这样做不对，但执政大臣支持他，认为切实可行，然而终究没有成功。

先前，盐铁副使任布请求铸造可以一当十的大钱，而许申想用铜铁掺和铸钱，朝廷把他

们的提议下交三司商议。程琳上奏说:“任布请求铸用大钱,这是诱导人民偷铸铜钱从而使他们陷入罪案。唐代第五琦曾经采用过这种办法,最终不可施行。许申想用铜铁掺铸,依理怕难以成功,不过可以暂且试试。”许申的骗术之所以能得逞,可能是程琳也有同样主张的缘故。

天章阁待制孙祖德上书说:“假铜是国法禁止制造的,而官府自己制作假铜,这是教导人民欺骗。”极力争论,不予听从,反而被贬出知兖州。

癸丑(二十八日),建置迩英、延义两阁,把《尚书·无逸篇》写在屏风上。迩英阁建在迎阳门的北面,朝东;延义阁建在崇政殿的西面,朝北。这天,来到延义阁,召来辅政大臣们观看盛度进读《唐书》,贾昌朝讲解《春秋》。接着在崇政殿举行小型宴会。

辽国任命奚六部太尉耶律罕瑠为北面林牙。耶律罕瑠为人不随意迎合,遭到枢密使萧谐哩的忌恨。辽国君主起初想召用他,萧谐哩说他眼睛有病不能看,就停止召用他。到这时召见他,辽国君主对他说:“我早就想启用你,听说你眼睛有病,所以等到现在。”耶律罕瑠回答说:“臣下过去是患过眼病,总共才几个月,但也不至于昏花失明的程度。只是臣下鲁钝,不能事奉权贵,因而不能早日目睹天子龙颜。要不是陛下明察,愚臣怎会有今天呢!”下诏要他写《述怀诗》进呈,辽国君主看后嘉许赞叹,正要重用,他不幸去世了。

二月,燕肃等人献上考定的乐器并且引见乐工,戊午(初三),到延福阁亲临检阅,演奏了郊天祭庙所用的五十一支乐曲。因而询问李照:“乐曲演奏得怎样?”李照回答说:“乐音高了两个半音,击奏黄钟调就成了仲吕调,当击奏夹钟调就成了夷则调了,这就是冬季里施行夏季的政令,春季里召来秋季的节气。大概五代时礼废乐坏,王朴臆创制成的律准不符合古代的法则。另有,这些新铸造的编钟、编磬没有大小、轻重、厚薄、长短的差别,用的铜锡也不精;相传唐代的旧钟也有王朴制造的。昔日轩辕氏命令伶伦截取竹管确定音律,又命令神瞽调协律管中最和谐的中声,然后声音才能与凤凰鸣叫的声音相应,而律管的参差排列也像凤凰的翅膀一样,这个乐律传自远古,是不可刊改的法则。希望能让臣下依照神瞽的生律法则,试铸一架编钟,可以使度量权衡协和。”诏令准许。仍在锡庆院铸造。

庚申(初五),太常博士、直史馆宋祁呈上《大乐图义》二卷。

皇帝没有太子,选取汝南郡王赵允让的儿子赵宗实送入宫中,皇后抚养教育,当时有四岁了。

丁卯(十二日),知兖州范讽被贬任为武昌行军司马,广东转运使庞籍贬任为太常博士、知临江军,光禄寺丞、馆阁校勘宋城人石延年免去原职,通判海州;同时下诏将范讽的罪过告诫朝廷内外。

先前,庞籍担任御史,多次弹劾范讽,宰相李迪袒护范讽不予惩治,反而把庞籍降职。庞籍被罢免后,更加追究弹劾范讽的罪行不止,还说范讽放纵不守礼法制度,如果放任不治罪,就会败坏风俗。恰好范讽也请求辨明是非,于是下诏交到南京立案审理,派淮南转运使黄总、提点河北刑狱张嵩主持审讯。庞籍因弹劾范讽有失实的地方,依法应当免职;范讽的罪过应当以赎罚论处。但范讽不等判决得到朝廷的批复,就擅自返回兖州。吕夷简厌恶范讽行为怪诞偏激,又想借范讽事件来排挤李迪,所以特意从宽处治庞籍而从重贬斥范讽,凡与范讽友善的官吏都给贬黜免职。石延年曾经上书请求庄献太后还政皇上,范讽当时任御史中丞,打算援引石延年为自己下属,石延年极力推辞,现在居然也被牵连免职。人们传说庞

籍弹劾范讽不止，实际上是吕夷简暗中教唆的。

戊辰（十三日），工部尚书、平章事李迪，罢免为刑部尚书、知亳州。

先前，皇帝到延和殿，召见吕夷简、宋绶裁决范讽案件，由于李迪向来偏袒范讽，不召他来，李迪惶恐不安地回了家，第二天，就被罢免宰相。然而李迪为人淳朴正直，确实不知道范讽有许多怪诞的行为。

任命枢密使王曾为右仆射兼门下侍郎、平章事、集贤殿大学士，参知政事王随、枢密副使李谘一同知枢密院事，参知政事宋绶为枢密副使，给事中蔡齐、翰林学士承旨盛度为参知政事、枢密副使王德用、御史中丞韩亿一并同知枢密院事。

己巳（十四日），改任李迪知相州；庚午（十五日），又改授资政殿大学士，留在京师，班位仍在三司使之上。庚辰（二十五日），贬降李迪为太常卿、知密州。

起初，李迪再次入朝为宰相，自认为受到一生中难得的知遇，知道的事没有不尽力办的。待吕夷简接着进入中书门下为相，处事很专断，心里妒忌李迪，暗中在皇帝面前揭他的短，李迪没有察觉。李迪因犯有是范讽的姻亲朋党而罢相后，怨恨吕夷简，因而上奏告发吕夷简私下交结荆王赵元俨，曾经为他的门下僧人惠清补任为守阙鉴义。吕夷简请求辨清是非，皇帝派知制诰胥偃、度支副使张传马上审讯，原来补任惠清事是李迪在中书任相时做的，当时吕夷简由于斋戒祈祷不参与此事。李迪惭愧惧怕等待判罪，所以被贬官。但补任惠清确实是吕夷简的主意，李迪只是签署文书而已，至于说吕夷简私下交结荆王，大概是李迪偶尔记错了。

后来，李迪对别人说："我把自己比作唐代宋璟，而把吕夷简当成宋璟同时的姚崇，没想到他对我竟是这样的。"

任命右谏议大夫、知天雄军杜衍为御史中丞。杜衍上奏说："中书门下、枢密院的长官，是古代的三公，所谓坐而论道的大臣。现在只逢单日在前殿应对，怎能充分了解天下事务。陛下应轮流召见，在便殿赐座，好让他们尽心指出事物的兴衰，每月只召见三四次就足够了。至于琐碎小事，那是有关官员的职责，陛下何必亲自裁决！"

先前，辽国君主当太子时，娶驸马都尉萧实哩的女儿为妃，待即位为皇帝，就立为皇后，不久，皇后因罪降为贵妃。秦王萧孝穆的长女，姿态端庄容貌美丽，自辽国君主刚即位时就选入宫中，一年过后生下儿子耶律洪基。萧氏为人宽容，辽国君主更加看重她，三月，乙酉朔（初一），册封她为皇后。

己丑（初五），任命杜衍权判吏部流内铨。

以前吏部选补官吏的法令条文繁杂冗长，主判长官一般不能全都阅览，属下官吏大多接受贿赂，随意增减，枉法为奸。杜衍上任后，就让官吏取出铨选官吏的法规，问道："都拿来了吗？"回答说："都拿来了。"杜衍就阅览审视，领会了铨选法规的主旨细节。第二天，晓谕官吏不得擅自升堂，各自坐在办公室听候传达文书，铨选事宜全由自己定夺。从此属吏不能再作奸谋利。过了一个多月，他的名声震动了京师，后来他改任知审官院，采用的裁决办法也像判流内铨时的一样。

任命知苏州、左司谏范仲淹为礼部员外郎、天章阁待制。

太常礼院上奏说："侍御史刘夔请求去掉庄献明肃太后、庄懿太后所加的太字。因为神主在庙里称皇后是随丈夫称，在朝廷里称太后是随她的儿子称。然而两位太后的神主供奉在另建的庙里,按礼法应加上太字。”皇帝以为刘夔不熟习旧典章,诏令御史台告诉他。

乙未(十一日),赐给亳州、秀州、濮州、郑州四州学田各五顷。

丁酉(十三日),设置国子监直讲一员,兼管监丞、主簿事。

戊申(二十四日),取出宜圣殿库珍珠交付三司,以资助经费支出。

壬子(二十八日),诏令暂时停止贡举。

夏季,四月,甲寅朔(初一),辽国君主来到凉陉。

丁巳(初四),李照上奏说:“奉诏制造玉质律管来测候云气,请求到潞州寻求上党县羊头山生长的秬黍,到怀州河内县采取芦苇中的薄膜。”准从。

己未(初六),诏令翰林学士承旨章得象、天章阁待制燕肃与翰林侍读学士冯元详细校定计时的刻漏。

起初,李照铸成一架编钟后献上奏用,于是建议请求改制大乐,他选取京县的秬黍,用一百颗黍粒直排的长度为一尺,依这一长度做成律管,据此铸成编钟来审核,发现乐器的乐音仍偏高,就改用太府量布帛用的尺作为长度标准。皇帝于是下令太常制造四支律管。李照自己制作律管,作为十二律管的定法。

戊寅(二十五日),命令冯元、聂冠卿、宋祁共同修撰乐书。聂冠卿是新安人。

录用曹修古的侄子曹觐为试将作监主簿,同时让他作为曹修古的后嗣。

五月,甲申朔(初一),诏令说:“帝王尊奉祖宗,崇尚功德,所以祭祀天地时,就请有功德的祖宗做主人侑助天地神享祭;在庙里辨明昭穆,使之共享祭品,那么,他们的庙宇是百世不得迁动的。恭敬地想着太祖皇帝接受天命,创建大业,可说是有功了。太宗、真宗,两位圣明的皇帝继承大统,使天下接连兴隆和洽,可说是有德了。那就命令礼官查核典礼,辨明祭祀天地时配神做主的次序,确定两座不迁毁的祧庙,由中书门下详细审阅后奏报。”

庚寅(初七),禁止雕镂黄金来做妇女的首饰。

李照献上《九乳编钟图》。编钟钟纽过去用旋虫图案装饰,这里改用苍龙图案。他自创八音新乐器,又请求另凿石作编磬,辛卯(初八),皇上命令内侍带领乐工到淮阳军凿治磬石。李照又上书说:“已改制了金石乐器,那么丝、竹、匏、土、革、木等乐器也应该重新改制,以备祭祀等奏用。”于是铸成铜质龠、合、升、斗四物,来作为钟镈声量的标准。待到潞州呈上秬黍,李照挑选大粒纵着排列,检核长短。黍尺累成,与大府所用尺的长度相合,李照制作律管的方法更加坚实可靠。

甲午(十一日),广南东路、广南西路都奏报蛮獠骚扰边境,高州、窦州、雷州、化州等州的巡检许政战死。朝廷派左侍禁雍丘人桑怿会用广州、桂州的都监讨伐捕捉。桑怿部署兵力,全部擒获入侵盗寇。桑怿回到京师,枢密使向他索贿,说是为他改官阁门祇候,桑怿没有答应;官吏就隐瞒他的功劳记录,只说是免他短期差遣而已。

庚子(十七日),依太常礼院建议,太祖庙、太宗庙、真宗庙都万世不得迁动。南面祭祀苍天上帝时,由太祖固定配享,由太宗神主、真宗神主轮换配享。

六月,辛酉(初九),由于将要亲自郊祀天地,并奉请太祖、太宗神主和真宗神主为不迁神主,派官员到太庙禀报祖先。

左司谏商水人姚仲孙进言说:“臣下听说有人想改造典雅音乐,说是旧音律太高,要改低些。然而新制乐器有的做得不精确,减损音高肯定会有度数的误差。臣下听说他们的行为大多诡秘怪异。以至做出像凿磨白石作磬，范铸黄铜作钟的事来。又想将三神、五灵、二十四孝的图样作乐器的装饰图案，臣下即使愚昧，私下也有疑问。希望陛下特地下诏取消这一做法，只沿用旧乐器。”皇帝想搞清李照的办法究竟对或不对，所以没有听取姚钟孙的意见。

先前，太常寺的钟磬每十六只为一架，而宫、商、角、徵四只清声钟磬，世代相承，备用不击。乙丑（十三日），李照上奏说：“十二律的声音已齐备，其余四清声是郑、卫地方的淫邪乐调，请求在编排悬挂钟磬时只保留十二中声的钟磬，去掉四清声的磬钟，那么哀思邪僻的声调就无法奏出了。”冯元等人反驳他说：“古代圣贤制造乐器，取法不限于一种，所以就有十三支管的和，十九支管的巢，三十六片簧的竽，二十五根弦的瑟，十三根弦的筝，九根弦或七根弦的琴，十六只组成一套的钟磬，各有各的用意，难道拘束于律吕、只凑满这十二个数字吗？钟磬为八音之首，丝竹乐器受钟磬的声来调和，所以圣人对钟磬的制作尤为用心。《春秋》上称奏乐，总称金奏，《诗·颂》赞美的音乐，实际上主要指磬声，钟磬这两种乐器不可轻易改制。并且圣贤已用十二律各配用一钟，又设置四清声来附在十二正声之后，推测其用意大概是为夷则、亡射、南吕、应钟四调设置的。宫、商、角、徵、羽五音中，宫象征君主，商象征臣子，角象征人民，徵象征事情，羽象征万物，五音不相凌犯称作正，相互凌犯就称作慢，这是历代帝王不予更改的。声音厚重洪大的为尊贵，轻微清细的为卑贱，卑贱的声音不能凌驾在尊贵的声音之上，这是古今相同的。所以在区别声音的尊贵卑贱时，象征万事万物的声音不在其中。为什么呢？因为事情是君主主管的，物品是君主使用的，自然不能比君主还尊贵。只有象征君主、臣子、人民三者的声音各有上下的区别，不得相互僭越。所以，四清声的设置，正是为了臣子、人民回避君主；来体现尊贵卑贱的区别。现在如只用十二钟编排，轮番击奏，击到夷则以下四调作为基调时，臣民互相超越本分，上下交相违背，那么凌犯悖逆的声音就兴起了，这是极为不可行的。编钟编磬用十六只的法则，都是依据周代、汉代儒家的学说以及唐代典章法规的记载，想减损为十二只，只是李照一人的看法。臣下认为依照旧法为好。”皇帝命令暂且用十二只编为一格，并且下诏说：“等待有精通音律的人，能考核这四钟的音高，调和清浊的声音，有关官员另外商议奏报。”

丁卯（十五日），取出内藏库䌷绢一百万匹，下交三司去购买军用储备粮。

己巳（十七日），任命都官员外郎曹修睦为侍御史。曹修睦是曹修古的弟弟。这是采用御史中丞杜衍的推荐。

辛未（十九日），上崇政殿，召辅政大臣观看新制的乐器。

秋季，七月，壬午朔（初一），辽国君主在黑岭打猎。顺便经过祖州白马山，看到齐天后的坟墓荒秽，又没有灵堂和洒扫的人户，悲伤地流下了眼泪，左右侍从也都随之落泪。于是诏令上京留守耶律赞宁、盐铁使郎元化等在祖州陵园内选地改葬齐天后，营造殿堂廊库的规格与宣献太后园陵相同。

辽国枢密使萧朴晋封为魏王，旋即去世，赠封为齐王。

甲申（初三），下诏特地赐寇准的谥号为忠愍。

戊戌（十七日），群臣请求呈上尊号称景祐体天法道钦文职武圣仁孝德；五次上表，才依从。

庚子（十九日），侍御史曹修睦上奏说：“李照改造历代乐器，相当荒唐，并且费用浩大；请交付有关官吏查核治罪。”皇帝认为李照造作的钟磬与各种乐器的声音谐和，只令停止增

造，同时下诏晓谕曹修睦。

知杭州郑回上书说，镇东节度推官阮逸精通音律，并献上阮逸撰写的《乐论》十二篇和他制作的律管十三支，诏令阮逸赶赴京城。

八月，甲寅（初三），在紫宸殿举行宴会，开始奏用音乐。

己巳（十八日），命令李照一同撰修《乐书》。

辛未（二十日），诏令："荐献景灵宫，朝享太庙，祭祀天地，今后这三礼同在一天受命斋戒。"开始采用王曾的意见。

甲戌（二十三日），前往安肃门炮场，检阅军事演习。

丁丑（二十六日），宫内印发出《景祐乐髓新经》六篇，赐给群臣。

己卯（二十八日），任命右谏议大夫、知兖州孔道辅为龙图阁直学士。当时有位近臣献上一百首诗，执政大臣请求授任他为龙图阁直学士。皇帝说："这些诗虽多，还不如孔道辅的一句话。"于是就任命孔道辅为龙图阁直学士。人们因而知道昔日贬斥孔道辅果然不是皇帝的旨意。

开始命令朝廷大臣分别担任江、浙、荆湖、福建、广南等路的提点银铜坑冶铸钱公事，他们的俸禄赏赐的恩遇规格都与提点刑狱的规格相同。

九月，乙未（十五日），诏令司天监制造百刻水秤，来测候昼夜时间。

丁酉（十七日），任命李照为刑部员外郎，赐给三品官服，因为他制造新乐器已完工的缘故。他从五月开始制造，到八月为止，制成钟磬七套，李照自造新式的笙、竽、琴、瑟、笛、筚篥等乐器十二种，都不能奏用，诏令只保留大笙、大竽两种而已。李照说："今天的筚篥就是《诗经·豳风·七月》诗中所说的苇管，诗中说：'一之日觱发，二之日栗冽，并且今天的筚篥，艺人称任苇子，它的名称就出在这里。"于是他就制造大管筚篥作为宫廷中奏用的典雅乐器，议论的人都嗤笑他。

工部郎中、天章阁待制刘随去世，被提升为天章阁待制还不满十天。刘随与孔道辅、曹修古同时担任谏议官员，都因清廉正直闻名。到这时，皇帝怜悯他贫穷，赐给他家六十万钱。

壬寅（二十二日），上崇政殿考察新乐器，诏令大臣们同去观看。

甲辰（二十四日），赐给郑州学田五顷。起初，诸王的府第散居京城各处，禁止相互往来，不是朝见皇上或陪从皇上祭祀，不得彼此机见。己酉（二十九日），诏令就在玉清昭应宫原地建造宫室，集合十位亲王聚居，赐名睦亲宅。

辽国君主来到长宁淀。

参知政事宋绶献上他编纂的《中书总例》四百一十九册，下诏褒奖。先前，吕夷简上奏请让宋绶编纂这部书，接着他对别人说："自从我有这部行政条例，让一平庸人执政，也都可以当宰相了。"

冬季，十月，辛亥朔（初一），恢复设置朝集院，用为接待返回京师的外地官员。

壬子（初二），蔡州奏报左武卫大将军、分司西京石普去世。石普为人洒脱，有胆有谋，精通兵书、阴阳、六甲、天文历法的推算方法。宋太宗曾经说："石普性格刚烈，与诸将很少合得来。"然而靠他能征善战，常常优厚地待他。

癸亥（十三日），恢复设置群牧制置使，还诏令今后这一职位只许同知枢密院或枢密副使兼领。

礼院上书说:“《春秋公羊传》何休注、《春秋谷梁传》范宁注,都说妇人没有武事,只需奏用文乐。以前诏令讨论奉慈庙的用乐,有关官员授用旧曲,已用单磬代替镈钟,意取阴数崇尚柔和,以平静作为主体。如今奉慈庙乐器中不用大钟,而庙舞却仍用于执盾牌的武舞,很违背经典的主旨,请求只用《文德之舞》。”批准这一奏请。

己巳(十九日),拨出内藏库的钱七十万贯,左藏钱五十万贯,下交河北转运司购买军用储备粮。

准许苏州建立州学,还赐给学田五顷。

这月,辽国君主前往王子城。

十一月,辛巳朔(初一),把应天府书院改作府学,同时赐给学田十顷。

壬午(初二),辽国改南京总管府为元帅府。乙酉(初五),在白岭举行烧柴祭天的典礼,大赦囚犯。

戊子(初八),被废的皇后郭氏去世。

郭后获罪,只是皇帝一时气愤,并且又为阎文应等人诬陷,所以废黜了她,不久皇帝就后悔了。郭皇后居住瑶华宫,皇帝多次派人慰问,又作乐府诗词赐给她,郭皇后和答诗词,语句很凄凉悲怆,阎文应听到后非常害怕。碰巧郭皇后患小病,阎文应就与太医去诊治探望,将郭皇后迁到嘉庆院居住,过了几天,郭皇后就一病不起。宫廷内外的人都怀疑是阎文应下了毒药,但查不到证据。当时皇帝斋戒准备郊祭天神,所以没有立即奏报,待皇帝听到后,深切哀悼,用皇后礼仪安葬。右正言、直集贤院王尧臣请求追究查出左右侍奉医护人员,不予答复。

癸巳(十三日),朝享景灵宫。甲午(十四日),祭享太庙和奉慈庙。乙未(十五日),在圜丘祭祀天地,安排太祖、太宗、真宗一起配享,大赦囚犯。

乙巳(二十五日),册封宰臣吕夷简为申国公,王曾为沂国公。丁未(二十七日),因郊祀天地,恩赐百官。

十二月,壬子(初二),将嘉勒斯赉加官为保顺军节度观察留后。

癸丑(初三),辽国君主诏令各军炮弩弓箭手按时检阅演习。

先前,辽国修筑哈屯城来镇守西域各个部族,听任人民畜牧反而遭到抢掠。党项部节度使耶律唐古上疏说:“自从建筑哈屯城以来,西蕃多次侵犯边境,每每烦劳派兵远方戍守。年月一长,国力也几乎耗尽。不如依旧防守原有疆界,减省或取消戍守兵役。”不予答复。耶律唐古旋即退休,请求将他父亲耶律乌珍的功绩镌刻在石碑上,辽国君主命令学士耶律庶成撰写文章,在上京崇孝寺刻石。

昭宣使、入内都知阎文应被罢,贬为秦州钤辖,不久又改为郓州钤辖,他儿子勾当御药院阎士良被罢贬为内殿崇班。当时谏官姚仲孙,高若讷弹劾阎文应说:“当陛下在太庙进行斋戒时,阎文应却叱责医官,声音传到陛下居处的地方。郭皇后突然去世,宫廷内外莫不怀疑阎文应放毒的。请将他与他儿子阎士良一同调出京师。”所以才有这项命令。阎文应又称有病愿留在京师,姚仲孙又上疏议论他,他才赶快离京。阎文应为人专横恣睢,事务大多假传圣旨交付宫外办理,执政大臣都不敢违背。天章阁待制范仲淹将要把他的罪行揭发上奏,就不吃饭,把家事全都托付给他长子办理,说:“这事我如果不能胜,必定因此而死。”皇帝最终听取了范仲淹的话,把阎文应流放到岭南,不久死在路上。

赵元昊派遣苏奴儿率兵二万五千攻打嘉勒斯赉,战败,几乎全都阵亡,苏奴儿被俘。

赵元昊亲自率领部众攻打猫牛城,攻了一个月也没攻下,不久假称媾和,城门一打开,赵元昊就大肆杀戮。他又攻打青唐、安二、宗哥、带星岭几个城市,嘉勒斯赉的部将安子罗领兵十万断绝他的归路,赵元昊昼夜苦战两百多天,安子罗被打败,但赵元昊的兵众在宗哥河淹死或饿死了一大半。

赵元昊又曾经侵犯嘉勒斯赉,兵临河湟,嘉勒斯赉知道众寡不敌,就坚守鄯州不出城,暗中派间谍到赵元昊军中,摸清了他军中虚实。赵元昊渡过黄河后,在河流的浅处插上旗帜做标记,嘉勒斯赉暗地里派人把旗帜移到深水处。等到决战,赵元昊溃败退兵,兵士照旗帜的标记渡河,淹死达十分之八九,被俘虏缴获的也很多。嘉勒斯赉前来报捷,朝廷商议给他加官节度使,同知枢密院韩亿认为嘉勒斯赉和赵元昊两个部落酋长都是国家的藩屏臣子,如今国家不能晓谕他们让他们解除仇怨,也不应因一方获捷就加赏,于是加官的事也就作罢了。

癸亥(十三日),任命范仲淹为吏部员外郎,权知开封府。范仲淹自从回到朝廷任职以来,上疏言事更加急切,宰相暗中派人讽劝他说:“在天章阁待制的侍臣没有运用口舌谏议的责任。”范仲淹说:“论议思索正是侍臣的职责。”宰相知道他不可劝诱,就任命他知开封府,想用琐细的公务来阻挠他,使他没有闲暇议论朝廷的事;也希望他政务中出现过失,就好马上罢黜他。范仲淹在开封府办公一个月,京城治理得平安无事。

甲子(十四日),任命左侍禁桑怿为阁门祗候,这是奖赏他在平定蛮獠时立的功劳。桑怿推辞不肯接受,请求把奖赏奖给他自己上边的官员,不予准许。有人讥讽桑怿好名,桑怿叹道:“士人应按自己的本心来行事,如果只想到避开名声,那么好事都不能做了。”

乙丑(十五日),准许孟州设立州学,还赐给学田五顷。

辛未(二十一日),下诏任命北海县尉孔宗愿为国子监主簿,袭封为文宣公。

起初,御史台征召石介为主簿,由于石介上疏议论大赦书中不应当寻求五代和各伪国的后裔,违背了皇上和执政大臣的心意,因而停下不征召他。馆阁校勘欧阳修写信送给御史中丞杜衍说:“石介只是一个贫贱的士人,启用他恰当与否都不足以危害政治,然而可惜的是御史中丞的举动。主簿在御史台中不是论事的谏官,然而大抵身居御史台的官吏,必定以正直廉明、不畏避罪过为称职。石介的脚还没有踏进御史台的门槛,就因上书论事被停止征召,他真可以称得上正直廉明,不畏避罪过的了。石介的才干不只是当主簿,简直可担任御史。如今排斥石介别举他人,必定也要选择贤人。贤人本来好辩论,如果进入御史台又要上疏言事,那么是否又罢斥他而另行推举别人呢?这样下去,就一定要找到愚昧怯懦沉默不敢议论的人才不予罢斥了。”杜衍最终没有采用欧阳修的言论。

太子中允、知淮阳军梁适也上疏评议朱全忠,说他是唐代的贼臣,如今录用他的后人,不可以劝诫后人。皇帝认为他的话正确,把梁适的姓名记在宫中,不久征召梁适为审刑院详议官。梁适是梁颢的儿子。

辽国的萧罕嘉努调任天成军节度使,又调任彰愍宫使。辽国君主与他交谈,赞许他的才气,称他为诗友。曾经随便问他说:“你居处宫外,听到过奇异的事吗?”萧罕嘉努回答说:“臣下只知道炒栗子:要是小粒炒熟了,大粒的肯定还是生的;要是大粒炒熟了,那么小粒肯定炒焦了;但要让大粒小粒都同时炒熟才算尽善尽美。别的我就不知道了。”萧罕嘉努曾经掌管栗树园,所以借栗子来讽谏。辽国君主听了哈哈大笑。命令他与枢密直学士耶律庶成作《四时逸乐赋》,辽国君主看了很称心意。

辽国君主下诏征问治国的要点,萧罕嘉努对答说:“臣下看到近年以来,高丽没来宾服,准布还很强盛,攻战防守的准备,确实不容停止。过去选派富民防守边境,自备粮食,但道路遥远阻隔,动辄就是一年或几月,等到了屯戍的地方,费用已用了大半,只剩斗谷箪饭了,很少有能生还的。那些没有壮丁的人家,加倍交纳雇人从役的费用,受雇人加倍辛劳,但往往半途逃亡,所以戍卒的粮食,大多不能自给,向别人求借,就要十倍还息,以至有卖儿卖田还不能偿还的情况。戍卒有的逃役不归,有的在军中死去,就再征发少壮的人补充。鸭绿江以东的戍役大抵是这样的。更何况渤海、女直、高丽等国合纵连横无常,需要突然征讨,富人从军,穷人侦察守候,加上水旱灾害,粮食歉收,人民因而日益贫困,大概形势使之如此。

“当今最沉重的兵役没有比得上西边的戍守了。如果能将西边的防线迁到稍近内地一些,那么士兵的往来就不会那样辛劳,人民不会有大的忧患了。议事的人都说内徙不好,臣下认为不是这样。准布各个部落,自古就有。过去北至胪朐河,南至边境,他们大多散居,没有统一,只是来回抢掠财物。到辽太祖西征时,兵至流沙,准布人看到形势,全部投降,西域各国都愿意进贡。因而迁移他们的种族部落,在境内设置三个部落,来增益他们的国家,不修筑城墙,不设置戍兵,准布人几代不敢为寇作乱。统和年间,皇太妃出兵西域,开拓疆土也远,投降归附的人也多。自此以后,一部落反叛,相邻部落就讨伐,让他们集中力量相互牵制,这正是管理远方部族的办法。到修筑哈屯城时,开拓边境几千里,西北地方的人民的徭役与日俱增,生产事业日益凋敝,紧急情况已不能援救,背叛归服也反复不定,空有扩充疆土的虚名,没有获得土地的实利。如果贪求疆土不止,国库就会逐渐空虚消耗,这些祸患还有说不尽的地方。国家的大敌只在南方,如今虽然已媾和,但难保将来不变。如果南方情况有变,戍守屯兵的地方就广大辽阔,难以仓促赶赴救援,我一前进,敌人就后退;我一退回,敌人又来了,不可不忧虑啊!

“当今太平已久,正好可以用恩义团结各个部族,释免他们的罪过,归还他们的土地,境内调回戍兵以增加保障,境外与各部族申明约束来划定边界。每个部族都选立酋长,让他们每年来述职进贡,背叛就讨伐,归服就安抚,各个部族既已安定,必然不会生出事端。这样处理,那么臣下即使不能保证他们长久不变,也必定知道他们不会深入境内侵掠”。

“近年来,黎民凋敝,用抢窃获利,良民往往变成凶暴之徒,甚至杀人也无所顾忌,可以逃命于山林川泽之中。希望陛下减省徭役,使人民致力于农业生产,这样,他们衣食充足,自然就会安于教化而不会轻易犯法了。现在应将哈屯城迁到近地,与西南副都部署乌库、德哷勒等相互声援连接,撤销戍守黑岭的两支军队,同开州、保州一并都隶属东京,增加东北戍军及南京总管的兵力,增修堡垒,使戍守的军候和都尉连接相望,修缮楼船,疏浚护城河,做好边防准备。这些都是当今边防的紧急事务,希望陛下裁决!”提升他为翰林都林牙。

景祐三年 辽重熙五年(公元1036年)

春季,正月,甲申(初五),辽国君主前往鱼儿泊。枢密使萧孝先请求改任国舅乙室小功帐敞使为将军,准从。

戊子(初九),命令李谘、蔡齐、程琳、杜衍、丁度一同讨论茶法。李谘因以前改变茶法得罪,坚决推辞;不予准许。

当时三司吏孙居中等上书说:“自天圣三年改变茶法后,茶商运入河北的粮草就有虚估

的流弊，又与乾兴以前相似，侵夺损耗国家利益，请求恢复实行现钱法。”度支副使杨偕也陈述说三说法有十二种害处，现钱法有十二种益处，认为只用三说法，所支付的一成缗钱就足以供应边防一年的费用。所以命令李谘等人再次讨论，同时让他们征召商人到三司，访问现行茶法的利弊。

壬辰（十三日），追封已故金庭教主、冲静元师郭氏为皇后，命令知制诰丁度、内侍押班蓝元用共同办理丧葬事宜。不久，诏令中书门下停止郭氏的谥册、祔庙。丁酉（十八日），安葬郭后于奉先资福院的旁边。仪仗仪物的规格都采用孝章皇后的旧例。

当时正是上元节，有关官吏张灯结彩等待皇帝乘车出宫游幸。右正言王尧臣说郭后已恢复皇后的地位封号，如今正在殡葬，皇帝不应当游乐，同知礼院王拱辰也上书评议这事，皇帝因此下令在郭后安葬那天停止张设彩灯。

己酉（三十日），准许洪州、密州建立州学，同时各赐学田五顷。

先前皇帝认为三司的属吏众多，有的年老多病不懂书写计算，诏令御史中丞杜衍等人与本司的长官给予选择。有人想中伤杜衍，在外面扬言说：“杜衍请求皇上全部罢黜三司中的属吏。”这时三司后行朱正、周贵、李逢吉等一百多人就一起来到宰相吕夷简的府第吵闹投诉，吕夷简拒不接见。他们又来到王曾的宅第，王曾以好言相劝晓谕他们，因而要他们列举事状自己陈说。接着这些人又来到杜衍宅第投掷瓦块，大肆谩骂。第二天，杜衍入宫对答皇上，请求下交有交官员予以追究。而王曾全都获得了他们的姓名。二月，乙卯（初六），朱正、周贵被处以杖脊的刑罚后，发配沙门岛，李逢吉等二十二人判决发配边远州军牢城，其余随从者全部勒令停职。

丙辰（初七），诏令翰林学士冯元、礼宾副使邓保信与镇江节度推官阮逸、湖州乡贡进士海陵人胡瑗一起校定旧钟音律。胡瑗在吴中教育传授儒家经学，范仲淹以前知苏州，荐举胡瑗知晓音律，以平民身份被皇上召见在崇政殿应对，与阮逸一起接受命令。

太常少卿、直昭文馆开封人扈偁上书说：“京师是天下的基础，而这里的士民僭越奢侈没有限度，一套衣服价值不只千万钱，请用条文予以约束。”壬戌（十三日），诏令翰林学士、中书舍人与礼院共同议定详细的制度后奏报。

三月，恢复入中现钱算清官茶法。凡商贾交钱给京师榷货务的，凭证券供应南方的茶叶；商贾如运送粮草到边境军区的，凭证券到京师及各州供给钱币。

乙未（十六日），上崇政殿，召辅政大臣观察冯元等人校定的钟律。丙申（十七日），翰林侍读学士冯元等人献上依黑黍百粒的长度铸造的新尺，另编造钟磬各一架。

戊戌（十九日），下诏说：“退休官员过去都给一半俸禄，而曾经是显要官员，也有的贫穷不能自给，这不是礼遇高年，培养廉耻精神的办法。今后，中书门下和枢密院两省长官、各大卿监长官、正刺史、阁门使以上，退休后发给俸禄如同京城的分司官的俸禄，州县的长官每年按时依我的旨意慰问赏赐。”

权判户部句院叶清臣上疏请求放开茶禁，将每年征收的茶税平均分摊给城市乡村的人户，奏疏大略说：“议事的人说国家专卖有一定的比例，而征税却没有标准，准许自由通商之后，国家每年的收入必然亏损。臣下考察管子的盐铁法，按人口摊派赋税。茶叶是人们日常饮用的，这与盐铁的情况是一样的，一定要在天下通行依口定赋的办法，这样，人民可以获得好处，又可免除严刑。每人拿出几个钱，人们是不会讨厌征取的，这比官府专卖，驱使人民触

犯刑法，利弊相比，一目了然。”诏令三司共同讨论确定详细的条款办法后奏报。大家一致认为不能施行。

这月，李谘等人奏请取消河北地区入中虚估的办法，改用现钱偿付运来的粮草，用现钱买卖茶叶，全都依照天圣元年的制度。又因为河北商人拿着证券来到京师，过去必须得到证券铺户的担保和三司的验证，然后官府才给钱，因而京师大商户大多索取财物，而三司官吏也故意拖延以求奸利，因此全都取消。命令商人拿证券直接到榷货务，验实证券，立即付钱。奏中还说：“以前已用虚估法发给证券的，依旧给予茶叶，仍给予景祐二年以前的茶叶。”还说：“天圣四年曾准许陕西入中虚估，茶商获利，争相购买陕西证券，所以就不再交钱给京师换取茶叶，请求禁止。”还说：“茶商先交纳总额的五成，其余记在簿册让他找人担保，约好一年后全部交清另一半，过期的加倍交还。”这些事都获准施行。李谘等人又上书说：“孙奭等改变茶法，国家每年损失的利润不可统计。今天一旦恢复茶法，恐怕豪商大贾认为不便，就依托权贵来动摇朝廷，请求事前申明晓谕。”于是皇帝为此下诏告诫，国家滥征茶税的现象从此就减少了。

下诏暂停贡举。

夏季，四月，辽国任命潞王查噶为南府宰相，任命崇德宫使耶律玛陆为特里衮。

甲子(十六日)，辽国君主来到皇后的弟弟萧无曲的宅第，曲水流觞，传酒赋诗。

丁卯(十九日)，辽国颁布新定的法制条例。

己巳(二十一日)，辽国君主与大臣们分成两队打鞠球。

五月，戊寅朔(初一)，范仲淹上书说：“臣下近日听到皇上的话，由于孔道辅曾经说迁都西洛，臣下认为是不行的。国家太平，怎能有迁都的议论！然而，西洛确实是适宜帝王居住的地方，拥有潼关、黄河的险固，边境不宁，就可以退守。应该逐渐营建仓库囤积粮食，陕西有余粮，可以顺河运输下来，东部有余粮，可逆河运输上去，几年之间，差不多就储备好粮食了。太平时期就居住在东京通车便船的地方以方便天下的交通往来，紧急危难时期就据守西洛险固地方以镇守中原。《易·坎卦》说：‘王公设险以守其国。’就是说的这种情况。先王修德使远方的人心服，然而居安不能忘记危难，所以不敢撤销军队。陛下在国内专心修德，使天下人听不到您的过失，境外只管坚守险阻，使四方蛮夷不敢生反叛之心，这是长治久安的办法。”

丙戌(初九)，天章阁待制、权知开封府范仲淹贬职知饶州。

范仲淹上书言事无所避忌，权贵宠幸大臣大多憎恶他。当时吕夷简执掌朝政，官吏进升的人往往出自他的门下。而范仲淹上书说：“授任官职的法则，君主应当知晓官吏迟速升降的次序，进升贬降近臣，不应全都委托宰相。”又呈上《百官图》，指着图上的次第说：“这样是依序迁升，这样为不次，这样是公正的，这样就是偏私，不可不明察。”吕夷简听到后更不高兴。

皇帝曾向吕夷简询问迁都事宜，吕夷简说：“范仲淹为人迂阔，有名无实。”范仲淹听到后，写下四篇评论献上：第一篇是《帝王好尚》，第二篇是《选贤枉能》，第三篇是《近名》，第四篇是《推委》，大抵都是讥刺时政。又说：“汉成帝宠信张禹，不疑心国舅家族，所以衍生出了王莽之乱。臣下恐怕今日朝廷里也有张禹那样的人败坏陛下家法，不可不早日辨别。”吕夷简大怒，把范仲淹说的话在皇帝面前辨析，还指控范仲淹越职言事，荐引朋党，离间君臣。范

仲淹也呈上章疏回答辨析，言词更加尖刻，因此被贬出京城。侍御史韩缜迎合吕夷简的心意，请求将范仲淹的朋党名单贴在朝堂上，警戒百官越职言事，准从。

当时追查朋党正在紧急的时候，士大夫们畏惧宰相，很少有人肯为范仲淹送行的。天章阁待制李绒、集贤校理王质都带酒去给范仲淹饯行，王质又独自留下和范仲淹谈了几个晚上的话。有人因此责备王质，王质说："希文是贤者，能做他的朋党是荣幸的事。"希文是范仲淹的字。王质曾经知蔡州，蔡州人每年按时到吴元济庙里祭祀。王质说："怎么能存在叛逆丑恶的人在庙中享受祭食的现象呢！"捣毁他的塑像，改立狄仁杰、李愬的像来祭祀。

范仲淹被贬后，谏官、御史都不敢言事，秘书丞、集贤校理余靖上书说："范仲淹以前上书言事，说的是陛下母子、夫妻之间的事，还认为他说的符合典章礼仪，所以优厚褒奖；今天言事却犯了讥刺大臣的罪过，从重谴责，倘若他的话不符合圣上心意，只在于陛下听或不听罢了，怎能治罪呢？汲黯在朝廷上就曾认为平津侯公孙弘诡诈多端，张昭评论将领时认为鲁肃粗疏，当年汉武帝刘彻、吴主孙权，对双方都予以任用，没有猜疑。陛下从亲临朝政以来，三次驱逐上书言事的人，恐怕这不是太平盛世的美政。请求迅速改正前面的命令。"壬辰（十五日），余靖贬职为监筠州酒税。

己未（十八日），贬降太子中允、馆阁校勘尹洙为崇信军节度掌书记，监郢州酒税。先前尹洙上书说："臣下曾认为范仲淹为人诚实、直言不讳，理当成为我的师友。自从他获罪后，朝廷中有很多人说臣下也是由他推荐的，范仲淹既然因为交结朋党获罪，臣下自然应该跟着处罪，请求从而降职贬黜来申明国家典章大法。"宰相愤怒，于是就贬逐了他。

戊戌（二十一日），贬降镇南节度掌书记、馆阁校勘欧阳修为夷陵县令。

起初，右司谏高若讷上书说："范仲淹贬职之后，臣下遵奉朝堂上的敕榜，不敢妄自营救。如今欧阳修送信给臣下，说范仲淹平生刚直不阿，博通古今，朝班中没有人能和他相比的。责备臣下不能辩明范仲淹无罪，还有脸面见士大夫，出入朝廷做谏官，还说臣下不再知道人间有羞耻事。依然说今日天子与宰相因为违背自己心意而驱逐贤人，谴责臣下不敢上言。臣下认为贤人是国家赖以治理政事的人，如果陛下因违背心意驱逐贤人的话，臣下应进谏；宰相因违背自己心意而驱逐贤人，臣下应力争。范仲淹前不久因评论政事恳切正直，马上予以进用；如今一派胡言，自己招来责辱，怎能称他无罪？恐怕朝廷内外听到后，说天子因违背己意而驱逐贤人，造成的损害不小。请求让有关官员召见欧阳修予告诫晓谕，以免惑乱众人的听闻。"顺便上交了欧阳修的书信，欧阳修因此遭贬。

西京留守推官仙游人蔡襄创作《四贤一不肖诗》，四贤，指范仲淹、余靖、尹洙、欧阳修；不肖是斥骂高若讷。泗州通判陈恢不久呈上章疏请求追究作诗者的罪，左司谏韩琦弹劾陈恢越职，企求恩宠，应该从重贬谪，不予回答，而蔡襄作诗的事也搁置下来了。

光禄寺主簿苏舜钦上疏说："孔道辅、范仲淹，刚直不阿，百折不挠，升至台谏官职，后来虽改任其他官职，仍不忘进献忠言。二臣并非不知道闭口几年之后，就可以坐得九卿辅臣的职位，只是不愿辜负陛下委任关注的恩意；但都遭到中伤，谪贬驱逐离开京城，这会使正直的臣子丧失勇气，耿直的士人吓得咬住舌头。昔日晋侯问叔向说：'国家的忧患以什么为最大？'叔向回答说：'大臣为了保住俸禄而不劝谏，小臣畏惧得罪而不敢说话，下面的实情不能上通，这是最大的忧患。'如今国家设置爵位，应要求官员公正忠诚，怎可教他们保持沉默呢！用奖赏让他们进谏，还怕不说；反而用罪惩治那些敢于谏议的人，谁敢奉献忠言！情况闭塞

不了解，皇上的地位就孤立危险，想到这里，令人惊恐不安！希望陛下发布德音，废弃前面的诏令，勤勉地听取忠言，可永保兴隆太平。如果朝堂的诏榜不除，欺骗罔上演成风气，那么，不仅造成朝廷与民情远隔千里，臣下恐怕指鹿为马的事在当今的朝廷上又要重演了。”

丁未（三十日），辽国君主到呼图里巴山避暑。

六月，戊申朔（初一），准许越州设立州学，并赐给学田五顷。

壬子（初五），准许阶州设立州学，并赐给学田五顷。

壬戌（十五日），辽国主命令修缮南京宫阙、府署。

甲子（十七日），准许真定府、博州、郢州设立府学、州学，各赐学田五顷。

壬申（二十五日），虔州、吉州洪水泛滥，赐给被淹人家钱币各有等差。

秋季，七月，己卯（初三），新建延宁观。原本是王中正的旧宅第，保庆太后拿出自己镜匣中的宝物，买下那块地基来修建延宁观。

当初，曾有诏令停止修建寺庙道观，到这时谏官、侍御史因此提出谏议。皇帝对辅政大臣说：“这是保庆太后镜匣中的财物。谏官、御史想求取名誉吧？”参知政事宋绶上前说：“他们怎么知道是太后修建的，只是看到大兴土木违反最近的诏令，就上奏评论。并且，这事原在疑似之间，如传闻到四方也是圣政的牵累，怎么可以疏忽呢！”

戊子（十二日），冯元、聂冠卿、宋祁等人献上《景祐广乐记》八十一卷，己丑（十三日），冯元等人都升官。

庚寅（十四日），右谏议大夫、集贤院学士孙冲献上他编撰的《五代纪》七十卷，下诏褒扬答复。

乙未（十九日），开始设置大宗正司，任命宁江节度使赵允让知大宗正事，彰化留后赵守节同知大宗正事。当时诸王的子孙众多，聚居在睦亲宅后，就要在他的祖宗的后人当中各选择一人，让他掌管训导，纠正过失。凡宗族的政令都由大宗正司掌管上奏，宗族有事不能直接传达皇上，要先由大宗正司详细审查可否再奏报。

己亥（二十三日），命令丁度、高若讷、韩琦一同详细校定黍尺、钟律。

归还卢多逊家族在怀州没收的田地房宅。

庚子（二十四日），太平兴国寺发生火灾。当天晚上，下大雨，打雷扯闪，火从寺阁中烧起，烧掉了开先殿和寺院房屋几百间。

朝廷开始商议修复太平兴国寺事宜，崇政殿说书贾昌朝上书说：“《易经·震卦》的象辞说：‘接连不断的巨雷震动，君子因而恐惧修身反省。’《春秋传》说：‘人火曰火，天火曰灾。’臣私下认为近年寺庙道观屡遭火灾，这大概是上天显示的谴责和警告。请暂不要修缮，以表示畏惧上天的警戒，爱惜人力的心意。”听从。

泗州新建的普洛院落成，下诏赐给田地十顷；这是保庆太后施舍钱财修建的。

辛丑（二十五日），辽国君主清理囚犯。有个叫耶律札巴的人，诬告他弟弟耶律罕格要谋杀他，有关官员判他诬告罪。临刑时，他弟弟哭泣说：“臣下只有这一个哥哥，恳求饶他一死。”辽国君主怜悯并依允了他。

辽国有关官员抓获强盗八人，都斩首暴尸街头。后来抓到真正的强盗，那八人的家属投诉冤枉，中书令张俭为他们再三申理，辽国君主勃然大怒说：“你难道要我替他们偿命吗！”

张俭说：“那八人家中的老幼哀怜无告，如稍加存问抚恤，让他们得以收葬亲人，也可以

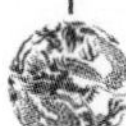

宽慰活着和死去的人了。”辽国君主听从了他的意见。

八月，己酉（初四），颁布有关民间冠服、居室、车马、器用违反制度的禁令。

右司谏、直集贤院韩琦上书说：“乐音的兴起，生于人心。所以，喜怒哀乐的心情被客观事物所感动，那急促舒缓的声音就随之响应，并非只是乐器演奏的结果。所以孔子说：‘音乐呀音乐，是指钟鼓而言吗！’孟子对齐宣王说，现在的音乐犹如古代的音乐，如能与百姓同乐，那么古今音乐的效果就相同了。臣下奉诏与丁度等人详细校定阮逸、胡瑗、邓保信所铸造的钟律，粗略考察过去的记载，参用当今的法则予以效验，两家的说法，差别很大，又有不妥。臣下认为祖宗传下来的音乐，遵用很久了，不久前陛下听取一个臣子的偏议，改变几朝以来的音律，还赐给金钱，增加官秩，优厚地奖赏他们的功劳，还不到一年，又将更改，臣下担心后人又会有接续对之提出非议的，这不仅有伤国体，实际上也浪费了国家的财用。臣下私自考虑，不如穷究创作音乐的本源，找到治国的根本，使国家的政令平易简洁，人民和睦融洽，海内百姓击着拍子，鼓着肚子来歌颂太平盛世，这才是找到了古代音乐的道理，怎能仅以具体器物去推求呢？要推究音乐的起源，又应穷究当今的紧急政务。而且西方、北方的边境，长期放松边防准备，陛下与左右大臣应首先考虑这点，放下推求乐律的这项讨论，转而寻求安定边防的策略，然后将王朴、阮逸、胡瑗、邓保信的三种音律法则，另外诏令稽考古事的臣下；选取其中符合典志记载的乐律以备国事演奏，这本来也不为迟。”诏令丁度等人迅速详细审定黍尺钟律后奏报。

九月，庚辰（初五），来到睦亲宅，宴请宗室及随从官员。

己丑（十四日），拨出内藏库缗钱五十万贯，下交河北转运司购买边防储备粮。

赐予河南府新修的太室书院称嵩阳书院。

辛卯（十六日），诏令淮南转运使每年进京一次入宫奏事。先前撤销了发运使并取消每年入京奏报的工作，到这时祠部郎中杨告典领转运使兼发运事，请求恢复每年进京奏报的制度。

壬辰（十七日），任命阮逸为镇安节度掌书记、知城父县，任命胡瑗为试校书郎。起初，征召阮逸、胡瑗制作钟磬的乐律标准，丁度等人详细审定，说考察二人所作与古代的法则多不符合，皇帝还是施恩打发他们。

乙未（二十日），任命崇政殿说书、国子监直讲王宗道，国子监说书杨中和一起为睦亲宅讲书，同时兼任国子监讲说。睦亲宅讲书的职位就是这时开始设置的。

冬季，十月，甲寅（初十），新建的朝集院落成。

辽国君主从秋末到黄华山打猎以来，猎获熊三十六只。这月，来到燕京，上元和殿，用《日射三十六熊赋》《幸燕诗》两题在朝廷考试进士，赐冯立、赵徽等四十九人及第，任命冯立为右补阙，任命赵徽以下都为太子中舍，赐绯红色官服，银质鱼形佩饰，于是举行盛大宴会。辽国皇帝试进士从这里开始。丞相张俭等人又请求去礼部贡院，欢乐畅饮到晚上才停止。

辽国君主很器重张俭，进见时不直称他的名，还赐诗予以褒扬赞美。张俭的衣服只穿粗绸，吃饭不用几个菜，每月俸禄有剩余时，就周济给亲戚旧友。正值冬季，张俭在便殿奏事，辽国君主看到他的衣袍破旧，密令近侍用火钳在他衣袍上穿个小洞做记号，后来他屡次来谒见也不更换这套衣袍。辽国君主问他其中的缘故，张俭说：“臣下穿这套衣袍已经三十年了。”当时崇尚奢侈浪费，所以他就用这话委婉讽喻。辽国君主怜悯他生活清贫，让他去随意

拿取内府的财物,张俭奉诏拿了三端麻布出来,因而更加受到褒奖器重。张俭有五个弟弟,辽国君主想都赐为进士及第,张俭坚决辞谢。

十一月,戊寅(初四),保庆太后杨氏驾崩。

起初,皇帝的起居饮食,杨太后一定要跟他在一起,保护照顾殷勤周备。她为人慈祥谦让,皇帝曾召她的侄儿杨永节、杨永德到宫中来谒见,想授予他们诸司副使官职,杨太后辞谢说:"小儿岂能承受如此大恩!倘若当个小官还可以。"皇上于是任命他们为左右侍禁。庄献太后驾崩,杨太后接着享用太后的尊号,皇帝奉笺称臣,杨太后坚决辞谢。又每年拿出缗钱两万贯来补贴她的生活费用,杨太后又推辞,皇帝不听从。皇帝没有子嗣,杨太后和祥地劝皇帝选取宗族中的嫡长子抚养在宫中,因此宋英宗六七岁时就从濮王宫宅接进皇宫抚养在杨太后那里。杨太后没有患病而自然寿终,停灵在皇仪殿,敕命知枢密院事王随为园陵监护使。礼官请求皇帝为杨太后穿三个月的缌麻丧服,皇帝改用唐武宗为义安王太后服丧的旧例,加服小功丧服,用五日代替五月,五日后脱去小功丧服,不在前后殿视理朝政共八天,不在前殿上朝四天,皇上头戴素纱头巾,身穿浅黄袍,腰系黑皮带,待杨太后神主附入奉慈庙后,才改穿常服。从宫内拿出缗钱千万佐助办理园陵的费用,奉上谥号称庄惠,在祝告册文中皇帝自称孝子嗣皇帝。

十二月,戊申(初四),诏令:"凡宣布诏令的文件,不经过通进司、银台司,不得直接下达各处。"起初,龙图阁直学士李纮领管银台司,上书说,宣布敕令的文件都不经过本司,本司封还驳正的职权就停废不能行使,请依据原来的制度予以申明,所以有这项诏令。

丙寅(二十二日),户部侍郎、知枢密院李谘去世。皇帝到他家去祭奠,停止视理朝政一天,追赠他为右仆射,谥号为宪成。李谘为人精明,通晓世务,在枢密府任职,尽量革除滥赏,有关军功簿籍的细目,都能在皇帝面前数说,誉为称职。

丁卯(二十三日),任命同知枢密院事王德用知枢密院事,翰林学士承旨、礼部侍郎章得象同知枢密院事。章得象为人庄重,杨亿曾称赞他有辅政大臣的才干,有人问其缘由,杨亿回答说:"闽地的士人大多轻浮狭隘,而章得象浑厚宽容,这就是可贵的地方。"在翰林供职十二年,庄献太后临朝时,宦官横行一时,庄献太后每次派内侍到学士院,章得象都厉色冷对他们,有时不搭一句话,议论的人因此称赞他。赵元昊自行创制蕃族文字十二卷,国人记事都采用蕃文,他私自改广运三年为大庆元年。又兴兵攻打回纥的瓜州、沙州、肃州三州,全部占领了河西故地。将要谋划入侵中原,又怕嘉勒斯赉图谋他的后方,又举兵攻打兰州各羌族部落,向南侵略到马衔山,在瓦川会筑城防,留兵镇守,断绝吐蕃与中原相通的道路。

折惟中去世,任命他儿子折继宣权知府州事。

起初,辽国人很少有人知道切脉辨药的,辽国君主命令耶律庶成翻译汉文方脉书籍流通,从此契丹人都相互传习。

景祐四年 辽重熙六年(公元 1037 年)

春季,正月,戊寅(初五),赐给蔡州学田十顷。

壬午(初九),诏令均衡各州向朝廷解送贡举的数额。

甲午(二十一日),内藏库掌管者上书说:"每年拨出缗钱六十万贯来资助三司,应是从天禧三年开始的,当时诏书深切训诫三司不得再有借贷的现象。从明道二年至今才四年,而三司所贷钱帛共九百一十七万二千有余,请依天禧年间的诏书重申训诫。"奏请得到许可。

二月，己酉（初六），将庄惠皇太后附葬在永安陵的西北角。

当初，殿中侍御史张奎奏请皇帝亲自祭祀高禖神以求皇子，庚戌（初七），礼院呈上祭祀时的礼仪，下诏依从。

己未（十六日），将庄惠太后的神主附入奉慈庙。

乙丑（二十二日），在宫中奉置赤帝像，用以祈求皇子。

丙寅（二十三日），赐给常州学田五顷。

三月，甲戌朔（初一），设置天章阁侍讲，安排贾昌朝、王宗道、赵希言、杨安国担任。

追认恢复卢多逊为工部尚书，这是由于他儿子卢察援引赦令自行陈请的缘故。

戊寅（初五），下诏礼部进行贡举考试。

辽国任命秦王萧孝穆为北院枢密使，改封为吴王。萧孝穆曾对别人说："枢密使选用贤人担任，什么事办不成！倘若枢密使亲自处理烦碎事务，那么大事就因滞留被耽误了。"所以他推荐提拔的人，都是忠实正直的人士。然而辽国自从萧哈绰担任枢密使，用缘吏的才能标准进用人才，他的后任沿袭仿效，大多不知政治大体。萧孝穆因而慨叹说："作为枢密使还不能移风易俗，为臣子的准则原来就是这样吗？"晋王萧孝先调出担任南京留守。萧孝先失去太后的援助，居处总是郁郁不乐。

丙申（二十三日），由内廷拿出庄惠太后阁中的黄金一千余两，用于购买庄园、房屋给万寿观。当时在万寿观修建广爱殿，准备用来安置庄惠太后塑像。

同知礼院吴育上书说："原来保藏的礼文条例，类例不划一，请求选派儒臣与本院官员概括古今制度，参酌确定作为一代的礼法；依从。

夏季，四月，乙巳（初三），赐给宣州学田五顷。

丁未（初五），下诏学士院，今后策试登科的人一并考试策、论的题目各一道。当时将作监丞富弼献上自己做的文章，皇上要他应试三馆的官职，富弼因不能作诗赋而推辞，因而皇上特命考试策论，所以才有这项诏令。富弼不久授任为太子中允、直集贤院。

甲子（二十二日），宰相吕夷简罢贬为镇安节度使、同平章事，判许州；王曾罢贬为左仆射、资政殿大学士，判郓州；参知政事宋绶罢贬为尚书左丞、资政殿学士；蔡齐罢贬为吏部侍郎，归入朝班。

天圣年间，王曾当首相，吕夷简为参知政事，事奉王曾很恭谨，王曾极力推举吕夷简做亚相。没多久，王曾罢相，吕夷简升任首相，任职五年后罢相，不到半年又复居相位。这时，李迪为次相，与吕夷简不和，吕夷简想排挤李迪，于是帮助王曾进入朝廷担任枢密使，不到半年李迪罢相，王曾就接任次相。最初，王曾久居宫外任官，有再入朝廷任职的意思，宋绶把他的意思转达给了吕夷简，吕夷简旋即奏请征召王曾。到王曾将要代替李迪时，宋绶对吕夷简说："王孝先和您的交情不薄，您应该好好待他，不要像待李复古那样。"吕夷简笑着答应了他的话。宋绶说："您已经位居首相，安排王孝先当亚相就可以了。"吕夷简说："我即使职位比他低一些又有什么关系呢！"于是吕夷简请求王曾任首相，皇帝不同意，于是王曾就当了亚相。孝先是王曾的字；复古是李迪的字。不久，吕夷简专断政事，遇事一点也不谦让，王曾不能忍受。讨论国事时意见也多不一致。王曾几次请求辞职，吕夷简也屡次请求罢相，皇帝疑惑，就询问王曾说："爱卿也有什么不满足的吗？"王曾说吕夷简揽权卖好；当时外面传说吕夷简接受秦州王继明的贿赂，王曾顺便谈到这事。皇帝诘问吕夷简，以至两人在皇帝面前辩

论。吕夷简请求对证,结果王曾也有失实的地方,皇帝因而不高兴。宋绶平常与吕夷简友善,蔡齐议论国事时常常附和王曾,所以,宋绶、蔡齐也一同罢免。

任命枢密院事王随、户部侍郎知郑州陈尧佐一并为平章事,这是由于吕夷简曾经秘密荐举这两个人可以重用的缘故。任命参知政事盛度知枢密院事,同知枢密院事韩亿和三司使程琳、翰林学士承旨石中立同为参知政事,枢密直学士王鬷为同知枢密院事。

乙丑(二十三日),征召宋绶入宫侍奉研读经史的讲席。

辽国君主在野狐岭打猎。

闰月,辽国君主在龙门县西山打猎。

乙亥(初三),知徐州李迪上书说:"所辖的滕县与兖州接界,想通过巡视滕县顺便祭祀东岳泰山,并到景灵宫为圣上祝福,祈求皇子。"皇帝对韩亿等人说:"大臣应当询问民间疾苦替朝廷分忧,祈祷之事,怎算作政事呢!"下诏阻止。

知制诰王举正,由于是宰相陈尧佐的女婿,援引成例避嫌,戊寅(初六),改任为龙图阁待制。王举正是王化基的儿子。

赐给已故将作监丞张唐卿的家属钱帛米麦。张唐卿曾以进士第一名及第,通判峡州,处理政事好像平常就熟习一样。不多久,为父亲服丧,消瘦吐血而死,所以给予这项恩赐。

光州奏报以秘书监身份退休的丁谓去世。王曾听到这一消息后,对别人说:"这个人的智谋不可揣测,被贬在海外还能用诈谋归还内地。他倘若不死,几年后未必不会再度启用。这个人再度重用,那天下的不幸可就说不尽啦!但我并不是庆幸他死了。"

五月,翰林侍讲学士兼龙图阁学士、户部侍郎冯元去世,特意赠官户部尚书,谥号为章靖。冯元为人简朴敦厚,不是喜庆吊唁的事,就不曾经过拜谒中书门下、枢密院两府。为父母服丧,曾以麻束发为髻到亲丧十三月的服练,他都依照礼制按时更换丧服,不做世俗通行的斋荐,遇上祭日,就与门生对坐诵读《孝经》而已。很熟悉古今台阁官署的品级礼节,与孙奭齐名,凡国家议定典礼,多出自这两个人。然而评论的人说冯元陈述的只求广博,不如孙奭能辨析众说而谈出自己的观点。

己酉(初八),辽国君主在炭山避暑。任命耶律罕班为北院大王。耶律罕班施政崇尚宽厚仁慈,部族百姓平安相处。

甲寅(十三日),辽国君主审理囚犯,由于南院大王耶律信宁故意窝藏要犯和侍婢贪赃污秽,命人用剑背抽打并剥夺他的官职。都监因阿谀附和及侍婢犯罪而被指控,都判处死刑,下诏宽贷处理。丙辰(十五日),任命耶律信宁为西南路招讨使。

庚申(十九日),辽国君主拨出飞龙厩的马匹,赐给皇太弟耶律重元以及北面、南面侍臣不等。

丙寅(二十五日),化成殿的殿柱上长出一根灵芝草,召近臣、宗室观看,同时拿出他作的《瑞芝诗》赐宰臣王随以下的官员。第二天,儒臣都写赋作颂献上。右司谏韩琦上书说:"《春秋》记事的规则。是,只记灾异,至于吉祥瑞兆都略而不记。臣下愚昧,希望陛下只重视灾异,在政治教化的过程中,思考那些不曾完善的地方,随着事物的变化而采取相应的对策。至于珍奇祥瑞,即使是陛下仁爱所感召,也希望陛下一天比一天谨慎,想着虽是美事又不是美事这条古训。"

六月,壬申朔(初一),辽国君主设宴款待群臣,酒喝到尽兴的时候,赋诗吟唱,吴国王萧

孝穆,北府宰相萧巴萨都作诗应和。

甲戌(初三),在扬州建隆寺,恭敬地安置太祖的塑像。景德年间,曾在寺中建殿,绘制太祖像,但画得矮小粗俗。碰巧占卜的人说东南有王者的云气,于是换成塑像,还将新殿命名为章武殿。

乙亥(初四),杭州刮大风,江潮溢出堤岸高达六尺,冲毁江堤千余丈,派中使去祭祀。

己卯(初八),辽国君主祭祀天地。癸未(十二日),赐给南院大王耶律洪古爵命,辽国君主亲自撰作诰命的文字,并赐诗以示恩宠。

戊子(十七日),仁宗把自己撰写的《神武秘略》赐给河北、河南、陕西缘边部署、钤辖、知州军,每当接替,更相传授。起初,韩亿任同知枢密院事,建议说武臣应知晓兵书,而现在却禁止不予流传,请求编纂那些重要的兵书赐给武臣。皇帝于是撰作《神武秘略》共三十篇,分为十卷,并自己作序。

甲午(二十三日),太子左监门率府副率赵宗实,特别升迁为右内率府率。

丙申(二十五日),诏令开封府、国子监以及为避嫌而另设的考试,今后弥封、誊录试卷要像礼部那样。这是所从左司谏韩琦的奏请而颁布的。

下诏颁行《礼部韵略》。

秋季,七月,辛丑朔(初一),辽国由于南北枢密院的监狱空虚,赏赐官员各不同。

壬寅(初二),辽国君主由于皇太弟耶律重元生了儿子,赏赐诗篇及珍贵的玩赏器物,特赦死罪以下的犯人。

癸卯(初三),辽国君主前往秋山。

丁未(初七),诏令河东、河北州郡严守边防。

辛酉(二十一日),诏令三司拨出白银十五万两下交河北路,拨出绢帛十万匹下交河东路,用于资助购买军粮。

续资治通鉴卷第四十一

【原文】

宋纪四十一　起强圉赤奋若【丁丑】八月，尽屠维单阏【己卯】八月，凡二年有奇。

仁宗体天法道极功全德　神文圣武睿哲明孝皇帝

景祐四年　辽重熙六年【丁丑，1037】　八月，甲戌，出内藏库绢三十万，下河北路市籴军储。

越州水，赐被溺民家钱有差。

甲午，诏："天下常平仓钱谷，自今三司及转运司无得借支。"

九月，丙寅，三司言："东头供奉官钱逊奏信州铅山产石碌，可烹炼为铜。今池、饶、江三州钱监并阙铜铸钱，请遣逊与本路转运使试验以闻。"从之。

丁卯，御迩英阁读《唐书》。以后读真宗所撰《正说》及进讲《春秋》，俱于迩英阁。

冬，十月，癸巳，翰林学士李淑请班其父枢密直学士若谷下，诏从淑请。

乙未，同知枢密院事章得象言："开封府进士章仲昌，臣乡里疏属，实无艺业，近闻讼诉发解不公事，请牒归其家。"从之。时锁厅应举人特多，开封府投牒者至数百，国子监及诸州不在焉。及出榜，而宰相陈尧佐之子博古为解元，参知政事韩亿子孙四人皆无落者，故嘲谤群起。然殿中侍御史萧定谟与直集贤院韩琦、吴育、王拱辰实司试事，非有所私也。

是月，辽主驻石宝冈。

十一月，己亥朔，准布贡于辽。

辛亥，辽以契丹行宫都部署萧惠为南院枢密使。

己未，出内藏库䌷绵五十万，下河北、陕西路市籴军储。

庚申，辽封皇子洪基为梁王。

癸亥，罢登、莱买金场。

〔十二月，壬申〕，给真定府、潞州学田各五顷。仍诏自今须藩镇乃许立学，它州勿听。

甲申，忻、代、并三州言地震，坏庐舍，覆压人畜，忻州尤甚，吏民死者万九千七百馀人。自是河东地震连年不止，或地裂泉涌，或火出如黑沙状，一日四五震，民皆露处。乙酉，命侍御史程戡往并、忻州体量安抚。

(左)〔右〕司谏韩琦上疏言："乡者兴国寺双阁灾，延及开〔先〕祖殿，不逾数刻，但有遗烬。复闻仰观垂象，或失经行。今北道数郡，继以地震。此女谒用事，臣下专政之应也。又震在北，或者上天孜孜遣告，俾思边塞之为患乎？望自今严(厉)〔饬〕守臣，密修兵备，审择才谋之帅，悉去懦弱之士，明军法以整骄怠之卒，丰廪实以增储偫之具。”

旬馀，琦复上疏言：“近闻大庆殿及诸处各建道场，及分遣中使遍诣名山福地，以致(精)〔请〕祷，是未达寅畏之深旨也。臣窃以为祈祷之法，必彻乐减膳，修德理刑，下诏以求谠言，侧身而避正殿，是以天意悦穆，转为福应。愿陛下法而行之。且大庆殿者，国之路寝，朝之法宫，陛下非行大礼、被法服，则未尝临御，臣下非大朝会，则不能一至于庭，岂容僧道继日累月喧杂于上，非所以正法度而尊威神也！望今后凡有道场设醮之类，并于别所安置。”

给徐州学田五顷。

庚寅，以龙图阁学士张逸为枢密直学士，知益州。逸凡四至蜀，谙其民风。会岁旱，逸使作堰，壅江水溉民田，自出公租减价以赈。民初饥，多杀耕牛食之，犯者皆配关中。逸奏：“民杀牛以活将死之命，与盗杀者异；若不禁之，又将废穑事。今岁小稔，请一切放还，复其业。”报可。

壬辰，徙知饶州范仲淹知润州，监筠州税余靖监泰州税，夷陵县令欧阳修为光化〔军乾德〕县令，帝谕执政令移近故也。

先是京师地震，直史馆叶清臣上疏言：“顷仲淹、余靖等以言事被黜，天下齚舌不敢议朝政，行将二年。愿陛下深自咎责，详延忠直敢言之士，庶几明威降鉴，善应来集。”书奏数日，仲淹等皆得近徙。

仲淹既徙润州，谗者恐其复用，遽诬以事。语入，帝怒，亟命置之岭南。参知政事程琳辨其不然，仲淹讫得免。自仲淹贬而朋党之论起，朝士牵连而出，语及仲淹者皆指为党人；琳独为帝开说，帝意解，乃已。

辽以杨佶为忠顺军节度使。

赵元昊既悉有夏、银、绥、静、宥、灵、盐、会、胜、甘、凉、瓜、沙、肃，而洪、(安)〔定〕、威、怀、龙皆即旧堡镇伪号州，仍居兴州，阻河，依贺兰山为固。是岁，始大补伪官，以嵬名守全、张陟、杨(廊)〔廓〕、徐敏宗、张文显辈主谋议，钟鼎臣典文书，成逋克、成赏都辈主兵马，野利仁荣主蕃学。置十八监军司，委酋豪分统其众。自河北至卧啰娘山七万人，以备辽人；河南洪州、白豹、安盐州、罗落、天都、(韦)〔惟〕精山五万人，以备环庆、镇戎、原州；左厢宥州路五万人，以备鄜延、麟府；右厢甘州路三万人，以备西蕃、回纥；贺兰驻兵五万，灵州五万人，兴州、兴庆府七万人，为镇守：总五十馀万。而苦战倚山讹，山讹者，横山羌，夏兵柔脆，不及也。选豪族善弓马五千人(送)〔迭〕直，伪号六班直，月给米二石。铁骑三千，分十部。发兵以银牌召酋长，面受约束。创十六司于兴州，以总众务。

宝元元年　辽重熙七年【戊寅，1038】　春，正月，辛丑，辽主如混同江。

癸卯，赵元昊请遣人供佛五台山，乞令使臣引护，并给馆券；从之。元昊实欲窥河东道故也。

同知礼院宋祁上疏曰：“去年火焚兴国寺浮屠，延燔艺祖神御殿，已而盗坏宗庙钔器者再，则神不昭格之意也。自昔灾异之发，远者十数年，近者三四年，随方辄应，类无虚岁。而罪己之问不形于诏书，思患之谋不留于询逮，逾时越月，群下默然。间者但引缁黄，晨斋夕呗，修不经之细祝，塞可惧之大变，人且未信，天胡可欺！臣诚至愚，窃恐销伏之间未得为计也。伏望陛下普诏百执，各贡所怀，留神省阅。”

甲辰，雷。麟、府州及陕西大雨雹。

丙午，以灾异屡见，下诏求直言，限半月内实封进纳。

庚戌，命翰林学士丁度等权知礼部贡举。

乙卯，大理评事、监在京店宅务苏舜钦诣匦通疏曰：“臣闻河东地大震，历旬不止；孟春之初，雷电暴作。臣以为国家阙失，众臣莫敢为陛下言者，唯天下宁以告陛下。陛下果能霈发明诏，许群臣皆得献言，臣初闻之，踊跃欣忭！旬日间颇有言事者，其间岂无切中时病？而未闻朝廷举行，是亦收虚言而不根实效也。窃见纲纪堕败，政化阙失，其事甚众，不可概举，谨条大者二事以闻。

“一曰正心。心正则神明集而万务理。今民间传陛下比年稍迩俳优，燕乐逾节，赐予过度。燕乐逾节则荡，赐予过度则侈；荡则政事不亲，侈则用度不足。臣窃观国史，见祖宗日视朝，旰昃方罢，犹坐后苑门，有白事者，立得召对，委曲询访，小善必纳。真宗末年不豫，始间日视朝。今陛下春秋鼎盛，实宵衣旰食求治之秋，乃隔日御殿，此政事不亲也。又，府库匮竭，民鲜盖藏，诛敛科率，殆无虚日。三司计度经费，二十倍于祖宗时，此用度不足也。望陛下修己以御人，洗心以鉴物，勤听断，舍燕安，放弃优谐近习之纤人，亲近刚明鲠正之良士，因此灾变，以思永图。

“二曰择贤。夫明主劳于求贤而逸于任使，然盈庭之士，不须尽择，在择一二辅臣及御史谏官而已。昨王随自吏部侍郎、平章事超越十资，复为上相。此乃非常之恩，必待非常之才，而随虚庸邪谄，非辅相器，降麻之后，物论沸腾，故疾缠其身，灾仍于国。又，石中立顷在朝行，以诙谐自任，今处之近辅，物望甚轻，人情所忽，盖近臣多非才者。陛下左右尚如此，天下官吏可知也。且张观为御史中丞，高若讷为司谏，二人者皆登高第，颇以文词进，而温和柔懦，无刚直敢言之气。斯皆执政引置，欲其缄默，不敢举其私，时有所言，则必暗相关说。故御史、谏官之任，臣欲陛下亲择之，不令出执政门下。台谏官既得其人，则近臣不敢为过，乃驭下之策也。

“臣以为陛下身既勤俭，辅弼、台谏又皆得人，则天下何忧不治，灾异何由而生！惟陛下少留意焉！”

丙辰，以灾异，诏转运使、提点刑狱案所部吏以闻。

上封者言：“自变茶法，岁辇京师银绢易刍粟于河北，配扰居民，内虚府库，外困商旅，非便。”丙寅，命权御史中丞张观、侍御史程戡、右司谏韩琦与三司别议之。戡，阳翟人。

直史馆苏绅上疏曰：“星之丽天，犹万国之附王者。下之畔上，故星亦畔天。今大异若此，得非任事之臣逾常分乎？朝廷事无大小，委之政府，至于黜陟之柄，亦或得专。夫大臣平日宜辨论官才，使陛下周知在位之能否，及有除拟，可以随才任用，使进擢之人知恩出于上，则威福不外分也。今则不然，每一官阙，但阅其履历，附以比例，而陛下无复有所更。故竞进之徒，趋走权门，经营捷径，恩命未出于上，而请托已行于下矣。祖宗时擢用要官，惟才是用，臣下莫得先知，故被擢之人，咸思自厉。此无它，讲求有素而大权不在于下也。雷者，天之号令，今方春而雷，天其或者欲陛下出号令以震动天下，宜及于早，而矫臣下舒缓之咎。凡朝廷事，无巨细，无内外，取其先急者，悉关圣虑而振肃之，不可缓也。夫星变既有下畔上之象，地

震又有阴侵阳之证，天意恐陛下未悟也，更以震雷警之，欲陛下先事为备，则患祸消而福祥至矣。”

直史馆叶清臣上疏曰：“陛下临朝渊默，垂拱仰成，事无大小，有议皆可。使辅相之臣竭忠无私，皆如萧、曹、房、杜则可；一有不及，才或非伦，则误陛下事多矣。今有一人进擢，则曰宰相某之亲旧也；一人罢黜，则曰宰相某之嫌隙也。由是天下嚣然，不曰自陛下出而曰由宰相得，非臣阴之盛而易天地之序者乎？京房曰：‘臣事虽正，专必震。’彼正而专犹且震，况专而不正，安得不溃阴阳之气而致天地之变乎！此地震之所由至也。臣愿陛下用天之高明刚健，法太祖之英武肃果，太宗之神睿聪察，先皇帝之精勤明哲，然后官人以材如周文，以法绳下如汉宣，招谏迁善如唐文皇。若此，何惧后患之不消，福庆之不臻哉！”

校书郎张方平上七事：一曰密机事，二曰用威断，三曰广言路，四曰重图任，五曰正有司，六曰信命令，七曰示戒惧。御史中丞张观亦言：“承平日久，政宽法慢，用度渐侈，风俗渐薄，以致灾异。”因上四事：一曰知人，二曰严禁，三曰尚质，四曰节用。

除并、代、忻州压死民家去年秋粮。

二月，戊辰朔，诏：“天下贡举人，自今止令逐州解头入见。”时举人群见，进止多不如仪，而民有侯化隆、高惟志者，又辄阑入殿庭献封事，故有是诏。

庚午，诏自今日御前殿视事，用苏舜钦之言也。

甲戌，赐郓州学田五顷。

右司谏韩琦上疏言：“宰臣王随，登庸以来，众望不协，差除任性，褊躁伤体。庙堂之上，不闻长材远略，仰益盛化，徒有延纳僧道，信奉巫祝之癖，贻诮中外。而自宿疢之作，几涉周星，安卧私家，备礼求退。方天地有大灾变，陛下责躬问道之际，曾未入见，而扶疾于中书视事，引擢亲旧，怡然自居。暨物议沸腾，则简其拜礼，勉强人见，面求假告，都无省愧之心，固宠慢上，寡识不恭之咎，自古无有。次则陈尧佐男述古，监左藏库，官不成资，未经三司保奏，而引界满酬奖之条，擢任三门白波发运使。参知政事韩亿，初乞男综不以资叙回授兄纲，将朝廷要职从便退换，如己家之物，紊乱纲纪，举朝非笑。此二事，陛下若忽而小之，因循不问，彼必愈任威福，公行不善，更无畏矣。又，石中立本以艺文进，不能少有建明，但滑稽谈笑之誉，为人所称；处翰墨之司，固当其职，若参决大政，诚非所长。况复仍岁以来，灾异间作，则燮理之任，正当其责。而使陛下引咎求言，继日临朝，遍责刺牧长吏各修其职，独政府之臣皆以为过不在己，泰然自处于皋、夔、稷、契之右。臣僚欲广陛下之德，已颁前诏于天下，而罢立期限，则皆仰而不从，盖臣事专而君道之弱明应矣。伏望出臣此疏，明示中书，委御史台于朝堂集百官会议，正其是非，以塞群议。”帝嘉纳之。

乙亥，辽主自春州驻东川。

丁丑，高丽遣使贡于辽。

壬午，辽主幸五坊阅鹰鹘。

辽以翰林都林牙萧罕嘉努兼修国史，仍诏谕之曰：“文章之职，国之光华，非才不用。以卿文学，为时大儒，是用授卿以翰林之职。朕之起居，悉以实录。”自是日见亲信，罕嘉努知无不言，虽谐谑不忘规讽。

甲午，安化蛮寇宜、融州。

三月,戊戌朔,宰臣王随罢为彰信节度使、同平章事,陈尧佐罢为淮康节度使、同平章事、判郑州,韩亿罢为户部侍郎,石中立罢为户部侍郎、资政殿学士。

初,吕夷简罢,密荐随与尧佐二人为相,其意引援非才,居己下者用之,觊它日帝或见思而复相己。及随与尧佐、亿、中立等议政,数忿争于中书。随寻属疾在告,诏五日一朝,日赴中书视事,而尧佐复年高,事多不举,时有"中书翻为养病坊"之语。会灾异仍见,琦论随等疏凡十上,尧佐亦先自援汉故事求策免,于是四人者俱罢。

以判河南府张士逊为门下侍郎兼兵部尚书、平章事,户部侍郎、同知枢密院事章得象以本官平章事,同知枢密院事王鬷、权知开封府李若谷并参知政事,权三司使王博文、知永兴军陈执中并同知枢密院事。

初,韩琦数言执政非才,帝未即听。琦又言曰:"岂陛下择辅弼未得其人故邪?若杜衍、宋道辅、胥偃、宋郊、范仲淹,众以为忠正之臣,可备进擢。不然,尝所用者王曾、吕夷简、蔡齐、宋绶,亦人所属望,何不图任也?"帝惟听琦罢王随等,更命士逊及得象为相。士逊犹以东宫旧恩,或言又夷简密荐之。得象入谢,帝谓曰:"往者太后临朝,群臣邪正,朕皆默识;惟卿清忠无所附,且未尝有干请,今日用卿,由此也。"

以知应天府夏竦为三司使,知制诰宋郊为翰林学士。帝初欲用郊同知枢密院事,中书言故事无自知制诰除执政者,乃先召入翰林。左右知帝遇郊厚,行且大任矣。学士李淑害其宠,欲以奇中之,言于帝曰:"宋,受命之号也。郊,交也。合姓名言之为不祥。"帝弗为意。它日,以谕郊,因改名庠。

辽主幸皇太弟重元行帐。

己亥,发邵、澧、潭三州驻泊兵讨安化蛮。

壬寅,辽主如蒲河淀。

辛亥,夏国遣使贡于辽。

甲寅,御崇政殿,试礼部奏名进士。乙卯,试诸科。丙辰,〔试〕特奏名。旋赐进士、诸科及第、出身七百二十四人,其特奏名被恩赐者又九百八十四人。琼林宴,初赐《大学篇》。

先是,帝以开封所解锁厅进士陈博古等,嘲谤籍〔籍〕,密诏博古及韩亿子孙四人并两家门下士范镇试卷皆勿考。镇,成都眉山人。考官奏镇静实有文,非附两家之势而得者,乃听考而降其等级。镇,礼部奏名为第一。故事,礼部第一人赐第,未有第二甲者,虽近下犹(申)〔升〕之,吴育、欧阳修殿庭唱第过三人,亦抗声自陈。镇独默然,至第七十九人,乃出拜,退就列,无一言,众以是称之。礼部第一人在第二甲自镇始。初,薛奎知益州,还朝,与镇俱。或问奎入蜀所得,奎曰:"得一伟人,当以文学名世也。"

辽主录囚。

夏,四月,庚午,诏:"天下毋得连用真宗皇帝藩邸旧名。"

癸酉,给事中、同知枢密事王博文卒。始,博文为三司使,言于帝曰:"臣且死,不得复望两府之门。"因泣下。帝怜之,后数日,与陈执中并命。位枢密凡三十六日。讣至,趣驾临奠,赠吏部侍郎。博文以吏事进,政务平恕,尝语诸子曰:"吾平生决罪,至流刑,未尝不阴择善水土处。汝曹志之。"然治曹汭狱,希庄献旨,纵罗崇勋傅致其罪,议者少之。

乙亥,以权御史中丞张观同知枢密院事。

帝初谕中书，候两府阙官则用宋庠。及王博文卒，中书以庠名进，帝曰："观，先朝状元，合先用。"盖谮者之说已行也。

赐河南府嵩阳书院田十顷。

己卯，辽主猎白马埚。甲申，射兔新淀井，旋猎于金山。

壬辰，除宜、融州夏税。

乙未，诏："自今试举人，非国子监见行经书，毋得出题。"从翰林侍读学士李淑请也。

五月，乙巳，录囚。

六月，乙亥，辽主御清凉殿试进士，赐邢彭年以下五十五人第。

戊寅，罢天下举念书童子。

帝留意农事，每以水旱为忧。甲申，诏天下诸州每旬上雨雪状，著为令。

戊子，权知司天少监杨惟德等言："来岁己卯闰十二月，则庚辰岁正月朔日当食，请移闰于庚辰岁，则日食在前正月之晦。"帝曰："闰所以正天时而授民事，其可曲避乎？"不许。

秋，七月，甲辰，辽主录囚。

乙巳，准布部长朝于辽。

戊申，辽主如黑岭。

癸丑，赐襄州学田五顷。

丙辰，群臣表上尊号曰宝元体天法道钦文聪武圣神英睿孝德，帝不许。群臣五上表，帝谓宰相张士逊曰："唐穆宗云：'强我懿号，不若使我为有道之君；加我虚尊，不若处我于无过之地。'朕每爱斯言。"士逊请不已，乃诏削"英睿"二字而受之。

右司谏韩琦言："李照所造乐不合古法，今亲祀南郊，不可以荐，请复用太常旧乐。"诏宋绶、晏殊同两制详定以闻。绶等言："新乐比旧乐下三律，众论以为无所考据，愿如琦请。"诏从之。

壬戌，御崇政殿，策试贤良方正能直言极谏著作佐郎信都田况、大理评事张方平、茂才异等丹阳邵亢。况所对入第四等，方平四等次，亢与宰相张士逊连姻，报罢。

癸亥，策试武举人。八月，丙寅，试武举人骑射。

丁卯，复置淮南、江、浙、荆湖制置发运使。

镇国军节度使、驸马都尉李遵勖属疾，奏请纳禄，援唐韦嗣立故事求山林号，诏不许。

遵勖酝藉力学，王旦器之。天圣末，尝奏事殿中，帝起更衣，庄献屏左右问："比来外人有何言？"遵勖唯唯。太后固问，遵勖曰："臣无它闻，但议者谓天子既冠，太后宜还政。"太后曰："我非恋此，帝年少，内侍多，尚恐未能制之耳。"遵勖寻卒，赠中书令，谥和文。

九月，乙未，出左藏库锦绮绫罗一百万，下陕西路市籴军储。

丁未，辽主驻平淀。

己酉，鄜延路钤辖司言："赵元昊从父山遇遣人来约降。"诏勿受。初，元昊悉会诸豪，刺臂血和酒置髑髅中，共饮之，约先攻鄜延，自靖德、塞门、赤城路三道并入；酋豪有谏者，辄杀之。山遇数止元昊，不听，畏诛，遂挈妻子来降。时已被诏，知延州郭劝与钤辖河阳李渭遣山遇还，山遇不可，即命监押韩周执山遇等送元昊，集骑射而杀之。时元昊自称乌珠已数年矣。元昊既杀山遇，遂谋僭号。

丁巳，进封齐国永寿保圣夫人许氏为魏国夫人。

冬，十月，甲子朔，辽主度辽河，旋驻白马淀。

丙寅，诏戒百官朋党。初，吕夷简逐范仲淹等，既逾年，夷简亦罢相，由是朋党之论兴。士大夫为仲淹言者不已，于是内降札子曰："向贬范仲淹，盖以密请建立皇太弟侄，非但诋毁大臣。今中外臣僚屡有称荐仲淹者，事涉朋党，宜戒谕之。"故复下此诏。

参知政事李若谷建言："近岁风俗恶薄，专以朋党污善良。盖君子小人各有类，今一以朋党目之，恐正臣无以自立。"帝然其言。

盐铁副使、工部郎中司马池，岁满当迁，中书进名，帝曰："是固辞谏官者。"遂命为天章阁待制，知河中府。

辛未，以左千牛卫将军宗实为左领军卫将军。

壬申，辽录囚。

甲戌，赵元昊筑坛受册，僭号大夏始文英武兴法建礼仁孝皇帝，改大庆二年为天授礼法延祚元年。追谥其祖继迁曰神武皇帝，庙号太祖；父德明曰光圣皇帝，庙号太宗。遣使奉表以僭号来告。

十一月，甲辰，诏广西路钤辖司趣宜、融州进兵讨安化蛮。初，官军与蛮战，为蛮所败，钤辖张怀志等六人皆死。帝命洛苑使冯伸己知桂州兼广西钤辖。伸己道江陵，未至，于是遣中使谕伸己速行。伸己日夜疾驰至宜州，缮器甲，训队伍，募民发丁壮，转粮饷，由三路以进。伸己临军，单骑出陈，语酋豪曰："朝廷抚汝曹甚厚，何乃自取灭亡！汝听我言则生，不然，无噍类矣！"众蛮仰泣罗拜，曰："不图今日复见冯公也！"先是大中祥符末及天圣间，伸己尝再知宜州，蛮颇服其威信，故云。明日，蛮渠顶投兵械万计，率众降军门，广西遂安。伸己，拯从子也。

乙巳，诏："宜、融州民尝从军役者，免今夏税，运粮者免其半。"

戊申，朝享景灵宫。己酉，享太庙、奉慈庙。庚戌，祀天地于圜丘，大赦，改元。百官上尊号。

〔戊午〕，郓州言资政殿大学士、左仆射王曾卒。辍视朝二日，赠侍中，谥文正。曾姿质端厚，眉目如刻画，入朝，进止有常处。平居寡言，自奉廉约，人莫干以私。前后辅政十年，其所进退士，人莫有知者。范仲淹尝以问曾，曾曰："夫执政者恩欲归己，怨使谁当？"仲淹服其言。先是有大星坠其寝，左右惊白之，曾曰："后一月当知。"及期，曾果卒。皇祐中，帝为篆其墓碑曰"旌贤之碑"，后又改其乡曰旌贤。大臣碑得赐篆自曾始。

十二月，癸亥朔，封宰臣张士逊为(郧)〔郢〕国公。加恩百官。

甲子，京师地震。

辽召善击鞠者数十人于东京，令与近臣角胜，辽主临观之。己巳，以皇太弟重元判北南院枢密使事，北府宰相萨巴仍兼知东京留守事。命宰臣张俭守司空，宰臣韩绍芳加侍中，以特里衮耶律玛陆为北院宣徽使，以耶律喜逊为南府宰相。

鄜延路都钤辖司言赵元昊反。辛未，徙环庆路副部署刘平为鄜延路副都部署。癸酉，命三司使夏竦为奉宁节度使、知永兴军，知河南府范雍为振武节度使、知延州。

〔甲戌〕，召龙图阁直学士、知兖州孔道辅为御史中丞。

诏："陕西、河东沿边旧与元昊界互市处，皆禁绝之。"

丁丑，诏："有能捕元昊所遣刺探事者，赏钱十万。"

乙酉，诏："三司岁给嘉勒斯赉绫绢千匹、片茶千斤、散茶千五百斤。"

丁亥，辽主录囚，非故杀者减科。南面侍御壮古哩诈取女直贡物，罪应死，以其有吏能，黥而流之。

加嘉勒斯赉保顺军节度使、邈川大首领。自西凉为李继迁所陷，巴勒结旧部往往归嘉勒斯赉，回纥降者复数万。嘉勒斯赉居青唐，西有临谷城，通青海、高昌诸国，南人皆趋之以贸易，由是富强。朝廷欲使背击元昊以披其势，因授节钺焉。

二年 辽重熙八年【己卯，1039】 春，正月，己酉，河阳言彰信节度使、同平章事王随卒。赠中书令，谥章惠，后改文惠。

初，元昊遣使称伪官，抵延州，郭劝、李渭留其使，具奏："元昊虽僭中国名号，然阅其表函尚称臣，可渐以礼屈，愿与大臣熟议。"诏许使者赴京师。其表曰："臣祖宗本后魏帝赫连之旧国，拓(拔)〔跋〕之遗业也。远祖思恭，当唐季率兵拯难，受封赐姓名。祖继迁，大举义旗，悉降诸部，收临河五镇，下沿境七州。父德明，嗣奉世基，勉从朝命。而臣偶以狂斐，制小蕃文字，改大汉衣冠，革乐之五音为一音，裁礼之九拜为三拜。衣冠既就，文字既行，礼乐既张，器用既备，吐蕃、达靼、张掖、交河，莫不从服，军民屡请愿建邦家，是以受册即皇帝位。伏望陛下许以西郊之地，册为南面之君，敢竭庸愚，常敦欢好。"

甲寅，知延州郭劝落职知齐州，鄜延钤辖兼知鄜州李渭降授尚食使、知汝州，坐不察敌情也。

元昊使者将行，不肯受诏及赐物，枢密院议数日不决。王德用、陈执中欲执之，盛度、张观不可。卒遣之，但却其献物，韩周复送至境上。

丁巳，辽禁朔州鬻羊于宋。

二月，庚午，许明州立学，仍给田五顷。

丙子，辽主驻长春河。

三月，壬寅，编修院与三司上历代天下户数。先是帝御迩英阁，读《正说·养民篇》，见历代户口登耗之数，顾谓侍臣曰："今天下民籍几何?"翰林侍读学士梅询对曰："先帝作《正说》，盖述前代帝王恭俭有节，则户口充羡；赋敛无度，则版图衰减。五季生齿凋耗，太祖受命，太宗、真宗继圣承祧，休养百姓，今天下户口之数，盖倍于前矣。"因诏三司及编修院检讨以闻；至是上之。

丙午，初，元昊反书闻，朝廷即议出兵，群臣争言小丑可即诛灭，右正言吴育独建议："元昊虽名藩臣，尺赋斗租不入县官，宜度外置之，示以不足责。且彼已僭舆服，夸示酋豪，势必不能自削。宜援国初江南故事，稍易其名，可以顺抚。"奏入，宰相张士逊笑曰："人言吴正言心风，果然！"至是育复上奏，言宜坚壁清野，挫剽急之锋，徐观其势而为之策；俱不报。

丁未，徙知润州范仲淹知越州。

庚戌，都官员外郎王素为侍御史，中丞孔道辅荐之。素，旦子也。

丙辰，许泉州立学，仍给田五顷。

魏国永寿保圣夫人许氏卒，辍视朝三日，追号肃成贤穆夫人，帝为制服发哀。

丁巳，铸“皇宋通宝”钱。

先时钱文皆曰元宝而冠以年号。及改号宝元，特命以“皇宋通宝”为文。

元昊为书及锦袍、银带投鄜延境上，以遗金明李士彬，且约以叛。候人得之，诸将皆疑士彬，副都部署夏元亨独曰：“此间耳。士彬与羌世仇，若有私约，通赠遗，岂使众知邪？”乃召士彬与饮，厚抚之，士彬感泣。不数日，果击贼，取首馘、、羊马自效。

诏权停贡举。

夏，四月，癸亥，封嘉勒斯赉妻为夫人，二子俱为团练使，各赐衣带、器币及茶绢。时嘉勒斯赉父子猜阻，异居不相统属，朝廷欲兼抚之，故有是命。

乙丑，放宫人二百七十人。帝因谕宰臣张士逊等曰：“不独矜其幽闭，亦省掖禁浮费。近复有邀驾献双生二女子，朕却而不受。”士逊曰：“诚盛德事也。”然天圣末，士逊亦尝纳女口于宫中，为御史杨偕所弹云。

壬申，免昭州运粮死蛮寇者家徭二年，赋租一年。

辛巳，颍州言户部侍郎蔡齐卒。赠兵部尚书，谥文忠。齐方重有风采，自初仕，未尝至权门。丁谓秉政，欲齐亲己，齐终不往。庞籍、杨偕、刘随、段少连皆齐所荐，后多为名臣。

丁亥，募河东、陕西民入粟实边。

右司谏韩琦上言：“祖宗以来，躬决万务，凡于赏罚任使，必与两制大臣外朝公议，或有内中批旨，皆出宸衷。自太后垂帘之日，始有假托皇亲，因缘女谒，或于内中下表，或但口为奏求，是致侥幸日滋，赏罚倒置。唐之斜封，今之内降，蠹坏纲纪，为害至深。乞特降诏谕，今后除诸宫宅皇族有己分事方许内中奏陈，自馀戚里家及文武臣僚或有奏请事，并令进状，更不许内中奏陈，犯者重贬，则圣政无私，朝规有叙矣。”五月，己亥，禁皇族及诸命妇、女冠、尼等非时入内。

癸卯，诏李若谷、任中师、韩琦与三司详定减省浮费，从贾昌朝之请也。

知枢密院事王德用，状貌雄毅，面黑，而颈以下白皙，人皆异之。其居第在泰宁坊，直宫城北隅，开封府推官苏绅尝疏言：“德用宅枕乾冈，貌类艺祖。”帝匿其疏不下。御史中丞孔道辅继言之，语与绅同，且谓德用得士心，不宜久典机密。壬子，罢为武宁节度使，赴本镇。德用寻以居第献，诏隶芳林园，给其直。

以镇海节度使夏守赟知枢密院事。守赟时为真定府路都部署，召用之。既入见，问西事，守赟言：“平(州)〔时〕小塞屯兵马不及千馀，第可御草寇耳。若贼兵盛至，固守不暇，安能出斗邪！宜并小塞兵马，共扼冲要，伺便邀击，可以成功。”帝深然之。

韩琦言：“今欲减省浮费，莫如自宫掖始。请令三司取人内内侍省并御药院、内东门司先朝及今来赐予支费之目，比附酌中，皆从减省，无名者一切罢之。”诏：“禁中支费，只令入内内侍省、御药院、内东门司同相度减省。其臣僚赐予，即许会问入内内侍省等处施行。”琦又言：“景德至景祐文书，有司必不备具，若俟取索齐始议裁减，徒成淹久。但考今日调度，实浮费者，即可蠲省。如故将相、戚里及权近之家，多占六军，耗费县官衣粮，有妨征役，在京者不啻数千人，若此类，何必待旧日文书校邪！”诏从之。

癸丑，罢群牧制置使。寻复之。

六月，壬戌，诏：“自乘舆服御及宫掖所须，宜从简约；若吏兵禄赐，毋得辄行裁减。”时论

者或欲损吏兵俸赐，帝曰："禄廪皆有定制，毋遽更变以摇人心。"故降是诏。

丙寅，以左侍禁鲁经为阁门祗候。经使嘉勒斯赉，特擢之。先是遣经持诏谕嘉勒斯赉，使击元昊以披其势，赐帛二万匹。嘉勒斯赉奉诏出兵四万五千向西凉，西凉有备，嘉勒斯赉知不可攻，捕杀游逻数十(万)〔人〕亟还，声言图再举，然卒不能也。初议重贿嘉勒斯赉使击元昊，因以地与之，参知政事程琳曰："使彼得地，是生一元昊；不若用间，使二羌势不合，即中国之利也。"

戊辰，诏："诸致仕官尝犯赃者，毋得推恩子孙。"

辛未，以殿前都虞候石元孙为鄜延路副都部署。元孙，守信孙。

壬申，以左千牛卫将军宗实为右千牛卫大将军，始自宫中出还第。

先是诏陕西安抚使庞籍谕旨知永兴军夏竦议西鄙事，丙子，竦言："继迁一族，本党项遗种，太平兴国中，竭内帑之财，罄关中之力，不能扑灭。真宗即位，惟戒疆吏谨烽堠，严卒乘，此实真宗之远图也。然自灵武陷没，银、绥割弃以来，假朝廷威灵，聚中原禄赐，略有河外，服属小蕃。德明、元昊，久相继袭，拓地千馀里，积货数十年，较之继迁，势已相万。刍豢过饱，猖獗遽彰。

"议者莫不欲大行诛讨，然自昔兵家皆谋先胜而后战，即举无遗策。以继迁穷蹙，比元昊富实，事势可知也；以先朝累胜之军，较当今关东之兵，勇怯可知也；以兴国习战之帅，方沿边未试之将，工拙可知也；继迁逃伏平夏，元昊窟穴河外，地势可知也。若分兵深入，则自赍粮糗，不能〔支〕久，须载刍粟，难于援送。师行贼境，利于速战，进则贼避其锋，退则敌蹑其后，昼设奇伏，夜烧营栅，师老粮匮，深可虞也。若穷其巢穴，须涉大河，既无长舟巨舰，则须浮囊挽绠。贼列寨河上，以逸待劳，我师半渡，左右来击，未知何谋可以捍御。臣以为不较主客之利，不计攻守之便，议追讨者，是为无策。

"事不先定，必有后忧。计上十策：一，教习强弩以为奇兵；二，羁縻属羌以为藩篱；三，诏嘉勒斯赉父子并力破贼；四，度地形险易远近，寨栅多少，军士勇怯，而增减屯兵；五，诏诸路互相应援；六，募土人为兵，号神虎、保捷，州各一二千人，以代东兵；七，增置弓手、壮丁、猎户以备城守；八，并边小寨，毋积刍粮，(赋)〔贼〕攻急则弃小寨入保大寨，以全兵力；九，关中民坐罪若过误者，许入粟赎罪，铜一斤为粟五斗，以赡边计；十，损并边冗兵、冗官及减骑军以纾馈运。"当时颇采用之。

壬午，诏削赵元昊官爵，除属籍，揭榜于边，募人禽元昊，若斩首献者，即以为定难节度使。元昊界蕃、汉职员能率族归顺者，等第推恩。初，保忠但赐国姓，而诏言除属籍，误也。

甲申，徙监(秦)〔泰〕州酒税务余靖知英州，监(郢)〔唐〕州酒税尹洙知长水县，乾德县令欧阳修权武成军判官。

丙戌，诏(京)〔河〕东安抚司移文告于辽，以元昊反已夺官除籍及沿边益兵之意。

秋，七月，知谏院韩琦，请自今双日止御后殿视事。帝问辅臣以故事，张士逊曰："唐五日一开延英，盖资闲燕以辅养圣神。"帝曰："与夫宵衣旰食固不侔也。前代帝王，靡不初勤政事而后失于逸豫，不可不戒也。"时帝感小疾，太医数进药，故琦有是请，帝讫不从。

先是辽主幽太后于庆州，既改葬齐天后，群臣多劝辽主复迎，可得南朝岁聘之利，不从。会辽主召僧，听讲《报恩经》，感悟。丁巳，辽主谒庆陵，致奠于望仙殿，遂躬迎太后至显州，谒园陵，还京。太后见赵安仁，责之曰："汝负万死，我尝营救；不望汝报，何为离间我母子邪？"安仁无以答。

戊午，以知永兴军夏竦知泾州兼泾原、秦凤路沿边经略安抚使、泾原路马步军都部署，知延州范雍兼鄜延、环庆路沿边经略安抚使、鄜延路马步军都部署。

八月，己巳，降武宁节度使王德用为右千牛卫上将军，知随州，仍特置判官一员。初，德用既以孔道辅言罢知枢密院，而河东都转运使王沿又言德用尝令府州折继宣市马。至是德用以马与券来上，乃市于商人，然犹用言者而再贬之。家人皆惶恐，而德用举止言色如平时，但不接宾客而已。

西川自夏至秋不雨，民大饥。庚辰，命韩琦为益利路体量安抚使，西染院副使王从益副之；蒋堂为梓夔路体量安抚使，左藏库副使夏元正副之。

初，帝用礼官议，祀高禖于郊，又以宋火德，制赤帝象于宫门中以祈皇子。已而皇子生，辛巳，命参知政事王鬷以太牢报祠高禖。帝数举皇子，后皆不育。

【译文】

宋纪四十一　起丁丑年（公元1037年）八月，止己卯年（公元1039年）八月，共二年有余。

景祐四年　辽重熙六年（公元1037年）

八月，甲戌（初五），从内藏库支出绢三十万匹，至河北路收购谷物军用储备物资。

越州发生水灾，赐给被淹民户钱数不等。

甲午（二十五日），仁宗下诏："各地常平仓所储钱谷，今后三司和转运司不得借支。"

九月，丙寅（二十七日），三司呈报："东头供奉官钱逊奉称信州铅山出产石碌，可冶炼为铜。当今池、饶、江三个州的钱监都缺铜铸钱，请派遣钱逊与本路转运使验证以后上报。"得到仁宗批准。

丁卯（二十八日），仁宗在迩英阁阅读《唐书》。此后读真宗编撰的《正说》与听讲《春秋》，都在迩英阁。

冬季，十月，癸巳（二十五日），翰林学士李淑请求将自己的班次排在父亲枢密直学士李若谷之下，仁宗下诏准许李淑的请求。

乙未（二十七日），同知枢密院事章得象报告："开封府进士章仲昌，是我乡里远亲，实在没有才学和业绩，最近诉讼揭露出不公之事，请发牒遣送他回家。"得到仁宗批准。这时官员离职应试举人的特别多，到开封府投牒报考者达数百人，还不包括国子监和各州的考生。到出榜时，得知宰相陈尧佐之子博古为解元，参知政事韩亿子孙四人没有一个落榜，所以嘲讽谤言四起。然而，殿中侍御史萧定谟与直集贤院韩琦、吴育、王拱辰如实主持考试，并没有徇私情。

这个月，辽兴宗驻留石宝冈。

十一月，己亥朔（初一），准布向辽国进贡。

辛亥（十三日），辽国以契丹行宫都部署萧惠为南院枢密使。

己未（二十一日），从内藏库调出细绵五十万，到河北、陕西路收购粮食军用储备物品。

庚申（二十二日），辽国封皇子耶律洪基为梁王。

癸亥（二十五日），关闭登、莱买金场。

十二月，壬申（初五），给真定府、潞州学田各五顷。又下诏宣布：今后只有藩镇才允许建立学校，其他州不行。

甲申（十七日），忻、代、并三州报告发生地震，破坏房屋，覆压人畜，特别是忻州最为严重，压死吏民一万九千七百余人。从此以后河东地震连年不止，或者大地开裂，泉水上涌；或者烈火喷出如黑沙一样。一天发生四、五次地震，人们都在露天歇宿。乙酉（十八日），仁宗令侍御史程戡前往并、忻州体察安抚。

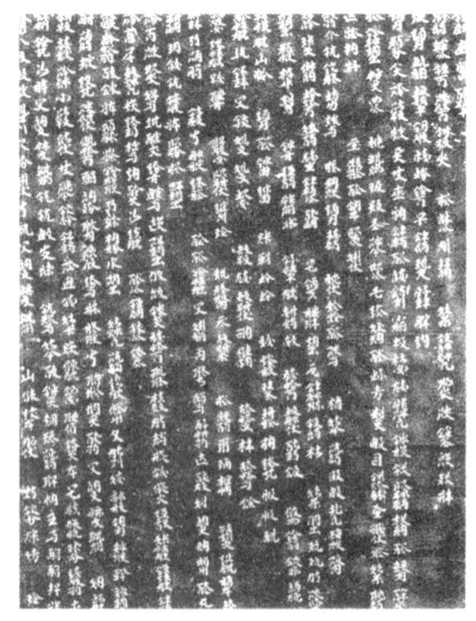

宣懿皇后契丹文拓片　辽

右司谏韩琦上疏说："前晌兴国寺双阁起火，漫延至先祖殿，不到数刻，即化为灰烬。又闻听仰观天象，有的星宿运行失常。现在北道数郡，接连发生地震。这是女人干预政事，臣下专权的反应。又地震发生在北方，也许是上天频频警告，让您注意边疆的祸患吧？请您从今天开始，严令守臣，加紧修整兵备，审察选择有干才谋略之帅，全部罢免懦弱之士，申明军法，整顿骄横懒惰的兵卒，并充实粮仓，增加备用器具。"

过了十多天，韩琦又向皇帝上疏说："最近听说大庆殿和各处都在设立道场，以及分别派遣中使到各名山福地去请祷，这是没有体察敬畏天命的深刻用意。我认为祈祷的方法，陛下必须裁撤乐舞、降低膳食标准，培养品德、治理刑狱，颁下诏书寻求正直之言辞，在偏殿而不是在正殿处理事务，这样上天就会非常喜悦，进而转化为福音降临。愿陛下能够照此办法实行。况且，大庆殿是处理国家大事的处所，是朝廷立法的地方，陛下若不是举行大礼，身着法定服装，就不会幸临此殿，对臣下来说，若不是举行大朝会，就不可到此，怎么能够允许和尚道士之类人等连天累月在此喧哗，这不是端正法度，尊奉威神所应该采取的做法。希望从今以后凡有开道场、设祭坛之类的活动，都把它们安排在其他地方。"

赐给徐州学田五顷。

庚寅（二十三日），任命龙图阁学士张逸为枢密直学士，主管益州事。张逸前后到过蜀地四次，对那里的风俗民情很熟悉。适逢这一年大旱，张逸派人修筑堤堰，截住江水来灌溉民田，自己拿出公家的租粮降低价钱来赈济灾民。刚发生饥荒的时候，百姓大都杀掉耕牛用来充饥，这些违反不准杀耕牛禁令的人都被发配到关中。张逸上奏说："百姓之所以杀掉耕牛是为了养活即将饿死的性命，这与偷盗耕牛并将其杀死的性质是不同的；但如果不加以禁止的话，又会荒废农事。今年年成较好，我请求朝廷将那些被发配的人全部放还，让他们恢复生产。"朝廷同意了张逸的请求。

壬辰（二十五日），调饶州知州范仲淹任润州知州，监筠州税务余靖监泰州税务，夷陵县令欧阳修为光化军乾德县令，这是皇帝让执政大臣把他们调到离京师较近地方以利监督的缘故。

这以前京师发生地震,直史馆叶清臣向皇帝上疏说:“不久以前范仲淹、余靖等人因为言辞刚直被贬黜,以至于天下所有人都保持沉默不敢再议论朝政,将近有二年了。愿陛下深刻地引咎自责,广泛地延揽那些正直忠诚敢于直言进谏的人,这样或许能够使洞察秋毫的上天明了陛下的诚意,让各种瑞兆纷纷出现。”此疏上奏后几天,范仲淹等人就都被调到距离京师较近的地方任职。

范仲淹已经被任为润州知州,谗害他的人担心他重新被重用,于是急忙用别的事诬告他。诬告之言传到皇帝那儿,皇帝大怒,马上下令把范仲淹外放到岭南去。参知政事程琳在皇帝面前为范仲淹辩诬,范仲淹最终才得以幸免。自从范仲淹被贬后,关于朋党的言论四起,朝中许多官僚受牵连而被外放出京,谈话中有言及范仲淹的人都被指控为同党;只有程琳向皇帝开释解说,皇帝明白后,才停止。

辽国任命杨佶为忠顺军节度使。

赵元昊既已全部占有夏、银、绥、静、宥、灵、盐、会、胜、甘、凉、瓜、沙、肃等州,又把洪、定、威、怀、龙等都依旧堡镇加伪号为州,自己仍居于兴州,面临黄河,背依贺兰山固守。这一年,开始大量地增补伪官,以嵬名守全、张陟、杨廓、徐敏宗、张文显等人主持谋略之事,钟鼎臣掌管文书,成逋克、成赏都等人主持军事,野利仁荣主掌蕃学。设置十八个监军司,委任酋长豪强分别统领各自的部众。从河北到卧啰娘山布置七万人,用来防备辽国人;河南洪州、白豹、安盐州、罗落、天都、惟精山布置五万人,用来防备环庆、镇戎、原州;左侧宥州路部署五万人,用来防备鄜延、麟府;右侧甘州路部署三万人,用来防备西蕃、回纥;贺兰山驻扎军队五万人,灵州驻扎五万人,兴州、兴庆府驻扎七万人,这些作为镇守军队:总共有五十多万人马。然而苦战却要依靠山讹,山讹是横山羌族人,夏国的士卒柔弱,比不上山讹。在豪族中挑选五千名擅长骑马射箭的人轮流值勤宿卫,号称六班直,每月给米二石。铁骑三千分为十个部分。发兵时用银牌召集各酋长,当面把计谋授受给他们。在兴州创立十六司,用来总管各种事务。

宝元元年 辽重熙七年(公元1038年)

春季,正月,辛丑(初四),辽兴宗前往混同江。

癸卯(初六),赵元昊向宋仁宗请求允许他派人到五台山供奉佛祖,并请求宋仁宗派使臣引导护送,同时给予馆券;宋仁宗同意了。赵元昊实际上是想窥探河东道的真实情况罢了。

同知礼院宋祁上疏说:“去年大火烧坏了兴国寺的佛塔,大火蔓延烧坏了艺祖神御殿,随后一再发生偷窃毁坏宗庙釦器的事情,这是神灵已不昭然而至的征象。回想灾变异常之事的发生,远的十几年,近的三四年,就都会有所反应,几乎年年如此。而现在陛下责备自己的言辞不把它用诏书的形式表现出来,思虑祸患的大计没有向大臣征询意见,日久天长,群臣就会默然无语。有时只是称引些经典,招引些和尚、道士之类,早晚斋戒诵经,用荒诞不经的细微祝祷来掩盖令人担心害怕的巨变,一般人尚且不相信这样事情,又怎么可以用这些来欺骗上天呢!我确实很愚昧,只是担心短时间内没有很好的计谋来消除隐患。衷心希望陛下能够下诏给百官,让他们各自陈述自己所思虑的事情,陛下再小心审阅采择。”

甲辰(初七),雷声阵阵。麟州、府州以及陕西都降下了大冰雹。

丙午(初九),因为灾变异常多次出现,皇帝颁下诏书征求正直的言论,限定半个月以内把谏书封好进奉给朝廷。

庚戌（十三日），任命翰林学士丁度等人暂时主持礼部贡举之事。

乙卯（十八日），大理评事、监在京店宅务苏舜钦投书征求臣民意见的方匭向皇帝上疏说："我听说河东发生大地震，过了十多天还没有停止；春天刚开始，雷电大作。我认为对国家政事的缺失，大臣们没有敢向陛下阐明的，只有上天用这些征象来告诫陛下。陛下果真能够施恩向臣民颁发圣明的诏书，允许各官员都可以进献自己的意见，我刚刚听到的时候，欢欣雀跃！十几天时间有许多人上疏言事，那其中难道没有一个切中时弊的吗？然而没有能听到朝廷实行的消息，这就是仅仅讲求虚言而不注重实效了。我看见纲纪废弛败坏，政事教化有失误，这类事情非常多，不能一一列举，谨条举两件大事进献给陛下。

"第一件是端正心神。心神端正就会精力集中，各种事务就能得到恰当地处理。现在民间流传陛下这几年逐渐亲近优伶一类的人，宴饮游乐没有节制，赏赐超过限度。宴饮游乐没有节制就是放荡，赏赐超过限度就叫奢侈；放荡就不会亲自处理国家政务，奢侈就会造成国家用度不足。我私下观览国史，看见先帝们每天处理国家政务，到天黑时才结束，接着还坐在后苑门旁，有反映情况的人，立即得到召见应对，仔细进行询问，有好的建议即使再微小也一定采纳。真宗晚年时身体有病，才开始每隔一天亲理一次朝政。现在陛下正是精力充沛的年龄，实在是应该废寝忘食以求治理国家的时候，然而现在陛下竟然每隔一天才登殿听政一次，这样就会造成政事荒疏。另外，国家府库钱粮匮乏，百姓也没什么存储，然而征敛税赋，几乎天天进行。三司计划要用的经费，相当于祖宗时候的二十倍，这是造成国家用度不足的原因。希望陛下修明自己来治理民众，剔除杂念来审察事物，勤于听政，罢黜宴乐安逸，不要亲近优伶和宠幸的近臣小人，而要亲近刚毅明智正直的贤良之臣，用这些灾变异常来提醒自己，谋求使国家长治久安的策略。

"第二件是选拔贤才。贤明的君主在寻取贤才时辛苦劳累，而在任命他们时却很安逸，可是满朝的文官武将，不必全部选择，只需选择一二名辅佐的大臣和御史、谏官而已。最近王随从吏部侍郎、平章事的职位越过许多资望，又被拜为宰相。这是不同寻常的恩泽。不同寻常的恩泽必须授给不同寻常的贤才，然而王随是一个徒有虚名、才能平庸、心术不正、喜欢谄媚的小人，不是一位能担任宰相之职的贤才，任命他的诏书下达以后，舆论哗然，所以疾病困扰其身，灾祸不断地降临到国家。另外，石中立以前在朝廷中，以言语诙谐自命，现在被安置在辅佐大臣的位置上，他的资历威望很轻，一定受人们的轻视，总之，近臣都不是有才能的人。陛下的身边官员尚且如此，天下官吏的优劣可以推知了。而且张观为御史中丞，高若讷为司谏，二人都荣登高位，主要靠文辞华丽进身，性格温和柔懦，没有刚直敢言的气质。这都是执政的大臣引荐安排的，想要他们缄默不语，不敢检举揭发执政大臣的失误，有时说一些，那么也一定暗中和执政的大臣沟通过了。所以对于御史、谏官的任命，我希望陛下亲自审察选择，不要让这些官员出自执政大臣的门下。如果台官、谏官都是名副其实的人，那么近臣就不敢明知故犯了，这才是驾驭臣下的策略。

"我认为陛下本身既勤政俭朴，辅佐的大臣、台官、谏官等又选用适当，那么治理天下还有什么值得忧愁，灾变异常又怎么能够产生呢！希望陛下对我的话稍加留意。"

丙辰（十九日），因为发生灾变异常，下诏给转运使、提点刑狱检点各自所属官吏，然后奏闻给朝廷。

有给皇帝上密封奏疏的人说："自从改变茶法以来，每年把京城的银子、绢丝运到河北交换粮草，强行分派，滋扰居民生活，对国家来说使府库空虚，对百姓来说使商旅困顿，很不方便。"丙寅（二十九日），命令权御史丞张观、侍御史程戡、右司谏韩琦和三司重新讨论这件事。程戡是阳翟人。

直史馆苏绅上奏疏说："星星依附上天就像万国依附大王一样。臣民背叛君主，所以星星也背天而行。现在，天下出现这样的灾变异常，难道不是执政的大臣越过了本分吗？朝廷大大小小的事情，都委派给政府处理，甚至于贬黜提升的大权，有时也得以专擅。大臣们平时应该辩论官吏们的德才，使陛下完全了解在位官吏的能力大小，等到任命官职的时候，可以根据不同的能力委任不同的官职，使被提升的官员知道此恩是陛下给的，那么陛下特有的威权别人就无法分享了。现在却不是这样，每一个官职的任命，只看看履历情况，再参照一下以前的例子，而陛下也不再有所更改。所以那些急于升迁的人，趋附奔走在权贵门下，寻找升迁的捷径，陛下还未加以任命，而臣下的请托之风已经形成。太祖太宗有时选用重要的官员，只根据他们的才能，臣下预先并不知道，所以被升迁的人，都只考虑如何激励自己奋进。这没有特别的方法，只是擢用比较了解的人而不至于大权旁落于臣下。雷是上天的号令，如今刚到春天就打雷，上天也许是想让陛下发出号令来震动天下，应该早早开始，从而矫正臣下舒缓的过失。大凡朝廷的事情，不论大小，不论内外，选取最紧要的，都由陛下亲加裁断，不能延缓。星变已经有下叛上的征象，地震又有阴侵阳的证候，上天恐怕陛下还未醒悟过来，又用震雷加以警告，想要陛下预先做好准备，如此，那么灾祸消除而吉祥幸福就到来了。"

直史馆叶清臣上奏疏说："陛下临朝沉默不语，坐享其成，事情不论大小，有成议的都许可。假使辅政的宰相竭忠尽效毫无私心，都像萧何、曹参、房玄龄、杜如晦那样还可以；万一不如前者，或者才能与职位不相称，那么就会耽误陛下许多事情。如今有一人被升迁，就说是某某宰相的亲近故旧；有一人被贬黜，就说与某某宰相有宿怨。于是天下喧嚣不已，不说是从陛下那里得到任命而说是从宰相那里得到委任，这难道不是由于臣下的权势过重以至于改变了天地的顺序吗？京房说：'臣下处理事务即使很公正，但如果专断必然会引起地震。'处理事务公正但专断尚且引起地震，更何况专断又不公正，怎么能不引起阴阳之气溃乱而导致天地巨变呢！这就是地震所以发生的原因。我希望陛下用上天的高明刚健，效法太祖的英武果断，太宗的睿智聪察，先皇帝的精勤明哲，然后像周文王那样凭才干授予官职，像汉宣帝那样用法律来约束臣下，像唐太宗那样纳谏从善。如果能做到这一点，还担心什么后患不能消除，福庆的事情不会到来呢！"

校书郎张方平上奏疏说了七件事：第一保守机密，第二处事果断，第三广开言路，第四重视选官，第五端正有司之责，第六令出必行，第七使人知戒惧。御史中丞张观也说："多年来天下太平，为政宽厚法纪松弛，用费日渐奢侈，风俗日渐淡薄，从而导致灾变异常。"因此上奏疏说了四件事：第一知人善任，第二严格律令，第三崇尚质朴，第四节制用度。

免除并、代、忻州因地震被压死百姓的家里去年的秋粮。

二月，戊辰朔（初一），下诏："天下的贡举人，从今以后只允许各州的解元入朝晋见。"当

时举人们一起拜见皇帝时，进退举止有很多不符合礼仪，有百姓二人侯化隆、高惟志，又径直闯入殿庭上书言事，所以皇帝颁下这条诏令。

庚午（初三），下诏从今天开始到前殿处理国家大事，这是采用苏舜钦的建议。

甲戌（初七），赐给郓州学田五顷。

右司谏韩琦上奏疏说："宰相王随，被任用以来，与人们所希望的差距很大，处理事务任性而为，气量狭小、性情急躁，有伤政体。在朝廷中，没有听说他有出众的才干和深谋远略，对百姓的教化有所贡献，只是招僧纳道，有信奉巫祝的癖好，受到朝廷内外人们的讥诮。而他从旧病发作至今，将近十二年，安卧在家，准备依据礼制请求引退。如今天下发生严重的灾变，陛下一面责罪自己一面亲自探寻治国之道的时候，他竟然没有入朝拜见陛下，而带病在中书处理事务时，引荐提拔亲朋故旧，怡然自乐。等到众议沸沸扬扬的时候，他没有平遵礼仪，只是勉强入朝拜见陛下，当面向陛下告假，没有一点反省惭愧之心，他这种因宠幸而轻慢主上，缺才少识，对皇帝不恭敬的过失从古到今都是没有的。其次是陈尧佐的儿子陈述古，任左藏库监守，此职尚未满期，也未经三司保奏，而援引界满酬奖的条例，提拔为三门白波发运使。参知政事韩亿，一开始请求儿子韩综任职不以资叙，却又授给哥哥韩纲，把朝廷的重要职官随便退换，好象自己家里的私有财物一样，扰乱纲纪，引起举朝人士的非议和嘲笑。这二件事，陛下如果认为很小而忽略，任其发展，他们必然更加作威作福，公开作恶，再也没有畏惧了。另外，石中立本来是依靠艺文进入仕途的，没有一点建树，只有滑稽笑谈的名声，是人们所称道的；若安排在文职机构，当然是称职的，若参决大政方针，确实不是他所擅长的。何况连年以来，灾异之事不断出现，那么燮理阴阳正是他们的职责。现在陛下反而引咎自责，寻求正直之言，每天临朝听政，要求刺牧长吏各负其责，唯独政府的执政大臣认为过错不在自己，泰然自若地把自己放在皋、夔、稷、契等贤臣之右的位置上。臣僚们想增广陛下的德行，已经颁布前诏于天下，然而罢立期限，却都在观望而不实行，这是臣下专权而君道柔弱的明显表现。我衷心希望陛下公布这条奏疏，明示中书，委托御史台招集百官在朝堂上商议此事，辨正是非，来达到平息众议的目的。"皇帝赞许并采纳了这个建议。

乙亥（初八），辽国皇帝从春州移驻东川。

丁丑（初十），高丽国派遣使者向辽国进贡。

壬午（十五日），辽国皇帝到五坊观看鹰鹘。

辽国命翰林都林牙萧罕嘉努兼修国史，还下诏书对他说："写文章的责任，是为了保存国家光荣的历史，没有才能是不能任用的。以你的文才学识，是当代的大儒，所以把翰林的职位授给你。我的起居生活，都要从实记录。"从此日见亲密信任，罕嘉努也知无不言，即使是诙谐戏谑也不忘规谏讽喻。

甲午（二十七日），安化蛮侵犯宜、融州。

三月，戊戌朔（初一），宰相王随贬降为彰信节度使、同平章事，陈尧佐贬降为淮康节度使、同平章事、任郑州判官，韩亿贬降为户部侍郎，石中立贬降为户部侍郎、资政殿学士。

当初，吕夷简被罢免时，秘密推荐王随和陈尧佐二人为宰相，他的用意是推荐无才的庸人，位职在自己以下的，希望有一天皇帝或许怀念自己，而让自己再次出任宰相。到王随和陈尧佐、韩亿、石中立等商议国家大事时候，屡次在中书发生纷争。王随不久因病告假，皇帝下诏允许他五天朝见一次，每天到中书省处理事务，陈尧佐又年事已高，有很多事情不能及时处理，当时有“中书翻为养病坊”的说法。当时正逢灾变异常屡次出现，韩琦论述王随等人的奏疏一共奏上十次，陈尧佐也提前自己援引汉代的旧例请求策免，于是四个人都被罢免。

任命河南府判官张士逊为门下侍郎兼兵部尚书、平章事，户部侍郎、同知枢密院事章得象为本官平章事，同知枢密院事王鬷、权知开封府李若谷同为参知政事，权三司使王博文、知永兴军陈执中皆为同知枢密院事。

起初，韩琦多次说执政的大臣没有才干，皇帝并未马上听从。韩琦又进言说：“难道是陛下选择执政大臣没有找到适当的人的缘故吗？象杜衍、宋道辅、胥偃、宋郊、范仲淹，人们都认为是忠贞正直的大臣，可以有所选择加以拔擢。不然，以前曾用过的王曾、吕夷简、蔡齐、宋绶，也是深孚众望的，现在为何不任用他们呢？”皇帝只采纳韩琦罢免王随等人的建议，改命张士逊和章得象为宰相。张士逊还有因为东宫旧恩的缘故，也有人说是吕夷简秘密推荐的结果。章得象入谢时，皇帝对他说：“以前太后临朝听政，群臣中谁邪佞谁正直，我都默记在心；只有你清正忠诚，没有攀附权贵，并且不曾有过干谒请托的事情，今天用你为宰相，就是因为这个缘故。”

任命知应天府夏竦为三司使，知制诰宋郊为翰林学士。皇帝起初想用宋郊同知枢密院事，中书说旧例没有从知制诰拜除执政大臣的，于是先把他召入翰林院。左右的人知道皇帝待宋郊很厚，不久将会赋予重任。学士李淑嫉妒宋郊得宠，想用流言中伤他，向皇帝说：“宋是接受天命的称号。郊就是交替的交。姓和名合在一起，意思很不吉祥。”皇帝不以为然。有一天，皇帝把李淑的话告诉宋郊，宋郊于是改名为庠。

辽国皇帝驾临皇太弟重元行帐。

己亥（初二），调拨郘、澧、潭三州的屯驻兵讨伐安化蛮族。

壬寅（初五），辽国皇帝前去蒲河淀。

辛亥（十四日），夏国派遣使者向辽国进贡。

甲寅（十七日），皇帝亲临崇政殿，考试礼部奏名的进士。乙卯（十八日），考试诸科。丙辰（十九日），考试特别选拔的人。不久赐进士、诸科及第、出身七百二十四人，那些特别选拔被恩赐的又有九百八十四人。举办琼林宴，初次赐予《大学篇》。

这以前，皇帝因为开封府所送的应锁厅试的进士陈博古等引起众人嘲讽谤议，纷纭不已，秘密下诏给陈博古和韩亿子孙四人以及两家门下士范镇，他们的试卷都不要考核。范镇是成都眉山人。考官上奏说范镇为人镇静诚实，文章有文采，不是依附两家势力而得到的，于是准许他参加考核但降低他的等级。范镇，礼部上奏是第一名。旧例，礼部上奏第一名的，赐及第时，没有放在第二甲的，即使名字靠后也还是要提拔的，吴育、欧阳修在殿庭唱第过三人后，也走出班列高声陈述自己的情况。只有范镇默然不语，到第七十九人，才走出来拜谢，然后退回行列，没有说一句话，大家因此都称赞他。礼部奏名第一赐名时放在第二甲的就从范镇开始。起初，薛奎知益州，还朝时与范镇同行。有人问薛奎到蜀地有什么收获，薛奎说：“获得一名伟人，当以文学显名于世。”

辽国皇帝审查囚徒。

夏季，四月，庚午（初四），下诏：“天下不许连用真宗皇帝藩邸的旧名称。”

癸酉(初七),给事中,同知枢密事王博文去世。开始,王博文任三司使,对皇帝说:“我就要死了,不能够再望见两府的大门了。”于是流下了眼泪。皇帝同情他,几天后,与陈执中一起被委以重任。在枢密之位共三十六天。他的讣告报来,皇帝急忙驾临祭奠,追赠为吏部侍郎。王博文因处理政事的能力得到升迁,处理政务平和宽厚,曾对几个儿子说:“我平生判决罪犯,到了流放之刑时,无不为他们暗中选择有很好水土的地方。你们要牢记这一点。”然而他在审理曹汭的案件时,仰承庄献皇太后的旨意,纵容罗崇勋罗织罪名并以此判定曹汭的罪行,议论的人很轻视他这一点。

乙亥(初九),任命权御史中丞张观为同知枢密院事。

皇帝起初告诉中书,等到两府官位有空缺的时候就任用宋庠。到王博文逝世后,中书省把宋庠的名字报了上去,皇帝说:“张观是先朝的状元,理当先用。”原来是谗者的话已起作用的缘故。

赐给河南府嵩阳书院学田十顷。

己卯(十三日),辽国皇帝在白马埚打猎。甲申(十八日),在新淀井射兔子,接着在金山打猎。

壬辰(二十六日),免除宜、融州的夏季税收。

乙未(二十九日),下诏令:“从今以后考试举人,不是国子监所用的经书,不得从中出题目。”这是采用翰林侍读学士李淑的建议。

五月,乙巳(初九),皇帝审查囚犯。

六月,乙亥(初十),辽国皇帝驾临清凉殿考试进士,赐给邢彭年以下五十五人及第。

戊寅(十三日),废除天下推举念书童子的制度。

皇帝留心农田事务,经常忧患水旱灾害。甲申(十九日),下诏天下各州每十天一次把本地雨雪情况上报朝廷,把这定为法令。

戊子(二十三日),权知司天少监杨惟德等人说:“明年己卯闰十二月,那么庚辰年正月初一会出现日食,请把闰月移置在庚辰年,那么日食就出现在前一个正月的最后一天。”皇帝说:“设置闰月是为了端正天时以便让百姓按时劳作,怎么可以用这种方法回避呢?”皇帝没有答应他们的请求。

秋季,七月,甲辰(初九),辽国皇帝审查囚犯。

乙巳(初十),准布部长到辽国朝见。

戊申(十三日),辽国皇帝前往黑岭。

癸丑(十八日),赐给襄州学田五顷。

丙辰(二十一日),众大臣进表给皇帝上尊号为宝元体天法道钦文聪武圣神英睿孝德,皇帝没有允许。众大臣进表五次,皇帝对宰相张士逊说:“唐穆宗说:‘强加给我美好的称号,不如使我成为有道的明君;加给我空虚的尊荣,不如把我放在没有过错的位置上,’我常常喜爱这句话。”张士逊请求不要取消,皇帝于是下诏删除“英睿”二字而接受了这个尊号。

右司谏韩琦说:“李照编制创造的乐曲不符合古代乐律的要求,如今陛下亲自到南郊祭祀,不可以把这种音乐进献给上天,请再用太常寺原有的乐曲。”下诏给宋绶、晏殊和中书舍人、翰林学士详细考定异同后上报。宋绶等人说:“新乐曲比旧乐曲低三律,大家议论后认为没有考订的根据，希望陛下听从韩琦的请求。”下诏同意。

壬戌（二十七日），皇帝亲临崇政殿，策试贤良方正能直言极谏著作佐郎信都人田况、大理评事张方平、茂才异等丹阳人邵亢。田况所做对策进入第四等，张方平的对策入四等次，邵亢和宰相张士逊联姻，没有录取。

癸亥（二十八日），策试武举人。八月，丙寅（初二），考试武举人的骑马射箭本领。

丁卯（初三），重新设置淮南、江、浙、荆湖制置发运使。

镇国军节度使、驸马都尉李遵勖久病，上奏书请求辞职，援引唐朝韦嗣立的旧例以求山林称号，皇帝下诏不同意。

李遵勖宽和有涵养、刻苦好学，王旦很器重他。天圣末年，他曾在殿中上奏书言事，皇帝去更衣，庄献皇太后屏退左右问他说：“近来外面的人都在谈论什么？”李遵勖恭敬地应答但不敢明言。太后坚持着问，李遵勖说：“我没有听说别的，只听到议论的人说皇帝已行冠礼，太后应当把处理国家大政的权力交还给皇帝。”太后说：“我不是留恋这种权力，而是因为皇帝年龄还轻内侍又多，恐怕不能驾驭这种权力罢了。”李遵勖不久去世，追赠为中书令，加谥号为和文。

九月，乙未（初二），拿出左藏库锦绮绫罗一百万，到陕西路购买粮食军用储备物资。

丁未（十四日），辽国皇帝进驻平淀。

己酉（十六日），鄜延路钤辖司说：“元昊的叔父山遇派人来约定投降。”下诏答复不接受投降。起初，元昊把众豪强都召集到一起，把刺手臂流出的鲜血伴和着酒放在髑髅中，大家一同饮了下去，约定先攻打鄜延，从靖德、塞门、赤城路三条道一起攻入；酋长豪强有谏阻的，立即被元昊杀死。山遇多次劝阻元昊，元昊没有听从，山遇害怕被诛杀，于是带领妻子儿女来投降。当时已经接到皇帝诏书，知延州郭劝和钤辖河阳人李渭要派人把山遇送回去，山遇不同意，于是命令监押韩周押着山遇等人送给元昊，元昊召集骑兵把山遇射杀了。那时元昊自称乌珠已有许多年了。元昊已经杀了山遇，于是谋求非分的称号。

丁巳（二十四日），加封齐国永寿保圣夫人许氏为魏国夫人。

冬季，十月，甲子朔（初一），辽国皇帝渡过辽河，接着进驻白马淀。

丙寅（初三），下诏严禁百官结为朋党。起初，吕夷简排挤范仲淹等人，过了一年，吕夷简也被免相，于是朋党的议论开始兴起。士大夫中不停地有人为范仲淹说话，于是皇帝从宫内发下札子说：“以前贬谪范仲淹，是因为他秘密地请求建立皇太弟侄，不仅仅是毁谤大臣。如今朝廷内外臣僚中多有称许推荐范仲淹的，这件事涉及朋党，应当警诫并让大家知晓。”所以又重新颁发了这道诏令。

参知政事李若谷建议说：“近年来风俗不正，专门用朋党来污蔑善良的人。君子和小人是不同的类属，如今一概用朋党来看待他们，恐怕正直的大臣无法自立。”皇帝同意他的话。

盐铁副使、工部郎中司马池，在任期限已满应当迁升，中书把他的名字报了上去，皇帝说：“这是坚决辞去谏官的人。”于是任命他为天章阁待制，知河中府。

辛未（初八），任命左千牛卫将军宗实为左领军卫将军。

壬申（初九），辽国皇帝审查囚犯。

甲戌（十一日），元昊建筑圣坛接受册封，僭号为大夏始文英武兴法建礼仁孝皇帝，更改

大庆二年为天授礼法延祚元年。他的祖父李继迁被追谥加号为神武皇帝,立庙号为太祖;他的父亲李德明谥号为光圣皇帝,庙号太宗。派遣使臣把僭号的情况奉表告诉朝廷。

十一月,甲辰(十二日),下诏令广西路钤辖司催促宜、融州发兵讨伐安化蛮人。起初,官军与蛮人作战,被蛮人打败,钤辖张怀志等六个人都战死了。皇帝任命洛苑使冯伸己知桂州兼任广西钤辖。冯伸己走到江陵,还没有到达目的地,于是皇帝派遣中使要冯伸己快速前进。冯伸己日夜奔驰来到宜州,修缮兵器盔甲,训练军队,招募百姓征发壮丁,转运粮饷,从三路进发。冯伸己亲临前阵,单骑走出军阵,对酋长豪强说:“朝廷优抚你们非常丰厚,为何要自取灭亡呢!你们如果听从我的话还可以活下去,如果不听从我的话,你们就全活不成了!”众蛮人仰面哭泣,围着冯伸己下拜,说:“不想今天还能再看见冯公!”在此以前,大中祥符末年及天圣年间,冯伸己曾经二次担任宜州知州,蛮人非常敬服他的威信,所以这样说。第二天,蛮人首领顶缴出以万计的兵械,率领众蛮人到军门投降,广西于是安定下来。冯伸己是冯拯的侄子。

乙巳(十三日),下诏:“宜、融州百姓曾经从军服役的,免除今年夏季的税收,运粮的免除一半。”

戊申(十六日),皇帝在景灵宫祭祀。己酉(十七日),祭祀太庙、奉慈庙。庚戌(十八日),在圜丘祭祀天地,大赦天下,改年号。百官为皇帝上尊号。

戊午(二十六日),郓州报告资政殿大学士、左仆射王曾逝世。皇帝停止上朝听政两天,赠封王曾为侍中,谥号文正。王曾姿质端庄纯厚,眉毛、眼睛如同刻画的一样,上朝时,进退有常规。平时沉默寡言,生活廉洁简朴,别人不能用私情向他求情。前后共执政十年,他所提拔和贬降的官员,没有人能够知道。范仲淹曾经向王曾问起这样的原因,王曾说:“执政大臣都希望把恩惠的事情归于自己,那么,怨恨的事情又让谁来承当呢?”范仲淹非常信服他的话。在这以前,有一颗大流星坠落在王曾的寝室,左右的人很惊讶地告诉了王曾,王曾说:“过一个月以后就会知道。”过了一个月,王曾果然去世了。皇韦占年间,皇帝用篆字在他的墓碑上写道:“旌贤之碑”,后来又把他的家乡名称改为旌贤。大臣的墓碑获得皇帝御赐篆字是从王曾开始的。

十二月,癸亥朔(初一),加封宰相张士逊为郢国公。施加恩惠给百官。

甲子(初二),京城发生地震。

辽国召集善于打鞠球的几十人在东京,让他们与近臣比赛,辽国皇帝亲临观看。己巳(初七),任命皇太弟重元判北南院枢密使事,北府宰相萨巴仍然兼知东京留守事。任命宰臣张俭守司空,宰臣韩绍芳加侍中,任命特里衮耶律玛陆为北院宣徽使,任命耶律喜逊为南府宰相。

鄜延路都钤辖司报告说元昊反叛。辛未(初九),调环庆路副部署刘平任鄜延路副都部署。癸酉(十一日),任命三司使夏竦为奉宁节度使、知永兴军,任命知河南府范雍为振武节度使、知延州。

甲戌(十二日),召龙图阁直学士、知兖州孔道辅为御史中丞。

下诏:“陕西、河东沿边地区原来与西夏有互市的地方,现在一律禁止互市。”

丁丑(十五日),下诏:“有能够捕获元昊派遣来刺探军情的人,赏钱十万。”

乙酉（二十三日），下诏："三司每年供给嘉勒斯赉绫绢一千匹、片茶一千斤、散茶一千五百斤。"

丁亥（二十五日），辽国皇帝审查囚犯，不是故意杀人的减轻处罚。南面侍御壮古哩用欺骗手段获取女真的贡物，按律当处死，因为他有处理政务的能力，判处黥刑后将他流放。

加封嘉勒斯赉为保顺军节度使、邈川大首领。自从西凉被李继迁攻陷后，巴勒结的旧部往往归顺了嘉勒斯赉，回纥人投降的又有几万人。嘉勒斯赉地处青唐，西边有临谷城，通往青海、高昌各国，南边的人都到那里进行贸易，于是富庶强大起来。朝廷想让他从背后攻击元昊以便削弱元昊的实力，因此授予他节钺。

宝元二年　辽重熙八年（公元1039年）

春季，正月，己酉（十八日），河阳报告彰信节度使、同平章事王随去世。赠封为中书令，谥号章惠，后来改为文惠。

起初，元昊派遣使者向朝廷报告自己所建立的官职，使者抵达延州，郭劝、李渭扣留使者，具状上奏："元昊虽然僭用中国的名号，然而他在表中尚且称自己为臣，可以慢慢地用礼来使他屈服，希望与大臣们详细商议此事。"下诏准许元昊使者到京城。元昊在表中说："我祖先本来出自后魏，主持赫连的旧国，拓跋的遗业。远祖思恭，在唐朝末年率兵救难，受到加封被赐予姓名。祖父继迁，高举义旗，收降了所有各部，收复临河五镇，攻下沿边境七州。父亲德明，继承先代基业，勉力听从朝廷的命令。而我偶尔狂妄逞才，创制小蕃文字，更改大汉的家冠，削改音乐的五音为一音，裁减礼仪的九拜为三拜。衣冠已经造就，文字已经实行，礼乐已经实施，器用已经齐备，吐蕃、达靼、张掖、交河，没有不服从调遣的，军民多次请求建立国家，因此我接受上天的册命即皇帝位。衷心希望陛下许给我西面的土地，册封我为南面之皇帝，那样，我一定竭尽愚忠，永远和朝廷保持友好关系。"

甲寅（二十三日），知延州郭劝降职为知齐州，鄜延钤辖兼和鄜州李渭贬降为尚食使、知汝州，这是因没有明察敌情而受到的处分。

元昊的使者将要回去，不肯接受诏令和所赐之物，枢密院商议了几天还不能决定。王德用、陈执中想把使者抓起来，盛度、张观认为不可以。最后让他离去，只是拒绝了他所献贡物，韩周又把他送到边境。

丁巳（二十六日），辽国禁止朔州卖羊给宋朝。

二月，庚午（初九），允许明州建立学校，仍然给学田五顷。

丙子（十五日），辽国皇帝进驻长春河。

三月，壬寅（十一日），编修院与三司上报历代天下的户口数字。先前，皇帝在迩英阁，阅读《正说·养民篇》，看见历代户口有增有减，回头对侍臣说："如今天下有户籍的人口有多少？"翰林侍读学士梅询回答说："先帝作《正说》，历述前代帝王如果恭敬俭朴用度有节制，那么户口数就会增加；如果赋税聚敛没有限度，那么户口数就会减少。五代人口衰减，太祖承受天命，太宗、真宗继承圣位，百姓休养生息，如今天下户口数比以前的户口数多一倍。"因此下诏给三司和编修院对天下户口数进行整理然后上报；到这时上报了户口数字。

丙午（十五日），开始，元昊反叛的消息传到朝廷，朝廷立即商议出兵讨伐，群臣争相说元昊这样的小丑可以立即把他消灭，唯有右正言吴育建议说："元昊虽然名义上是藩臣，可是他

连一尺赋一斗租也不上交朝廷，应当不循常规处置，以此表示他不值得责备。况且他既然已经僭制车仗服饰，在酋长豪强面前夸耀显示过了，势必不能够自己主动削减。应当援引国家初立时江南的旧例，稍微变换一下他的名号，这样就可以让他归顺了。”奏章呈上后，宰相张士逊笑着说：“人常说吴育心胸豁达，果然是这样！”于是吴育又呈上奏章，说应当坚壁清野，挫败其势凶猛的锋芒，慢慢察看形势再采取相应的对策；都没有答复。

丁未（十六日），调知润州范仲淹知越州。

庚戌（十九日），任命都官员外郎王素为侍御史，这是中丞孔道辅推荐他的。王素是王旦的儿子。

丙辰（二十五日），允许泉州建立学校，仍然给学田五顷。

魏国永寿保圣夫人许氏卒，停止处理政事三天，追封为肃成贤穆夫人，皇帝为她制服发哀。

丁巳（二十六日），铸造“皇宋通宝”钱。

以前钱币上的文字都叫元宝并在文字前面加上年号。到改为宝元名称时，特意下令用“皇宋通宝”作为文字。

元昊写书信及把锦袍、银带投放在鄜延边境上，用来送给金明寨李士彬，并且以叛宋相约。侦察的人得到这些东西，众将都怀疑李士彬，只有副都部署夏元亨说：“这是元昊的离间之计。李士彬与羌人有世世代代的仇恨，如果有密约，互相赠送，怎么会让大家知道呢？”于是召见李士彬并与他一同饮酒，厚加抚慰，李士彬感激得流下了眼泪。过了几天，果然去攻击贼敌，割敌首馘、获敌羊马，以此表白于众将。

下诏暂时停止贡举。

夏季，四月，癸亥（初三），封嘉勒斯赉的妻子为夫人，两个儿子都为团练使，分别赐予衣带、器币和茶绢。当时嘉勒斯赉父子之间互相猜疑，分处异地，没有隶属关系，朝廷想一同安抚他们，所以有这一任命及赏赐。

乙丑（初五），放出宫女二百七十人。皇帝因此告诉宰相张士逊等人说：“这样做不仅仅是同情她们被幽闭在深宫中，也节省了宫中的不必要的开支。近来又有人拦住车驾，献上一对孪生的女子，我拒绝了，没有接受。”张士逊说：“这的确是大恩德的事。”然而天圣末年，张士逊也曾献纳女子给宫里，受到御史杨偕的弹劾。

壬申（十二日），免除昭州为运粮而死于蛮人入侵的人家两年徭役，一年赋租。

辛巳（二十一日），颍州报告户部侍郎蔡齐去世。朝廷赠封他为兵部尚书，谥号文忠。蔡齐刚直沉稳有风采，从初入仕途，不曾到过权贵之家。丁谓当政，想要蔡齐亲附自己，蔡齐始终不去。庞籍、杨偕、刘随、段少连都是蔡齐引荐的，后来都成了有名的大臣。

丁亥（二十七日），招募河东、陕西的百姓交粮来充实边防。

右司谏韩琦上奏说：“祖宗登基以后，亲自处理各种国家大事，凡是关于奖赏、处罚或任用官吏，一定与两制的大臣们在外朝集体商议，有时有内中批旨，也都出自皇帝的意思。从太后垂帘听政时起，才开始有假借皇亲国戚，依凭宫中得宠的女子，有时从宫中发出旨意，有时仅仅是口头上奏求，这是招致侥幸心理一天胜过一天，赏罚颠倒的原因。唐朝的斜封，现今的宫中降旨，都是破坏了国家纲纪，为害极深。乞求陛下特此降下诏书，以后除非各宫宅皇族有自己分内的事才允许在宫中禀告外，其余的亲戚和文武大臣有事奏请，都要让他们用书面形式上报，更不允许到宫中上奏，违犯命令的要加重贬降，那么朝政无私，朝规就有秩序了。”五月，己亥（初九），禁止皇族和各命妇、女道士、尼姑等在不允许的时候进入宫内。

癸卯（十三日），下诏命李若谷、任中师、韩琦与三司详细讨论如何减省不必要的开支，这是依从贾昌朝的请求。

知枢密院事王德用，身材面貌魁伟刚毅，面呈黑色，而颈脖以下很白，人们都感到惊奇。他的位所在泰宁坊，地当宫城北面，开封府推官苏绅曾上疏说：“王德用的住宅枕着乾纲，相貌象艺祖。”皇帝隐匿这条奏疏没有发下去。御史中丞孔道辅也说道这件事，语言与苏绅的相同，并且说王德用深得士人之心，不应当长久掌握大权。壬子（二十一日），免为武宁节度使，到镇就任。王德用不久把宅第献给皇帝，下诏归属于芳林园，并付给宅第价钱。

任命镇海节度使夏守赟为知枢密院事。夏守赟当时为真定府路都部署，召用他。拜见以后，皇帝问西边事，夏守赟说：“平时小塞驻屯兵马不到一千，只可以抵御草寇罢了。如果大规模的敌兵到来，坚守尚且来不及，怎么能够出击呢！应当合并小塞的兵马，共同扼守重要的地方，有方便的时候就出击，这样才可以获得成功。”皇帝也深信是这样。

韩琦说：“如今想要减省不必要的开支，不如从宫廷开始。请让三司拿出入内内侍省和御药院、内东门司先朝以及今朝以来赐予支费的账目，比照参定，都加以减省，没有正当理由的全部罢黜。”下诏：“禁中的开支，只令入内内侍省、御药院、内东门司同商议适当减省。臣僚们的赐予，即允许询问入内内侍省等处施行。”韩琦又说：“景德至景祐的文书，有关部门一定并不完全具备。如果等到收集齐了才开始商议裁减，徒然耽搁时间。只要考查如今的调度情况，如果确实是不必要的开支，就可立即蠲免减省。如以前的将相大臣、皇亲国戚和权贵近臣的家庭，多占用六军，耗费国家衣粮，妨碍征发徭役，在京城不只几千人，像这类情况，何必要等待以前的文书来校核呢！”下诏同意这条建议。

癸丑（二十三日），废除群牧制置使。不久又恢复。

六月，壬戌（初三），下诏：“车仗服饰及宫廷的花费，应当从简；象官吏士兵们的俸禄赏赐，不许立即加以裁减。”当时的讨论中有人想减省官吏士兵们的俸禄赏赐，皇帝说：“俸禄和朝廷给予的粮食都有一定的制度，不能够立即加以改变，以防动摇人心。”所以降下此诏。

丙寅（初七），任命左侍禁鲁经为阁门祗候。鲁经曾经出使嘉勒斯赉，特此提拔他。以前派遣鲁经手持诏书晓谕嘉勒斯赉，让他攻击元昊以便削弱元昊的势力，赐予帛二万匹。嘉勒斯赉遵奉诏书发兵四万五千人前往西凉，西凉已有准备，嘉勒斯赉知道不能打胜，捕杀了几十个巡逻的敌人后赶忙撤回，声称以后再举兵攻击，然而终于没有能够再举兵。当初讨论时有人建议用重贿让嘉勒斯赉攻击元昊，就把攻击得到的土地赐给他，参知政事程琳说：“让他得到土地，就会出现又一个元昊；不如用离间之计，使二羌势不两立，对中国有好处。”

戊辰（初九），下诏：“各退休官员曾犯有贪赃罪的，不得延恩于子孙。”

辛未（十二日），任命殿前都虞候石元孙为鄜延路副都部署。石元孙是石守信的孙子。

壬申（十三日），任命左千牛卫将军宋实为右千牛卫大将军，开始从宫中回家。

先前下诏给陕西安抚使庞籍，让他传旨给知永兴军夏竦商讨西部边境事务，丙子（十七日），夏竦说：“继迁一族本来是党项人的后裔，太平兴国中，用尽内府的钱财和关中的力量，

不能把他消灭。真宗即位后,告诫边疆官吏谨守好烽火台,严格训练士兵和整修车乘,这实在是真宗的远见卓识。然而自从灵州陷落,银、绥割让以来,他们假借朝廷的威望,积聚中原所赐之物,攻占了黄河以外的地方,征服臣服一些小蕃。德明、元昊,长久相承袭,开拓土地一千多里,聚积财货几十年,和继迁时比较,势力大大增强了。家畜喂得过饱,猖獗之态立即显现出来。

"议论的人没有不想大规模地征讨,然而自古以来兵家都是先谋划好以后再去打仗,这样,行动起来就不会有失误。把继迁时的贫穷困顿,与元昊时富庶殷实相比之后,目前的形势就可以知道了;把先朝的常胜军队与今当关东的军队相比,就可以知道勇猛和怯懦了;把建立国家懂得打仗的统帅与边境上没有打过仗的将领相比,就可以知灵巧和笨拙了;继迁逃跑潜伏在平夏,元昊在黄河之外还领有土地,就可知道地势不同了。如果分兵深入进讨,必须自备粮草,不能支持长久,须运送粮草,难于及时送到。大军进入敌人境地,宜于速战,进攻,敌人就躲避锋芒,撤退,敌人就会紧追在后,白天设下巧妙的埋伏,夜晚用火烧坏营栅,军队疲惫,粮食匮乏,非常值得忧虑。如果直捣他的巢穴,必须渡过大河,既然没有大型船只,就必须用绳索挽着浮筏。敌人在岸边列好阵营,以逸待劳,我军渡过一半时,敌人左右夹击,不知用什么方法可以抵御。我认为不比较主客双方的利弊,不考虑攻守的难易,就要求征讨,是没有策略的。

"事情若不预先商定好,必然会有后忧。我现在献上十条计策:一,训练士卒使用强弩,以此作为奇兵;二,笼络所属羌人用作防护的藩篱;三,下诏令嘉勒斯赉父子协力攻击贼军;四,根据地形的险易远近,寨栅的多少,士兵的勇怯,而增减屯驻的军队人数;五,下诏命各路军队互相接应援助;六,招募土人入伍,号称神虎、保捷,每州各一二千人,以代替东部的军队;七,增设弓手、壮丁、猎户用作守城力量的后备军;八,沿边的小寨,不要储存粮草,敌人攻打很急时就放弃小寨退保大寨,以保全军事力量;九,关中百姓犯罪,如果是因过失造成的,允许输粮入官以赎罪,铜一斤相当于粟五斗,以丰赡边境军事所需;十,裁减边境的冗兵、冗官以及减少骑兵,以解决运输粮食的困难。"当时颇多地采用了这些策略。

壬午(二十三日),下诏削去赵元昊的官爵,除去他的名籍,发榜于边境,招募能擒获赵元昊的人,如果能够斩其头献给朝廷的话,就封他为定难节度使。元昊境内的蕃、汉官员如果能率领族人归顺朝廷,按等级次序给予恩惠。起初,保忠只被赐予国姓,而诏令里说除去名籍,这是错误的。

甲申(二十五日),调监泰州酒税务余靖知英州,监唐州酒税尹洙知长水县,乾德县令欧阳修权武成军判官。

丙戌(二十七日),下诏令河东安抚司呈文于辽国,告诉辽国元昊反叛已被夺官除籍以及沿边境增加兵力的情况。

秋季,七月,知谏院韩琦请求皇帝从今以后双日只到后殿处理国家大事。皇帝询问辅政大臣旧例如何,张士逊说:"唐朝五天一开延英殿,这是借助悠闲来抚养皇帝的精神。"皇帝说:"这与所谓宵衣旰食本来就不一样。前代的帝王,没有不是一开始勤于政事而后来失于安逸享乐,不可不引为借鉴。"其时皇帝患有小病,太医多次进药,因此韩琦有此请求,皇帝终是不同意。

先前，辽国皇帝把太后幽禁在庆州，改葬齐天后以后，群臣大都劝说辽国皇帝迎还太后，可以获得南朝送聘礼的好处，没有依从。适逢辽国皇帝召集僧侣，听讲《报恩经》，醒悟过来。丁巳（二十八日），辽国皇帝拜谒庆陵，在望仙殿设奠礼，于是亲自迎接太后到显州，拜谒园陵，然后返回京城。太后见到赵安仁，责备他说："你负罪当死，我曾经救过你；不指望你能返报于我，为何要挑拨离间我们母子的关系呢？"赵安仁没有话回答。

戊午（二十九日），任命知永兴军夏竦为知泾州兼泾原、秦凤路沿边经略安抚使、泾原路马步军都部署，知延州范雍兼鄜延、环庆路沿边经略安抚使、鄜延路马步军都部署。

八月，己巳（初十），贬降武宁节度使王德用为右千牛卫上将军，知随州，仍然特别设置一名判官。起初，王德用已经因孔道辅的参奏被免去知枢密院职，而河东都转运使王沿又说王德用曾经令府州折继宣买马。到此时，王德用把马和证券交了上去，本是从商人手中买的，然而还是听从别人的一面之词而再次贬降他。家里的人都很惶惑惊恐，可是王德用的举止言谈和平时一样，只是不接待宾客罢了。

西川从夏季到秋季都没有下雨，百姓闹大饥荒。庚辰（二十一日），任命韩琦为益利路体量安抚使，西染院副使王从益为副使；任命蒋堂为梓夔路体量安抚使，左藏库副使夏元正为副使。

起初，皇帝采用礼官的决议，在京郊祭祀高禖，又因宋朝是从火德，制作赤帝像于宫门中来祈祷保佑生皇子。不久皇子出生了，辛巳（二十二日），命参知政事王鬷用太牢的大礼来报答奉祠的高禖。皇帝有许多皇子，后来都不曾养大成人。

续资治通鉴卷第四十二

【原文】

宋纪四十二　起屠维单阏【己卯】九月，尽上章执徐【庚辰】十二月，凡一年有奇。

仁宗体天法道极功全德　神文圣武睿哲明孝皇帝

宝元二年　辽重熙八年【己卯，1039】　九月，乙未，以知府州折继宣苛虐掊克，失种落心，贬为楚州都监，以其弟继闵知府州事。

丙申，以殿中丞张宗古通判莱州。

时御史中丞孔道辅再执宪，权贵惮其鲠直。初，道辅迎其父里中，僦郭贽旧宅居之。有言于帝曰："道辅家近太庙，出入传呼，非所以尊神。"即诏道辅它徙。宗古言："汉内史府在太庙堧中，国朝以来，庙垣下皆有官司第舍，请勿令避。"帝曰："若此，岂重宗庙乎！"坐是，宗古外谪。道辅叹曰："悆人之言入矣。"宗古，宗彝弟也。

乙卯，出内库银四万两，易粟赈益、梓、利、夔路饥民。

是月，太子中允、直集贤院富弼上疏曰："闻去年十二月元昊反，变起仓卒，众皆谓之忽然，臣则知其有素。昔元昊常劝德明勿事中朝，杜绝朝贡，德明以力未盛，不用其谋。岂有身自继立而不行其说邪？此反状有素者一也。自与通好，略无猜情，门市不讥，商贩如织，山川之险夷，国用之虚实，莫不周知。又，比来放出宫女，任其所如，元昊重币纳之左右，朝廷之事，宫禁之私，皆所窥测，济以凶狡之性，岂顾宗盟？此反状有素者二也。西鄙地多带山，马能走险，瀚海弥远，水泉不生，王旅欲征，军须不给，穷讨则遁匿，退保则袭追；元昊恃此艰险，得以猖狂。此反状有素者三也。朝廷累次遣使，元昊多不致恭，虽相见之初，暂御臣下之服，而退出之后，便具帝者之仪。此反状有素者四也。顷年灵州屯戍军校郑美奔戎，德明用之持兵，朝廷终失灵武。元昊早蓄奸险，务收豪杰，故不第举子数人自投于彼，元昊或授以将帅，或任之公卿，倚为谋主。此反状有素者五也。元昊援契丹为亲，缓则指为声势，急则假其师徒，至有犄角为奇，首尾相应，彼若多作牵制，我则困于分张。此反状有素者六也。是六者，岁月已久，中外共闻，而天子不得知，朝廷不为备，此两府大臣之罪也。

"闻元昊遣使，多择勇悍难制、强辩自高者，谓必不敢加诛。我若察其叛谋，于始至之日，尽斩都市，即时削夺，或命将致讨，或发兵备边，战士必为之增气。而反召之都下，恣其货易，重币遣还，岂非冀其回心易虑、复义向化乎？夫朝廷结以恩信，几四十载，尚无怀感之意，岂兹姑息，遂可悛移！总缘执事者选懦自居，杀之恐其急击，囚之恐其有辞，遂至放还，假示宽贷。向若未能加戮，只宜境上却回，使其不测浅深，犹可谓之下策。召而复遣，成其不辱君命之贤，大国之谋，悉为小戎所料。谋国若此，取侮之道也。

"鄜延路尝与蕃兵接战，有一寨主为蕃兵所得，及掳去军民甚众，西头供奉官马遵引兵追战，即时夺回。延帅范雍及副都部署刘平奏乞酬奖，朝命只迁东头供奉官而已。夫马遵者，出死力，突坚围，引既衄之兵，入不存之地，夺已禽之将士，拔已陷之师徒，虽非大功，亦可谓之奇节。主帅保奏，理合超迁；只进一官，殊乖舆论。

"枢密使夏守赟，早缘攀附，渐致显荣，一旦擢居众贤之上，人心不允。况复元昊作梗，西陲用兵，所宜遴选才能，而遽用斯人，不问贤愚，皆所轻笑。亟宜罢免，以重观瞻。

"西鄙用兵以来，数差移武臣往彼，每有过阙求见者，必于边事有所闻。陛下听朝之馀，何惜一见，待以从容，加之善诱，使尽意敷陈！然后观其奏对之是非，察其趋向之邪正，可者则奖激而遣之，不可亦优容而罢之。如此，则各尽所怀，无不感悦，勇锐立功，何忧乎叛寇，何恤乎用兵哉！"

冬，十月，甲子，罢诸司三品官卒辍视朝。初，光禄卿郑立卒，礼官举故事，请辍朝。而议者以为今诸司三品非要官，恩礼不称辍朝，故罢之。

宗正寺修玉牒官李淑上所修《皇帝玉牒》二卷，《皇子籍》一卷。

癸酉，降益州路转运使明镐知同州，坐知陵州楚应机受赇，镐失案举也。应机将败，或告镐以先期奏之，镐曰："获罪则已，安可欺朝廷邪！"

是月，辽主驻东京。

十一月，戊子朔，出内库珍珠估缗钱三十万赐三司。帝谕辅臣曰："此无用之物，既不欲捐弃，不若散之民间，收其直，助籴边储，亦可少纾吾民之敛也。"

壬辰，诏："礼部贡院，自今省试举人，设帘都堂中间，而施帷幕两边，令内外不相窥见。点检试卷官及吏人，非给使毋得辄至堂上。其诗、赋、论题，并以注疏所解揭示之，不许上请。或题义有疑当请者，仍不得附近帘前。御试考校，并分上中下三等，初考用墨，其点抹于卷后通计之，若涂注脱误四十字以上为不谨，亦依礼部格少字数退黜之。"

甲午，辽主谕近臣曰："有以北院处事失宜，击钟及邀驾者，悉以奏闻。"

丁酉，知枢密院事盛度，罢为尚书右丞、知扬州，参知政事程琳，罢为光禄卿、知颍州，御史中丞孔道辅，出知郓州。

初，张士逊素恶琳而疾道辅不附己，将并逐之。会开封府吏冯士元以赃败，知府郑戬穷治之，辞连度、琳及天章阁待制庞籍等十馀人。士逊察帝有不悦琳意，即谓道辅曰："上顾程公厚，今为小人所诬，宜见上为辨之。"道辅入对，言琳罪薄，不足深治。帝果怒，以道辅朋附大臣，故特贬焉。于是度坐令士元强取其邻所赁官舍，琳坐令士元给市张逊故第，籍坐令士元市女口，皆黜罢，而士元流海岛。顷之，帝谓辅臣曰："所决冯士元狱，如闻颇惬舆论。"士逊对曰："台狱阿徇，非宸断无以肃清朋邪。"

戊戌，辽命皇子梁王召僧论佛法。辽主重佛教，僧有正拜三公、三师兼政事令者凡二十人。

辛丑，许建州立学，仍给田五顷。

壬寅，以参知政事王鬷知枢密院，翰林学士、知制诰宋庠参知政事。

时陕西用兵，调费日蹙，天章阁待制、同判礼院宋祁上疏论三冗三费："有定官，无限员，一冗也；厢军不任战而耗衣食，二冗也；僧道日益多而不定数，三冗也。道场斋醮，无日不有，皆以祝帝寿、祈民福为名；宜取其一二不可罢者，使略依本教以奉薰修，则一费节矣。京师寺观或多设徒卒，(故)〔或〕增置官司，衣粮所给，三倍它处，帐幄谓之供养，田产谓之常住，不徭不役，生蠹齐民；请一切罢之，则二费节矣。使相、节度不隶藩要，取公用以济私家；请自今地非边要，州无师屯者，不得建节度，已带节度不得留近藩及京师，则三费节矣。臣闻人不率则不从，身不先则不信，陛下若能躬服至俭，风示四方，衣服醪膳，无溢旧规，请自乘舆始；锦采珠玉，不得妄费，请自后宫始。"

戊申，辽以太后行再生礼，大赦。

己酉，辽城长春。

是月，夏人寇保安军，鄜延钤辖卢守懃等击走之。贼又以三万骑围承平寨，鄜延副部署祥符许怀德时在城中，率劲兵千馀人突围破贼，贼乃解去。

十二月，庚申，诏审刑院、大理寺、刑部毋通客宾。

乙丑，赏保安军守御之功，以卢守懃为左骐骥使，都巡检司指使、散直西河狄青为右班殿直。青功最多，故超四资授官。

帝尝问参知政事宋庠以唐入閤仪。戊辰，庠上奏曰："夫入閤，乃唐只日于紫宸殿受常朝之仪也。自高宗以后，天子多在大明宫，宫之正南门曰丹凤门，门内第一殿曰含元殿，大朝会则御之。对北第二殿曰宣政殿，谓之正衙，朔望大册拜则御之。又对北第三殿曰紫宸殿，谓之上閤，亦曰内衙，只日常朝则御之。以本朝宫殿视之，大庆殿，唐含元殿也；文德殿，唐宣政殿也；紫宸殿，唐紫宸殿也。唐制，每遇坐朝日，即为入閤。而叔世离乱，五朝草创，正衙立仗，因而遂废。其后或有行者，常人罕见，乃复谓之盛礼，甚不然也。开元旧礼本无此制，至开宝中，诸儒增附新礼，始载月朔入閤之仪，又以文德殿为上閤，差舛尤甚，盖当时编撰之士讨求未至。太宗朝，儒臣张洎亦有论奏，颇为精洽。或朝廷它日修复正衙立仗，欲下两制，使豫加商榷，以正旧仪。"然议者以为今之殿閤与旧制不同，难复行之。

己巳，降侍御史王素为都官员外郎、知鄂州。初，孔道辅与素连姻，举素为台官。道辅既贬，故并素出之。

壬申，诏中书："自今御史阙官，宜如旧制，具两省班簿来上，朕自择举。"初，中丞与知杂御史例得举台官，及道辅举素，帝以为比周，故降是诏。

癸酉，以益、梓、利、夔路饥，罢皇子降生进奉，从韩琦请也。

异时有司督责赋役烦急，收市上供物不以其直，琦悉为轻减蠲除之，逐贪吏，罢冗役，活饥民一百九十馀万。明道中，简州劝诱纳粟，复粜之，为钱十六馀万，悉归常平。琦曰："是乃赈济之馀，非官缗也。"发库，尽给四等以下户。

孔道辅既贬郓州，始知为张士逊所卖，颇愤惋，行至韦城，发病卒。然天下皆以遗直许之。

闰月，己酉，以开封府推官、直集贤院富弼知谏院。

是月，元昊复遣贺九言赍嫚书，纳旌节及所授敕告，并所得敕榜，置神明匣，留归娘族而去。

是岁，直史馆苏绅陈便宜八事：曰重爵赏，遴选择，明荐举，异章服，适才宜，择将帅，辨忠邪，修备豫；除史馆修撰。绅又请诏西边将帅为入讨计，且曰："以十年防守之费，为一岁攻取之资，不尔，则防守之备不止于十年矣。"

鄜延、环庆副都部署刘平上言："元昊侵逆，恣行杀害，众叛亲离，复与嘉勒斯赉相持已久，结隙方深，此乃天亡之时。臣闻寇不可玩，敌不可纵。若以鄜延、环庆、泾原、秦陇四路军马分为两道，益以蕃汉弓箭手、步骑，得精兵二十万，比元昊之众三倍居多，乘人心离散，嘉勒斯赉立敌之时，缘边州军转徙粮草二百馀里，不出一月，可坐致山界洪、宥等州；招集土豪，授以职名，给衣禄金帛，自防御使以下刺史以上，第封之，以土人补将校，勇者贪于禄，富者安于家，不期月而人自定。或授嘉勒斯赉以灵武军节度使、西平王，使逼元昊河外族帐，复出鄜、延、石州蕃汉步骑收河西部族，以厚赏招其酋帅，其众离贰，则以大军进讨，以所得城邑封之，元昊不过窜身河外穷寇耳。"

"或朝廷贷元昊之罪，更示含容，宿兵转多，经费尤甚，恐契丹谓朝廷养兵百万，不能制一小戎，有轻中国之心，然亦须议守御之长计。或元昊潜与契丹结为声援，以张其势，则安能减西兵以应河北！譬如一身二疾，不可并治，必轻者为先，重者为后也。请召夏竦、范雍与两府大臣议定攻守之策，令边臣遵守。"

初，夏竦请增置士兵，易戍兵东归。令既下，为知河中府、龙图阁直学士杨偕所驳而止。

鄜州判官种世衡言："延安东北二百里，有故宽州，请因其废垒而兴之，以当寇冲。右可固延安之势，左可致河东之粟，北可图银、夏之旧。"朝廷从之，命世衡董其役。夏人屡来争，世衡且战且城。然处险无泉，疑不可守，凿地百五十尺始至石，石工辞不可穿。世衡命屑石一畚，酬百钱，卒得泉以济。城成，赐名青涧。世衡，放兄子也。

康定元年 辽重熙九年【庚辰，1040】 春，正月，丙辰朔，日有食之。知谏院富弼请罢宴彻乐，就馆赐北使酒食。参知政事宋庠以为不可，遂仍举宴乐。

壬戌，赐国子监学田五十顷。

初，夏人自承平退，声言将攻延州。范雍闻之，惧甚，请济师。元昊诈遣其衙校贺真来言，愿改过归命。雍遽闻于朝，厚礼真而遣之，遂不设备。

元昊乃盛兵攻保安，自土门路入。癸酉，攻金明寨，都监李士彬父子俱被擒，遂乘胜抵延州城下。

雍先以檄召鄜延、环庆副都部署刘平于庆州，使至保安，与鄜延副都部署石元孙合军趋土门；及是雍复召平、元孙还军救延州。平得雍初檄，即率骑士三千发庆州，行四日，至保安，与元孙合军趋土门，而雍后檄寻到，平、元孙遂引还。乙亥，复至保安。平素轻贼，谓其下曰："义士赴人之急，蹈汤火犹平地，况国事乎！"因昼夜倍道兼行。丁丑夜，至三川口西十里止营，令骑兵先趋延州夺门。时鄜延都监黄德和将二千馀人屯保安北碎金谷，巡检万俟政、郭遵各将所部分屯。雍皆召之为外援，平亦使人趣其行。

戊寅，德和、政、遵所将兵悉至。五将合步骑万馀，结阵东行五里，平令诸军齐进，至三川口遇贼，时平地雪数寸，官军争奋，杀贼骑五七百人，乃退。贼复蔽盾为阵，官军击却之，夺盾，杀获及溺水死者又八九百人。平左耳右胫皆中流矢。日暮，战士上首级及所获马论功。平曰："战方急，且自记之，悉当赏汝。"语未已，贼以轻兵薄战，官军却引二十馀步。黄德和居

阵后,见军却,率麾下军走保西南山,众军随皆溃。平遣其子宜孙驱追德和,执其辔拜之曰:“当勒兵还,并力拒贼,奈何先引去!”德和不从,遂策马遁,与宜孙皆赴甘泉。

平遣军校以剑遮留士卒,得千馀人,力战拒贼,贼退还水东。平率馀众保西南山下,立七寨自固,距贼一里所。贼夜使人至寨,问主将所在,平戒军士勿应。夜四鼓,贼环寨大呼曰:“几许残卒,不降何待!”平使人应之曰:“狗贼,汝不降,我何降也! 明日救兵大至,汝众庸足破乎!”己卯,黎明,贼复招降,不从。贼麾骑自山四出,合击官军,平与元孙巡阵东偏,贼冲阵分为二,遂与元孙皆被执。

贼围延州凡七日,及失二将,城中忧沮,不知所为。会是夕大雪,贼解去。

士彬世守金明,有兵近十万人,控扼中路,众号铁壁相公。元昊叛,遣使诱士彬,士彬杀之。元昊乃使其民诈降士彬,士彬白范雍,请徙置南方,雍曰:“讨而禽之,孰若招而致之?”乃赏以金帛,使隶士彬。降者日至,分隶诸寨甚众。元昊使其将每与士彬遇,辄不战而走,曰:“吾士卒闻铁壁相公,胆坠于地。”士彬益骄,又以严酷御下,多怨愤者。元昊阴以金爵诱其所部渠帅,往往受之,而士彬不知也。及贼骑大入,诸降者为内应,士彬时在黄堆寨,闻贼至,索马,左右以弱马进,遂鞚以诣元昊,与其子怀宝俱陷没。雍初闻贼大举,令士彬分兵守三十六寨,勿令贼得入,怀宝谏曰:“今当聚兵御寇,分则势弱,不能支也。”士彬不从。怀宝力战死。或曰元昊得士彬,割其耳而不杀,后十馀年乃卒。

黄德和诬奏刘平、石元孙降贼,知枢密院事夏守赟辨其枉,自请将兵击贼。二月,丁亥,以守赟为陕西都部署兼经略安抚等使。

参知政事宋庠请严守备于潼关,从之。知谏院富弼言:“天子守在四夷,今城潼关,自关以西为弃之邪?”

己丑,以入内副都知王守忠为陕西都钤辖。富弼言:“唐以内臣监军,取败非一。今守忠为都钤辖,与监军何异! 昨用夏守赟,已失人望,愿罢守忠勿遣。”不听。

以鄜延钤辖、知鄜州张宗诲领兴州防御使,许便宜从事。刘平、石元孙之败,黄德和遁还鄜州,时鄜城不完,且无备,传言贼骑将至,人心惴恐。宗诲乃严斥候,力为守御计,贼亦引去。宗诲,齐贤子也。

庚寅,诏嘉勒斯赉速领军马,乘元昊空国入寇,径往拔其根本,成功当授银、夏节制,仍密以起兵日报沿边经略安抚司,出师为援;别赐对衣、金带、绢二万匹。嘉勒斯赉虽被诏,卒不能行。

壬辰,命夏守赟兼沿边招讨使。

宰相张士逊等言禁兵戍边久,其家在京师者或不能自存,帝特出内藏缗钱十万以赐之。士逊等因请遣使安抚陕西。于是起居舍人、知制诰韩琦适自蜀归,论西兵形势甚悉,即命琦为陕西安抚使,西上阁门使符惟忠副之。帝谓琦曰:“西戎猖獗,官军不习战,故数出无功,今因小警,乃开后福。”

甲午,以通判镇戎军田京佥署陕西经略判官事,从夏守赟请也。京,亳州人。

乙未,京畿、京东、西、淮南、陕西路括市战马,敢辄隐者,重置之法,出内库珠偿民马直。又禁边臣私市,阙者官给。韩琦言:“陕西科扰频仍,民已不胜其困,请免括此一路,以安众心。”从之。

丁酉，诏枢密院自今边事并与宰相参议。知谏院富弼言："边事系国安危，不当专委枢密院而宰相不与。乞如国初，令宰相兼枢密使。"帝取其言而降是诏。张士逊、章得象等以诏纳帝前，曰："恐枢密院谓臣等夺权。"弼曰："此宰相避事耳！"

时西蕃首领吹同乞砂、吹同山乞自嘉勒斯赉界各称伪将相来降，诏补三班奉职、借职，羁置湖南。弼言："二人之降，其家已诛夷，当厚赏以劝来者。"庚子，以乞砂、山乞并为左千牛卫将军，各赐帛茶，使还本族捍贼。

赐永兴军草泽高怿号安(业)〔素〕处士。怿，季兴四世孙，从种放隐终南山，与张峣、许勃号南山三友，屡膺荐辟及召命，俱固辞。帝嘉其守，特赐之，诏州县岁时礼遇，仍给田五百亩。其后文彦博又言怿高行可厉风俗，复赐第一区。

初，元昊既陷金明寨，遂攻安远、塞门、永平等寨。永平寨主、监押初欲敛兵匿深山避贼，指挥使史吉帅所部数百人遮城门，立于马前曰："兵则完矣，如城中百姓刍粮何？异日为有司所劾，吉为指挥使，不免于斩，愿先斩吉于马前！不然，不敢以此兵从行也。"寨主、监押惭惧而返。敌至，围城，吉率众拒守，卒完城，寨主、监押以功各迁一官。吉曰："幸不丧城寨，吾岂论功乎！"

丙午，赦延州、保安军流以下罪，贼所劫掠地，蠲其夏税，军民及内属蕃部为贼所害者，量赐其家缗钱。

是日，改元，去尊号"宝元"二字，许中外臣庶上封章议朝政得失。自范仲淹贬，禁中外越职言事。知谏院富弼因论日食，谓应天变莫若通下情，愿降诏求直言，尽除越职之禁，帝嘉纳焉。

丁未，诏陕西安抚使韩琦与转运司量民力，蠲所科刍粮，调民修筑城池，悉具数以闻，当加优恤。将佐懦怯者并令罢去。停诸州上供不急之物数十万。时庆州人陈淑度等陈边防策，既而补官东南。琦奏曰："士忠义愤懑，为国献计，虽稍收用，乃置于僻左，何得自效！"诏皆徙边任。

癸丑，降振武节度使、知延州范雍为吏部侍郎、知安州，坐失刘平、石元孙也。以环庆副部署雄州赵振为鄜延副都部署兼知延州，秦凤路副部署刘兴为环庆副都部署兼知环州。

时贼兵尚围塞门、安远寨，延州诸将畏避，莫敢出救。及闻雍责命，众忧骇，诉于安抚使韩琦，愿无使雍去。琦奏："雍二府旧臣，尽瘁边事，乞且留雍以安众心。赵振粗勇，俾为部署可矣！若谓雍节制无状，势必当易，则宜召知越州范仲淹委任之。"

三月，乙卯朔，赠万俟政子天益为太子右内率府副率，以与西贼战殁也。

辽主驻鱼儿泺。

丙辰，内出手诏赐两府及执政旧臣，俾条上陕西攻守之策。

元昊侵边不已，言者追咎郭劝、李渭不当拒绝山遇；庚申，命再降其官。

癸亥，诏陕西城池，委都转运使张存与安抚使韩琦相度，且治边要之处，馀令以渐兴功，毋致伤农。

诏沿边各置烽候。先是但走人侦报，韩琦以为请，乃从之。

辛未，诏延州录战殁军士子孙。

辽以应圣节大赦。

壬申，以宫苑使高志宁为河北诸州军安抚使兼两路营田使。元昊初反，志宁时知隰州，亟上言："请乘贼未发，选骁将锐兵，分道急趋，覆其巢穴。"章数十上，不报，徙知贝州。至是思其言，即召至阙，问："今宜为何策？"志宁曰："今将不达权而兵不识法制，故败。"乃请禁兵五百，以古阵法教之。既成，帝临试之，复下禁卫诸帅议。诸帅出行伍，不达古法，乃曰与今所习异，不肯用。志宁又言："元昊北与辽通，宜为备。"故有此命，俾经略之。

癸酉，太子中允、知长水县尹洙权佥署泾原、秦凤经略安抚司判官事，从泾原路副部署葛怀敏辟也。怀敏，霸之子。

太子中允阮逸上《钟律制议》并图三卷，诏送秘阁。

延州之役，郭遵以西路都巡检使属刘平麾下，既与贼遇，驰马入阵，杀伤数十人。贼出骁将杨言当遵，遵挥铁杵破其脑，两军皆大呼，复持铁枪挺进，所向披靡。会黄德和引兵先溃去，贼战益急，遵奋击，期必死，军稍却，即覆马以殿，又持大稍横突之。贼知不可敌，使人持拳索立高处迎遵马，辄为遵所断；因纵使深入，攒兵注射之，中马，马踠仆地，被杀。于是特赠遵果州团练使。遵，开封人也。

丙子，大风昼冥，经刻乃复。是夜，有(异)〔黑〕气长数丈见东南。丁丑，罢大宴，申诏中外言阙政。先是改元，诏求直言，群下无言者故也。

戊寅，知枢密院事王鬷、陈执中、同知枢密院事张观并罢；鬷知河南府，执中知青州，观知相州。元昊叛，帝数问边计，不能对。及刘平、石元孙等败，议刺乡兵，久不决。帝不悦，宰臣张士逊言："军旅之事，枢密院当任其咎。"于是三人同日罢。

以三司使晏殊、知河南府宋绶并知枢密院事，驸马都尉王贻永同知枢密院事。殊在三司，请罢内臣监兵，不以阵图授诸将，及募弓箭手教之，以备战斗。又请出宫中长物助边费，凡它司之领财利者，殊奏悉罢还度支，事多施行。帝初以手诏赐大臣居外者，询攻守之略，绶在河南，画十策以献。于是复召，与殊及贻永同管枢密。贻永，溥之孙也。

召知永兴军杜衍权知开封府。关中民苦调发，衍为之区处计画，使得次第输送，永兴比它州民费省几半。及为开封，于民政尤尽力，权近莫敢干以事者。

知越州范仲淹复天章阁待制、知永兴军，始用韩琦言也。

诏："诸路转运使、提点刑狱及知州、通判升朝官，各举部内才任将帅者，以名闻。"从富弼言也。

黄德和之诬刘平以降贼也，引败卒之言为证。已而平亲随王信自延州来，妄言平与贼约和，德和患其异词，潜给以银钗，使亡去。而鄜延已使人拘信，信求济于平之子，且曰："太尉与贼约和，今乃云降贼，信当以死明之。"鄜延路走马承受驰驿以闻。德和还延州，至城南，范雍不纳，使人代领其众，遣归鄜州听命，寻徙同州。德和惧，且奏言："尽忠于国，而范雍诬臣弃军。"又以书抵卢守懃及薛文仲曰："如有中贵人来，当为我营护之。"守懃得书，又以闻。乃命殿中侍御史介休文彦博、入内供奉官梁致诚就河中府置狱，复遣天章阁待制庞籍驰往讯之。

河东都转运使王沿又言："访闻延州有金明败卒二人自贼中逃还，云平等皆为贼缚去，平在道不食，数骂贼云：'狗贼，我颈长三尺馀，何不速斩我！'"彦博牒延州求二卒，竟弗得。

始，朝廷信德和奏，已发禁兵围平等家，将收其族。天章阁侍讲贾昌朝言："汉杀李陵母妻，陵不得归，而汉悔之。先帝厚抚王继忠家，卒得其用。平事未可知，而先收其族，使果存，亦不得还矣。”乃得不收。龙图阁直学士任布，亦言平非降贼者。知谏院富弼力奏：“平引兵赴援，行不淹日，以奸臣不救故败，竟骂贼不食而死，宜恤其家。”而延州吏民复诣阙诉平战没状。帝命撤围，赐平及元孙家绢五百匹，钱五百贯，布五百端。时河中狱犹未决也。

延州之围既解，钤辖卢守懃与通判计用章更讼于朝廷，亦命文彦博等即河中府劾之。

时内侍用事者多为守懃游说，既改除守懃陕西钤辖，知制诰叶清臣闻朝廷议薄守懃罪而流用章岭南，即上疏曰：“臣闻众议，延州之围，卢守懃首对范雍号泣，谋遣李康伯见元昊，为偷生之计。计用章以为事急，不若退保鄜州，李康伯遂有‘宁死难不可出城见贼’语。今守憨恐仓卒之言为人所发，遂反覆前议，移过于人。顷诏文彦博置劾，未分曲直是非，而遽欲罪用章、康伯，特赦守懃，此必有结附中人荧惑圣听者。望诏彦博鞫正具狱，苟用章之状果虚，守懃之罪果白，用章置重科，物论亦允。无容偏听一辞，以亏王道无党之义。”知谏院富弼亦言卢守懃、黄德和皆中官，怙势诬人，冀以自免，宜竞其狱。枢密院奏方用兵，狱不可遂。弼又言大臣附下罔上，狱不可不竟。时守懃子昭序方句当御药院，弼奏乞罢之。

始，延州民诣阙告急，帝召问，具得诸将败亡状。执政恶之，命边郡禁民擅赴阙者。富弼言：“此非陛下意，宰相恶上知四方有败耳。民有疾，不得诉之朝，则北走契丹、西走元昊矣。”

己卯，以直史馆吴遵路为天章阁待制、河东路计置粮草。遵路尝建议复民兵，于是并诏遵路籍河东乡丁为边备，仍下其法于诸路。

庚辰，诏参知政事同议边事，从晏殊请也。

癸未，诏中书别置厅与枢密院议边事。遂置厅于院南。

吏民上书者甚众，初不省。知谏院富弼言：“知制诰本中书属官，可选二人，置局中书，考其所言，可用用之。”宰相以付学士，弼言：“此宰相偷安，欲以天下是非尽付它人也。”

是月，诏权停贡举。

夏，四月，丙戌，省陕西沿边堡砦。

丁亥，以太常博士梁适为右正言，谏院供职。适初为审刑详议官，梓州妖人白彦欢者，依鬼神以诅杀人，狱具，以不伤谳。适曰：“杀人以刃，或可拒，而诅不可拒，是甚于刃也。”卒以死论。尝与知院事燕肃同上殿奏使臣何次公案。帝曰：“次公似是汉时人字。”适对曰：“盖宽饶、黄霸皆字次公。”帝悦，因问适家世，擢提点京东刑狱。既对，谓宰相曰：“梁适可留，候谏官有阙命之。”适因进《居安谨治箴》，改开封府推官，不半岁，卒践谏职。

以知谏院富弼为盐铁判官。

命大理寺丞、秘阁校理石延年往河东路同计置催促粮草。

明道中，延年尝建言：“天下不识战三十馀年，请选将练兵，为二边之备。”不报。及西边数警，始召见，命副吴遵路使河东，时方用延年之说，籍乡丁为兵故也。延年又言：“昔汉用西域之兵，破荡诸戎。去年授嘉勒斯赉节制，令助讨元昊，宜募愿使其国者护发其兵，如有功则加以王爵。又，回鹘在嘉勒斯赉西，亦可兼诱之，使掎角兴师以分贼势。”戊子，诏审官、三班院、吏部流内铨募愿使嘉勒斯赉者以名闻，始用延年议也。

庚寅，以盐铁副使蒋堂为淮南、江、浙、荆湖制置发运使。先是发运上计，造大舟数十，载江湖物，入遗京师权贵。堂曰：“吾岂为此！岁入自可附驿奏也。”前后五年，未尝一至京师。

癸巳，诏："诸戍边军，月遣内侍存问其家，病致医药，死为敛葬之。"

甲午，遣使籍陕西强壮军。

乙未，辽太后复遣使来贺乾元节。

庚子，重修《祖宗玉牒》成。既而修玉牒所言："请自今岁一贴修，十岁一编录，仍以其副留中。"奏可。

乙巳，录閤门祗候孟方三子官；以方战殁于延州，特恤之。

文彦博等劾河中府狱既得实，庞籍言："黄德和退怯当诛；刘平等力战而殁，子孙宜赏恤。"韩琦亦言："平以疲兵数千，敌贼十馀万众，昼夜力战，为德和所累，既被执，犹詈贼不已，忠勇不愧于古人。今坐诬言所惑，悯忠恤孤之典未下，边臣岂不解体乎！"丙午，腰斩德和于河中，仍枭首延州城下；王信坐诬告其主，亦杖杀。丁未，赠刘平为忠武军节度使兼侍中，石元孙为忠正军节度使兼太傅，仍赐平信陵坊第，录其子弟。

戊申，延州金明县都监张异、庆州东路都巡检使万俟政、延州都监孟方、鄜延路指〔挥〕使高守忠、张达，以战殁并赠官。

出左藏、内藏库缗钱各十万，下陕西给军须。

辛亥，降鄜延钤辖卢守懃为湖北都监，安抚都监李康伯为均州都监，通判延州计用章除名、配雷州。然议者以守懃之责犹薄云。

发陕西近里诸州役兵筑延州金明栲栳寨。始议修复，帅臣拥兵不即进，转运使明镐止以百馀骑自从，分督将士，一月而城之。

以邈川首领嘉勒斯赉子栋戬为会州刺史。栋戬方九岁，其父为请之，随母乔氏居历精城，所部可六七万人，号令严明，人惮服之。

壬子，拣诸路牢城及强盗、恶贼配军，年未四十、壮健者隶禁军。

范仲淹未至永兴，癸丑，改为陕西都转运使，以刑部员外郎高若讷知永兴军。谏官梁适言："仲淹前责饶州，若讷实为谏官，尝诋仲淹谋事疏阔；今俾共事，理实有嫌，宜易以近臣。"帝曰："朕方任仲淹、若讷以疆事，安得以旧事为嫌！"寻留若讷判吏部流内铨。

五月，甲寅朔，诏："前殿奏事毋过五班，馀对后殿，命太官赐食。"

乙卯，赠金明都监李士彬为宿州观察使，仍以其从兄士绍为金明城都监。又赠其子怀宝为右千牛卫将军，录其子怀义、怀矩并为左侍禁。

丁巳，复太常博士、知楚州孙沔为监察御史。沔坐言事贬黜，逾六年复召；寻迁右正言。

先是诏御辇院拣部下辇官年四十以下为禁军，辇官千馀人，携妻子遮宰相、枢密使喧诉。平章事张士逊方朝，马惊堕地。己未，御史中丞真州柳植等奏其事，请付有司治，诏枢密院推鞫以闻。时军兴，机务填委，士逊位首相无所补，谏官以为言。士逊不自安，七上章请老，又数面陈。壬戌，复拜太傅，进封邓国公，致仕，听朔望大朝会缀中书门下班，月给宰臣俸三之一。士逊乞免朝朔望，从之。宰相得谢者自士逊始。

以镇安节度使、同平章事、判天雄军吕夷简行右仆射兼门下侍郎、平章事、昭文馆大学士，以资政殿大学士、户部尚书李迪为彰信节度使，知天雄军。自元昊反，武事久弛，守将或为它名以避兵任。迪愿守边，诏不许，然甚壮其意，夷简自天雄复入相，即使迪代之。

甲子，元昊陷塞门寨，执寨主、内殿承制高延德，监押、左侍禁王继元死之。

壬申，诏："诸路转运司体量部下诸州军有年老昏昧，贪浊逾违及非干勤者，具事以闻。"

癸酉，诏夏守赟、王守忠进屯鄜州。时大军驻河中逾三月矣。

甲戌，陕西都转运使范仲淹言："闻边城多请五路入讨，臣恐未可轻举。太宗朝，以宿将精兵北伐西讨，艰难岁月，终未收复。况今承平岁久，中原无宿将精兵，一旦兴深入之谋，系难制之寇，臣以为国之安危未可知也。"

乙亥，元昊陷安远寨。

戊寅，罢陕西都部署夏守赟、都钤辖王守忠，并赴阙。守赟性庸怯，寡方略，不为士卒所附，自河中徙屯鄜州，未及行，亟罢归。徙泾原、秦凤路缘边经略安抚使夏竦为陕西都部署兼经略安抚使、缘边招讨使，知永兴军。

己卯，以起居舍人、知制诰韩琦为枢密直学士，陕西都转运使、天章阁待制范仲淹为龙图阁直学士，并为陕西经略安抚副使，同管句都部署司事。初，仲淹与吕夷简有隙，及议加职，夷简请超迁之，帝以夷简为长者。既而仲淹入朝，帝谕仲淹使释前憾，仲淹顿首曰："臣向所论盖国事，于夷简何憾也！"

以知同州庞籍为陕西都转运使。籍尝上言："连年灾异，天久不雨，臣窃谓凡乘舆所用，宫中所费，宜取先朝为则。今宿师西鄙，力战重伤，方获功赏，而内官、医官、药官，无功时享丰赐，故天下指目，谓之三官。愿少裁损，专厉战功，寇不足平也。"

以国子监直讲林瑀、王洙并为天章阁侍讲。

景祐末，灾异数起，帝深自贬损。瑀言灾异皆有常数，不足忧。又依《周易》推演五行阴阳之变，为书上之。帝喜，欲迁其官。参知政事程琳以为不可，止赐章服。帝每读瑀书，有不解者，辄令御药院批问。瑀由御药院进谄谀之词，缘饰以阴阳，帝大好之。于是天章阁侍讲阙，端明殿学士李淑等荐洙，事在中书未行；一旦内批用瑀，执政皆怒瑀。吕夷简欲探帝意坚否，乃曰："瑀，上所用；洙，臣下所荐。不容并进，二人惟上所择。"乃以洙、瑀名进。帝问洙何如，夷简言洙博学明经，帝曰："吾已用瑀矣，若何？"夷简请并用二人，帝许之。既而右正言梁适劾瑀以内降除职，请治其罪。帝令以适章示之，卒不罪瑀。

壬午，斩辇官曹荣、陈吉于都市，从者皆配远恶州军牢城，卒拣辇官为禁军如初诏。

六月，权佥署泾原、秦凤经略安抚判官尹洙数上疏论兵，其一请鬻爵为士兵葺营及所给物费。下三司使郑戬等参议以闻，戬等言："卖官之令，已出权宜，然行之浸久。今更为烦细，箕敛民财，书揭徼塞，使西戎有轻中国之心。"洙议遂寝。

丙戌，诏："自今假日御崇政殿视事如前殿。"

丁亥，以宣徽南院使夏守赟同知枢密院事。侍御史赵及、右正言梁适，皆言守赟经略西事无功，不可复处枢府，逾七旬乃罢。

甲午，以鄜延副都部署开封任福为环庆副都部署兼知庆州。福上言："庆州去蕃族不远，愿勒兵境上，按亭堡，谨斥候，因经略所过山川道路，以为缓急攻守之备。"帝善之，听便宜从事。

乙未，南京言鸿庆宫神御殿火。侍御史方偕引汉罢原庙故事，请勿复修。诏："罢修神御殿，即旧基葺斋殿，每醮则设三圣位而祠之，瘗旧像于宫侧。"

甲辰，诏："陕西、河北、河东、京东、西等路，量州县户口，籍民为乡弓手、强壮以备盗贼。"

河北、河东强壮，自咸平以来有之，承平岁久，州县不复阅习，多亡其数。于是诏二路选补增广其数，并及诸路焉。

辛亥，复权武成军节度判官欧阳修为馆阁校勘。始，范仲淹为陕西经略安抚招讨，辟修掌书记，修以亲为辞，且曰："今豪杰之士，往往已蒙收择，尚虑山林草莽有挺特知义慷慨之士，未得出门下也，宜少思焉！"

时西边日警，二府、三司虽假不休务。翰林学士丁度言："苻坚以百万师寇晋，谢安命驾出游以安人心。请休务如故，无使外国窥朝廷浅深。"壬子，诏："自今遇旬假，听休务如旧。"帝尝遣使问御戎之策，度奏曰："今士气伤沮，若复穷追巢穴，馈粮千里，轻人命以快一朝之意，非计之得也。莫若谨亭障，远斥候，控扼要害，为制御之全策。"因条上其策，名曰《备边要览》。

是月，辽射柳祈雨。

秋，七月，癸亥，鄜延钤辖张亢上疏言："旧制，诸路部署、钤辖、都监，各不过三两员。今每路多至十四五员，少亦不减十员，权均势敌，不相统制，凡有议论，互执不同。请约故事，别创使名，每路军马事止三两员领之。"

又曰："昨延州之败，盖由诸将自守，不相为援。请令边城预定其法，凡贼入寇，某处为声援，某城寨相近出敢死士，某处设都、同巡检，则各扼其要害。又令邻路将取某救应，仍须暗以旗帜为号。昨刘平救延州，前锋军马陷贼寨者四指挥，平竟不知。又，赵瑜领军马间道先进，而赵振与王(达)〔逵〕等趋寨门，至高头，平报贼张青盖驻山东，振麾兵掩袭，乃其子瑜也。臣在山外策应，未尝用本指挥旗号，自以五行支干别为引旗。若甲子日，本军相遇，则先者张青旗，后者以绯旗应之，此是干相生也。其干相克，支相生，支干相生相克亦如之。盖兵马出入，则百步之外不能相认，若不预立号，必误军期。"

又曰："兵官务要张皇边事。刘平之败，正由贪功轻进。镇戎军最近贼境，每探马至，不问贼之多少，部署、钤辖、知军、都监皆出，至边壕，则贼已去矣。盖权均势埒，不肯相下，若其不出，则恐得怯懦之罪。又，比来诸班诸军有授诸司使、副至侍禁、殿直者，亦有白身试武艺而得官者；而诸路弓箭手，生长边陲，父祖效命，累世捍贼，乃无进擢之路，何以激劝边民！"

初，亢请乘驿入对，诏令手疏上之，其后多施用者。

乙丑，遣同修起居注祥符郭稹等使辽，告以用兵西边。议者谓元昊潜结辽人，恐益为边患，故特遣稹等谕意。辽主厚礼之，与同出观猎，延稹射，一发中走兔，众皆愕视。辽主遗以所乘马及它物甚厚。

己巳，降鄜延副都部署赵振为白州团练使，知绛州。

元昊自正月攻围塞门寨，振代范雍守延州，有兵七千八百馀人，按甲不动。寨中兵方千人，屡告急。五月初，振始遣百馀人赴之，寨遂陷。都转运使庞籍劾奏振畏懦，故坐贬。

庚午，御延和殿，阅诸军习战阵。

丁丑，辽主如秋山。

八月，乙酉，以太常丞田况为陕西经略安抚司判官，试校书郎胡瑗为经略安抚司句当公事。况从夏竦，瑗从范仲淹所辟也。

乙未，以史馆修撰富弼为辽主正旦使。

戊戌，罢天下寺观用金箔饰佛像。

癸卯，遣屯田员外郎刘涣使邈川，谕嘉勒斯赉出兵助讨西贼。嘉勒斯赉召酋豪大犒，约尽力无负，然终不能有功也。

戊申，同知枢密院事夏守赟罢为天平节度使、判澶州。守赟以子随卒，引疾求罢，从之。以龙图阁直学士、权知开封府杜衍同知枢密院事。

己酉，徙知广州段少连为龙图阁直学士，知泾州。

广州多蜑、猸，杂四方游手，喜乘乱为寇夺。上元然灯，有报蕃市火者，少连方燕客，作优戏，士女聚观以万计，其僚请罢燕，少连曰："救火不有官乎?"作乐如故。须臾，火息，民不丧一簪，众服其持重。范仲淹经略西边，荐少连才堪将帅，故有是命。未至而少连卒。

庚戌，以范仲淹兼知延州，徙知延州张存知泽州。初，存自陕西都转运使徙延州，迁延不即行，既至，乃云素不知兵，且以亲年八十求内徙。仲淹因自请代存，从之。先是诏分边兵，部署领万人，钤辖领五千人，都监三千人，有寇则官卑者先出。仲淹曰："不量贼众寡而出战，以官为先后，取败之道也。"乃分州兵为六将，将三千人，分部教之，量贼众寡，使更出御贼，贼不敢犯，既而诸路皆取法焉。夏人相戒曰："无以延州为意，今小范老子腹中自有数万甲兵，不比大范老子可欺也!"大范，盖指雍云。

辛亥，诏范仲淹、葛怀敏领兵驱逐塞门等砦蕃骑出境，仍募已前弓箭手，给地居之。

壬子，以益州草泽伊缜为试校书郎。缜数上疏言事，丁度、杨偕荐其才，召试学士院而命之。

延州都监灵武周美言于范仲淹曰："贼新得志，其势必复来。金明当边冲，我之蔽也，今不亟完，将遂失之。"仲淹因嘱美复城如故。数日，贼数万薄金明，阵于延州城北，美领众三千力战。会暮，援兵不至，乃徙军山北，多设疑兵；贼望见，以为救至，即引去。时诸将多不利，美十馀战，平族帐二百，焚其帐二十，复故城堡甚众。

参知政事李若谷，以耳疾累章辞位，九月，戊午，罢为资政殿大学士、吏部侍郎、提举会灵观事。宫观置提举自若谷始。

以知枢密院事宋绶为兵部尚书，起复翰林学士晁宗悫为右谏议大夫，并参知政事。

以龙图阁直学士、权三司使郑戬为谏议大夫，同知枢密院事。戬在三司才半岁，复转运使考课格，分别殿最；又句校三司出入，得羡钱四百万缗。

己未，以知制诰叶清臣为龙图阁直学士，权三司使事。中书进拟三司使，清臣不在选，帝特用之。清臣始奏编前后诏敕，使吏不能欺，簿帐之丛冗者，一切删去。内东门御厨，皆内侍领之，凡所呼索，有司不敢问，乃为合同以检其出入。

以都官员外郎普州景泰为左藏库使、知宁州。泰尝通判庆州，言："元昊包藏祸心，一旦有警，何以应敌!"三疏不报。已而元昊果反，泰复上《边臣要略》二十卷，《平戎策》十五篇，于是有荐泰知兵者，召对称旨，遂换武秩云。

辛酉，降知杭州、天章阁待制司马池知虢州。池性朴易，刬剧非所长，转运使江钧、张从革劾池决事不当及稽留德音，坐是左迁。始，转运使既奏池，会吏有盗官银器系州狱，自陈为钧掌私厨，出所费过半；又，越州通判载私物盗税，乃从革之姻遣人私请。或谓池可举劾以报仇，池曰："吾不为也。"人称其长者。

癸亥，知绛州赵振降责潭州安置，坐观望逗挠，致陷塞门也。

诏："自今都部署司及诸路部署司，应有寨栅申报贼寇入界，不以多少远近，并须画时救应。"

乙丑，诏："河北、河东路强壮、陕西、京东、西路新置弓手，皆以二十五人为团，置押官；四团为都，置正副都头各一人；五都为指挥，置指挥使；各以阶级伏事，年二十系籍，六十免，取家人或它户代之，听私置弓弩。每岁十月后、正月前，分番上州教阅，半月即遣归农。或遇非时句集守城及捕盗，日给粮二升。以籍上兵部，按举不如法者。"

丙寅，夏人寇三川寨，镇戎军西路都巡检杨保吉死之。明日，泾原路都监刘继宗、李纬、王秉等分兵出战，皆失利。泾州驻泊都监开封王珪将三千骑来援，自瓦亭寨至师子堡，贼围之数重，珪奋击，贼披靡，杀贼将二人，获首级甚多。贼遂留军纵掠，凡三日，官军战殁者五千馀人。

戊辰，以知枢密院事晏殊为检校太傅、充枢密使，同知枢密院事王贻永、刑部侍郎杜衍、右谏议大夫郑戬并为枢密副使。

庚午，以佥署定国节度判官事种世衡为内殿承制、知青涧城。世衡在青涧，开营田二千顷，募商贾，贷以本钱，使通货得利，城遂富实。间出行部族，慰劳酋长，或解与所服带。尝会客饮，有得羌事来告者，即予饮器，由是属羌皆乐为用。无定河番部钞边，率属羌讨击，前后斩首数百。

壬申，环庆副都部署任福等攻夏白豹城，克之。军还，贼遣百骑袭其后，守神林北路都巡检开封范全设伏崖险，贼半渡，邀击之，斩首四百级，生获七十馀人。

壬午，陕西经略安抚副使韩琦以三川寨诸将败书闻，且言："刘继宗、李纬等仓卒出战，遂致退衄，望特免推鞫，但量其罪轻重等第削官，或更移降差遣，责其后效。王珪以孤军血战，身被重创，尚求益兵出斗，虽失亡数多，望贷其罪。"从之。

冬，十月，癸未朔，辽主驻中会川。

以御侍清河郡君张氏为才人。张氏，河南人。父尧封，擢进士第，补石州推官，未行，卒京师。尧封母，钱氏女也。张时八岁，与姊妹三人由钱氏入宫，浸长，得幸于帝。性巧慧，能探测人主意。帝以其良家子，待遇异诸嫔。

戊子，诏："自今内降指挥与臣僚迁官及差遣者，并令中书、枢密院具条执奏以闻。"帝性宽仁，宗戚近幸有求内降者，或不能违故也。

甲午，赐泾原驻泊都监王珪名马二匹，黄金三十两，裹创绢百匹。复下诏暴其功以厉诸将，勒金字处置牌赐之，使得专杀。

乙未，端明殿学士李淑等上所定铜符、木契、传言牌，下有司制之。

丙申，以环庆部署兼知庆州任福为龙神卫四厢都指挥使，赏白豹城之功也。寻命兼鄜延路副都部署。

庚子，出内藏绢一百万，下三司助边费。

初，鸿庆宫灾，集贤校理晋陵胡宿请修火祀，以阏伯配祭大火。礼官议因兴王之地，商丘之旧，作为坛兆，笾豆、牲币视中祠，岁以三、九月择日留司长吏奉祀，诏从之。

十一月，丙辰，以御撰《风角集占》赐陕西诸路部署司。

赠延州塞门寨主高延德、权兵马监押王继元官,并录其子。故延州西路同巡检张圭三子亦皆授官。

甲子,女真侵辽边界,辽发黄龙府铁骊军拒之。

丙寅,徙知河中府、枢密直学士长沙狄棐知郑州。有中贵人过河中,言将援棐于上前。棐答以它语,退,谓所亲曰:“吾湘潭一寒士,今官侍从,可以老而自污邪!”

丁卯,以鄜延部署司指使狄青为泾州都监。青每临敌,被发,面铜具,出入贼中,皆披靡,无敢当者。尹洙为经略判官,与青谈兵,善之,荐于副使韩琦、范仲淹曰:“此良将才也。”二人一见奇之,待遇甚厚。仲淹以《左氏春秋》授之曰:“将不知古今,匹夫勇耳。”青折节读书,悉通秦、汉以来将帅兵术,由是益知名。

乙亥,赠镇戎军西路都巡检使杨保吉为深州防御使。

丙子,以河东都转运使杨偕为枢密直学士,知并州。有中官预军事,素横,前帅优遇之,偕至,一绳以法,军政肃然。

是月,浙东军士鄂邻等杀巡检使张怀信,聚兵剽劫湖南、福建、广南诸州县,逃入海。怀信,内臣,性苛虐,邻等积怨忿,遂作乱。

十二月,癸未,出内藏库绢一百万助籴军储。

丙戌,诏司农寺以常平钱百万缗助三司给军费。自景祐末,不许移用常平,至是以兵食不足,始降是诏。

辛卯,辽以所得女真户置肃州。

辽诏:“诸犯法者不得为官吏,诸职官非婚祭不得沉酣废事,有治民安边之略者,悉具以闻。”

甲午,建神御库于宗正寺西,藏祖宗时神御法物于其中,从直秘阁赵希言、判太常寺宋祁请也。

乙未,徙知随州王德用知曹州。德用道过许州,梅询谓德用曰:“道辅害公者,今死矣。”德用曰:“孔中丞以其职言,岂害德用者?朝廷亡一忠臣,可惜也!”

晁宗悫等至永兴议边事,夏竦等合奏:“今兵与将尚未习练,但当持重自保,俟其侵轶,则乘便掩杀,大军盖未可轻举。”及刘承宗等败,帝复以手诏问师期,竦等乃画攻守二策,遣副使韩琦、判官尹洙驰驿至京师,求决于帝。己亥,入对崇政殿。先有诏,琦迁礼部郎中,洙加集贤校理。琦言:“臣以大计,不俟召赴阙;若侥幸进秩,将不容于清议。”辞不拜。

癸卯,兵部尚书、参知政事宋绶卒。帝临奠,辍二日朝,赠司徒兼侍中,谥宣献。

乙巳,诏鄜延、泾原两路,取正月上旬同进兵入讨西贼。帝与两府大臣共议,始用韩琦等所画攻策也。枢密副使杜衍独以为非万全计,争论久之,不听。大臣有欲以沮军罪衍者,遂求罢,亦不听。始,晁宗悫即军中问攻守策,众欲大举,经略判官田京曰:“驱不习之师,撄锐锋,深入贼地,争一旦之胜,此兵家所忌,师出必败。”或有议讲和者,京又曰:“贼兵未尝挫,安肯和也!”

丁未,诏开封府、京东、西、河东路括驴五万以备西讨。

戊申,以通判河中府皮仲容知商州兼提点采铜铸铁钱事。仲容尝建议铸大钱,一当十,既下两制及三司议其事,谓可权行以助边费,故有是命。

初,韩琦安抚陕西,尝言陕西产铁甚广,可铸钱兼用。于是叶清臣从仲容议,铸当十钱。翰林学士承旨丁度曰:“禁旅戍边,月给百钱,得大钱裁十,不可畸用。旧钱不出,新钱愈轻,则粮刍增价。复有湖山绝处,凶魁啸聚,炉冶日滋,居则铸钱,急则为盗,民间铜铅之器悉为大钱,何以禁止乎?”

是岁,仍诏商人入刍粟陕西并边,愿受东南盐者,加数予之。

【译文】

宋纪四十二　起己卯年(公元1039年)九月,止庚辰年(公元1040年)十二月,共一年有余。

宝元二年　辽重熙八年(公元1039年)

九月,乙未(初七),因为知府州折继宣苛刻暴虐、乱增苛捐杂税,失掉种族部落的人心,被贬降为楚州都监,任命他的弟弟折继闵为知府州事。

丙申(初八),任命殿中丞张宗古为莱州通判。

当时御史中丞孔道辅再次执掌宪政,权门贵族非常害怕他的耿直。起初,孔道辅把他的父亲从家乡接来,租借郭贽的旧宅让父亲居住。有人对皇帝说:“孔道辅的家离太庙太近,进进出出大呼小叫,这不是尊敬神灵的做法。”马上下诏给孔道辅让他搬家。张宗古说:“汉朝的内史府在太庙内外墙之间的空地上,本朝立国以来,庙墙下都有官府机构及住宅,请求陛下不要让孔道辅搬家。”皇帝说:“如此,怎么能够尊重宗庙呢!”因为这个缘故,张宗古被外放出京。孔道辅叹息说:“邪佞小人的话已经起作用了。”张宗古是张宗彝的弟弟。

乙卯(二十七日),支出内库银四万两,换成粮食赈济益、梓、利、夔路的疾苦百姓。

这个月,太子中允、直集贤院富弼上奏疏说:“听说去年十二月元昊叛乱,事变来得仓促,大家都说很突然,我却知道他反叛的打算由来已久。以前元昊常常劝说其父德明不要事奉朝廷,不再朝贡,其父德明认为力量还不够强大,没有采用他的谋略。哪里有自己登基却不实行自己的主张的呢?这是说他谋反由来已久的第一个根据。自从与他们通好,对他们没有一点猜疑,关口、贸易从不检查,商贩往来如织,山川的险要平坦、国家用度的虚与实,没有不知道得很详细的。另外,近来被放出的宫女,任便她们到什么地方去,元昊用重金把她们收纳在自己身旁,朝廷的事情、宫禁中的秘密,都可以从她们口头探知,再加上凶猾狡诈的本性,哪里会考虑到宗盟呢?这是说他谋反由来已久的第二个根据。西边地形多山,有许多只有马才能通过的险要之地,沙漠辽阔,水草不生,如果派大军征讨,军需品供应不上,大军穷追他们则隐藏起来,回师保护的时候,他们就在后面追袭;元昊依恃这些艰险,得以猖狂。这是说他谋反由来已久的第三个根据。朝廷历次派去的使臣,元昊大多待之不恭敬,虽然刚相见的时候,暂时穿戴臣下的服饰,然而退出以后,马上便备办皇帝的仪仗。这是说他谋反由来已久的第四个根据。几年前灵州屯戍军校郑美投奔羌戎,德明用他主持军政,朝廷终于失去灵武。元昊早已暗蓄奸情,广罗豪杰,所以没有及第的举子多人投向他,元昊有的授以将帅之职,有的任命为公卿,倚仗他们为谋主。这是说他谋反由来已久的第五个根据。元昊授引契丹为亲,形势缓和的时候就据以为声势,形势危急的时候就借来兵马,以至于形成倚角之势,首尾呼应,他们如果多加牵制,我军则会困窘于分兵抵御。这是说他谋反由来已久的

第六个根据。这六种情况，多少年来，朝廷内外人所共知，然而陛下不知晓，朝廷也没有做准备，这是两府大臣的罪过。

“听说元昊派遣使者，大多选择骁勇凶悍难以制伏、能言善辩、自视甚高的人，认为朝廷一定不敢加以诛杀。我朝如果觉察他有反叛阴谋，在他刚到的时候，在都市全部加以斩首，立即削夺元昊的官职，或者任命将帅征讨，或者征发大军在边境上做守备，战士一定会因此而倍增勇气。如今却反而把使者召唤到京城，任其买卖，遣还时赠以重金，难道不是希望他们回心转意、慕义归化吗？朝廷用恩惠诚信与之相结，将近四十年了，他们还没有怀念感激之意，哪里是这样的姑息迁就就可以使他们改变的呢！总是因为执政大臣本身怯懦，杀掉使者担心他们急攻，囚禁使者又担心给他们造成进攻的借口，于是把使者放还，以示朝廷宽大。开始时如果不能诛杀，只应在边境上遣回使者，使他们不知朝廷的虚实，还可称之为下策。如今召见后又把他们遣还，成就他们不辱君命的贤德，大国的谋略，都被小小的羌戎所知悉。像这样为国家谋划是自取侮辱的途径。

“鄜延路曾和番兵交战，有一位寨主被番兵俘获，以及被掳去很多军民，西头供奉官马遵带兵追击，及时夺了回来。鄜延路统帅范雍和副都部署刘平上奏请求给予奖励，朝廷的命令只升迁东头供奉官。马遵出死力，突破坚固的重围，率领已遭受挫折的军队，深入不能生还的地方，夺回已被擒的将士，救出已陷入绝境的军民，即使不是大功，也可以称之为奇节了。主帅保举，理当破格提升；现在只提升一级，与人们的舆论大相背离。”

“枢密使夏守赟，早年因为攀附权贵，逐渐登上显赫荣耀的地位，一旦受到拔擢，位居众贤臣之上，人们心里感到很不公允。况且又有元昊作乱，西部边境用兵不已，正应当遴选有才能的人，而急忙任用这个人，不管贤明或愚蠢，都会遭到众人的轻视和讥笑的。应该马上罢免他来达到重视民望的目的。”

“西部边境用兵以来，多次差遣武臣到那儿，每当有经过京城请求接见的，一定是对于边防之事有见解的人。陛下在处理朝政之后，何必吝惜接见一次，从容地接待，循循善诱，使他把自己的见解全部说出来！然后看一看他对答的是非，考察他趋向的邪正，可以采用的就奖励并派遣任职，没有可采用的也宽容地对待他并加以罢免。如果这样，人们就会各尽所怀，无不感动欣悦，勇于立功，何必担忧反叛的寇贼，何必顾虑用兵打仗呢！”

冬季，十月，甲子（初六），罢黜各司三品官去世时皇帝暂停临朝听政的旧规。起初，光禄卿郑立去世，礼官援举旧例，请求皇帝暂停临朝听政。可是议论者认为如今诸司三品不是重要的职官，对他们的恩礼还不至于暂停临朝听政，所以罢黜此规定。

宗正寺编修玉牒官李淑呈上所撰修的《皇帝玉牒》二卷，《皇子籍》一卷。

癸酉（十五日），贬降益州路转运使明镐知同州，因为知陵州楚应机接受贿赂，明镐没有检举揭发。楚应机收贿事将要败露，有人告诉明镐应抢先告发楚应机，明镐说：“自己获罪罢了，怎么可以欺骗朝廷呢！”

这个月，辽国皇帝进驻东京。

十一月，戊子朔（初一），支出内库珍珠估计相当于缗钱三十万赐给三司。皇帝对辅政大臣说：“这些无用的东西，既然不愿扔掉，不如流散在民间，收取它的价值，帮助买粮增加边防的储备，也可以稍微舒缓一下对百姓的征敛。”

壬辰(初五),下诏:“礼部贡院,从今以后省试举人,张设帘布在都堂中间,在两边施以帷幕,使内外不能相互窥见。点检试卷官和吏人,不是给使不准随便到都堂上。诗、赋、论题,都用注疏所解释的给予说明,不许向上请问。如果题意有疑问必须请问的,仍然不许靠近帘布。御试考校,都分上中下三等,初考书写情况,涂改的字数在卷后一并计算,如果涂改脱误四十字以上就判为不谨,也依照礼部的规定以少字数罢黜他。

甲午(初七),辽国皇帝对近臣说:“若有因北院处理事务有失允当,击钟及拦驾的,都要上奏。”

丁酉(初十),知枢密院事盛度,贬为尚书右丞、知扬州,参知政事程琳,贬为光禄卿、知颍州,御史中丞孔道辅,出任知郓州。

起初,张士逊一向厌恶程琳并且痛恨孔道辅不依附自己,想一起斥逐他们。适逢开封府吏冯士元因贪赃而事情败露,知府郑戬穷追不已,冯士元的供词连及盛度、程琳以及天章阁待制庞籍等十几人。张士逊观察到皇帝有不喜欢程琳的意思,于是对孔道辅说:“皇帝对程公很器重,如今被小人诬陷,应当拜见皇帝为程琳辩诬。”孔道辅入朝对答,说程琳罪很轻,不值得深深追究。皇帝果然愤怒,认为孔道辅攀附大臣,所以特加贬降。于是盛度因为让冯士元强取他的邻居所租借的官舍,程琳因为让冯士元用欺骗的方法购买张士逊的旧府第,庞籍因为让冯士元购买女子人口,都遭贬黜,而冯士元被流放到海岛。不久,皇帝对辅政大臣说:“所判决的冯士元案,听说非常切合舆论。”张士逊回答说:“御史台处理案子徇私舞弊,不是皇上亲决不能肃清朋党奸邪。”

戊戌(十一日),辽国命皇子梁王召集僧侣讨论佛法。辽国皇帝重视佛教,僧侣被正式拜为三公、三师兼政事令的共二十人。

辛丑(十四日),允许建州建立学校,仍然给学田五顷。

壬寅(十五日),任命参知政事王鬷为知枢密院,翰林学士、知制诰宋庠为参知政事。

当时陕西正在用兵,国家调度费用一天天窘迫,天章阁待制、同判礼院宋祁上奏疏论三冗三费:“有限定的官职,没有限定的官员,这是一冗;厢军不任战事却耗费衣服粮食,这是二冗;僧侣道士日益增多而没有限定人数,这是三冗。做道场、设斋醮,天天都有,都以祈祝皇帝长寿、人民幸福为名义;应当择取其中一二项不能废除的,使稍依本教以奉祀,则第一种浪费情况可以节约了。京师寺观有的设有很多徒役,有的增设官司机构,衣服粮食所用去的,三倍于其他处所,帐幄称为供养,田产称为常住,不服徭役,是编户齐民的蠹虫;请全部罢黜,那么第二种浪费就可节约了。使相、节度不实统藩属,取公用财物来增加私人的储备;请求从今以后,不是边境或显要之地,州中没有军队屯驻的,不允许设立节度,已任节度之职的不允许留在近藩及京城,那么第三种浪费就可节约了。我听说自身不作出表率那么别人就不会服从,不身先士卒别人就不会信服,陛下如果能够自身俭朴,为天下做榜样,衣服饮食,不超过旧规,请从陛下开始;锦采珠玉,不准任意花费,请从后宫开始。”

戊申(二十一日),辽国因太后举行再生礼,大赦。

己酉(二十二日),辽国建立长春城。

这个月,夏国军队侵袭保安军,鄜延钤辖卢守等率兵迎击并将他们击退。敌贼又用三万骑围住承平寨,鄜延副部署祥符人许怀德当时在城中,率领骁勇士兵一千多人突破重围攻击贼军,敌贼于是撤围而去。

十二月,庚申(初四),下诏审刑院、大理寺、刑部不准接待宾客。

乙丑(初九),奖赏保安军守边御敌之功,任卢守懃为左骐骥使,升任都巡检司指使、散直西河狄青为右班殿直。狄青的功劳最大,所以超越四资授予他官职。

皇帝曾经询问参知政事宋庠唐朝的入阁仪式。戊辰(十二日),宋庠上奏说:"入阁是唐朝单日里在紫宸殿接受日常朝见的仪式。从唐高宗以后,天子大都在大明宫,大明宫的正南门叫丹凤门,门内第一殿叫含元殿,举行大朝会时则皇帝亲临此殿。正对北第二殿叫宣政殿,称为正衙,在朔望日及重要册封拜任时就用此殿。另外,正对北的第三殿叫紫宸殿,称为上阁,也叫内衙,单日举行日常朝见就用此殿。用本朝的宫殿来看,大庆殿是唐朝的含元殿;文德殿是唐朝的宣政殿;紫宸殿就是唐朝的紫宸殿。唐朝制度,每逢坐朝日,就称为入阁。唐朝末年天下离乱,五代各朝立国仓促,正衙立仗,因此就废除了。此后有时举行入阁仪式,一般人很少看见,于是又称之为盛礼,其实不是这样。开元旧礼本来并无这种制度,到开宝年间,诸儒增加附设新的礼仪,才开始载入每月初一举行入阁的仪式,又把文德殿称为上阁,错误尤其严重,这是因为当时编撰礼仪的人讨论探求不够详尽。太宗时期,儒臣张洎也有论奏,很是精当。假如朝廷有一天修整恢复正衙立仗,交给两制,让他们预告加以商讨,以校正旧仪。"然而议论者认为如今的殿阁和旧制不同,很难再实行。

己巳(十三日),贬降侍御史王素为都官员外郎、知鄂州。起初,孔道辅与王素联姻,荐举王素为台官。孔道辅既被贬谪,所以王素也被一同贬降。

壬申(十六日),下诏给中书:"从今以后,御史台官员有空缺,应当依旧制,开具两省的名册,送上来,我要亲自择举。"起初,中丞与知杂御史按例可以荐举台官,到孔道辅荐举王素,皇帝认为这样会造成朋比营私,所以颁下这条诏令。

癸酉(十七日)因为益、梓、利、夔路发生饥荒,罢黜皇子降生各地的进奉,这是依从韩琦的请求。

以前,有关机构催逼百姓赋役非常烦苛紧急,购买上供的物品不按照价值付给钱,韩琦都给以减轻或废除,斥逐贪婪官吏,罢黜烦冗杂役,救活饥民一百九十多万。明道中,简州劝诱百姓交纳粮食,又卖掉粮食,得钱十六万多,全部归入常平仓。韩琦说:"这是赈济的余额,不是官钱。"打开仓库,全部发给四等以下户。

孔道辅已被贬到郓州,才知道是被张士逊出卖,非常愤恨叹惋,走到韦城,得病去世。然而天下人都称许他很正直。

闰月,己酉(二十三日),任命开封府推官、直集贤院富弼知谏院。

这月,元昊又派遣贺九言带着言辞不恭的书信,交出朝廷授给的旌节及所授给的敕告,并所得到的敕榜,放在神明匣里,留在归娘族而离去。

这一年,直史馆苏绅陈述便宜事八件:即注重晋爵封赏,选拔官吏审慎,明确荐贤举才,区别衣装服饰,用人量才而任,善择将领统帅,辨清忠诚邪佞,修整军需装备,他被拜任为史馆修撰。苏绅又请求皇帝下诏令西部边境的将帅探讨深入敌境的大计,并且说:"用十年防守的费用,作为一年攻取的资金,不然的话,防守的准备不会少于十年。"

鄜延、环庆副都部署刘平上疏说:"元昊侵入我朝,肆意杀害吏民、众叛亲离,又与嘉勒斯

赉相持很久,结仇正深,这是上天灭亡元昊的好时候。我听说寇贼不可以轻视,敌人不可以放纵。如果把鄜延、环庆、泾原、秦陇四路大军分为两道,再加上蕃汉弓箭手、步骑,可以拥有精兵二十万,比元昊的军队人数多三倍有余,乘元昊士卒人心离散,嘉勒斯赉与之相持的时候,沿边各州军转运粮草二百多里,不出一个月,可以轻易获得山界洪、宥等州;招集地方豪强,授予官职,赐给衣禄金帛,从防御使以下刺史以上,依次分封,用土人补充将校,勇敢的人贪于俸禄,富贵的人安心于家,不到一个月,人民就会自然安定下来。或者授予嘉勒斯赉为灵武军节度使、西平王,使他威逼元昊黄河以外的民众,再派鄜延、石州蕃河步骑收取河西部众,用丰厚的赏赐招引他的酋长将帅,等到元昊的部众心存异心时,就用大部队攻击讨伐,用所获得的城池分封酋长将帅,元昊不过是逃窜河外的穷寇罢了。

"如果朝廷宽宥元昊的罪过,再示宽容,宿卫军队越来越多,用费更加要得多,恐怕契丹将会认为朝廷养兵百万,还不能制服一个小小的羌戎,就会产生轻视中国的心,这样,也须商议守边防御的长远计划。如果元昊暗中与契丹结为声援,来张大自己的势力,那么怎么能用西边的兵力来应付河北之敌呢!比如一身患有两病,不可同时医治,必须先医治轻的,后医治重的。请陛下召集夏竦、范雍与两府的大臣商议进攻和防守的策略,令边境的官员遵守。"

起初,夏竦请求增加士兵,更换屯戍的士兵回到东方的家乡。命令已经下达,被知河中府、龙图阁直学士杨偕所驳斥而停止。

鄜州判官种世衡说:"延安东北方二百里,有以前的宽州,请求在废弃的城垒上加以整修,以当敌寇的冲要。右可以巩固延安的形势,左可以转输河东的粮食,北可以图谋银、夏的旧地。"朝廷同意了他的请求,命令种世衡主持这项工程。西夏人多次来争夺,种世衡一面迎战一面筑城。然此处地形险要,没有泉水,担心不可久守,凿地一百五十尺才到石头,石工推辞说石头不能打穿。种世衡命令打下石头满一箕畚,奖励一百钱,终于打出泉水。城池修好后,赐名为青涧。种世衡是种放哥哥的儿子。

康定元年 辽重熙九年(公元1040年)

春季,正月,丙辰朔(初一)出现日食。知谏院富弼请求撤去宴会和音乐,到使馆赐给北使酒食。参知政事宋庠认为不可以,于是仍然举行宴乐。

壬戌(初七),赐给国子监学田五十顷。

起初,夏国军队从承平退走。声言将攻打延州。范雍听说后,非常害怕,请求接济军队。元昊假装派遣他的衙校贺真来说,愿意改过自新,归命朝廷。范雍急忙向朝廷报告,用大礼接待贺真并送他回去,于是不再设立守备。

元昊于是出动大军进攻保安、从土门路进入。癸酉(十八日),攻陷金明寨,都监李士彬父子都被擒获,于是乘胜进抵延州城下。

范雍先用檄文召鄜延、环庆副都部署刘平于庆州,使他到保安来,与鄜延副都部署石元孙合兵奔赴土门;到这时,范雍又召刘平、石元孙还兵救援延州。刘平接到范雍的第一个檄文,立即率领三千骑士从庆州出发,走了四天,到达保安,与石元孙合兵奔赴土门,然而范雍的第二次檄文不久也到了,刘平、石元孙于是各引兵回还。乙亥(二十日),再到保安。刘平一向轻视敌贼,对他的部下说:"义士为人解难,赴汤蹈火犹如平地,何况为国家大事呢!"因此不分昼夜兼程而行。丁丑(二十二日)夜,到达三川口西十里的地方扎下营寨,命令骑兵先

奔赴延州夺取城门。当鄜延都监黄德和率领二千多人驻扎在保安北面的碎金谷，巡检万俟政、郭遵各率所部分别屯驻。范雍都把他们召来作为外援，刘平也派人催促他们行动。

戊寅（二十三日），黄德和、万俟政、郭遵所率领的军队都到了。五将合计步兵骑兵一万多人，结成阵式向东行进五里，刘平命令各军同时进发，到三川口遇上敌军，当时平地积雪达数寸厚，官兵们奋勇争先，杀敌人骑兵五到七百人，才退去。敌人又用盾牌作为屏蔽列开阵式，官军将敌人击退，夺取盾牌，杀死、俘虏以及溺水而死的又有八九百人。刘平的左耳、右侧小腿都被流箭射中。天黑时，战士拿出敌人的首级和所俘获的马匹来论功求赏。刘平说："战斗正在紧急的时候，暂且自己记着，都会赏赐你们的。"话音未了，敌贼用轻装兵迫近求战，官军引退二十多步。黄德和在阵后，看见军队退却，率领帐下军队逃跑保守西南山，其余各军随即都溃败。刘平派他的儿子刘宜孙驱马追赶黄德和，拉着黄德和的马缰绳并下拜，说："应当率兵回去，合力抵御敌贼，为何首先率兵离去！"黄德和没有听从，于是策马逃走，与刘宜孙都逃赴甘泉。

刘平派军校用剑拦住士兵，让他们留下，得到一千多人，奋力战斗抵御敌贼，贼兵退还河的东面。刘平率领余下的军兵保守西南山下，建立七个寨子以加强抵御敌军的力量，距离贼军一里左右。贼军夜里派人到营寨，打听主将在何处，刘平告诫士兵不要答应。夜里四鼓时，贼兵围住营寨大声说："几个残兵败将，不投降还等待何时！"刘平派人回答说："狗贼，你们不降，我们怎么会投降！明天大规模的救援军队将到来，你们这些人还值得击破吗！"己卯（二十四日），黎明，贼兵又来招降，官军不理会。贼军驱使骑兵从山的四面出击，合击官军，刘平与石元孙巡视阵营到东侧，贼兵把军阵一冲为二，于是刘平和石元孙都被俘获。

贼兵围困延州共七日，等到失去二将，城中人忧愁沮丧，不知做什么。适逢这一晚上下大雪，贼兵解围而去。

李士彬世代镇守金明寨，有军队将近十万人，控制扼守中路，众称之为"铁壁相公"。元昊反叛朝廷，派遣使者诱降李士彬，李士彬把使者杀了。元昊竟派其百姓向李士彬诈降，李士彬报告范雍，请求把他们安置在南方，范雍说："大军征讨而擒获他们，哪里比得上召唤而使他们来呢！"于是赏赐金帛，使隶属于李士彬。投降的人每天都有来的，各营寨都分到许多。元昊让他的将领每当和李士彬相遇时，就不战而跑，说："我们士兵听到铁壁相公四字就魂云魄散。"李士彬愈加骄傲，又对部下非常严酷，部下有很多怨愤的。元昊秘密用金爵引诱他部下的将帅，将帅常常接受，可是李士彬不知道。等到贼骑兵大批攻入，各投降的人为内应，李士彬当时在黄堆寨，听说贼兵到来，命令备马，左右为他牵来一匹弱马，于是抓住马缰，把他送给元昊，李士彬与他的儿子李怀宝都落入贼兵之手。范雍刚听说贼兵大规模侵入，命令李士彬分兵守卫三十六寨，不要让贼兵攻入，李怀宝劝谏说："如今应当集中兵力抵御敌寇，分兵守卫就会使势力削弱，就会抵挡不住。"李士彬不听从。李怀宝力战而死。有人说元昊擒获李士彬，割去他的耳朵却不杀死他，十几年后才死去。

黄德和诬奏刘平、石元孙投降贼军，知枢密院事夏守赟为他们分辩，自己请求率兵击贼。二月，丁亥（初二），任命夏守赟为陕西都部署兼经略安抚等使。

参知政事宋庠请求严格防守备敌于潼关，皇帝同意了。知谏院富弼说："天子的守备在四夷，如今在潼关防守，那么潼关以西的地就放弃了吗？"

己丑(初四),任命入内副都知王守忠为陕西都钤辖,富弼说:“唐朝用内臣监军,结果失败的不止一个例子。如今王守忠为都钤辖,与监军有何区别!以前任用夏守赟,人们已大失所望,希望罢免王守忠不要派他前去。”皇帝不听。

任命鄜延钤辖、知鄜州张宗诲领兴州防御使,准许他相机行事。刘平、石元孙失败,黄德和逃回鄜州,当时鄜城已不完整,而且缺乏守备,传说敌人骑兵将要来到,人心惴惴不安。张宗诲于是派士兵严密侦察,尽力做好防守的准备,贼兵也离去。张宗诲是张齐贤的儿子。

庚寅(初五),下诏令嘉勒斯赉赶快带领军队,乘元昊国内空虚的时候攻击,径直去拔除他的根本之地,成功后理当授予银、夏节制,仍然秘密地把起兵的时间报告给沿边经略安抚司,派出军队作为援助;另外赐给对衣、金带、绢二万匹。嘉勒斯赉虽然接到诏书,终于没有能出兵。

壬辰(初七),任命夏守赟为兼沿边招讨使。

宰相张士逊等上言说禁兵长久在边地戍守,家在京城的有的不能自我维持生活,皇帝特别拿出内藏缗钱十万赐给他们。张士逊等于是请求派遣使者安抚陕西。这时,起居舍人、知制诰韩琦恰好从蜀地归来,谈论西部军事形势很熟悉,就任命韩琦为陕西安抚使,西上阁门使符惟忠为副。皇帝对韩琦说:“羌戎狂妄猖獗,官军不习惯作战,所以多次出击都没有成功,如今用此事为警惕,就会赢得以后的幸福。”

甲午(初九),任命通判镇戎军田京佥署陕西经略判官事,这是听从夏守赟的请求。田京是亳州人。

乙未(初十),京畿、京东、京西、淮南、陕西路搜求购买战马,有敢隐藏的,按法加重处罚,拿出内库的珍珠偿付百姓马匹的价值。又严禁边地大臣私自购买,缺少马匹由官府供给。韩琦说:“陕西征科烦扰不断,百姓已不胜其困,请求免除搜购这一路,以安定众心。”皇帝听从了他的意见。

丁酉(十二日),下诏枢密院从今以后边防之事都要与宰相商议。知谏院富弼说:“边防之事关系到国家的安危,不应当专门委任枢密院而宰相却不能参与。乞求依从开国之初,任命宰相兼枢密使。”皇帝采纳他的话而降下此诏。张士逊、章得象等把诏书放在皇帝面前,说:“恐怕枢密院说我等夺取他们的大权。”富弼说:“这是宰相回避事情罢了!”

当时西蕃首领吹同乞砂、吹同山乞从嘉勒斯赉界内各称伪将相来归降,下诏补为三班奉职、借职,迁置在湖南。富弼说:“二人来降,他们的家人已被诛杀,应当重重赏赐以劝勉后来的人。”庚子(十五日),任命乞砂、山乞同为左千牛卫将军,分别赐给锦帛、茶叶,使回本部族以抵御贼寇。

赐予永兴军草泽之民高怿号为安素处士。高怿是高季兴的四世孙,跟从种放隐居在终南山,与张蛲、许勃号称南山三友,多次得到推荐、征辟及召命,都坚决地辞谢。皇帝认为他的守节可嘉,特别赐予他安素处士的称号,下诏州县每年都要按时礼待,仍然给予田地五百亩。此后,文彦博又说高怿高洁的品行可以砥砺风俗,又赐给府第一区。

起初,元昊已经攻陷金明寨,于是又攻击安远、塞门、永平等营寨。永平寨主、监押开始想收敛兵士隐藏深山以躲避贼兵攻击,指挥使史吉率所属部门几百人拦住城门,站立在马前说:“军队士兵可以保全了,可是城中的百姓粮草怎么办呢?有一天被有关部门弹劾,我史吉

是指挥使，不免于斩首，希望先把史吉我斩于马前！不这样，我不敢率这些士兵跟随同行。”寨主、监押既惭愧又惧怕，于是返回。敌兵来到，围住城池，史吉率领士兵抵御防守，终于保全了城池，寨主、监押因功各升迁一官。史吉说：“幸而没有丧失城寨，我难道还要论功封赏吗！”

丙午（二十一日），赦免延州、保安军流放以下的罪过，贼兵所劫掠的地方，免除夏季粮税，军士百姓及内属蕃部被贼兵杀害的，适当赐给他们的家庭一些缗钱。

这一天，改元，除去尊号“宝元”二字，允许中外臣民上封书议论朝廷政务的得失。自从范仲淹被贬，禁止中外官员超越自己的职务谈论朝廷的政务。知谏院富弼借谈日食的机会，说顺应天变的方法没有比通达下情更好的方法了，希望皇帝降下诏书寻求正直的言论，完全废除超越本职言政事的禁令，皇帝赞许地采纳了。

丁未（二十二日），下诏陕西安抚使韩琦与转运司根据民力，免除应科征的粮草，调百姓修筑城池，全部写清数目后奏闻朝廷，适当给予优待抚恤。将佐中有懦弱胆怯的都要全部免职。停止各州上供的不是急需之物几十万。当时庆州人陈淑度等奏陈防御边境的策略，不久，补缺任官到东南。韩琦上奏说：“志士忠义之心抑郁不平，为国献计，虽然稍微得到任用，却把他安置在偏僻的东南，这样，怎么能亲自上前线为国效力呢！”下诏都调到边境上任职。

癸丑（二十八日），贬降振武节度使、知延州范雍为吏部侍郎、知安州，因为是因他而失去刘平和石元孙的缘故。任命环庆副部署雄州赵振为鄜延副都部署兼知延州，任命秦凤路副部署刘兴为环庆副都部署兼知环州。

当时贼兵还包围着塞门、安远寨，延州各将畏惧回避，没有敢出兵相救。等到听说范雍受到处分的命令，大家非常忧惧害怕，诉说于安抚使韩琦，希望不要让范雍离去。韩琦上奏说：“范雍是二府的旧臣，对边境防守事务竭尽心力，乞求暂且留下范雍来安定大家的心。赵振粗犷勇猛，任为部属是可以的！如果认为范雍节制部属处置失当，势必要更换，则应当召知越州范仲淹来委任此职。”

三月，乙卯朔（初一），赠封万俟政的儿子万俟天益为太子右内率府副率，因为他在与西边贼兵作战时力战而死。

辽国皇帝进驻鱼儿泺。

丙辰（初二），从宫内发出手诏赐两府及执政旧臣，让他们条陈陕西进攻防守的策略。

元昊侵犯边境不停，言事者追述过去，责备郭劝、李谓不应当拒绝山遇；庚申（初六），命令再次降低他们的官职。

癸亥（初九），下诏：“陕西城池，委托都转运使张存与安抚使韩琦仔细审察，并且先治理边境上重要的地方，其余应逐渐兴筑，勿伤家时。”

下诏沿边各处分别增置烽候。以前，只是用人侦察报告，韩琦请求采用这种方法，皇帝就听从了他的建议。

辛未（十七日），下诏延州登记战死的军士的子孙。

辽国因应圣节在国内实行大赦。

壬申（十八日），任命宫苑使高志宁为河北诸州军安抚使兼两路营田使。元昊刚反叛的时候，高志宁当时知隰州，急忙上奏疏说：“请求乘贼兵还未发动，挑选骁将锐兵，分道快速前

进,颠覆他的巢穴。”奏章呈上十几次,没有答复,迁徙知贝州。到此时,皇帝想到他的话,于是召他到入朝,问:“如今应当采取哪种策略?”高志宁说:“如今将帅不知权变,士兵不识法制,所以失败。”于是请求给予禁兵五百,用古代的阵法教导他们。已经教成,皇帝亲临试验,又下达给禁军诸帅商议。诸将帅出身行伍,不懂古阵法,于是说与现在传习的不同,不肯采用。高志宁又说:“元昊北面与辽国沟通,应当有所防备。”所以有此任命,让他去经略。

癸酉(十九日),任命太子中允、知长水县尹洙权佥署泾原、秦凤经略安抚司判官事,这是依从泾原路副部署葛怀敏所征辟。葛怀敏是葛霸的儿子。

太子中允阮逸献上《钟律制议》并图三卷,下诏送到秘阁。

延州一仗,郭遵以西路都巡检使属于刘平的帐下,与贼兵相遇,他跃马冲入敌阵,杀伤数十个敌人。贼兵派出骁将杨言来抵挡郭遵,郭遵挥舞铁棒击破他的脑袋,两军都大声呼喊,郭遵又手持铁枪挺进敌阵,所向披靡。适逢黄德和领兵首先溃逃而去,贼兵战斗越加猛急,郭遵奋力击杀,认为必死无疑,军队稍向后撤,郭遵就拨转马头以殿后,又手持大稍左右冲突。贼兵知道他不可抵挡,派人拿着套马索站在高处套郭遵的马,套马索立即就被砍断;于是贼兵故意让他纵马深入,集中武器向他投射,击中战马,马腿弯曲,郭遵摔倒在地,被杀害。于是特别赠封郭遵为果州团练使。郭遵是开封人。

丙子(二十二日),大风刮得白昼如黑夜一样,过十几分钟才恢复。这天夜里,有黑气长几丈出现在东南。丁丑(二十三日),停止大宴,再次下诏让内外臣庶言治政的缺失。这是因为以前改元,下诏求正直之言,臣庶无一人上疏言事的缘故。

戊寅(二十四日),知枢密院事王鬷、陈执中、同知枢密院事张观一同被罢免;王鬷为知河南府,陈执中为知青州,张观为知相州。元昊叛乱,皇帝多次询问边防大计,不能够回答。到刘平、石元孙等失败,商议整肃乡兵,很长时间不能形成决议。皇帝不高兴,宰相张士逊说:“军旅方面的事情,枢密院必须担当责任。”于是三人同一天被罢职。

任命三司使晏殊、知河南府宋绶并知枢密院事,驸马都尉王贻永同知枢密院事。晏殊在三司时,请求废除内臣监军的惯例,不要把行军作战之图授予众将,以及招募弓箭手加以训练,以预备战斗。又请求拿出宫中多余的物品以资助边防所需用费,凡是其他机构掌管财物的,晏殊奏请全部免除,以便让度支掌领,这类事情大多得以施行。皇帝起初用手诏赐予住在外地的大臣,询问攻守的方略,宋绶在河南,筹划十策进献。于是又召入朝廷,与晏殊及王贻永同管枢密。王贻永是王溥的孙子。

召令知水兴军杜衍权知开封府。关中百姓苦于征调差遣,杜衍为此分别去处、计算筹划,使百姓依次输送,永兴比别的州百姓节省费用将近一半。到开封任职,对于民政尤其尽力,权贵近臣没有敢请托他办事的。

知越州范仲淹再次任天章阁待制、知永兴军,这是采用韩琦的建议。

下诏:“诸路转运使、提点刑狱及知州、通判升朝官,分别荐举各自范围内才能堪任将帅的,把名字奏上。”这是依从富弼的意见。

黄德和诬蔑刘平投降贼敌,引败兵的话为证据。不久刘平的亲随王信从延州来,胡乱说刘平与贼敌约和的事情,黄德和担心王信的话与前面证人的话不一致,于是暗中给予他银子金钗,让他逃走。然而鄜延已经派人拘拿王信,王信求助于刘平的儿子,并且说:“太尉与贼兵约和,如今却说他投降贼兵,我要以死为太尉辨明。”鄜延路的走马承受通过驿站用快马传递让朝廷知道。黄德和回到延州,到了城南,范雍不接纳他,派人代为统领他的部众,遣回鄜州听候命令,不久转徙同州。黄德和惧怕,便上奏说:“我尽忠于国,而范雍却诬蔑我丢弃军队。”又投书给卢守懃及薛文仲说:“如果有朝中贵人来,定当为我营救保护。”卢守懃得此书信,又上奏给朝廷。于是命殿中侍御史介休人文彦博、入内供奉官梁致诚就近在河中府设置机构处理此案,又遣天章阁待制庞籍飞驰前往审讯此案。

河东转运使王沿又说:“听说延州有金明寨败兵二人从贼兵中逃回,说刘平等都被贼兵绑缚而去,刘平在路上不吃饭,多次骂贼兵说:‘狗贼,我颈长三尺多,为何不快点杀我!”文彦博飞牒延州求这两位士兵,竟没有找到。

起始,朝廷相信黄德和的上奏,已经调发禁兵包围了刘平等人的家,将要收捕一族所有的人。天章阁侍讲贾昌朝说:“汉朝杀了李陵的母亲、妻子,李陵无法回来,而汉朝也后悔不已。先帝厚待王继忠家,终于得到他的效力。刘平的事情还未确知,而先收捕其族人,假使刘平果真还活着话,也不能够回来了。”于是没有收捕。龙图阁直学士任布,也说刘平不是投降贼兵的人。知谏院富弼具力保奏:“刘平率兵前赴援助,日夜兼程,因为奸臣不肯救援所以失败,竟然痛骂贼兵不吃饭而死,应当抚恤他的家属。”延州的官吏百姓又到宫廷上疏诉说刘平力战而殁的情状。皇帝命令撤去包围,赐给刘平及石元孙家绢五百匹,钱五百贯,布五百端。当时河中的案子还未判决。

延州的包围已经解除,钤辖卢守懃与通判计用章又互相诉讼于朝廷,也命文彦博等就在河中府审理。

当时内侍中当权的大都为卢守懃游说,已经改任卢守懃为陕西钤辖,知制诰叶清臣听到朝廷正商议减轻卢守懃的罪过而流放计用章于岭南的消息,于是上奏疏说:“我听到人们的议论,延州被包围时,卢守懃首先向范雍哭泣,打算派遣李康伯去见元昊,做苟且偷生的打算。计用章认为事情紧急,不如退却保守鄜州,李康伯于是有‘宁可死难不可出城见贼’的话。如今卢守懃担心自己急切之中说的话被人揭发,于是推翻前议,把过错转嫁给他人。不久,下诏文彦博审理,尚未分清是非曲直,而急于想定罪计用章、李康伯,特别赦免卢守懃,这一定有人结附内侍以迷惑陛下的视听。希望陛下下诏给文彦博公正审案,假如计用章的情况果然虚假,卢守懃的罪行果真可以澄清,那时,判计用章重罪,舆论也将认为是公允的。不能偏听一方之辞,以免有损于王道坦荡的大义。”知谏院富弼也说卢守懃、黄德和都是宦官,依势诬人,以图自免,应当穷追这个案子。枢密院上奏说如今正是用兵之时,此案不能深究。富弼又说大臣附下欺上,此案不可不穷治。当时卢守懃的儿子卢昭序正任职御药院,富弼上奏乞求罢免其职。

起初,延州百姓到朝廷告急,皇帝召见他们并询问有关情况,详细了解到众将败亡的情况。执政大臣讨厌他们,命边郡官员禁止百姓擅自到朝廷来。富弼说:“这不是陛下的意思,这是宰相不喜欢让皇上知道天下有诸种败绩罢了。百姓有疾苦,不能够上诉让朝廷得知,就会向北投奔契丹、向西投奔元昊了。”

己卯(二十五日),任命直史馆吴遵路为天章阁待制、河东路计置粮草。吴遵路曾经建议恢复民兵制度,于是下诏令吴遵路征集河东乡勇丁壮担任边防守备任务,同时还下达此法给

各路。

庚辰(二十六日),下诏令参知政事一同参议边防事务,这是依从晏殊的请求。

癸未(二十九日),下诏中书另外设置厅院与枢密院商议边防事务。于是设置厅堂于院南。

官吏百姓上书的非常多,起初,皇帝并未让人检视。知谏院富弼说:"知制诰本来是中书的属官,可以挑选二人,设置一局于中书,考察人们上书的内容,有可以采用的就采用。"宰相把此事交付给学士办理,富弼说:"这是宰相偷安,想把天下的是非全部托付给他人。"

这个月,下诏暂停贡举。

夏季,四月,丙戌(初二),减省陕西沿边境地带的堡垒栅栏。

丁亥(初三),任命太常博士梁适为右正言,在谏院供职。梁适开始为审刑详议官,梓州妖妄之人白彦欢依托鬼神用诅咒的话来杀害人,审案结果,以不伤人定罪。梁适说:"用刀杀人,或许可以抵挡,而诅咒不可以阻挡,这比用刀杀人还要严重。"最终以死刑定罪。曾与知院事燕肃一同上殿进奏使臣何次公一案。皇帝说:"次公好象是汉朝时候某人的表字。"梁适回答说:"盖宽饶、黄霸都字次公。"皇帝高兴,因而询问梁适的家世,擢升为提点京东刑狱。已经回答完了,皇帝对宰相说:"梁适可以留在朝中,等到谏官职位有空缺时,就任命他。"梁适于是进奉《居安谨治箴》,改封为开封府推官,不到半年,终于担任了谏官的职务。

任命知谏院富弼为盐铁判官。

命令大理寺丞、秘阁校理石延年前往河东路会同此路计置催促粮草。

明道年间,石延年曾建议说:"天下不知道争战打仗有三十多年了,请求挑选将帅训练士兵,作为西、北两处边防的准备。"没有答复。等到西部边境多次报警,才开始召见石延年,任命为吴遵路之副出使河东,其时正采用石延年的建议,征集乡勇丁壮为兵的缘故。石延年又说:"以前汉朝利用西域的兵马,击破荡涤诸戎。去年授予嘉勒斯赉节制,让他帮助朝廷讨伐元昊,应当征募愿意出使其国的人,保护调动他的军队,如果有功劳就用王爵加封他。另外,回鹘地处嘉勒斯赉以西,也可以顺便诱导,使呈倚角之势,然后同时出兵,从而分散贼军的势力。"戊子(初四),下诏审官、三班院、吏部流内铨选招募愿意出使嘉勒斯赉的人,把他的名字上报给朝廷,开始采用石延年的建议。

庚寅(初六),任命盐铁副使蒋堂为淮南、江、浙、荆湖制置发运使。先前,年底各地送上计簿的时候,建造大船几十艘,满载江湖间的各种物品,到达京城送给权门贵族。蒋堂说:"我怎么能做这样的事!每年的收入自可以通过驿站上奏给朝廷。"前后五年,未曾到京城一次。

癸巳(初九),下诏:"各戍守边防的军士,每日都要派内侍去他们家慰问,有病的供给医药,死了的,政府为他收敛安葬。"

甲午(初十),派遣使者征募陕西强壮的百姓当兵。

乙未(十一日),辽国太后又派遣使者前来祝贺乾元节。

庚子(十六日),重新修订《祖宗玉牒》的工作完成了。不久,修订玉牒的人说:"请求从今以后每年一贴修,十年一编录,仍然把那副本留在禁中。"上奏被批准。

乙巳(二十一日),任用阁门祗候孟方的三个儿子为官;因为孟方战死于延州,特别加以优恤。

文彦博等审查河中府的案子已经得到查实，庞籍说："黄德和临战退怯理当诛戮；刘平等力战而死，子孙应得到封赏和优恤。"韩琦也说："刘平用几千名疲惫之兵与敌贼十几万人作战，昼夜奋力战斗，被黄德和退怯所连累，已经被绑缚，还骂贼不停，忠诚勇敢不亚于古人。如今因诬言而被迷惑，怜惜忠贞、优恤遗孤的恩典还未下达，守边的臣吏岂不要因此而解散吗！"丙午（二十二日），腰斩黄德和于河中，仍然割其首级挂在延州城下；王信因为诬告他的主人，也被用棍杖打死。丁未（二十三日），赠封刘平为忠武军节度使兼侍中，赠封石元孙为忠正军节度使兼太傅，还赠给刘平信陵的宅第，录用他的子弟。

戊申（二十四日），延州金明县都监张异、庆州东路都巡检使万俟政、延州都监孟方、鄜延路指挥使高守忠、张达，因战死一并赠封官职。

支出左藏、内藏库缗钱各十万，交给陕西供给军需。

辛亥（二十七日），贬降鄜延钤辖卢守懃为湖北都监，安抚都监李康伯为均州都监，通判延州计用章被免除官职，发配雷州。然而议论者认为卢守懃的处罚还有点轻。

征发陕西接近内地的诸州服役的士兵修筑延州金明、栲栳寨。当初商定修复时，统军将帅并没有马上率兵前往，转运使明镐只有百余人，自己率领前往，分督将士，一个月就建好了营寨。

任命邈川首领嘉勒斯赉的儿子栋戬为会州刺史。栋戬刚九岁，他的父亲为他请封此职，随同母亲乔氏住在历精城，所领部队约六七万人，号令严明，人们畏惧而服从他。

壬子（二十八日），挑拣诸路牢城之囚犯及强盗、恶贼充配到军队，年龄不满四十并壮健者隶属于禁军。

范仲淹未到永兴，癸丑（二十九日），改封为陕西都转运使，任命刑部员外郎高若讷知永兴军。谏官梁适说："范仲淹以前被贬降到饶州，高若讷为谏官，曾经诋毁说范仲淹谋事不周密；如今让他们在一起共事，按理说实在会产生嫌隙，应当用近臣更换他。"皇帝说："我正要把边疆的大事托付给范仲淹、高若讷，怎么能因过去的事情而产生矛盾呢！"不久，留高若讷判吏部流内铨。

五月，甲寅朔（初一），下诏："前殿奏事不要超过五班，其余应对在后殿，命太官赐给饭食。"

乙卯（初二），赠封金明都监李士彬为宿州观察使，仍然用他的堂兄李士绍为金明城都监。又赠封他的儿子李怀宝为右千牛卫将军，录用他的儿子李怀义、李怀矩同为左侍禁。

丁巳（初四），复任太常博士、知楚州孙沔为监察御史。孙沔因言事不谨被贬黜，过了六年重被召用；不久，升迁为右正言。

先前，下诏御辇院挑拣部下辇官年龄在四十以下的加入禁军，辇官一千多人，携妻挈子拦住宰相、枢密使喧闹申诉。平章事张士逊正上朝，因马惊而堕落地上。己未（初六），御史中丞真州柳植等上奏这件事，请求交付有关部门治罪，下诏枢密院审问后上报朝廷。当时战事正紧，各种机要事务成堆，张士逊位居首相之职却无所作为，谏官将此情况上奏皇帝。张士逊不自安，七次上书请求告老，又多次向皇帝当面陈述。壬戌（初九），又拜为太傅，晋封为邓国公，退休，允许在朔望之日大朝会时列在中书门下班中，每月给予宰相俸禄的三分之一。

张士逊乞求免除在朔望之日朝拜，皇帝听从了他的请求。宰相得以退休是从张士逊开始的。

任命镇安节度使、同平章事、判天雄军吕夷简行右仆射兼门下侍郎、平章事、昭文馆大学士，任命资政殿大学士、户部尚书李迪为彰信节度使，知天雄军。自从元昊反叛，因军事训练早已松弛，守边将领有的冒用其他名称以便躲避军事任命。李迪愿意去守卫边防，皇帝下诏不允许，然而非常欣赏他的志向，吕夷简从天雄再次入朝为相，于是就派李迪代替他。

甲子（十一日），元昊攻陷塞门寨，俘虏寨主、内殿承制高延德，监押、左侍禁王继元战死。

壬申（十九日），下诏："诸路转运司考察部下各州军中有年老昏昧、贪婪污浊，违反纪律以及不能处理正常事务的，全部上奏朝廷。"

癸酉（二十日），下诏令夏守赟、王守忠进驻鄜州。当时部队驻扎在河中已过三个月了。

甲戌（二十一日），陕西都转运使范仲淹说："听说边境各城大多请求分五路讨伐元昊，我认为不可以轻易举兵讨伐。太宗时，用宿将精兵北伐西讨，历经多少艰难岁月，始终没有收复故地。更何况如今天下太平的日子已很长，中原没有宿将精兵，一旦实施深入敌境的谋划，去擒捉难以制服的敌寇，我认为国家的安危是不能够预料的。"

乙亥（二十二日），元昊攻陷安远寨。

戊寅（二十五日），罢免陕西都部署夏守赟、都钤辖王守忠的职务，一同前往朝廷。夏守赟生性庸懦怯弱，缺少计谋，不为士卒所亲附，从河中转屯鄜州，还未来得及行动，就被罢职归京。调泾原、秦凤路缘边经略安抚使夏竦为陕西都部署兼经略安抚使、缘边招讨使，知永兴军。

己卯（二十六日），任命起居舍人、知制诰韩琦为枢密直学士，任命陕西都转运使、天章阁待制范仲淹为龙图阁直学士，并为陕西经略安抚副使，同管句都部署司事。起初，范仲淹与吕夷简有矛盾，等到商议加封官职，吕夷简请求越级提拔范仲淹，皇帝认为吕夷简是宽厚长者。不久范仲淹入朝，皇帝把此事告诉他，让他释去以前怨嫌，范仲淹叩首说："我以前所议论的是国家大事，与吕夷简有什么怨嫌呢！"

任命知同州庞籍为陕西都转运使。庞籍曾经上疏说："连年出现灾异，天很长时间不下雨，我私下对人说凡是车马所使用的，宫中所花费的，都应当以先朝为标准。如今，军队久暴西部边境，奋力战斗或者身受重伤，才能获得功劳赏赐，然而内官、医官、药官，没有战功却常常享有丰厚的赏赐，所以天下瞩目，称为三官。希望稍微裁减，专门奖励战功，那么，敌寇不难平定了。"

任命国子监直讲林瑀、王洙同为天章阁侍讲。

景祐末年，多次发生灾异，皇帝深深自责贬损。林瑀说灾异都有一定的规律，不值得忧虑。又依照《周易》推演五行阴阳的变化，作书上奏皇帝。皇帝喜悦，想升迁他的官职。参知政事程琳认为不可以，只赐给他绘有图文作为等级标志的礼服。皇帝每次阅读林瑀的书，有不理解的，就让御药院向林瑀请问。林瑀通过御药院进献谄媚阿谀的话，把阴阳五行踩在上面，皇帝非常喜好。此时，天章阁侍讲的职位有空缺，端明殿学士李淑等推荐王洙，具体事务在中书，尚未办理，突然皇帝从宫内做出批示录用林瑀，执政大臣都恼怒林瑀。吕夷简想打探一下皇帝的态度是否坚决，就说："林瑀是皇上批示录用的；王洙是大臣们推荐的。不能够同时任命，他二人听由陛下做出选择。"于是把王洙、林瑀的名字进奉给皇帝。皇帝问王洙怎

么样，吕夷简说王洙博学多才通晓五经，皇帝说说："我已经录用了林瑀，那怎么办呢？"吕夷简请求同时录用二人，皇帝答应了。不久，右正言梁适弹劾林瑀是因宫内降旨得以任职的，请求惩治他的罪过。皇帝命令把梁适弹劾表拿给林瑀看，终于没有给林瑀定罪。壬午（二十九日），斩辇官曹荣、陈吉于都市，从犯都被发配到边远、恶劣的州军牢城，挑拣辇官加入禁军的要求和开始的诏令一样。

六月，权佥署泾原、秦凰经略安抚判官尹洙多次上疏讨论军事，其中一条是请求把卖爵所得供给士兵以修整营房，以及作为士兵所需物品的费用。交给三司使郑戬等商议，然后上奏朝廷，郑戬等说："卖官的做法，已经是出于权宜之计，然而实行已很久了。如今要改得更加烦细，聚敛民财，这样的消息传到塞外，将会使西边的羌戎产生轻视中国之心。"尹洙的建议于是被搁置起来了。

丙戌（初三），下诏："从今以后，假日里在崇政殿处理政事，如同在前殿一样。"

丁亥（初四），任命宣徽南院使夏守赟同知枢密院事。侍御史赵及、右正言梁适，都说夏守赟经略西部战事毫无功绩，不能让他还留在枢府，过了七十天才被罢免。

甲午（十一日），任命鄜延副都部署开封人任福为环庆副都部署知庆州。任福上疏说："庆州距离蕃族不远，愿率大军前往边境，巡视亭障堡垒，小心地侦察敌情，按照考察过的山川道路作为缓急攻守的准备。"皇帝认为很好，准许他相机行事。

乙未（十二日），南京报告鸿庆宫神御殿发生火灾。侍御史方偕援引汉朝废弃原庙的旧例，请求不要再修复。下诏："停止修复神御殿，就在旧地基上修建斋殿，每次祭祀时就设置三圣位而祭，把旧像埋在宫旁。"

甲辰（二十一日），下诏："陕西、河北、河东、京东、京西等路，按照州县的人口多少，征集百姓为乡弓手、强壮以防备盗贼。"河北、河东的强壮，从咸平以来就有，太平时间很长，州县不再检阅演习，很多人离队了。于是下诏给这二路要挑选补充强壮以增加人数，其他各路也如此。

辛亥（二十八日），恢复任命权武成军节度判官欧阳修为馆阁校勘。起初，范仲淹为陕西经略安抚招讨，征辟欧阳修为掌书记，欧阳修以双亲年迈为推辞，并且说："如今天下豪杰，往往已被朝廷收用了，还应考虑山林草莽中有挺拔特立深知大义的慷慨之士，未能出于门下，应当在此方面稍加留意！"

当时西部边境每日都有告警之事传来，二府、三司即使是假日里也不停止处理政务。翰林学士丁度说："苻坚用百万大军入寇东晋，谢安命令驾车出游以安定人心。请求和以前一样，在假日停止处理政务，不要让别国人窥探到朝廷的深浅。"壬子（二十九日），下诏："从今以后，遇到每旬的假日，准许停止处理政务像原来一样。"皇帝曾经派使臣向丁度询问抵御羌戎的策略，丁度上奏说："如今士气低落，如果再穷追敌人的巢穴，千里运粮，轻视士兵的性命以获得一时的快意，不能说这样的谋略是成功的。不如严密防守亭障，派出远探，控制住险要之地，这才是制服敌寇的万全之策。"于是分条目写好策略，然后上奏朝廷，名字叫《备边要览》。

这个月，辽国射柳乞求下雨。

秋季，七月，癸亥（初十），鄜延钤辖张亢上奏疏说："以前的制度，各路部署、钤辖、都监，

分别不超过二三人。如今每路多的达十四五个人,少的也不少于十人,权势均平,互不统属,凡有议论,各执一词,不能统一。请求按照旧例,另创使名,每路的军马事务只用二三人统领。"

又说:"以前,延州战败,是由于诸将自守,不相互救援。请求命令边境城寨预先商定好法则,凡是贼兵入侵,某处为声援,某城寨相近的派出敢死之士,某处设置都、同巡检,则各自控扼住要害之地。又让邻近的某路将领攻取某处以作救应,仍然要暗中以旗帜为号。以前,刘平救援延州,前锋军马有四指挥陷落于敌寨中,刘平竟然不知道。另外,赵瑜率领兵马从小道先出发,而赵振与王逵等前往寨门,到了高头,刘平说贼兵张着青色旗帜,一定驻扎在山的东侧,于是赵振挥兵掩袭,竟然是他的儿子赵瑜。我在山外策应,未曾用本指挥的旗号,自用五行干支别做引旗。比如甲子日,本部军马相遇,则先者张青色旗帜,后者就用红色旗帜相应和,这是干相生。干相克,支相生,支干相生相克也是如此。兵马出入,百步以外就不能相认,如果不预先定好旗号,就一定会耽误军期。"

又说:"统兵之官务必要通晓军事。刘平的失败,正是由于贪图立功贸然轻进造成的。镇戎军距贼境最近,每次探马报警,不问贼兵多少,部署、钤辖、知军、都监一起出动,等到到了边壕,贼军已经离去了。原来是权均势等,不肯相让,如果自己不出兵,则恐怕落得怯懦的罪名。另外,近来,诸班诸军有授予诸司使、副至于侍禁、殿直的,也有从平民身份通过武艺考试而任官职的;然而诸路弓箭手,生长在边陲,父祖为国效命,累世驱赶贼寇、捍卫国家,竟然没有被拔擢提升,如此,用什么来激励劝导边境百姓为国效命呢!"

起初,张亢请求乘驿马入朝应对,下诏让他写成奏疏然后奏报朝廷,后来,大都被采用。

乙丑(十二日),派遣同修起居注祥符人郭稹等出使辽国,把在西边用兵的情况告诉辽国。议论都认为元昊暗中勾结辽国人,恐怕更加为患于边境,所以特意派遣郭稹等人出使辽国晓谕此意。辽国皇帝待他们礼遇甚厚,与他们一同出外观猎,延请郭稹射箭,郭稹一箭射中奔跑的兔子,大家都愕然相视。辽国主赠以所骑乘的骏马以及很丰厚的其他物品。

己巳(十六日),贬降鄜延副都部署赵振为白州团练使,知绛州。

元昊从正月开始围攻塞门寨,赵振代替范雍镇守延州,有兵七千八百多人,按兵不动。塞门寨中只有近千人,多次向赵振告急。五月初,赵振才开始派一百多人赶赴那里,营寨于是被攻陷。都转运使庞籍弹劾赵振畏惧怯懦。所以他因此事而被贬。

庚午(十七日),亲临延和殿,检阅诸军演练战阵。

丁丑(二十四日),辽国皇帝到秋山游猎。

八月,乙酉(初三),任命太常丞田况为陕西经略安抚司判官,试校书郎胡瑗为经略安抚司勾当公事。田况是夏竦征辟的,胡瑗是范仲淹所征辟的。

乙未(十三日),任命史馆修撰富弼为辽主正旦使。

戊戌(十六日),罢黜天下寺观用金箔缘饰佛像。

癸卯(二十一日),派遣屯田员外郎刘涣出使邈川,告谕嘉勒斯赉出兵协助讨伐西方羌贼。嘉勒斯赉召集酋长豪强大加犒赏,相约尽力协助讨贼,不辜负朝廷,然而终于不能有何功劳。

戊申(二十六日),同知枢密院事夏守赟被贬为天平节度使、判澶州。夏守赟因儿子夏随去世，称病请求罢职，朝廷依从了他的请求。任命龙图阁学士、权知开封府杜衍为同知枢密院事。

己酉(二十七日)，调知广州段少连为龙图阁学士，知泾州。

广州有很多蜑，猺人，夹杂着四方游民，喜欢乘乱为寇盗。上元节燃花灯，有人报告说蕃市发生火灾，段少连正在宴客，让优人演戏，男女聚集围观的数以万计，他的僚属请求停止作宴演戏，段少连说："救火不是有专门官员吗？"饮酒作乐如故。不久，大火被扑灭，百姓没有丧失一根簪子的，人们都叹服他的持重。范仲淹经略西部边防，推荐说段少连的才能堪任将帅，所以有这一任命。任命诏书未到而段少连已去世。

庚戌(二十八日)，任命范仲淹兼知延州，调知延州张存知泽州。起初，张存从陕西都转运使调到延州任职，拖延没有马上行动，已经到达延州，竟说自己一向不懂军事，并且以双亲年将八十为辞请求内调。范仲淹因此自己请求代替张存，依从了他的请求。以前，下诏把边防军队分给各将领统带，部署统领一万人，钤辖统领五千人，都监统领三千人，有敌寇入侵，官小的首先出兵。范仲淹说："不根据敌贼的多少而出城迎战，并以官职大小为先后，这是自取失败的方法。"于是把州兵分给六个将领，每将统带三千人，分部训练，根据贼兵的多少，使他们交换着出城迎敌，贼兵不敢来犯，不久，各路都纷纷效法。西夏人互相告诫说："不要打延州的主意，如今小范老子腹中自有数万兵将，不比大范老子可以欺侮呀！"大范是指范雍。

辛亥(二十九日)，下诏范仲淹、葛怀敏领兵驱逐塞门等寨的敌人骑兵，把他们赶出边境，仍然招募以前的弓箭手，给予一定地方让他们居住。

壬子(三十日)，任命益州草泽人伊缜为试校书郎。伊缜多次上疏议论国事，丁度、杨偕荐举他的才干给朝廷，朝廷将他召入朝中在学士院考试后加以任命。

延州都监灵武人周美对范仲淹说："贼兵最近得志，按势必然再来。金明地处边境要冲，是我们的屏障，如今不马上修缮加固，将来就会失去。"范仲淹因此嘱咐周美修复城寨如故。几日后，贼兵数万逼近金明寨，列阵于延州城北，周美领兵三千奋力作战。到天黑时，救援部队还未到来，于是把军队转移到山北，多处设置疑兵；贼兵望见，以为救兵来了，于是引军离去。当时诸将作战大多不利，周美经十多次战斗，踏平敌人旌帐二百，火焚其旌帐二十，恢复原城堡很多。

参知政事李若谷，因耳病多次上表章请求辞去职官，九月，戊午(初六)，罢去原职改封为资政殿大学士、吏部侍郎、提举会灵观事。宫观设置提举从李若谷开始。

任命知枢密院事朱绶为兵部尚书，起复翰林学士晁宗悫为右谏议大夫，同为参知政事。

任命龙图阁直学士、权三司使郑戬为谏议大夫，同知枢密院事。郑戬在三司刚半年，恢复转运使的考核制度，分别优劣等级；又校核三司的收入和支出，得到余钱四百万缗。

己未(初七)，任命知制诰叶清臣为龙图阁直学士，权三司使事。中书进奉拟定的三司使名单，叶清臣没有被选入，皇帝特为任用他。叶清臣开始上奏请编撰前后诏书敕文，使官吏不能欺骗，簿帐中的冗杂无用的部分，全部删去。内东门御厨，都用内侍兼领，凡是有所呼唤索取，有关机构不敢打听，于是叶清臣为此订立合同以检查他们所呼唤索取的是否得当。

任命都官员外郎晋州人景泰为左藏库使、知宁州。景泰曾通判庆州，说："元昊包藏祸心，假如有危急情况，用什么来应付敌人！"上疏三次没有得到回音。不久，元昊果然反叛朝

廷，景泰又献上《边臣要略》二十卷，《平戎策》十五篇，于是有人推荐景泰懂得军事，召入朝中应对，符合圣意，于是改换为武职。

辛酉（初九），贬降知杭州、天章阁待制司马池知虢州。司马池性格朴素平易，处理繁杂事务不是他所擅长的，转运使江钧、张从革弹劾司马池处理事情不当以及拖延下达皇帝的圣旨，因此被贬降。起始，转运使既已弹劾司马池，恰逢有小吏因偷窃官府银器被捕入州狱，自己陈述是为江钧掌管私厨，超出所应花费的一半以上；另外，越州通判装载私物偷税，竟然是张从革的姻亲派人私下请托的。有人对司马池说可以检举弹劾他们以报仇，司马池说："我不愿这样做。"人们称他为忠厚长者。

癸亥（十一日），知绛州赵振被贬降到潭州安置，因为观望逗留，以至于使塞门失陷。

下诏："从今以后，都部署司及诸路部署司，所有寨栅有申报贼寇侵入的，不论敌人多少或距离远近，都必须计算时间以救应。"

乙丑（十三日），下诏："河北、河东路强壮，陕西、京东、西路新置弓手，都以二十五人为一团，设置押官；四团为一都，设置正副都头各一人；五都为一指挥，设置指挥使；各以等级任职，二十岁编入军籍，六十岁免除，用家人或其他户中人代替，允许私置弓弩。每年十月后、正月前，轮番到州上训练，半月后即可回家务农。有时遇到非常之时集结守城及搜捕盗贼，每天给予粮食二升。把花名册上报兵部，督察检举不遵法纪的人。"

丙寅（十四日），西夏人入侵三川寨，镇戎军西路都巡检杨保吉战死。第二天，泾原路都监刘继宗、李纬、王秉等分别统兵出城迎战，都失利。泾州驻泊都监开封人王珪率三千骑兵来救援，从瓦亭寨到师子堡，贼兵层层包围，王珪奋勇杀敌，贼兵纷纷倒下，杀贼将二人，斩获敌兵首级很多。贼兵于是留下一批人放纵抢掠，共三天，官军战死的有五千多人。

戊辰（十六日），任命知枢密院事晏殊为检校太傅、充枢密使，同知枢密院事王贻永、刑部侍郎杜衍、右谏议大夫郑戬同为枢密副使。

庚午（十八日），任命佥署定国节度判官事种世衡为内殿承制、知青涧城。种世衡在青涧，开辟营田二千顷，招募商人，借贷给本钱，使通过贸易而得到好处，青涧城于是富实起来。间或到部族中去，慰劳酋长，有时解下自己所佩戴的东西赠予酋长。曾经与客人饮酒，有获得羌人事情来告诉的，立即把酒杯赠给他，于是内属羌人都乐为之用。无定河番部掠夺边境，率领属羌讨伐，前后斩敌首几百个。

壬申（二十日），环应副都部署任福等攻打西夏白豹城，攻下了。大军撤回时，敌贼派遣一百名骑兵从后面偷袭，守神林北路都巡检开封人范全设埋伏于崖壁险隘，贼军渡过一半，范全挥兵掩杀，斩敌四百人，生俘七十多人。

壬午（三十日），陕西经略安抚副使韩琦把三川寨诸将失败的情况上奏朝廷，并且说："刘继宗、李纬等仓促出战，于是导致失败，希望特别加恩免于审讯，只需根据他们罪过的大小，削官降职，或者再降职另外差遣，责成他们以后为国家效力。王珪以孤军血战，身受重创，还请求加兵出城战斗，虽然丢失很多人马，希望宽恕他的罪过。"皇帝依从了。

冬季、十月，癸未朔（初一），辽国皇帝进驻中会川。

封御侍清河郡君张氏为才人。张氏是河南人。父亲叫张尧封，进士，补为石州推官，未及成行，逝世于京师。张尧封的母亲，是钱氏的女儿。张氏当时八岁，与姊妹三人经由钱氏得以入宫，渐渐长大，得到皇帝的宠幸。性情乖巧聪慧，能揣摩皇帝的心意。皇帝因为他是良家女子，待遇和其他妃嫔不同。

戊子（初六），下诏："从今以后，宫内颁布的命令与臣僚们的升官及差遣，都令中书、枢密院逐条上奏朝廷。"皇帝宽厚仁慈，皇亲国戚近臣有请求从宫内颁旨的，有时不能违背的缘故。

甲午（十二日），赐给泾原驻泊都监王珪名马二匹，黄金三十两，裹创绢一百匹。又下诏大肆宣扬他的功绩以激励诸将，刻金字处置牌赐给他，使他拥有先斩后奏的权力。

乙未（十三日），端明殿学士李淑等献上所制定的铜符、木契、传言牌，交给有关部门制作。

丙申（十四日），任命环庆部署兼知庆州任福为龙神卫四厢都指挥使，这是奖赏白豹城的战功。不久任命兼鄜延路副都部署。

庚子（十八日），支出内藏绢一百万，交给三司补充边防费用。

起初，鸿庆宫发生火灾，集贤校理晋陵人胡宿请求修火祀，用阏伯配祭大火。礼官商议依托王业兴起的地方，在商丘旧地，造作坛兆，笾豆、牲币与中祠相当，每年在三月、九月选择吉日由留司长吏奉祀，诏令同意。

十一月，丙辰（初五），把御撰《风角集占》赐给陕西诸路部署司。

赠封延州塞门寨主高延德、权兵马监押王继元的官职，并录用他们的儿子。原来的延州西路同巡检张圭三子也都被授予官职。

甲子（十三日），女真侵袭辽国边界，辽国发动黄龙府铁骊军抵御。

丙寅（十五日），调知河中府、枢密直学士长沙人狄棐知郑州。有中贵人经过河中，声言将在皇上面前推荐狄棐。狄棐用别的话来回答，回来后，对亲近的人说："我是湘潭一介贫寒之士，如今官居侍从，怎么可以暮年而自找污辱呢！"

丁卯（十六日），任命鄜延部署司指使狄青为泾州都监。狄青每次临敌，披头散发，面戴铜面具，往来贼中，敌贼纷纷倒下，无人敢挡。尹洙为经略判官，与狄青谈论军事，认为很好，推荐给副使韩琦、范仲淹说："这确是良将之才。"二人一见狄青就认为他很奇异，待遇很丰厚。范仲淹把《左氏春秋》授予他说："大将不通晓古今之事，是匹夫之勇罢了。"狄青虚心读书，全部通晓秦、汉以来将帅兵术，因此更加为人所知。

乙亥（二十四日），赠封镇戎军西路都巡检使杨保吉为深州防御使。

丙子（二十五日），任命河东都转运使杨偕为枢密直学士，知并州。有一位中官干预军事，一向蛮横，以前的统帅优待礼遇他，杨偕到来，一概以法则为准绳，军政肃然。

这个月，浙东军士鄂邻等杀掉巡检使张怀信，召集兵众剽掠抢劫湖南、福建、广南诸州县，逃入大海。张怀信是宦官，性情苛刻暴虐，鄂邻等郁积有很深的怨怼，于是作乱。

十二月，癸未（初二），支出内藏库绢一百万帮助购买粮草作为军用储备。

丙戌（初五），下诏司农寺用常平钱一百万缗帮助三司供给军事费用。以景祐末年开始，不准动用常平钱，至此，因兵粮不足，才开始颁下此诏。

辛卯（初十），辽国用所获得的女真人安置肃州。

辽国下诏："各犯法的人不准为官吏，各职官不是婚娶祭祀等原因不准醉酒而耽误政事，

有治理百姓、安定边防策略的人,全部上奏。”

甲午(十三日),建立神御库在宗正寺西,收藏祖宗时神御法物在里面,这是依从直秘阁赵希言、判太常寺宋祁的请求。

乙未(十四日),调知随州王德用知曹州。王德用路过许州,梅询对王德用说:“孔道辅是陷害你的人,如今死了。”王德用说:“孔道辅那样说正是其职责所要求,哪里是陷害我王德用的呢?朝廷失去一位忠臣,可惜啊!”

晁宗悫等人到永兴议论边防事务,夏竦等合奏:“如今士兵与将领尚未训练,只应当持重自保,等到对方来侵袭时,就乘便挥军掩杀,大军不可轻举妄动。”等到刘承宗等败北,皇帝又用手诏询问出师日期,夏竦等于是谋划了攻守二个策略,派副使韩琦、判官尹洙乘驿马飞驰到京师,请求皇帝裁决。己亥(十八日),召入崇政殿应对。先前有诏令,韩琦升迁为礼部郎中,尹洙加封为集贤校理。韩琦说:“我因大事,不等召见就奔赴朝中;如果侥幸进升爵秩,将会被清正的舆论所不容。”辞谢没有接受。

癸卯(二十二日),兵部尚书、参知政事宋绶逝世。皇帝亲临祭奠,停止视朝二天,赠封为司徒兼侍中,谥号宣献。

乙巳(二十四日),下诏鄜延、泾原两路,择取正月上旬同时进兵讨伐西部羌贼。皇帝与两府大臣共同商议,才开始采用韩琦等所谋划的进攻策略。枢密副使杜衍独自认为并非万全之计,争论很长时间,皇帝没有被说服。大臣中有人想用打击士气的罪名加给杜衍,杜衍于是请求辞职,也没有得到皇帝批准。起始,晁宗悫在军中打听攻守的策略,人们都想大举进攻,经略判官田京说:“带领没有训练过的军队,去触犯锋锐勇猛之敌,争夺一时的胜利,这是兵家的忌讳,师出必败。”有时,又有人议论讲和的,田京又说:“贼兵未曾受挫,怎么肯讲和!”

丁未(二十六日),下诏开封府、京东、京西、河东路征集驴五万头以准备向西讨伐元昊。

戊申(二十七日),任命通判河中府皮仲容知商州兼提点采铜铸铁钱事。皮仲容曾经建议铸造大钱,以一当十,已经交给两制及三司商议此事,认为可以暂且实行以帮助解决边防费用,所以有此命令。

起初,韩琦安抚陕西,曾说陕西产铁很多,可以兼用来铸钱。于是叶清臣听从皮仲容的建议,铸造大钱。翰林学士承旨丁度说:“禁军戍守边防,每月俸钱一百,用大钱才十枚,不能零用。旧钱不出,新钱就越贱,那么,粮草的价钱就会上涨。又有湖泊山峰绝险的地方,凶狠之辈聚集在一起,开炉冶炼一天天盛行,平时就铸钱,急乱时就为强盗,民间的铜铝都被冶铸大钱,用什么方法来禁止呢?”

这一年,仍然下诏商人交纳粮草到陕西和边境一带,愿意接受东南所产盐的,增加数量给予他。